Richard Cloutier
Pierre Gosselin
Pierre Tap

# Psychologie de l'enfant

## 2e édition

gaëtan morin
éditeur
CHENELIÈRE ÉDUCATION

**Psychologie de l'enfant, 2e édition**

Richard Cloutier, Pierre Gosselin et Pierre Tap

© gaëtan morin éditeur ltée, 1990, 2005

*Éditeur :* Luc Tousignant
*Coordination :* Lucie Turcotte
*Révision linguistique :* Yvan Dupuis et Jean-Pierre Regnault
*Correction d'épreuves :* Caroline Bouffard
*Conception graphique et infographie :* Interscript
*Recherche iconographique :* Patrick St-Hilaire

**Catalogage avant publication
de Bibliothèque et Archives Canada**

Cloutier, Richard, 1946-

  Psychologie de l'enfant

  2e éd.

  Comprend des réf. bibliogr. et des index.

  ISBN 2-89105-916-6

  1. Enfants – Psychologie.  2. Enfants – Développement.  3. Identité chez l'enfant.  4. Cognition chez l'enfant.  5. Enfants – Psychologie – Problèmes et exercices.  I. Gosselin, Pierre, 1956-  .  II. Tap, Pierre.  III. Titre.

  BF721.C459 2004        155.4        C2004-941406-2

**gaëtan morin
éditeur**

CHENELIÈRE ÉDUCATION

7001, boul. Saint-Laurent
Montréal (Québec)
Canada H2S 3E3
Téléphone : (514) 273-1066
Télécopieur : (514) 276-0324
info@cheneliere-education.ca

**ISBN 2-89105-916-6**

Dépôt légal : 1er trimestre 2005
Bibliothèque nationale du Québec
Bibliothèque nationale du Canada

Imprimé au Canada

3  4  5  6  7  ITG  14  13  12  11  10

Nous reconnaissons l'aide financière du gouvernement du Canada par l'entremise du Programme d'aide au développement de l'industrie de l'édition (PADIÉ) pour nos activités d'édition.

Gouvernement du Québec – Programme de crédit d'impôt pour l'édition de livres – Gestion SODEC

Tableau de la couverture :
*Courage*
Œuvre de **Marie-Ève Cournoyer**

Marie-Ève Cournoyer a toujours fait de la peinture. Depuis plusieurs années, elle parcourt le Québec de symposium en symposium. Au cours de ces événements, elle a remporté plusieurs prix accordés à la relève artistique, notamment le troisième prix au symposium de Frelighsburg en 2000 et le deuxième prix à Saint-Basile en 2002.

En 2004, elle termine un baccalauréat en arts visuels à l'Université du Québec à Montréal. Elle a également suivi des ateliers de perfectionnement. Sa jeunesse et sa passion sont les gages d'une production artistique prometteuse.

On trouve les tableaux de Marie-Ève Cournoyer à la galerie ARTIS à Boucherville.

*Nous dédions ce livre à l'enfant
qui est souvent notre meilleur maître et qui reste
présent en chacun de nous.*

**Remerciements**

Dans la préparation de ce livre, nous avons bénéficié de contributions précieuses.
Nous tenons à remercier Madame Émilie Dionne pour son travail fouillé de recherche
documentaire. Nous remercions également Madame Lucie Turcotte de Chenelière Éducation,
qui a apporté une grande attention à la vérification des manuscrits et à la production de l'ouvrage,
ainsi que Monsieur Luc Tousignant qui a veillé à l'avancement de ce projet étalé sur plus
de deux ans.

## Avant-propos

Cette deuxième édition de *Psychologie de l'enfant* envisage le vaste domaine de la psychologie de l'enfant dans une nouvelle perspective. Le livre constitue une introduction de niveau universitaire à ce champ d'études. Presque tout le contenu de la première édition a été mis à jour ou renouvelé afin de tenir compte de l'évolution rapide des connaissances, mais les contributions qui continuent d'être des références encore aujourd'hui ont été conservées.

Cela dit, nous ne prétendons pas avoir examiné tous les aspects de la psychologie de l'enfant, et un grand nombre d'éléments abordés dans cet ouvrage mériteraient d'être approfondis davantage. L'abondante bibliographie dont il est assorti peut être utile pour les lecteurs qui souhaitent pousser plus loin leur recherche dans des domaines particuliers. Nous avons cherché à resserrer le texte, mais le livre demeure relativement volumineux en raison de l'étendue de la matière à couvrir. Une large place a tout de même été attribuée aux questions d'autoévaluation afin de faciliter l'utilisation de l'ouvrage dans le contexte scolaire. Évidemment, on peut très bien ne pas tenir compte de ces questions.

## Chapitre 5
## Les stades du développement cognitif . . . . . . . . . . . . . . . . 151
Richard Cloutier et Pierre Gosselin

## Chapitre 15
## Langage et culture . . . . . . . . . . . . . . . . . . . . . . . . . . . . . 425
*Richard Cloutier*

# 1

# Théories du développement de l'enfant

Richard Cloutier

## 1.1    INTRODUCTION

L'enfance est la période de la vie qui va de la naissance à l'adolescence. Dans le cadre du présent ouvrage, la période prénatale est incluse dans notre champ d'études. Ici, l'enfance englobe quatre périodes distinctes :

1) la période prénatale, qui s'étend de la conception à la naissance ;

2) la petite enfance, qui va de la naissance jusqu'à 2 ans ;

3) la période préscolaire, qui va de 3 à 6 ans ;

4) l'âge scolaire, qui s'étend de 7 à 11 ans jusqu'à l'âge de l'adolescence.

Les frontières entre ces périodes peuvent varier selon les cultures, les auteurs ou les ouvrages considérés, mais la division que nous établissons est communément admise. La quantité de connaissances amassées dans le domaine de la psychologie de l'enfant est impressionnante, non seulement elles s'accroissent rapidement, mais également la grande variété des disciplines, des méthodes et des modèles théoriques entraîne une multiplication du nombre de points de vue possibles. On peut tout de même distinguer trois grands domaines d'intérêt : le développement physique, le développement cognitif, et le développement émotionnel et social de l'enfant (Berk, 2003).

## 1.2    QU'EST-CE QU'UNE THÉORIE DU DÉVELOPPEMENT DE L'ENFANT ?

Une théorie du développement de l'enfant est une explication du changement qui survient chez l'humain au cours de l'enfance. Cette explication peut valoir pour une partie plus ou moins grande de l'activité psychologique, et les facteurs « changement » et « temps » interviennent nécessairement puisque la notion même de développement les suppose.

La représentation que nous avons de l'enfant trouve ses racines dans l'expérience vécue comme enfant ou auprès de l'enfant. Elle peut toutefois se détacher d'un enfant particulier et englober l'ensemble des enfants. Notre représentation de l'enfant en général dépend des observations que nous faisons des enfants de notre entourage, observations qui reflètent nos valeurs et nos préjugés. Cette représentation de l'enfant en général correspond à notre conception personnelle du développement. Cette conception, qui nous permet d'organiser nos connaissances, est le reflet de notre compréhension de l'enfant. Qu'est-ce qu'un enfant « bien élevé » ? Qu'est-ce qu'un milieu favorable au développement ? Est-ce celui qui met l'accent sur un cadre de vie ordonné permettant à l'enfant d'acquérir des règles de discipline, des principes moraux et des aptitudes déterminées ? Est-ce plutôt celui qui mise sur l'exploration spontanée de l'enfant, qui favorise sa libre expression, sa recherche par lui-même de solutions à des problèmes ? Convient-il de punir un enfant dans certaines circonstances ou doit-on éviter de le faire ? Un enfant qui vit une enfance heureuse deviendra-t-il un adulte heureux ? Chacune de ces questions fait intervenir notre théorie personnelle du développement. « Une théorie peut être comparée à une lentille au travers de laquelle on observerait les enfants et leur développement. Cette lentille filtre certains faits et donne un relief particulier à ceux qu'elle laisse passer » (Thomas et Michel, 1994, p. 5). Le type de parent que nous serons, que nous sommes ou que nous avons été dépend, en grande partie, de cette représentation que nous nous faisons de l'enfant, de notre conception du développement de l'enfant.

Chaque parent ou chaque éducateur a une idée de ce qui est bon ou mauvais pour l'enfant. Chercher à développer cette idée en la confrontant à la réalité, en la corrigeant, en dégageant de nouvelles voies d'exploration, c'est bâtir une théorie sur l'enfant. Notre vision des enfants résulte non seulement des informations qu'ils nous fournissent sur eux, mais aussi et plus encore de notre attitude à l'égard de ces dernières, de la manière dont nous les traitons. Il n'est donc guère étonnant que les conceptions relatives à l'enfance soient multiples et variées. Pour les psychologues du développement, la théorie remplit les rôles suivants :

– elle donne un sens aux faits observés et permet de les organiser ;

– elle fournit un éclairage sur les conduites à tenir avec les enfants ;

– elle oriente la recherche.

Le tableau 1.1 présente une série de critères définis par Thomas et Michel (1994) et servant à déterminer si une théorie du développement de l'enfant est satisfaisante ou non.

**Tableau 1.1**    Critères permettant de déterminer si une théorie est satisfaisante

1.    La théorie reproduit fidèlement les faits réels de l'univers des enfants.

2.    Elle est exposée d'une manière claire et compréhensible.

3.    Elle permet de décrire les événements passés et aussi de prédire avec certitude les événements futurs.

4.    Elle aide à résoudre des problèmes pratiques, comme ceux rencontrés dans l'éducation des enfants par exemple.

5.    La théorie est cohérente et logique.

6.    Elle est économique, c'est-à-dire qu'elle offre l'explication la plus simple possible des phénomènes qu'elle considère.

7.    La théorie est vérifiable.

8.    Elle accroît nos connaissances et favorise l'apparition de nouvelles méthodes de recherche.

Source: Adapté de R.M. Thomas et C. Michel (1994), *Théories du développement de l'enfant*, Bruxelles, De Boeck Université, p. 18 à 23.

## 1.3    LES QUESTIONS IMPORTANTES SUR LE DÉVELOPPEMENT DE L'ENFANT

Un certain nombre de questions essentielles sont considérées dans les théories du développement et y trouvent une réponse, au moins partielle. Voici cinq questions majeures ayant stimulé la recherche dans le domaine de la psychologie de l'enfant:

1.    Quel est le rôle de l'enfance dans le cycle de la vie?

2.    Qu'est-ce qui se développe chez l'enfant?

3.    Le développement comporte-t-il des stades amenant chacun des changements qualitatifs (c'est-à-dire des changements dans les structures de fonctionnement) ou se fait-il selon un continuum défini quantitativement (c'est-à-dire par une succession d'acquisitions nouvelles)?

4.    Quels sont les rôles respectifs de l'«inné» et de l'«acquis» dans le développement humain?

5.    Quelle est la nature fondamentale de l'humain?

### 1.3.1    Le rôle de l'enfance dans le cycle de la vie

À peu près toutes les théories du développement de l'enfant s'accordent pour affirmer que l'enfance influe grandement sur les étapes ultérieures de la vie. La plupart des chercheurs voient dans le nouveau-né un être déjà très complexe mais inachevé qui, pendant les premières années de sa vie, vivra des transformations majeures.

Sur le plan physique, la première année s'accompagne d'un taux de croissance qui ne sera jamais égalé par la suite, même au moment de la puberté (Cloutier, 1996). Sur le plan cognitif, les deux premières années de la vie conduiront le jeune enfant à la pensée représentative, stade que seul l'humain semble être capable d'atteindre et qui permet le langage et l'appropriation de la culture. Sur le plan affectif, les premières relations d'attachement pèseront d'un grand poids sur les relations interpersonnelles que l'être humain établira par la suite; les psychanalystes et les éthologistes s'accordent du moins là-dessus. Si tous n'approuvent pas complètement les thèses de Dodson (1987) énoncées dans *Tout se joue avant 6 ans*, la plupart des spécialistes de l'enfant reconnaissent que les premières années de la vie constituent une période où l'enfant connaît des interactions qui laisseront une empreinte indélébile dans sa vie. L'enfance est considérée comme une période critique du développement humain parce qu'elle représente une période d'acquisitions et de changements capitaux. L'enfance est la période fondatrice de la vie humaine.

### 1.3.2    Qu'est-ce qui se développe chez l'enfant?

Les notions de développement, de croissance et de changement sont si étroitement liées à l'enfance qu'il est sans doute plus simple de rechercher ce qui subsiste sans changer que de dresser la liste des éléments qui se transforment.

## PRINCIPE RÉGULATEUR DU DÉVELOPPEMENT SELON HEINZ WERNER

Selon Heinz Werner (1890-1964), la psychologie du développement postule l'existence d'un principe régulateur du développement des organismes: «Il s'agit d'un principe orthogénétique que le développement va d'un état de globalisme et d'indifférenciation relative vers un état de différenciation, d'articulation et d'intégration hiérarchique accrues» (Barten et Franklin, 1978, p. 108-109; notre traduction).

Ce principe est applicable au développement corporel comme au développement cognitif ou émotionnel de l'organisme (Werner, 1957). Sur le plan cellulaire par exemple, au moment de sa conception, l'enfant n'est composé que des cellules de reproduction des parents mais, par la suite, ces cellules originelles de l'embryon se différencient rapidement pour se spécialiser dans différentes fonctions (osseuse, musculaire, nerveuse, etc.), donnant lieu à une extraordinaire intégration des différents systèmes du corps humain.

À peu près tout se développe chez l'enfant mais, paradoxalement, il reste le même, il conserve son identité tout en se transformant. Comprendre le changement qui survient chez l'enfant, c'est intégrer les transformations multiples qu'il vit dans la continuité de son identité. Si le fil conducteur de l'évolution n'est pas conservé, la continuité n'existe plus, et la réalité apparaît alors comme une série de tableaux disparates sans lien entre eux. Les théories du développement tentent donc de rendre compte de ce que fait ou de ce que vit l'enfant en fonction de ce qu'il est. Mais comment expliquer alors les écarts parfois considérables que l'on observe entre ces théories? Les écarts sont principalement dus:

– aux dimensions du développement qui sont considérées;

– à la méthode employée pour étudier le développement.

Les facettes du développement humain sont si nombreuses qu'aucune théorie du développement n'est capable de les englober toutes. Ainsi, Freud a été conduit à examiner le développement psychosexuel de l'enfant afin de mieux comprendre le fonctionnement de l'adulte. Piaget, dans son étude de la psychogenèse, s'est concentré sur le développement cognitif et a laissé de côté les aspects socio-affectifs du développement. La théorie de l'apprentissage social porte essentiellement sur l'acquisition, le maintien et l'extinction des comportements chez l'enfant. Les éléments retenus dans chacune des théories

servent donc à envisager l'évolution de l'enfant sous un aspect déterminé.

La méthode employée peut aussi expliquer les différences entre les théories du développement de l'enfant. L'un des moyens que Freud a utilisés pour comprendre l'enfance, caractérisé par l'écoute d'adultes présentant des problèmes cliniques et non par l'observation directe du comportement de l'enfant, s'explique sans doute par le contexte psychiatrique dans lequel le fondateur de la psychanalyse s'inscrivait. Les moyens mis en œuvre par Freud ont peu de points communs avec ceux employés par Piaget. Ce dernier, biologiste de formation, a fait reposer sa démarche sur l'observation d'enfants placés dans des situations où ils avaient à résoudre des problèmes correspondant à leur niveau de développement. Les deux méthodes diffèrent donc grandement.

La méthode utilisée par le chercheur peut se comparer à un appareil photo. La lentille à travers laquelle les chercheurs observent la réalité complexe de l'enfance, c'est-à-dire leur approche méthodologique, fait que chaque théorie met l'accent sur un aspect déterminé du développement, donnant ainsi une réponse précise à la question «Qu'est-ce qui se développe?».

### 1.3.3    Le développement est-il un escalier de stades ou une pente continue?

Le développement est-il qualitatif, c'est-à-dire constitué d'une série de paliers ayant chacun une structure propre, ou bien quantitatif, c'est-à-dire correspondant à une évolution graduelle donnant lieu à l'accumulation d'unités qui s'ajoutent les unes aux autres? La figure 1.1 tente d'illustrer ces deux conceptions du changement. Dans sa partie de gauche, la figure se transforme en intégrant une quantité croissante d'éléments tout en gardant la même forme rectangulaire. Dans la partie de droite, la figure progresse d'une marche à l'autre en intégrant de nouveaux éléments aux précédents, qualitativement différents d'un palier à l'autre. Si un enfant de trois ans peut nommer les chiffres de 1 à 5 et qu'à huit ans il peut compter jusqu'à 100, manifestement sa mémorisation des chiffres augmente avec l'âge. C'est là un changement quantitatif. Il est également possible de dire que, chez l'enfant de huit ans, non seulement les chiffres mémorisés sont plus nombreux, mais aussi leur organisation d'ensemble diffère complètement de ce qu'elle

Figure 1.1    Illustration des conceptions quantitative (à gauche) et qualitative (à droite) du développement d'un ensemble

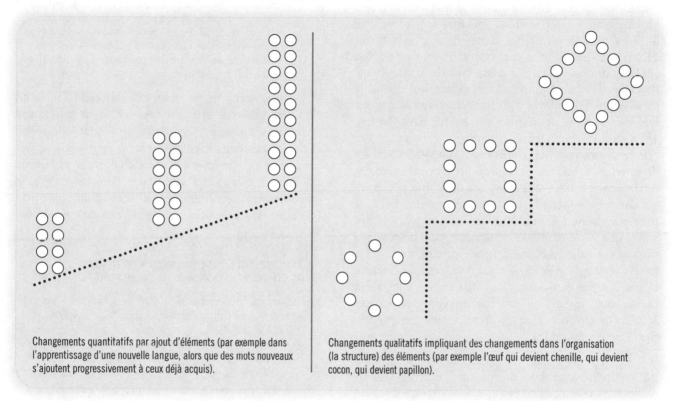

Changements quantitatifs par ajout d'éléments (par exemple dans l'apprentissage d'une nouvelle langue, alors que des mots nouveaux s'ajoutent progressivement à ceux déjà acquis).

Changements qualitatifs impliquant des changements dans l'organisation (la structure) des éléments (par exemple l'œuf qui devient chenille, qui devient cocon, qui devient papillon).

était. Ainsi, l'enfant de huit ans pourra dénombrer sans erreur un ensemble de cinq billes indépendamment de leur position dans l'espace. Par contre, le plus jeune enfant croira qu'il y a plus ou moins de billes selon qu'on les éloigne ou qu'on les rapproche les unes des autres, sans vraiment pouvoir établir la correspondance entre chacun des chiffres qu'il connaît et chacune des billes qu'on lui demande de compter. Cet exemple montre bien que le développement s'accompagne de changements qualitatifs et qu'une explication du développement qui envisage uniquement l'aspect quantitatif est insuffisante pour rendre compte du changement qui survient chez l'enfant.

### 1.3.4    Quels sont les rôles respectifs de l'inné et de l'acquis dans le développement?

La question du rôle de l'hérédité par rapport à celui de l'environnement a toujours occupé une place importante dans les théories. Comme soumise à un mouvement de balancier, elle a pris plus ou moins d'importance selon les époques, tantôt reconsidérée à la suite de recherches concluant à l'héritabilité de l'intelligence, tantôt écartée par les mouvements contre le racisme ou le sexisme, puis remise de nouveau sur le tapis à la suite de l'observation de jumeaux identiques élevés séparément ou de nouveaux outils de recherche génétique (Kagan, 1983, 2000). Le débat au sujet de l'inné et de l'acquis est loin d'être clos, et il était déjà présent chez les philosophes grecs. Ainsi, Platon (427-347 avant notre ère) enseignait que les idées sont innées parce que l'âme qui les renferme précède le corps dans le temps. Selon lui, les idées sont contenues dans l'âme de l'homme dès sa naissance, et le développement de l'esprit consiste à découvrir en soi ces idées. Le fait que presque tous les enfants rampent vers 9 mois, disent leurs premiers mots à 12 mois ou marchent vers 15 mois ne montre-t-il pas qu'il y a une prédisposition génétique qui rend possible ces acquisitions? Mais le fait que certains enfants privés de stimulation n'acquièrent pas ces capacités ne montre-t-il pas que l'acquisition de celles-ci dépend fortement de l'apprentissage au contact du milieu?

Encore aujourd'hui, la question du rôle de l'inné et de l'acquis demeure une question redoutable, et les observations à caractère scientifique peuvent être utilisées pour appuyer des thèses correspondant aux débats sociaux du moment. Un bel exemple de débat sur l'hérédité est fourni par les travaux de Arthur Jensen de l'Université de Californie à Berkeley, qui défend la thèse selon laquelle le QI des Noirs américains est inférieur à celui des Blancs du même pays (Jensen, 1998, 2000b). Pour Jensen, même si « la discussion des différences raciales dans tout trait comportemental est devenue un tabou académique », le constat répété des différences de moyennes entre ces deux groupes, en ce qui concerne le facteur g de l'intelligence notamment, ne peut être caché (Jensen, 2000a). Les critiques ont fait valoir que les tests utilisés ne tenaient pas compte de la situation sociale des Noirs, généralement moins riches et moins scolarisés que les Blancs. Aux yeux de certains, la thèse de Jensen est ni plus ni moins qu'une thèse raciste qui néglige de prendre en considération les facteurs socio-économiques dans la mesure psychométrique des aptitudes.

Le refus d'accepter le déterminisme biologique du comportement humain touche l'ensemble de la recherche sur les caractères innés du comportement. Les psychologues, éducateurs, sociologues ou anthropologues sont souvent attirés par les thèses qui réduisent la part de l'inné au minimum parce que ce dernier diminue leur marge de manœuvre ainsi que l'influence qu'ils peuvent exercer sur la personne. Il est pourtant difficile de nier que des centaines de jumeaux élevés séparément présentent des ressemblances étonnantes et que l'hérédité joue un rôle dans l'apparition des maladies cardiovasculaires ou endocrinologiques, tout comme il est difficile d'ignorer les résultats des recherches menées sur des animaux de souches génériques contrôlées.

Le débat sur l'inné et l'acquis, outre qu'il donne lieu à des controverses sur des questions de méthode, soulève beaucoup d'interrogations sur l'honnêteté intellectuelle et la rigueur des chercheurs. Certains auteurs tentent d'éclaircir la question en essayant de départager les débats politiques des données scientifiques :

> Malheureusement, nous vivons à une période de l'histoire où les différences ethniques et raciales sont sujettes à controverses et où elles sont toujours perçues comme bonnes ou mauvaises... La science a rendu notre vie plus riche et notre travail moins pénible, elle a contribué à l'amélioration de la santé et de la longévité. Mais la science n'est pas la seule – ni même la principale – base des lois et de la moralité. Les êtres humains divergent par un nombre inconnu de caractères qui ont un fondement génétique. Cette diversité doit être considérée comme une richesse naturelle et ne doit pas servir de justification à des privilèges distinctifs. (Kagan, 2000, p. 433.)

De son côté, le professeur Donald Hebb de l'Université McGill refuse d'opposer l'inné et l'acquis ; pour lui, s'interroger sur le rôle comparatif de l'inné et de l'acquis dans le comportement équivaut à se demander si c'est la longueur d'un champ ou sa largeur qui contribue le plus à sa surface. Pour cet auteur, le comportement est influencé à cent pour cent par l'hérédité et à cent pour cent par l'environnement, les

---

**TÉMOIGNAGES CONCERNANT LA DIFFICULTÉ D'INTÉGRER LES DONNÉES DE RECHERCHE SUR L'INNÉ**

Le tempérament jouerait un rôle important dans le comportement des enfants. « La comparaison de bébés asiatiques et caucasiens (blancs) de quatre mois dans des études semblables menées à Dublin (Irlande) et à Pékin le montre. L'activité motrice, l'irritabilité et les vocalisations des bébés caucasiens étaient plus importantes que celles des bébés chinois, et ce d'un facteur de 4 pour l'activité motrice et les vocalisations et d'un facteur de 5 pour les pleurs. Seule la fréquence des sourires, plus faible pour tous les bébés, était semblable entre les deux groupes ethniques. Beaucoup plus de bébés caucasiens que chinois étaient très réactifs ; beaucoup plus de bébés chinois que caucasiens étaient peu réactifs. » (Kagan, 2000, p. 426-427.)

« Il ne fait pas de doute que la race et le genre sont des questions sensibles en psychologie, si sensibles que plusieurs auteurs cherchent à cacher les variations sous la rubrique générale de recherche sur les enfants ou sous des variables telles que la classe sociale et les pratiques parentales, variables qui, c'est bien connu, diffèrent selon la race et le genre. Rares sont les chercheurs qui mettent en évidence les différences de race et de genre parce que les inconvénients de l'entreprise excèdent les avantages. Si quelqu'un s'attache à étudier les variations raciales ou de sexe en psychologie, on aura tendance à le traiter de réactionnaire ou à croire qu'il est hostile aux groupes sociaux désavantagés. Tel est le contexte social de la recherche sur les différences de genre ou de race. » (Scarr, 1988, p. 56[1].)

---

1. Notez que dans cet ouvrage, les citations tirées de sources anglaises sont des traductions libres.

deux interagissant de façon nécessaire dans l'expression du potentiel génétique à l'intérieur d'un comportement observable dans l'environnement. Le long parcours qui sépare l'information génétique à l'intérieur d'un comportement manifeste laisse beaucoup de place à cette interaction inné-acquis (Hebb, 1971, 1980; Gottlieb, 1991).

Dans les chapitres portant sur les fondements biologiques du comportement et sur le développement prénatal, nous aurons l'occasion d'apprécier la valeur de cette réponse «interactionniste» à la question de l'inné et de l'acquis. Nous verrons par exemple que la structure dendritique des neurones dépend de l'expérience acquise après la naissance et que l'expérience intra-utérine peut laisser des traces permanentes chez l'enfant.

### 1.3.5    Quelle est la nature fondamentale de l'humain?

Les théories du développement humain véhiculent un certain nombre d'idées concernant la nature humaine. *Grosso modo*, les diverses conceptions peuvent se rattacher à l'un ou l'autre des courants suivants:

– le courant mécaniciste;
– le courant organismique;
– le courant nativiste.

On pourrait dire que le courant mécaniciste envisage l'homme comme une machine, conception qui a pour base la physique de Newton (Miller, 1989). L'organisme possède des caractéristiques fonctionnelles déterminées qui, dans le temps et l'espace, varient suivant les forces que l'environnement exerce sur ce dernier. Théoriquement, la connaissance complète de cette machine complexe qu'est l'humain devrait permettre de prédire son comportement dans le détail. Selon cette approche, l'homme est comparable à un ordinateur très complexe dont il serait possible de connaître et de changer la programmation. Le développement est programmé par des forces externes auxquelles réagit l'individu selon ses particularités, et l'étude du développement permet d'expliquer ces dernières. On peut dire que les théories béhavioristes et les théories mettant au premier plan l'apprentissage social s'inscrivent dans ce courant mécaniciste. Elles sont plus déterministes que celles qui se rattachent au courant «organismique».

Dans la perspective organismique, l'humain n'est pas une machine mais un organisme vivant, comme le sont les plantes et les animaux. Ces systèmes contiennent un plan qui, de façon déterminée, s'actualise dans le temps selon une horloge de vie interne et selon une fonction d'autorégulation permettant le maintien d'un équilibre entre les besoins internes et les exigences du milieu avec lequel l'organisme est en constante interaction. Le développement traduit un processus de construction par stades, chacun apportant une réorganisation des composantes de l'organisme dont la façon de fonctionner subit alors un changement qualitatif. Ici, l'organisme évolue non pas en réagissant mécaniquement aux pressions de l'environnement, mais plutôt en choisissant, en modifiant ou en rejetant ces pressions selon ses besoins propres. Cette conception, moins déterministe, laisse plus de place à l'intention et au libre arbitre, de sorte qu'il est impossible d'arriver à une prédiction parfaite même en ayant une connaissance très étendue du fonctionnement de l'organisme. Le développement est un processus dans lequel l'organisme intervient en modifiant son interaction avec l'environnement. La théorie de Piaget s'inscrit assez bien dans ce courant «organismique».

Suivant les théories ressortissant au courant nativiste, les bébés sont naturellement capables de reconnaître les visages, d'apprendre le langage, d'interagir socialement, d'éprouver de l'attachement, etc. (Slater et Muir, 1999). Ces capacités peuvent se manifester dès la naissance ou apparaître plus tard lorsque les structures qui en sont responsables sont parvenues à maturité. La théorie de la Gestalt s'inscrit dans ce courant dans la mesure où elle suppose l'existence de mécanismes perceptifs innés permettant de percevoir les objets (discrimination figure-fond), les visages ou la parole (Muir et Slater, 2000). L'enfant naîtrait donc avec des connaissances inscrites dans les structures qui se déploient graduellement selon un processus intrinsèque.

Notons que ces trois courants, «mécaniciste», «organismique» et «nativiste», constituent en quelque sorte des étiquettes que peu d'auteurs voudraient spontanément voir accoler à leurs travaux et que chacun contient des thèses pouvant emprunter des éléments aux trois tendances. Les modèles contemporains des systèmes psychologiques offrent des explications qui tentent de prendre en compte à la fois la grande multiplicité des facteurs d'influence externe et la capacité d'autorégulation de ces systèmes (Barton, 1994; Kauffman, 1993; Prigogine et Stengers, 1984).

## 1.4 LES CONCEPTIONS HISTORIQUES DE L'ENFANT

Ce n'est qu'au cours de la seconde moitié du XX<sup>e</sup> siècle que la vision du nouveau-né en tant que « tout indifférencié » a fait place à celle du « nouveau-né compétent ». Même chez Piaget, le caractère global et indifférencié des conduites du nouveau-né est souvent souligné, bien que cet auteur ait grandement contribué à agrandir les connaissances concernant les conduites précoces des jeunes enfants.

Lorsque l'on ne comprend pas quelque chose, on a parfois tendance à affirmer que cette chose est dépourvue de sens, comme si l'on projetait hors de soi le vide ressenti en soi. Qui d'entre nous, après avoir tenté sans succès d'exécuter une opération informatique, n'a pas accusé son ordinateur plutôt que de reconnaître son ignorance ? Notre mauvaise connaissance de l'enfant nous amène souvent à le juger incompétent. À cet égard, les grands théoriciens ont parfois innové en attribuant un sens à des conduites dont on croyait jusque-là qu'elles n'en avaient pas. Par exemple, Piaget a vu que les réponses erronées des enfants aux épreuves standardisées d'intelligence n'étaient pas dues au hasard, mais qu'elles obéissaient à une logique rationnelle, même si celle-ci était différente de celle des adultes. Freud a découvert que le contenu des rêves avait un sens, un rapport étroit avec la vie de l'individu, et qu'il aidait à comprendre la vie psychique. Les conduites de l'enfant ont un sens, et c'est souvent parce que nous les comprenons mal que nous refusons de leur en attribuer un. Le mot enfant lui-même vient du latin *infans,* lequel signifie « qui ne parle pas », ce qui montre bien que la définition de l'enfant s'établit davantage à partir de ce que ce dernier n'a pas ou de ce qu'il ne peut pas faire que de l'inverse.

De tout temps, la venue d'un enfant, signe visible de fertilité, a été considérée comme un bienfait, comme un don du ciel. Par contre, la stérilité a souvent été associée à l'hostilité des dieux ou à la malchance des parents. Dans la plupart des civilisations du I<sup>er</sup> millénaire avant notre ère, on considérait que les enfants étaient fragiles, qu'ils avaient besoin de la protection et de l'aide des adultes pour se nourrir, se déplacer, prendre des décisions, etc. Toutefois, l'infanticide était pratique courante dans certaines sociétés ; on se défaisait surtout des enfants présentant un défaut à la naissance, des enfants en surnombre ou bien de ceux de sexe féminin. Dans les sociétés pratiquant l'esclavage, la vie humaine avait beaucoup moins de valeur qu'elle n'en a aujourd'hui.

À Athènes, cité dotée d'institutions démocratiques, on pratiquait une éducation souple basée sur l'encouragement et le soutien de l'enfant dans ses activités, tout en favorisant l'acquisition de la maîtrise de soi et de la discipline. L'enfant y était décrit comme typiquement joyeux, affectueux, enjoué, turbulent, imitateur et craintif (French, 1977). Plus tard, les Romains ont adopté la conception grecque de l'enfant, mais en mettant moins l'accent sur les besoins particuliers de protection, de direction et de soutien de cet individu vulnérable que sur sa turbulence, son impulsivité, son ignorance. La discipline, avec punitions corporelles, était plus ferme que chez les Grecs, mais dans les deux cultures les mauvais traitements physiques infligés aux enfants étaient dénoncés.

Jusqu'au IV<sup>e</sup> siècle de notre ère, dans la Rome antique, le père de famille exerçait une autorité absolue sur sa famille ; il avait le droit de vie ou de mort sur ses enfants même lorsque ceux-ci avaient atteint l'âge adulte. Chez les Romains, une bonne part de l'éducation des enfants portait sur l'acquisition de la maîtrise de soi et sur le développement des connaissances. Les manifestations de tendresse et d'affection envers les enfants sont attestées dans les documents romains, mais l'importance d'une stricte discipline l'est peut-être encore plus (French, 1977).

Dans l'Occident du Moyen Âge, pendant les siècles qui ont suivi la fin de l'Empire romain (476), l'incertitude politique était grande, en raison des invasions et des changements fréquents de régimes. La religion chrétienne s'est appliquée à conserver les valeurs en matière d'éducation et a défendu une conception où l'enfant possédait une âme et dont la bonne éducation importait à Dieu. On jugeait que l'enfance était une période déterminante pour l'acquisition des bons principes et la formation du caractère. L'importance naturelle de la mère dans l'éducation de l'enfant était reconnue. Pendant tout le Moyen Âge, l'Église chrétienne s'est portée à la défense des enfants pauvres et abandonnés ; par ailleurs, elle offrait à peu près la seule forme d'assistance sociale dans les pays occidentaux.

Avec la Renaissance (du XIV<sup>e</sup> au XVII<sup>e</sup> siècle), l'importance de l'État s'est considérablement accrue dans la société. Lentement mais sûrement, la société allait s'urbaniser et s'industrialiser. Le monde du travail permettait la transmission des connaissances, surtout dans les classes paysannes et ouvrières où les enfants commençaient à travailler très jeunes. Au XVIe siècle, avec l'invention de l'imprimerie et le rôle croissant de la langue écrite dans la société, l'éducation officielle se développe et une portion de plus en plus large de garçons issus de familles bourgeoises peuvent apprendre à lire et à écrire, et se donner des préceptes moraux. L'instruction scolaire, fortement influencée par la religion chrétienne, s'acquérait sous le signe du respect de l'autorité et de la valorisation de l'effort. On voyait alors dans l'enfant une créature fragile de Dieu, mais aussi une créature souillée par le péché originel et ayant un penchant au mal. L'éducation avait pour but d'aider à dominer les mauvais penchants, de remettre l'enfant, bon gré mal gré, sur le chemin de la vertu et du salut.

Aux XVIIe et XVIIIe siècles apparaissent de nouvelles philosophies de l'enfance avec les travaux de John Locke (1623-1704) en Angleterre et de Jean-Jacques Rousseau en France (1712-1778). Pour Locke, l'enfant naissant est une *tabula rasa,* c'est-à-dire qu'il est dépourvu de prédispositions particulières, de sorte que ce qu'il sera par la suite dépend de l'influence du milieu dans lequel il vit. Cette conception préfigure le béhaviorisme du fait qu'elle met l'accent sur l'énorme potentiel d'apprentissage des jeunes en même temps qu'elle reconnaît le rôle crucial joué par l'environnement dans le développement de l'enfant. Plusieurs des idées de John Locke ont été vérifiées empiriquement par la suite. Par exemple, dans ses écrits, il faisait valoir l'importance d'une utilisation judicieuse des récompenses et des punitions par les parents, déconseillant les châtiments corporels et préconisant les renforcements verbaux (félicitations, compliments, etc.). Dans l'éducation des enfants, Locke proposait donc de remplacer l'attitude punitive et restrictive par une attitude d'encouragement et de bienveillance à l'égard de l'enfant.

Pour sa part, Jean-Jacques Rousseau ne croyait pas que les enfants naissaient « vides » et qu'ils étaient ensuite remplis progressivement par l'éducation. Il estimait plutôt que les enfants étaient naturellement disposés à se développer de façon saine et harmonieuse. Rousseau affirmait que cette bonté naturelle était menacée par la société corrompue ; le sens inné du bien et du mal de l'enfant pouvait être faussé par les influences néfastes du milieu. Contrairement à Locke, il ne faisait pas confiance à l'environnement pour éduquer l'enfant et il estimait préférable de laisser agir la nature, d'où

une conception essentiellement permissive de l'éducation. Dans *Émile ou De l'éducation,* Rousseau présente l'enfant comme un agent actif de son propre développement. Il a été en outre le premier à défendre l'idée que l'éducation devait être proportionnée aux capacités de l'enfant (Bell, 1977 ; Darling, 1994 ; Rousseau, 1762). Il croyait que la nature veillait d'elle-même au bon développement de l'enfant (maturation), selon un plan prévu à l'avance comportant des étapes ayant chacune des caractéristiques propres (stades). Faisant œuvre de pionnier, Rousseau enseignait que l'intervention éducative devait être adaptée à l'âge de l'enfant.

Au XIXe siècle, le naturaliste anglais Charles Darwin (1809-1882) rapporte de ses expéditions dans des régions sauvages telles que les îles Galapagos, des observations, des spécimens végétaux et des animaux qui ont servi à asseoir sa théorie sur l'évolution des espèces. Le darwinisme s'appuie sur un principe d'évolution important : la sélection naturelle. Selon ce principe, les espèces qui survivent ont un système biologique et comportemental qui répond aux exigences de l'environnement ; à l'intérieur des espèces, les individus qui survivent sont les plus aptes à conserver les traits facilitant l'adaptation au milieu et ils sont les plus susceptibles de se reproduire. Ainsi, dans la lutte pour la survie, la nature sélectionne les espèces et les individus en fonction de leur adaptation à la vie. Ainsi, les caractères qui

Jean-Jacques Rousseau

permettent la survie se transmettent à l'intérieur des espèces survivantes. Un animal dépourvu de caractères biologiques ou comportementaux adaptés au milieu ne vivra probablement pas assez longtemps pour se reproduire et, donc, ses traits de mésadaptation ne se transmettront pas. Pour la psychologie du développement, l'apport du darwinisme peut se résumer de la façon suivante :

– L'idée que les comportements assurant la survie de l'espèce ont tendance à se maintenir naturellement se trouve au centre de la théorie éthologiste du développement de l'enfant (par exemple, l'attachement parent-enfant);

– Plusieurs théories du développement (Piaget, Freud, courant éthologique, courant sociobiologique, etc.) sont fondées sur l'idée que l'origine de l'homme en tant qu'espèce (sa phylogenèse) et son origine en tant qu'individu (son ontogenèse) ne peuvent être comprises que dans la nature et chez l'enfant respectivement; dans la nature parce que l'homme est une espèce animale soumise aux lois de l'évolution naturelle, comme les autres animaux, et chez l'enfant parce que l'adulte est le produit d'une évolution amorcée dès la conception.

À la fin du XIXᵉ et au début du XXᵉ siècle, la thèse évolutionniste faisait donc regarder l'enfant comme le « père de l'homme » (ontogenèse) et aussi comme le substrat d'une grande variété d'instincts hérités de l'histoire phylogénétique de l'espèce. Aux États-Unis, le béhaviorisme, théorie conçue par John Broadus Watson (1878-1958), réagit à ce courant biologique et propose au contraire un « environnementalisme » extrême dans lequel, moyennant la mise en œuvre de techniques d'entraînement déterminées (conditionnement), on peut faire n'importe quel adulte de n'importe quel enfant en santé (Bell, 1977).

Ces différents courants de pensée ont eu une influence sur la conception actuelle de l'enfant, mais celle-ci est davantage caractérisée par la diversité des perspectives que par l'adhésion à une seule doctrine. Aujourd'hui, cette diversité débouche sur un problème sérieux de morcellement des connaissances sur l'enfant; un modèle intégré du développement de l'enfant nous permettrait de faire un pas de géant dans notre compréhension de cet univers (Magnusson, 1995).

## 1.5   LA THÉORIE DES STADES PSYCHOSOCIAUX D'ERIKSON

De même que la théorie de l'apprentissage social (Bandura, 1986) s'inscrit dans le prolongement du béhaviorisme, de même la contribution d'Erik Erikson (1902-1994) se place dans une perspective psychanalytique mettant au premier plan les mécanismes de développement du moi dans l'ensemble de la vie. Le modèle d'Erikson (1972, 1974), plus encore que celui de Freud dont il s'inspire, concerne le développement comme tel; il présente l'une des premières descriptions complètes de l'évolution personnelle dans l'ensemble du cycle de la vie.

### 1.5.1   Erik Erikson

Erik Erikson est né en 1902 à Francfort en Allemagne. Il s'intéresse d'abord au dessin et à la peinture. Il est engagé comme professeur auprès d'enfants de spécialistes américains venus à Vienne acquérir une formation en psychanalyse auprès de Freud. Il suit une analyse didactique dirigée par Anna Freud, la fille de Freud. D'origine juive, Erikson échappe à la menace nazie en émigrant aux États-Unis en 1933 où il vivra jusqu'à sa mort en 1994. En Amérique, il a occupé différents postes en psychiatrie clinique dans des universités renommées comme Harvard, l'Université de la Californie à Berkeley et Yale.

Le tableau 1.2 énumère les principaux concepts freudiens intégrés dans le modèle de développement d'Erikson.

Erik Erikson

**Tableau 1.2**    Énumération sommaire des principaux concepts freudiens intégrés dans le modèle d'Erikson

| Concepts | Description |
|---|---|
| **L'énergie psychique**<br>– L'*instinct de vie*<br>– La *libido*<br>– L'*instinct de mort* | Selon Freud, l'énergie psychique provient de l'énergie biologique du corps. L'organisme humain aurait deux instincts de base qui font des demandes, qui affirment des besoins à l'esprit. Le premier instinct est éros, l'*instinct de vie,* qui transmet à l'esprit des demandes relatives à la sexualité, à la survie, à l'amour, à l'équilibre, etc. L'énergie qui vient d'éros s'appelle la *libido*; elle joue un rôle déterminant en tant que moteur du développement psychosexuel. Le second instinct est l'*instinct de mort* qui pousse l'être humain à l'agression, à la destruction, à la haine, etc. Freud n'a pas défini l'énergie provenant de l'instinct de mort, instinct moins important qu'éros dans sa théorie psychosexuelle. L'énergie psychique provient donc des instincts d'où sont issus les besoins. Le besoin crée une tension, une accumulation d'énergie. La satisfaction du besoin entraîne une libération de l'énergie, ce qui donne du plaisir. |
| **Les structures psychiques**<br><br>– Le *ça*<br><br>– Le *moi*<br><br><br><br><br><br><br><br><br><br>– Le *surmoi* | Les besoins ne donnent pas directement lieu à un comportement. L'énergie psychique passe par des structures définissant l'architecture de l'esprit. Freud distingue trois structures en constante interaction : le ça, le moi et le surmoi.<br><br>Le *ça* est le réservoir de l'énergie psychique, le siège des instincts, des besoins biologiques. Freud a beaucoup appris sur le ça par l'étude des rêves, le contenu de ceux-ci n'étant pas directement censuré par la conscience et reflétant la pensée primitive.<br><br>Le *moi* est le médiateur entre les pulsions provenant du ça et les exigences de la réalité. De même que le ça répond au principe du plaisir, c'est-à-dire à la tendance à libérer l'énergie pulsionnelle sans délai, de même le moi répond au principe de la réalité, c'est-à-dire à la tendance à canaliser l'énergie pulsionnelle en fonction des exigences de la réalité, augmentant ainsi les chances de satisfaire le besoin de façon adaptée, quitte à retarder la libération d'énergie. Le moi est absent à la naissance; il résulte du développement psychosexuel qui donne lieu à l'émergence d'une pensée secondaire responsable du contact avec la réalité. Normalement, à mesure que l'enfant se développe, le moi devient plus fort, plus en mesure de diriger l'énergie pulsionnelle vers des objets aptes à satisfaire les besoins en tenant compte de la réalité. Le moi contrôle le ça comme le cavalier contrôle sa monture. Lorsque le moi est débordé par la tension et l'anxiété provenant des pulsions, qu'il ne peut plus canaliser l'énergie vers les objets appropriés, alors les mécanismes de défense entrent en fonction pour transformer la réalité dans le but de protéger le moi.<br><br>Le *surmoi* est constitué de la conscience morale soumise aux exigence sociales, et de l'idéal du moi défini par les standards et les objectifs que la personne se fixe à elle-même. Dans le développement psychosexuel de l'enfant, le surmoi est la dernière structure à apparaître, le ça étant présent dès la naissance. Le surmoi émet des jugements sur les actions ou les pensées issues du ça et du moi, il félicite, condamne, punit, etc. |
| **Les zones de conscience**<br><br>– L'*inconscient*<br><br><br><br>– Le *préconscient*<br>– Le *conscient* | L'individu ne comprend pas nécessairement ce qui se passe dans ses structures psychiques. Freud considère :<br><br>– que le ça fait partie de l'*inconscient,* cette zone psychique inconnue dont le contenu est banni de la conscience;<br><br>– que le moi et le surmoi chevauchent la zone inconsciente, préconsciente et consciente.<br><br>Le contenu *préconscient* n'est pas écarté comme tel de la conscience et peut être accessible au *conscient* par des associations d'idées, des visualisations, etc. La zone du conscient correspond au champ mental actif sur le moment. La pensée logique et la mémoire relèvent de l'activité du moi et demeurent accessibles à la conscience. |
| **Les mécanismes de défense** | Dans son rôle de médiateur, le moi doit concilier les exigences de la réalité avec les demandes souvent exorbitantes du monde pulsionnel intérieur. Selon Freud, la capacité du moi à faire face au monde interne est faible parce que le moi en est proche; il en faisait lui-même partie au départ. Les constantes menaces que fait peser l'« ennemi intérieur » (le ça) suscitent de l'angoisse, que le moi tente d'éliminer en trouvant une solution réaliste. Mais lorsque le moi échoue dans sa tentative et que l'angoisse augmente au point de menacer son équilibre, les mécanismes de défense entrent en jeu. Ces mécanismes ont pour rôle d'évacuer l'angoisse, au moins partiellement, en transformant ou en déformant la réalité. Le refoulement, la formation réactionnelle, la projection, le déplacement, la négation, l'intellectualisation et la sublimation constituent les principaux mécanismes de défense. |
| **Les étapes du développement psychosexuel selon Freud**<br>– Le *stade oral* (0-1 an) | Tout comme Piaget, Freud a défini des stades de développement psychologique. Selon Freud, quatre stades marqueraient l'évolution psychosexuelle de l'individu, le troisième et le quatrième étant séparés par une période de latence. La façon dont les stades sont vécus au cours de l'enfance détermine les bases de la personnalité future, ce qui donne une grande importance aux premières années de la vie en tant que déterminants de l'adaptation future. Ce qui définit chaque stade est la zone corporelle particulière qui est alors la source principale de satisfaction sexuelle. Pendant la première année de la vie, époque du *stade oral*, c'est la bouche qui apporte le plus de plaisir à l'enfant; sucer, mâcher et embrasser apportent beaucoup de satisfaction en libérant les tensions sexuelles. La zone orale (lèvres, langue, bouche) est alors investie d'énergie libidinale et demeurera plus ou moins importante pour le reste de la vie en tant que source de satisfaction. Entre 1 an et 3 ans, avec l'acquisition du contrôle des sphincters dans l'apprentissage de la propreté, c'est la zone anale qui devient la principale source de libération de tension. Les plaisirs oraux ne disparaissent pas, ils sont |

**Tableau 1.2**    Énumération sommaire des principaux concepts freudiens intégrés dans le modèle d'Erikson (*suite*)

| Concepts | Description |
| --- | --- |
| — Le *stade anal* (1-3 ans) <br> — Le *stade phallique* (3-5 ans) <br> — Le *complexe d'Œdipe* <br><br><br> — La *période de latence* (5-12 ans) <br><br> — Le *stade génital* (adolescence) | simplement relégués au second plan. Au cours du *stade anal*, l'enfant apprend à contrôler, à garder, à attendre, à laisser aller volontairement (donner), etc. Dire « non », choisir, refuser ou accepter sont autant de sources potentielles de satisfaction qui entrent dans le répertoire de l'enfant sous la dominance du contrôle. Entre 3 et 5 ans, avec le *stade phallique*, c'est la zone génitale qui devient la principale source de satisfaction et de tension. Selon Freud, la possession du pénis pour le garçon et son absence chez la fille constituent la principale préoccupation des enfants de cet âge et les modes de satisfaction oraux et anaux sont conservés. Les pulsions sexuelles seraient dirigées vers le parent du sexe opposé, ce qui donnerait lieu au *complexe d'Œdipe*. Alors le garçon désire sa mère et veut la garder pour lui seul, mais il craint que son père ne se venge en le castrant, ce qui pousse le garçon à refouler son désir pour sa mère et son hostilité envers le père. Le conflit œdipien se résout lorsque le fils s'identifie au père en intériorisant ses valeurs, son image, etc. Chez la fille, le conflit œdipien est moins intense. Il implique le désir du père, l'envie du pénis qu'il a et qu'elle n'a pas. La fille en viendrait à préférer son père, à avoir l'impression d'avoir été castrée, ce qui l'amène à reprocher à la mère de l'avoir mise au monde ainsi, ce qui crée une certaine distance à l'égard de cette dernière. La *période de latence* va de cinq ans jusqu'à la puberté. Il s'agit d'une période d'accalmie psychosexuelle où l'enfant va à l'école, a des amis du même sexe, découvre de nouveaux modèles sociaux (professeurs, moniteurs, etc.). La puberté fait violemment renaître les pulsions « endormies » pendant la période de latence. Les pulsions sexuelles nouvelles, provoquées par les changements physiologiques, sont dirigées vers des pairs du sexe opposé : c'est le *stade génital*, qui débute à l'adolescence, et dont le principal but psychosexuel correspond à l'ouverture à la sexualité adulte. |

## 1.5.2    Les concepts freudiens intégrés

Le modèle théorique d'Erikson intègre les principaux concepts élaborés par Freud (énumérés dans le tableau 1.2). Il peut être considéré comme un prolongement de la théorie psychodynamique de Freud. Erikson apporte cependant une analyse plus complète des stades du développement personnel et considère non seulement l'univers intrapsychique mais aussi le contexte social dans lequel a lieu le développement.

Selon Erikson, le milieu culturel dans lequel se produit le développement psychosexuel de l'enfant particularise l'évolution personnelle. Même si les enfants de toutes les cultures traversent les stades du développement selon la même séquence, la façon dont la culture encadre leurs comportements et répond à leurs besoins selon l'âge rend chaque évolution unique. Par exemple, la façon dont les Inuits interagissent avec leurs enfants, c'est-à-dire les conduites qu'ils valorisent et celles qu'ils découragent, diffère grandement de la façon dont les Québécois francophones encadrent l'évolution de leurs jeunes.

Erikson accepte les stades du développement psychosexuel de Freud, mais il inscrit la réalisation de ce plan inné de l'évolution dans un contexte social : les parents, la fratrie, les amis, les éducateurs, etc., concourent au développement de l'enfant. Ils sont eux-mêmes en développement, à une étape donnée de leur propre vie, et ils interagissent avec l'enfant qui, lui aussi, a à franchir une étape déterminée de son cycle de vie. Les interactions entre ces partenaires permettent de répondre aux besoins de chacun. Ainsi, le besoin du jeune parent qui a atteint l'étape de sa vie où il a envie d'avoir un enfant s'accorde avec le besoin de soins de l'enfant. Le modèle d'Erikson ajoute donc la prise en compte du contexte social au modèle freudien. Une deuxième caractéristique propre à ce modèle est le fait qu'il considère l'ensemble du cycle de la vie, depuis la naissance jusqu'à la vieillesse.

Si chacun des stades de Freud se caractérise par la zone érogène la plus propre à réduire la tension sexuelle, chaque stade d'Erikson se définit à partir d'un problème psychosocial principal, d'une crise psychosociale plaçant la personne entre deux pôles, l'un apportant une solution satisfaisante au problème psychosocial, l'autre une solution insatisfaisante. Le tableau 1.3 décrit les huit stades d'Erikson. En observant la colonne des relations sociales, on peut constater l'ouverture progressive au monde social, l'élargissement du contexte dans lequel évolue la personne. Chaque stade amène aussi une modalité interactive particulière (voir la troisième colonne du tableau 1.3), les premiers stades définissant une modalité interactive semblable à celle que proposait Freud.

**Tableau 1.3**    Description sommaire des huit stades d'Erik Erikson

| Stade | Problème psychosocial dominant | Dimensions en opposition | Modalités relationnelles dominantes |
|---|---|---|---|
| **1.** (0 à 1 an)<br><br>confiance<br>ou<br>méfiance | Il s'agit, pour l'enfant, d'acquérir la conviction que l'on est aimé et appuyé par quelqu'un, quoi qu'il arrive ; c'est ce qu'Erikson appelle la *confiance de base*. Le nourrisson, dans les rapports qu'il a avec la personne qui lui prodigue les soins, le plus souvent sa mère, doit acquérir une confiance de base en autrui et en lui-même. L'expérience intime d'une correspondance entre ses besoins personnels et la réponse du milieu créera cette confiance, cette assurance d'une compétence, d'une réussite et d'une sécurité. L'expérience d'un manque de correspondance, d'une insensibilité du milieu à ses besoins entraînera, au contraire, de l'anxiété, de l'insécurité et de la méfiance. | **Confiance ◄──► méfiance**<br>Une certaine dose de méfiance est utile à tout âge pour permettre de prévoir le danger, de reconnaître les personnes abusives ou injustes, les situations piégées, etc. Si la méfiance l'emporte sur la confiance, l'enfant (et plus tard l'adulte) aura tendance à se replier sur lui-même, à être frustré, méfiant, à manquer de confiance en lui-même, etc. | *S'approprier* selon différents modes d'incorporation (sucer, mâcher, mordre, manger, respirer) et *donner en retour* (selon les mêmes modes inversés). |
| **2.** (1 à 3 ans)<br><br>autonomie<br>ou<br>doute<br>et honte | La maturation permet l'acquisition d'importantes habiletés de contrôle sur soi-même et l'environnement : la parole, la marche et le contrôle des sphincters. La possibilité pour l'enfant de se déplacer vers les objets désirés ou de s'éloigner de ceux qui ne le sont pas, de retenir ou d'évacuer les excréments, de dire ou de ne pas dire, etc., suppose un certain contrôle, la capacité de choisir, donc une certaine indépendance ou autonomie. En revanche, la maturation entraîne aussi la conscience de pouvoir ne pas être choisi, de pouvoir être séparé de ses parents, la peur de ne pas réussir à contrôler, la peur de l'échec qui diminue l'estime de soi. Le problème se situe donc entre la réussite et l'échec du contrôle. | **Autonomie ◄──► honte et doute**<br>Le sentiment d'autonomie s'acquiert à travers la réussite du contrôle. La honte suppose la conscience de l'échec et la conscience d'être observé dans l'échec. Le doute correspond à l'incertitude de réussir ; pour douter, l'enfant doit savoir que la réussite a pour opposé l'échec. Le doute débouche sur l'ambivalence, la difficulté de faire des choix, de maintenir une position.<br><br>La peur de la séparation suppose la capacité d'imaginer l'absence et la solitude, de la même façon que la honte implique la conscience d'être observé. La pensée représentative est requise à ce stade. | Garder ou laisser aller, conserver ou rejeter, choisir ou éviter : l'ambivalence est constamment présente dans le monde psychosocial de l'enfant. |
| **3.** (4 à 5 ans)<br><br>initiative<br>ou<br>culpabilité | Comme dans le troisième stade décrit par Freud, la dominante de ce stade est l'identification ; l'enfant réalise qu'il est une personne. La question qu'il se pose est : « Quel type de personne ? » Selon Erikson, l'enfant veut être comme ses parents, c'est-à-dire puissant, beau, grand et aussi intrusif. L'enfant est placé entre, d'une part, le désir de réalisation, d'initiative, de puissance et, d'autre part, la culpabilité liée au fait d'être allé trop loin, d'avoir été intrusif, d'avoir dépassé la limite. | **Initiative ◄──► culpabilité**<br>En quoi la notion d'« initiative » s'oppose-t-elle à celle de « culpabilité » ? Pour pouvoir répondre à cette question, il faut faire intervenir la notion de surmoi, entité chargée de punir les actes immoraux. Très proche du stade phallique de Freud avec sa composante œdipienne, le troisième stade d'Erikson place l'enfant entre son désir de puissance, de réalisation, d'initiative, et la culpabilité d'avoir été intrusif, d'avoir transgressé des règles. | Initiative : réaliser, faire, imiter les modèles, etc. |

**Tableau 1.3**   Description sommaire des huit stades d'Erik Erikson (*suite*)

| Stade | Problème psychosocial dominant | Dimensions en opposition | Modalités relationnelles dominantes |
|---|---|---|---|
| **4.** (6 ans à la puberté)<br><br>compétence versus infériorité | L'entrée à l'école et les nouvelles capacités cognitives de l'enfant ouvrent à ce dernier tout un monde de connaissances. Le thème dominant de ce stade est l'apprentissage. Sur le plan psychosexuel, la période de latence est très propice à cette ouverture. Devant la quantité infinie de connaissances à acquérir, le problème est celui de devenir compétent et d'éviter le sentiment d'infériorité résultant de l'échec. Ce quatrième stade est plus calme que les précédents parce que les pulsions internes y sont moins violentes. | **Compétence ◄──► infériorité**<br>L'objet recherché est la maîtrise; lorsqu'elle n'est pas atteinte, elle laisse un sentiment d'infériorité et d'incompétence. Encore ici, même si la compétence représente le pôle positif, la conscience de la possibilité d'échec est nécessaire, car elle oblige à faire montre de réalisme. | Apprendre, construire des choses, faire des expériences, maîtriser des phénomènes, savoir. |
| **5.** (adolescence)<br><br>identité ou diffusion | L'adolescence transforme le corps, elle entraîne l'apparition de nouveaux besoins sexuels et de nouveaux outils intellectuels, la formation de nouvelles amitiés et de modèles différents. Alors que la confiance, l'autonomie, l'initiative et la compétence ont contribué, aux stades antérieurs, à la construction d'une identité personnelle, à l'adolescence se pose le problème du « qui suis-je? » de la façon la plus aiguë. Identité sexuelle, identité des rôles à l'intérieur de sa propre personnalité, d'une profession, d'un groupe social, etc.: l'adolescent doit choisir. Or, choisir c'est aussi exclure, écarter certaines possibilités; il est impossible de s'identifier en voulant tout garder, ne rien perdre, ou en refusant tout sans effectuer de choix. | **Identité ◄──► diffusion**<br>L'adolescent est placé à un carrefour où il doit effectuer des choix, et s'engager dans une voie plutôt que dans une autre. Il doit graduellement s'éloigner de sa famille et se construire un monde personnel. L'échec dans cette entreprise d'intégration des buts, des rôles, etc., entraîne la diffusion, l'interrogation permanente, la succession des projets restés en plan. Encore ici, l'identité est le pôle positif mais, de même qu'il n'est pas toujours opportun de se marier avec son premier amour, l'exploration des rôles et des buts fait partie du stade de la recherche d'une identité psychosociale. | Vouloir être soi-même (ou ne pas l'être). |
| **6.** (jeune adulte)<br><br>intimité et solidarité ou isolement | Le problème psychosocial dominant du jeune adulte consiste à investir dans l'autre sans perdre son identité. Il faut avoir franchi avec succès le stade 5 pour pouvoir s'abandonner à une autre personne en toute confiance, sans craindre de n'être plus soi-même. Erikson estime que le défi de la solidarité se pose dans le jeune couple mais aussi dans les amitiés avec des personnes du même sexe. | **Intimité-solidarité ◄──► isolement**<br>L'intimité qui permet la solidarité est le pôle positif, mais la capacité de s'isoler peut être utile lorsque l'identité est menacée. Le jeune adulte incapable d'intimité avec les autres aura des relations distantes, froides ou stéréotypées. | Se perdre et se retrouver dans une autre personne. |
| **7.** (âge adulte)<br><br>générativité ou centration sur soi | Le problème de l'investissement de son énergie dans le futur, pour la postérité, se pose à l'adulte de façon importante par rapport à l'investissement sur soi-même dans l'immédiat. Le futur, cela peut être ses enfants, mais aussi des réalisations qui laisseront des traces. Pour réussir, il faut croire en l'avenir, adhérer à des valeurs, se soucier des autres. | **Générativité ◄──► centration sur soi**<br>La générativité peut se définir comme la capacité de former des projets qui dépassent le présent, de préparer le futur, d'aider les autres à se développer. La centration sur soi suppose un intérêt exclusif pour le présent, l'immédiat, sur soi-même, maintenant. Par ailleurs, le fait de s'oublier en vue de ménager | Prendre soin de - appuyer le développement — faire des projets et travailler au futur. |

**Tableau 1.3**    Description sommaire des huit stades d'Erik Erikson (*suite*)

| Stade | Problème psychosocial dominant | Dimensions en opposition | Modalités relationnelles dominantes |
|---|---|---|---|
| | | le futur, sans se soucier de vivre pleinement le moment présent, peut représenter un excès que la présence du pôle « centration sur soi » peut diminuer. | |
| **8.** (troisième âge)<br><br>intégrité ou désespoir | Au cours de ce dernier stade, le problème psychosocial se définit comme l'acceptation de ses réalisations avec leurs limites, en tant que contribution à un projet plus vaste qui transcende les personnes ou les époques, ou le regret de ce que l'on a fait ou n'a pas fait. Être en confiance, avoir l'âme en paix ou, au contraire, avoir peur de mourir, regretter le passé et vivre sans espoir. | **Intégrité ⟷ désespoir**<br>Cette étape se caractérise par le fait d'accepter de laisser sa place versus avoir peur de ne plus être, de se définir par ses réalisations passées versus regretter ce que l'on a fait ou pas. Ici, le pôle souhaitable de l'intégration peut bénéficier de la tendance inverse utile au maintien « jusqu'au bout » d'une participation active à la vie, au refus de l'abandon. | Être ce que l'on a été, accepter de ne plus être, de laisser la place. |

## 1.5.3    Les huit stades du développement psychosocial

Erikson définit donc huit stades de développement, chacun apportant une limite à franchir dans un contexte psychosocial déterminé. Au cours de son développement, l'organisme s'ouvre de l'intérieur comme une plante, selon une programmation innée dont les étapes créent une sensibilité particulière à certains types d'interactions psychosociales. Ainsi, une fillette de 11 ans n'est pas prête, physiquement, à avoir des enfants; les obstacles à surmonter en ce qui a trait à son développement sont tout autres. Dans 10 ou 15 ans toutefois, la femme qu'elle sera devenue aura probablement l'idée d'avoir des enfants, alors que plus tard encore, vers la cinquantaine, cette préoccupation sera chose du passé. Selon Erikson, la maturation de l'organisme interagit avec le milieu social pour définir une problématique, un défi propre à chacun des huit stades. Le thème dominant à un stade donné ne disparaît pas lorsque celui-ci est franchi; il est intégré dans le problème du stade suivant. Ainsi, l'identité personnelle, thème majeur de l'adolescence, est un élément psychosocial aussi présent dans la vie du jeune adulte que l'était le désir d'autonomie lorsqu'il avait 2 ou 3 ans. Les thèmes sont donc maintenus d'un stade à un autre, mais ils prennent une autre forme: l'autonomie ne représente certainement pas la même chose à 2 ou 3 ans et à 21 ans, mais certains éléments subsistent. Erikson propose que si la crise propre à un stade donné du développement ne se résout pas de façon satisfaisante, la personne continuera d'être préoccupée par le thème en question au cours des étapes ultérieures; elle continuera à mener le même combat.

Comme le montre le tableau 1.3, chaque stade comporte deux pôles, ce qui justifie l'emploi de termes comme « crise », « défi » ou « problème » dans la description des stades du développement personnel. Dans le développement normal, à chaque stade, le pôle positif l'emporte sur le pôle négatif de sorte que la personne est prête à franchir l'étape suivante en s'appuyant sur ses acquis. Cette victoire du positif sur le négatif n'est cependant pas définitive. Le contexte social dans lequel la personne évolue peut faire resurgir le défi lié à un stade antérieur.

L'enfant dont les parents se séparent peut replonger dans le problème de la confiance de base (stade 1) s'il éprouve un sentiment d'abandon, se sent trahi par l'un des parents, ou encore revenir aux enjeux du stade 3 s'il se croit responsable de la séparation et qu'il en éprouve de la culpabilité. De leur côté, les parents de l'enfant peuvent avoir à affronter de nouveau les difficultés associées au stade 6, et ils peuvent aussi avoir à répondre aux exigences du stade 2 où « autonomie » s'oppose à « doute et honte ».

Selon Erikson, durant toute notre vie, le milieu requiert que nous puisions dans nos acquis psychosociaux. La culture et la langue du pays d'accueil peuvent influer sur l'identité personnelle d'un émigré. Même si le bilan « identité » est positif au sortir de l'adolescence, le changement de pays peut entraver les acquis et ramener la crise d'identité adolescente, crise que n'aura pas à revivre la personne sédentaire.

Les huit stades constituent donc des périodes critiques définies par la dominance d'une préoccupation personnelle de base. La maturation physiologique est associée au franchissement des diverses étapes du cycle de vie décrites par Erikson, mais le contexte social dans lequel la personne évolue influe sur l'issue de la lutte entre les tendances contraires mises en jeu dans chacun des stades.

## 1.6   LA THÉORIE ÉTHOLOGIQUE DU DÉVELOPPEMENT DE L'ENFANT

L'éthologie s'intéresse au rôle du comportement dans l'adaptation et la survie de l'organisme. L'approche éthologique du développement de l'enfant est probablement le courant théorique le plus directement influencé par les thèses de Darwin concernant l'évolution des espèces. Les recherches menées par Konrad Lorenz, Karl von Frisch et Niko Tinbergen sur le comportement de diverses espèces animales dans leur habitat naturel ont établi que les animaux obéissaient à différents schémas de comportement. Ces schémas sont inscrits dans le code génétique de l'espèce et, dans un environnement favorable à leur manifestation, ils donnent lieu à des conduites visant à assurer la survie. Parmi les schémas de comportement les plus connus, nous trouvons l'*imprinting*, phénomène consistant dans le fait que certaines expériences vécues à un âge particulier laisseraient une trace permanente chez l'individu. Lorenz a mis en évidence l'*imprinting*, à la suite de ses observations sur le comportement de canetons qui suivaient leur mère de près à un âge déterminé afin d'obtenir nourriture et protection, comportement qui se manifestait même si la mère était remplacée par un objet tel qu'un biberon mobile (Lorenz, 1966). La danse des abeilles est un autre exemple de schéma de comportement mis en évidence par Karl von Frisch. Ce schéma agit comme système de communication basé sur la direction du vol de l'abeille. (Cet exemple est décrit en détail dans le chapitre sur le langage.)

De ces recherches zoologiques est issu le concept de « moment critique » du développement selon lequel, pendant une période déterminée de sa vie, l'organisme est particulièrement sensible à certaines expériences vécues dans le milieu. Au cours de cette période, les tendances biologiques codées génétiquement doivent se manifester dans des conditions environnementales déterminées pour qu'il y ait acquisition définitive (Kreamer, 1992). John Bowlby s'est inspiré de cette approche et a observé l'interaction de la mère avec son nourrisson. Il a conclu de ses observations que l'attachement mère-enfant résulte de l'interaction entre les prédispositions biologiques de l'enfant à sourire, à gazouiller et à pleurer d'une part, et l'inclination naturelle de la mère à prendre soin de son petit d'autre part (Bowlby, 1969, 1988 ; Ainsworth, 1995). L'attachement parent-enfant, qui représente une assurance de survie au début de la vie humaine, évoluerait graduellement du mouvement instinctif vers des échanges plus symboliques par le moyen du langage. Les travaux de Mary Ainsworth (1913-1999) ont permis de voir que le type d'attachement entre une mère et son enfant dépendait de l'interaction qui existait entre eux au début de la vie de ce dernier (Ainsworth 1985, 1989, 1991 ; Ainsworth et autres, 1978 ; Ainsworth et Bowlby, 1991). Aujourd'hui, la théorie de l'attachement est considérée comme l'une des acquisitions essentielles de la psychologie du XXe siècle. Les styles d'attachement qu'elle a dégagés sont présents dans les différentes cultures et dans tous les cycles de la vie (Bretherton, 1992). Dans leur méta-analyse, Schneider, Atkinson et Tardif (2001) ont compilé les données de 63 études différentes sur les effets des styles d'attachement et ont observé que les enfants manifestant un attachement de type sécurisé à leur mère avaient des relations d'amitié plus solides avec leurs pairs que les enfants témoignant d'un attachement insécurisé. Plusieurs travaux de recherche comparative portant sur des animaux utilisent aussi le modèle de Mary Ainsworth. Ainsi, des études ont montré que la relation entre l'homme et le chimpanzé et entre l'homme et le chien pouvait être catégorisée au moyen du continuum d'attachement sécurisé-insécurisé et que les comportements dans une situation nouvelle présentaient des similitudes avec ceux de l'enfant à l'égard de sa mère (Topal et autres, 1998).

L'observation systématique du comportement en milieu naturel, principale méthode de collecte des données chez les éthologistes, a permis de reconnaître chez les enfants des structures de comportements sociaux analogues à celles de certains animaux. Ainsi, des hiérarchies de dominance dans les rapports entre enfants à la garderie ou dans la famille ainsi que des structures de coopération, de jeu ou de communication non verbale ont été décrites (Strayer, 1984 ; Strayer et Noël, 1986). Les rapports spontanés entre les enfants en groupe, même à l'âge préscolaire, témoignent d'une structure sociale où chaque individu occupe une position hiérarchique définie dans le groupe. La reconnaissance de cette structure et des positions respectives des membres du groupe par les enfants favoriserait l'adaptation de ces derniers. Par exemple, dans le but d'obtenir un jouet, un enfant entrant en conflit avec un compagnon plus fort que lui évitera l'échec en reconnaissant que l'autre peut facilement l'emporter sur lui, ce qui épargne aussi au plus fort une confrontation non désirée. Dans le domaine de la coopération, des réseaux sociométriques relativement stables ont été observés en garderie et en maternelle dans l'activité des enfants (Bouchard, Cloutier et Gravel, à paraître).

Avec le courant éthologique, la psychologie du développement est parvenue à emprunter des concepts et des méthodes aux sciences naturelles qui permettent de mieux comprendre la fonction adaptative des comportements observés dans le milieu naturel, comportements qui peuvent ensuite être reproduits en laboratoire. La réaction de l'enfant à la *situation étrangère* mise en évidence par Ainsworth est un exemple de découverte issue d'une méthode expérimentale : on a observé en laboratoire la réaction de l'enfant à la séparation et à la réunion avec sa mère dans une pièce où une personne étrangère est également présente. La même démarche a permis de dresser la typologie des styles d'attachement existant entre une mère et son enfant, typologie qui sera décrite en détail au chapitre 9 portant sur le développement de la personnalité (Ainsworth, 1991 ; Ainsworth et autres, 1978).

## 1.7 L'ÉCOLOGIE DU DÉVELOPPEMENT DE L'ENFANT

L'approche écologique envisage le développement de l'enfant en fonction du contexte déterminé où ce dernier évolue. D'abord annoncé par les travaux de Barker (1968), ce courant a été fortement associé à l'œuvre de Urie Bronfenbrenner. Les connexions entre les processus du développement et les contextes sociaux où ces derniers prennent place sont à la base de cette approche (Bronfenbrenner, 1979b, 1979b, 2000 ; Bronfenbrenner et Crouter, 1983 ; Bronfenbrenner et Ceci, 1994 ; Bronfenbrenner et Morris, 1998).

Comme dans l'approche éthologique du développement, l'environnement naturel de l'enfant est ici mis au premier plan, avec une insistance particulière sur les rapports existant entre différentes entités comme la famille, les amis, les voisins, le milieu de travail, la communauté, la culture, etc.

Dans la plupart des théories du développement de l'enfant, le développement est considéré comme le résultat de l'imbrication réciproque des caractéristiques de l'enfant et celles de son milieu, certaines approches mettant plus l'accent sur un pôle que sur l'autre. Certains auteurs se sont employés à souligner le caractère réciproque de cette influence, c'est-à-dire le fait que l'enfant exerce aussi une influence sur l'environnement. Par exemple, Bell et Harper (1977) et Ambert (2000) font état d'une abondante documentation montrant que les enfants, par leurs besoins, leur apparence, leur comportement, exercent une influence sur leurs parents, leurs éducateurs et plus généralement sur leur environnement social.

L'approche écologique du développement humain se distingue par le fait que l'interaction sujet-milieu est considérée comme variant selon le contexte social. Ainsi, les comportements des parents à l'égard des enfants diffèrent selon les classes sociales, l'environnement communautaire et le réseau d'amis de la famille (Tolan, Gorman-Smith et Henry, 2003).

Selon Bronfenbrenner, l'environnement de l'enfant est organisé selon quatre structures enchâssées l'une dans l'autre. La figure 1.2 (page 18) fournit un schéma du modèle écologique conçu par cet auteur. Le premier niveau, le microsystème, correspond aux différents contextes dans lesquels l'enfant joue un rôle direct en tant que personne participante, contextes qui présentent chacun certaines caractéristiques physiques et sociales. La famille, la garderie, l'école et le groupe d'amis sont des exemples de microsystèmes. La famille est sans doute le microsystème ayant fait l'objet du plus grand nombre d'études en rapport avec le développement de l'enfant. L'approche écologique de la famille

Figure 1.2   Structure du modèle écologique de Bronfenbrenner

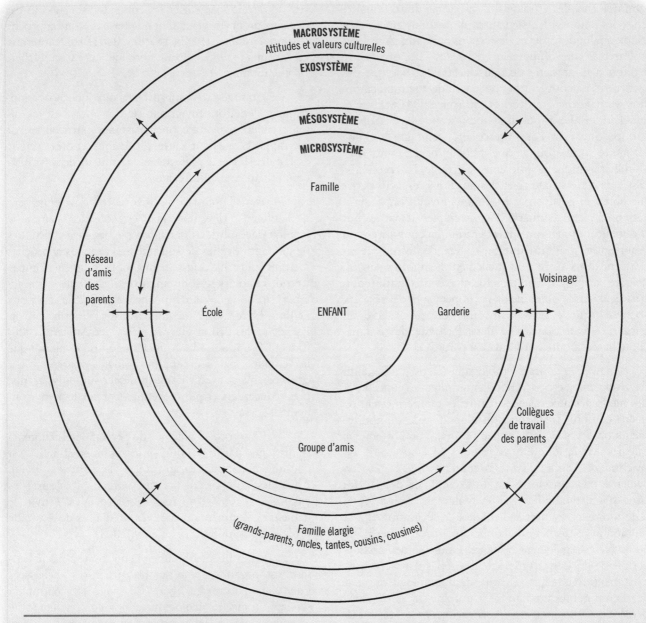

Source: Adaptée de L.E. Berk (1989), *Child Development,* Boston, Allyn and Bacon, p. 22.

a permis de voir que non seulement les membres s'influencent réciproquement, mais que la qualité de relation qui existe entre le père et l'enfant, par exemple, est fonction de celle qui existe entre les deux parents (Cloutier, Filion et Timmermans, 2001). Le deuxième niveau du modèle écologique, le mésosystème, correspond aux relations qui existent entre les microsystèmes de l'enfant. Entre autres, les liens qui existent entre la famille et la garderie, la famille et le groupe d'amis, le groupe d'amis et l'école, etc., définissent le mésosystème de l'enfant. Le rendement scolaire de l'enfant peut ainsi être influencé par les rapports entre sa famille et son école (Deslandes et Cloutier, 2002, 2000 ; Marcotte, Royer et Cloutier, à paraître), ainsi que par le type de communication qu'entretiennent son groupe d'amis et son école. Le mésosystème représente donc le réseau formé par les microsystèmes dont l'enfant fait partie.

Le troisième niveau du modèle écologique, l'exosystème, renvoie aux contextes sociaux qui, sans impliquer la participation directe de l'enfant, influent sur ce qui lui arrive ou sont influencés par ce qui lui arrive. Le milieu de travail de la mère ou du père, le réseau social des parents ou des frères et sœurs, le conseil d'administration de la garderie, le comité d'école et le voisinage sont des exosystèmes. Ainsi, si l'employeur d'une mère monoparentale annonce à celle-ci qu'elle devra travailler non plus 25 heures mais 35 heures, cinq jours par semaine, il est évident que la surveillance du travail scolaire de l'enfant sera touchée. De même, si le comité d'école recommande la fermeture du service de garde postscolaire parce qu'il n'est pas rentable, l'activité de l'enfant après les heures de classe sera directement touchée. L'enfant ne participe pas directement à l'exosystème, mais sa vie peut être influencée par ce qui y survient ; les actions et les décisions provenant de l'exosystème influent sur le milieu de vie de l'enfant.

Le macrosystème, le niveau le plus englobant du modèle écologique, constitue non pas un contexte physique, mais un contexte culturel. Il se définit comme l'ensemble des attitudes, des règles sociales et des valeurs adoptées par les sous-systèmes des autres niveaux. Par exemple, l'importance accordée à l'enfance par une société se réflètera dans l'aide apportée aux écoles, aux garderies et aux familles (Bouchard, 2001).

Le modèle écologique de Bronfenbrenner, bien que sa vérification empirique fasse problème, a suscité un intérêt soutenu au cours des trente dernières années, sans doute parce qu'il tient compte des rapports qui unissent les différentes sphères qui influent sur nos vies. Aujourd'hui par exemple, nous disposons de données valables indiquant que la violence dans la famille peut s'expliquer non seulement par l'incompétence parentale, mais aussi par la situation de stress vécue par la famille, par son isolement ou par le faible soutien social qu'elle reçoit (Bouchard et Desfossés, 1989 ; Chamberland et Fortin, 2000 ; Clément et autres, 2000 ; Damant

et autres, 1999). Nous savons aussi qu'une fermeture d'usine, du fait qu'elle réduit ses parents au chômage, peut affecter l'enfant ou qu'une taxe additionnelle peut toucher l'enfant par son effet sur le budget familial. Au contraire, une politique de soutien de l'éducation préscolaire garantirait davantage l'avenir des enfants, notamment ceux des classes défavorisées.

## 1.8    L'APPROCHE DE L'APPRENTISSAGE SOCIAL

L'approche de l'apprentissage social du développement de l'enfant met l'accent sur les acquisitions qui résultent de l'observation et de l'imitation des comportements et des relations suivies avec d'autres personnes. Cette approche du développement est largement tributaire des travaux du psychologue Albert Bandura, un Canadien qui a mené une carrière de chercheur aux États-Unis. Dans *Social Foundations of Thought and Action,* Bandura (1986) expose en détail cette théorie de l'apprentissage social qui prend sa source dans l'approche classique de l'apprentissage animal et humain.

### 1.8.1    L'approche classique de l'apprentissage

La théorie de l'apprentissage résulte des contributions et des recherches de plusieurs auteurs, à la différence, par exemple, de la théorie proposée par Piaget. C'est donc de la recherche sur l'apprentissage, courant qui a dominé la psychologie américaine jusqu'aux années 1970, qu'est issue la théorie de l'apprentissage social de Bandura. Au début du siècle, John B. Watson, le père du

Albert Bandura

béhaviorisme, a écarté l'introspection (méthode fort en usage dans la recherche de l'époque) comme moyen de comprendre l'humain. Pour Watson, demander à quelqu'un de réfléchir à ses pensées et à ses sentiments, c'est-à-dire faire de l'introspection et verbaliser, ne peut donner qu'un reflet subjectif et partiel de la réalité que l'on veut saisir. La psychologie doit tendre à l'objectivité, elle doit servir à prédire et à vérifier le comportement observable et non pas à spéculer sur des phénomènes intrapsychiques qui échappent à l'observation.

Voici une citation intéressante témoignant de cette volonté d'objectivité, extraite du livre *Soins psychologiques du nourrisson et de l'enfant (Psychological Care of Infant and Child)* de Watson.

> Il y a une façon appropriée de prendre soin des enfants. Traitez-les comme s'ils étaient de jeunes adultes. Habillez-les, lavez-les avec soin et minutie. Faites en sorte que votre comportement soit toujours objectif et ferme tout en demeurant bienveillant. Ne les enlacez ou embrassez jamais, ne les laissez pas s'asseoir sur vos genoux. Si vous le devez, embrassez-les une fois sur le front lorsqu'ils vont au lit. Serrez-leur la main le matin. Caressez-leur la tête s'ils ont accompli un travail extraordinaire dans une tâche difficile. Essayez. Après quelques semaines, vous trouverez qu'il est facile d'être parfaitement objectif avec votre enfant et d'être gentil en même temps. Vous serez honteux de la façon mielleuse et sentimentale dont vous les aurez traités auparavant. (Watson, 1928, p. 81, cité dans Miller, 1989, p. 200.)

Les travaux de Ivan Pavlov, le fameux psychologue russe à qui on attribue la découverte du conditionnement classique, ont exercé une grande influence sur les théoriciens du béhaviorisme. Pavlov a observé que le réflexe de salivation du chien affamé devant la nourriture pouvait se transférer sur un autre stimulus par conditionnement : le chien habitué à recevoir de la nourriture de son maître commence à saliver dès qu'il aperçoit ce dernier, sans même avoir vu ou senti la nourriture. Si la présentation de la nourriture à l'animal est précédée du tintement d'une clochette, le réflexe de salivation pourra par la suite se déclencher au seul son de cette dernière, sans apport de nourriture, par association de la cloche et de la nourriture. C'est ce qu'on appelle le conditionnement classique, c'est-à-dire le déclenchement d'une réponse automatique ou inconditionnelle (ici le réflexe de salivation), par un nouveau signal, que l'on appelle stimulus conditionnel (la clochette), après que ce dernier a été associé plusieurs fois au stimulus inconditionnel initial (la nourriture).

### 1.8.2   Le courant béhavioriste

Pendant une cinquantaine d'années, les adeptes du béhaviorisme ont refusé de prendre la pensée comme objet d'étude, se concentrant sur les comportements que les stimuli de l'environnement et les renforcements peuvent faire apparaître, maintenir ou faire disparaître par apprentissage. Le courant béhavioriste pur ne croit pas que l'enfant puisse prendre en charge son développement. Le célèbre psychologue béhavioriste B.F. Skinner (1904-1990) disait : « la personne n'agit pas sur le monde, c'est le monde qui agit sur elle » (Skinner, 1971, p. 211). Skinner élargit considérablement la perspective béhavioriste en démontrant que l'apprentissage d'un comportement pouvait être assuré chez l'enfant en associant à une conduite louable une récompense quelconque (félicitations, cadeau, sourire, etc.) appelée renforcement. Skinner a montré aussi que le comportement pouvait être « désappris » rapidement s'il entraînait des conséquences fâcheuses (punition). Le conditionnement opérant se fait donc par la consolidation ou l'extinction d'une réponse selon les conséquences que celle-ci entraîne (récompense ou punition suivant le comportement). Ce concept a eu de larges répercussions dans un grand nombre de domaines qui touchent la motivation, notamment en éducation avec l'« enseignement programmé », méthode où le contenu à apprendre est subdivisé en petites unités d'information. Chaque fois que l'élève montre qu'il maîtrise la matière en donnant une bonne réponse, une rétroaction positive lui est donnée et il passe à l'unité suivante.

Pendant la première moitié du XXᵉ siècle, d'innombrables recherches, la plupart portant sur les animaux, ont été réalisées en vue de dégager des lois universelles d'apprentissage, c'est-à-dire applicables à tous (animaux ou humains) dans n'importe quel type de tâche. Voici quelques exemples de ce type de loi :

– Plus le renforcement (la récompense) suit de près la réponse formulée par le sujet, plus il permettra de consolider la réponse ;

– Une réponse qui n'est renforcée que de façon intermittente est plus difficile à faire disparaître qu'une réponse qui est constamment renforcée ;

– Une réponse à un stimulus donné a tendance à s'étendre à des stimuli de même nature.

Selon Miller (1989), ce type de loi s'est toutefois révélé difficile à appliquer dans tous les types de comportements (moteurs, cognitifs, émotionnels, sociaux, etc.), dans tous les groupes d'âges ou dans toutes les cultures. Ces lois sont malgré tout à la base de la conception du développement de l'enfant dans la théorie de l'apprentissage. Le développement entraîne l'acquisition progressive, par apprentissage, de tout un répertoire de réponses plus ou moins complexes. La pensée est regardée ici comme une réponse comme les autres, induite elle aussi par l'environnement, sauf qu'elle n'est évidemment pas observable de manière directe.

La théorie de l'apprentissage a subi quelques remaniements en ce qui concerne le développement de l'enfant. Par exemple, il apparaît bien que les enfants jouent un rôle actif dans leurs tentatives d'apprentissage, qu'ils ne font pas que réagir aux stimuli de l'environnement. De plus, l'apprentissage lui-même prend de nouvelles formes à mesure que l'enfant se développe. Ainsi, un enfant de 4 ans n'apprend pas de la même façon qu'un enfant de 10 ans : à mesure que l'enfant grandit, son apprentissage devient de plus en plus réfléchi, et la notion de réponse simple à un stimulus (S-R) doit faire place à celle de stratégie cognitive de réponses. La théorie sociale cognitive de Bandura intègre la cognition dans l'approche de l'apprentissage du développement humain.

### 1.8.3  La théorie sociale cognitive de Bandura

Du point de vue du développement de l'enfant, la théorie sociale cognitive de Bandura représente une amélioration importante du modèle béhavioriste parce qu'elle s'intéresse directement aux processus cognitifs en jeu dans l'acquisition et le maintien des comportements, ainsi qu'au contexte de leur production.

> La théorie sociale cognitive comporte un modèle interactif de causalité où les événements survenant dans l'environnement, les facteurs personnels et le comportement apparaissent tous comme déterminants les uns des autres. La causalité réciproque permet aux personnes de diriger leur destinée en même temps qu'elle établit les limites de l'autodétermination. (Bandura, 1986, p. XI.)

Avant de proposer sa théorie sociale cognitive du développement, Bandura a mené des recherches qui révèlent la puissance des modèles présentés à l'enfant en tant que source d'influence de son comportement. Ces travaux sur l'« apprentissage par observation » ou « modelage » ont montré, par exemple, que des enfants d'âge préscolaire ayant vu un adulte malmener une poupée

présentaient plus de gestes agressifs avec celle-ci lorsqu'ils étaient laissés seuls avec elle que des enfants qui n'avaient pas été témoins de gestes agressifs sur le même objet (Bandura, Ross et Ross, 1961). Il est maintenant établi que, dans certaines conditions, l'observation d'un modèle peut provoquer une forme d'apprentissage chez l'enfant (l'apprentissage par observation). La découverte a son importance, car elle peut servir à mesurer l'influence que la télévision peut exercer sur les enfants, notamment en ce qui concerne la violence, très souvent présente dans les émissions destinées aux jeunes (voir le chapitre portant sur les agents de socialisation). Dans ses derniers travaux, Bandura est allé beaucoup plus loin que l'apprentissage par imitation et a mis sur pied une théorie sur les fondements sociaux de la pensée et des actions (Bandura, 1986, 1991, 1999). Le tableau 1.4 (page 22) présente une description des processus sociaux et cognitifs intervenant dans l'apprentissage tel que le conçoit Bandura. Ces processus cognitifs, au nombre de quatre, font le lien entre le modèle et le comportement présenté par l'observateur. Ces processus sont l'attention, la rétention, la production et la motivation. Il faut noter que chacun de ces processus est influencé par une série de caractéristiques personnelles de l'observateur.

Le tableau 1.4 permet de voir que la théorie sociale cognitive fait une large place aux processus cognitifs. La théorie de Bandura, élaborée à partir de la méthode expérimentale, a contribué de trois façons à enrichir notre compréhension du développement de l'enfant.

– Elle reconnaît le rôle des processus mentaux dans l'apprentissage et admet les notions de personnalité et de développement moral, à la différence des thèses béhavioristes traditionnelles ;

– Elle considère que l'enfant est un agent actif de son développement et non pas seulement un organisme qui ne fait que réagir aux stimulations de l'environnement ;

– Elle définit un processus d'autorégulation dans l'apprentissage. Ce processus est notamment lié aux capacités : a) d'établir des liens entre les apprentissages antérieurs et les situations présentes de manière à dégager des règles ou des lignes de conduite précises, etc. ; b) de fixer des objectifs de performance par rapport à des valeurs ou des attentes d'efficacité personnelle ; et c) d'évaluer son propre rendement en fonction de ses objectifs et de se donner soi-même des récompenses ou des correctifs à la lumière de l'évaluation.

**Tableau 1.4** Processus cognitifs et caractéristiques personnelles intervenant dans l'apprentissage social selon Bandura

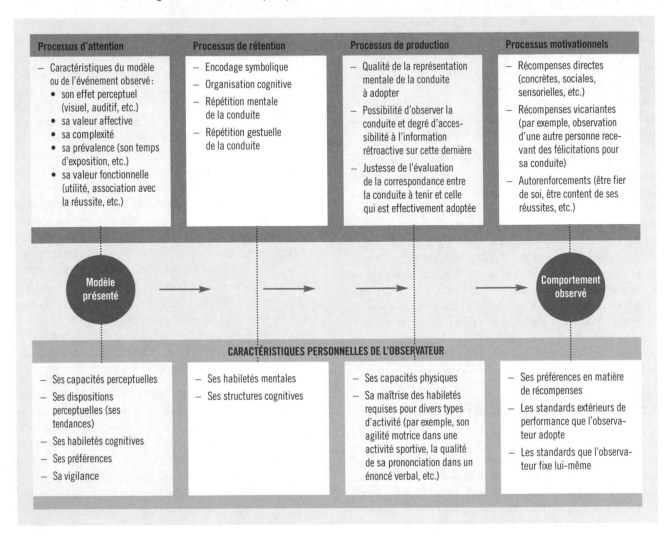

Source : Adapté de A. Bandura (1986), *Social Foundations of Thought and Action,* Englewood Cliffs (N.J.), Prentice-Hall.

## 1.9 L'APPROCHE DU TRAITEMENT DE L'INFORMATION

À partir des années 1970, avec l'apparition de l'informatique, une nouvelle approche du fonctionnement humain s'est rapidement développée : l'approche du traitement de l'information. L'application des connaissances acquises en informatique et en intelligence artificielle au domaine de la psychologie cognitive repose sur l'idée que l'esprit humain peut être regardé comme un système de traitement de l'information, comme un ordinateur complexe qui enregistre, encode, organise et interprète les stimuli depuis l'entrée (*input*) jusqu'à la réponse (*output*) [Klahr et MacWhinney, 1998]. Dans cette approche, la modélisation des étapes de traitement de l'information constitue un outil essentiel permettant de décrire la hiérarchie des fonctions et leurs interactions réciproques. Dans cette optique, trois grands paramètres servent à définir les opérations du système mental humain :

1) le processus reliant l'entrée (*input*) et la sortie (*output*) ;

2) la séquence des opérations relatives au traitement de l'information ;

3) l'organisation hiérarchiquement structurée définissant une stratégie cognitive dans laquelle certaines opérations en commandent d'autres.

Le premier objet d'étude de cette approche est donc le fonctionnement cognitif. L'approche du traitement de l'information n'a pas vraiment fourni une théorie du développement de l'enfant, mais dans le contexte de l'évolution contemporaine des connaissances, cette approche a permis d'enrichir nos connaissances en matière de fonctionnement mental. Dans cette perspective théorique, le développement psychologique de l'enfant pourrait se comparer à l'élaboration de logiciels. Les chercheurs qui étudient le développement de la mémoire, la charge mentale, les stratégies de résolution de problèmes, la compréhension de textes, etc., n'ont pas l'impression de cautionner une théorie, à la différence des freudiens ou des piagétiens, par exemple; ils ont plutôt le sentiment de travailler dans un secteur donné du champ des processus cognitifs (Miller, 1989). C'est l'adhésion de ces chercheurs à certains principes de base qui permet de les regrouper et de dégager de leurs études des processus cognitifs une conception du développement de l'enfant.

### 1.9.1    Les trois principes de base dans l'approche du traitement de l'information

Nous décrivons ici trois principes de base sur lesquels se fondent la plupart des contributions théoriques associées à l'approche du traitement de l'information sur le système cognitif.

Les trois principes de base en question sont les suivants:

1) *input*, traitement, *output*;
2) modélisation;
3) rigueur dans l'observation et l'analyse de la tâche.

### 1.9.2    *Input,* traitement, *output*

Le premier principe veut que l'humain soit un système qui traite l'information selon trois grandes phases: *input*, traitement, *output*. L'information arrive, elle est traitée, puis un résultat est enregistré. Les opérations mentales se produisent entre l'entrée et la sortie, mais le système cognitif inclut les trois phases. L'*input*, c'est-à-dire la saisie de l'information, peut se faire à partir des

sens (vue, ouïe, goût, odorat, toucher) ou de différents supports (image, objet, symbole, etc.). Déjà, dans cette première étape (*input*), certains processus cognitifs peuvent jouer un rôle dans l'encodage; l'attention, la motivation, la bonne connaissance du support de l'information font partie de ces processus.

La deuxième étape correspond au traitement de l'information comme tel; elle constitue l'élément essentiel de l'approche. Cette étape comprend toute une série de domaines d'exploration, comme la mémoire (à court ou à long terme), la résolution de problèmes et la compréhension de textes. Enfin, la troisième étape correspond à l'*output*; c'est la réponse qui résulte du traitement de l'information. Cette réponse peut correspondre à la mise en mémoire d'une information, à un geste, à une décision, etc. C'est en cherchant à mettre l'*input* en rapport avec l'*output* que l'on peut formuler des modèles de traitement de l'information.

### 1.9.3    Modélisation

Le deuxième principe de l'approche du traitement de l'information est que l'utilisation de modèles est une stratégie efficace pour comprendre les processus cognitifs. Un modèle peut être un programme d'ordinateur permettant de simuler l'opération mentale que l'on cherche à décrire, compte tenu de l'*input* et de l'*output*. Un modèle peut aussi être un diagramme logique. L'un des avantages de l'utilisation de modèles est le niveau de précision que l'on peut atteindre dans la proposition de composantes, de séquences opératoires ou d'interaction entre composantes et étapes d'opération. Le but ultime de l'approche du traitement de l'information est de fournir un modèle qui rend compte du fonctionnement cognitif de façon précise. Un tel modèle décrirait non seulement les composantes du système cognitif, mais aussi les mécanismes de contrôle de ces composantes et la façon dont ces derniers s'établissent et se développent. Dans plusieurs domaines de l'activité humaine, les modèles de simulation font partie des principales stratégies de production; la plupart des fabricants d'automobiles élaborent maintenant leurs produits par simulation et non plus en réalité, ce qui leur permet d'aller plus vite et d'alléger les coûts. En matière de résolution de problèmes, c'est peut-être le jeu d'échecs qui a le plus contribué à faire connaître la valeur de l'approche du traitement de l'information. Dès les années 1950, avec l'avènement des premiers ordinateurs, on a voulu amener la machine à jouer aux échecs. Au début, la machine n'était pas très menaçante mais lorsque, en 1997 l'ordinateur IBM « Deep Blue » a vaincu le champion d'échecs russe Garry Kasparov, le monde s'est aperçu que la machine avait vraiment appris à jouer aux échecs.

### 1.9.4 Rigueur dans l'observation et l'analyse de la tâche

Le troisième principe, partagé par la plupart des tenants de l'approche du traitement de l'information, veut qu'une description des processus mentaux doit s'appuyer sur une analyse très fine de la tâche offerte et un contrôle rigoureux de la méthode d'observation du sujet. Ce principe de rigueur méthodologique est emprunté à la psychologie expérimentale et permet aux cognitivistes d'examiner les processus mentaux complexes avec plus d'assurance: l'encadrement rigoureux du processus en cours d'étude permet de déceler plus aisément les sources de variance dans les réponses observées et de rendre compte des interactions.

### 1.10 LES MÉTHODES D'ÉTUDE DU DÉVELOPPEMENT DE L'ENFANT

Tout au long de ce livre, le lecteur aura à se familiariser avec différentes méthodes servant à étudier le développement de l'enfant. Il convient ici de passer brièvement en revue les méthodes de recherche employées dans ce domaine en pleine expansion.

## LA MODÉLISATION AUX ÉCHECS

La force de l'ordinateur aux échecs dépend de la capacité de traitement de l'information de son logiciel. La stratégie de base consiste à calculer les suites de coups possibles à partir de la position en cours et à évaluer le meilleur coup à jouer selon les critères adoptés. Évidemment, la valeur des critères peut varier, et c'est là que la subtilité des schèmes de calcul, ou algorithmes, entre en jeu. La formidable puissance de calcul de l'ordinateur lui donne déjà un avantage sur l'humain, et, de plus, les logiciels ont été dotés de stratégies de calcul plus performantes. Par exemple, l'ordinateur Deep Blue d'IBM pouvait calculer 300 millions de coups à la seconde tandis que le modèle de la génération suivante (Deep Junior) était aussi fort aux échecs en 2003 que Deep Blue même s'il ne calculait que trois millions de coups à la seconde, parce qu'il utilisait sa capacité de traitement de manière plus stratégique, avec une meilleure pondération de la valeur des coups possibles. Les progrès en intelligence artificielle ne tiennent donc pas tant à la capacité brute de calcul de l'ordinateur qu'à la mise en place d'algorithmes permettant une utilisation plus intelligente de cette capacité. Les modèles de traitement de l'information font aussi une place à la capacité d'apprentissage, laquelle permet à l'ordinateur de modifier ses critères d'évaluation en se basant sur les parties déjà jouées et de s'améliorer.

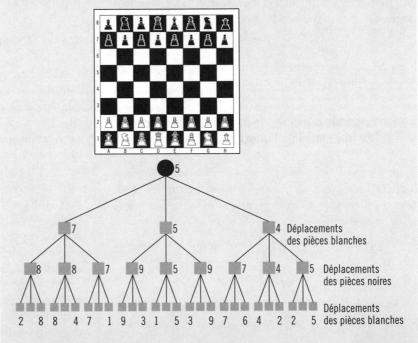

Le diagramme illustre une anticipation de trois coups à l'avance à partir d'une position donnée sur l'échiquier. L'adversaire a joué et laissé l'élément du haut du schéma dans sa position actuelle (cercle noir). L'ordinateur peut jouer l'une ou l'autre des positions sur la deuxième ligne (faute de place, on en a dessiné trois ici, mais il y en a une vingtaine en réalité dans le jeu). Chacune de ces positions possibles offrira à l'adversaire une série de 20 possibilités de jeu. La même combinatoire se répète sur la troisième ligne illustrant le troisième coup à l'avance. Il s'agit alors d'apprécier la valeur de chacune de ces possibilités et de choisir parmi celles-ci celle qui a la meilleure valeur selon les critères de pondération utilisés par le logiciel.

L'approche scientifique du développement de l'enfant a commencé lorsque la psychologie scientifique s'est séparée de la philosophie, au XIXᵉ siècle. L'application de la méthode scientifique à l'étude de l'enfant suppose une révision des théories à la lumière des faits nouveaux, ceux-ci les confirmant ou les infirmant. Le processus de recherche implique donc une interaction constante entre les formulations de théories et la vérification des hypothèses au moyen des données collectées conformément aux méthodes éprouvées.

## 1.10.1  Les méthodes de collecte des données

Les méthodes employées deviennent de plus en plus complexes : à la description des phénomènes succède la compréhension de leur fonction et de leur dynamique chez l'enfant ; la question : « quel changement observe-t-on ? » est remplacée par les questions : « pourquoi et comment ça se développe ? »

La première méthode de collecte de données utilisée dans l'étude du développement de l'enfant est la *biographie d'enfant*. Elle a été employée par plusieurs grands spécialistes de la psychologie. Elle consiste à consigner méthodiquement dans un journal les observations des comportements de l'enfant de façon à voir son évolution dans le temps. Ainsi, Darwin nota ses observations au sujet de son fils en 1840 et 1841 ; Alfred Binet observa ses filles et utilisa ce matériel pour donner des exemples de différences individuelles dans le développement mental de l'enfant ; Piaget appuya son ouvrage *La naissance de l'intelligence chez l'enfant* sur l'observation de ses trois enfants pendant leurs premières années ; Skinner observa l'évolution de sa fille dans la boîte (*baby box*) qu'il avait conçue pour contrôler la stimulation environnementale qui lui était offerte (Borstelmann, 1983). Pour ces hommes de science, le contact direct avec l'enfant a certainement constitué une source majeure d'inspiration, ce qui montre bien que l'histoire personnelle peut laisser sa trace même dans les modèles scientifiques.

Les biographies d'enfants font partie des méthodes dites « naturalistes » parce qu'elles n'impliquent pas de manipulation de l'environnement : l'enfant est observé dans son milieu naturel et la méthode dérange le moins possible le cours des choses. L'*observation systématique* des activités de l'enfant en garderie, dans sa classe, ou dans ses aires de jeu peut aussi être considérée comme une approche naturaliste du comportement de l'enfant. L'observation systématique permet d'obtenir un portrait du comportement général ou de comportements précis sélectionnés pour l'observation et d'examiner leur fréquence, les séquences d'apparition, les acteurs concernés, le contexte d'apparition, etc. Les garçons parlent-ils plus souvent que les filles en classe ? Combien de fois un enfant entre-t-il en interaction avec l'enseignante et dans quel but comparativement à ses interactions avec ses pairs ? Voilà des questions qui sont souvent posées dans l'observation systématique. Au dire de certains, cette méthode présenterait deux défauts : la réactivité des enfants à l'observation et le biais de l'observateur. La présence du dispositif d'observation (personne étrangère, caméra, etc.) influerait sur le comportement à observer : l'enfant, se sachant observé, peut modifier sa conduite. Du fait de certaines caractéristiques de l'observateur (sa sensibilité personnelle, les hypothèses formulées par lui, ses manies, etc.), certains comportements sont inaperçus ou surévalués au moment de l'observation ; certaines études remédient à ce problème en utilisant plusieurs observateurs indépendants et en appréciant l'accord inter-juge qu'ils présentent. Un des avantages de cette méthode d'observation systématique est qu'il est possible de faire des analyses très fines des éléments contextuels qui entourent l'apparition ou la disparition des comportements. Par exemple, dans l'étude des comportements prosociaux chez l'enfant (partage, aide mutuelle, échanges, etc.), cette méthode permet d'avoir une idée assez précise des facteurs qui favorisent ou défavorisent les comportements d'aide ou de coopération chez tel ou tel enfant dans telle ou telle circonstance (Bouchard, 2004 ; Pagé et Gravel, 2001).

Les données peuvent aussi être obtenues par une entrevue avec l'enfant ou un adulte qui le connaît bien (mère, enseignant, etc.). Dans le contexte de la recherche, toutes sortes de facteurs peuvent invalider les données obtenues par entrevue. C'est pourquoi l'entrevue comporte souvent des questions et une séquence déterminée d'avance, mais on essaie d'éviter que celles-ci soient trop rigides et qu'elles affectent la qualité du contact. Avec l'enfant, cette qualité du contact est cruciale pour obtenir son avis spontané ; interviewer un enfant est un art qui exige tact et souplesse afin notamment d'éviter les intrusions et les suggestions qui peuvent fausser le contenu rapporté par l'enfant (Brainerd et Reyna, 2002 ; Reyna et Lloyd, 1997). Sur ce plan, la *méthode clinique* conçue par Jean Piaget pour interviewer les enfants a ceci d'intéressant qu'elle combine la situation expérimentale et l'activité ludique : une situation exigeant l'utilisation d'objets est proposée à l'enfant sous forme de jeu. L'enfant est invité à explorer le matériel, à nommer les objets, et les questions sont présentées sous forme de problèmes pratiques, formulés en langage simple en se servant du matériel. La protection de la spontanéité des réponses de l'enfant est centrale dans la méthode clinique : si le contenu de l'observation ne vient pas de l'enfant, les données sont faussées (Vonèche, 1999). Dans ce cas, la personne qui interroge l'enfant connaît à fond le contexte de l'épreuve et peut interagir en ajustant ses interventions en fonction du niveau de langage et du rythme de l'enfant, en évitant toute formule qui pourrait nuire à la spontanéité de l'enfant. Cette approche interactive permet de questionner davantage l'enfant pour s'assurer qu'on a bien compris ses réponses et que celles-ci correspondent bien à ce qu'il a voulu dire (voir les problèmes présentés en exemple au chapitre 5 sur le développement cognitif).

Le questionnaire est l'une des méthodes les plus souvent utilisées pour obtenir des données. Il peut être présenté verbalement à l'enfant mais, dans le cas d'enfants scolarisés, les questionnaires peuvent être écrits et administrés collectivement. Dans ce dernier cas, le questionnaire standardisé permet d'obtenir rapidement une grande quantité de données de façon économique étant donné, notamment, qu'il est possible de codifier les réponses si les questions sont à choix multiples. Cette approche est cependant susceptible de produire certains biais : par souci de plaire, l'enfant peut vouloir se montrer sous son meilleur jour ou répondre en fonction de ce qu'il croit qu'on attend de lui. L'aisance de l'enfant avec les tâches « papier-crayon » ainsi qu'avec le contexte d'administration collective peut aussi influer sur sa compréhension des questions et sur les données recueillies.

Une autre méthode consiste à utiliser des données déjà recueillies dans le cadre de grandes enquêtes et d'en faire des *analyses secondaires,* c'est-à-dire de s'en servir pour répondre à des questions nouvelles. Au Canada, plusieurs banques de données sont actuellement à la disposition des chercheurs qui désirent effectuer des analyses secondaires sur des questions précises ; l'enquête longitudinale nationale sur les enfants et les jeunes (ELNEJ) en est un exemple. Dans le cadre de cette enquête, un échantillon représentatif de 15 000 enfants âgés de 0 à 15 ans en 1994 sera suivi jusqu'à l'âge de 25 ans, c'est-à-dire jusqu'en 2018. Comme les chercheurs ne disposent pas des moyens financiers nécessaires pour mener de tels projets d'envergure, ce partage de données de qualité permet de faire des suivis dynamiques de phénomènes complexes tels que les transitions familiales ou la pauvreté des enfants et d'en évaluer l'impact sur le développement des enfants.

Enfin, une autre méthode consiste à faire des *méta-analyses,* c'est-à-dire à réunir les données de plusieurs études portant sur un même sujet et d'effectuer les analyses statistiques sur les données combinées de façon à mesurer avec plus de précision l'effet de la variable commune.

### 1.10.2 L'approche du facteur temps dans l'étude du changement

L'étude du développement de l'enfant nécessite la prise en compte du changement. La variable « temps » est donc inséparable de la variable « changement ». En psychologie de l'enfant, il existe trois principales façons de considérer le facteur « temps » dans la recherche : l'approche transversale, l'approche longitudinale et l'approche séquentielle.

L'approche transversale est probablement la plus utilisée parce que la collecte des données y est peu coûteuse. On effectue la même mesure du comportement auprès d'enfants d'âges différents, puis on compare leurs résultats en attribuant la différence observée au passage du temps. Par exemple, une étude transversale portant sur le développement cognitif pourra comporter l'administration de la même épreuve à des groupes d'enfants d'âges divers et une comparaison de leurs manières de résoudre les problèmes qui leur ont été soumis. Une analyse des niveaux de réussite peut permettre de déterminer les stades de développement et de situer chacun de ces stades selon l'âge moyen où il est atteint (Noelting, 1980, 1982).

L'approche longitudinale consiste à suivre le développement d'un groupe d'enfants : des mesures sont effectuées à intervalles déterminés pendant une période de temps donnée, généralement plusieurs années. Ainsi, Cloutier et Jacques (1997) et Couture (1995) ont étudié l'évolution des formules de garde d'enfants de parents séparés. L'évolution suivante de trois formules était comparée dans le temps : la garde partagée, la garde exclusive à la mère et la garde exclusive au père. Les résultats ont montré que, comparativement à la garde exclusive confiée à la mère ou au père, la garde partagée évoluait davantage au fil des années, mais que l'évolution s'expliquait par le fait que la formule s'ajustait bien aux différents besoins, ce qui n'était pas le cas des gardes exclusives, qui offraient moins souvent à l'enfant la possibilité de changer de résidence. L'étude longitudinale permet de mesurer le changement de façon très précise puisque les données suivent le comportement dans le temps. Le coût de cette approche du changement est cependant un inconvénient majeur; le nombre d'enfants qui forment l'échantillon sur lequel porte la recherche doit être le même au terme de la démarche, laquelle s'étend généralement sur plusieurs années.

L'approche séquentielle associe des méthodes transversales et des méthodes longitudinales : il s'agit de suivre plusieurs cohortes de sujets d'âges différents sur plusieurs années et de combiner ainsi les avantages de la comparaison transversale de différents groupes d'âges et leur suivi longitudinal sur un certain nombre d'années. L'ELNEJ mentionnée plus haut constitue un bon exemple d'approche mixte. L'approche séquentielle entraîne des coûts élevés, mais dans certains cas, l'échantillon d'âges multiples permet une bonne puissance d'observation du changement et le suivi se fait sur une période moins longue qu'avec la méthode longitudinale.

### 1.10.3  Le schème de recherche

Le schème de recherche (*research design*) correspond à l'approche conceptuelle globale utilisée pour réaliser l'étude. Quelle méthode utilisera-t-on pour vérifier les hypothèses de recherche ? Comment s'y prendra-t-on pour obtenir la réponse à la question faisant l'objet de la recherche ? Les schèmes de recherche possibles sont nombreux ; ils peuvent être répartis en trois catégories : l'étude corrélationnelle, le schème expérimental et l'étude à cas unique.

#### L'étude corrélationnelle

L'étude corrélationnelle mesure la relation qui existe entre les variables; la question est de savoir à quel point un changement dans une variable s'accompagne d'un changement dans une ou plusieurs autres variables. Le coefficient de corrélation est un indice statistique de cette covariation. Ce coefficient peut varier de $-1,0$ à $+1,0$, un coefficient de zéro indiquant une relation nulle, c'est-à-dire une absence de rapports entre les variables, celles-ci évoluant indépendamment les unes des autres. Un coefficient négatif indique une relation inverse entre les deux variables : quand l'une grandit l'autre diminue et vice versa. Un coefficient positif indique que les deux variables se suivent dans leur variation, c'est-à-dire qu'elles grandissent ou diminuent ensemble. Plus le coefficient est élevé, plus la relation est forte entre les variables, et le carré du coefficient exprime la proportion de chevauchement qui est présente dans la variation (variance commune). Par exemple, si la note des élèves en français d'une école a une corrélation de 0,70 avec la note en mathématique des mêmes élèves, cela signifie que les deux variables « français » et « mathématique » ont 49 % de variance commune. La signification statistique d'un coefficient de corrélation dépend du nombre de sujets pris en compte dans la distribution des données à l'étude (le N) : plus le N est grand, plus le coefficient de corrélation est fiable. Autrement, on considère généralement qu'une corrélation de 0,70 et plus est forte et qu'une corrélation de 0,20 et moins est faible. Enfin, il importe de signaler qu'une corrélation, même forte, n'autorise pas à établir une relation causale entre les variables à l'étude; il s'agit d'une cooccurrence des deux phénomènes et non pas d'une relation de cause à effet. Dans notre exemple des élèves d'une école, la note en français et la note en mathématique évoluent parallèlement, mais aucune des deux n'est la « cause » de l'autre.

#### Le schème expérimental

Lorsque l'étude est basée sur la manipulation contrôlée d'une ou de plusieurs variables et a pour but d'évaluer l'effet sur un comportement donné, l'étude est dite expérimentale. Ainsi, une étude conduite auprès d'enfants de 10 mois qui fait varier systématiquement la forme d'un stimulus afin de mesurer la discrimination de l'enfant sur la base du temps de fixation visuelle doit être considérée comme une étude expérimentale parce que les variables à l'étude font l'objet d'un contrôle systématique. Ce genre d'étude permet d'obtenir une réponse claire à la question de recherche : « Un enfant de 10 mois peut-il faire la différence entre les diverses formes qu'il a devant lui ? » Cependant, de telles études menées en laboratoire peuvent être discutables parce qu'elles sont basées sur des situations de laboratoire qui ne reproduisent pas fidèlement le milieu naturel de l'enfant et que cela peut donner une image simplifiée du comportement de l'enfant étant donné que le nombre de facteurs susceptibles de l'influencer est réduit artificiellement. Certaines études expérimentales peuvent échapper à ce réductionnisme si elles sont menées dans le milieu naturel de l'enfant. Par exemple, si l'on fait varier systématiquement la proportion de garçons et de filles dans les classes d'une école élémentaire, en distribuant les élèves au hasard dans les groupes en vue d'évaluer l'effet de la mixité sur le comportement des garçons et des filles, on se trouve dans une situation expérimentale puisque la variable « mixité » est manipulée systématiquement, le tout se déroulant dans une école ordinaire. Ce type d'« expérience dans le milieu » entraîne évidemment une certaine modification des pratiques normales, ce qui peut affecter les conditions d'observation de l'enfant. On peut empêcher cette distorsion en recourant au schème quasi expérimental d'étude, lequel consiste à évaluer les effets d'une ou plusieurs variables en conservant tel quel l'environnement, sur la base de la comparaison de situations qui se présentent naturellement dans le milieu. Par exemple, une étude quasi expérimentale de l'effet de la mixité des classes à l'élémentaire pourra consister à comparer le comportement des élèves en fonction de la proportion de garçons et de filles qui se trouvent déjà dans leur classe. Moins intrusif pour le milieu, le schème quasi expérimental a cependant l'inconvénient de rendre impossible le contrôle de certaines variables susceptibles d'influer sur le phénomène étudié. Par exemple, il peut arriver que les classes comparées diffèrent entre elles sous des aspects qui peuvent influencer le comportement, en plus de la proportion d'élèves de chaque sexe. Le schème quasi expérimental ne garantit pas que les groupes sont équivalents par ailleurs, au-delà du facteur mixité à l'étude. Il reste que ce schème quasi expérimental est souvent utilisé parce qu'il permet d'étudier des phénomènes complexes sans entraîner une perturbation du milieu naturel des enfants.

### L'étude à cas unique

L'étude à cas unique (*single case design*) fait le suivi d'un seul ou d'un petit nombre d'enfants sur une période de temps déterminée afin de mesurer l'effet d'un événement sur le comportement. Ainsi, Gagnon et Ladouceur (1992) ont voulu étudier l'effet d'un traitement sur le bégaiement de quatre garçons âgés de 10 à 11 ans. Le traitement consistait en deux séances d'entraînement d'une heure chacune par semaine et avait pour but d'apprendre à l'enfant à prévoir son bégaiement et à maîtriser sa respiration; différents exercices à la maison exigeant la participation des parents devaient être accomplis entre les séances. D'abord, pendant un certain nombre de semaines avant le traitement, les auteurs ont évalué à plusieurs reprises la proportion de syllabes bégayées par chacun des enfants. Ensuite, ils ont fait régulièrement des mesures pendant la dizaine de semaines qu'a duré le traitement. À la fin du traitement, ils étaient en mesure d'apprécier les progrès des enfants et de déterminer le moment dans le traitement où ces progrès sont apparus. Enfin, des mesures de suivi ont été effectuées un mois et six mois après la fin du traitement dans le but de voir si les gains étaient durables, ce qui était le cas (Gagnon et Ladouceur, 1992). L'intérêt de l'étude à cas unique est qu'elle repose sur la comparaison du sujet avec lui-même avant et après l'expérience ou l'événement. Il est ainsi possible d'étudier en profondeur l'effet d'un phénomène sans avoir à utiliser de grands groupes. Évidemment, la portée des résultats est réduite étant donné que le ou les enfants étudiés ne sont pas représentatifs de la population en général.

## 1.11  QUESTIONS D'ÉTHIQUE EN RECHERCHE AUPRÈS DES ENFANTS

L'éthique dans le domaine de la recherche s'est développée très rapidement au cours des dernières années. Dans la foulée des chartes des droits de la personne que de nombreux pays ont adoptées, l'ensemble de la communauté scientifique s'est dotée de balises destinées à assurer la protection des droits des enfants au cours des recherches. Ainsi, les universités, les établissements de services et les organismes qui subventionnent la recherche ont mis au point des dispositifs visant à garantir l'application des règles déontologiques en matière de recherche auprès des sujets humains. Dans les universités québécoises par exemple, pour toute recherche portant sur des sujets humains, y compris les mémoires de maîtrise ou les thèses de doctorat, le chercheur responsable de la recherche doit obtenir une attestation de conformité déontologique auprès d'un comité d'éthique de la recherche.

Toutes ces raisons font que, dans la presque totalité des études, on demande un consentement écrit aux parents (ou leurs substituts autorisés) d'un individu de moins de 14 ans pour que celui-ci puisse être admis à participer à une recherche. Entre 14 et 18 ans, on observe une certaine zone grise : les adolescents sont légalement autorisés à demander un traitement médical sans l'autorisation de leurs parents et, à l'école, ils peuvent participer à des sondages par eux-mêmes, mais ils doivent encore demander l'autorisation de leurs parents pour être filmés dans un témoignage qui sera diffusé à la télévision. Certains adolescents sont réticents à demander

---

En septembre 1998, les grands organismes fédéraux qui subventionnent la recherche universitaire, c'est-à-dire le Conseil de recherches médicales du Canada (CRM) (remplacé par les instituts de recherche en santé du Canada ou IRSC), le Conseil de recherches en sciences naturelles et en génie du Canada (CRSNG) et le Conseil de recherches en sciences humaines du Canada (CRSH), ont formulé un énoncé de politique commun sur la recherche portant sur des sujets humains.

Cet énoncé de politique traite des droits et des devoirs de ceux qui conduisent des recherches, ainsi que des normes auxquelles ils doivent se plier. Tout en préservant le principe de la liberté des chercheurs, l'énoncé insiste sur la nécessité de respecter l'intégrité physique, psychologique et culturelle des individus appelés à prendre part à des projets de recherche. Des questions telles que le consentement, la vulnérabilité, la protection de la vie privée, l'équité et la réduction au minimum des inconvénients et des risques ainsi que la maximisation des bienfaits doivent être prises en considération dans tout projet de recherche.

Le *consentement éclairé* du sujet humain constitue un élément central en matière de déontologie de la recherche : le participant doit donner librement son accord (de plein gré, sans coercition, ni influence excessive) une fois qu'il a déclaré avoir bien compris les buts de l'étude et la nature de sa participation. Évidemment, avec les enfants, la notion de consentement éclairé fait problème. Les enfants, comme les personnes souffrant d'un handicap mental, sont considérés comme inaptes à décider par eux-mêmes et, par conséquent, le consentement à leur participation à une recherche doit être donné par un tiers qui les représente.

Les paragraphes suivants, tirés de l'Énoncé des trois conseils de recherche, définissent la notion d'aptitude à consentir et font état des conditions à respecter en matière de participation de sujets qui ne sont pas aptes à consentir par eux-mêmes à participer à une recherche.

### E. Aptitude

L'aptitude est la capacité des sujets pressentis à donner un consentement libre et éclairé conforme à leurs propres valeurs fondamentales. Cette notion comprend la capacité de comprendre les renseignements donnés, d'évaluer les éventuelles conséquences d'une décision et de donner un consentement libre et éclairé. L'aptitude peut varier en fonction du choix à faire, du moment et des circonstances entourant la décision. En conséquence, l'aptitude à décider ou à refuser de participer à une recherche n'est pas absolue. Elle n'exige pas que les sujets pressentis aient la capacité de prendre toutes sortes de décisions, mais celle de prendre une décision éclairée concernant leur participation à un projet de recherche. L'aptitude n'est ni absolue, ni statique ; elle peut être temporaire ou permanente.

Les lois sur l'aptitude varient selon les pays, les provinces et les territoires. Les chercheurs doivent se conformer à toutes les conditions requises par la loi.

Les considérations éthiques concernant les personnes inaptes à donner un consentement libre et éclairé doivent permettre d'arriver à un équilibre entre la vulnérabilité due à l'inaptitude et l'injustice pouvant découler de leur exclusion des avantages de la recherche.

Tel qu'il est indiqué dans le Contexte du cadre éthique [...], le principe fondamental du respect de la dignité humaine entraîne des obligations éthiques rigoureuses à l'égard des sujets vulnérables, qui se traduisent souvent par l'instauration de mesures spéciales visant à promouvoir et à protéger leurs intérêts et leur dignité. Les règles ci-dessous précisent les procédures spéciales des projets de recherche faisant appel à des sujets dont la capacité de prendre des décisions est réduite.

### Règle 2.5

Sous réserve des lois applicables, les chercheurs ne devront faire appel à des personnes légalement inaptes que dans les cas suivants :

a) le projet ne peut aboutir qu'avec la participation des membres des groupes appropriés,

b) les chercheurs solliciteront le consentement libre et éclairé des tiers autorisés,

c) la recherche n'exposera pas les sujets à un risque plus que minimal si ceux-ci ont peu de chance de profiter directement de ses avantages.

L'alinéa a) exprime l'obligation générale voulant que la recherche avec des sujets inaptes soit limitée aux questions ne pouvant être étudiées avec des sujets aptes. Il exprime aussi une préférence morale pour la participation de personnes aptes plutôt qu'inaptes, et le besoin d'éviter de sélectionner des sujets pour de simples raisons de commodité. L'alinéa b) offre un moyen de protéger les intérêts et la dignité de ces derniers par le biais du consentement libre et éclairé des tiers autorisés (voir aussi les règles 2.6 et 2.7), agissant dans l'intérêt des sujets pressentis et n'étant pas influencés par des conflits d'intérêts. L'alinéa c) limite les cas où les tiers autorisés peuvent donner un consentement au nom des sujets.

Un raisonnement éthique sain et une optique centrée sur le sujet nécessitent le devoir de tenir compte du contexte de la recherche. Ainsi, la notion d'inconvénient devrait être comprise différemment selon que le projet concerne des enfants ou des adultes, les inconvénients pouvant avoir des conséquences à plus long terme sur la croissance et le développement des enfants. En outre, les avantages et les inconvénients auxquels sont exposés les enfants souffrant d'inaptitude chronique et de maladies incurables appellent une réflexion particulière. Tous les chercheurs travaillant avec des enfants doivent évaluer la possibilité que ceux-ci ne souffrent, ne subissent des blessures ou n'éprouvent de l'anxiété, puis instaurer et appliquer des précautions adaptées et des mesures correctrices. Les conséquences cumulatives physiques, morales, psychologiques et sociales (concernant la douleur, l'anxiété et les blessures) devraient être prises en compte par les CÉR lorsque ceux-ci évaluent la probabilité, l'importance et le caractère de tout impact négatif de la recherche.

### Règle 2.6

Lorsque la recherche fait appel à des personnes inaptes, les CÉR s'assureront du respect des conditions minimales suivantes :

a) le chercheur expliquera comment il compte obtenir le consentement libre et éclairé du tiers autorisé et protéger au mieux les intérêts du sujet,

b) le tiers autorisé ne sera ni le chercheur, ni un membre de l'équipe de recherche,

c) le consentement libre et éclairé du tiers autorisé approprié sera nécessaire pour qu'un sujet légalement inapte puisse continuer à participer à un projet tant qu'il ne recouvre pas ses facultés,

d) lorsqu'un projet avec un sujet inapte a débuté avec la permission du tiers autorisé et que le sujet recouvre ses facultés en cours de projet, celui-ci ne pourra se poursuivre que si le sujet redevenu apte donne son consentement libre et éclairé à cet effet.

La règle 2.6 établit d'autres balises visant à protéger la dignité et les intérêts des sujets pressentis, inaptes à donner un consentement libre et éclairé. Elle précise diverses observations concernant l'utilisation du consentement du tiers autorisé. Au-delà des exigences imposées par la loi se rattachant au consentement libre et éclairé des tiers autorisés, il convient de ne pas oublier que les membres de la famille et les amis peuvent fournir des renseignements sur les désirs et sur les intérêts manifestés par les sujets pressentis avant que ceux-ci ne soient devenus inaptes. Dans certains cas, il appartient aux CÉR de décider qui devra donner cette autorisation.

### Règle 2.7

Lorsque le consentement libre et éclairé a été donné par un tiers autorisé et que le sujet légalement inapte comprend la nature et les conséquences de la recherche à laquelle on lui demande de participer, les chercheurs s'efforceront de comprendre les souhaits du sujet à cet effet. Le dissentiment du sujet pressenti suffit pour le tenir à l'écart du projet.

Beaucoup de personnes légalement inaptes sont toutefois capables d'exprimer leurs désirs de façon intelligible, même si cette expression ne répond pas aux critères du consentement libre et éclairé. Des sujets pressentis peuvent ainsi être capables d'exprimer oralement ou physiquement leur assentiment ou leur dissentiment. Ces personnes sont celles dont l'aptitude est en voie de développement (tels les enfants, car leur faculté de jugement et leur autonomie sont en cours de maturation), celles qui ont déjà été capables de prendre des décisions éclairées, mais dont les facultés sont considérablement, mais non totalement, réduites (par exemple, malades en phase initiale de la maladie d'Alzheimer), et celles dont les facultés sont restées limitées (par exemple, personnes atteintes de troubles cognitifs permanents).

Source : Énoncé de politique des trois Conseils : Éthique de la recherche avec des êtres humains, http://pre.ethics.gc.ca/français/policystatement.cfm, Conseil de recherches en sciences humaines du Canada, Conseil de recherches en sciences naturelles et en génie du Canada, Instituts de recherche en santé du Canada, 1998 (avec les mises à jour de 2000 et 2002). Reproduit avec la permission du ministre de Travaux publics et Services gouvernementaux Canada, 2004.

l'autorisation de leurs parents pour participer à une étude parce que « cela fait bébé » et ils préfèrent refuser de participer plutôt que de satisfaire à cette exigence. Malheureusement, cette manière d'agir prive la recherche d'une partie de la population des jeunes qui a des caractéristiques particulières, segment qui est alors sous-représenté dans les données recueillies. Chez les enfants de moins de 12 ans, il existe aussi des problèmes de recherche du fait que la participation des jeunes avec consentement des parents est difficile à obtenir : les travaux par entrevue auprès d'enfants placés à long terme ou auprès des enfants victimes d'abus physique ou sexuel en sont des exemples.

Les enfants sont protégés par les mêmes règles déontologiques que les adultes, notamment en ce qui concerne le traitement confidentiel des données personnelles, le respect de la dignité, la duperie ou l'utilisation de procédures pouvant porter préjudice. En matière de déontologie de la recherche, il faut donc assurer la protection des enfants tout en évitant de tomber dans l'abus de pouvoir ou de multiplier les procédures, ce qui nuirait à l'acquisition des connaissances dont les enfants ont grandement besoin pour leur développement optimal.

# Questions

1. Définissez la notion de théorie du développement de l'enfant et nommez deux axes essentiels à la notion de développement.

2. Nommez deux des fonctions de la théorie en psychologie du développement.

3. Nommez deux critères pour déterminer si une théorie est satisfaisante en psychologie du développement.

4. Nommez trois questions importantes relevant des théories du développement de l'enfant.

5. *Complétez la phrase.* Sur le plan cognitif, les deux premières années de la vie conduiront le bébé à la pensée _____, niveau que seul l'humain semble atteindre et qui permet le langage et la culture.

6. Sur le plan affectif, quelles sont les relations que l'on reconnaît comme les prototypes des relations interpersonnelles ?

7. Pourquoi l'enfance est-elle considérée comme une période critique du développement humain ?

8. *Expliquez brièvement.* Comprendre le changement chez l'enfant, c'est intégrer les transformations multiples qu'il vit dans la continuité de son identité.

9. Indiquez deux grandes sources de variation existant entre les théories du développement de l'enfant.

10. Nommez le courant théorique auquel est associée chacune des dimensions suivantes du développement : 1) la psychogenèse ; 2) le développement psychosexuel ; 3) les comportements sociaux.
    a) freudien
    b) de l'apprentissage social
    c) piagétien

11. *Expliquez brièvement.* La méthode utilisée par le chercheur est comparable à un appareil photo.

12. *Vrai ou faux.* La conception d'un développement par stades implique des changements quantitatifs, tandis que la conception d'un développement continu suppose des changements qualitatifs.

13. Sur quoi Platon se basait-il pour dire que les idées étaient innées ?

14. Expliquez brièvement les arguments des adversaires de la thèse d'Arthur Jensen concernant le QI des Noirs et des Blancs américains.

15. Expliquez pourquoi les psychologues, les sociologues ou les anthropologues sont souvent attirés par une thèse qui réduit le rôle de l'inné.

16. *Vrai ou faux.* Pour Donald Hebb, le comportement est influencé à cent pour cent par l'hérédité et à cent pour cent par l'environnement.

17. Associez les courants suivants à la conception de la nature humaine qu'ils privilégient :
    1) le courant organismique _____
    2) le courant mécaniciste _____
    a) L'homme est une sorte de machine ayant des caractéristiques fonctionnelles déterminées.
    b) L'humain est un système contenant un plan qui s'actualise dans le temps.

18. Laquelle de ces perspectives théoriques est la plus déterministe ?
    a) béhavioriste
    b) organismique

19. *Complétez la phrase.* La théorie de Piaget s'inscrirait plutôt dans la conception _____ de la nature humaine.

20. Qu'est-ce que le courant nativiste énonce en ce qui concerne les habiletés du bébé ?

21. *Complétez la phrase.* Au cours de la seconde moitié du XX<sup>e</sup> siècle, la vision du nouveau-né comme un « tout indifférencié » a été remplacée par celle du « nourrisson _____ ».

22. Donnez un exemple d'innovation théorique ayant donné une signification à des conduites dont on croyait auparavant qu'elles étaient dépourvues de sens.

23. Que signifie le mot latin *infans* dont vient le mot français « enfant » ?

24. *Vrai ou faux.* Jusqu'au IV<sup>e</sup> siècle de notre ère, le père de famille romaine avait droit de vie ou de mort sur ses enfants, même lorsque ceux-ci avaient atteint l'âge adulte.

25. Dans laquelle de ces deux sociétés anciennes la discipline envers les enfants était-elle la plus ferme ?
    *a)* la Grèce antique
    *b)* la société romaine

26. Quelle était la principale source d'assistance sociale dans les pays occidentaux au Moyen Âge ?

27. *Vrai ou faux.* Pour l'éducation des enfants, John Locke proposait une attitude punitive et restrictive à leur égard.

28. Reliez chaque auteur à la conception de l'enfant qu'il soutenait :
    1) Jean-Jacques Rousseau _____
    2) John Locke _____
        *a)* L'enfant naît sans prédisposition naturelle, comme une *tabula rasa* ;
        *b)* L'enfant naît avec une prédisposition naturelle à un développement sain et ordonné.

29. Quel auteur a été le premier promoteur de l'ajustement de l'intervention éducative au stade du développement de l'enfant ?

30. Expliquez brièvement le principe de la sélection naturelle.

31. Décrivez une des idées importantes que la psychologie du développement doit à Charles Darwin.

32. Dans quelle perspective théorique la contribution d'Erikson prend-elle racine ?

33. Dans le modèle d'Erikson du développement psychosocial de l'enfant, chaque stade est lié à deux tendances contraires. Ordonnez les paires de tendance suivantes selon la séquence de leur apparition dans le développement humain.
    *a)* la compétence ou l'infériorité
    *b)* l'identité ou la diffusion
    *c)* la confiance ou la méfiance
    *d)* l'intégrité ou le désespoir

34. *Expliquez brièvement.* Pour Erikson, même si les enfants de toutes les cultures traversent les stades du développement selon la même séquence, chaque évolution sera unique en fonction de la culture.

35. Donnez deux contributions originales qu'Erikson apporte au modèle freudien.

36. À partir de quelle situation les stades de développement d'Erikson se définissent-ils ?

37. Selon Erikson, le thème dominant à un stade ne disparaît pas lorsque celui-ci est terminé ; il est intégré dans le problème du stade suivant. Donnez un exemple illustrant la pensée d'Erikson.

38. À quoi s'intéresse l'éthologie ?

39. L'approche éthologique du développement de l'enfant est probablement le courant théorique le plus directement influencé par la contribution de _____ sur l'évolution des espèces.

40. Qu'est-ce qu'un *patron fixe d'action* ?

41. Identifiez un exemple de *patron fixe d'action* observé chez des animaux.

42. Qu'est-ce qu'implique le moment critique du développement ?

43. Selon John Bowlby, l'attachement de l'enfant résulte de l'interaction entre deux choses. Précisez lesquelles.

44. Qu'ont observé Schneider, Atkinson et Tardif (2001) dans leur méta-analyse des effets des styles d'attachement ?

45. Quelle est la principale méthode de collecte des données employée par les éthologistes ?

46. Dans le contexte de l'approche éthologique, donnez un exemple d'une méthode expérimentale.

47. À quoi le courant écologique du développement de l'enfant s'intéresse-t-il ?

48. Associez chacun des énoncés descriptifs suivants au système qui lui correspond dans la théorie écologique de Bronfenbrenner :
    1) Le contexte qui n'est pas défini physiquement mais culturellement : _____
    2) L'enfant y joue un rôle direct en tant que personne participante : _____
    3) Un milieu où l'enfant ne participe pas, mais dont les actions et les décisions peuvent influer sur les contextes dans lesquels il évolue : _____
    4) Le réseau des contextes auxquels participe directement l'enfant : _____
       a) le microsystème
       b) le mésosystème
       c) l'exosystème
       d) le macrosystème

49. Mis à part la question de la compétence parentale, nommez deux facteurs liés à l'environnement familial qui peuvent favoriser l'apparition de la violence dans la famille.

50. *Vrai ou faux.* Le réseau d'amis des parents appartient au mésosystème de l'enfant.

51. Dans quel courant de recherche la théorie de l'apprentissage social de Bandura prend-elle sa source ?

52. *Vrai ou faux.* Pour Watson, l'introspection constituait un excellent moyen de rendre compte de la réalité et de comprendre l'humain.

53. Expliquez brièvement le conditionnement classique à partir du réflexe de salivation chez le chien.

54. *Vrai ou faux.* Pendant une cinquantaine d'années avec le courant béhavioriste, on a refusé de prendre la pensée comme objet d'étude.

55. Expliquez brièvement l'enseignement programmé découlant du conditionnement opérant.

56. Nommez une loi universelle d'apprentissage applicable aux humains ou aux animaux dans n'importe quel type de tâche.

57. En matière de développement de l'enfant, en quoi la théorie sociale cognitive de Bandura est-elle une version plus raffinée de la conception traditionnelle de l'apprentissage social ?

58. Donnez un exemple d'apprentissage par observation chez un enfant.

59. Nommez deux contributions importantes de la théorie de Bandura dans l'explication du développement de l'enfant.

60. Dans son modèle socio-cognitif de l'apprentissage par observation, Bandura définit quatre types de processus : *a*) l'attention ; *b*) la rétention ; *c*) la production ; et *d*) la motivation. Pour chacun des éléments suivants, inscrivez la lettre correspondant au processus dont il s'agit.
    a) les récompenses directes _____
    b) l'effet visuel du modèle observé

    c) l'agilité motrice de l'observateur
    _____

61. Indiquez deux des paramètres selon lesquels les opérations du système mental peuvent se définir dans l'approche du traitement de l'information.

62. Quels sont les trois principes de base dans l'approche du traitement de l'information ?

63. En matière de résolution de problèmes, quel modèle a permis de faire connaître les forces de l'approche du traitement de l'information ?

64. *Complétez la phrase.* La première méthode de collecte de données à avoir servi pour observer le développement de l'enfant est la

    _____ .

65. Indiquez une limite souvent attribuée à la méthode d'observation systématique.

66. En quoi la méthode clinique mise sur pied par Piaget est-elle intéressante pour interviewer les enfants ?

67. Qu'est-ce que la désirabilité sociale ?

**68.** Quelles sont les trois principales approches qui tiennent compte du facteur « temps » dans la recherche ?

**69.** Pour chaque énoncé, indiquez l'approche appropriée.

1) Effectuer la même mesure du comportement auprès d'enfants d'âges différents et comparer leurs résultats en présumant que la différence est due au passage du temps : _____ ;

2) Des mesures sont répétées à intervalles réguliers pendant une période de temps donnée, généralement plusieurs années : _____ ;

3) Suivre plusieurs cohortes de sujets d'âges différents sur plusieurs années : _____ .

**70.** De quel schème de recherche s'agit-il ? Il mesure la relation qui existe entre les variables à l'étude et cherche à savoir à quel point un changement dans une variable est accompagné d'un changement dans une ou plusieurs autres variables.

**71.** *Vrai ou faux.* Lorsqu'un coefficient de corrélation entre deux variables est élevé, cela permet d'établir une relation causale entre ces deux variables.

**72.** *Complétez la phrase.* Lorsqu'une étude est basée sur la manipulation contrôlée d'une ou plusieurs variables pour en évaluer l'effet sur un comportement donné, l'étude est dite _____ .

**73.** En quoi consiste un schème de recherche quasi expérimental ?

**74.** Sur quoi repose la valeur de l'étude à cas unique ?

**75.** Brièvement, qu'est-ce qu'un consentement libre et éclairé en recherche ?

**76.** En ce qui a trait aux règles déontologiques, nommez deux conditions minimales qui doivent être respectées lorsque la recherche porte sur des personnes inaptes.

**77.** *Vrai ou faux.* Dans la presque totalité des études, un consentement écrit des parents (ou substituts) est nécessaire pour qu'un individu de moins de 14 ans puisse participer à une recherche.

Chapitre 2

# Fondements biologiques du comportement

Richard Cloutier
Pierre Gosselin

## 2.1 INTRODUCTION

Dans ce chapitre, nous examinerons les bases biologiques du comportement humain. La section 2.2 porte sur les mécanismes de transmission héréditaire ; son objectif est de faire comprendre comment, dès notre naissance, nous possédons une série de particularités venant de nos parents et qui peuvent influencer notre développement psychologique. Les problèmes génétiques et chromosomiques pouvant toucher le développement de l'enfant seront ensuite considérés. Enfin, nous présenterons les données scientifiques qui montrent la contribution des gènes au fonctionnement psychologique ainsi que les mécanismes d'action des gènes.

## 2.2 LE BAGAGE HÉRÉDITAIRE

### 2.2.1 Avant la naissance : l'évolution de nos connaissances

Il y a plus de 2000 ans, certaines civilisations savaient établir un lien de cause à effet entre la relation hétérosexuelle et la conception d'un enfant. Mais aujourd'hui encore, plusieurs éléments du processus complexe de la reproduction humaine restent inconnus malgré les progrès scientifiques considérables réalisés depuis les 100 dernières années.

Avant les années 1700, les scientifiques croyaient que plusieurs organismes, surtout les plus primitifs comme les insectes ou les vers, pouvaient apparaître spontanément, à la suite de la combinaison d'un certain nombre d'éléments en décomposition. L'apparition de ce type d'organismes dans des déchets en décomposition avait été observée et elle servait de preuve à cette théorie de la génération spontanée. À cette époque, on ne disposait pas encore d'une classification systématique des espèces vivantes et l'on croyait possible le croisement de toutes sortes d'espèces. L'idée de la fixité des espèces, c'est-à-dire l'idée suivant laquelle deux espèces différentes ne peuvent s'unir pour produire un nouveau type de descendant, fit son apparition après 1750 avec la classification des espèces établie par Linné (Strickberger, 1985).

Après que Pasteur a découvert que les microbes étaient responsables de la fermentation à la base de la putréfaction et que, sans eux, la putréfaction organique ne pouvait avoir lieu, on adopta progressivement l'idée que la vie est un processus continu qui se transmet d'un organisme vivant à un autre et qu'elle ne peut apparaître spontanément.

Avec la découverte de l'ovule et des spermatozoïdes au début du XVIII$^e$ siècle, plusieurs croyaient que l'ovule maternel renfermait un bébé entier mais de très petite taille. Le rôle du spermatozoïde fécondant l'ovule consistait à provoquer la croissance du minuscule bébé. D'autres étaient d'avis que la tête du spermatozoïde du père contenait le petit bébé et que l'utérus lui servait de milieu d'incubation (figure 2.1).

Dans ces conceptions, dites « préformationnistes », le développement était considéré comme un simple agrandissement des structures de l'organisme, toutes complètes et fonctionnelles dès l'origine. L'idée du préformationnisme fut abandonnée lorsque l'on démontra que le tissu embryonnaire des plantes, des animaux et des hommes était uniforme et ne possédait certainement pas toutes les structures et les fonctions de l'organisme mature (Needham, 1959 ; Grinder, 1967). Ce fut le début de l'« épigenèse », c'est-à-dire de la conception moderne selon laquelle les différents tissus spécialisés qui composent le corps (os, neurones, muscles, etc.) ne sont pas directement transmis comme tels dans les gamètes, mais apparaissent progressivement à mesure que le zygote, ou embryon, se différencie.

Mais avant la découverte des gènes, cette conception épigénétique paraissait critiquable : comment expliquer la transmission de certaines caractéristiques d'une génération à l'autre si la cellule embryonnaire n'en renfermait aucune ? Quelque chose devait permettre de transmettre le message. Charles Darwin (1809-1882) par exemple, le père de la théorie moderne de l'évolution des espèces, croyait à la « pangenèse », c'est-à-dire la théorie selon laquelle des copies très petites de chacun des organes du corps appelées gemmules étaient transportées dans le sang jusqu'aux organes sexuels où elles étaient assemblées en gamètes, puis transmises au fœtus (figure 2.2, page 38). La transmissibilité des caractéristiques maternelles et paternelles accréditait cette idée : puisqu'il était indéniable que certaines caractéristiques étaient transmises d'une génération à l'autre, il fallait bien que l'information sur les caractéristiques spécifiques du corps des parents soit communiquée dans le mécanisme de la reproduction.

La théorie de la pangenèse veut aussi que l'usage ou le non-usage d'un organe influe sur ses « gemmules » et, par la suite, modifie le bagage héréditaire transmis aux descendants en lien avec cet organe. Selon cette théorie, une personne qui a acquis une puissante musculature à la suite d'exercices physiques intenses et continus peut transmettre à ses enfants la nouvelle caractéristique. Pour les scientifiques qui, comme Darwin, s'attachaient à étudier l'évolution des espèces, cette théorie permettait d'expliquer les transitions d'une souche à l'autre dans l'échelle phylogénétique. Lamarck (1744-1829), l'un des plus ardents défenseurs de la pangenèse, croyait que les gemmules, ces petites copies des organes, étaient sensibles à l'environnement dans lequel vivait la personne parce qu'elles avaient une sorte de conscience qui recevait l'information du milieu pour la transmettre ensuite aux descendants.

Cette évolution des connaissances sur ce qui précède la naissance nous montre bien que même les hommes les plus savants de leur époque sont contraints de croire à des phénomènes plus ou moins mystérieux à défaut d'une explication mieux fondée. Avant la découverte des gènes, on ne savait pas quel était le véhicule de l'information transmise par l'hérédité.

Comme nous le verrons plus loin, les travaux de Mendel ont grandement contribué à élargir nos connaissances sur les mécanismes de la reproduction. C'est probablement à la suite de l'élaboration des lois de la transmission héréditaire, lesquelles sont à l'origine de la génétique, qu'on a abandonné les croyances en des phénomènes plus ou moins inexplicables et qu'on a entrepris de construire une théorie scientifique de la reproduction.

**Figure 2.1**    *Homunculus.* Représentation que l'on se faisait de l'enfant complet contenu dans le spermatozoïde aux XVIIᵉ et XVIIIᵉ siècles

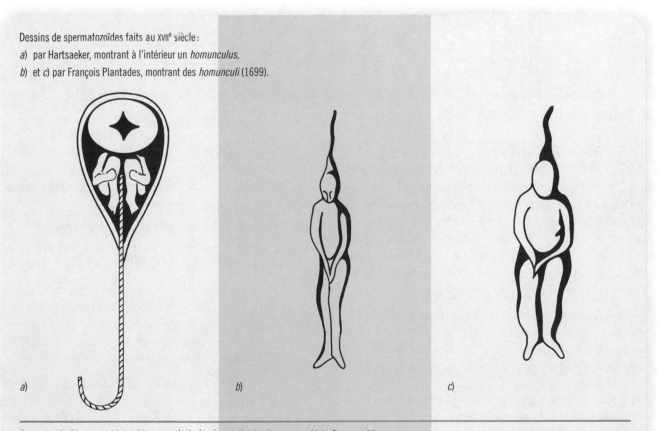

Dessins de spermatozoïdes faits au XVIIᵉ siècle :

a) par Hartsaeker, montrant à l'intérieur un *homunculus*,

b) et c) par François Plantades, montrant des *homunculi* (1699).

a)    b)    c)

Source : C. Singer (1934), *Histoire de la biologie*, Paris, Payot, p. 524, figure 159.

Figure 2.2   Pangenèse versus germoplasmie

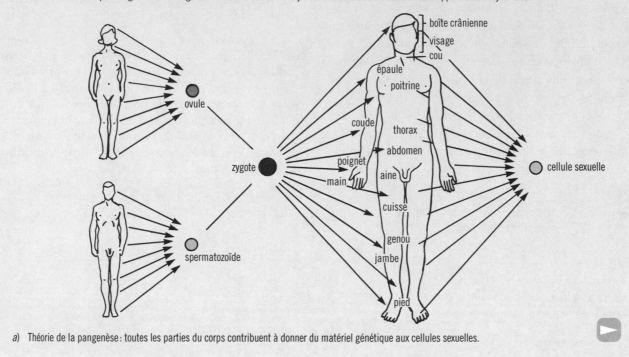

Comparaison schématique entre les théories *a*) de la pangenèse, et *b*) de la germoplasmie dans la formation d'un humain. Dans la pangenèse, tous les organes et structures du corps fournissent une copie d'eux-mêmes à une cellule sexuelle. Dans la théorie de la germoplasmie, les plans pour le corps sont fournis seulement par les gamètes des organes sexuels et ces cellules jouent leur rôle très tôt dans le développement embryonnaire.

*a*)   Théorie de la pangenèse : toutes les parties du corps contribuent à donner du matériel génétique aux cellules sexuelles.

Comment expliquer le caractère unique de chaque individu ? Dès la naissance, les différences individuelles sont perceptibles ; chacun présente des caractères qui lui sont propres. Comment expliquer, cependant, les ressemblances entre les membres de la même famille, entre des jumeaux ? Pourquoi, dans une même espèce, chaque individu reste-t-il unique tout en partageant avec les autres des caractéristiques communes définissant l'appartenance à l'espèce en question ?

Dans le présent chapitre, nous étudierons le processus de la conception humaine, la façon dont l'information génétique est codée dans les chromosomes et comment les gènes des parents interagissent entre eux. La dynamique et les effets de certaines anomalies génétiques et chromosomiques seront ensuite examinés. Enfin, nous envisagerons les liens entre l'hérédité et le comportement humain à la lumière des connaissances que les études sur les jumeaux nous ont apportées.

## 2.2.2   La conception

Les cellules qui composent le corps humain appartiennent à deux grandes catégories :

1)   les cellules de reproduction ou « gamètes » ;

2)   les cellules somatiques, c'est-à-dire les cellules qui forment les muscles, les os, les cellules nerveuses, etc.

La division des cellules somatiques s'effectue par mitose, un processus par lequel chacun des 46 chromosomes (23 paires) contenus dans le noyau de la cellule se dédouble pour donner deux cellules complètes ayant chacune elles aussi 23 paires de chromosomes.

L'ovule et le spermatozoïde diffèrent des autres cellules du corps (les cellules dites « somatiques ») en ce qu'ils ne contiennent chacun que la moitié des chromosomes nécessaires à la formation d'un nouvel organisme. Au moment de la puberté, la maturation des cellules

**Figure 2.2**    Pangenèse versus germoplasmie (*suite*)

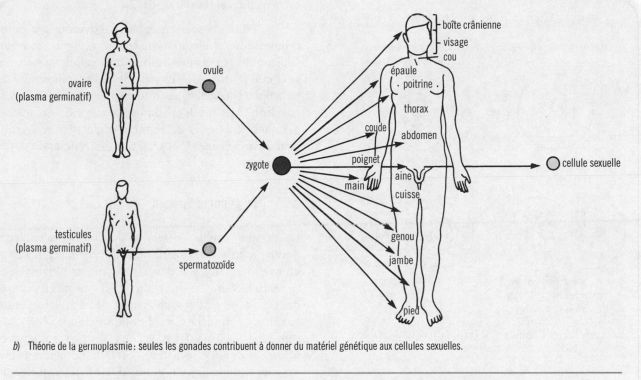

*b)* Théorie de la germoplasmie: seules les gonades contribuent à donner du matériel génétique aux cellules sexuelles.

Source: Adaptée de M.W. Strickberger (1985), *Genetics*, 3ᵉ éd., New York, Macmillan Publishers, p. 5, figure 1-2.

reproductrices donne lieu à un processus de multiplication cellulaire particulier: la méiose. Contrairement à la mitose, où chaque nouvelle cellule contient dans son noyau l'ensemble des chromosomes de la cellule mère, dans la méiose, un seul chromosome de chaque paire se retrouve dans la cellule germinale (figure 2.3, page 40). Chaque nouvelle cellule reproductrice (ovule ou spermatozoïde) contient donc 23 chromosomes plutôt que 23 paires de chromosomes.

La conception est l'union de l'ovule de la mère et du spermatozoïde du père dans les voies génitales de la mère, et il en résulte un « zygote » qui s'établira sur la paroi de l'utérus maternel. C'est donc de l'union du gamète femelle et du gamète mâle que naît l'embryon.

L'ovule, la plus grosse cellule du corps de la femme, est 90 000 fois plus lourd que le spermatozoïde, qui est la plus petite cellule du corps de l'homme (Scheinfeld, 1965). Chaque éjaculation contient normalement

environ 400 à 500 millions de spermatozoïdes. Dès sa naissance, la femme a dans ses ovaires une réserve d'environ 400 000 ovules, qui, après la puberté, matureront à raison de un ovule par cycle menstruel. Au moment de l'ovulation, qui survient à peu près au milieu du cycle menstruel, l'un des deux ovaires libère un ovule parvenu à maturité qui gagne l'utérus par la trompe de Fallope. C'est à cet endroit, dans la trompe de Fallope, que l'ovule sera éventuellement fécondé par des spermatozoïdes (figure 2.4, page 41). Pour qu'il y ait fertilité, l'ovule fécondé doit descendre dans l'utérus et s'implanter sur sa paroi.

Au cours de leur vie d'environ 48 heures dans le corps de la femme, une petite fraction des très nombreux spermatozoïdes libérés parviendront à atteindre la trompe de Fallope pendant la courte vie de l'ovule: normalement, l'ovule doit être fécondé dans les 24 heures suivant sa libération. Étant donné la

Figure 2.3    Mitose – méiose

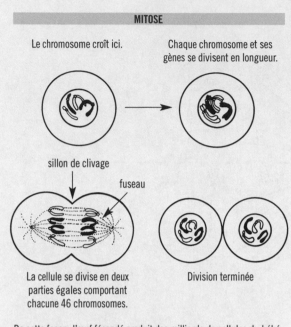

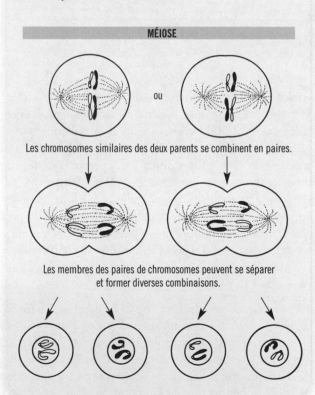

longévité combinée des spermatozoïdes et de l'ovule, la période de fécondité réelle est d'environ trois jours par cycle menstruel (Leridon, 1977).

Plusieurs spermatozoïdes arriveront à la paroi cellulaire de l'ovule, mais un seul fécondera ce dernier. Chacun des 23 chromosomes de la cellule maternelle se combine alors avec chacun des 23 chromosomes de la cellule paternelle pour former le zygote, qui, lui, contient 23 paires de chromosomes. Ainsi, les caractéristiques génétiques de la mère et du père se retrouvent à parts égales dans chacune des cellules du corps de l'enfant.

### 2.2.3    Le génome humain

Le génome désigne l'ensemble des informations génétiques propres à un organisme, informations qui jouent un rôle vital dans son développement, son maintien et sa reproduction. Les individus d'une même espèce ont des génomes qui sont globalement très semblables entre eux, mais non identiques. Les informations génétiques sont inscrites dans des molécules complexes nommées acides désoxyribonucléiques (ADN). Le génome humain comprend deux types d'ADN: l'ADN nucléique et l'ADN mitochondrial. L'ADN nucléique est situé dans le noyau des cellules et se présente sous la forme de 46 chromosomes en 23 paires (figure 2.5, page 42). L'ADN mitochondrial loge pour sa part dans les mitochondries qui sont de petits organites baignant dans le cytoplasme des cellules, à l'extérieur du noyau (figure 2.6, page 43). Les mitochondries sont responsables de la respiration cellulaire et on en compte entre 500 et 1000 par cellule. L'ADN mitochondrial a une structure beaucoup plus simple que l'ADN nucléique. Il a la forme d'une double hélice circulaire. Comme l'ADN mitochondrial est présent à une dizaine d'exemplaires dans chaque mitochondrie, il y aurait autour de 8000 exemplaires de cet ADN dans chacune des cellules de notre corps (Brown, 2002).

Chaque molécule d'ADN est formée de deux longues chaînes d'unités, appelées nucléotides. Chaque nucléotide est lui-même constitué de trois molécules: un sucre (le désoxyribose), un groupement phosphate et une base azotée. Alors que le désoxyribose et le groupement phosphate demeurent constants, la base azotée peut varier d'un nucléotide à l'autre. On compte quatre types de base azotée: la guanine, l'adénine, la cytosine et la thymine. Le caractère variable de cette base est capital, car il est au fondement du codage de l'information génétique. Toute l'information qui est nécessaire à l'activité de la cellule se trouve inscrite dans la séquence des bases azotées.

Comme le montre la figure 2.7 (page 43), l'ADN a une structure très complexe. À l'intérieur de chaque chaîne, les nucléotides sont unis les uns aux autres par des liaisons chimiques entre le groupement phosphate et le désoxyribose. Ces liaisons chimiques sont fortes, ce qui donne, dans des conditions normales, une grande stabilité à chacune des chaînes de nucléotides. Les deux chaînes sont unies l'une à l'autre par des liaisons chimiques entre les bases azotées. Ces liaisons ont deux particularités très importantes. Premièrement, elles sont sélectives: la cytosine forme des liens avec la guanine, alors que l'adénine forme des liens avec la thymine. Deuxièmement, ces liaisons chimiques ne sont pas aussi fortes que celles qui unissent les groupements phosphates aux molécules de désoxyribose. Dans certaines conditions, elles maintiennent les deux chaînes ensemble et dans d'autres elles permettent leur séparation.

Les deux chaînes de nucléotides forment une double hélice (figure 2.8, page 44) recouverte de protéines, et cette hélice est repliée sur elle-même plusieurs

**Figure 2.4    Conception et implantation fœtale**

Diagramme sommaire du cycle de l'ovaire, de la fécondation et du développement humain durant la première semaine. Le premier stade débute avec la fécondation et se termine par le zygote. Le deuxième stade (jours 2 et 3) comprend la division cellulaire (de 2 à environ 16 cellules) ou la morula. La troisième étape (jours 4 et 5) est constituée du blastocyste libre et non attaché. Et la quatrième étape (jours 5 et 6) est représentée par le blastocyste attaché au centre de la muqueuse utérine postérieure, lieu de l'implantation.

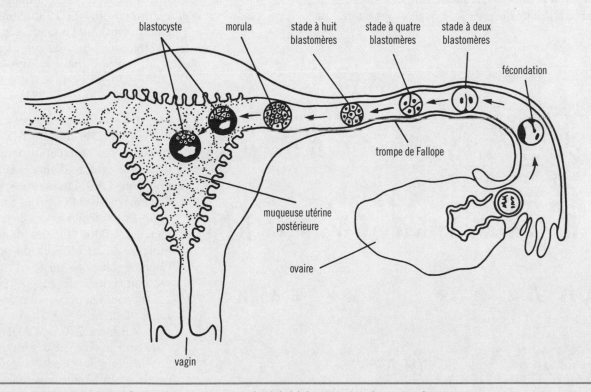

Source: K.L. Moore (1982), *The Developing Human*, 3ᵉ éd., Philadelphie, W.B. Saunders, p. 36, figure 2.18.

fois pour former une structure compacte (figure 2.9, page 44) que l'on appelle chromosome (Watson, 2003). Pour une espèce donnée, le nombre de chromosomes est constant. On compte 46 chromosomes dans le noyau de chacune des cellules du corps humain (cellules somatiques) et 23 chromosomes dans le noyau de chacune des cellules sexuelles (gamètes). Le génome des hommes et des femmes est le même pour les 22 premières paires de chromosomes, mais il est différent pour la 23e paire. Chez les femmes, les deux chromosomes ont la forme d'un X, alors que chez les hommes l'un a la forme d'un X et l'autre, la forme d'un Y. Afin de bien marquer cette distinction fonctionnelle entre les chromosomes, on les désigne par des termes différents. Les chromosomes des 22 premières paires sont appelés chromosomes autosomes, et ceux de la 23e paire, chromosomes sexuels. Enfin, on utilise le terme chromosome homologue pour désigner chacun des chromosomes d'une même paire.

Nous avons dit plus haut que l'information génétique est codée sous forme de séquences de bases azotées. Le gène est l'unité fonctionnelle du génome et correspond aux sections de la molécule d'ADN qui code pour un trait phénotypique particulier, c'est-à-dire pour une caractéristique observable. Les gènes jouent un rôle déterminant dans la synthèse des molécules qui sont nécessaires au développement et à l'entretien des structures de la cellule ainsi qu'à ses activités. Nous verrons un peu plus loin comment l'information contenue dans les gènes s'exprime dans la cellule.

Les technologies de la biologie moléculaire au cours des 10 dernières années ont permis de faire des progrès extrêmement significatifs dans la connaissance du génome humain. Grâce au travail intensif réalisé par une vingtaine de laboratoires situés un peu partout dans le monde, il a été possible de déterminer la séquence des bases azotées de la presque totalité de l'ADN humain. Il s'agissait presque d'une gageure puisque l'ADN nucléique représente un total de 3,1 milliards de paires de bases azotées. D'importantes variations dans la taille des chromosomes ont été relevées. Les chromosomes des paires 1, 2, 3 et 4, par exemple, comptent respectivement 220, 240, 200 et 186 millions de paires de bases azotées (Venter et autres, 2001). D'autres, comme les chromosomes 21 et 22, ne comprennent qu'une trentaine de millions de paires de bases azotées (Bork et Copley, 2001). Enfin, on note une franche différence de taille entre le chromosome X (128 millions de paires de bases) et le chromosome Y (19 millions de paires de bases). Le séquençage de l'ADN mitochondrial était, quant à lui, moins difficile à faire, avec ses 16 600 paires de bases azotées (Anderson et autres, 1981).

Les résultats du projet du génome humain ont été très surprenants. Les données disponibles il y a une dizaine d'années suggéraient que l'ADN humain comprenait environ 100 000 gènes codant pour des protéines et des enzymes (Pennisi, 2000). Or, les données recueillies dans le cadre du projet Génome humain suggèrent qu'il y aurait autour de 32 000 gènes codant pour des protéines et des enzymes (Baltimore, 2001). Au total, c'est seulement 2 % de l'ADN qui code pour la synthèse des protéines nécessaires à la vie de la cellule, ce qui est inférieur à ce que l'on observe chez d'autres mammifères (5 %) ou chez les bactéries (85 %).

**Figure 2.5**  Illustration des 23 paires de chromosomes

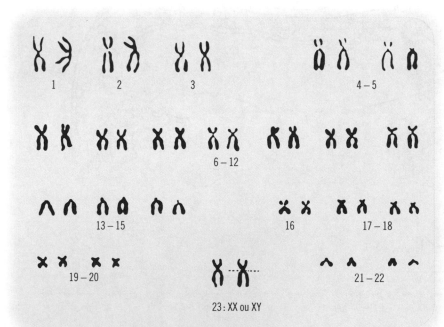

1
2
3
4 – 5

6 – 12

13 – 15
16
17 – 18

19 – 20
23: XX ou XY
21 – 22

L'ADN mitochondrial, avec ses 16 600 paires de bases azotées, ne contient que 37 gènes (Brown, 2002).

L'identification des gènes humains s'est révélée une opération très complexe en raison de la distribution des segments d'ADN qui codent pour la synthèse des protéines et des enzymes. En effet, le gène correspond généralement à plusieurs segments d'ADN se trouvant sur un chromosome. Les segments qui codent de l'information sont appelés exons et sont séparés les uns des autres par des segments d'ADN qui n'ont pas de fonction connue. On appelle ces derniers introns ou séquences intergénétiques.

Le gène le plus long qui ait été identifié code pour la dystrophine, l'une des nombreuses variétés de protéines synthétisées par les cellules humaines. Le gène en question est situé sur le chromosome X, s'étend sur 2,4 millions de paires de bases azotées et comprend 78 exons séparés les uns des autres par 77 introns (Bernot, 2001). Seulement 11 055 des 2,4 millions de paires de bases azotées codent pour la protéine en question. La plupart des gènes ont cependant une taille moins considérable. En moyenne, les gènes traduits jusqu'à présent s'étendent sur une longueur de 27 900 paires de bases azotées et sont répartis en 8 exons, chacun ayant une longueur de 1340 paires de bases azotées (Venter et autres, 2001).

### 2.2.4    L'expression des gènes

Le mécanisme par lequel l'information contenue dans les gènes est exprimée dans la cellule étant fort complexe, nous nous bornerons à décrire les principales étapes du processus de synthèse des protéines. Le processus commence par une modification de la structure compacte du chromosome, modification qui entraîne l'extraction d'un segment d'ADN des protéines qui l'entourent et livre ce dernier à l'action d'un ensemble de molécules qui vont en opérer la transcription (Brown, 2002). Ce complexe se positionne sur un segment d'une des chaînes d'ADN et synthétise une nouvelle molécule, l'ARN messager (acide ribonucléique), qui est en quelque sorte une copie complémentaire du segment d'ADN. L'ARN messager est ensuite sectionné, ses introns sont éliminés et ses exons raboutés les uns aux autres. Ce nouvel ARN messager traverse la membrane nucléaire et migre vers le cytoplasme de la cellule où il se lie avec un ribosome et deux autres types d'ARN (de transfert et

**Figure 2.6**    La cellule et ses ADN nucléique et mitochondrial

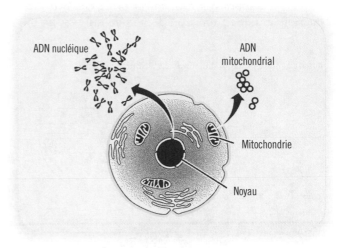

**Figure 2.7**    Séquences de nucléotides formant les brins d'ADN

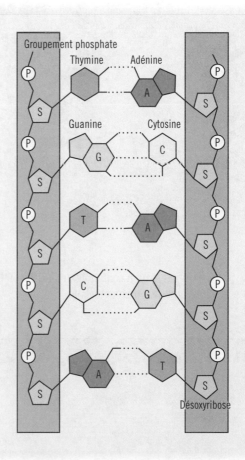

ribosomique). Le complexe ainsi formé traduit la séquence des bases azotées de l'ARN messager et assemble les acides aminés qui forment la protéine. Cette traduction se fait en fonction d'un code qui associe une séquence de trois bases azotées (codon) à chacun des 20 acides aminés qui peuvent entrer dans la composition des protéines.

### 2.2.5    La division cellulaire et le dédoublement de l'ADN

Le développement des structures corporelles, la réparation des tissus et la production des cellules sexuelles reposent sur un intense processus de division cellulaire. Au cours de la division cellulaire, les chromosomes se dédoublent et il en va de même des molécules d'ADN. Le processus de dédoublement est fort complexe et n'est pas encore élucidé. Watson et Crick (1953), ceux-là même qui ont découvert la structure hélicoïdale de l'ADN, ont émis l'hypothèse que les deux brins d'ADN se séparent et que chacun d'eux sert de modèle à la fabrication d'un nouveau brin complémentaire. De nouveaux nucléotides sont combinés les uns aux autres selon une séquence de bases azotées qui est complémentaire à celle du brin servant de modèle. La structure hélicoïdale compacte de l'ADN faisait toutefois problème. Pour que les deux brins puissent se séparer, il fallait que la molécule d'ADN pivote sur elle-même plusieurs millions de fois, ce qui paraissait peu probable vu le peu d'espace libre dans le noyau. Des travaux récents ont percé le mystère (Lima, Wang et Mondragon, 1994). Une certaine classe d'enzymes, les topo-isomérases, coupe l'un des brins d'ADN, libérant ainsi un espace qui permet à l'autre brin d'ADN de se dérouler et de s'éloigner du premier brin (figure 2.10). Les topo-isomérases raboutent ensuite les deux segments du brin sectionné. Chacun des brins d'ADN sert ensuite de modèle pour la formation d'un deuxième brin qui, lui, est complémentaire.

**Figure 2.8**    La structure hélicoïdale de l'ADN

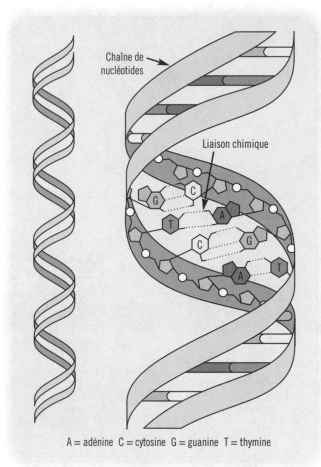

Chaîne de nucléotides

Liaison chimique

A = adénine  C = cytosine  G = guanine  T = thymine

### 2.2.6    L'interaction des gènes

La base de ce que l'on connaît aujourd'hui sur l'interaction génétique a été établie par le moine et botaniste autrichien Gregor Mendel qui, vers 1865, commença à publier ses travaux sur les croisements de plantes. Mendel découvrit que certains caractères d'une plante mère pouvaient disparaître dans la génération suivante et réapparaître dans une génération ultérieure. Ce fut la découverte des gènes dominants et récessifs.

Par les gènes, chaque parent transmet à l'enfant une série de caractères anatomiques comme la couleur

**Figure 2.9**    L'organisation compacte de l'ADN à l'intérieur d'un bras du chromosome

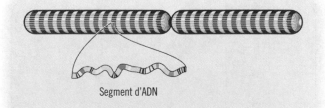

Segment d'ADN

des yeux ou des cheveux, la forme du nez ou des jambes, etc. Chaque parent transmet ces caractères en fournissant la moitié de ses chromosomes à l'enfant. Les gènes responsables de chaque caractère sont groupés par paires, et un élément de ces gènes, ou allèle, provient de la mère et l'autre, du père.

Si les deux parents transmettent le même caractère à l'enfant (par exemple les yeux bruns), ce dernier est dit «homozygote» pour cette caractéristique génétique parce que les deux allèles transmettent le même caractère. Si au contraire, les parents ne transmettent pas le même caractère – la mère transmettant, par exemple, les yeux bleus, et le père, les yeux bruns –, l'enfant sera «hétérozygote» quant à la couleur des yeux.

Le caractère apparent chez la personne, ici la couleur des yeux, s'appelle le phénotype tandis que la combinaison génétique sous-jacente à ce caractère est le génotype. Une personne peut avoir les yeux bruns

et être hétérozygote du fait qu'elle a un allèle «yeux bleus» et un autre «yeux bruns». Un caractère domine l'autre: le caractère «yeux bruns» l'emporte ici sur le caractère «yeux bleus», qui, lui, est récessif.

Mendel établit que, chez l'hétérozygote, le caractère qui se manifeste toujours dans le phénotype définit l'allèle dominant et que la caractéristique qui ne se manifeste qu'en l'absence de l'allèle dominant définit l'allèle récessif. Pour qu'un gène récessif se manifeste dans le phénotype, l'individu doit être homozygote pour le trait.

Chez l'humain, on constata par la suite que certains facteurs venaient relativiser les principes mendéliens de la transmission héréditaire, mais qu'essentiellement ces derniers s'appliquaient. On découvrit aussi que plusieurs anomalies transmises génétiquement étaient dues à des gènes récessifs, ce qui contribue heureusement à réduire leur transmission.

**Figure 2.10    Dédoublement de l'ADN**

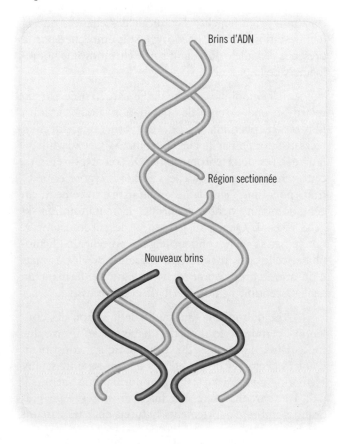

Brins d'ADN

Région sectionnée

Nouveaux brins

Gregor Mendel

La génétique moderne permet d'apprécier l'immense apport que constituent les recherches de Mendel, mais elle restreint aussi l'interprétation de leurs résultats, à la suite notamment de la découverte de gènes qui modulent l'effet d'autres gènes sur le phénotype. Ces gènes modulateurs pourront voiler, accélérer ou retarder l'expression des caractéristiques portées par d'autres gènes. Par exemple, l'âge d'apparition des cataractes (affection déterminée par un gène dominant), leur opacité et leur situation sur la cornée seraient modulés par d'autres gènes (Hetherington et Parke, 1986).

Par ailleurs, on sait aujourd'hui que plusieurs traits phénotypiques sont le résultat de l'interaction de plusieurs gènes et non pas d'un seul gène spécifique, à la différence de ce que Mendel a surtout décrit. On parle alors de traits polygénétiques dont la manifestation est relative, plus ou moins forte, plutôt que « présente » complètement ou « absente » complètement. La taille, la couleur de la peau, l'intelligence ou le tempérament sont des dimensions considérées comme polygénétiques et, en outre, leur manifestation dépend de facteurs environnementaux.

### 2.2.7    La détermination du sexe

La figure 2.5 (page 42) montre que la 23$^e$ paire de chromosomes est différente chez l'homme et chez la femme. Chez celui-ci, la 23$^e$ paire est formée d'un chromosome X et d'un chromosome Y (plus court), tandis que, chez la femme, cette même paire est constituée de deux chromosomes X. Sachant que le gamète (ovule ou spermatozoïde) ne contient qu'un seul élément de chacune des 23 paires de chromosomes du futur organisme, on peut en déduire que c'est le 23$^e$ chromosome du spermatozoïde du père qui déterminera le sexe du bébé, selon qu'il sera X ou Y. L'ovule, quant à lui, fournit toujours des X puisqu'il ne comporte pas de Y.

Ainsi, lorsqu'un spermatozoïde X féconde un ovule, il en résulte un zygote XX femelle, alors que, lorsque c'est un spermatozoïde Y qui féconde l'ovule, il en résulte un zygote XY mâle. Par conséquent, dès le moment où le spermatozoïde féconde l'ovule, le sexe du futur bébé se trouve déterminé.

En théorie, il devrait y avoir un nombre égal de zygotes mâles et femelles, car selon les lois du hasard, il y a autant de spermatozoïdes X que de spermatozoïdes Y.

En réalité, on dénombre plus de zygotes mâles que de zygotes femelles. Une explication possible de cet excès du nombre de zygotes mâles sur celui des zygotes femelles est que les spermatozoïdes qui les portent sont moins lourds et que, par conséquent, ils peuvent pénétrer l'ovule plus rapidement que les X.

## 2.3    LES PROBLÈMES HÉRÉDITAIRES

### 2.3.1    Les anomalies génétiques et chromosomiques

Une des conséquences de la combinaison XY chez le zygote est que les deux chromosomes ne sont pas homologues comme tels : certains gènes du chromosome X ne trouvent pas leur équivalent dans le chromosome Y, ce qui accroît les probabilités de voir la manifestation, dans le phénotype, de caractères héréditaires récessifs. Puisque l'homme n'a qu'un chromosome X, si l'allèle récessif d'une maladie est présent sur ce chromosome X, la maladie apparaîtra chez le bébé mâle puisqu'il n'y a pas d'allèle équivalent qui pourrait dominer cette affection récessive. Si le même allèle récessif apparaissait chez un zygote femelle, il y aurait des chances que sa manifestation dans le phénotype soit empêchée par la présence de l'allèle dominant sur le chromosome homologue X de la paire XX.

L'hémophilie, une maladie caractérisée par un retard ou une absence de coagulation, nous servira à illustrer ce phénomène. Elle constitue une affection récessive portée par le chromosome X. Chez la fille, il faut que les deux chromosomes X soient porteurs de cette affection, donc qu'elle soit homozygote pour ce trait, pour que la maladie apparaisse ; autrement, un gène dominant viendra empêcher la manifestation du gène récessif. Quant au garçon, si le chromosome X donné par sa mère contient le gène porteur de l'hémophilie, celle-ci se manifestera puisqu'il ne dispose pas d'un autre chromosome X homologue renfermant un gène susceptible de dominer l'affection récessive.

Le daltonisme (anomalie de la vision des couleurs), certaines formes de diabète, de dystrophie musculaire, l'atrophie du nerf optique, constituent d'autres exemples de problèmes liés au sexe masculin. Hetherington et Parke (1986) rapportent que, même s'il naît 106 garçons pour 100 filles, on observe un plus grand nombre d'avortements naturels chez les garçons (ce qui laisse supposer une différence encore plus grande à la conception) et un avantage numérique masculin vite éliminé par un taux de mortalité infantile plus élevé. Même si des facteurs comportementaux et environnementaux peuvent intervenir dans ce phénomène, on s'accorde pour dire que la présence d'un seul chromosome X sur la 23e paire constitue un élément de vulnérabilité pour le garçon.

Les explications qui précèdent montrent combien la mécanique génétique peut être complexe. On sait maintenant que certaines affections infantiles influant sur le développement sont d'origine génétique. Le nombre de possibilités de transmission héréditaire d'anomalies est presque infini. Nous examinerons ici une anomalie « génétique », c'est-à-dire portée par un gène, la phénylcétonurie ou PKU, et quelques anomalies dites « chromosomiques » parce qu'elles proviennent d'une mauvaise distribution d'un chromosome entier et non pas seulement d'un gène dans un chromosome quelconque. Nous porterons notre attention sur la trisomie 21 en tant qu'anomalie d'un chromosome somatique et nous considérerons brièvement deux anomalies des chromosomes sexuels (donc dans la 23e paire de chromosomes) : le syndrome de Turner chez les filles et le syndrome de Klinefelter chez les garçons.

### 2.3.2    Une anomalie génétique : la phénylcétonurie (PKU)

La phénylcétonurie (PKU) est un exemple classique d'anomalie génétique. Il s'agit d'un trouble dû à un gène récessif qui entraîne un déficit, dans le corps, d'une enzyme nécessaire au métabolisme de la phénylalanine. La phénylalanine est une protéine contenue dans le lait. L'enfant atteint est incapable d'assimiler la phénylalanine parce qu'il ne possède pas l'enzyme qui est nécessaire pour la convertir en tyrosine, ce qui produit une accumulation d'acide phénylpyruvique dans le corps.

Cette intoxication affecte le développement du système nerveux et détermine l'apparition de symptômes physiques et psychologiques typiques : l'enfant a une plus petite tête et une faible pigmentation des cheveux et de la peau. Sur le plan psychologique, le sujet manifeste une arriération mentale plus ou moins profonde, de l'irritabilité, de l'hyperactivité, et éprouve des convulsions et des problèmes de coordination motrice

plus ou moins graves. La figure 2.11 (page 48) illustre la transmission génétique de cette anomalie.

La condition de l'enfant souffrant de PKU peut être grandement améliorée si on intervient assez tôt (intervention précoce). C'est pourquoi, dans la plupart des hôpitaux, on administre d'office des tests de dépistage aux nouveau-nés. Les tests consistent à analyser le taux de l'acide phénylpyruvique dans le sang de l'enfant. L'intervention précoce repose sur une alimentation à base de lait synthétique contenant peu de phénylalanine. Le régime spécial peut être suivi jusqu'à l'âge de 8 ou 10 ans, âge où le système nerveux est suffisamment développé pour ne plus être affecté par un taux élevé d'acide phénylpyruvique dans l'organisme. Si une intervention n'est pas réalisée dans les premières semaines, les dommages deviennent progressivement, mais rapidement, irréversibles. Même dans les cas de traitement, les enfants affectés se distinguent tout de même des enfants non affectés par une plus grande irritabilité, des problèmes d'apprentissage et un quotient intellectuel plus bas (Kopp et Parmelee, 1979).

Un homme porteur homozygote de PKU transmet son gène récessif, mais l'effet de ce dernier peut cependant être annulé par un gène normal dominant provenant de la mère. En ce qui concerne la femme porteuse homozygote, il semble que non seulement elle transmet le gène récessif mais qu'en outre, elle n'offre pas à son fœtus un environnement prénatal convenable : une étude a révélé que 16 seulement des 121 bébés nés de 33 femmes porteuses de PKU étaient normaux à la naissance, les autres souffrant de problèmes graves tels que la microcéphalie (très petite tête) et un retard général du développement (Howell et Stevenson, 1971).

### 2.3.3    Une anomalie d'un chromosome somatique : la trisomie 21

La trisomie 21, ou syndrome de Down, est due à l'ajout d'un troisième chromosome à la 21e paire de chromosomes de l'enfant. Cette anomalie chromosomique figure parmi les problèmes de naissance les plus fréquemment observés. Les yeux bridés des sujets atteints amenèrent Landgon Down, un médecin anglais du XIXe siècle, à donner le nom de « mongolisme » à ce syndrome, les yeux en amande des trisomiques évoquant ceux des habitants de la Mongolie.

Sur le plan de l'apparence physique, les personnes atteintes de trisomie 21 présentent un certain nombre de caractères typiques : une tête petite par rapport au corps et posée sur un cou très court, les yeux bridés et obliques, un nez aplati sans pont entre les yeux, une protrusion de la langue, des mains et des pieds courts et larges, des cheveux très fins, etc.

Sur le plan physiologique, les conséquences de cette anomalie chromosomique sont multiples : une fréquence plus élevée de problèmes cardiaques, de troubles visuels et auditifs, de problèmes de tonus musculaire, un taux élevé de problèmes digestifs, une plus grande susceptibilité à la leucémie et une fragilité du système respiratoire rendant le trisomique sujet aux infections pulmonaires. Ces troubles fonctionnels réduisent significativement la longévité des trisomiques 21 : autrefois, rares étaient ceux qui parvenaient à l'âge adulte. Mais, avec les progrès réalisés en pharmacologie et en médecine, le taux de mortalité infantile a beaucoup baissé chez ces sujets.

Sur le plan psychologique, la trisomie 21 s'accompagne d'une déficience mentale plus ou moins profonde, et on croyait jusqu'à récemment ne pas pouvoir développer le potentiel des trisomiques. Leur taux d'institutionnalisation a pendant longtemps été très élevé. Aujourd'hui, on sait que, moyennant une aide soutenue apportée de façon précoce aux parents et aux enfants, ces derniers peuvent parvenir à un niveau acceptable d'autonomie personnelle, à lire et à écrire comme des enfants de deuxième ou de troisième année du primaire (Turkington, 1987). Évidemment, leur rythme de développement ne peut se comparer à celui d'enfants normaux. Leurs progrès sont beaucoup plus lents, mais ils peuvent quand même être notés, ce qui constitue un

**Figure 2.11**   Transmission génétique de la phénylcétonurie chez l'enfant de parents hétérozygotes porteurs de l'allèle récessif de la phénylcétonurie

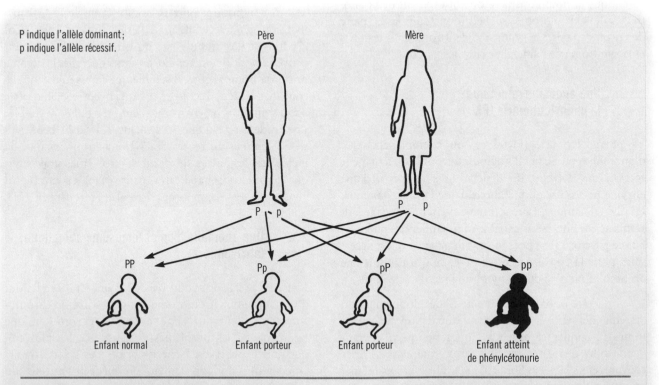

P indique l'allèle dominant ;
p indique l'allèle récessif.

Père   Mère

P  p   P  p

PP   Pp   pP   pp

Enfant normal   Enfant porteur   Enfant porteur   Enfant atteint de phénylcétonurie

Source : Adaptée de E.M. Hetherington et R.D. Parke (1986), *Child Psychology : A Contemporary Viewpoint*, 3e éd., New York, McGraw-Hill, p. 58, figure 3.5.

Pendant des années, le terme «trisomie 21» a été synonyme d'arriération mentale profonde et de placement permanent en établissement, mais ce n'est plus le cas aujourd'hui.

Lorsque Mindie est née, les médecins ont dit qu'elle serait à jamais déficiente, qu'elle ne s'assoirait jamais, ne parlerait pas. «Elle ne saura jamais que vous êtes sa mère, dirent-ils à Diane Crutcher, 25 ans. Dites à votre parenté que votre bébé est mort.»

Aujourd'hui, l'enfant qui ne devait pas marcher est une élève enjouée de septième année. L'enfant qui ne devait jamais marcher est souvent la vedette de spectacles communautaires de danse. L'enfant qui ne devait jamais parler ni connaître sa propre mère déclara à un symposium de médecins qu'elle était heureuse que sa mère et son père lui aient donné une chance.

Les experts avaient cependant raison sur un point: Mindie est en effet atteinte du syndrome de Down, un problème génétique qui survient lorsqu'un troisième chromosome se glisse dans la 21e paire de chromosomes (trisomie 21). Ce syndrome est une des anomalies de naissance les plus répandues et la première cause physique de déficience mentale; un nouveau-né sur 1000 en Amérique du Nord en est affecté. La probabilité qu'une femme donne naissance à un enfant trisomique est d'environ 1 sur 1500 lorsque la mère est âgée de 20 à 24 ans, et de 1 sur 100 lorsqu'elle a atteint l'âge de 40 ans.

En plus de leur retard mental, les enfants trisomiques souffrent souvent de troubles cardiaques, d'anomalies du système digestif et de divers autres problèmes liés à la vision, au tonus musculaire, à l'audition et à la respiration. Certains experts estiment que plus l'enfant est affecté par ces problèmes, moins son potentiel intellectuel et social est élevé. D'autres ne sont pas d'accord avec cette assertion et, même s'il y a corrélation, la plupart des experts croient qu'on n'est pas justifié de dire aux parents: «Votre enfant présente un nombre x de traits caractéristiques, il ne pourra donc jamais apprendre à lire.»

En effet, les experts sont devenus de plus en plus hésitants à faire des prédictions sur ce que l'enfant pourra ou ne pourra pas faire. On avait l'habitude de croire que ces enfants seraient profondément arriérés et étaient destinés à passer leur vie en établissement. «Les gens normaux ont le sentiment que le monde leur est ouvert», explique M. Crutcher, directeur exécutif du National Down Syndrome Congress. «Ils savent qu'ils ont la chance de grandir et de devenir quelqu'un. Cette chance a été refusée aux enfants trisomiques, ce qui a détruit les espoirs de leurs parents.»

Mais les recherches récentes ont montré que les enfants trisomiques ne sont pas tous pareils, que plusieurs d'entre eux peuvent réussir très bien en dehors des établissements, que la plupart ne sont que légèrement déficients et que quelques-uns parviennent même à atteindre des niveaux normaux d'intelligence. Cela a entraîné une redéfinition de la notion de syndrome de Down.

Les chercheurs croient maintenant que l'une des raisons pour lesquelles on a ignoré le potentiel de plusieurs enfants trisomiques est qu'ils affichent tous les caractéristiques faciales typiques: les yeux obliques, le nez aplati et la langue protubérante. À cause de leur apparence, ces enfants ont toujours vivement souffert de la discrimination.

Même si le médecin J. Langdon Down, qui décrivit le syndrome en 1866, croyait que ces enfants étaient capables d'apprendre, d'autres au cours des années les ont désignés par des termes allant de «orangs-outans» (1924) à «non éducables» (1975), en passant par «non-personnes» (1968), pour ensuite les enfermer. Jusqu'aux années 1970 aux États-Unis, la moitié des patients dans les gros hôpitaux psychiatriques d'État avait le syndrome de Down. Parce que les enfants trisomiques se ressemblent beaucoup, il était facile de conclure qu'ils avaient tous les mêmes capacités intellectuelles. Les experts savent maintenant que ces enfants présentent des différences individuelles considérables et que, pour plusieurs, le retard mental est autant dû à de faibles attentes à leur égard, à la sous-stimulation et à un manque d'éducation qu'à une déficience génétique.

Les premiers signes d'un changement d'attitude sont apparus aux États-Unis en 1975 avec l'adoption de la loi sur l'éducation obligatoire de tous les enfants handicapés, qui obligeait à fournir une éducation à tous les enfants handicapés, dans un contexte environnemental le moins restrictif possible. Ainsi, on a été amené à instruire des milliers d'enfants «institutionnalisés» en les intégrant, dans la mesure du possible, dans des classes régulières.

Les enfants trisomiques sont généralement d'un naturel agréable et enjoué.

Les éducateurs ont été surpris de constater que plusieurs enfants trisomiques sont des étudiants talentueux. Certains sujets, comme Paige Barton, qui a maintenant 35 ans, ont une forme rare du syndrome de Down appelée «mosaïque». Ils ont parfois un potentiel intellectuel normal, mais Paige Barton a été placée en établissement parce qu'avant 1975 c'est tout ce que l'on faisait des enfants trisomiques. Après l'adoption de la loi, Paige a commencé à fréquenter l'école et, en 1980, elle est sortie de l'hôpital qui avait été sa maison avec un diplôme et un rêve: elle fut diplômée après avoir suivi un programme de deux ans en éducation de la petite enfance à l'Université du Maine et elle espère commencer un programme de quatre ans en éducation spécialisée. «Quelqu'un m'a dit qu'une personne trisomique ne pourra jamais obtenir de diplôme universitaire, dit-elle tristement. Je crois que la société ne devrait jamais nous sous-estimer ni nous accoler une étiquette, car, une fois que nous avons cette étiquette, elle nous suit pour le reste de notre vie.»

La volonté d'éduquer les trisomiques a entraîné la recherche d'une pédagogie qui leur est adaptée, et cette recherche a montré que les programmes d'intervention précoce, commençant souvent tôt après la naissance, sont déterminants pour le développement du potentiel de ces enfants. Une recherche menée par le chercheur James Macdonald et ses collègues, à l'Université d'État de l'Ohio, a montré qu'on pouvait apprendre aux parents des enfants trisomiques à aider leur jeune à acquérir des habiletés langagières. Les enfants des parents qui ont suivi cette formation avaient un vocabulaire et une grammaire plus riches que ceux des autres enfants trisomiques.

En 1975, la psychologue Reetta Bidder et ses collègues de la Welsh National School of Medicine ont mené une étude dans laquelle les mères d'enfant trisomique avaient appris à utiliser des techniques de modifications du comportement en vue d'augmenter les habiletés verbales, la coordination motrice et l'autonomie dans les soins personnels chez leur enfant. Ce programme de six mois n'a pas eu d'effet sur la coordination motrice des enfants, mais leurs habiletés verbales ont augmenté et ils sont devenus plus autonomes.

Selon les psychologues John Rynders et ses collaborateurs de l'Université du Minnesota, un apprentissage parent-enfant intensif peut améliorer le langage de plusieurs enfants trisomiques. Leur recherche menée sur cinq ans et appelée EDGE (pour *Expanding Developmental Growth through Education*) visait à agrandir les capacités de communication à l'aide de leçons prenant la forme de jeux entre le parent et l'enfant âgé de plus de 30 mois. Un test de QI administré aux 35 enfants de cinq ans participant au projet a permis de voir que les 17 enfants ayant suivi les leçons spéciales se classaient dans la zone «éducable», ce qui voulait dire, entre autres choses, qu'ils pouvaient apprendre des notions de base à l'école et vivre ailleurs qu'en établissement. Sur les 18 enfants qui n'avaient pas bénéficié des leçons spéciales, seulement neuf

pouvaient être classés dans cette zone et trois enfants étaient incapables de passer le test comme tel. Aujourd'hui, certains enfants du projet EDGE sont allés à l'école publique durant les 10 ans qui ont suivi leur période initiale de formation expérimentale précoce. En 1984, une étude de suivi de 13 enfants du projet EDGE a montré que 11 d'entre eux avaient, en lecture, un niveau de compréhension de deuxième année et même parfois davantage, ce que Rynders considère comme un «dur coup» pour l'argument contre l'éducabilité. Sept des 13 enfants étudient dans des classes spéciales ou dans une combinaison de classe spéciale et de classe ordinaire.

Rynders conclut de la revue des études qu'il a faite qu'il est relativement courant, pour les individus atteints du syndrome de Down, de présenter un QI correspondant au niveau «éducable». Les résultats de son projet suggèrent qu'au moins la moitié des enfants trisomiques qui ont été élevés à la maison dans une famille de classe moyenne ou moyenne supérieure peuvent être regardés comme «éducables» à leur entrée à l'école. Rynders croit aussi que les enfants ayant bénéficié d'une intervention précoce pourront atteindre en lecture un niveau de compréhension de la deuxième année vers le milieu de leurs études primaires. «Près de 75 % des enfants du programme EDGE (qui ont reçu l'apprentissage spécial) lisent à ce niveau de compréhension maintenant, dit l'auteur. Il leur reste à faire plusieurs années d'école qui devraient leur permettre d'atteindre des niveaux bien supérieurs.»

Les programmes d'intervention précoce destinés aux parents sont utiles, mais le plein développement du potentiel des enfants trisomiques dépend aussi de l'éducation formelle qu'ils reçoivent. L'un des plus gros problèmes des parents d'enfants trisomiques, cependant, est que, lorsque leur enfant est prêt pour l'école, l'école n'est pas prête à les accueillir. Plusieurs districts scolaires sont réticents à intégrer ces enfants dans les classes ordinaires, selon Rynders et d'autres experts. Le mouvement d'intégration scolaire (*mainstreaming*) n'a que 10 ans, et même si les spécialistes sont parvenus à montrer aux gens que les enfants trisomiques ne sont pas des «orangs-outans», ils n'ont pas encore convaincu toutes les écoles publiques que ces enfants pouvaient tirer profit de l'école.

«Nous recevons régulièrement des appels téléphoniques de parents qui croient que leur enfant est prêt à suivre un programme beaucoup plus riche, mais aucun n'est offert», affirme Donna Rosenthal, directrice de la National Down Syndrome Society. En conséquence, cette société et la Commission scolaire de New York ont élaboré un programme destiné à intégrer les enfants de 6 et 7 ans dans les classes ordinaires pour les matières de base. La Société espère que le programme, qui réunit des enseignants et des éducateurs spécialisés dans quatre écoles de la ville, servira de modèle d'intégration.

Une des objections principales à l'idée de donner plus qu'une éducation minimale aux enfants trisomiques vient de la croyance que ces enfants atteignent rapidement un niveau qu'ils ne peuvent dépasser. Cette croyance repose sur le fait que les résultats aux tests plafonnent et même baissent après les premières années de scolarisation. On juge donc, sur la foi de ces résultats, qu'il est inutile de pousser plus loin la scolarisation.

Mais d'autres critiquent les tests. Ils font ressortir que ces tests comparent le rendement des enfants trisomiques, non pas avec leur propre rendement antérieur, mais avec celui des enfants normaux. Comme les enfants trisomiques progressent moins vite que ces derniers, ils semblent, en comparaison, ne pas faire de progrès ou même régresser. En réalité, ils avancent, même si le rythme est plus lent que celui des enfants normaux. Rynders ajoute que «même si le plafond était réel, cela ne veut pas dire que nous cesserions de les scolariser. Ils peuvent continuer à apprendre. En fait, nous avons la preuve qu'ils continuent d'acquérir des habiletés intellectuelles jusque tard dans l'adolescence. »

Avec un nombre élevé d'études et des témoignages irrécusables comme ceux de Mindie Crutcher et de Paige Barton, le National Down Syndrome Congress cherche à améliorer l'intervention précoce, les loisirs, les conditions d'emploi et la formation des parents. «Nous assistons à un éveil des consciences, affirme Diane Crutcher, mais les attitudes changent lentement. Nous avons tous une bataille à mener pour persuader les gens de faire preuve de ténacité lorsque des enfants trisomiques sont concernés. » Elle note que même s'il est démontré que plusieurs enfants trisomiques peuvent aller à l'école, la résistance est forte. «Il s'agit d'un sérieux problème pour les parents, selon M^me Crutcher. Je peux travailler avec le district scolaire local et vaincre la résistance parce que je connais bien la question. Mais qu'en est-il des milliers de parents qui ne sont pas aussi bien informés ? Je crois que plusieurs d'entre eux et leurs enfants sont victimes du système. »

Mais la situation s'améliore. De plus en plus de parents mettent en avant des faits et commencent à s'exprimer. Le plus important peut-être, c'est que des personnes trisomiques se manifestent. Une femme trisomique de 21 ans a témoigné devant une sous-commission législative du Wisconsin en 1982. Elle défendit éloquemment la cause des trisomiques et rappela aux législateurs qu'on juge mieux les gens sur ce qu'ils peuvent faire que sur ce qu'ils ne peuvent pas faire : «Il y a beaucoup de choses que je peux faire. Je peux nager. Je peux lire. Je peux me faire des amis. Je peux écouter mes disques. Je peux regarder la télévision. Je peux aller voir un film. Je peux prendre l'autobus pour aller à Chicago et me rendre au travail. Je peux compter de l'argent. Je peux chanter comme un oiseau. Je peux me brosser les dents. Je peux faire des tapis au crochet. Je peux préparer un repas. Je peux penser. Je peux prier. Je peux danser. Je peux jouer de la batterie. Je sais ce qui est bien. Je sais ce qui est mal. »

On est capable de modifier l'apparence des trisomiques. Les spécialistes de la chirurgie plastique peuvent corriger les yeux obliques, la petitesse de la mâchoire et la protrusion de la langue généralement rencontrés chez les enfants trisomiques (figure 2.12, page 52). Mais devraient-ils le faire ? La chirurgie plastique est de tous les traitements offerts aux enfants trisomiques celui qui est le plus controversé.

L'opération dure entre une heure et demie et deux heures et demie et ne pose généralement aucun problème. Les chirurgiens peuvent élargir le pont du nez, la mâchoire et le menton avec des greffes osseuses ou du matériel synthétique, faire disparaître l'inclinaison des yeux et enlever du gras sous les paupières inférieures. Il n'y a généralement pas de cicatrice faciale parce que l'intervention se fait à partir de l'intérieur de la bouche ou que l'on prélève des sections de peau derrière la ligne des cheveux. La langue, trop grosse et à l'étroit dans une cavité orale particulièrement petite, voit sa taille réduite d'environ un cinquième.

Les défenseurs de la chirurgie croient que les enfants trisomiques sont rejetés en partie à cause de leur apparence physique, de sorte que l'amélioration de leur apparence peut amener une meilleure acceptation sociale. Les critiques rétorquent qu'il n'y a pas beaucoup de preuves que la chirurgie est vraiment avantageuse. En fait, on doit reconnaître que même le plasticien le plus doué ne peut donner à un enfant trisomique une apparence tout à fait normale. Après la chirurgie, la démarche, le cou et les proportions du corps sont encore les mêmes. «Je n'ai pas encore vu d'enfant, qui, après l'opération, ne ressemblait pas à un trisomique», affirme Diane Crutcher du National Down Syndrome Congress. De plus, selon certains, la chirurgie est une marque de rejet en elle-même; elle dit aux enfants qu'ils ne sont pas acceptables tels qu'ils sont. C'est la préoccupation sociale de la belle apparence qui devrait changer, non pas le visage des enfants trisomiques.

Même ceux qui sont favorables à l'intervention chirurgicale admettent que les enfants trisomiques ne sont pas tous de bons candidats pour la chirurgie, et que les parents et l'enfant doivent passer un examen intensif de dépistage avant que le chirurgien n'opère. «La chirurgie ne devrait être pratiquée que sur les enfants dont la qualité de la vie peut être améliorée par l'opération», affirme Garry S. Brody, professeur clinique de chirurgie plastique à l'Université de Southern California. La chirurgie est immédiatement écartée si l'enfant est déficient profond ou s'il est atteint d'une maladie corporelle qui menace sa vie. De plus, les parents doivent avoir des attentes réalistes face à la chirurgie. «Si vous croyez que l'enfant sortira de la salle d'opération avec 20 points de QI de plus, dit Diane Crutcher, vous serez déçu. » Bien que controversée, la chirurgie plastique semble demeurer une solution envisageable pour ceux qui sont prêts à considérer toutes les possibilités (Turkington, 1987).

argument de poids pour ceux qui réclament l'intégration de ces enfants au système d'éducation. Les trisomiques sont d'un naturel agréable et enjoué, ce qui favorise l'acquisition de qualités sociales.

En 1959, Claude Lejeune a découvert que le syndrome de Down était habituellement dû à la présence d'un chromosome additionnel dans la 21e paire, présence résultant du fait que, au moment de la méiose de la cellule de reproduction, les chromosomes de cette paire ne se sont pas séparés. La figure 2.13 montre cette configuration chromosomique. Au lieu de ne contenir qu'un seul chromosome, un gamète en

contiendrait deux, et ces deux chromosomes, lorsqu'ils sont combinés avec le 21e chromosome de l'autre gamète, en font trois dans le zygote (Frias, 1975; Lamb et Bornstein, 1987).

La figure 2.14 illustre la progression de la fréquence de la trisomie 21 en fonction de l'âge de la mère. Cette progression marquée constitue un argument en faveur de la thèse selon laquelle ce type d'anomalie est dû au fait que le processus de maturation des ovules dégénère progressivement après que la femme a dépassé la quarantaine. Certains travaux ont par ailleurs révélé que le spermatozoïde du père portait le chromosome superflu dans environ 25 % des cas (Magenis et autres, 1977).

D'autres formes de trisomie font intervenir d'autres chromosomes somatiques. Le syndrome de Patau est une variété de trisomie dans laquelle le chromosome surnuméraire est situé sur la 13e paire, qui s'accompagne d'un grand nombre de malformations entraînant généralement la mort du nourrisson avant l'âge de trois mois. Le syndrome d'Edwards, ou trisomie 18, comporte aussi de nombreuses malformations qui réduisent la durée de vie moyenne à six mois (Strickberger, 1985).

**Figure 2.12**    Avant et après une chirurgie plastique

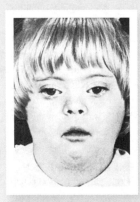
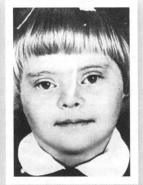
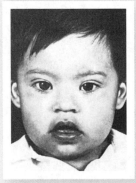
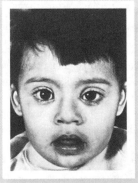

Les partisans de la chirurgie plastique affirment que celle-ci corrige les traits faciaux caractéristiques du syndrome de Down. Par contre, les critiques font valoir que le recours à la chirurgie montre que l'image naturelle de l'enfant n'est pas socialement acceptée.

Source: C. Turkington (1987), « Special Talents », *Psychology Today*, 21(9), sept., p. 45.

**Figure 2.13**    Caryotype d'un sujet atteint du syndrome de Down

Cette illustration des chromosomes d'une fillette atteinte de trisomie 21 (photos du haut, figure 2.12) montre les trois chromosomes présents à la 21e paire.

Source: Adaptée de M.W. Strickberger (1985), *Genetics*, 3e éd., New York, Macmillan, p. 424, figure 21-20.

En fait, il semble que la séparation de la plupart des chromosomes humains peut ne pas se faire lors de la méiose et créer de ce fait une anomalie chromosomique à un endroit déterminé. On estime actuellement que, lors de la conception, environ 4 % de tous les embryons humains présentent une anomalie chromosomique, mais que seulement 10 % de ce nombre vivent jusqu'à la naissance, et qu'une bonne proportion d'enfants nés avec de telles anomalies n'atteignent pas l'âge adulte. On estime qu'environ 50 % des avortements spontanés survenant au cours des trois premiers mois de grossesse sont dus à une anomalie chromosomique quelconque qui empêche l'implantation utérine ou rend l'organisme non viable (Strickberger, 1985).

Figure 2.14    Fréquence d'apparition du syndrome de Down en fonction de l'âge de la mère

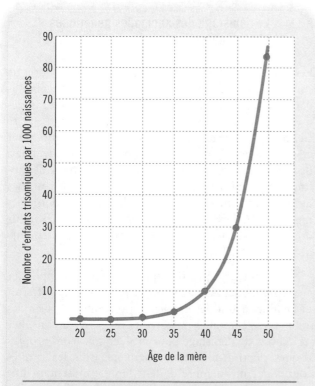

Source: Adaptée de M.W. Strickberger (1985), *Genetics*, 3ᵉ éd., New York, Macmillan, p. 423, figure 21-19.

### 2.3.4    Les anomalies des chromosomes sexuels

#### Le syndrome de Turner

Le syndrome de Turner s'observe chez la fille et est dû à l'absence d'un chromosome sexuel: il n'y a que 45 chromosomes, le deuxième chromosome X de la 23ᵉ paire étant absent. Au lieu d'avoir deux chromosomes sexuels XX comme les filles normales, celles qui sont atteintes de ce syndrome n'en ont qu'un seul, elles ont un caryotype XO.

Le syndrome de Turner est caractérisé par une petite taille, des doigts courts, dans certains cas une malformation de la bouche et des oreilles et une absence de développement pubertaire en raison d'un manque d'œstrogène (l'hormone sexuelle féminine) – les seins ne se développent pas et les caractères sexuels secondaires n'apparaissent pas.

À la puberté, le développement des caractères sexuels féminins peut être stimulé par l'administration d'œstrogène, mais les filles atteintes demeureront stériles même avec un tel traitement (Hetherington et Parke, 1986).

Les filles atteintes du syndrome de Turner semblent posséder des capacités intellectuelles normales, mais certains problèmes d'apprentissage qu'elles éprouvent seraient liés à des difficultés visuo-spatiales touchant leur capacité d'écrire, et ce, malgré un rendement verbal dans la normale (Pennington et autres, 1982).

#### Les syndromes XXY et XYY

Le syndrome de Klinefelter se définit par la présence d'un chromosome sexuel X surnuméraire chez le garçon, ce qui crée une série XXY en 23ᵉ place au lieu de la paire XY normale. L'insertion d'un chromosome sur une paire de chromosomes est du même type que celle qui est associée au syndrome de Down (trisomie 21), excepté qu'elle concerne les chromosomes sexuels et non pas les chromosomes somatiques. Comme dans le cas de la trisomie 21, la fréquence de cette anomalie augmente avec l'âge de la mère.

Les hommes atteints du syndrome de Klinefelter sont stériles même s'ils possèdent des testicules. La présence d'un chromosome X supplémentaire entraîne chez eux une taille plus grande que la normale et l'apparition de caractères sexuels féminins tels que des seins développés et des hanches arrondies. Les traitements reposant sur l'administration de testostérone (l'hormone sexuelle mâle) stimuleraient l'apparition de caractères sexuels masculins secondaires (croissance du pénis, pilosité, mue de la voix, etc.).

Sur le plan psychologique, Bancroft, Axworthy et Radcliffe (1982) rapportent qu'environ le quart des hommes de type XXY sont mentalement déficients. Les sujets de type XXY seraient plutôt introvertis, passifs, timides, manquant de confiance en eux et ayant peu de besoins sexuels. Dans un article où il fait la revue de la recherche sur le sujet, Ellis (1982) mentionne que les hommes XXY présenteraient un plus haut taux de criminalité que les XY (normaux), mais moins que les XYY.

Le syndrome XYY est une autre anomalie chromosomique spécifiquement mâle qui consiste dans la présence d'un chromosome supplémentaire. Il y a un chromosome Y supplémentaire qui s'insère entre les deux chromosomes de la 23e paire. On observe chez les sujets atteints une taille généralement plus grande que la normale et, sur le plan psychologique, de la déficience mentale et une propension à l'agressivité et aux comportements antisociaux.

L'association entre le chromosome Y et l'agressivité a suscité beaucoup d'intérêt, car ce chromosome pourrait expliquer les différences entre les hommes et les femmes en matière de violence. Plusieurs études ont en effet observé une surreprésentation de sujets atteints du syndrome XYY en prison. Ellis (1982) fait état de recherches qui se sont intéressées aux parents des sujets de caryotype XYY au regard du taux de criminalité. Étant donné que l'anomalie XYY est due à une rare mutation, la parenté des sujets de type XYY devrait afficher un taux de criminalité moindre que la parenté de criminels XY (sans l'anomalie génétique). Les résultats d'un certain nombre de recherches corroborent cette thèse : elles ont établi que les criminels XYY ont moins de criminels dans leur famille que d'autres criminels du même type (Ellis, 1982).

Une importante étude danoise a trouvé seulement 12 sujets XYY et 16 sujets XXY parmi les 4139 hommes faisant partie de 16 % des hommes ayant la plus grande taille de la population (Witkin et autres, 1976). La recherche a démontré que les sujets touchés par une anomalie chromosomique XYY ou XXY avaient des capacités mentales moindres que les sujets normaux, mais que seulement les XYY présentaient un taux de criminalité plus élevé. Cependant, les crimes commis par ce groupe n'étaient généralement pas violents (Witkin et autres, 1976). Or, comme des études ont montré par ailleurs que parmi les individus ayant des chromosomes normaux (XY), il y avait plus de criminalité chez les sujets de faible intelligence, il semble que le taux de criminalité plus élevé chez les sujets de type XYY serait dû non seulement à la présence du chromosome Y supplémentaire, mais aussi à la déficience mentale.

Ratcliffe et Field (1982) n'ont pas observé de prédisposition particulière à la violence chez quatre garçons ayant un caryotype XYY, mais plutôt une réaction dépressive au stress. La question du rôle du chromosome Y dans l'agressivité et la conduite antisociale n'est pas encore complètement élucidée.

Enfin, même si les données de la recherche tendent à montrer qu'il existe un lien entre la criminalité et l'anomalie XYY, le rôle exact de ce chromosome Y supplémentaire n'est pas encore connu.

### 2.3.5  Le dépistage des anomalies génétiques et chromosomiques

Les données dont nous disposons actuellement, quoique encore lacunaires en ce qui concerne les possibilités d'anomalies génétiques et chromosomiques, ont rapidement été mises en application. Des programmes et des cliniques de dépistage et de consultation génétique sont apparus dans la plupart des grandes villes occidentales. Ils ont généralement comme objectif de diffuser de l'information sur les risques génétiques et leurs mécanismes de transmission, ils fournissent des services de dépistage d'anomalies génétiques et chromosomiques, et ils donnent aussi des conseils aux gens qui sont atteints de telles anomalies.

Les techniques de dépistage peuvent s'appliquer aux parents actuels, aux futurs parents et aux fœtus. Les adultes ayant des handicaps pouvant être dus à des anomalies génétiques ou héréditaires peuvent consulter les centres de dépistage pour évaluer soit leurs propres risques de transmettre ces dernières soit les risques courus par un membre de leur famille présentant une anomalie. Des données sur l'histoire de la famille, des analyses du sang, de l'urine, des cellules de la peau donnent des indications précieuses sur les risques d'anomalies. Une fois les risques connus, les adultes concernés peuvent être aidés dans l'examen des moyens qui leur permettront d'éviter les graves conséquences associées à la naissance d'un enfant atteint d'une maladie génétique. La stérilisation, la reproduction *in vitro*, l'insémination artificielle, la participation d'une mère porteuse, l'adoption sont autant de ressources dont peuvent disposer aujourd'hui les adultes présentant de hauts risques de transmission d'anomalies génétiques. Mais comme nous le verrons plus loin, les questions d'éthique ou de morale liées aux nouvelles techniques de reproduction ne se règlent pas facilement, même avec l'assistance professionnelle la plus attentive.

Pour la femme déjà enceinte, l'amniocentèse et l'échographie constituent des techniques de dépistage couramment employées. L'amniocentèse consiste à prélever, à l'aide d'une seringue à longue aiguille, un échantillon du liquide amniotique (figure 2.15). Ce liquide contient des cellules que le fœtus a rejetées au cours de sa croissance, mais qui peuvent tout de même informer sur sa constitution chromosomique, puisque chaque cellule de l'organisme renferme le code génétique. Les cellules ainsi prélevées doivent être développées en milieu de culture, ce qui prend de trois à quatre semaines. La technique, quoique lente, permet le dépistage d'une soixantaine d'anomalies comme la trisomie 21 ou le syndrome de Turner (Hetherington et Parke, 1986).

**Figure 2.15**  L'amniocentèse

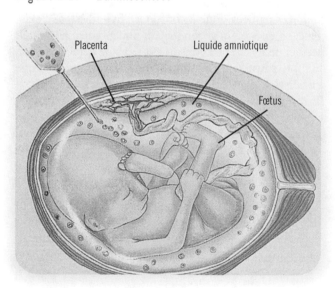

Idéalement, cette ponction à travers l'abdomen de la femme enceinte est pratiquée entre la 14e et la 16e semaine de grossesse, car, durant cette période, il y a suffisamment de cellules fœtales dans le liquide amniotique et le risque de toucher le fœtus est minime, celui-ci étant encore assez petit. Enfin, l'induction d'un avortement est encore possible lorsque les résultats de l'amniocentèse sont connus.

L'échographie, une technique basée sur la réflexion des ultrasons, permet d'obtenir une image du fœtus. Elle fonctionne un peu à la manière d'un radar, et on l'utilise pour mesurer la dimension du crâne, du corps fœtal, etc., en vue de déceler d'éventuelles malformations.

## 2.4  L'HÉRÉDITÉ ET LE FONCTIONNEMENT PSYCHOLOGIQUE

### 2.4.1  Les méthodes d'étude

Les problèmes héréditaires dont il a été question dans les sections précédentes sont des indications claires du rôle joué par l'hérédité dans la détermination des caractéristiques phénotypiques. Toutefois, ces problèmes correspondent à des cas rares (fort heureusement), de sorte qu'ils ne nous renseignent pas sur l'importance du rôle joué par l'hérédité pour l'ensemble de la population saine. Les méthodes de la génétique quantitative ont justement pour but d'évaluer dans quelle mesure les différences phénotypiques qui existent entre les individus sont liées à leurs différences génétiques (Plomin, 1994). Elles permettent aussi de déterminer dans quelle mesure l'environnement influe sur les caractéristiques phénotypiques. Elles se répartissent en trois catégories : les études de familles, les études de jumeaux et les études d'adoption. Les premières consistent à faire des comparaisons en fonction du lien familial, les deuxièmes, des comparaisons entre les jumeaux et les troisièmes, des comparaisons en fonction du milieu de développement (familial ou d'adoption). Le principe sur lequel reposent ces méthodes est le suivant : si l'hérédité joue un rôle dans les caractéristiques phénotypiques, et, en particulier, dans le comportement, on devrait observer que les individus très apparentés entre eux génétiquement se ressemblent davantage que ceux qui ont un lien génétique moins étroit. Ainsi, les caractéristiques mentales ou comportementales des enfants issus des mêmes parents devraient être plus semblables entre elles que celles des enfants issus de parents différents. On devrait aussi observer que les enfants ressemblent davantage à leurs parents qu'à d'autres adultes. Toujours en vertu du même principe, les jumeaux identiques, aussi appelés monozygotes parce qu'ils proviennent de la division d'un même ovule fécondé, devraient présenter plus de ressemblances que les jumeaux fraternels (dizygotes) qui résultent de la fécondation de deux ovules. Ces derniers ne sont en fait pas plus semblables sur le plan génétique que ne le sont les enfants issus des mêmes parents, mais de grossesses différentes.

Ces deux plans de recherche comportent toutefois une limite importante puisqu'ils ne garantissent pas une équivalence des environnements dans lesquels grandissent les enfants. On peut penser que les environnements dans lesquels évoluent les enfants qui grandissent dans une même famille se ressemblent entre eux davantage que ceux des enfants élevés dans des familles différentes. Il est donc possible que les ressemblances plus fortes qui pourraient exister entre les enfants issus des mêmes parents et vivant avec ceux-ci soient attribuables à l'environnement dans lequel ils ont grandi. Cela serait encore plus vrai pour les jumeaux identiques, nés au même moment, ayant le même sexe et presque identiques physiquement. Cette limite peut être surmontée en combinant les deux méthodes avec une troisième qui établit une comparaison entre les enfants qui ont grandi dans la même famille ou dans des familles différentes (d'adoption). Si l'hérédité joue effectivement un rôle dans le comportement, les jumeaux identiques, élevés dans des familles différentes dès les premières semaines de leur vie, devraient présenter des ressemblances.

Il est important de rappeler que les méthodes de la génétique quantitative portent sur les différences entre les individus de la même espèce. Il ne faut donc pas oublier que les êtres humains ont énormément de caractères communs sur le plan génétique et qu'en fait ils sont plus semblables que différents. L'analyse des génomes montre que des individus aucunement liés par le sang diffèrent les uns des autres par seulement une paire de bases azotées sur mille (Baltimore, 2001).

La similarité des individus pour un trait phénotypique donné peut être estimée de deux façons. Si le trait est quantifiable, comme c'est le cas pour la taille physique ou le quotient intellectuel, on utilise pour mesurer la similarité entre deux individus le coefficient de corrélation qui varie entre −1 et 1. Plus le coefficient de corrélation est proche de 1, plus grande est la ressemblance entre des groupes d'individus. Un coefficient de 0,05, par exemple, indique une faible similarité entre des groupes d'individus. Si la mesure est de type catégoriel, comme pour le sexe ou par la présence d'une psychopathologie, la similarité est estimée sur la base du taux de concordance. Ce dernier correspond au pourcentage de cas pour lesquels deux individus partagent un même trait. Plus le taux de concordance est proche de 100, plus la similarité entre des individus est grande. Dans le cas de la couleur des yeux, par exemple, le taux de concordance est de 99,6 % pour les vrais jumeaux et de 28 % pour les faux jumeaux (Strickberger, 1985).

### 2.4.2 La contribution des gènes au fonctionnement psychologique

Le fonctionnement intellectuel, estimé par le quotient intellectuel (QI), est le trait psychologique qui a été le plus étudié. Plusieurs centaines de travaux scientifiques lui ont été consacrés. Pour les enfants issus des mêmes parents et élevés ensemble, les corrélations entre les jumeaux identiques se situent autour de 0,85, comparativement à 0,60 pour les faux jumeaux et à 0,40 pour les enfants issus de grossesses différentes (Plomin, 1990). Ces corrélations sont toutes plus élevées que celles qui ont été relevées entre les enfants issus des mêmes parents, mais de grossesses différentes et élevés séparément, corrélations qui se situent autour de 0,20. Ces données tendent donc à conforter l'hypothèse de l'existence d'une base génétique au fonctionnement intellectuel, mais elles ne constituent pas une démonstration complètement satisfaisante. On constate bien une corrélation plus forte entre les QI pour les individus qui se ressemblent le plus sur le plan génétique, mais cette corrélation pourrait très bien s'expliquer par le fait qu'ils évoluent dans des environnements plus similaires. Ce qui appuie cette thèse, c'est que les corrélations entre les enfants issus des mêmes parents et de grossesses différentes sont plus basses lorsqu'ils sont élevés séparément.

Les données les plus probantes proviennent des études qui ont comparé les jumeaux identiques élevés ensemble avec ceux qui ont été élevés séparément. Bouchard et autres (1990) rapportent une corrélation de 0,88 pour les premiers et de 0,69 pour les seconds.

L'ensemble des données recueillies montrent donc qu'une bonne partie des différences intellectuelles entre les individus est attribuable à des facteurs génétiques. Mais les études dont proviennent les données prennent uniquement en compte des enfants élevés dans des conditions normales de soins. Il n'est pas certain que leurs conclusions s'appliquent aux enfants qui sont victimes de négligence grave ou d'abus de la part de leurs parents ou de leur famille d'adoption. Enfin, rappelons que les données rapportées plus haut suggèrent aussi une contribution de l'environnement au fonctionnement intellectuel.

Le tableau 2.1 présente les corrélations obtenues pour plusieurs aspects du fonctionnement psychologique. Les données tendent à montrer que l'hérédité jouerait aussi un rôle dans la détermination de certains aspects de la personnalité, notamment la dominance, l'extraversion, la tolérance, la maîtrise de soi et la flexibilité (Bouchard et McGue, 1990). Enfin, on note que l'hérédité influe sur la religiosité et le traditionnalisme des individus (Bouchard et autres, 1990).

Plusieurs études indiquent que certains facteurs génétiques contribuent à l'apparition de psychopathologies telles que la schizophrénie, la dépression et les troubles bipolaires. Les études de familles (Gottesman et Shields, 1982) révèlent que les individus qui ont un frère, une sœur ou l'un de leurs parents atteint de schizophrénie ont une plus grande probabilité de souffrir eux aussi de ce trouble (8 %) que les individus de la population générale (1 %). De leur côté, des études portant sur les jumeaux (Gottesman, 1993) indiquent que le taux de concordance est plus élevé pour les jumeaux identiques (46 %) que pour les faux jumeaux (14 %). Le risque de souffrir de dépression ou de trouble bipolaire (alternance d'états dépressifs et maniaques) est aussi plus grand pour les individus dont un membre de leur famille a déjà été atteint de ces psychopathologies (Plomin, 1990). Pour le trouble bipolaire, le risque est de 6 %, donc six fois plus élevé que le risque calculé pour la population en général. Dans le cas de la dépression, le risque est deux fois plus élevé. Il est de 13 % chez les hommes, de 30 % chez les femmes, c'est-à-dire près du triple du risque calculé pour la population en général.

Les données précédentes concernaient des caractéristiques générales des individus. En effet, le fonctionnement intellectuel, les traits de personnalité et les psychopathologies renvoient à des tendances psychologiques ou comportementales globales. On dispose en outre de données qui suggèrent que certaines habitudes de vie sont en partie déterminées génétiquement. Plomin, Corley, DeFries et Fulker (1990) se sont intéressés à la tendance des enfants d'âge préscolaire à regarder la télévision et ont comparé les ressemblances entre, d'une part, les enfants d'une famille et, d'autre part, entre les

**Tableau 2.1**  Corrélations entre des paires d'individus en fonction du lien génétique et du milieu de développement

| | Jumeaux identiques élevés ensemble | Jumeaux identiques élevés séparément | Jumeaux fraternels élevés séparément |
|---|---|---|---|
| **Traits de personnalité** | | | |
| Dominance | — | 0,53 | 0,24 |
| Extraversion | — | 0,60 | 0,25 |
| Tolérance | — | 0,55 | 0,22 |
| Maîtrise de soi | — | 0,64 | −0,20 |
| Flexibilité | — | 0,51 | 0,06 |
| **Autres traits** | | | |
| Religiosité | 0,51 | 0,49 | — |
| Traditionnalisme | 0,50 | 0,53 | — |

Source : Adapté de T.J. Bouchard, et M. McGue (1990), « Genetic and rearing environmental influences on adult personality : An analysis of adopted twins reared apart », *Journal of Personality*, 58, p. 263 à 292 ; et de T.J. Bouchard et autres (1990), « Sources of human psychological differences : The Minnesota study of twins reared apart », *Science*, 250, p. 223 à 228.

enfants et les parents selon que la famille comprenait ou non des enfants adoptés. Les auteurs rapportent que, dès l'âge de trois ans, les corrélations entre les enfants issus des mêmes parents sont plus fortes (0,45 contre 0,18) qu'entre les enfants issus de parents différents. Des corrélations significatives (0,15) ont aussi été observées entre les enfants et leurs parents biologiques, même si les enfants avaient été adoptés par une autre famille seulement quelques semaines après leur naissance. Les corrélations entre les enfants et leurs parents biologiques étaient toutefois plus fortes lorsqu'ils vivaient ensemble (0,26).

### 2.4.3 Les mécanismes d'action des gènes

Nous avons présenté une certaine quantité de données qui montrent que les gènes sont en partie responsables des différences observées entre les individus pour plusieurs caractéristiques psychologiques. Ces données ne nous renseignent toutefois en rien sur les mécanismes d'action des gènes. Comment les gènes influencent-ils le comportement? L'influencent-ils directement ou indirectement? Il serait improbable, par exemple, que des gènes codent spécifiquement pour la tendance à regarder la télévision. Par contre, on peut supposer que des facteurs génétiques déterminent certains traits de personnalité et que ceux-ci feraient que certains enfants seraient plus enclins à regarder la télévision.

Les chercheurs ne font que commencer à étudier les mécanismes d'action des intervenants impliqués dans le fonctionnement psychologique. L'une des idées les plus neuves qui aient été exprimées concerne l'influence des facteurs génétiques sur les milieux de vie ou les expériences des individus. Plomin (1994) suggère que les facteurs génétiques pourraient influer sur les traits de personnalité, lesquels, quant à eux, pourraient déterminer les expériences de vie d'une personne. Un enfant qui a un tempérament très impulsif ne provoque pas les mêmes réactions chez ses parents qu'un enfant d'un naturel plus calme. Les parents adaptent, dans une

certaine mesure, leur comportement aux particularités de leurs enfants, de façon à réaliser le mieux possible leurs objectifs d'éducation et de socialisation. Chez le jeune enfant, le mécanisme d'action serait réactif. Certaines caractéristiques de l'enfant, déterminées partiellement par les gènes, façonneraient le milieu de vie et, par la suite, les expériences de vie de l'enfant. Avec le temps, les enfants jouent un rôle beaucoup plus actif dans la sélection de leur milieu de vie. Ils choisissent davantage leurs amis ainsi que leurs activités. On peut supposer que certains aspects de leur tempérament, déterminés partiellement par leurs gènes, les portent à rechercher davantage certains milieux de vie et certaines expériences qui vont contribuer à leur développement.

Les perceptions qu'ont les adolescents des comportements et attitudes de leurs parents à leur endroit viennent appuyer cette thèse. Une étude menée par Rowe (1981) montre que les perceptions des jumeaux identiques sont plus fortement voisines que celles des faux jumeaux. Plus récemment, Braungart, Fulker, Plomin et DeFries (1992) ont mesuré les caractéristiques du milieu de vie des nourrissons à l'aide d'une grille objective. Leur étude révèle que les environnements des enfants issus des mêmes parents étaient plus semblables que ceux des enfants adoptés, même si tous vivaient dans les mêmes familles. La plus grande similitude des environnements où évoluent les personnes très liées génétiquement entre elles est donc plus une réalité qu'une simple perception.

Enfin, la manière dont les adultes considèrent les événements marquants de leur vie corrobore d'une certaine façon l'idée selon laquelle les facteurs génétiques jouent un rôle dans la recherche active des expériences de vie. Plomin et autres (1990) ont observé que les événements marquants de la vie sont plus fortement corrélés chez les jumeaux identiques (0,49) élevés séparément que chez les faux jumeaux élevés séparément (0,05). En accord avec la théorie, les corrélations entre les jumeaux identiques étaient plus fortes pour les événements dépendant de leur volonté que pour les autres (0,54 contre 0,11).

## LES RETROUVAILLES DES TRIPLETS ET L'ÉTUDE MINNESOTA

Battelle (1981) rapporte l'histoire impressionnante de triplets identiques élevés séparément qui se retrouvent par hasard à l'âge de 19 ans. On sait que des naissances multiples peuvent favoriser la conception des jumeaux monozygotes et un ou plusieurs autres jumeaux dizygotes par rapport aux premiers, mais ici, il s'agirait bien de trois garçons issus d'un même zygote.

En septembre 1980, Bobby Shafran, inscrit depuis quelques jours à un nouveau collège dans l'État de New York, était surpris de voir que bon nombre de ses nouveaux collègues semblaient bien le connaître et l'appelaient Eddy. Lorsqu'on lui montra une photo d'Eddy Galland, il dit: «Il n'y a pas de doute, c'est bien moi.» Eddy Galland avait fréquenté ce collège l'année précédente, mais étudiait ailleurs cette année-là. Bobby téléphona à Eddy pour lui dire qu'il croyait être son frère jumeau. Les deux se rencontrèrent et constatèrent qu'en effet ils étaient nés le même jour en juin 1961, au même hôpital de Long Island. L'histoire fit l'objet d'un article dans les journaux locaux, ce qui amena David Kellman, en se reconnaissant sur la photo des jumeaux, à communiquer avec la famille Galland pour s'annoncer comme le troisième! En effet, il s'agissait bien de triplets identiques qui avaient été adoptés en bas âge et dont l'agence d'adoption n'avait pas informé les parents adoptifs de leur situation de triplets.

Les similitudes sur les plans du rendement intellectuel, des préférences sociales, des goûts pour la nourriture, la musique et les loisirs étaient frappantes chez eux.

Dans l'une des plus grandes études sur les jumeaux (*The Minnesota Twin-Study*), des chercheurs de l'Université du Minnesota à Minneapolis ont réussi à obtenir des données extensives sur plusieurs centaines de paires de jumeaux. De ce nombre, 77 paires (dont plusieurs monozygotes) ont été élevées séparément dans des familles adoptives. Dans cette étude, chaque sujet est testé individuellement pendant six jours. Des données physiologiques, psychologiques, historiques (famille, école, événements difficiles vécus, etc.) sont recueillies minutieusement (Rosen, 1987). Les résultats de cette recherche qui sortent peu à peu confirment l'impressionnante similitude que peuvent présenter deux individus possédant la même hérédité et ayant vécu séparément. En voici un exemple frappant, choisi parmi plusieurs autres du même genre: l'étude a réuni deux jumeaux de l'Ohio,

appelés tous deux «Jim» (par hasard, évidemment!), fumant la même marque de cigarettes, conduisant le même modèle de voiture, occupant le même emploi, se rongeant tous deux les ongles et ayant commencé à souffrir de migraines au même âge (Rosen, 1987).

Certes, l'aspect spectaculaire de ces ressemblances extraordinaires attire sans doute davantage l'attention que les différences observées entre les jumeaux. L'étude Minnesota a tout de même recueilli de l'information intéressante concernant celles-ci. On a remarqué par exemple que certains jumeaux d'aspect identique pouvaient être dizygotes et que certains monozygotes pouvaient présenter des différences de poids ou d'apparence (lunettes, coiffure, types de vêtements, etc.) qui les faisaient paraître presque comme des étrangers.

Certains aspects, comme la taille, semblent très fortement liés aux gènes: les chercheurs estiment en effet que 90 % de la variance de la taille est déterminée génétiquement tandis que le pourcentage restant serait à mettre sur le compte de l'environnement. Le quotient intellectuel de jumeaux identiques élevés séparément serait similaire dans 76 % des cas, même si on inclut les paires dont le niveau de scolarité est différent. Les nombreuses données recueillies sur la personnalité indiquent que l'hérédité et l'environnement contribueraient chacun pour moitié à l'établissement du profil personnel.

On note un fait étonnant: certains traits personnels seraient plus étroitement ressemblants chez des monozygotes élevés séparément que chez d'autres élevés ensemble. Selon les auteurs, ce phénomène serait dû aux efforts que les jumeaux élevés ensemble accomplissent pour se différencier l'un de l'autre. La recherche d'une identité à soi conduirait chacun des jumeaux à chercher la différence, recherche à laquelle les jumeaux élevés séparément ne sentent pas le besoin de se livrer, se contentant de donner libre cours à l'expression de leurs particularités génétiques.

Ces divers travaux nous aident à comprendre comment notre interaction avec notre milieu est influencée par ce que nous sommes au départ: deux personnes identiques auront tendance à susciter des réactions analogues dans leur environnement social, ce qui les amènera à vivre des expériences semblables.

# Questions

1. Qu'est-ce que la théorie de la pangenèse ?

2. *Complétez la phrase.* Les cellules du corps humain se répartissent en deux catégories : les cellules de reproduction ou _____ et les cellules _____.

3. Qu'est-ce qui distingue la méiose de l'autre type de division cellulaire ?

4. *Complétez la phrase.* De la conception qui correspond à l'union de _____ de la mère avec _____ du père résulte un _____ qui s'implantera sur la paroi de l'utérus maternel.

5. *Vrai ou faux.* Du fait de la concordance de la longévité des spermatozoïdes et de celle de l'ovule, la période de fécondité réelle est d'environ huit jours par cycle menstruel.

6. De quelle façon les caractères génétiques de la mère se combinent-ils avec ceux du père dans les cellules de l'enfant ?

7. Sous quelle forme l'ADN mitochondrial se présente-t-il ?

8. Expliquez en quoi les liaisons chimiques entre les bases azotées sont sélectives.

9. Combien de gènes l'ADN nucléique humain comprend-il selon les estimations faites dans le cadre du projet du génome humain complété en 2003 ?

10. *Vrai ou faux.* Un gène peut comprendre plusieurs exons.

11. L'acide ribonucléique (ARN) est le messager de l'acide désoxyribonucléique (ADN). Expliquez.

12. Expliquez le rôle des topo-isomérases dans le processus de dédoublement de l'ADN.

13. *Vrai ou faux.* Une personne est dite hétérozygote pour un trait donné si les gènes sont responsables de ce trait.

14. *Complétez la phrase.* Pour qu'un gène récessif s'exprime réellement chez la personne, celle-ci doit être _____ pour ce trait.

15. *Vrai ou faux.* Le sexe de l'enfant est déterminé dès le moment de la fécondation de l'ovule par le spermatozoïde.

16. En quoi le risque d'une anomalie génétique est-il plus élevé avec la combinaison XY qu'avec la combinaison XX ?

17. Indiquez deux symptômes physiques ou psychologiques typiquement associés à la phénylcétonurie (PKU).

18. Nommez une méthode d'intervention précoce contre le PKU chez l'enfant.

19. Nommez un syndrome lié à une trisomie chromosomique autre que le syndrome de Down.

20. L' _____ est une technique basée sur la réflexion d'ultrasons qui permet d'obtenir une image du fœtus et de déceler chez lui des anomalies éventuelles.

21. Nommez trois catégories d'études permettant d'analyser la contribution des facteurs génétiques et environnementaux.

22. *Vrai ou faux.* Les études des familles et les études des jumeaux permettent de déterminer avec précision la part des facteurs génétiques.

**23.** Plusieurs études indiquent que les facteurs génétiques déterminent l'apparition de certaines psychopathologies. Nommez deux de ces psychopathologies.

**24.** Quelle explication Plomin donne-t-il des mécanismes d'action des gènes sur le fonctionnement psychologique ?

**25.** *Vrai ou faux*. Certaines études montrent que les événements marquants de la vie sont plus fortement corrélés chez les faux jumeaux élevés séparément que chez les jumeaux identiques élevés séparément.

Chapitre

# 3

# Développement prénatal et naissance

Richard Cloutier

## 3.1 INTRODUCTION

Le présent chapitre se divise en deux parties : la première porte sur le développement prénatal et la seconde, sur la naissance. Dans la première partie du chapitre, nous concentrerons notre attention sur les trois grandes périodes du développement prénatal : nous verrons comment l'œuf fécondé s'implante dans l'utérus et acquiert peu à peu les différentes structures et fonctions de l'organisme ; dans cette vue, nous examinerons la séquence d'apparition des différentes parties de l'organisme au cours du développement embryonnaire et fœtal ainsi que le mécanisme de la différenciation sexuelle. Ensuite, nous traiterons de la maternité en tant qu'expérience physique et psychologique. Dans la troisième section, nous nous intéresserons aux facteurs tératogènes du développement prénatal. Après avoir considéré les effets possibles de l'âge des parents sur le développement prénatal ainsi que le rôle du régime alimentaire de la femme enceinte, nous décrirons les effets potentiels des quatre grandes catégories de tératogènes. L'état émotionnel de la mère, en tant qu'il est susceptible d'influer sur la grossesse, sera ensuite examiné. La première partie se clôt sur un bref examen des nouvelles techniques de la reproduction.

La deuxième partie du chapitre porte sur le phénomène de la naissance avec ses étapes et ses complications possibles. L'examen du nouveau-né, la prématurité et les fonctions de base à la naissance y sont aussi abordés.

## 3.2 LES TROIS PÉRIODES DU DÉVELOPPEMENT PRÉNATAL

Pour peu que l'on songe à l'infinie diversité des opérations qui s'accomplissent dans l'utérus avant la naissance, il est aisé de concevoir l'importance que revêt la qualité de cet environnement pour l'enfant à naître. Évidemment, la satisfaction des besoins de l'embryon dépend entièrement de l'environnement intra-utérin. Si la grande proportion de naissances de bébés en bonne santé nous oblige à reconnaître l'étendue des forces déployées par l'être humain et le raffinement du plan prénatal de développement biologique, nous devons toutefois reconnaître que l'évolution du fœtus est fragile parce qu'elle peut être affectée par plusieurs agents perturbateurs appelés « tératogènes ».

La figure 3.1 montre que, pendant les deux premières semaines du développement, l'embryon est généralement moins sensible aux agents tératogènes, mais que leur action éventuelle peut être soit fatale, soit bénigne : ou bien la totalité ou la plupart des cellules sont endommagées, ce qui provoque la mort de l'organisme, ou bien quelques cellules seulement sont affectées, et l'organisme peut se rétablir complètement pendant le cours de la grossesse. Avec la troisième semaine de gestation commence la période critique : l'intensité du développement embryonnaire est alors telle que les agents toxiques peuvent laisser des séquelles permanentes sur l'enfant à naître (cerveau, cœur, yeux, oreilles, membres, etc.). Enfin, à mesure que la gestation approche de son terme, la susceptibilité aux agents toxiques diminue.

On a coutume de diviser les 40 semaines du développement prénatal en trois grandes périodes :

1) la période germinative ;
2) la période embryonnaire ;
3) la période fœtale.

Le tableau 3.1 (page 66) résume les caractéristiques de l'évolution à chacune de ces périodes.

### 3.2.1 La période germinative (de la fécondation au 10e ou 15e jour)

La période germinative, aussi appelée « stade germinal », s'étend de la fécondation jusqu'à la nidation de l'œuf dans la cavité utérine. Cette période dure de 10 à 15 jours.

Résumons ici quelques données relatives à la fécondation. L'ovule est la plus grosse cellule du corps de la mère. Vu au microscope, l'ovule ressemble à un œuf ; sa membrane externe relativement résistante renferme un liquide blanchâtre où se trouve un noyau. Au moment de la fécondation, l'ovule se trouve dans les trompes de Fallope et les spermatozoïdes doivent les atteindre en s'aidant de leur longue queue. Des quelque 400 à 500 millions de spermatozoïdes éjaculés par le père, seuls quelques centaines parviendront jusqu'à l'ovule et un seul verra son noyau s'unir avec celui de l'ovule. Il peut arriver que plus d'un spermatozoïde pénètre l'ovule, mais un seul le fécondera en fusionnant son noyau avec celui de ce dernier. Moins d'une heure après la pénétration de l'ovule, le matériel génétique des

**Figure 3.1**   Zones sensibles aux facteurs tératogènes selon le stade de gestation

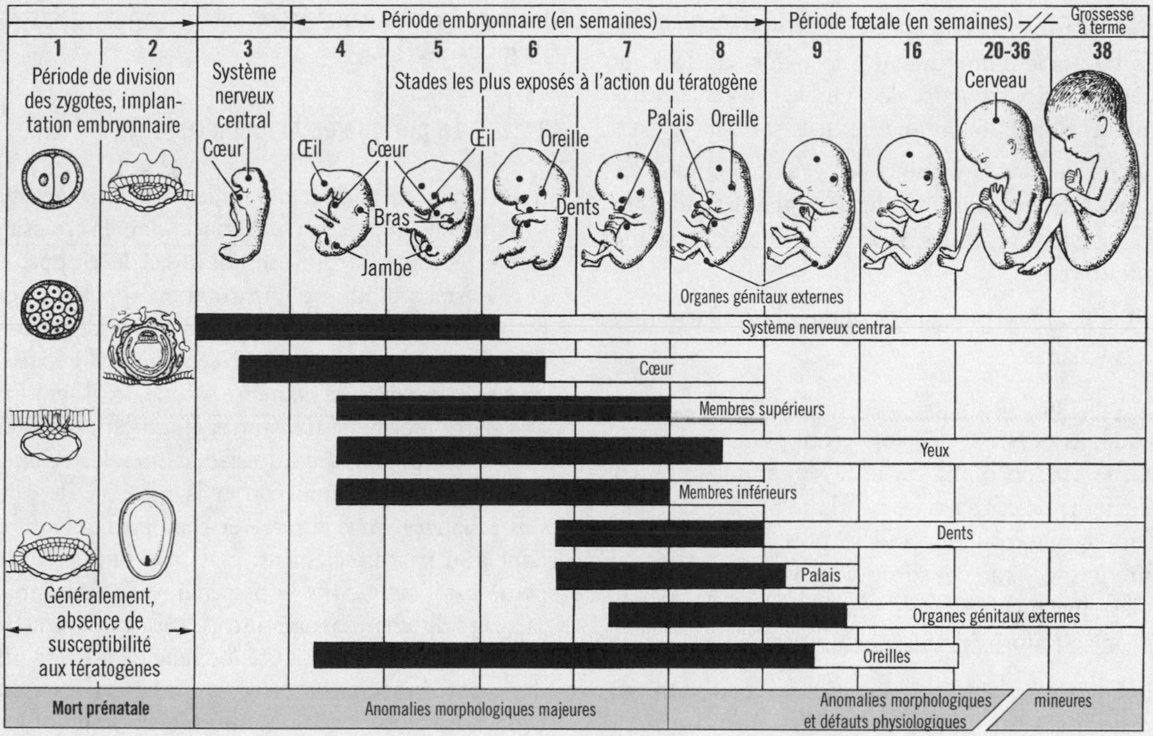

Source: K.L. Moore (1988), *The Developing Human*, 4ᵉ éd., Philadelphie, Saunders.

deux cellules fondatrices s'unira pour former le zygote (Vasta, Miller et Ellis, 2004). Au cours des 28 jours que dure le cycle menstruel de la mère, l'ovule ne peut être fécondé que pendant trois jours environ, tandis que la vie d'un spermatozoïde est d'environ 48 heures dans des conditions normales. Il doit donc y avoir concordance entre la période de fécondité de la femme et la présence de spermatozoïdes viables dans l'utérus. La figure 3.2 (page 67) présente une illustration d'un ovule fécondé.

Le zygote résulte de la fusion des noyaux du spermatozoïde et de l'ovule. Environ 30 heures après la fécondation, la mitose, c'est-à-dire le processus de division cellulaire, commence: l'œuf unicellulaire se divise en deux, chacune des cellules ainsi produite possédant les mêmes chromosomes que la cellule initiale. Ces deux cellules, par mitose, se subdivisent

ensuite en quatre puis en huit, etc. Le nouvel organisme entreprend ensuite sa migration vers l'utérus. Son mouvement de descente est provoqué par les effets de contraction et de succion de la trompe de Fallope.

La descente vers l'utérus durera environ trois jours et l'implantation sur la paroi utérine n'aura lieu qu'après quelques jours de flottement libre dans l'utérus. La division cellulaire s'est poursuivie pendant ce temps et l'organisme, constituant alors ce qu'on appelle le « blastocyste », forme une sphère groupant plus de cent cellules et contenant du liquide.

D'un côté de la sphère cellulaire, il y a agglomération de cellules appelées « écusson embryonnaire » à partir desquelles l'embryon se développera. Ces cellules se répartissent ensuite en trois couches distinctes:

1) l'ectoderme, situé plus à l'extérieur, sert à l'élaboration de la peau, des cheveux, des organes sensoriels (yeux, nez, oreilles, etc.) et du système nerveux;

2) le mésoderme, occupant une position moyenne dans l'écusson embryonnaire, forme le squelette, le système cardiovasculaire (le cœur, le sang et les vaisseaux sanguins), les organes sexuels et les muscles;

3) l'endoderme, situé au milieu de l'écusson, produit les organes internes: système digestif, glandes (intestin, foie, pancréas, glandes salivaires, etc.) et système respiratoire.

La figure 3.3 (page 68) illustre ces différentes couches cellulaires.

Au cours de la période germinative, d'autres parties du blastocyste se développeront pour produire le placenta, le cordon ombilical et le sac amniotique. La couche externe de cette masse cellulaire produit des filaments qui pénétreront la couche poreuse revêtant la paroi utérine, ce qui constitue l'implantation comme telle, phase marquant la fin de la période germinative. L'organisme est alors devenu un embryon.

Avant que la future mère ne se rende compte du retard de ses menstruations, indice qui l'amènera généralement à passer un test de grossesse, le développement prénatal est donc bien amorcé. Ce développement est relativement rapide puisque, de nos jours, le fœtus est normalement viable après 28 semaines de grossesse.

### 3.2.2   La période embryonnaire

Au cours de la période allant de la deuxième semaine à la huitième semaine après la conception, la croissance est très rapide. Le cordon ombilical se développe, reliant l'organisme au point d'implantation appelé placenta. À maturité, le placenta formera un disque de tissus fortement vascularisé d'environ 2 centimètres d'épaisseur et de 15 centimètres de diamètre; d'un côté il sera rattaché à la paroi utérine et de l'autre, au cordon ombilical. Le rôle du cordon ombilical est d'assurer les échanges de substances entre l'embryon et la mère via le placenta. Ces échanges entre la mère et l'embryon se font cependant non pas directement, mais par l'intermédiaire de petits capillaires dans le placenta, qui séparent le flux sanguin de chaque organisme. Ces capillaires constituent la barrière placentaire. Le sang de la mère ne coule donc pas directement dans les artères et les veines du bébé. Toutefois, certaines substances immunologiques

**Tableau 3.1**   Chronologie du développement prénatal durant le premier trimestre de la grossesse

| | Semaines | |
|---|---|---|
| | − 2 | Menstruations de la mère |
| **Période germinative** | 0 | − Fécondation et début de la division cellulaire |
| | 2e | − Implantation de l'embryon sur la paroi de l'utérus |
| | | − Début de la différenciation cellulaire |
| | | − Absence des menstruations, ce qui fait soupçonner une grossesse et justifie un test de grossesse |
| **Période embryonnaire** | 3e | − Début de la formation du système nerveux central |
| | | − Début de l'ossification par transformation du cartilage en os |
| | | − Formation du placenta et du cordon ombilical |
| | 4e | − Début de la formation du cœur |
| | 5e | − Apparition progressive des yeux, des oreilles, des bras et des jambes |
| | 6e | − Formation des gonades, des lèvres fusionnées, du palais, des dents |
| | 8e | − Constatation de la grossesse par examen physique |
| **Période fœtale** | 10e | − L'embryon a la forme d'un bébé en miniature et il peut répondre à la stimulation. |
| | | − La différenciation sexuelle apparaît: les gonades deviennent des ovaires ou des testicules. |
| | 12e | − Le cœur bat et le sang circule. |

traversent cette barrière entre la mère et l'enfant pour protéger celui-ci contre les infections. D'autres substances chimiques (drogues, vitamines, etc.) absorbées par la mère pourront aussi franchir la barrière placentaire et toucher directement l'embryon.

Au début de la grossesse, le placenta sert à la fois de reins, d'intestin, de foie et de poumons; il transmet au fœtus l'oxygène et les éléments nutritifs en provenance de la mère et retourne le dioxyde de carbone et les autres déchets vers la mère. Le placenta fabrique aussi des hormones servant à la fois à l'enfant et à la mère.

Arrivé à maturation, le cordon ombilical reliant le fœtus au placenta mesurera environ 50 centimètres et sera suffisamment rigide pour permettre un échange pressurisé du flot sanguin et empêcher la formation d'un nœud (au moment de la naissance toutefois, le cordon ramollit et peut, dans certains cas, s'enrouler autour du bébé).

Vers la quatrième semaine, l'embryon, affectant la forme d'un C, a un aspect presque humain avec ses 5 ou 6 centimètres de longueur. La taille de la tête de l'embryon représente près de la moitié de cette longueur comparativement à un quart chez le nouveau-né, et à un huitième chez l'adulte. Le développement procède de la partie antérieure de l'organisme (c'est-à-dire la tête) vers la partie postérieure.

On distingue déjà les yeux, les oreilles, la bouche vers la huitième semaine; les membres commencent alors à apparaître, l'épine dorsale se dessine et la plupart des organes existent sous une forme rudimentaire alors que le cœur est déjà en fonction depuis la troisième ou quatrième semaine. La figure 3.4 (page 69) présente des images de l'embryon et du fœtus à différents stades du développement prénatal.

### 3.2.3    La période fœtale

À partir du début du troisième mois d'existence intra-utérine, on est en présence d'un fœtus. Au cours de cette période, la croissance et la différenciation des organes se poursuivent et ceux-ci commencent à entrer en fonction. L'organisme devient capable d'une activité motrice se traduisant par des mouvements des bras et des jambes, de la tête et du tronc. La mère peut percevoir des mouvements dès le quatrième mois de grossesse,

**Figure 3.2    Un ovule fécondé**

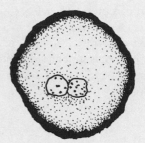

Lorsqu'un ovule est fécondé, les noyaux mâle et femelle se côtoient pendant quelques heures, puis s'unissent.

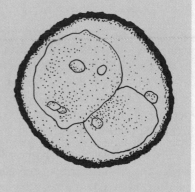

Quelques heures après que les noyaux mâle et femelle ont fusionné, l'ovule se sépare en deux cellules.

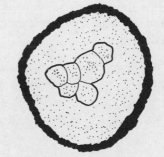

Durant les 72 premières heures de vie, l'ovule se scinde en 32 cellules environ.

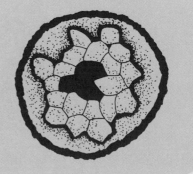

Après 4 jours, l'ovule comporte environ 90 cellules.

mais c'est à partir du sixième mois que l'activité spontanée du fœtus devient vraiment facilement perceptible. Dans le cinquième mois, le fœtus est capable d'une activité motrice plus fine : cligner des yeux, loucher, froncer les sourcils, ouvrir la bouche, plier le poignet, ouvrir et fermer la main, etc. Sur le plan sensoriel, les réactions plus globales du début de la période fœtale se raffinent peu à peu, et des réflexes comme la succion, la déglutition ou la toux font leur apparition. Le fœtus dort, s'éveille et peut pleurer dès le sixième mois.

Les capacités sensorielles apparaîtraient dans l'ordre suivant : le toucher, le système d'équilibration (le système vestibulaire dans l'oreille interne), l'odorat, le goût, l'audition, la vision.

La croissance de l'ensemble de l'organisme atteint son rythme maximal au début de la période fœtale et ralentit quelque peu par la suite. Cette croissance se traduit surtout par des changements dans les dimensions et les proportions du corps, la tête perdant de sa prépondérance. La formation des os s'intensifie et le squelette se redresse progressivement.

La majorité des organes s'étant déjà développés au cours de la période précédente, seuls quelques éléments nouveaux font leur apparition : les cheveux, les ongles, les cils. Une substance visqueuse enveloppant tout le corps apparaît au sixième mois, c'est le *vernix caseosa,* un enduit sébacé dont le rôle est de protéger la peau délicate du fœtus.

Figure 3.3    Les différentes couches cellulaires

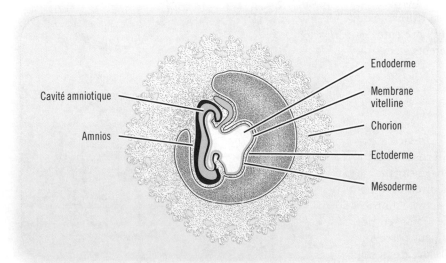

Au cours des deux derniers mois de la vie intra-utérine, le poids du fœtus augmente rapidement en raison de l'accumulation de graisses. L'organisme se prépare à vivre de façon autonome : les fonctions vitales comme la respiration, la déglutition et les mouvements gastro-intestinaux s'exercent, bien que l'oxygène et la nourriture continuent d'être transmis au fœtus par le cordon ombilical.

## 3.3    L'EXPÉRIENCE DE LA GROSSESSE

### 3.3.1    Le diagnostic de la grossesse

L'arrêt des menstruations est le signe essentiel de la grossesse au début. Ce n'est toutefois pas un signe toujours sûr puisque la suppression des menstruations peut être due à divers autres facteurs (stress, maladie, âge) et que, dans certains cas, ces dernières peuvent continuer d'être présentes au premier et même au deuxième mois de la grossesse. Un gonflement des seins, l'apparition de picotements et de l'hypersensibilité dans la région mammaire sont des phénomènes qui sont parfois notés avant même que l'arrêt des menstruations ne le soit lui-même (Lansac, Berger et Magnin, 1997).

Les changements biochimiques provoqués par la grossesse seraient à l'origine des nausées qui apparaissent chez environ une femme sur deux. Le plus souvent ces nausées se produisent au début de la grossesse et disparaissent au cours du deuxième mois. Elles se manifestent surtout le matin et s'atténuent graduellement au cours de la journée. D'autres symptômes comme la fatigue, la somnolence et une augmentation de l'activité urinaire sont souvent présents dès le début de la grossesse (Lansac et autres, 1997).

La façon la plus sûre de diagnostiquer la grossesse est d'effectuer une analyse d'urine en laboratoire après la constatation d'un retard dans l'apparition des menstruations. Quelques jours après l'implantation de l'embryon, une hormone sécrétée par l'hypophyse et que l'on appelle l'hormone de grossesse est présente dans le sang et l'urine de

**Figure 3.4**    L'embryon et le fœtus de 8 à 39 semaines de gestation

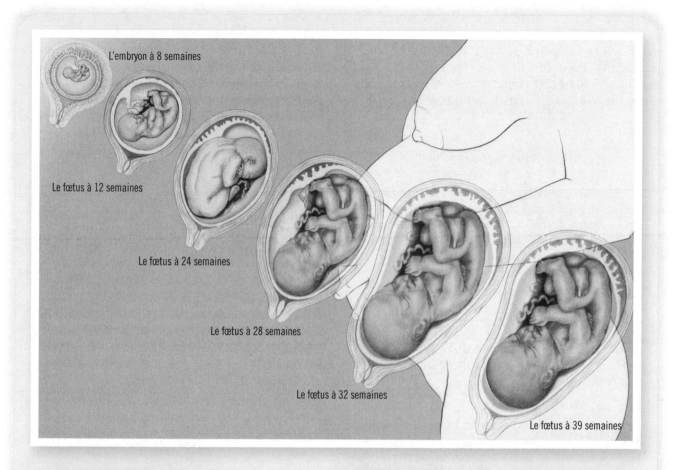

L'embryon à 8 semaines

Le fœtus à 12 semaines

Le fœtus à 24 semaines

Le fœtus à 28 semaines

Le fœtus à 32 semaines

Le fœtus à 39 semaines

Le fœtus à 18 semaines

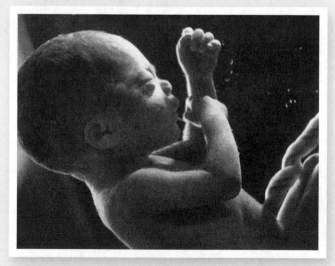

Le fœtus à 6 mois

la femme dans des concentrations 2000 à 5000 fois plus élevées qu'à la normale (Dana et Marion, 1980). Autrefois, pour démontrer cette augmentation, on injectait de l'urine ou du sérum sanguin de la femme à une souris ou à une lapine et on déterminait si le volume de l'utérus et des ovaires de l'animal augmentait au cours des 48 heures suivant l'injection. S'il y avait augmentation de volume, le test de grossesse était positif.

Aujourd'hui, on a remplacé les animaux par un liquide sensibilisé qui, lorsqu'il est mis en contact avec l'urine ou le sérum sanguin de la femme, permet d'enregistrer une réaction d'agglutination témoignant de la présence ou de l'absence de l'hormone de grossesse dans l'échantillon. Ce genre de test peut être fait en une heure ou deux en pharmacie. On peut aussi se procurer en vente libre des tests de grossesse que l'on peut effectuer soi-même.

## LA PERCEPTION AVANT LA NAISSANCE

Le fœtus dispose déjà d'un répertoire de capacités sensorielles. Celles-ci devront se perfectionner, mais elles témoignent déjà d'une réelle sensibilité perceptive. Les techniques modernes d'observation du fœtus, comme l'échographie par exemple, ont permis de décrire la séquence des acquisitions sensorielles avant la naissance.

### Le toucher

Dès la 7e semaine de gestation, les récepteurs cutanés seraient présents autour de la bouche et à 11 semaines sur l'ensemble du visage, la paume des mains et la plante des pieds. Le fœtus a été vu suçant son pouce, jouant avec le cordon ombilical ou même ses pieds.

### Le système d'équilibration

Le système vestibulaire, situé dans l'oreille interne, assure l'équilibre dans l'espace. Il se développe à partir de la 8e semaine de gestation et permet au fœtus d'enregistrer les mouvements de son corps et ceux de sa mère qui changent sa position dans l'utérus.

### L'odorat

Dès la 8e semaine de gestation, la structure du bulbe olfactif est relativement achevée. Les sensations olfactives portées par le liquide amniotique sont dès lors possibles. L'alimentation de la mère influe sur l'odeur et le goût du liquide amniotique dans lequel baigne le fœtus.

### Le goût

Les papilles seraient fonctionnelles à partir de la 13e semaine de gestation. Lorsqu'un liquide sucré pénètre dans le liquide amniotique, le fœtus a tendance à sucer activement alors qu'une solution salée le laisse indifférent.

### L'ouïe

Dès la 20e semaine de gestation, le fœtus réagit aux stimulations auditives externes. L'échographie montre qu'un bruit fort provoque une augmentation de son rythme cardiaque et des mouvements de son corps. La motricité observée alors est fonction de l'intensité du bruit. À mesure que le fœtus se développe, l'intensité sonore nécessaire à l'obtention d'une réponse de sa part diminue : elle est ramenée de 115 décibels à 20 semaines à 85-95 décibels à 35 semaines.

### La vue

On a constaté que les paupières du fœtus étaient parfois ouvertes, mais on ne sait si la rétine est capable de percevoir. Une lumière forte près de l'abdomen de la mère est transmise à l'utérus, mais il est difficile de préciser ce qui est perçu. Le système visuel n'est pas complètement encore formé à la naissance. Lorsqu'il ouvre les yeux, le nouveau-né est capable de diriger son regard vers un point ou un autre de son environnement, mais son acuité visuelle est très faible, car il n'a pas encore d'accommodation et voit flou quelle que soit la distance. Il perd donc les menus détails des objets et perçoit surtout les contrastes forts.

Sources : Adapté de M.A. Hofer (1981), *The Roots of Human Behavior*, New York, W.H. Freeman ; W.P. Smotherman et S.R. Robinson (1988), *Behavior of the Fetus*, Caldwell (N.J.), Telford Press ; J.-P. Lecanuet et B. Schaal (1996), « Fetal sensory competencies », *European Journal of Obstetrics, Gynecology and Reproductive Gynecology*, 68, p. 1 à 23 ; W.P. Smotherman et S.R. Robinson (1996), « The development of behaviour before birth », *Developmental Psychology*, 32, p. 424 à 434.

## PROCESSUS DE DIFFÉRENCIATION SEXUELLE

Comme nous l'avons vu dans le chapitre 2, dès le moment de la conception, la détermination sexuelle dépend de la combinaison chromosomique du spermatozoïde et de l'ovule. Cette dernière contient toujours un 23e chromosome X tandis que le spermatozoïde peut contenir un 23e chromosome X ou Y. Lorsque deux chromosomes X s'unissent, il en résulte une fille (23e paire : XX) et l'union d'un chromosome X et d'un chromosome Y donne lieu à un garçon (23e paire : XY). On peut distinguer quatre stades de différenciation sexuelle au cours du développement prénatal, stades résumés à la figure 3.5 (page 72).

Au premier stade de la différenciation sexuelle, la différenciation chromosomique initiale n'a que très peu d'effet direct sur le développement du blastocyste puisque, pendant le premier mois et demi de la grossesse, les systèmes gonatiques mâle et femelle sont semblables. Au cours de ce premier stade de la différenciation sexuelle, le mâle et la femelle ont l'un et l'autre les deux structures suivantes :

1) la structure de Wolff, à la base du développement des conduits internes masculins ; et

2) la structure de Müller, précurseur du système de reproduction interne de la femme, c'est-à-dire de l'utérus et des trompes de Fallope.

Au deuxième stade de la différenciation sexuelle, correspondant à la période embryonnaire, cette « bisexualité » gonadique cède progressivement la place aux testicules ou aux ovaires, selon que c'est le code XY ou XX qui est présent chez l'embryon. Au cours du deuxième mois de gestation, les testicules commencent à sécréter de la testostérone, laquelle stimulera le développement de la structure de Wolff, et une autre hormone, « déféminisante », dont le rôle est d'inhiber le développement de la structure de Müller. On peut noter à la figure 3.5 que la structure externe initiale appelée « tubercule génital » est la même pour les deux sexes, le clitoris et le pénis étant homologues.

Au cours du troisième stade de la différenciation, les organes sexuels externes se forment. Les tissus, qui deviendront les petites lèvres vaginales chez la fille, entourent le pénis chez le garçon et fusionnent en dessous pour constituer l'urètre (le conduit servant à l'élimination de l'urine depuis la vessie et à l'éjaculation du sperme chez l'homme). D'autre part, les renflements qui deviendront les lèvres vaginales externes chez la fille se fusionnent au centre pour devenir le scrotum chez le garçon.

Au quatrième stade de la différenciation sexuelle, la testostérone sécrétée par les testicules supprime le caractère rythmique typiquement féminin de la sécrétion hormonale en agissant sur la glande pituitaire et l'hypothalamus. Si la testostérone n'intervient pas au cours des deuxième et troisième trimestres de la gestation, c'est le cycle féminin de sécrétion hormonale que la glande pituitaire établira. Cette suppression de la sécrétion hormonale cyclique sera renforcée chez le garçon au moment de la puberté avec une poussée de testostérone. En l'absence de testostérone, c'est donc le mode féminin de développement qui se met en place.

Au cours du développement prénatal, la testostérone influe sur le développement des organes génitaux et sur les structures cérébrales responsables du fonctionnement de ces derniers. Les comportements sexuels typiques de chaque sexe seraient liés à l'action de cette hormone sur le cerveau qui interagit avec l'apprentissage social pour déterminer l'identité sexuelle. Les embryons féminins exposés à des taux anormalement élevés d'hormones mâles à la suite d'une hyperplasie adrénale congénitale (entraînant un déficit de cortisol, une hormone qui joue un rôle important dans la lutte contre les infections et le stress) ont tendance à développer une identité et des rôles sexuels plus masculins (Helleday, Bartfai, Ritzen et Forsman, 1994 ; Meyer-Bahlburg et autres, 1996 ; Van Goozen et autres, 2002). Reinisch (1981) rapporte que des filles dont la mère avait absorbé des hormones sexuelles mâles pendant sa grossesse afin d'enrayer une menace d'avortement avaient des comportements plus agressifs que ceux de leurs frères et sœurs qui n'avaient pas eu à assimiler ces hormones au cours de leur vie prénatale.

Lalumière, Blanchard et Zucker (2000) et Money (1987) ont passé en revue les recherches portant sur cette question et en ont conclu que l'hormonalisation prénatale du cerveau influe sur l'orientation sexuelle (hétérosexualité, bisexualité ou homosexualité). Notre bref examen du processus de différenciation sexuelle au cours du développement prénatal montre qu'hommes et femmes sont en définitive très proches les uns des autres et qu'aussi très tôt dans la formation de leur organisme la biochimie hormonale établit non seulement leur anatomie, mais également les bases de leur fonctionnement psycho-sexuel futur. D'autre part, sans nier le rôle joué par l'apprentissage social dans la définition de l'identité sexuelle, les connaissances actuelles concernant les différents effets des hormones sur le fœtus accréditent l'hypothèse qu'il existe un lien étroit entre l'action exercée par celles-ci et l'orientation sexuelle ultérieure de la personne.

**Figure 3.5** Stades de la différenciation sexuelle

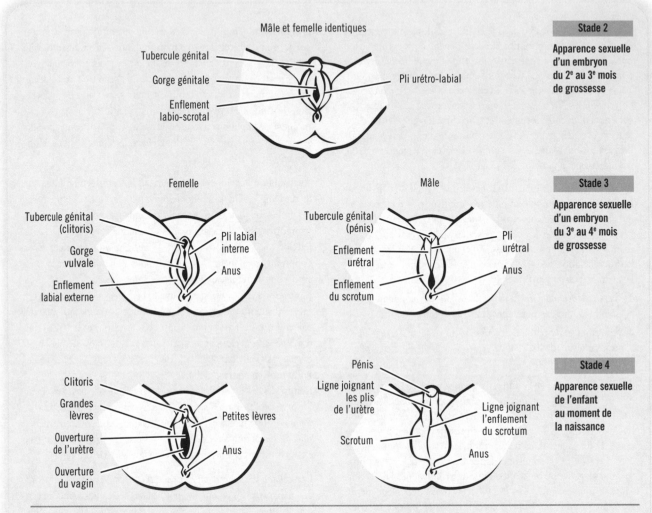

Source: Adaptée de J. Money (1987), « Sin, sickness, or status ? Homosexual gender identity and psychoneuroendocrinology », *American Psychologist*, 42(4), p. 387.

## 3.3.2 Les changements physiques chez la femme enceinte

### Le gain de poids

Le corps entier de la femme est mis à contribution durant la grossesse puisque le fœtus prend toute la matière et l'énergie dont il a besoin pour son développement chez la mère. Tout ce que l'embryon ou le fœtus consomme ou rejette provient de celle-ci et lui est retourné : l'utérus maternel constitue son environnement total. Sur le plan nutritif, les réserves dont la mère dispose ainsi que les éléments qu'elle tire de son alimentation déterminent le degré d'épuisement qu'elle connaîtra au cours de la grossesse. Il semble que même si l'alimentation de la femme enceinte joue un rôle très important, ce sont les réserves qu'elle a accumulées au cours de sa propre croissance qui influent le plus sur sa capacité à porter l'enfant

(Grotberg, 1969; CERIN, 1998). Ainsi, la prise d'un supplément de calcium durant la grossesse est certainement souhaitable, mais cet apport ne suffira pas nécessairement si les réserves stockées dans les os de la mère sont insuffisantes.

Le poids initial de la mère constitue un facteur important dans le pronostic de la grossesse. Environ 15 % des femmes enceintes ont un poids inférieur à la normale et ces femmes sont souvent jeunes (moins de 30 ans). Un poids au-dessous de la normale est associé à un risque plus élevé de retard de croissance intra-utérine et de prématurité. À l'opposé, les femmes ayant une surcharge graisseuse sont plus à risque d'avoir du diabète gestationnel, de l'hypertension artérielle et des affections rénales (toxémie) et d'accoucher par césarienne (Galtier-Dereure et Bringer, 1998). Le tableau 3.2 présente une description du gain de poids durant la grossesse.

La qualité de l'environnement prénatal dépend donc de la constitution et de l'état de santé initial de la

**Tableau 3.2    Gain de poids durant la grossesse**

Le gain de poids enregistré durant la grossesse varie d'une femme à l'autre en fonction de différents facteurs, mais, en moyenne, les femmes enceintes gagnent environ 12 kg. Durant les six premiers mois de la grossesse, les besoins caloriques du fœtus restent relativement faibles. À six mois, le fœtus pèse environ 1 kg. Les réserves constituées par la mère seront surtout utiles durant les trois derniers mois de la grossesse, car les besoins nutritifs du fœtus seront alors beaucoup plus importants.

| Répartition de la prise de poids au cours de la grossesse sur la base d'un gain de 12 à 12,5 kg | | | | |
|---|---|---|---|---|
| Augmentation du poids (en g) | 10ᵉ semaine | 20ᵉ semaine | 30ᵉ semaine | 40ᵉ semaine |
| Fœtus | 15 | 320 | 1500 | 3500 |
| Placenta et liquide amniotique | 40 | 400 | 1050 | 1250 |
| Utérus et seins | 150 | 750 | 1100 | 1300 |
| Sang | 100 | 500 | 1100-1300 | 1100-1200 |
| Liquides interstitiels | 100 | 200-400 | 400-800 | 1000-1200 |
| Réserves adipeuses | 200-400 | 800-1600 | 2000-3500 | 2000-4000 |
| **Total** | **600-700** | **3000-4000** | **7000-9000** | **12000-12500** |

Dans l'exemple fourni dans le tableau ci-dessus, le gain de poids est de 12 kg pendant la grossesse mais ce chiffre correspond à une moyenne. En fait, le gain de poids optimal durant la grossesse varie en fonction de l'indice de masse corporelle de la mère (IMC), c'est-à-dire du rapport entre le poids en kilogrammes divisé par la taille en mètres élevée au carré. Une femme enceinte qui pèse 60 kg et mesure 1,60 m a un IMC de 23 : 60/(1,6 × 1,6).

| Recommandations concernant le gain de poids durant la grossesse | | |
|---|---|---|
| Catégorie d'IMC | Poids à prendre (kg) | La zone normale ou saine de l'IMC se situe entre 20 et 26. Un IMC faible avant la grossesse (moins de 20) peut traduire un poids insuffisant au départ, ce qui entraîne un risque de réserves inadéquates de nutriments par la suite. Un IMC supérieur à 27 est indicateur d'un poids initial élevé, ce qui doit faire viser un gain de poids moindre ainsi qu'une alimentation de meilleure qualité pendant la grossesse en lieu et place d'un régime amaigrissant. Le gain de poids de la mère au cours de la grossesse peut être influencé par le fait qu'elle porte des jumeaux ou qu'elle a déjà eu des maternités. Les primipares ont tendance à prendre un peu plus de poids. |
| < 20 | 12,5 – 18,0 | |
| 20-25 | 11,5 – 16,0 | |
| > 27 | 7,0 – 11,5 | |

Sources : Adapté de Santé Canada (1999), *Nutrition pour une grossesse en santé : lignes directrices nationales à l'intention des femmes en âge de procréer*, Ottawa, Ministère des Travaux publics et Services gouvernementaux du Canada ; Santé Canada (2000), *Rapport sur la santé périnatale au Canada. Système canadien de surveillance périnatale*, Ottawa, Santé Canada. Document aussi disponible à l'adresse Internet suivante : http://www.hc-sc.gc.ca/hpb/lcdc/brch/reprod.html ; M.Z. Lebail (2002), *Conseils pour bien manger*. Document disponible sur le site Internet suivant : http://www.aceli.com/lebail/pages/sante/grossesse.htm ; Institut national de la nutrition du Canada (2001), *Nutrition pour une grossesse en santé*. Document disponible sur le site Internet suivant : http://www.nin.ca/public_html/Publications/Rapport/rapp4_99fr.html#Gain_de_poids.

mère, et son alimentation au cours de la grossesse n'aura pas à être modifié de façon marquée si ses réserves corporelles ont été normalement maintenues.

Un régime alimentaire de bonne qualité est reconnu comme essentiel pour la femme enceinte. Par ailleurs, ses gains de poids sont souvent surveillés.

### 3.3.3   Les changements dans les capacités fonctionnelles de la mère

Au cours de la grossesse, la capacité du sac utérin passe de quelques centilitres à environ 5 ou 6 litres. L'irrigation sanguine de l'utérus augmente et le volume sanguin du corps de la mère s'accroît d'environ 20 %. La musculature de l'utérus connaît aussi des changements profonds : la longueur des fibres musculaires augmente près de 10 fois afin de permettre, à l'accouchement, les contractions nécessaires à l'expulsion du bébé et l'arrêt du flot sanguin reliant la mère et l'enfant. Parallèlement, il y a assouplissement musculaire du col utérin et du canal vaginal. Des sécrétions vaginales lubrifiantes et antibactériennes faciliteront aussi le passage du bébé.

Les seins augmentent de volume et voient leur composition adipeuse décroître au profit de la masse glandulaire devant sécréter le lait. L'irrigation sanguine des seins augmente et, dès le quatrième mois de la grossesse, on observe parfois la sécrétion du colostrum, un liquide jaunâtre très riche en protéines qui constitue la première nourriture du nouveau-né allaité par la mère.

Sur le plan métabolique, on observe un accroissement des capacités d'absorption des éléments nutritifs utiles. Les reins augmentent leur rendement afin d'assurer l'élimination des déchets du fœtus. Enfin l'équilibre hormonal général doit s'adapter à la présence du fœtus en constante croissance et à celle de la masse liquide qui l'entoure. Comme le poids total du fœtus avant la naissance peut représenter plus de 15 % de celui de la mère, il en résulte une forte stimulation des fonctions physiologiques du corps maternel.

Les habitudes de vie de la femme enceinte influent grandement sur le déroulement de la grossesse, car celle-ci amène un surcroît de travail pour les systèmes métaboliques de la femme, et en particulier pour les systèmes respiratoire, sanguin et biomécanique. Sur le plan biomécanique par exemple, la femme doit porter plus de 10 kilos supplémentaires et ceux-ci sont logés presque totalement dans l'abdomen, ce qui modifie sérieusement le centre de gravité et crée une pression notable dans la région lombaire. L'ensemble du schéma corporel et les processus locomoteurs sont alors touchés. Une femme en bonne condition physique supportera plus facilement cette charge, et il lui est donc recommandé de faire de l'exercice physique afin d'éviter le surpoids, de soutenir la capacité respiratoire, d'assurer la souplesse des articulations et l'accomplissement des fonctions digestives. Il lui est conseillé d'ajouter aux heures normales de sommeil nocturne des périodes régulières de repos pendant le jour (par exemple, deux siestes de une heure pendant la journée) [Lopez, 1998].

Le tabagisme, la consommation d'alcool et de drogue sont susceptibles d'affecter la grossesse. En ce qui concerne le tabagisme, on constate malheureusement qu'une proportion élevée de femmes fument encore pendant leur grossesse, surtout chez les jeunes. Au Canada, en 1996-1997, 23,3 % des mères des enfants de moins de trois ans ont déclaré avoir fumé pendant leur grossesse. Dans 7 % des cas, elles ont dit avoir fumé plus de 10 cigarettes par jour. Quatre-vingt-onze pour cent des fumeuses rapportent avoir fumé durant le troisième trimestre de la grossesse, période au cours de laquelle les effets du tabac sur le fœtus sont le plus nocifs (Santé Canada, 2000). Le tabagisme durant la grossesse nuit autant à la mère qu'au fœtus : il augmente le risque de maladies cardiovasculaires et pulmonaires chez la mère et il est notamment associé au petit poids du bébé à la naissance, au retard de croissance du fœtus, à la prématurité, aux malformations congénitales et aux problèmes de santé de l'enfant au cours de la première année (Santé Canada, 1999). La nicotine, le goudron et le monoxyde de carbone présents dans la fumée nuisent à la croissance du fœtus.

Environ deux femmes sur trois consomment de l'alcool en quantité variable durant la grossesse et, chez celles qui en consomment occasionnellement de petites quantités, le risque pour le bébé est probablement minime dans la plupart des cas (Polygenis et autres, 2001). Il reste que l'alcool est un agent tératogène qui peut causer des malformations congénitales et affecter le développement physiologique et cérébral du fœtus. L'alcool traverse le placenta et se retrouve dans la circulation fœtale. Or, le foie du fœtus est incapable de métaboliser convenablement l'alcool et donc, plus la femme enceinte consomme d'alcool, plus la santé du fœtus risque d'être altérée (Santé Canada, 1999).

### 3.3.4    Effets psychologiques de la grossesse

Pour la plupart des femmes (et des hommes aussi), la naissance d'un enfant est une dimension primordiale dans la réalisation de soi, et la grossesse marque le début d'une nouvelle époque de la vie. En ce qui concerne les effets psychologiques, il n'est pas possible de dégager des phénomènes qui soient présents dans toutes les grossesses; chaque grossesse est unique. Être enceinte pour la première fois à l'adolescence signifie certainement autre chose que de l'être à 40 ans (Heckhausen, Wrosch et Fleeson, 2001).

Certes, les changements physiques décrits plus haut s'observent chez toutes les femmes, à des degrés divers. Lorsqu'ils sont éprouvés pour la première fois, ils peuvent être difficiles à interpréter, ce qui peut provoquer un certain déséquilibre sur le plan affectif. L'attitude positive ou négative à l'égard de la grossesse, la plus ou moins grande préparation à cet événement, le soutien offert par l'entourage, l'état de santé de la mère et les soins dont elle bénéficie constituent des facteurs qui peuvent faire de la grossesse une expérience heureuse ou malheureuse pour la mère.

Dans tous les cas, il semble que le fait de porter un enfant et de lui donner naissance constitue une charge à supporter face à laquelle la femme ressent une certaine solitude. La perception des changements qui s'opèrent dans son corps, les sensations inconnues et difficiles à interpréter, les malaises relativement nombreux sont autant d'éléments avec lesquels la femme doit vivre. Quelque grande que soit l'aide qui lui est apportée par le milieu, il demeure que la femme doit être capable de se prendre en charge et qu'il lui faut non seulement disposer de réserves corporelles, mais aussi avoir un bon équilibre sur le plan psychologique. Sa manière d'envisager la grossesse dépend fortement de l'éducation qu'elle a reçue et de la culture à laquelle elle appartient. Dans certains milieux, tout n'est que beauté et facilité dans la grossesse, alors que, dans d'autres, elle est regardée comme une source de souffrance et d'angoisse. La meilleure façon de préparer la femme consiste à lui décrire la réalité de la grossesse et à lui rappeler sans exagération les obstacles qu'elle aura à surmonter.

### 3.4    LES FACTEURS INFLUANT SUR LE DÉVELOPPEMENT PRÉNATAL

Plusieurs facteurs peuvent influer sur le développement du fœtus; ces facteurs sont appelés « tératogènes ». La science médicale qui s'intéresse à l'étude de ces facteurs responsables des anomalies de la croissance prénatale se nomme la tératologie.

On distingue généralement quatre grandes catégories de tératogènes :

1) les agents physiques (radiation, pollution de l'air, contamination au plomb, au mercure, etc.);

2) les problèmes métaboliques et génétiques de la mère (diabète, insuffisance rénale, taux élevé de cholestérol, etc.);

3) les agents infectieux (rubéole, herpès, syphilis, sida, etc.);

4) les agents chimiques (alcool, tabac, marijuana, cocaïne, héroïne, etc.).

Les facteurs tératogènes ont un certain nombre d'effets; ils peuvent :

– provoquer la mort de cellules de l'embryon ou du fœtus;

– nuire à la croissance des tissus (hyperplasie, hypoplasie ou perturbation du rythme de croissance);

– affecter la différenciation cellulaire ou d'autres processus morphogénétiques de base (Briggs, Freeman et Yaffe, 2002; Kolb, 1993; Persaud, Chudley et Skalko, 1985; Wilson et Fraser, 1977).

Un seul facteur tératogène peut entraîner plusieurs de ces effets, comme plusieurs agents peuvent induire le même effet. Une anomalie morphogénétique donnée n'est donc pas nécessairement propre à un agent environnemental particulier, et plusieurs individus touchés par un même agent peuvent afficher une grande variabilité dans l'intensité de leur atteinte.

C'est l'étude du problème de croissance en cours qui permet de retracer le ou les facteurs en cause. Quatre facteurs sont susceptibles de faire varier la gravité des effets des agents tératogènes :

1) la dose de l'agent à laquelle est exposé l'organisme;

2) le moment de l'exposition dans le cours du développement prénatal;

3) la susceptibilité de l'organisme affecté eu égard à ses caractéristiques métaboliques ; et

4) l'interaction éventuelle avec d'autres agents environnementaux (Wilson et Fraser, 1977 ; Hogge, 1990).

Le deuxième facteur vient du fait que le développement prénatal suit une série d'étapes caractérisées par l'apparition séquentielle de structures anatomiques ou de fonctions physiologiques déterminées. Cette programmation séquentielle du développement prénatal fait que l'effet d'un tératogène donné varie suivant la période de grossesse où il apparaît (Levi, 1993).

Par exemple, comme le système nerveux central, le cœur et les membres apparaissent entre la troisième et la neuvième semaine de grossesse (ce qui correspond, en gros, à la période embryonnaire décrite au tableau 3.1, à la page 66), la susceptibilité de ces éléments corporels à certains tératogènes sera très grande pendant cette période. Les effets de ces mêmes facteurs tératogènes seront plus faibles durant la période avancée de la vie fœtale. La vulnérabilité de l'organisme en développement dépend donc du moment d'exposition au facteur tératogène.

La constitution génétique de la mère et de l'embryon ainsi que leur capacité métabolique peuvent influer sur la sensibilité à un tératogène. Par exemple, les enfants nés de mères ayant eu la rubéole au cours du premier mois de leur grossesse ne sont pas tous aux prises avec des problèmes cardiaques ou sensoriels. Certains organismes semblent pouvoir résister à l'exposition au virus de la rubéole.

L'état de santé général de la mère est un autre élément susceptible d'influer sur l'effet tératogène : le déficit alimentaire en cours de grossesse chez une femme en excellente santé n'aura pas les mêmes conséquences pour le bébé que celui d'une femme dont l'état de santé est mauvais.

### 3.4.1 L'âge des parents

#### L'âge de la mère

L'âge de la femme enceinte peut influer sur l'évolution du développement du fœtus. La chose est connue depuis fort longtemps même si les effets physiologiques exacts du vieillissement sont loin d'être totalement connus. Les femmes de moins de 18 ans et de plus de 35 ans risquent plus d'avorter naturellement ou de donner naissance à un enfant mal formé ou prématuré. Le système reproductif serait encore inachevé chez certaines jeunes filles nubiles, tandis que chez les femmes plus âgées, son vieillissement serait susceptible d'affecter des processus complexes comme la méiose des gamètes. Certaines anomalies chromosomiques comme la trisomie 21 sont en corrélation significative avec l'âge de la mère.

Comme nous l'avons mentionné précédemment, la femme possède tous ses ovules dès la naissance, de sorte que, chez une femme de 40 ans, l'ovule qui mature à chaque cycle menstruel a 40 ans lui aussi. Étant donné la très grande précision des transformations que cette cellule mère aura à assurer, il est possible que son vieillissement entraîne plus de risques d'anomalies gestationnelles.

En tant que facteur influant sur la grossesse, l'âge maternel ne peut toutefois pas être isolé d'une foule d'autres facteurs avec lesquels il se combine. Bien sûr, l'âge de la mère constitue un facteur de risque documenté, mais ce n'est qu'en considérant le profil général de la femme que son effet peut être évalué. Ainsi, le risque associé à l'âge d'une femme enceinte de 40 ans qui n'a jamais eu d'enfant différera de celui d'une femme qui a déjà eu deux enfants sans connaître aucun problème ; cette dernière sera moins à risque que l'autre. La constitution physique de la femme peut aussi contribuer à renforcer l'influence du facteur âge, de même que son régime alimentaire et ses habitudes de vie.

Il n'est pas rare, de nos jours, de voir des femmes de plus de 35 ans devenir pour la première fois enceintes après s'être totalement consacrées à leur travail professionnel. Il n'est pas rare non plus de voir leurs grossesses se rendre à terme sans complication. Les méthodes actuelles en gynécologie et en obstétrique permettent de suivre de très près l'évolution de la grossesse et de fournir de l'information permettant de prendre une décision concernant de tels projets de maternité tardive.

#### L'âge du père

La plupart des études traitant des tératogènes s'intéressent uniquement à la mère porteuse du fœtus. Mais récemment, des chercheurs se sont employés à étudier les facteurs de risque liés au père (Garry et autres, 2002). Ainsi, on a mesuré les risques auxquels se sont exposés des ouvriers agricoles chargés de l'épandage de pesticides ou les vétérans américains de la guerre du Vietnam qui ont été touchés par le défoliant appelé « l'agent orange » et qui contenait des dioxines hautement toxiques.

Dans leur étude menée aux États-Unis, Fisch et autres (2003) ont observé que le taux d'incidence des cas de trisomie 21 chez deux parents âgés de plus de 40 ans est de 60 sur 10 000, ce qui est six fois plus élevé que lorsque les deux parents ont moins de 35 ans. En isolant le rôle de l'âge du père de celui de la mère, les auteurs concluent que le risque pour les hommes de plus de 40 ans d'avoir un enfant trisomique est deux fois plus élevé que pour les hommes de moins de 20 ans.

Lian, Zack et Erickson (1986), dans leur étude portant sur 7490 cas d'enfants nés avec diverses formes d'anomalies congénitales dans la région d'Atlanta entre 1968 et 1980, observent que lorsque l'on contrôle l'âge de la mère et la race, les pères plus âgés ont plus de risques d'engendrer un enfant ayant une anomalie quelconque.

### 3.4.2    Le régime alimentaire de la femme enceinte

Le régime alimentaire de la mère est important pour le développement du bébé parce que ce dernier dépend entièrement de sa mère pour son alimentation. La malnutrition de la mère est difficile à isoler de certains autres facteurs de risque : les femmes mal nourries vivent généralement dans un milieu pauvre, où l'hygiène, les soins médicaux et les connaissances en matière de santé laissent à désirer. Pour leur part, les femmes qui s'alimentent bien ont par ailleurs des habitudes de vie qui favorisent une bonne grossesse.

Plusieurs recherches ont démontré qu'il y avait un lien direct entre la qualité de l'alimentation maternelle (vitamines, protéines) et la santé du bébé. Une alimentation saine améliorerait la résistance, le poids, la taille et le développement psychomoteur du bébé et réduirait la fréquence des complications au cours de la grossesse et à l'accouchement ainsi que le taux de mortalité infantile (Dupont, 2002 ; Stassen-Berger, 2000).

Les connaissances actuelles concernant les effets de la malnutrition maternelle sur le développement prénatal permettent de prendre la mesure de l'écart existant entre les pays pauvres et les pays riches en matière d'alimentation. Les pays pauvres ont le plus haut taux de natalité mais détiennent aussi le record des famines récurrentes. La proportion d'enfants nés de mères mal nourries

augmente, et il en résulte une transmission de multiples affections d'une génération à l'autre (Unicef, 2003).

Au cours d'une grossesse normale, le poids de la femme doit augmenter de 12 kg environ. La suralimentation de la mère ne constitue pas un avantage pour le développement de l'enfant ; il est plus important de viser la qualité que la quantité. Le tableau 3.3 (page 78) présente les cinq grandes catégories d'éléments nutritifs devant être présentes dans l'alimentation de la femme enceinte :

1) les protéines ;
2) les lipides ou graisses ;
3) les glucides ou sucres ;
4) les éléments minéraux ;
5) les vitamines.

### 3.4.3    Les tératogènes physiques

Les radiations, la chaleur intense ou les pressions mécaniques exercées sur le fœtus constituent des agents tératogènes potentiels. Ainsi, l'exposition du fœtus à de fortes doses de radiations au cours de la période allant de la deuxième à la sixième semaine de grossesse entraînerait des retards du développement prénatal, des anomalies du système nerveux central et des troubles oculaires (Hanson, 1983 ; Kolb, 1993). Les radiations provenant par exemple de rayons X ou de substances radioactives sont aussi un agent mutagène potentiel, c'est-à-dire qu'elles peuvent provoquer une mutation génétique.

La mutation génétique correspond à un changement dans le nombre, l'organisation ou le contenu des gènes. Ce changement ne consiste pas en une recombinaison de chromosomes homologues. Il résulte plutôt d'une sorte d'accident dans la combinaison des gènes qui amène l'apparition d'un caractère nouveau chez le descendant. Théoriquement, la mutation peut être constituée par la modification d'un chromosome entier ou d'un certain nombre de gènes en un point déterminé d'un chromosome. Par convention on appelle « anomalie chromosomique » le premier type de transformation, et « mutation génétique » le second.

Chez la future mère (ou le futur père), les radiations peuvent provoquer une mutation génétique, et ainsi amener la transmission de gènes défectueux au moment de la conception. La mutation se produit donc

**Tableau 3.3   Éléments nutritifs dont la femme enceinte a besoin**

### Conseils donnés aux femmes enceintes concernant leur nutrition

Les conseils donnés aux femmes enceintes concernant leur régime alimentaire varient d'une culture à l'autre de même que d'une génération à l'autre. Le fait que des enfants en santé sont nés autrefois et naissent encore maintenant dans différents pays dont les coutumes alimentaires pendant la grossesse sont fort différentes montre qu'il existe plusieurs façons de procurer au fœtus et à la mère les éléments nutritifs dont ils ont besoin. La quantité totale de calories absorbées serait l'élément essentiel à considérer durant la grossesse, et la femme enceinte aurait besoin d'un supplément de 300 calories par jour. Le tiers environ de ce supplément servirait au développement du tissu adipeux de la mère, et le reste à la formation de nouveaux tissus. L'absorption de 75 à 100 g de protéines par jour est tenue pour suffisante et il est préférable que les protéines proviennent d'aliments faibles en gras saturés comme le poisson, le lait à faible teneur en gras, les légumes riches en protéines, plutôt que des viandes rouges, de la crème ou des fromages. En moyenne, le poids de la femme enceinte devrait augmenter au total d'environ 12 kg pendant la grossesse.

Il est conseillé de varier son alimentation, de manger des aliments faibles en gras animal et d'éviter ceux qui ont une faible valeur nutritive comme les pâtisseries, les boissons gazeuses ou alcooliques, les croustilles, les bonbons, etc. Un supplément de vitamines et de minéraux (30 à 60 mg de fer par jour et de la vitamine D, notamment) peut être indiqué si la valeur nutritive des aliments consommés est faible.

### Apports nutritionnels supplémentaires requis durant la grossesse

**Élément recherché**

*Protéines*: 75-100 g en tout par jour
*Fer*: 30 à 60 mg par jour

*Calcium*: 1200 mg par jour

*Sodium*: gain total de 22 g pendant la grossesse
(en raison de l'augmentation de la masse d'eau dans le corps)

*Acide folique* (contribuant à la synthèse des tissus): 200-400 mg par jour

**Exemples d'aliments appropriés**

Lait 2%, poisson, fèves
Foie de porc: 12,1 mg par portion
Céréales d'avoine: 12,4 mg par portion

Une tasse de lait par jour

Sel iodé: le fait de saler les aliments sans excès suffit

Laitue, oranges, légumes, céréales de blé entier

| Éléments nutritifs | Sources courantes requises | Quantité quotidienne | Rôle pour l'organisme | Exemples de la teneur de certains aliments |
|---|---|---|---|---|
| **Protéines** | lait poisson œufs viande | 1,5 g par kg de poids | Éléments de base servant à la formation des cellules du corps | 100 g de viande et 0,5 L de lait contiennent environ 18 g de protéines |
| **Lipides (ou graisses)** | beurre huile fromage noix | 1 g par kg de poids | Sources de calories, c'est-à-dire d'énergie pour le corps | |
| **Glucides (ou sucres)** | pain fruits chocolat miel pommes de terre | 5 à 6 g par kg de poids | Sources d'énergie pour le corps, notamment pour l'activité musculaire | |
| **Minéraux: calcium** | yogourt épinards foie | 1,5 g par jour | Essentiel à la formation des os et des dents de l'enfant | 0,5 L de lait contient 0,6 g de calcium environ |
| **fer** | persil jaune d'œuf | 0,025 g par jour | Important pour l'équilibre de la formule sanguine | |

Source: Adapté de J.C. King et G. Buiterfiew (1986), «Nutritional needs of physically active pregnant women», dans R. Artal et R.A. Wiswell (dir.), *Exercises in Pregnancy*, Baltimore (Md.), Williams and Wilkins.

dans une cellule de reproduction d'un des parents et précède la fécondation.

Ainsi, non seulement le fœtus exposé aux radiations peut présenter des anomalies au cours de son développement (effet tératogène des radiations), mais aussi les cellules germinales de ce fœtus exposées aux radiations pourront éventuellement se transmettre à ses descendants (effet mutagène). Dubrova et autres (2002) rapportent une augmentation de 180 % du taux de mutations génétiques chez les enfants de parents russes de la région de Semipalatinsk exposés aux radiations qui provenaient des essais nucléaires menés dans l'ancienne URSS. Ce cas fournirait la démonstration la plus probante dans ce domaine puisque plusieurs études sérieuses portant sur des populations à risque (les enfants de radiologistes, les habitants de Chernobyl ou les Japonais exposés aux radiations de la bombe atomique à la fin de la Seconde Guerre mondiale, etc.) n'avaient pas trouvé de différence par rapport à la population normale quant à l'apparition de mutations génétiques (Hetherington, Parke et Locke, 1999 ; Livshits et autres, 2001 ; UNSCEAR, 2001). L'étude de Dubrova et autres (2002) a établi clairement l'héritabilité des mutations génétiques à la suite de l'exposition des parents aux radiations.

Par ailleurs, certains facteurs tels qu'une malformation utérine, des bandes fibreuses se développant dans le liquide amniotique (*intraamniotic fibrous bands*), peuvent entraîner une compression du fœtus. Une telle compression peut provoquer des difformités squelettiques ainsi que divers problèmes fonctionnels. Ainsi, le développement de différentes structures anatomiques sera compromis parce que celles-ci ne pourront pas se déployer librement dans l'utérus.

Des travaux menés sur des animaux ont montré que l'exposition du fœtus à la chaleur à certains stades de sa croissance pouvait affecter le développement du système nerveux ; chez l'homme, les travaux scientifiques sont rares, mais certaines données tendent à montrer qu'il existe un risque d'anomalie neurologique (Hanson, 1983). Il demeure que les effets potentiels des fièvres maternelles prolongées en début de grossesse, la vie dans un climat torride ou la prise régulière de bains saunas font l'objet d'une attention croissante en raison de la découverte du danger qu'ils représentent pour l'équilibre thermique de la mère et le développement prénatal de l'enfant.

### 3.4.4 Troubles métaboliques et génétiques de la mère

#### Le diabète sucré

Le diabète sucré correspond à une perte de contrôle du taux de glucose dans le sang. Le glucose constitue la source principale d'énergie pour l'ensemble des cellules de l'organisme et, lorsqu'il se concentre dans le sang, il est moins disponible pour l'ensemble des cellules du corps. L'insuline, une hormone sécrétée par le pancréas, est responsable du contrôle du niveau de sucre dans le sang. Lorsque la production d'insuline est insuffisante ou qu'il y a une résistance à l'utilisation de l'insuline, le diabète apparaît. Dans les cas de diabète non traité, l'excès de sucre dans le sang peut endommager des organes vitaux comme les vaisseaux sanguins, les nerfs, les reins, les yeux, etc. Les diabétiques confirmés doivent s'injecter de l'insuline régulièrement pour éviter ces complications. Deux catégories doivent être distinguées : les femmes qui sont diabétiques avant d'être enceintes et celles qui le deviennent de façon transitoire pendant la grossesse.

Environ 1 % des femmes en âge d'avoir un enfant sont diabétiques avant la grossesse. Lorsque leur taux d'insuline est mal contrôlé pendant les premières semaines de gestation, le risque d'avorter ou de donner naissance à un enfant avec une malformation cardiaque ou un problème neurologique (cerveau ou moelle épinière) est de 2 à 4 fois plus élevé. Si la grossesse est menée à terme, l'enfant risque d'hériter du diabète, de présenter des troubles métaboliques, respiratoires et circulatoires, ainsi qu'un excès de poids. Les femmes diabétiques accouchent souvent d'enfants pesant plus de 4 kg. Ce phénomène appelé « macrosomie » est dû au fait que le surplus de sucre de la mère traverse le placenta et atteint le fœtus, lequel produit alors davantage d'insuline pour absorber ce sucre et le stocker sous forme de graisses. Les risques de problèmes à l'accouchement par voies naturelles sont proportionnels à l'excès de poids du bébé (ADA, 2000).

Par ailleurs, entre 3 % et 5 % des femmes enceintes vivent un diabète momentané appelé « diabète gestationnel ». C'est une des complications de la grossesse les plus courantes. Il est plus fréquent chez les femmes de plus de 30 ans, chez les obèses ou chez celles qui ont des antécédents familiaux de diabète. Il se développe généralement au cours de la seconde moitié de la grossesse et se traduit par un développement plus rapide du fœtus : le surplus de sucre de la mère traverse le placenta et atteint le fœtus qui produit alors davantage d'insuline pour absorber le sucre qui est stocké sous forme de graisse. Environ un cas de diabète gestationnel sur cinq donne lieu à un bébé macrosome, c'est-à-dire de plus de 4 kg à la naissance (ADA, 2000 ; Kjos, 1999). Un risque plus élevé de complications à l'accouchement est associé à un bébé de forte taille. Environ 10 % à 15 % seulement des diabètes gestationnels requièrent un traitement à l'insuline. Après l'accouchement, le niveau de sucre de la mère retourne généralement à la normale.

### La phénylcétonurie

La phénylcétonurie est une maladie héréditaire qui est due à un excès de phénylalanine dans le sang. La phénylalanine se trouve dans certains aliments (viande, œufs, lait, aspartame, gluten). La maladie a pour origine un déficit d'une enzyme qui transforme la phénylalanine en tyrosine. Chez les enfants diagnostiqués, le traitement consiste en un régime faible en phénylalanine dès les premières semaines de la vie. La mère atteinte de phénylcétonurie risque de donner naissance à des enfants porteurs d'anomalies : puisqu'on arrête généralement les traitements contre la concentration excessive de phénylalanine dans le sang à l'âge de 10 ans ou moins, les femmes atteintes de phénylcétonurie ont une forte concentration de cette substance dans leur sang. Sans traitement, la mère atteinte de la maladie intoxiquerait son fœtus, lequel, même s'il n'est pas atteint de phénylcétonurie, a un risque élevé de présenter des malformations telles que microcéphalie, troubles du développement, retard mental, malformations congénitales (souvent cardiaques). La gravité de l'atteinte est proportionnelle aux taux sanguins maternels de phénylalanine. Le traitement des femmes enceintes atteintes de phénylcétonurie est difficile ; il repose sur un régime alimentaire très sévère (excluant notamment les aliments d'origine animale) qui peut parfois affecter la croissance du fœtus (Platt et autres, 2000 ; Rouse et autres, 2000).

## 3.4.5 Les infections

Plusieurs agents infectieux peuvent franchir la barrière placentaire et attaquer le fœtus dans l'utérus. Des virus, des bactéries ou des parasites peuvent ainsi envahir directement le fœtus et affecter de façon plus ou moins grave son développement. Les effets reconnus de ces agents incluent la mort du fœtus, le retard du développement prénatal ainsi que des anomalies congénitales ayant diverses conséquences, notamment l'arriération mentale (Moore et Persaud, 1998).

### La rubéole

Les effets de la rubéole prénatale varient de façon importante selon le moment où apparaît l'infection. Contractée au début de la période embryonnaire, donc souvent avant même que la femme s'aperçoive qu'elle est enceinte, la rubéole peut entraîner le syndrome de la rubéole congénitale évolutive, qui peut provoquer une grande variété d'anomalies de naissance : l'avortement, la cécité ou des troubles visuels (cataracte ou défaut de pigmentation de la rétine, microphtalmie, glaucome, etc.), la surdité, des troubles cardiovasculaires multiples et une atteinte du système nerveux central (microcéphalie, arriération mentale, hypotonie, convulsions). Dans les pays qui pratiquent la vaccination, on enregistre un cas sur 10 000 naissances (Gandy, 1994). Les séquelles de la rubéole pour l'enfant suivent généralement une infection survenue au cours des 16 premières semaines de grossesse et, au-delà du quatrième mois, les dommages sont beaucoup moins graves, même si de la surdité ou des retards développementaux ont été observés dans certains cas (Cooper, 1975 ; Webster, 1998).

### L'infection à cytomégalovirus

Dans les périodes où la rubéole n'est pas épidémique dans la population, le cytomégalovirus (CMV) est la première cause infectieuse de transmission congénitale d'anomalies du système nerveux central, de déficience mentale et de surdité (Hanson, 1983). Entre 1 % et 2 % des nouveau-nés seraient infectés et 10 % d'entre eux en garderaient des séquelles (Bukatko et Daehler, 2001). Les nombreuses anomalies spécifiques liées au syndrome touchent le système nerveux central, la vue, l'ouïe, le système digestif, les muscles et le squelette. Le système cardiovasculaire serait moins sujet à être affecté par le CMV que par la rubéole congénitale.

La plupart des enfants infectés par le CMV ne présentent pas de symptômes dans la petite enfance, mais une proportion significative des cas d'infection latente peuvent avoir des complications neurologiques plus tard dans leur développement: retard mental, incoordination motrice, troubles du comportement et de l'audition (Demmler, 1992; Hanson, 1983). Il n'existerait pas, à l'heure actuelle, de vaccin sûr contre cette infection.

### L'herpès

À la différence des enfants atteints de rubéole et de CMV, la plupart des enfants présentant une infection à l'*herpès simplex* l'auraient acquise non pas au cours de la gestation, mais au moment de leur naissance ou peu avant; la transmission au fœtus au cours de la gestation serait rare. Le retard mental serait une conséquence de cette infection pour laquelle il n'existe pas encore de vaccin éprouvé. Cependant, un dépistage précoce de l'infection chez la femme enceinte permet de prévoir des mesures susceptibles de protéger l'enfant contre l'infection au cours de l'accouchement.

### La syphilis

La syphilis, maladie transmissible sexuellement, n'est pas due à un virus mais à une bactérie. Il existerait une foule de bactéries susceptibles d'infecter le fœtus avant sa naissance, mais le tréponème pâle (syphilis) serait l'une des rares bactéries à avoir un effet tératogène. Ce type d'infection tératogène est probablement celui qui est le plus anciennement connu. La syphilis congénitale entraîne chez l'enfant de plus de deux ans diverses atteintes de la peau, des dents, des os, du foie ainsi que la cécité et l'arriération mentale.

### La blennorragie

La blennorragie (ou gonorrhée), une autre maladie transmissible sexuellement, entraîne des symptômes qui ne sont pas toujours apparents chez la femme, ce qui complique le dépistage. Lorsque la blennorragie n'est pas traitée, le gonocoque, la bactérie qui en est responsable, peut infecter l'enfant au moment de la naissance, au cours de la traversée du passage pelvien (comme c'est aussi le cas pour l'*herpès simplex*). L'enfant infecté souffrira alors de graves affections oculaires pouvant mener à la cécité. On a parfois recours à une méthode préventive qui consiste à injecter dans les yeux des nouveau-nés quelques gouttes de nitrate d'argent ou de pénicilline.

### Le sida

Le sida (syndrome d'immunodéficience acquise), une maladie infectieuse pour laquelle il n'existe pas encore de traitement efficace, pourrait se transmettre de la mère à l'enfant dans 65 % des cas. Le sida peut se transmettre par des rapports sexuels ou par contact avec du sang ou un produit sanguin contaminé. La femme sidatique peut transmettre le virus à son enfant pendant la grossesse, l'accouchement ou l'allaitement. On dispose maintenant de médicaments qui diminuent significativement le risque de transmission pendant la grossesse (CDC, 2002). Cette maladie incurable, apparue soudainement au début des années 1980, s'est répandue très rapidement dans la population homosexuelle masculine. On s'est vite rendu compte que les rapports sexuels non protégés faisant intervenir de multiples partenaires étaient la principale voie de transmission du sida. On s'est aperçu aussi que le risque d'infection ne se limitait pas aux homosexuels des grands centres urbains, mais que les consommateurs de drogues injectables étaient également touchés. Les prostituées sont exposées à contracter le virus. Aux États-Unis en 2000, 33 % des femmes sidatiques avaient contracté le virus au cours de rapports sexuels, 25 % par injection de drogues et 36 % étaient incapables d'établir avec précision l'origine de l'infection (CDC, 2002).

Le virus responsable du sida se retrouverait probablement en concentrations très variables dans toutes les sécrétions du corps, et la transmission ne se ferait que par certains fluides corporels où la concentration est plus forte. Il semble que le virus peut être présent dans le sang, le liquide céphalo-rachidien, le sperme, le lait maternel, la salive, la sueur et les larmes. Le sang, le liquide céphalo-rachidien et le sperme présenteraient les plus fortes concentrations, tandis que la salive et les larmes en contiendraient de faibles concentrations, ce qui ferait de ces liquides une source beaucoup moins probable de transmission. Les rapports sexuels, les transfusions sanguines et les échanges de seringues pour injection de drogues constituent donc les principales sources de contamination. Le virus pourrait, semble-t-il, traverser la barrière placentaire, mais les fœtus ne seraient pas tous infectés par le VIH.

Le sida continue de créer des problèmes dans la société. Ainsi, une famille dont un membre est un porteur connu du virus doit faire face aux pressions de l'entourage. La question de l'intégration scolaire des enfants fait l'objet de débats qui témoignent du caractère sérieux du problème. Les connaissances sur l'épidémiologie demeurent toutefois parcellaires, ce qui alimente facilement la crainte à l'égard des possibilités de transmission.

### 3.4.6   Les agents chimiques et les drogues

Il est établi que la pollution, l'intoxication, la consommation de médicaments, de psychotropes, de nicotine ou d'alcool peuvent affecter la grossesse. Les effets d'une foule de produits sont encore mal connus, mais il est clair que les drogues et les agents chimiques peuvent nuire à la santé du fœtus. Dans certains cas, les médicaments sont indispensables, tels l'insuline pour le diabète ou les anticonvulsivants pour l'épilepsie. Nous examinerons ici certains effets connus :

– des agents chimiques environnementaux ;
– des drogues non prescrites et de psychotropes ;
– des médicaments prescrits.

#### Les agents chimiques présents dans l'environnement

Les inquiétudes concernant la détérioration de notre environnement ne cessent de croître d'année en année. Sur la presque totalité du globe, les disparitions d'espèces animales se multiplient, la pollution des cours d'eau et de l'air est un processus qui pourrait devenir irréversible.

Le fœtus humain est certainement sensible aux agents chimiques contenus dans l'environnement. On sait cependant peu de choses sur les anomalies dans le développement prénatal dues à ces agents. Cette ignorance sert de prétexte à l'inaction : on sait que la pollution de l'environnement est nuisible, mais comme on ne peut pas faire la preuve « hors de tout doute » que tel agent est la cause de tel problème, les pollueurs revendiquent leur droit « à la libre entreprise ».

#### Le mercure

Il est établi que le mercure peut causer des anomalies fœtales. La nourriture constitue la principale source d'absorption de ce métal. La femme enceinte qui consomme régulièrement du poisson contaminé au mercure peut donner naissance à un bébé présentant une atteinte du système nerveux central accompagnée d'autres anomalies (microcéphalie, certaines anomalies dentaires et des malformations de l'oreille externe). Les amalgames d'argent-étain utilisés pour les obturations dentaires sont aussi une source potentielle de contamination au mercure.

#### Autres agents chimiques environnementaux

Le BPC (biphényl polychloré), la dioxine, certains solvants chimiques industriels et divers herbicides sont considérés comme des tératogènes potentiels. Le plomb et le cadmium contenus dans les polluants environnementaux avec lesquels les femmes enceintes entrent en contact sont d'autres agents chimiques potentiellement tératogènes.

#### Les drogues non prescrites

Le tabac et l'alcool représentent encore les principales menaces à la santé publique et leurs effets sur le développement fœtal constituent une préoccupation sanitaire importante. D'autre part, toute une panoplie de médicaments sans ordonnance contre toutes sortes de maux (allant du mal de tête à la constipation, en passant par l'insomnie) et dont les effets sur le développement prénatal ne sont pas documentés suffisamment est offerte en vente libre dans le commerce.

#### L'alcool

L'alcool éthylique ou éthanol, ce produit si bien enraciné dans la vie sociale, est considéré comme un agent tératogène important : l'abus d'alcool crée des dommages au fœtus et il constituerait l'une des principales causes d'arriération mentale (Hanson, 1983). La quantité d'alcool et la fréquence de la consommation sont des éléments à prendre en compte dans l'évaluation du risque. Les femmes enceintes alcooliques peuvent, avec un facteur de risque pouvant dépasser 50 %, donner naissance à des enfants eux-mêmes alcooliques atteints du syndrome alcoolique fœtal (SAF). Santé Canada (2003) estime qu'au moins un enfant atteint du syndrome d'alcoolisme fœtal naît chaque jour. Selon l'Association médicale canadienne, le syndrome d'alcoolisme fœtal est la principale cause de malformations congénitales liées à l'environnement et une cause fréquente d'arriération mentale en Amérique du Nord. Selon cette association, les femmes qui sont enceintes ou pourraient le devenir ont avantage à s'abstenir de consommer de l'alcool (AMC, 2000).

Les enfants atteints du syndrome d'alcoolisme fœtal présentent une série de traits caractéristiques: configuration faciale typique illustrée à la figure 3.6, retard développemental à la naissance et difficultés de survie postnatale avec possibilité de troubles de sevrage, de malformations cardiaques et squelettiques, anomalies neurologiques diverses.

Par ailleurs, certaines études ont établi un lien entre une consommation beaucoup plus légère, comme deux verres par jour ou une intoxication circonscrite au début de la grossesse, et une probabilité plus élevée d'avortement et d'anomalies de naissance. On a observé que, à plus long terme, la consommation d'alcool pendant la grossesse était associée, chez l'enfant en bas âge, à de l'irritabilité et des problèmes d'attention et de vitesse de réponse, à un quotient intellectuel plus bas et à des difficultés motrices chez l'enfant d'âge préscolaire, à des troubles de lecture et en arithmétique à l'école, et à un risque élevé de dépendance au tabagisme, à l'alcool et à la drogue à l'âge adulte (DeHart, Sroufe et Cooper, 2000).

**Figure 3.6** Configuration faciale typique de sujets atteints du syndrome alcoolique fœtal

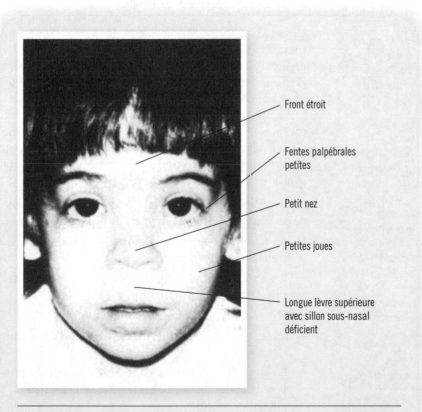

Source: K.K. Suuk, M.C. Johnston et M.A. Webb (1981), « Fetal alcohol syndrome: Embryogenesis in a mouse model », *Science,* vol. 214, novembre, p. 937, figure A.

### Le tabac

Le tabac est un agent tératogène important en raison du nombre de femmes qui fument; même si les hommes sont plus nombreux à fumer (26 % contre 23 % chez les 25 ans et plus au Canada en 2000), le nombre de fumeuses diminue moins vite que le nombre de fumeurs (Santé Canada, 2002a). Encore ici, le risque s'accroît avec l'usage. Les études indiquent que les femmes enceintes qui fument ont plus de chances de ne pas mener leur grossesse à terme ou d'avoir un accouchement prématuré et tendent à avoir des bébés plus petits (poids, taille et circonférence de la tête) que les femmes enceintes qui ne fument pas (Guillois, 2000).

Par ailleurs, comme l'habitude de fumer est souvent associée à d'autres habitudes de consommation (alimentation moins saine, alcool, médicaments, etc.), les risques courus par les femmes enceintes sont d'autant plus grands. En effet, les effets tératogènes de l'alcool s'ajoutent à ceux du tabac: Lamb,

Bornstein et Teti (2002) font état d'une étude indiquant que le facteur de risque de retard de croissance intra-utérine est de 2,4 chez les consommatrices d'alcool, de 1,8 chez les fumeuses et de 3,9 chez les fumeuses qui boivent.

---

### L'ÉVOLUTION DES PROBLÈMES COMPORTEMENTAUX ASSOCIÉS AU SYNDROME D'ALCOOLISME FŒTAL DE LA NAISSANCE À L'ÂGE ADULTE

Les nourrissons atteints du syndrome d'alcoolisme fœtal (SAF) ou souffrant d'une forme plus subtile désignée « effets d'alcoolisme fœtal » (EAF) présentent des incapacités primaires, telles que l'irritabilité, un comportement agité, des tremblements, un faible réflexe de succion, des problèmes de sommeil et d'alimentation, un retard dans la croissance, un mauvais contrôle moteur et une mauvaise accoutumance. Au cours des années préscolaires, certains problèmes, tels que l'hyperactivité, des problèmes d'attention, des difficultés de perception et de langage ainsi qu'une mauvaise coordination motrice, s'observent fréquemment.

Quand l'enfant atteint du SAF ou souffrant des EAF est en âge d'aller à l'école, les incapacités primaires sont l'hyperactivité, des déficiences de l'attention, des difficultés d'apprentissage, des difficultés en calcul, des déficits intellectuels, des problèmes de langage ainsi qu'un mauvais contrôle des impulsions.

À l'adolescence et à l'âge adulte, les incapacités primaires sont des troubles de la mémoire, des problèmes de jugement et de raisonnement abstrait ainsi qu'un mauvais comportement adaptatif. Parmi les incapacités secondaires les plus fréquemment observées chez les adolescents et les adultes atteints du SAF ou souffrant des EAF, mentionnons la victimisation que subissent fréquemment ces personnes, la difficulté à focaliser leur intérêt et la facilité à être distraits, la difficulté à faire un budget, des difficultés à tirer des leçons de leur expérience, des difficultés à comprendre les conséquences et à percevoir les indices sociaux, une faible tolérance à la frustration, un comportement sexuel inapproprié, la toxicomanie, des troubles mentaux ainsi que des démêlés avec la justice.

---

Source : F.J. Boland, R. Burrill, M. Duwyn et J. Karp (1998), *Syndrome d'alcoolisme fœtal. Répercussions pour le service correctionnel*, Ottawa, Services correctionnels du Canada, p. i, ii et iii. Document disponible sur le site Internet suivant : http://www.csc-scc.gc.ca/text/rsrch/reports/r71/fr71.pdf. © Sa Majesté la Reine aux droits du Canada. Tous droits réservés. Reproduit avec l'autorisation du ministère des Travaux publics et des Services gouvernementaux Canada, 2004.

### L'héroïne et les autres psychotropes non prescrits

On sait depuis longtemps que l'héroïne peut traverser la barrière placentaire et créer une dépendance chez le bébé; celui-ci naît alors héroïnomane et risque d'être atteint du syndrome de sevrage si l'on n'agit pas à temps. Les effets prénataux de la consommation maternelle de drogues telles que le LSD, la cocaïne, la marijuana, etc., ne peuvent certainement pas tous être considérés comme ayant la même gravité, mais ces drogues ont ceci de commun que leurs effets biochimiques sur l'embryon et le fœtus sont mal connus et sont probablement négatifs. Il est difficile de distinguer les dangers simplement supposés et non démontrés (on a cru à une certaine époque que le LSD entraînait des mutations génétiques chez le bébé) de ceux qui ont une base scientifique, mais l'expérience a déjà montré que des effets nocifs peuvent se manifester seulement après plusieurs années.

### Les médicaments prescrits

Un grand nombre de médicaments dits « thérapeutiques » sont soupçonnés d'avoir un potentiel tératogène, mais les preuves scientifiques de leurs effets sur le développement prénatal sont peu nombreuses. Nous ne décrirons pas ici les effets connus de ces drogues sur le développement prénatal. Signalons simplement que, pour la femme enceinte, le fait d'avoir à choisir entre, d'une part, la prise d'un médicament indispensable à sa propre santé et, d'autre part, la protection de la santé du fœtus peut constituer un véritable dilemme.

Parmi les médicaments prescrits qu'on soupçonne de provoquer des anomalies prénatales, nous retrouvons:

- les nombreux agents psychotropes utilisés dans les traitements psychiatriques;
- les anticoagulants (utilisés dans le traitement des problèmes cardio-vasculaires);
- les antibiotiques (utilisés contre les infections);
- les anticonvulsivants (utilisés dans les cas d'épilepsie);
- les hormones (utilisées dans le traitement de problèmes endocriniens tels que ceux qui sont liés à la glande thyroïde).

Le DES (dyéthylstilbestrol), une hormone femelle synthétique destinée à aider les femmes qui avaient de la difficulté à mener leur grossesse à terme, a cessé d'être prescrit en 1971, après que l'on a découvert, au bout d'une trentaine d'années, que les filles ayant été exposées à ce produit avant leur naissance étaient à haut risque de connaître une rare forme de cancer du col de l'utérus et du vagin et que les garçons exposés pouvaient présenter des kystes dans les canaux de conduction du sperme, une faible densité des spermatozoïdes dans le sperme et certaines malformations des spermatozoïdes. Les hauts niveaux d'œstrogène en circulation au moment de la formation des organes sexuels seraient à l'origine de ces déficiences (Lamb et autres, 2002).

Dans certains cas, la consommation de médicaments peut être nécessaire même si elle constitue une menace pour la grossesse. Que l'on songe par exemple à la situation de la femme enceinte qui présente des troubles psychiatriques et qui a besoin de prendre de fortes doses de médicaments pour maintenir son équilibre mental en même temps qu'elle vit sa grossesse. L'examen de tous ces facteurs de risque associés à la consommation de médicaments nous montre qu'une bonne santé pour la mère est un bien précieux, que le fait de ne pas dépendre de palliatifs constitue un grand avantage.

### 3.4.7  L'état émotionnel de la mère

En quoi l'état émotionnel de la mère peut-il avoir un effet sur le développement prénatal? Le corps de la mère constitue l'environnement prénatal de l'enfant. C'est dans la mesure où l'état émotionnel a des répercussions concrètes sur le corps que la vie prénatale sera touchée.

Il est toutefois difficile de distinguer exactement les causes et les effets dans ce domaine. Étant donné que le tempérament a des bases génétiques, les particularités observées chez un nouveau-né peuvent être dues à l'hérédité plutôt qu'à l'environnement prénatal. Par ailleurs, une personne perturbée émotionnellement risque davantage d'éprouver de la difficulté à remplir convenablement son rôle très exigeant de mère, de sorte que ce qui est observé chez l'enfant peut s'expliquer par la relation postnatale plutôt que par l'environnement prénatal comme tel.

Précisons que lorsqu'ils sont présents de façon marquée chez la mère, l'anxiété, le stress ou les perturbations émotionnelles ont été mis en rapport, chez les animaux mais aussi chez les humains, avec un niveau d'activité intra-utérin élevé, un haut taux d'anomalies congénitales et des problèmes comportementaux pendant l'enfance (DeHart et autres, 2000; Hetherington, Parke et Locke, 1999).

Le comportement de l'entourage influe sur l'état émotionnel de la femme enceinte. Ainsi, l'homme qui souhaite autant que la femme la venue de l'enfant et qui apporte à celle-ci aide et réconfort facilitera la grossesse de sa conjointe. Dans une famille dont les membres communiquent bien entre eux, les enfants plus vieux manifesteront généralement de l'intérêt à l'égard de la grossesse de leur mère, et l'arrivée d'un nouveau membre sera pour eux un événement excitant, même si elle peut comporter une certaine dose de stress eu égard aux changements probables qu'elle entraînera.

## 3.5  LES NOUVELLES TECHNOLOGIES DE LA REPRODUCTION

La fertilité humaine dépend de plusieurs processus, et notamment:

- de la réussite du processus de maturation ovulaire dans le cycle menstruel;
- de la réussite de la fécondation de l'ovule par un spermatozoïde;
- du transport réussi du zygote vers l'utérus;
- de l'implantation correcte de l'œuf sur la paroi utérine.

> L'infertilité est une condition médicale définie par l'incapacité pour un couple de concevoir après un an de rapports sexuels. Au Canada, 8 % des couples dont la femme a entre 15 et 45 ans ont des problèmes de fertilité. Essentiellement, ces couples ne parviennent pas à concevoir après 12 mois de rapports sexuels sans contraception. Chez le couple au sommet de sa fertilité, le taux mensuel de fécondation est d'environ 20 %. Il s'ensuit que dans la population normale, environ 60 % des couples devraient concevoir dans un délai de 6 mois, 80 %, dans un délai de 12 mois et 90 %, dans un délai de 18 mois. (Pierson et Belisle, 2003, p. 2.)

Le désir d'apporter des solutions aux problèmes d'infertilité humaine a fortement stimulé la recherche de nouvelles techniques. Une grande variété de techniques permettent maintenant de soutenir ou même de remplacer le processus naturel de conception.

L'insémination artificielle et la fécondation *in vitro* en sont des exemples connus.

L'insémination artificielle est pratiquée depuis longtemps dans l'élevage des animaux. Elle consiste à injecter, à un moment déterminé du cycle menstruel, du sperme dans les voies génitales de la femelle afin de provoquer la conception. Quant à la fécondation *in vitro*, elle consiste à provoquer en laboratoire la fusion d'un ovule et d'un spermatozoïde en dehors du corps de la femme et de procéder par la suite à l'insertion de l'œuf fécondé (ovocyte) dans un utérus de manière qu'il s'y implante et se développe. Afin de maximiser les chances de succès de l'implantation, on dépose plusieurs embryons dans la cavité utérine.

L'utilisation de ces techniques de reproduction peut soulever plusieurs questions: de qui provient le sperme utilisé? De qui provient l'ovule? Dans quel utérus l'embryon sera-t-il implanté? Combien d'embryons ont été conçus, autrement dit: existe-t-il un surplus d'embryons et que fait-on d'eux? Qu'advient-il des rapports hommes-femmes si la reproduction peut être séparée de la sexualité? Quel est le prix que l'on doit payer pour se faire faire un enfant? Quelles sont les répercussions sociales et morales de la « commercialisation » de la reproduction humaine? Ces questions soulèvent des problèmes d'éthique concernant notamment la signification psychologique des liens du sang.

Connaissant le rôle joué par l'hérédité dans le comportement, on ne peut écarter la question de la filiation génétique: le fait d'avoir été conçu avec le sperme d'un donneur quelconque provenant d'une banque de sperme est loin d'être anodin pour l'enfant. Étant donné par ailleurs l'influence exercée par l'environnement prénatal sur le développement fœtal et l'attachement mère-enfant, le fait d'être né d'une mère porteuse « contractuelle » n'est pas non plus insignifiant pour un individu.

Le donneur de sperme est-il bien conscient que, dans un anonymat le plus complet souvent entretenu par les « banquiers », il fournira la moitié du bagage génétique d'un nombre indéterminé d'individus qui seront génétiquement ses enfants mais dont il ne connaîtra jamais le sort? Les retrouvailles voulues des parents, des enfants ou des jumeaux séparés par l'adoption démontrent bien le caractère symbolique du lien génétique. En quelque sorte, la réponse à la question: « qui suis-je? » dépend de la réponse à la question: « qui sont mes parents? »

Ces diverses considérations nous conduisent à nous interroger sur la nature de l'embryon: l'embryon est-il une personne? À partir de quel moment est-on en présence d'un individu? L'acte consistant à détruire des stocks d'embryons produits *in vitro* est-il moral? Les questions morales que soulève l'avortement se posent, dans une aussi forte mesure, au sujet des nouvelles techniques de reproduction. Intervenir pour mettre un terme au développement d'un embryon (avortement) ou pour fournir la moitié du bagage génétique d'un individu à partir d'une banque de sperme anonyme pose une question de légitimité qui fait appel à des principes de morale et de droit, mais qui porte aussi sur les conséquences humaines de l'intervention ou de l'absence d'intervention. De ce point de vue, la loi canadienne régissant l'assistance à la procréation interdit:

– le clonage d'êtres humains;

– la modification génétique de cellules germinales (de manière à pouvoir transmettre le nouveau code à la génération suivante);

– le développement d'un embryon à l'extérieur du corps d'une femme pendant une période excédant 14 jours;

– la création d'embryons à des seules fins de recherche;

– la création d'un embryon à partir d'un autre embryon ou d'un fœtus;

– la transplantation d'une partie ou de la totalité du matériel reproductif d'un animal dans le corps d'un être humain;

– la transplantation de matériel reproductif humain dans le corps d'un animal;

– le choix du sexe (c'est-à-dire la mesure favorisant la conception d'un enfant d'un des deux sexes);

– la vente et l'achat d'embryons humains;

– l'achat et l'échange de gamètes humains (sperme et ovules);

– les contrats commerciaux de maternité de substitution.

### 3.5.1 Le clonage

Depuis quelques années, le clonage humain donne lieu à des débats animés. Théoriquement, on peut créer un clone en prélevant une cellule quelconque de l'animal à cloner, en récupérant son noyau et en l'injectant entre la zone pellucide et la membrane de l'ovule énucléé d'une femelle donneuse. Placés dans un champ électrique, le noyau et l'ovule vont fusionner pour donner un ovocyte qui se divisera ensuite pour donner un embryon pouvant être transplanté dans l'utérus d'une mère porteuse. Le nouveau-né sera la copie exacte de l'animal qui a été cloné puisqu'il aura exactement le même bagage génétique que lui.

Dans la pratique, cette opération pose plusieurs difficultés. Les recherches menées sur les animaux montrent que la fusion du noyau et de l'ovule est loin de toujours réussir, qu'il y a une forte probabilité de perte de l'embryon au cours de la gestation et que plus de la moitié des clones mis au monde à terme manifestent des problèmes immunitaires ou cardiaques dès la naissance. Les mammifères clonés, comme la fameuse brebis Dolly, semblent vieillir prématurément, ce qui, évidemment, entraîne une mort hâtive. La création d'êtres humains par clonage est une possibilité réelle, mais elle soulève des questions de fond sur l'identité de l'être humain et le respect de la personne, ainsi que le montre l'auteur de la citation suivante :

> Les récents comptes rendus des tentatives de clonage humain faites par des scientifiques sans scrupules ont troublé la communauté scientifique du monde entier. La recherche indique que le clonage humain est une menace à la santé de l'enfant cloné et de la mère porteuse. Les études animales sur le clonage reproductif relèvent une incidence élevée de désordres du fœtus et d'avortements spontanés, de malformations et de mortalité chez les nouveau nés. Il n'y a pas de raison de croire que le résultat sera différent chez les humains… Le consensus scientifique sur le clonage humain est écrasant : plus de 60 sociétés de toutes les parties du monde, appartenant à des cultures et à des religions diverses, disent favoriser l'interdiction du clonage. Cependant, les opinions sur l'éthique en matière de clonage thérapeutique sont divisées. (May, 2003, p. 2.)

Le clonage thérapeutique vise non pas la reproduction, mais plutôt la création de cellules ou d'organes destinés à un usage thérapeutique. Il consiste à prendre une cellule adulte et à la fusionner avec un ovocyte préalablement vidé de son noyau et donc, de son matériel génétique. On n'implante pas l'embryon qui a été créé dans l'utérus, on le laisse quelques jours, puis on le détruit et on en extrait les cellules souches. Les cellules souches sont des cellules au stade indifférencié, capables de former des lignées de cellules spécialisées comme les cellules du sang, du foie, des muscles, etc. Ce type de clonage est appelé « thérapeutique » parce que les cellules produites servent à réparer ou à remplacer des organes endommagés par des maladies actuellement incurables comme certains cancers ou la paralysie.

## 3.6    LA NAISSANCE

Les symboles attachés à la naissance sont certainement très puissants, et partout dans le monde des rites religieux ou culturels sont associés à cet événement. L'arrivée d'un enfant dans la famille a de multiples répercussions, et entre autres les suivantes : le nouveau-né oblige la famille à réaménager l'espace de la maison ; il amène des changements d'habitudes plus ou moins importants ; les besoins matériels du nouveau membre doivent être pris en compte dans le budget familial ; enfin, les parents, mais aussi les frères et sœurs le cas échéant, établissent un lien d'attachement qui pourra entraîner un changement dans les relations entre les membres de la famille. La naissance d'un enfant est donc un événement d'une grande signification sur le plan psychologique parce qu'elle constitue l'un des projets les plus importants dans la vie des parents et qu'elle impose aux membres de la famille un stress qui mobilise leurs forces. La famille qui ne dispose que de faibles moyens matériels et humains vivra ce stress plus difficilement que celle qui a de bonnes réserves d'énergie et de connaissances et qui est à l'abri du besoin.

Cette deuxième partie du chapitre traite d'abord de la naissance en tant que processus, pour la mère et pour l'enfant. Après de brèves considérations sur les implications psychologiques de cet événement fondamental de la vie humaine, nous décrirons les diverses étapes de l'accouchement. Nous porterons aussi notre attention sur l'enfant pendant sa naissance. Ensuite, nous examinerons certaines complications pouvant survenir au moment de l'accouchement (césarienne, traumatisme crânien, anoxie) ainsi que les effets de certains anesthésiques.

Les conséquences d'une naissance prématurée feront l'objet d'une section particulière. Nous considérerons ensuite une méthode générale d'examen du nouveau-né : l'indice d'Apgar. Les fonctions de base à la naissance, telles que l'alternance des états de veille et de sommeil au cours des premiers mois, seront étudiées. Le syndrome de mort subite, ce problème encore mal connu qui représente l'une des principales causes de décès des enfants de moins de un an, sera brièvement décrit.

## 3.7 LE PHÉNOMÈNE DE LA NAISSANCE

La douleur et l'enfantement sont associés dans la Bible : « Et Dieu dit aussi à la femme : Vous enfanterez dans la douleur. » (Bible de Sacy.) Les douleurs et l'imprévu liés au travail ont depuis toujours conféré à l'accouchement un caractère d'épreuve pour la femme qui se trouve seule face à cette expérience si importante.

Grâce aux progrès médicaux réalisés au cours du XXᵉ siècle, les complications périnatales et la souffrance associée à l'accouchement ont fortement diminué. La figure 3.7 présente des statistiques canadiennes concernant la mortalité infantile entre 1985 et 1999. On y voit que la prévalence des décès causés par des anomalies congénitales a diminué de 43 %, passant de 2,31 décès pour 1000 naissances vivantes durant la période allant de 1985 à 1988 à 1,32 décès pour la période allant de 1996 à 1999. Un grand nombre de femmes ont pu survivre parce qu'elles ont bénéficié des progrès scientifiques et d'interventions obstétriques d'urgence. Cependant, la médicalisation excessive du processus de l'accouchement rencontre de plus en plus

**Figure 3.7** Taux de mortalité infantile selon la cause dans les naissances vivantes d'enfants seuls pesant 500 g ou plus, *Canada (à l'exclusion de Terre-Neuve et de l'Ontario)\*, 1985-1988, 1989-1992, 1993-1995 et 1996-1999*

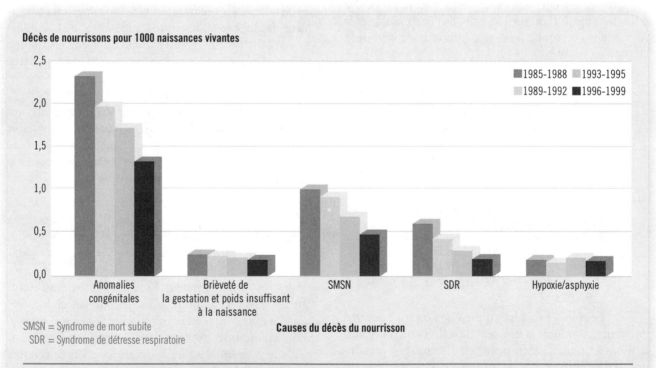

Source : Statistique Canada. Système canadien des statistiques sur l'état civil, 1985-1999 (fichiers couplés de naissances et de décès de nourrissons). Rapport sur la santé au Canada, 2003.

\*   Les données de Terre-Neuve ont été exclues parce qu'on ne possède, à l'échelle nationale, aucune information antérieure à 1991. Les données relatives à l'Ontario ont été exclues parce que leur qualité pose problème.

d'opposition dans les pays occidentaux. On proteste contre le fait que l'accouchement est devenu une opération médico-chirurgicale se déroulant dans un environnement technique et aseptisé. Sans remettre en cause la nécessité de disposer de services adaptés aux urgences, les précurseurs de ce mouvement d'opinions, comme Dick-Read (1944), La Maze (1970) et Leboyer (1974), se sont attachés à revaloriser l'interaction mère-enfant au cours de l'accouchement, afin qu'ils vivent « une naissance sans violence ».

La naissance, point de départ de l'existence, est probablement l'événement le plus important de la vie humaine, car elle constitue l'origine de l'identité psychologique et sociale. Mais elle est aussi un processus biologique précis qui met un terme à la relation prénatale qui a uni la mère et l'enfant pendant les neuf mois de la gestation. De tout temps, la naissance a été symboliquement associée à une fête, à un espoir, et l'accouchement a été lié à l'idée de souffrance et à celle de délivrance.

> La naissance est souffrance. Et non point seulement l'accouchement. Venir au monde est douloureux. Autant que l'était donner la vie […] On croit que le nouveau-né ne sent rien. Il sent tout. Tout, totalement, sans choix, sans filtre, sans discrimination. Le raz-de-marée des sensations qui l'emporte dépasse tout ce qu'on peut imaginer. C'est une expérience sensorielle si vaste que nous ne pouvons la concevoir. (Leboyer, 1974, p. 33.)

Dès lors, la maîtrise du processus de la naissance consiste non seulement à adoucir la douleur de la mère ou de l'enfant par des moyens chimiques, mais aussi à prendre en compte les rapports qui se sont établis entre ces deux êtres. Eux seuls ont à produire les efforts physiques aboutissant à la naissance, mais les personnes de leur entourage peuvent contribuer, en « écoutant » l'accouchement plutôt qu'en le dirigeant, à faire de celui-ci un heureux accomplissement pour la mère et pour l'enfant. Leboyer (1974) conseille par exemple de placer la mère dans un environnement calme, la pénombre, la chaleur, le silence et le recueillement, de manière à apporter la tranquillité à la mère et à pouvoir accueillir chaleureusement l'enfant qui vient au monde. Il recommande que la mère ait à ses côtés le père ou une autre personne capable de lui fournir une aide psychologique dans le travail de l'accouchement et que la personne à ses côtés prenne part à l'accueil de l'enfant en lui donnant, par exemple, son premier bain postnatal.

> Un bain a été préparé dans une petite baignoire, un baquet. À la température du corps, ou un peu plus, trente-huit, trente-neuf degrés. On prend l'enfant et on l'y fait entrer. Une fois encore avec une grande lenteur. À mesure que le bébé s'enfonce, la pesanteur s'annule. L'enfant reperd le corps qui vient de l'accabler. Ce corps nouveau et son fardeau d'angoisses. L'enfant flotte ! Une fois encore immatériel, léger. Et libre comme aux beaux jours lointains de la grossesse où il pouvait jouer, gesticuler tout à son aise dans l'océan illimité. Sa surprise, sa joie, sont sans bornes. Retrouvant son élément, sa légèreté, il oublie ce qu'il vient de quitter. Il oublie sa mère. Il y est rentré ! (Leboyer, 1974, p. 114.)

Au cours des dernières années, on a observé, dans les pays occidentaux qui ont le plus utilisé les médications antidouleurs mises au point dans les années 1950 à 1970, un retour à l'accouchement naturel. Les travaux mettant en évidence les effets négatifs des anesthésies pour la mère et le bébé (Conway et Brackbill, 1970), associés à une meilleure préparation des femmes à l'accouchement, ont favorisé ce changement social. Mead et Newton (1967), dans leur étude portant sur les différences culturelles en matière d'attitudes face au processus de la naissance, rapportent que dans les sociétés où il est craint, caché et mythifié, l'accouchement est vécu plus difficilement que dans celles qui le regardent comme un phénomène naturel générateur d'espoir et de renouvellement.

Il apparaît toutefois que 95 % des mères ne savent pas ce qu'est l'accouchement sans douleur (Melzack, 1987). La préparation physique et psychologique à l'accouchement aide à surmonter cette épreuve, mais la douleur n'est pas exclue pour autant.

## 3.8    LES ÉTAPES DE L'ACCOUCHEMENT

La parturition, terme médical désignant l'accouchement naturel, comporte trois étapes :

1) le travail ;
2) le passage du bébé ;
3) l'expulsion du placenta.

Vers la fin de la grossesse, le fœtus se place généralement dans la position qu'il aura à la naissance, c'est-à-dire la tête vers le bas. La libération de cortisone par la glande surrénale du fœtus, l'augmentation de volume de l'utérus jointe à la maturation de l'organisme qui crée une pression sur la membrane, l'ocytocine, une hormone sécrétée par l'hypophyse de la mère et de l'enfant et provoquant les contractions de l'utérus, sont autant d'éléments associés au déclenchement du processus de l'accouchement. Au cours du dernier mois de la grossesse, des contractions utérines sporadiques et de faible intensité peuvent apparaître.

### 3.8.1    Étape 1 : le travail

La figure 3.8 illustre les trois étapes de l'accouchement. L'étape 1 est la plus longue puisqu'elle peut durer de 7 à 14 heures, pendant lesquelles le col de l'utérus se dilate pour permettre l'engagement de la tête du bébé dans le canal vaginal. Cette première étape se caractérise par des contractions rythmiques dont la fréquence et l'intensité s'accroissent graduellement. Ces contractions sont involontaires, et la relaxation semble être la façon la plus naturelle de faciliter le travail, relaxation qui peut être amenée par la maîtrise respiratoire et la concentration mentale sur les groupes musculaires à détendre. En se contractant, les fibres musculaires utérines exercent une pression de l'ordre de 14 kg sur la membrane contenant le liquide amniotique, et cette pression entraîne la dilatation du col à la base de l'utérus et, par suite, un assouplissement des tissus musculaires de ce dernier de manière à rendre l'ouverture assez grande pour permettre le passage. Ainsi, les contractions utérines et la dilatation des tissus du col sont les deux actions complémentaires caractéristiques de l'étape 1, qui s'achève normalement par une dilatation du col utérin de 8 à 10 cm; la tête du bébé peut alors s'engager pour sortir.

### 3.8.2    Étape 2 : le passage du bébé

L'étape 2 correspond à l'accouchement proprement dit. Il dure en moyenne une heure et demie pour le premier enfant et environ une demi-heure pour le deuxième et les suivants qui évoluent dans un passage qui a déjà

**Figure 3.8**    Différents stades de dilatation du col utérin à la grossesse et à l'accouchement et étapes de l'accouchement

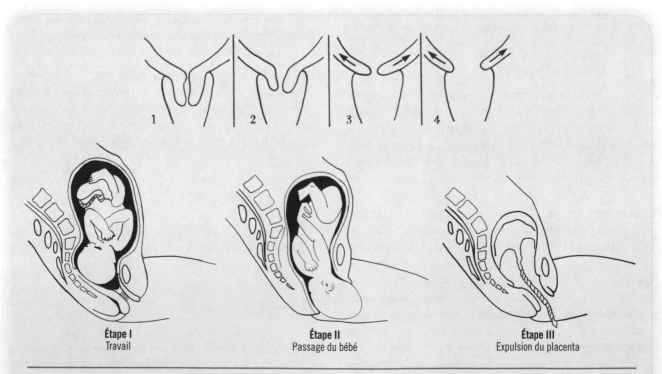

Étape I
Travail

Étape II
Passage du bébé

Étape III
Expulsion du placenta

Source : S.J. Steele (1985), *Gynaecology, Obstetrics and the Neonate*, Londres, Edward Arnold Publishers, p. 15, figure 2.1.

été dilaté. Elle commence au moment de la dilatation complète du col (l'«effacement du col»), se poursuit avec la sortie du bébé hors de l'utérus et son expulsion à travers le canal vaginal. Pendant cette deuxième étape, les contractions peuvent ralentir mais elles demeurent fortes, et la mère participe à l'expulsion du bébé en exerçant en même temps que la contraction une pression volontaire du thorax vers le bas. Eastman et Hellman (1966) rapportent que, chez une primipare, cette étape comprend environ 20 contractions, par rapport à 10 et moins pour les accouchements ultérieurs. Si nécessaire, on pratique à ce moment une épisiotomie, c'est-à-dire une incision chirurgicale du bord de l'ouverture vaginale, en direction de l'anus. Cette opération empêche le déchirement du périnée (tissu séparant l'anus du vagin) au moment du passage de la tête du bébé. Après l'accouchement, on recoud les tissus ainsi sectionnés, et la cicatrisation est généralement rapide.

À cette étape, la confiance de la femme constitue un élément psychologique majeur pour le déroulement de la naissance. La peur, la fatigue *et* la tension contribuent à augmenter la douleur ressentie et nuisent à la coordination rythmique des efforts de poussée volontaire avec les contractions. Encore là, une connaissance préalable du processus et la relaxation induite par la maîtrise respiratoire, un environnement calme, aidant et non envahissant, favorisent la prise en charge et la confiance en soi chez la femme qui accouche.

> Obscurité, ou presque, silence… Une paix profonde s'installe, sans même qu'on y prenne garde. Et le respect avec lequel il convient d'accueillir le messager qui nous arrive, le bébé. Dans une église, on ne crie pas. D'instinct on baisse la voix. S'il est un lieu saint, c'est ici. Pénombre, silence, que faut-il encore? De la patience. Ou plus exactement l'apprentissage d'une extrême lenteur. Voisine de l'immobilité. Faute d'accéder à cette lenteur, on ne peut espérer le succès. On ne peut communiquer avec un bébé. Accepter cette lenteur, s'en pénétrer, se ralentir, est encore un exercice, demande une préparation. (Leboyer, 1974, p. 62.)

### 3.8.3 Étape 3 : l'expulsion du placenta

L'étape 3 correspond à l'expulsion des membranes et du placenta auquel est rattaché le cordon ombilical. Elle est de courte durée (entre 5 et 20 minutes). Si la mère le désire, elle peut donner à l'enfant une première tétée dès la fin de cette troisième étape.

## 3.9 L'ENFANT PENDANT SA NAISSANCE

Normalement, l'enfant naît la tête la première (dans 90 % des cas), mais il arrive qu'il se présente par le siège ou les pieds (dans 4 % des cas, selon Lerner et Hultsch, 1983). La figure 3.9 illustre les types de présentation du bébé pour l'accouchement. La boîte crânienne est la partie du corps du bébé qui a le plus grand diamètre, de sorte que, une fois la tête sortie, la naissance est pratiquement terminée. Les fontanelles, c'est-à-dire les espaces membraneux reliant les os de la calotte crânienne de l'enfant, permettent à la tête de modifier sa forme, de se rétrécir pour s'adapter d'une certaine façon au passage pelvien

**Figure 3.9** lypes de présentation du bébé dans l'utérus

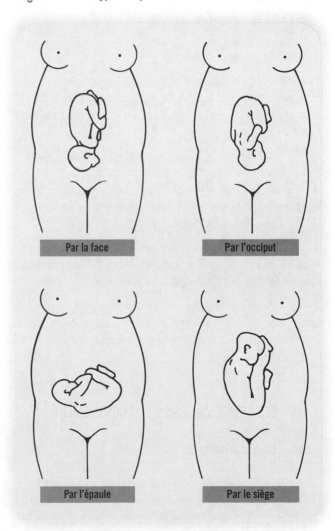

La mère et l'enfant juste après l'accouchement : un rendez-vous longtemps attendu.

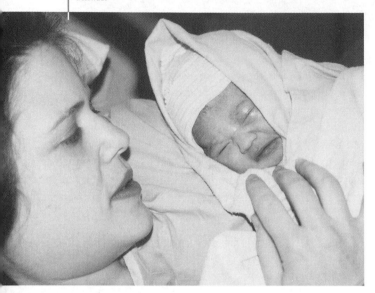

Figure 3.10   Passage de la tête du fœtus à travers le bassin. Noter la rotation de la tête.

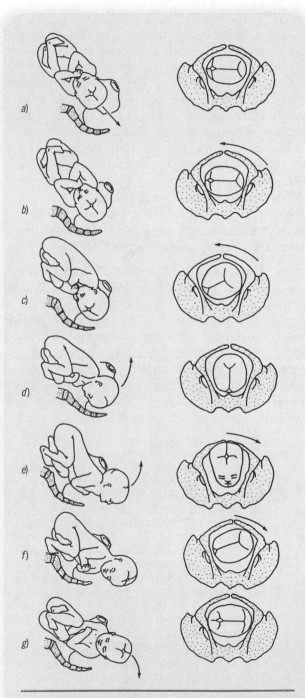

Source : S.J. Steele (1985), *Gynaecology, Obstetrics and the Neonate*, Londres, Edward Arnold Publishers, p. 24 à 25, figure 2.4.

et faciliter ce dernier. Cette plasticité crânienne relative fait que la tête du nouveau-né a parfois une légère déformation, mais celle-ci disparaîtra au cours des premiers jours de la vie.

Les contractions utérines exercent une pression relativement forte sur le bébé et provoquent des variations assez considérables de son rythme cardiaque : accélération au début de la contraction, puis décélération suivie d'une autre accélération, et ainsi de suite.

La figure 3.10 décrit la dynamique du passage normal de la tête dans le canal pelvien. Notons la rotation de la tête qui s'effectue à ce moment.

Pour le nouveau-né, la naissance représente certainement une épreuve physique considérable, puisque son corps subit les contrecoups des tensions corporelles de la mère.

## 3.10   LES COMPLICATIONS À L'ACCOUCHEMENT

### 3.10.1   La césarienne

La césarienne ou hystérotomie consiste à extraire l'enfant en pratiquant une incision dans le ventre et l'utérus de la mère. Aujourd'hui, cette intervention chirurgicale est bien maîtrisée et constitue une solution courante à plusieurs difficultés survenant au moment de l'accouchement. Ainsi on a recours à la césarienne lorsque le bébé se présente mal et qu'on ne peut rectifier sa position par le canal pelvien, lorsque le crâne est plus large que le bassin maternel ou qu'il y a risque d'infection lors du passage dans le canal vaginal (gonocoque, etc.).

La césarienne nécessite une anesthésie, mais, lorsque la chose est possible, cette dernière peut être partielle, ce qui permet à la mère d'être consciente pendant l'accouchement de son enfant.

L'opération complète dure généralement entre 30 et 45 minutes, et l'enfant naît de 5 à 15 minutes après le début (Lerner et Hultsch, 1983). L'incision pratiquée dans le ventre de la mère peut être horizontale, traversant le bas-ventre au-dessous de la ligne des poils pubiens, ceux-ci dissimulant la cicatrice ultérieurement. L'incision peut aussi être pratiquée verticalement depuis la région sous le nombril jusqu'à l'os pubien. Cette dernière méthode est plus rapide et est préférée lorsque le temps presse, mais elle laissera sur le ventre de la mère une cicatrice visible. Une fois la peau sectionnée, l'incision est faite sur la couche de graisse sous-cutanée, les muscles abdominaux sont séparés, le péritoine ouvert; la vessie qui est tenue vide à l'aide d'une sonde est écartée soigneusement. Une fois atteint, l'utérus est sectionné, habituellement dans sa partie inférieure; on aspire le liquide amniotique, puis on extrait l'enfant de l'utérus. On aspire ensuite le mucus pouvant s'être logé dans les narines et la bouche du bébé et celui-ci commence à respirer comme dans le cas d'une naissance par voie vaginale.

On recoud pour finir les différentes couches du ventre de la mère, et l'accouchement est terminé. On place alors la mère pendant quelques heures dans une salle de réveil afin de surveiller ses signes vitaux.

### 3.10.2  Les traumatismes crâniens et l'anoxie

Malgré leurs grandes capacités naturelles d'adaptation physique réciproques, l'accouchement place la mère et l'enfant dans une telle intensité d'interaction que certaines complications périnatales peuvent surgir. Le passage de la tête de l'enfant dans le canal pelvien peut être difficile et exercer sur le crâne une pression excessive, ce qui a pour effet de créer une lésion cérébrale plus ou moins sérieuse. Cette difficulté peut être due au fait que le bassin maternel est trop étroit pour pouvoir livrer passage au crâne.

Par ailleurs, l'étape 2 peut être périlleuse si, à cause de la mauvaise position du bébé, l'accouchement dure trop longtemps. L'enfant peut en effet avoir la figure en avant (présentation faciale avec menton relevé, voir figure 3.9, page 91) plutôt qu'orientée vers le bas dans le passage, ou encore il peut se présenter de façon transversale. S'il est impossible de placer l'enfant dans l'axe vertical, avec présentation de la tête ou même du siège, on procède généralement à une césarienne, car si l'enfant s'engage dans le canal dans une position transversale, le temps de passage peut se prolonger (s'il n'y a pas carrément blocage) jusqu'à provoquer un manque d'oxygène (ou anoxie) par compression du cordon ombilical. Le système nerveux est particulièrement sensible à l'anoxie, et des lésions neurologiques peuvent alors se produire. Une hémorragie importante de la mère en travail peut aussi réduire la concentration d'oxygène dans le sang.

Le risque d'anoxie est élevé lorsque la période de travail est très longue et aussi, ce qui peut paraître surprenant, lorsque la période de travail est très courte. Dans ce dernier cas, la transition trop rapide vers l'air libre fait que le bébé a de la difficulté à commencer à respirer, ce qui aboutit à l'anoxie. Amiel-Tison (1975) a par ailleurs émis l'hypothèse que l'anoxie serait non pas la cause mais l'effet d'une lésion cérébrale: une atteinte neurologique pourrait en effet être à l'origine de la difficulté à amorcer la respiration normale.

Selon Sameroff et Chandler (1975), des études longitudinales montrent que les effets négatifs de l'anoxie légère de naissance peuvent disparaître avec le temps, puisqu'une forte proportion d'enfants qui en ont souffert ont une intelligence normale à l'âge de sept ans. De nouveaux circuits neurologiques se formeraient au cours de l'enfance pour assurer les fonctions des régions lésées par l'anoxie.

### 3.11  L'EFFET DE CERTAINES ANESTHÉSIES UTILISÉES POUR L'ACCOUCHEMENT

On fait couramment appel aux anesthésiques pour diminuer les douleurs de l'accouchement. Toutefois, un bon nombre de travaux ont montré que certains produits anesthésiques ont pour effet de réduire la quantité d'oxygène qui parvient au fœtus. Ces produits peuvent aussi, à court et à moyen terme, nuire à l'interaction entre la mère et le nouveau-né (Brackbill, 1979; Scanlon et Hollenbeck, 1983). En effet, d'une part, la réponse du bébé est plus faible du fait que son attention et ses habiletés motrices sont réduites, et, d'autre part, certains produits émoussent la sensibilité de la mère.

Aux États-Unis, où 95 % de toutes les naissances sont accompagnées d'une forme ou une autre de médication, Brackbill (1977) a recueilli des données longitudinales sur 3500 enfants normaux nés à terme après un accouchement sans complication. Il a comparé, à 4, à 8 et à 12 mois, les enfants dont la mère avait reçu une forte dose d'anesthésique à l'accouchement avec ceux dont la mère n'avait reçu qu'une faible dose. Le premier groupe présentait, aux différents âges, un déficit dans les habiletés suivantes: se tenir assis, debout, se déplacer, cesser de pleurer lorsqu'on les console et écarter les stimuli les distrayant d'une occupation. Cette étude d'envergure a aussi indiqué que, plus tard dans l'enfance, les enfants dont la mère avait absorbé une forte médication présentaient un certain déficit de langage (Lerner et Hultsch, 1983).

On a observé que certains produits avaient un effet sur l'interaction mère-enfant même lorsqu'ils étaient administrés à la femme après l'accouchement, ce qui indique que la mère aussi joue un rôle dans l'interaction (Hollenbeck, Gerwitz, Sebris et Scanlon, 1984).

La question de l'utilisation de l'anesthésie en obstétrique est délicate: l'accouchement entraîne certainement les douleurs les plus vives qui soient et la souffrance peut elle-même, dans certains cas, interférer avec la naissance. Les anesthésistes sont conscients qu'il faut maintenir un équilibre entre les effets secondaires (sur l'interaction mère-enfant notamment) et la suppression de la sensibilité à la douleur.

## 3.12 LA NAISSANCE PRÉMATURÉE ET LE RETARD DE CROISSANCE PRÉNATALE

Moins de 5 % des enfants naissent exactement le 280e jour après les dernières menstruations de la mère (266 jours après l'ovulation), et 75 % des enfants viennent au monde deux semaines ou moins avant ce jour (Smart et Smart, 1977).

### 3.12.1 Le bébé prématuré

La durée normale de la période de gestation est de 40 semaines à partir des dernières menstruations de la mère et, lorsque le bébé naît avant la fin de la 37e semaine, il est considéré comme prématuré. Plus la durée de la gestation est inférieure à la normale, plus le degré de prématurité est important. Un enfant né à 20 semaines de gestation est évidemment prématuré; sa situation est beaucoup plus précaire que celle d'un enfant qui naît à 36 semaines, et les risques entraînés sont également plus sérieux.

Les conséquences d'une naissance survenant avant la fin de la période de développement prénatal sont nombreuses et elles découlent généralement du fait que les grandes fonctions de l'organisme sont physiologiquement immatures et que l'enfant est incapable d'exécuter les actions élémentaires nécessaires à la vie extra-utérine. Le poids à la naissance est un bon indicateur des risques périnatals.

Le gain de poids devient alors un élément important: les bébés prématurés, qui parfois ne pèsent pas plus de 750 g, ne peuvent compter sur des réserves adipeuses pour se protéger des variations de température. Étant donné le caractère déficient de la thermorégulation, on a recours à un incubateur pour contrôler rigoureusement la température ambiante. Les grands prématurés présentent aussi des difficultés respiratoires: leurs poumons n'ont pas suffisamment de surfactant, cette substance visqueuse qui tapisse les alvéoles pulmonaires et facilite la consommation de l'oxygène, c'est-à-dire son acheminement depuis l'air inspiré jusqu'au sang. On augmente donc en conséquence le taux d'oxygène dans l'incubateur, et la concentration de cet élément doit être réglée avec soin, car un excès d'oxygène peut endommager la rétine de l'œil et affecter la vue en permanence (fibroplasie rétrolentale).

Les soins fournis aux bébés prématurés doivent leur permettre de terminer leur développement, normalement prénatal, en les soustrayant aux menaces de l'environnement. Les prématurés peuvent éprouver non seulement des problèmes de thermorégulation ou de respiration qui justifient leur séjour en incubateur pendant les premières semaines de vie, mais aussi des problèmes de succion, de déglutition ou de digestion qui requièrent des soins médicaux particuliers.

Selon Goldberg et DiVitto (1983), entre 80 % et 85 % des prématurés pesant de 1 à 1,5 kg et de 50 % à

60 % de ceux qui pèsent entre 750 g et 1 kg à la naissance survivent lorsqu'ils bénéficient de soins adaptés à leur condition. Environ le quart des enfants du second groupe sont atteints de problèmes permanents qui vont du handicap mental profond aux problèmes visuels ou respiratoires moins aigus.

Un bébé peut être prématuré, mais ne présenter aucun retard de croissance ; son développement correspond alors à son âge gestationnel réel. Un enfant, prématuré ou non, présente un retard de croissance prénatale s'il est beaucoup plus petit que les autres du même âge gestationnel. Sa croissance prénatale n'a pas été aussi rapide et aussi complète que celle des autres.

On met souvent ce retard sur le compte de la nutrition du fœtus, ce qui signifie probablement que c'est la nutrition à long terme de la mère et sa capacité physique générale plus que son régime pendant la grossesse qui font problème, même si le régime est un élément important et peut à lui seul expliquer les retards de croissance prénatale (Lowrey, 1973). La quantité et la qualité du placenta sont des éléments qui déterminent la croissance du fœtus. Puisque cette masse plus ou moins grande de tissu sert de médiateur pour les éléments nutritifs, l'oxygénation et l'élimination, plus elle sera petite, moins elle apportera au fœtus en croissance. La moins grande disponibilité de tissus placentaires pour chaque fœtus peut expliquer la tendance qu'ont les jumeaux ou les triplets à naître plus petits que la moyenne (sans pour cela que l'on puisse parler systématiquement de « retard développemental » dans ces cas).

Les retards de croissance prénatale provenant de dysfonctions physiques et mentales peuvent être dus à des facteurs génétiques (donc transmis par les parents) ou à des problèmes précoces de la grossesse (Lowrey, 1973).

### 3.12.2  L'attachement parent-enfant prématuré

Abstraction faite de leurs difficultés fonctionnelles particulières, les enfants de très petit poids à la naissance sont défavorisés du fait qu'il est plus difficile pour les parents de développer un attachement sécurisant avec eux, de comprendre leurs gestes et leurs mimiques et, par là, de pourvoir à leurs besoins, lesquels sont par ailleurs assez irréguliers et imprévisibles. Leur sommeil est souvent irrégulier, leur appétit robuste mais capricieux et leurs pleurs plus difficiles à relier à une cause précise. Certains chercheurs se sont intéressés aux pleurs des enfants prématurés et ils ont montré qu'ils pouvaient aider à déceler certaines anomalies développementales et à établir un pronostic concernant le développement (Lester, 1983). Malheureusement, la très grande majorité des parents de prématurés ne sont pas en mesure de décoder de telles informations dans les manifestations sonores de leur nouveau-né.

Tout cela entraîne, chez les parents, un accroissement du stress et un sentiment d'incompétence, en même temps que le bébé échoue dans ses tentatives de communication et tarde à acquérir cette confiance de base qui lui permettrait de diriger un tant soit peu sa vie (Cloutier, 1985). Ce type d'incapacité ressemble à l'« impuissance apprise » décrite par Seligman (1974), laquelle est liée à la dynamique cognitive de la dépression chez les adultes : lorsque nos tentatives échouent de façon systématique, nous apprenons que nous n'avons pas d'influence, nous développons la conviction que nous sommes impuissants.

La fragilité du prématuré peut donc faire obstacle à l'établissement d'une bonne communication avec ses parents. Le défi pour ces derniers est d'autant plus

---

Tessier et autres (2003) font état des résultats d'une méthode novatrice en matière de soins aux bébés prématurés et de petit poids. Il s'agit de la méthode Kangourou qui consiste, pour la mère (ou le père), à porter l'enfant prématuré sur son ventre 24 heures sur 24, peau contre peau, pendant les deux ou trois premières semaines après l'accouchement. Les auteurs ont notamment évalué les effets de cette pratique en Colombie auprès de plus de 480 mères d'enfants nés environ sept semaines avant terme et ont observé des effets positifs sur la croissance de l'enfant, le sentiment de compétence de la mère et le développement de l'attachement mère-enfant. Comparativement aux soins traditionnels, la méthode Kangourou favoriserait davantage le développement neurologique du nourrisson prématuré et se traduirait par des gains sur le plan intellectuel à 12 mois, surtout chez les enfants fortement prématurés, c'est-à-dire nés après une gestation de 30 à 32 semaines.

Source : R. Tessier, M.B. Cristo, S. Velez, M. Giron, L. Nadeau, Z. Figueroa de Calume, J.G. Ruiz-Palaez et N. Charpak (2003), « Kangoroo mother care : A method for protecting high-risk low birth-weight and premature infants against developmental delay », *Infant Behavior and Development*, 26, p. 384 à 397.

grand que le bébé a plus de besoins et que les plaisirs qu'il peut procurer sont peu nombreux, comparativement aux bébés de poids normal nés à terme qui prennent rapidement un régime régulier de vie, sourient plus souvent, pleurent moins, supportent mieux les délais (notamment parce que leurs réserves de graisse ont pour effet d'atténuer l'irritation hypoglycémique lorsque la faim survient). Au moins à court terme, le prématuré donne à ses parents plus de soucis que de plaisirs. Or, pour une bonne proportion de ces enfants, ce qui peut faire la différence entre le rattrapage et le retard définitif, c'est justement la qualité des stimulations environnementales et des soins fournis au début de la vie. C'est pourquoi il est très important que le personnel spécialisé en périnatalité sache reconnaître les enfants à risques et aide les parents à exercer leur rôle auprès de leur enfant (Knopp, 1983).

## 3.13  L'EXAMEN DU NOUVEAU-NÉ

Tout de suite après la naissance et environ cinq minutes après, il est d'usage que les personnes qui aident à l'accouchement évaluent l'état général du bébé. L'évaluation se fait généralement à l'aide de l'échelle que Virginia Apgar (1953) a élaborée et qui consiste à coter de 0 à 2 cinq éléments fonctionnels chez l'enfant :

1) l'apparence, c'est-à-dire la couleur du bébé ;
2) le pouls ;
3) la grimace, c'est-à-dire le réflexe d'irritabilité ;

4) l'activité, qui est mesurée par le tonus musculaire ;
5) la respiration, évaluée selon l'effort déployé pour respirer régulièrement ou la force des pleurs.

Le tableau 3.4 présente l'échelle d'Apgar servant à l'évaluation des enfants à la naissance. Un score total de 7 à 10 témoigne d'une bonne condition, une cote de 5 ou de 4 peut témoigner de certaines anomalies développementales, et une cote de 3 et moins commande des mesures d'urgence puisque la survie de l'enfant peut être menacée.

Il existe d'autres échelles de développement néonatal ; l'échelle de Dubowitz (Dubowitz, Dubowitz et Goldberg, 1970) et celle de Brazelton (Brazelton, 1973) sont les plus connues.

Les réflexes sont des réponses involontaires, communes à tous les individus d'une même espèce. On classe généralement les réflexes en trois grandes catégories :

1) les réflexes d'approche, comportant une forme quelconque d'appropriation ou d'inclusion par l'organisme, comme la succion, la respiration, la déglutition, l'orientation, etc. ;
2) les réflexes d'évitement, qui consistent à rejeter ou à fuir une stimulation quelconque ; la toux, l'éternuement, le clignement des yeux et le retrait musculaire font partie de cette catégorie ;
3) les autres réflexes, qui ne peuvent être classés dans la catégorie de l'approche ou de l'évitement

**Tableau 3.4**  Échelle d'Apgar d'évaluation du bébé à la naissance

| Score | A<br>Apparence<br>(couleur) | P<br>Pouls<br>(rythme cardiaque) | G<br>Grimace<br>(irritabilité) | A<br>Activité<br>(tonus) | R<br>Respiration<br>(effort respiratoire) |
|---|---|---|---|---|---|
| 0 | bleu pâle | absent | pas de réponse | déficitaire | absente |
| 1 | corps rose<br>extrémités bleues | moins<br>de 100/min | grimace<br>flexion | une certaine<br>activité, irrégulière<br>aux extrémités | lente |
| 2 | tout rose | entre 100<br>et 140/min | flexion<br>réponse vigoureuse<br>à la stimulation | mouvement<br>actif | régulière<br>avec pleurs<br>normaux |

Source : Adapté de V.A. Apgar (1953), « A proposal for a new method of evaluation of the newborn infant », *Current Research in Anesthesia and in Analgesia*, 32, p. 260 à 267.

et qui, comme tous les autres réflexes, auraient permis la survie à certaines époques de l'évolution phylogénétique de l'espèce humaine; les réflexes de Moro et le signe de Babinski, décrits au tableau 3.5, appartiennent à cette catégorie. Sur le plan de la survie, ces réflexes demeurent d'une grande valeur chez certains primates: par exemple chez certains singes, les réflexes de Moro et de préhension permettent au nouveau-né de rester proche de sa mère ou de s'accrocher à sa fourrure pour le transport.

Le fait que ce patrimoine comportemental soit normalement présent chez tous les humains fournit un moyen précieux d'évaluation du développement périnatal du bébé: les réflexes témoignent du fonctionnement des circuits nerveux. Plusieurs réflexes apparus au cours du développement prénatal disparaissent avant l'âge de un an (le moment approximatif de cette disparition est indiqué au tableau 3.5). Leur disparition serait due à l'émergence des fonctions corticales du cerveau: les réflexes seraient régis par les régions primitives (sous-corticales) du cerveau de sorte que, lorsque ces régions dominent l'activité neurologique, les réflexes se manifestent, mais la mise en route des fonctions corticales

supérieures entraînerait la disparition de ces structures comportementales primitives (Thelen, Fisher et Ridley-Johnson, 1984). Ce qui corrobore cette thèse, c'est que certains chercheurs ont observé que certains réflexes néonatals réapparaissaient chez des vieillards séniles à la suite, probablement, d'une atrophie du cortex cérébral (Lamb et Bornstein, 1987).

## 3.14    LES FONCTIONS DE BASE À LA NAISSANCE

### 3.14.1    L'apparence du bébé naissant

La naissance fait subir à l'organisme une transformation d'une ampleur qui n'aura plus d'équivalent par la suite: d'un milieu aquatique à température contrôlée, avec peu de sensations visuelles ou auditives directes, il passe en quelques heures dans un milieu aérien où il doit assurer lui-même sa respiration et sa nutrition, puis éprouver des différences de température, des sensations visuelles, auditives et tactiles, etc. La transition n'est pas de tout repos puisqu'elle peut entraîner des difformités temporaires du crâne, lequel,

**Tableau 3.5**    Description de certains réflexes connus chez le nouveau-né

| Nom du réflexe | Façon de le susciter | Réaction du bébé | Moment de disparition |
|---|---|---|---|
| Signe de Babinski | Caresse de la plante du pied, du talon vers les orteils | Extension verticale du gros orteil et étirement des autres orteils vers l'extérieur du pied | Vers 12 mois |
| Clignement des yeux | Forte et soudaine stimulation lumineuse | Fermeture des yeux pendant quelques instants | Ne disparaît pas |
| Réflexe de la marche | Maintien du bébé en position debout et contact du pied avec le sol, flexion du genou et inclinaison vers l'avant | Le bébé avance alternativement l'une et l'autre jambe comme pour marcher même s'il ne peut pas supporter son poids | Vers 3-4 mois |
| Réflexe de Moro | Privation soudaine de support de la tête et du cou ou encore bruit violent | Extension des bras vers l'extérieur puis fermeture comme pour étreindre | Vers 5-6 mois |
| Réflexe des points cardinaux | Légère stimulation de la joue du bébé avec l'index | Le bébé tourne sa tête en direction du doigt et ouvre la bouche comme pour essayer de sucer le doigt | Vers 3-4 mois |
| Réflexe de succion | Insertion de l'index dans la bouche (3 à 4 cm) | L'enfant suce le doigt de façon rythmique | |
| Réflexe de préhension | Pression exercée avec un doigt ou un crayon sur les paumes du nouveau-né | L'enfant referme sa main sur l'objet | Vers 3-4 mois |

heureusement, est suffisamment souple pour supporter sans dommage les pressions qui s'exercent au moment du passage dans le canal pelvien.

À sa naissance, le nouveau-né n'est pas très attirant : yeux bouffis, visage tuméfié et corps taché du sang maternel. Cela est compensé par la beauté de la scène où la mère prend le bébé sur son ventre pour la première fois, lui faisant aussi prendre contact avec le monde extérieur et consolidant le lien qui s'est établi neuf mois plus tôt. Il n'est pas rare, après l'épreuve qu'ils viennent de traverser, de voir un bébé et sa mère tous deux bien calmes dans cette position.

Le tableau 3.6 présente les normes courantes de poids et de taille des nouveau-nés définies par Tanner (1973).

Ainsi que nous l'avons mentionné plus haut, le nouveau-né est recouvert d'un enduit visqueux, le *vernix caseosa,* qui, du fait qu'il rend son corps très glissant, facilite le passage dans le canal pelvien. Mais si le bébé se présente mal, cet enduit visqueux peut rendre plus délicates les manipulations obstétriques visant à corriger la position. Après l'accouchement, un des membres du personnel médical ayant aidé à l'accouchement s'occupera d'aspirer les mucosités logées dans les voies respiratoires de l'enfant et d'instiller dans les yeux un produit médicamenteux destiné à prévenir une infection quelconque. Le bain donné à la naissance (le père qui a assisté à l'accouchement peut le donner) a pour but d'enlever le *vernix caseosa.*

Dans les heures qui suivront cette transition équivalant pour l'organisme à un changement de planète,

l'enfant prendra graduellement l'apparence typique du bébé. Les parents pourront rapidement se persuader que leur bébé est le plus beau de toute la pouponnière, trouver des ressemblances avec le père, avec la mère ou même avec certains autres membres de la parenté.

### 3.14.2 La température du corps du bébé

La température de l'utérus où l'enfant vivait était de 37 °C, alors que celle de la pièce dans laquelle il naît est généralement inférieure à 30 °C. Il y a donc pour lui une déperdition de température assez considérable. La régulation thermique est un élément important de l'adaptation de l'enfant à son nouveau monde puisque la régulation de plusieurs fonctions organiques et cellulaires est assurée par des enzymes qui ne peuvent agir qu'à l'intérieur des limites normales de la température corporelle. Les réserves d'énergie sont alors fortement sollicitées de sorte que, si elles sont insuffisantes, comme dans le cas des prématurés de faible poids, on doit assurer le contrôle thermique en plaçant l'enfant dans un incubateur.

Lorsque la température est trop basse (hypothermie), il y a danger de ralentissement métabolique, c'est-à-dire d'un ralentissement respiratoire et cardiaque qui aboutit à un manque d'oxygène. Lorsque la température est trop élevée (hyperthermie), le fonctionnement des enzymes peut être inhibé, et la respiration alors plus rapide peut provoquer une augmentation du taux d'acidité sanguine, laquelle crée des perturbations métaboliques.

**Tableau 3.6** Moyennes et écarts types des mensurations des garçons et des filles à la naissance

| | Garçons | | Filles | |
|---|---|---|---|---|
| | Moyenne | Écart type | Moyenne | Écart type |
| **Longueur du corps** | 50 cm | 1,94 cm | 49,5 cm | 1,94 cm |
| **Poids** | 3500 g | 53 g | 3400 g | 57 g |
| **Circonférence de la tête** | 36 cm | 1,97 cm | 34 cm | 1,6 cm |

Selon la courbe normale, 68 % de la population est comprise dans l'intervalle défini par le point situé à moins un, écart type de la moyenne, et celui qui est situé à plus un, écart type de la moyenne.

Source : Adapté de J.M. Tanner (1973), « Physical growth and development », dans J.O. Forfar et G.C. Arneil, *Textbook of Pediatrics,* Londres, Churchill Livingstone.

### 3.14.3  **Les états de veille et de sommeil**

Un des caractères particuliers de la vie des nouveau-nés réside dans la distribution des périodes de veille et de sommeil. Ces deux états ne sont pas polarisés dans des limites, c'est-à-dire qu'il n'y a pas, comme chez l'adulte, une longue période de sommeil (généralement la nuit) et une longue période de veille (généralement le jour). Le nouveau-né dort normalement 16 heures par jour, mais ce long sommeil est réparti en 7 ou 8 périodes qui sont suivies de périodes de veille. S'il existe des différences individuelles assez grandes dans la distribution du sommeil, on assiste à une polarisation progressive du sommeil chez tous les enfants; dès le premier mois, les périodes de sommeil s'allongent et, heureusement pour les parents, la période de veille nocturne diminue au profit du sommeil. À huit semaines, l'enfant dort généralement plus la nuit que le jour, ce qui constitue un pas important dans son adaptation au milieu: la vie avec un bébé qui «fait ses nuits» ou presque devient beaucoup plus facile pour la famille.

La figure 3.11 montre que le temps de veille augmente, mais plus encore la longueur des périodes de sommeil. À deux ans, l'enfant aura 12 heures et plus par jour de sommeil avec une ou deux bonnes siestes pendant le jour, mais il dormira principalement la nuit.

**Figure 3.11**    Cycle de veille et de sommeil d'un bébé (fille) représentant la maturation qui s'effectue au cours des six premiers mois de vie

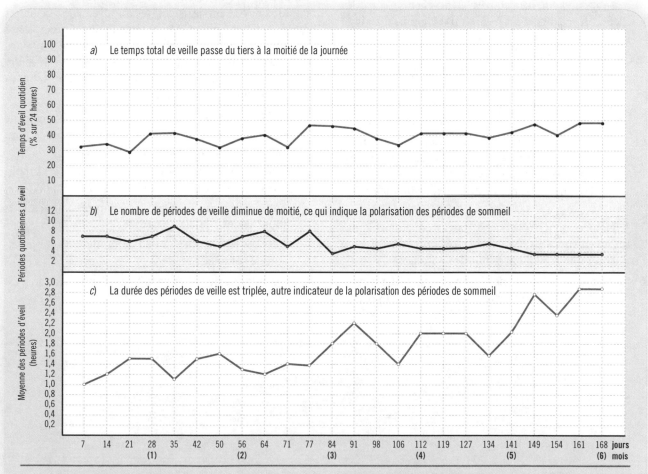

Source: M.E. Lamb et M.H. Bornstein (1987), *Development in Infancy: An Introduction*, 2ᵉ éd., New York, Random House.

La polarisation des périodes de veille et de sommeil est donc un phénomène dominant dans cette évolution.

Chez le jeune bébé, on distingue, outre le sommeil et l'éveil, six états distincts de vigilance (Wolff, 1966):

1) *sommeil ordinaire*: le bébé a les yeux fermés, il respire lentement et normalement (environ 36 respirations par minute), son tonus musculaire est faible ainsi que son activité motrice (il bouge très peu);

2) *sommeil profond ou paradoxal (REM)*: l'activité motrice et le tonus musculaire augmentent, le bébé fait des grimaces et des sourires; on observe des périodes de mouvement rapide des globes oculaires (d'où l'acronyme anglais REM: *rapid eye movements*), la respiration est moins régulière et elle se fait à un rythme de 48 par minute environ;

3) *assoupissement*: cet état est à mi-chemin entre les deux précédents, c'est-à-dire qu'il y a plus d'activité que dans le sommeil régulier mais moins que dans le sommeil profond; les yeux peuvent s'ouvrir et se fermer de façon intermittente, offrant un regard vide lorsqu'ils sont ouverts, la respiration est plus régulière et plus lente que dans le sommeil profond mais plus rapide que dans le sommeil ordinaire;

4) *vigilance passive*: le bébé est éveillé, attentif, mais plutôt inactif sur le plan moteur, ses yeux vifs peuvent suivre un objet en mouvement; sa respiration est régulière et plus rapide que dans le sommeil ordinaire;

5) *vigilance active*: le bébé fait fréquemment des mouvements diffus de tout son corps, respire de façon moins régulière et fait des vocalises;

6) *détresse*: le bébé fait des mouvements diffus vigoureux, des grimaces et il pleure; sa peau est plus rouge.

## 3.15 LE SYNDROME DE MORT SUBITE

Le syndrome de mort subite consiste dans le fait que le nouveau-né cesse spontanément de respirer et meurt. Le plus souvent, cet événement tragique survient pendant le sommeil de nourrissons dont l'âge varie entre 2 et 4 mois, et rarement plus de 6 mois. Il s'agit de la cause la plus importante de mortalité chez les nourrissons: le tiers des décès des enfants âgés entre une semaine et un an sont attribuables à ce syndrome (Lerner et Hultsch, 1983). Ce phénomène, encore mal élucidé, se rencontre le plus souvent chez les garçons dont le poids était faible à la naissance et qui ont déjà éprouvé des problèmes respiratoires. Le décès serait non pas dû à un étouffement, mais plutôt à un défaut de réagir au manque d'oxygène causé par l'arrêt respiratoire appelé « apnée du sommeil », qui se produit souvent dans les périodes de sommeil profond (c'est-à-dire les périodes de sommeil paradoxal où apparaissent les mouvements oculaires rapides). C'est comme si le système d'alarme avertissant l'enfant de réactiver le réflexe respiratoire ne fonctionnait pas. La période où l'enfant est susceptible d'être atteint de ce syndrome (entre 2 et 4 mois) se terminerait avec la maturation neurologique.

Lerner et Hultsch (1983, p. 128) résument de la manière suivante les données statistiques concernant le syndrome de mort subite chez l'enfant:

– le syndrome touche surtout les enfants de 1 à 12 mois, et le risque est à son maximum entre 2 et 4 mois;

– il atteint surtout les enfants prématurés et les enfants appartenant à la classe pauvre;

– il est souvent associé à de l'irritabilité, à une privation de sommeil; et

– l'enfant ne crie pas et ne fait pas de bruit, la mort est silencieuse.

# Questions

1. L'un des énoncés suivants relatifs à la sensibilité de l'embryon aux agents tératogènes est exact. Lequel ?

    a) La susceptibilité du fœtus aux agents tératogènes demeure la même tout au long de la gestation.

    b) Le fœtus est généralement plus sensible aux agents tératogènes vers la fin de la grossesse.

    c) Pendant les deux premières semaines de la gestation, l'embryon est moins sensible aux agents tératogènes, mais leur action éventuelle peut être fatale ou négligeable.

2. Nommez dans l'ordre les trois périodes du développement prénatal.

3. *Vrai ou faux*. L'ovule est la plus grosse cellule du corps de la mère.

4. Au moment de la fécondation, où se trouve l'ovule ?

    a) dans les trompes de Fallope

    b) dans l'utérus

    c) dans un ovaire

5. *Complétez la phrase*. Le mécanisme de division cellulaire qui entre en jeu dans le développement de l'embryon après la fécondation s'appelle la _____.

6. Qu'est-ce qui déclenche le mouvement de l'ovule fécondé, depuis la trompe de Fallope vers l'utérus ?

7. Les cellules de l'écusson embryonnaire se divisent en trois couches différenciées qui donneront lieu au développement de différentes parties du corps de l'enfant : 1) l'ectoderme ; 2) le mésoderme ; et 3) l'endoderme. En respectant l'ordre de mention qui précède, identifiez les tissus qui se développeront à partir de chaque couche parmi les suivants :

    a) le squelette, le système cardio-vasculaire, le sang et les muscles

    b) la peau, les organes sensoriels et les tissus nerveux

    c) le système digestif et le système respiratoire

8. Après combien de semaines de grossesse le fœtus est-il viable ?

    a) 22 semaines

    b) 28 semaines

    c) 38 semaines

    d) 42 semaines

9. *Vrai ou faux*. Le placenta est un disque de tissus fortement vascularisés qui, à maturité, mesure environ 1 cm d'épaisseur et 5 cm de diamètre.

10. Le sang de la mère ne coule pas directement dans les artères et les veines du bébé. Justifiez votre réponse.

11. *Complétez la phrase*. À partir du début de son troisième mois d'existence intra-utérine, l'organisme est appelé _____.

12. À partir de quelle période du développement prénatal l'organisme peut-il commencer à bouger ?

13. *Vrai ou faux*. Le fœtus dort, s'éveille et peut pleurer à partir du sixième mois.

14. Qu'est-ce que le *vernix caseosa* ?

15. Laquelle des deux combinaisons chromosomiques suivantes détermine le sexe masculin ?

    a) XX

    b) XY

16. Quel est le nom de l'hormone sécrétée par les testicules qui stimule le développement du canal de Wolff dans la différenciation sexuelle ?

17. *Vrai ou faux.* En l'absence de l'hormone sécrétée par les testicules, c'est le modèle féminin de développement qui apparaît automatiquement.

18. *Complétez la phrase.* L'examen du processus de différenciation sexuelle des embryons mâle et femelle au cours du développement prénatal permet d'expliquer pourquoi la biochimie hormonale différencie non seulement leur anatomie mais aussi les bases de leur fonctionnement _____ futur.

19. Quel est le signe classique permettant de déceler la grossesse ?

20. Nommez deux symptômes qui apparaissent souvent chez la femme en début de grossesse.

21. *Choisissez la bonne réponse.* Indiquez ce qui permet le plus de déterminer la capacité d'une femme à porter facilement un enfant.

    a) les réserves corporelles qu'elle a amassées au cours de sa propre croissance

    b) le régime alimentaire qu'elle commence à suivre dès qu'elle sait qu'elle est enceinte

    c) les suppléments de vitamines et minéraux qu'elle prend quotidiennement

22. *Choisissez la bonne réponse.* Au cours de la grossesse, le volume sanguin du corps de la mère s'accroît d'environ :

    a) 5 %

    b) 10 %

    c) 20 %

    d) 35 %

    e) 50 %

23. Qu'est-ce que le colostrum ?

24. Indiquez deux habitudes de vie recommandées au cours de la grossesse.

25. Indiquez deux effets néfastes que le tabagisme a sur le développement du fœtus.

26. Indiquez deux facteurs pouvant faire de la grossesse une expérience heureuse ou malheureuse pour la mère.

27. Nommez trois des quatre grandes catégories de tératogènes.

28. Indiquez deux modes d'action des tératogènes.

29. *Expliquez brièvement.* L'effet d'un agent tératogène varie suivant le moment où le fœtus est exposé à celui-ci.

30. *Choisissez la bonne réponse.* Indiquez la période de la vie de la femme où la grossesse comporte le moins de risque.

    a) 13 à 23 ans

    b) 18 à 35 ans

    c) 25 à 40 ans

    d) 30 à 45 ans

31. *Vrai ou faux.* Le corps de la femme produit un nouvel ovule chaque mois.

32. *Vrai ou faux.* Les risques de problèmes de grossesse sont fonction de l'âge de la mère. L'influence de l'âge sera plus forte chez la femme qui a déjà eu des enfants auparavant que chez celle qui n'en a jamais eus.

33. L'âge avancé du père représente-t-il un risque pour le développement du fœtus ?

34. Au cours d'une grossesse normale, combien de kilogrammes supplémentaires la femme enceinte doit-elle prendre ?

    a) 5 kg

    b) 8 kg

    c) 12 kg

    d) 20 kg

35. Nommez quatre des cinq grandes catégories d'éléments nutritifs qui doivent être présents dans l'alimentation de la femme enceinte.

36. Nommez deux agents tératogènes physiques potentiels.

37. Qu'est-ce qu'une *mutation génétique* ?

38. *Vrai ou faux.* Le fœtus exposé aux radiations peut présenter des anomalies sur le plan du développement ; en outre, ses cellules germinales peuvent transmettre des anomalies à ses descendants par mutation génétique.

39. Indiquez une conséquence probable d'un taux d'insuline mal contrôlé par la diabétique enceinte.

40. Comment appelle-t-on le diabète passager dont certaines femmes enceintes sont atteintes pendant leur grossesse ?

41. *Vrai ou faux.* Un diabète passager durant la grossesse amène un développement plus lent du fœtus.

42. *Complétez la phrase.* Dans 90 % des cas, l'intoxication du fœtus par la phénylalanine provoque _____.

43. Indiquez la période de la grossesse où les effets de la rubéole contractée par la femme enceinte risquent d'être les plus dommageables.

    a) les quatre premiers mois de grossesse

    b) les 4e et 5e mois de la grossesse

    c) les 6e et 7e mois de la grossesse

    d) les 8e et 9e mois de la grossesse

44. Nommez deux systèmes de l'organisme susceptibles d'être perturbés par l'infection à cytomégalovirus (CMV).

45. *Vrai ou faux.* La plupart des enfants infectés par l'herpès simplex acquièrent le virus au début de la gestation.

46. Nommez deux maladies transmissibles sexuellement autres que le sida qui, lorsqu'elles sont contractées par la femme enceinte, peuvent avoir des effets nocifs sur l'enfant à naître.

47. *Vrai ou faux.* Il existe maintenant des médicaments qui diminuent significativement le risque de transmission du sida par la mère sidatique au fœtus pendant la grossesse.

48. Quels sont les trois fluides corporels dans lesquels on trouve les plus fortes concentrations du VIH ?

49. Nommez deux types d'agents chimiques potentiellement tératogènes contenus dans les polluants environnementaux.

50. Indiquez deux caractères distinctifs des enfants atteints du syndrome d'alcoolisme fœtal.

51. *Vrai ou faux.* Les études indiquent que les femmes enceintes qui fument tendent à avoir des bébés plus petits que les femmes enceintes qui ne fument pas.

52. Indiquez deux conséquences possibles associées à un haut niveau de stress ou de perturbation émotionnelle de la mère.

53. Nommez deux processus dont dépend la fertilité humaine.

54. Définissez brièvement l'infertilité.

55. Indiquez à quelle définition se rattachent les expressions suivantes : 1) fécondation *in vitro* ; 2) insémination artificielle.

    a) Exposition d'un ovule à des spermatozoïdes en dehors du corps de la femme et insertion ultérieure de l'œuf fécondé dans l'utérus pour implantation.

    b) Dépôt de sperme dans les voies génitales à un moment propice du cycle menstruel.

56. Nommez trois interdictions contenues dans la loi canadienne régissant l'aide à la procréation.

57. Expliquez brièvement en quoi consiste le clonage thérapeutique.

# 4

# Le développement physique, perceptif et moteur

Richard Cloutier
Pierre Gosselin

## 4.1    INTRODUCTION

Le présent chapitre comprend trois parties. La première porte sur la croissance physique de l'enfant. La notion de croissance physique est probablement celle qui est le plus directement associée à celle de « développement ». En fait, ce n'est que récemment, avec l'étude du développement envisagé du point de vue de l'ensemble du cycle de la vie, que la psychologie a élaboré une conception du développement humain qui ne recoupe pas exactement celle de la croissance : le développement qui est présent entre 30 et 50 ans ne signifie pas nécessairement « croissance ». En ce qui a trait à l'enfant, toutefois, la croissance du corps est certainement l'indice le plus sûr du niveau de développement ; l'apparence du corps permet en effet de savoir où l'enfant en est dans son évolution.

Dans la deuxième partie, nous présenterons d'abord les méthodes d'étude utilisées dans le domaine de la perception chez l'enfant, puis nous examinerons le profil évolutif des compétences perceptives pour chacun des cinq sens (vue, ouïe, goût, odorat et toucher) ainsi que les compétences tout à fait surprenantes du jeune enfant relativement à l'intersensorialité. Enfin, nous dégagerons les principales tendances qui entrent en jeu dans le développement de la perception.

La troisième partie est consacrée à la motricité. Il sera d'abord question des aspects psychologiques de la motricité chez le jeune enfant, puis de la maîtrise de la posture, de la préhension et de la locomotion. Nous décrirons en dernier lieu certains problèmes qui sont susceptibles d'influer sur le développement moteur.

## 4.2    LA CROISSANCE PHYSIQUE DE L'ENFANT

### 4.2.1    La courbe de croissance

Non seulement le nourrisson est plus petit que l'adulte, mais également ses proportions sont différentes de celles de ce dernier, et un bon nombre de ses fonctions physiques et physiologiques ne sont pas encore parvenues à maturité. Pendant longtemps, l'enfant a été regardé comme un adulte en miniature. Les tableaux anciens représentant des enfants témoignent de cette conception : dans la figure 4.1, les proportions de la tête et des membres de l'enfant par rapport au corps sont vraiment les mêmes que chez l'adulte. En réalité, la tête d'un nouveau-né est beaucoup plus grosse proportionnellement au corps. L'Enfant Jésus, que nous présente Joos Van Cleve, peintre du XVIᵉ siècle, est représentatif de la conception de l'enfant « adulte en miniature » qui avait cours autrefois.

La croissance physique est déterminée génétiquement, mais elle peut subir l'influence de facteurs environnementaux. Le contrôle génétique de la croissance physique est assuré par l'information que transportent les hormones dans le corps. L'hypothalamus et la glande pituitaire jouent un rôle essentiel dans l'équilibre endocrinien (voir la figure 4.2). L'hormone de « croissance » sécrétée par la glande pituitaire est nécessaire à la croissance normale depuis la naissance jusqu'à la maturité. La thyroxine, produite par la glande thyroïde, est une autre hormone intervenant dans la croissance physique : elle assure la synthèse des protéines et le développement des neurones dans le système nerveux du fœtus et du jeune enfant. À mesure que le cerveau évolue, le rôle de la thyroxine devient plus modeste (Tanner, 1978).

**Figure 4.1**    *Adoration des mages* du peintre flamand Joos Van Cleve (1491-1540)

Les proportions du corps de l'Enfant Jésus le font ressembler à un adulte en miniature.

**Figure 4.2**    La glande pituitaire

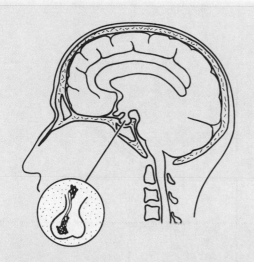

La glande pituitaire (hypophyse) est située à la base du cerveau. L'hypothalamus est la partie inférieure du cerveau, juste au-dessus de la glande pituitaire. Le cercle montre le système des vaisseaux sanguins allant de l'hypothalamus jusqu'à la partie antérieure de la glande pituitaire.

Source : J.M. Tanner (1978), *Fœtus into Man : Physical Growth from Conception to Maturity*, Cambridge (Mass.), Harvard University Press.

La croissance physique intéresse les chercheurs depuis fort longtemps et elle représente probablement le meilleur indice pour déterminer l'étape du développement d'une personne. La petite enfance, l'enfance et l'adolescence, en tant qu'étapes du développement humain, se définissent d'abord par la taille du corps. Tanner (1978), un auteur anglais qui est dans le domaine de l'étude de la croissance physique ce que Jean Piaget est dans celui du développement de l'intelligence, rapporte que la courbe de droite de la figure 4.3 représente le plus ancien compte rendu longitudinal de la croissance physique humaine.

Entre 1759 et 1777, le comte Philibert Guéneau de Montbéliard enregistra la taille de son fils tous les six mois depuis sa naissance. Dans la figure 4.3, la courbe de gauche représente la taille à chaque âge en centimètres, et celle de droite, le gain en fonction de l'âge. La courbe de droite montre que, vers 13-14 ans, la taille augmente plus rapidement. En fait, le taux de croissance de la taille diminue progressivement depuis le quatrième mois du développement prénatal (figure 4.4, page 108), se stabilise vers 4-5 ans et connaît une dernière poussée au moment de la puberté. Pendant les premiers mois de la vie postnatale, la croissance est très rapide : le poids du nourrisson double au cours des trois premiers mois et il triple avant la fin de la première année. McCall (1979) a

**Figure 4.3**    Croissance du fils de Montbéliard de la naissance à 18 ans

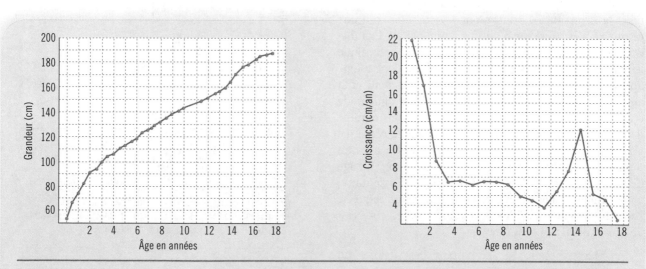

Source : R.E. Scammon (1927), « The first seriation study of human growth », *American Journal of Physical Anthropology*, 10, p. 329 à 336.

calculé que, si le taux de croissance des six premiers mois se maintenait constamment, l'enfant de 10 ans mesurerait environ 30 mètres de hauteur et pèserait environ 20 millions de kilogrammes, ce qui est aussi haut qu'un édifice de 10 étages et 20 fois plus lourd (Hetherington et Parke, 1986).

La croissance physique est un processus très régulier qui ne comporte ni arrêts ni reprises, et la croissance en hauteur n'alterne pas avec la croissance en largeur. Plus les mesures sont prises avec soin, plus la régularité se vérifie : la mesure de certains os au moyen de rayons X montre que la croissance perd en rapidité d'un âge à un autre, mais qu'elle ne connaît pas d'interruptions comme telles avant l'âge adulte.

### 4.2.2    La croissance particulière de certains tissus

Le processus du développement physique et moteur suit deux directions : de haut en bas (depuis la tête vers les jambes) et du centre vers la périphérie. La figure 4.5 montre que la tête d'un fœtus de deux mois représente 50 % de la hauteur du corps tandis qu'à 25 ans elle n'en représente plus que 15 % environ ; cela révèle bien le caractère précoce du développement de la tête par rapport au reste du corps. À la naissance, la tête de l'enfant représente environ 25 % de la longueur totale du corps.

Contrairement à une croyance répandue, la croissance du corps ne cesse pas complètement à la fin de l'adolescence. Les os des membres cessent de grandir, mais la croissance de la colonne vertébrale continue jusque vers 30 ans à raison de 3 à 5 mm par an. La taille demeure stationnaire entre 30 et 45 ans et diminue lentement par la suite. Le corps se modifie donc même après la fin de l'âge mûr ; par exemple, la hauteur et la largeur de la tête et le diamètre facial continuent de croître légèrement pendant toute la vie. Mais comme il est utile de fixer un âge où la croissance physique s'arrête, c'est-à-dire un âge après lequel il y aura au total moins de 2 % d'augmentation de la taille, on fixe un âge d'arrêt (Tanner, 1978). Dans les pays occidentaux, actuellement, l'âge d'arrêt de la croissance physique se situe en moyenne à 17 ans et demi pour les garçons et à 15 ans et demi pour les filles.

La croissance de la plupart des organes du corps, si on les considère individuellement, suit approximativement la courbe de la hauteur du corps. C'est le cas du squelette, des muscles, du volume sanguin et des

**Figure 4.4**    Courbes de grandeur et de vélocité corporelle à la période prénatale et très tôt après la naissance

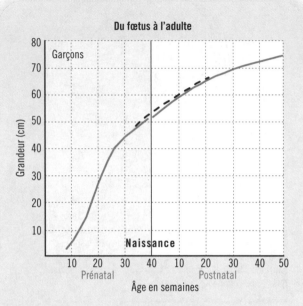

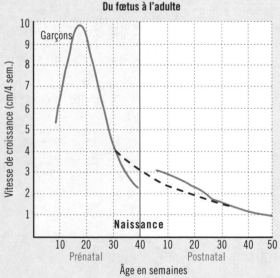

Les lignes continues représentent la croissance et la vitesse de croissance réelles, tandis que les lignes pointillées représentent la courbe présumée si aucune restriction utérine ne survient.

Source : J.M. Tanner (1978), *Fœtus into Man : Physical Growth from Conception to Maturity*, Cambridge (Mass.), Harvard University Press, p. 40.

organes internes tels que le foie, les reins et la rate. La figure 4.7 (page 112) énumère les éléments du corps qui ne suivent pas cette courbe. Le cerveau et le crâne, les tissus lymphoïdes (dans les amygdales, dans l'intestin, etc.) et les organes de reproduction (testicules, ovaires, épididyme, prostate, vésicules séminales, trompes de Fallope) font partie de ces éléments.

### Le développement squelettique

Les tissus cartilagineux, relativement mous, se durcissent graduellement pour former les os. Le processus d'ossification amorcé pendant le développement prénatal se poursuivra, pour certains os, jusqu'à la fin de l'adolescence.

Chez le fœtus, les os longs, tel le radius, sont d'abord constitués de cellules cartilagineuses qui se transforment en os ; ce sont là les premiers centres d'ossification. Après la naissance apparaissent les seconds centres d'ossification, généralement aux deux extrémités des os longs. Comme l'illustre la figure 4.6 (page 110), l'épiphyse située à chaque bout de l'os est une surface osseuse séparée du tronc de l'os par une plaque cartilagineuse appelée « cartilage de conjugaison ». L'épiphyse est une zone d'accroissement des os longs où les tissus cartilagineux se transforment graduellement en tissus osseux. Ainsi, la croissance des os longs des membres se fait vers l'intérieur à partir des extrémités. La plupart des os des membres ont des épiphyses à chacune de leurs extrémités, mais certains d'entre eux, comme le fémur, grandissent plus à partir du cartilage de conjugaison du bas, au genou, qu'à partir de celui du haut, à la hanche (Tanner, 1978). À mesure que la croissance de l'os ralentit, la zone cartilagineuse rapetisse et, à la fin de l'adolescence, lorsque la croissance est terminée, l'épiphyse se referme, c'est-à-dire qu'elle se soude avec le tronc de l'os. La croissance en largeur de l'os se fait par l'addition progressive de couches de cellules osseuses sur la surface extérieure de l'os déjà existant.

La croissance des os est contrôlée génétiquement et comporte plusieurs étapes de réabsorption de

**Figure 4.5**   Changements corporels en fonction de l'âge

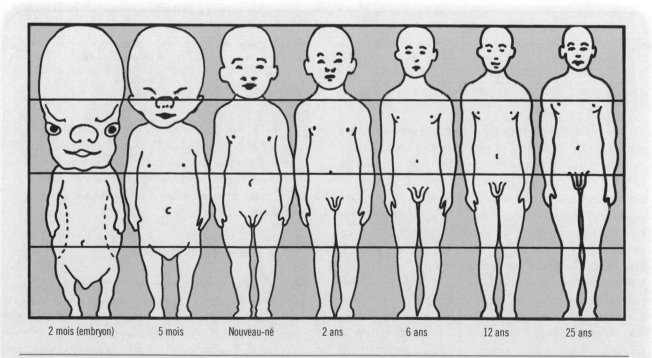

| 2 mois (embryon) | 5 mois | Nouveau-né | 2 ans | 6 ans | 12 ans | 25 ans |

Source : Adaptée de J.W. Robbins et autres (1929), *Growth*, New Haven, Yale University Press.

**Figure 4.6**    Cellules et croissance des tissus

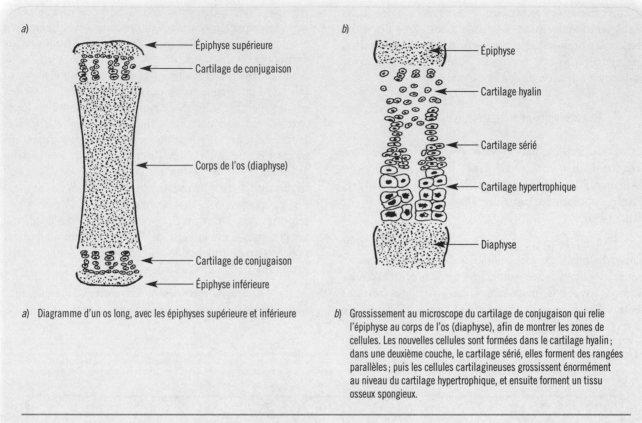

a)    Diagramme d'un os long, avec les épiphyses supérieure et inférieure

b)    Grossissement au microscope du cartilage de conjugaison qui relie l'épiphyse au corps de l'os (diaphyse), afin de montrer les zones de cellules. Les nouvelles cellules sont formées dans le cartilage hyalin ; dans une deuxième couche, le cartilage sérié, elles forment des rangées parallèles ; puis les cellules cartilagineuses grossissent énormément au niveau du cartilage hypertrophique, et ensuite forment un tissu osseux spongieux.

Source : J.M. Tanner (1978), *Fœtus into Man : Physical Growth from Conception to Maturity*, Cambridge (Mass.), Harvard University Press, p. 33, figure 13.

l'os par le corps, étapes où l'os est progressivement remodelé. La forme de l'os en croissance évolue et elle ne correspond donc pas simplement à une addition de cellules en longueur et en largeur. Tanner (1978) rapporte que des chercheurs ont réussi à faire croître des os en milieu artificiel et que leur apparence définitive était assez semblable à celle des os évoluant en milieu naturel ; cette expérience montre que le plan de croissance est déterminé génétiquement (dans l'os lui-même). La configuration finale de l'os dépend aussi des pressions et des tensions créées par les muscles. C'est particulièrement le cas pour les os des mâchoires, dont la grande plasticité permet la correction naturelle de l'occlusion des dents et rend possible les traitements orthodontiques mettant en jeu des tractions ou des pressions exercées sur les dents ou les mâchoires.

Du fait de leur plasticité, les os sont sujets aux déformations au cours de l'enfance. Aussi déconseille-t-on aux jeunes certains exercices physiques tels que l'haltérophilie ou certains lancers au base-ball parce qu'ils engendrent un stress particulier sur les os et les articulations.

### Le développement musculaire

Les muscles se développent en même temps que les os sur lesquels ils s'insèrent. À la naissance, l'enfant possède déjà l'ensemble des faisceaux musculaires qui croîtront considérablement en longueur comme en largeur au cours de l'enfance et de l'adolescence. Les muscles du cou et de la tête se développent plus tôt que ceux des extrémités, conformément au principe de développement «céphalo-caudal» (du grec «tête» et «queue», c'est-à-dire du haut vers le bas). De même, en vertu du principe de développement proximo-distal, le contrôle moteur s'acquiert à partir du centre vers les extrémités, et le nourrisson maîtrisera plus tôt les mouvements de ses épaules que ceux de ses bras ou de ses mains.

### 4.2.3    Le développement du système nerveux

Nous consacrons une section complète au développement des tissus nerveux en raison de sa très grande importance psychologique. On a vu au chapitre 3 que, dès la naissance, l'expérience influe sur le développement des connexions nerveuses: la stimulation des cellules, à certaines périodes essentielles du développement, aurait pour effet de renforcer leurs connexions, tandis que les dendrites non utilisées dépériraient. Nous nous intéressons ici:

1) à la relation entre la maturation neurologique, la myélinisation des neurones et l'apparition de certaines fonctions sensorimotrices;
2) à la spécialisation hémisphérique;
3) aux différences cérébrales entre garçons et filles.

Malgré la très grande quantité de travaux portant sur le fonctionnement du système nerveux et les progrès notables réalisés au cours des 30 dernières années, le nombre de questions sans réponse demeure très élevé. Le cerveau humain comporte entre 100 et 200 milliards de neurones, et un seul neurone peut avoir jusqu'à 30000 dendrites qui reçoivent les messages provenant de 3000 autres neurones (Tanner, 1978). Le nombre de connexions possibles est donc gigantesque. De plus, le cerveau évolue pendant tout le cours de la vie. Comme c'est au cours de la période de croissance physique que l'évolution est la plus rapide (surtout au cours de la gestation et pendant la petite enfance), on a acquis la conviction que l'apprentissage entraîne de nouvelles connexions dendritiques. Donc, si une personne de 60 ans apprend une nouvelle langue par exemple, les neurones responsables de ce type d'activité doivent établir une nouvelle circuiterie. Le fonctionnement précis de cette circuiterie dans les processus mentaux demeure toutefois mal connu.

Le cerveau a une grande capacité à s'adapter à certaines lésions pendant l'enfance, période de la vie où les neurones sont encore en croissance. Si une partie des cellules sont détruites, il y aura compensation des fonctions par un réarrangement des cellules. Cette capacité de compenser des fonctions telles que la parole après une aphasie (perte de l'usage de la parole), n'est pas présente toute la vie, mais on ne sait pas encore exactement quand elle disparaît.

### La maturation neurologique, la myélinisation des neurones et l'apparition des fonctions cognitives

Le cerveau est constitué de deux types de cellules: les cellules nerveuses comme telles ou «neurones» et les «névroglies» ou cellules de soutien. Ces dernières ne transportent pas l'influx nerveux; elles servent d'intermédiaires entre les neurones et le sang qui apporte la nourriture aux cellules. Elles transmettent du glucose, des acides aminés et d'autres substances aux neurones qui utilisent ce matériel pour produire leur énergie et fabriquer des protéines. Les névroglies occupent à peu près la moitié du volume du cerveau et, comme elles sont plus nombreuses que les neurones, elles sont aussi plus petites.

À la figure 4.7 (page 112), on peut voir que le système nerveux (le cerveau, la moelle épinière et les nerfs) évolue rapidement vers un équilibre des proportions presque complet. À la naissance, le poids du cerveau représente environ 25 % de celui de l'adulte, la proportion étant ainsi beaucoup plus élevée que la plupart des organes du corps (à l'exception des yeux); à six mois, le poids du cerveau représente 50 % de celui de l'adulte; à deux ans, 75 %; à cinq ans, 90 %; et à 10 ans, 95 % (Tanner, 1978). Comme le poids total du corps à la naissance représente environ 5 % du poids du corps adulte, le cerveau de l'enfant apparaît donc comme relativement en avance par rapport aux autres structures anatomiques. Le phénomène de la maturation précoce du cerveau reflète bien l'importance du développement neurologique prénatal.

La figure 4.8 (page 113) présente les différentes parties d'une cellule nerveuse, le neurone.

Le développement du système nerveux conditionne l'apparition des fonctions sensori-motrices et cognitives: la perception visuelle et l'intégration de l'information provenant de l'œil à celle provenant de l'oreille, par exemple, ne peuvent se faire que si les cellules nerveuses concernées dans le cerveau sont

**Figure 4.7**   Courbes de croissance de différents tissus et parties du corps

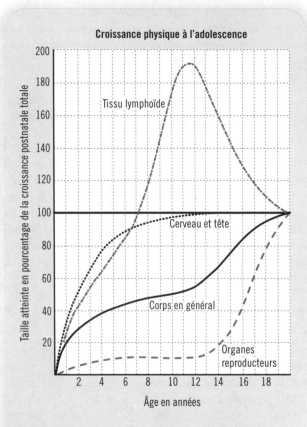

**Croissance physique à l'adolescence**

*Taille atteinte en pourcentage de la croissance postnatale totale*

Tissu lymphoïde

Cerveau et tête

Corps en général

Organes reproducteurs

Âge en années

Toutes les courbes représentent la grandeur atteinte et chacune d'elles est présentée sous forme de pourcentage du gain total de la naissance à 20 ans. De cette façon, à l'âge de 20 ans, la courbe atteint nécessairement 100 sur l'échelle verticale.

Source : J.M. Tanner (1962), *Growth at Adolescence*, 2ᵉ éd., Oxford, Blackwell Science.

d'apparition des fonctions comportementales et celui de la myélinisation des structures nerveuses responsables de ces comportements. J.L. Conel, un chercheur de l'Université Harvard, a travaillé de 1939 à 1967 à décrire la séquence de maturation des structures neurologiques chez l'enfant (Conel, 1939-1967). Nous nous bornerons ici à dégager les principales étapes de la maturation nerveuse.

La myélinisation des cellules du cortex visuel commencerait vers le septième mois de gestation et prendrait fin quelques mois après la naissance. Cela expliquerait la précocité de la perception visuelle du nouveau-né. La myélinisation de la région responsable de la perception auditive débuterait dès le sixième mois de gestation et se poursuivrait jusqu'à l'âge de quatre ans, et le rythme de maturation correspondrait à celui du développement du langage chez l'enfant (Tanner, 1978). La myélinisation de certaines cellules nerveuses se poursuivrait jusqu'à la fin de l'adolescence et même jusqu'à l'âge adulte et serait liée à l'apparition des fonctions cognitives supérieures telles que le raisonnement formel décrit par Piaget (voir le chapitre 6). Le développement des régions responsables du contrôle moteur commence dès après la naissance et se poursuit vraisemblablement jusqu'à la fin de l'adolescence, concurremment avec celui des fonctions motrices.

La figure 4.10 (page 114) illustre bien la division du cerveau en deux moitiés : les hémisphères gauche et droit. Les deux hémisphères cérébraux sont reliés ensemble par le corps calleux, une structure

arrivées à maturité. La « myélinisation » des neurones est un processus fondamental dans la maturation du système nerveux. Elle correspond au développement d'une gaine de tissu gras et blanc, la « myéline », qui entoure la fibre nerveuse et qui sert à accélérer la conduction de l'influx nerveux. L'étude de la myélinisation des zones corticales, de même que l'étude de l'apparition des capacités sensorielles et motrices chez l'enfant, a permis de déterminer la séquence du développement de plusieurs structures nerveuses. Il y aurait correspondance entre le moment

La maturation précoce du cerveau n'est pas un phénomène propre à l'humain, car plusieurs espèces animales ont également, à la naissance, une grosse tête et de petits membres par rapport au corps. La disposition même des organes de la tête n'est pas la même chez l'enfant et chez l'adulte. La partie inférieure du visage (nez, bouche, mâchoires, etc.) aura une croissance proportionnellement plus importante que la partie supérieure (crâne, front, yeux), ce qui aura pour effet de faire paraître les yeux moins centrés au milieu de la tête (figure 4.9, page 114). Les auteurs de dessins animés tiennent compte de cet aspect du jeune enfant pour donner un air plus ou moins bébé ou sympathique aux personnages animaux : ils placent de grands yeux sous un large front et les rapprochent du nez et de la bouche (Gould, 1979).

nerveuse permettant une très grande quantité de connexions interhémisphériques.

Le contrôle moteur et la sensibilité de chaque moitié du corps sont sous la dépendance d'un hémisphère déterminé: le côté droit du corps est régi par l'hémisphère gauche, et le côté gauche par l'hémisphère droit. Le partage des fonctions des hémisphères n'est cependant pas complètement symétrique. La préférence manuelle est un exemple typique de cette asymétrie fonctionnelle du cerveau: très peu de gens sont vraiment ambidextres, et la quasi-totalité des humains se servent de préférence soit de la main droite, soit de la main gauche dans les fonctions motrices complexes. Par ailleurs, la préférence manuelle indique la zone de contrôle du langage: chez les droitiers, l'hémisphère gauche est dominant et il est également le siège de la fonction du langage.

### La spécialisation hémisphérique

Les deux hémisphères du cerveau remplissent donc des fonctions distinctes et leur développement anatomique n'est pas symétrique. Au terme de la synthèse qu'ils ont faite des nombreux travaux sur le sujet, Springer et Deutsch (1985) concluent que les deux hémisphères cérébraux ne sont pas symétriques à la naissance, ce qui suppose une différence de programmation génétique. Les mécanismes de transmission héréditaire de cette asymétrie ne sont toutefois pas bien élucidés.

On attribue généralement à Marc Dax, un médecin de Montpellier, la découverte en 1836 du rôle de l'hémisphère gauche dans le langage, mais c'est Paul Broca, un chirurgien français, qui a le plus attiré l'attention de la communauté scientifique sur le rôle important de l'hémisphère dit «dominant», c'est-à-dire le gauche pour plus de 90 % des individus, dans le langage humain. En pratiquant des autopsies, Broca se rendit compte que le lobe frontal de l'hémisphère gauche de plusieurs droitiers qui avaient perdu l'usage de la parole avant leur décès était en partie détérioré. La figure 4.11 (page 115) montre cette région appelée depuis l'« aire de Broca ».

La notion de dominance générale de l'hémisphère gauche a perdu de son caractère absolu avec, en particulier, la découverte de la dominance de l'hémisphère droit pour certaines fonctions non verbales comme l'orientation dans l'espace, les relations visuo-spatiales entre les objets et la compréhension de la musique. La notion de spécialisation hémisphérique a remplacé celle de dominance générale, étant donné que ce n'est que pour certaines fonctions spécialisées qu'un hémisphère cérébral domine l'autre.

Dans l'état actuel des connaissances, le langage verbal, dans sa compréhension comme dans son utilisation, apparaît être principalement sous la dépendance de l'hémisphère gauche chez la plupart des gens, tandis que l'hémisphère droit est responsable des fonctions perceptuelles fondamentales (profondeur, distance, couleur, etc.) et de la reconnaissance et de l'expression des émotions.

**Figure 4.8**    Le neurone

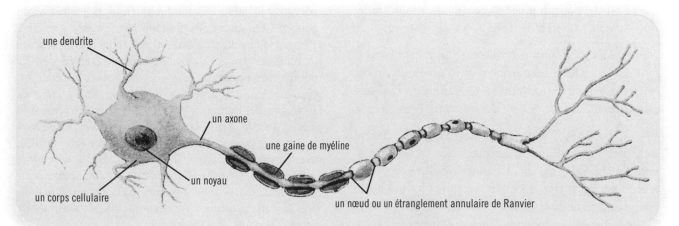

une dendrite

un axone

une gaine de myéline

un noyau

un corps cellulaire

un nœud ou un étranglement annulaire de Ranvier

Figure 4.9   Les éléments faciaux et l'air « bébé »

L'emplacement et la dimension relative des éléments faciaux expliquent le fait qu'un visage a l'air « bébé » (mignon). Ainsi, l'écartement des yeux donne l'impression que les faces de droite sont plus âgées que celles de gauche.

Source : Adaptée de J.R. Harris et R.M. Liebert (1987), *The Child. Development from Birth through Adolescence*, Englewood Cliffs (N.J.), Prentice-Hall, p. 168, figure 5.3.

Figure 4.10   Les hémisphères gauche et droit du cerveau

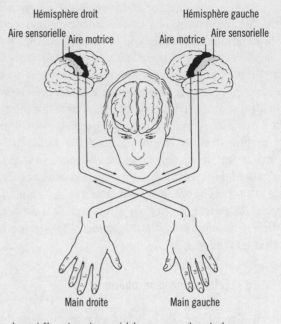

Le contrôle moteur et sensoriel du cerveau sur le reste du corps s'exerce dans une direction croisée. Ainsi, chaque main est contrôlée essentiellement par l'hémisphère cérébral du côté opposé.

Source : S.P. Springer et G. Deutsch (1985), *Left Brain, Right Brain*, New York, Freeman.

Cette spécialisation est cependant relative. Il est abusif de dire que l'hémisphère gauche correspond au « verbal », et le droit au « non-verbal ». On a démontré que l'hémisphère droit pouvait être associé à du matériel verbal et que le gauche pouvait jouer un rôle dans certaines fonctions spatiales (Corballis, 1983).

La spécialisation hémisphérique n'est pas aussi marquée chez les primates. Bien que l'on ait décelé des différences anatomiques entre les hémisphères chez certains singes, ceux-ci auraient des fonctions équivalentes.

LeDoux, Wilson et Gazzaniga (1977) croient que, avec l'apparition du langage chez l'être humain, dans l'hémisphère gauche, les connexions se rapportant aux fonctions spatiales ont été sacrifiées au profit des circuits nerveux du langage. L'hémisphère droit a alors pris en charge ces fonctions autrefois partagées entre les deux hémisphères, comme c'est le cas chez les autres primates.

Il est important de souligner que la spécialisation hémisphérique concerne non seulement le langage, mais aussi la latéralité, comme en témoigne la préférence manuelle. On sait que la préférence manuelle est relative et non pas absolue. Le tableau 4.1 (page 116) présente un outil servant à évaluer la latéralité, et ce dernier montre que l'on peut être plus ou moins droitier ou gaucher. Mais comment expliquer le fait que, chez la plupart des humains, la main droite est préférée à la gauche pour les activités motrices ? Cette latéralité serait propre à l'espèce humaine. Selon Corballis (1983), certains animaux, comme les singes ou les chats, peuvent se servir de préférence d'une main ou d'une patte pour certaines activités motrices, mais cela varie d'un individu à l'autre puisque, chez ces animaux, il y a autant de « gauchers » que de « droitiers ».

Selon Corballis (1983), la symétrie bilatérale du corps n'est pas complète chez l'humain ni chez un très grand nombre d'espèces animales. Ce serait là une caractéristique qui serait apparue pour faciliter l'adaptation à l'environnement. La locomotion repose sur cette symétrie corporelle : si l'action des jambes dans la marche, des nageoires dans la natation ou des ailes dans le vol n'était pas coordonnée, il en résulterait sans doute des difficultés à maintenir une direction donnée. Le squelette et les muscles servant à la locomotion ont une morphologie symétrique. La symétrie bilatérale des organes sensoriels comme les yeux ou les oreilles est aussi un élément essentiel pour la survie : puisque dans l'environnement il ne favorise pas plus la gauche que la droite et qu'un stimulus ou un prédateur peut surgir autant d'un côté que de l'autre, le fait d'être privé d'un œil, par exemple, peut avoir des conséquences fâcheuses pour l'animal. La symétrie des deux hémisphères et du système nerveux procéderait de la symétrie bilatérale présente dans la locomotion, la perception visuelle, etc.

La symétrie bilatérale jouerait ainsi un rôle dans l'adaptation à l'environnement, et les structures qui ne sont pas directement concernées dans les rapports avec l'environnement ne sont pas symétriques : nous n'avons qu'un cœur et il est situé à gauche alors que notre foie est à droite, etc. Il y aurait au contraire une tendance naturelle vers l'asymétrie organique, comme en témoignent les structures microscopiques de base responsables de la vie, tels les protéines ou les acides nucléiques (Monod, 1969).

Il y a environ 12 millions d'années, lorsque l'ancêtre de l'homme a commencé à marcher, ses deux mains ont été libérées de la locomotion et n'ont plus eu besoin de fonctionner de façon symétrique l'une par rapport à l'autre. Elles ont alors pu se spécialiser dans des fonctions comme la préhension, la manipulation ou le transport d'objets, actions auparavant exécutées par

**Figure 4.11**   L'aire de Broca ou aire de la parole

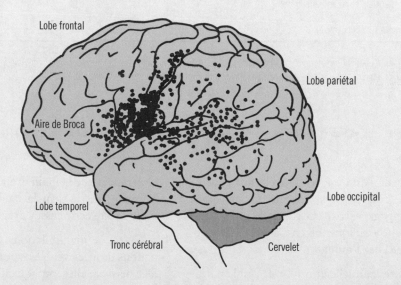

L'aire de Broca est située dans l'hémisphère cérébral gauche. Les points à la surface de cet hémisphère marquent les endroits où la stimulation électrique crée une interférence qui affecte la parole. Cette interférence peut prendre les formes suivantes : arrêt total du discours, hésitation, difficultés d'élocution, répétition de mots, incapacité de nommer des objets connus.

Source : Adaptée de S.P. Springer et G. Deutsch (1985), *Left Brain, Right Brain*, New York, Freeman, p. 10, figure 1.3 et p. 19, figure 1.5.

**Tableau 4.1**   Échelle de préférence manuelle d'Edimbourg

**Directives**

Le répondant doit, en inscrivant un « + » dans la colonne qui convient, indiquer de quelle main il se sert de préférence pour chacune des actions mentionnées. Lorsque la préférence est telle qu'il ne pourrait utiliser l'autre main à moins d'y être forcé, le répondant inscrit « + + » dans la colonne. Lorsqu'il peut se servir indifféremment de l'une ou l'autre main, il inscrit un « + » dans chaque colonne.

Certaines des actions décrites nécessitent l'utilisation des deux mains ; dans ces cas, la fonction pour laquelle on veut connaître la préférence est indiquée entre parenthèses.

Le répondant doit répondre à toutes les questions et ne laisser en blanc que les actions qu'il n'a jamais exécutées.

| Action | Main *gauche* préférée | Main *droite* préférée |
| --- | --- | --- |
| 1. Écrire | | |
| 2. Dessiner | | |
| 3. Lancer | | |
| 4. Découper avec des ciseaux | | |
| 5. Se brosser les dents | | |
| 6. Utiliser un couteau (sans fourchette) | | |
| 7. Utiliser une cuillère | | |
| 8. Balayer (main servant à tenir le haut du balai) | | |
| 9. Frotter une allumette (main qui tient l'allumette) | | |
| 10. Ouvrir une boîte (main sur le couvercle) | | |

**Score :** Pour déterminer le quotient de latéralité, on additionne le nombre de signes dans chaque colonne ; on soustrait ensuite le total de la colonne de gauche de celui de la colonne de droite, on divise le reste par le nombre total de signes et on multiplie par 100.

Source : Adapté de R.C. Oldfield (1971), « The assessment and analysis of handedness : The Edinburgh inventory », *Neuropsychologia,* 9, p. 97 à 114.

la bouche. La bouche s'est donc trouvée elle aussi libérée et a ainsi pu être réservée à la communication qui a évolué vers le langage verbal (Corballis, 1983). C'est ainsi que la marche expliquerait en partie le développement du langage chez l'humain.

La latéralité manuelle et cérébrale résulterait de la manipulation qui fait intervenir des actions complémentaires et non pas symétriques : chez le droitier, la main gauche est habituellement occupée à tenir l'objet tandis que la main droite exerce une action sur lui. Comme le dit Corballis, « la main gauche tient la banane tandis que la main droite la pèle ; la main gauche tient le clou tandis que la main droite le frappe avec le marteau ; la main gauche tient la feuille de papier tandis que la main droite écrit dessus avec le crayon » (1983, p. 124).

Les manipulations correspondent plus à des actions dirigées vers l'environnement qu'à des réactions à ce dernier ; elles impliquent une intention, une finalité. La symétrie ne représente alors pas un avantage puisqu'il peut y avoir conflit entre deux hémisphères également capables de régir une action donnée. La prédominance de l'un sur l'autre dans la manipulation constitue un progrès. De plus, la maîtrise graduelle du processus de manipulation a entraîné une augmentation de la charge du système nerveux. Alors, le fait qu'un hémisphère s'est spécialisé dans la manipulation et que l'autre a continué à assurer les autres fonctions est déterminant dans la compétition pour la « place neurologique » (Corballis, 1983).

Mais pourquoi y a-t-il plus de droitiers chez l'humain, alors que la latéralité observée dans la plupart des autres espèces animales (préférence d'une main chez le singe ou d'une patte chez le chat et la souris, dominance d'une pince chez le homard ou le crabe, etc.) s'installe au hasard d'un individu à l'autre ? Corballis (1983) a étudié assez à fond les hypothèses énoncées pour expliquer le fait que l'hémisphère gauche est généralement dominant pour le langage et l'utilisation de la main chez l'homme. Il rapporte une explication selon laquelle les anciens guerriers, portant le bouclier de la main gauche afin de protéger leur cœur, auraient avec l'utilisation de l'épée de la main droite acquis une préférence pour cette dernière et la dominance de l'hémisphère gauche pour cette fonction. Toutefois, le fait que les femmes sont mieux latéralisées que les hommes et qu'elles n'utilisaient pas des épées permet d'écarter cette hypothèse quelque peu centrée sur l'histoire masculine… Les gauchers constituent une minorité et doivent s'accommoder d'un environnement conçu pour les droitiers ; et le fait d'être « droit » a toujours été plus valorisé que le fait d'être « gauche ». À l'heure actuelle, aucune hypothèse concernant la prédominance de l'hémisphère gauche n'a été confirmée. On dispose cependant d'observations tendant à démontrer que la latéralité est transmise génétiquement. De plus, les embryologistes ont observé que l'hémisphère gauche se développait légèrement plus vite que le droit pendant la gestation (Springer et Deutsch, 1985).

### Les différences cérébrales entre les garçons et les filles

Pourquoi les femmes ont-elles généralement des habiletés verbales plus développées alors que les habiletés spatiales et mathématiques de l'homme sont supérieures (Kimura, 1985) ? Depuis plus de 25 ans maintenant, on sait que le cerveau présente des particularités qui sont fonction du sexe. Le tableau 4.2 met en parallèle l'organisation cérébrale de l'homme et celle de la femme.

Le rôle de l'hémisphère gauche en ce qui concerne le contrôle du langage serait moins prédominant chez la femme que chez l'homme. Doreen Kimura (1985) a dressé le bilan des connaissances disponibles sur le sujet, et tout indique selon elle, que la zone régissant le langage ne serait pas la même chez les deux sexes. Dans les deux sexes, l'hémisphère gauche est le siège du langage, mais chez l'homme la zone serait plus étendue ; cela explique que la perte du langage (aphasie) est plus fréquente chez les hommes à la suite d'une lésion dans cet hémisphère que chez la femme.

**Tableau 4.2**    Comparaison de l'organisation du cerveau de l'homme et de la femme dans certaines fonctions psychologiques

| Fonction psychologique | Localisation cérébrale du centre de contrôle | | Différence entre l'homme et la femme |
| --- | --- | --- | --- |
| | Homme | Femme | |
| Utilisation du langage oral | Partie avant et arrière de l'hémisphère gauche | Surtout la partie avant de l'hémisphère gauche | Le centre de contrôle est moins précisément localisé chez l'homme |
| Contrôle moteur des mains dans les tâches manuelles | Partie avant et arrière de l'hémisphère gauche | Surtout la partie avant de l'hémisphère gauche | Le centre de contrôle est moins précisément localisé chez l'homme |
| Définition des mots (vocabulaire) | Partie avant et arrière de l'hémisphère gauche | Partie avant des deux hémisphères | Le centre de contrôle est moins précisément localisé chez la femme |
| Autres habiletés verbales (nommer des mots commençant par une certaine lettre, décrire le comportement social qui convient dans une situation donnée, etc.) | Partie avant de l'hémisphère gauche | Partie avant de l'hémisphère gauche | Pas de différence organisationnelle |

Source : Adapté de D. Kimura (1985), « Male brain, female brain: The hidden difference », *Psychology Today,* novembre, p. 50 à 58.

Par contre, l'auteure rapporte aussi que la capacité de définir les mots (le vocabulaire) est affectée chez la femme à la suite d'une lésion gauche ou droite, tandis que, chez l'homme, seule une lésion de l'hémisphère gauche a cet effet. La fonction « vocabulaire » serait donc plus diffuse chez la femme que chez l'homme, contrairement à la capacité de parler.

Kimura (1985) résume de la façon suivante les différences entre les hommes et les femmes relativement à l'organisation cérébrale :

> En bref, nous trouvons que, selon la fonction intellectuelle considérée, le cerveau de la femme peut avoir une organisation plus, moins ou aussi diffuse que celle de l'homme. Il n'y a pas de règle unique en cette matière. Quand il s'agit de parler ou de faire des mouvements précis des mains, les centres nerveux concernés sont beaucoup plus spécifiquement localisés chez la femme que chez l'homme. Cela peut être dû au fait que les filles parlent généralement plus tôt que les garçons, articulent mieux quand elles parlent et contrôlent aussi mieux la motricité fine des mains. En outre, une proportion plus grande de femmes sont droitières, et leur préférence pour la main droite est plus nette que chez les droitiers masculins. Mais lorsqu'il s'agit de fonctions plus abstraites comme la définition de mots, les centres nerveux en cause sont moins spécifiquement localisés chez la femme bien que le vocabulaire de celle-ci ne diffère pas de celui des hommes. (Kimura, 1985, p. 54.)

Ces différences entre les sexes seraient dues à un processus dynamique et non pas simplement à une base génétique définitive. La recherche dans ce domaine insiste beaucoup plus sur les différences que sur les ressemblances. Or, il y a évidemment beaucoup plus de similitudes entre les sexes que de différences. Bon nombre de filles possèdent de meilleures habiletés spatiales que la majorité des garçons, et bon nombre de garçons ont un contrôle verbal meilleur que la majorité des filles, même si la tendance générale va dans le sens contraire. Une prédiction des habiletés d'un individu qui se baserait sur une telle tendance générale comporterait une marge d'erreur très élevée.

Les différences cérébrales entre les garçons et les filles auraient leur origine dans les chromosomes (XX et XY), mais l'expression de cette différence génétique initiale serait conditionnée par l'action du milieu dès la période prénatale. L'expression de la différence génétique varie suivant la quantité d'hormones dont dispose le fœtus. Elle influe sur le rythme de développement du corps avant et après la naissance. Selon Levy et Levy (1978), les deux moitiés du corps, y compris les hémisphères cérébraux, se développent à des rythmes différents selon le sexe : l'hémisphère gauche se développe plus rapidement chez la fille, et l'hémisphère droit, plus rapidement chez le garçon, ce qui favoriserait les habiletés verbales chez la fille et les habiletés spatiales chez le garçon.

Il est évident que la fille et le garçon diffèrent sur les plans génétique, physiologique et psychologique. Dès la période prénatale, puis pendant l'enfance et l'adolescence, l'action conjuguée des hormones et de l'environnement augmente ou diminue l'expression de la différence inscrite initialement dans les chromosomes, expression dont le système hormonal assure la médiation (voir le processus de différenciation sexuelle au chapitre 3).

### 4.2.4    Les effets psychologiques du rythme de croissance

Comme l'indique la figure 4.12, pendant l'enfance, la courbe de croissance des garçons suit de très près celle des filles, et ce n'est qu'à partir de la puberté que les deux sexes se distinguent vraiment. Des différences individuelles notables peuvent cependant être observées tant chez les filles que chez les garçons. La croissance physique étant fortement déterminée par l'hérédité, on peut faire certaines prédictions concernant la taille à l'âge adulte en se basant sur celle de ses parents et sur sa propre croissance en bas âge.

La corrélation entre la taille des parents et celle de leur enfant devenu adulte est de 0,71. Il s'agit là d'une relation significative, mais susceptible de varier grandement (une corrélation de 0,7 indique une variance commune de 49 %, laissant donc 51 % de variance non expliquée par la relation).

Le rythme de croissance dépendrait largement de l'hérédité de sorte que la vitesse de croissance de l'enfant est un indicateur assez exact de la taille adulte. On doit cependant attendre quelques années avant de voir ce rythme se stabiliser. À la naissance, en effet, la taille et le poids sont fortement déterminés par les conditions prénatales. De plus, une bonne portion des effets génétiques ne se manifestent qu'après la naissance. Il en résulte que plusieurs enfants de 18 mois et moins changeront de rang, de hauteur et de poids dans leur groupe d'âge. À partir de deux ans, la corrélation entre la taille de l'enfant et celle qu'il aura à l'âge adulte est de l'ordre de 0,8 (Tanner, 1978).

Il est possible de prédire avec exactitude la taille adulte à partir de la taille non pas à la naissance, mais à l'âge de deux ans. Une méthode courante de calcul consiste à multiplier par deux la taille du garçon à l'âge de deux ans et par 1,9 celle de la fille du même âge. Selon Tanner (1978), cette méthode de calcul peut quand même comporter une marge d'erreur maximale de 7 cm environ, en plus ou en moins.

Tanner (1978) insiste sur le fait que la croissance est un processus continu comportant non pas des arrêts comme tels, mais certains changements de

**Figure 4.12**    Courbes de croissance type du garçon et de la fille

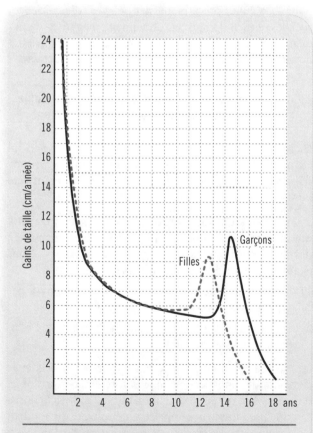

Source: J.M. Tanner (1978), *Fœtus into Man: Physical Growth from Conception to Maturity*, Cambridge (Mass.), Harvard University Press, p. 14, figure 5.

rythme. La poussée de croissance pubertaire est probablement le plus perceptible de ces changements de rythme, et on a souvent décrit les effets psychologiques d'une puberté plus ou moins précoce (Cloutier, 1982). Dès l'enfance cependant, des différences individuelles s'observent: certains enfants grandissent plus vite que d'autres. Y a-t-il des effets psychologiques liés au rythme de maturation physique chez l'enfant?

Les travaux sur le sujet distinguent généralement les filles et les garçons, notamment parce que la puberté de ces derniers survient près de deux ans après celle des filles et que les changements corporels et psychosociaux amenés par la maturation sexuelle n'ont pas la même signification pour les deux sexes. Pour les garçons, une maturation précoce à l'adolescence a constamment été associée à des avantages dans les rapports sociaux et pour l'image de soi tels qu'être traité plus tôt comme une grande personne, obtenir de meilleurs résultats dans les sports, être capable de plaire aux filles (qui mûrissent plus vite en général) [Cloutier, 1982]. Pour les jeunes filles, une maturation précoce a été associée à un concept de soi plus négatif, et les filles qui se forment suivant un rythme normal auraient une image plus positive d'elles-mêmes (Tobin-Richards, Boxer et Petersen, 1984). Il est probable qu'une réaction peu positive de l'entourage à la maturation précoce de la fille joue un rôle, de même que la manière dont l'adolescente elle-même regarde ses transformations physiques et le fait qu'elle se compare à des jeunes filles d'allure plus enfantine. Dans certains milieux sociaux, une maturation féminine précoce peut cependant comporter des avantages.

Jusqu'à 10 ans environ, les garçons et les filles ont un rythme de croissance à peu près équivalent (voir la figure 4.12). Est-il préférable qu'ils soient grands pour leur âge ou l'inverse? Le rythme de croissance physique étant une caractéristique individuelle relativement constante (c'est d'ailleurs ce qui permet de prédire la taille adulte à partir de celle de l'enfant de deux ans), les enfants qui grandissent rapidement seront probablement des adolescents précoces. C'est la raison pour laquelle les travaux portant sur les effets psychologiques du rythme de croissance à la puberté incorporent les effets de toute une histoire de maturation précoce au cours de l'enfance. Les études consacrées à cette question sont moins nombreuses que celles qui traitent des effets psychologiques de l'apparence physique.

Cependant, si l'on accepte l'idée que la maturation physique s'accompagne d'une augmentation des capacités d'adaptation à l'environnement, théoriquement, un rythme de croissance plus rapide favorisera le développement des connaissances de l'enfant. Certes, la très grande majorité des adultes peuvent marcher, parler, etc., et il est très difficile de déterminer chez eux les effets d'un développement plus précoce de ces capacités, mais le fait d'avoir acquis ces dernières plus tôt leur a probablement permis d'explorer plus vite leur environnement physique et social et d'en retirer des connaissances utiles à l'adaptation. Duke et autres (1982) ont trouvé que le quotient intellectuel des garçons qui avaient un rythme plus lent de maturation était plus faible que celui des garçons plus précoces entre l'âge de 8 et 11 ans. Quand elle est accueillie de façon positive par l'environnement social, la maturation précoce favorise probablement le développement de l'enfant.

### 4.2.5    Les effets sociaux de l'apparence physique de l'enfant

L'apparence physique de l'enfant importe-t-elle pour son développement psychologique? On a observé que, comme les adultes, les enfants physiquement attirants sont regardés par les adultes et par les autres enfants comme plus aimables et plus doués que ceux qui ont un physique ingrat (Langlois et Stephan, 1977; Lerner et Lerner, 1977; Patzer, 1985; Stephan et Langlois, 1984). Ce phénomène s'explique par le fait que la tendance à croire que ce qui est beau est bon est profondément enracinée dans l'esprit humain.

Socialement, les enfants peu attirants recevraient moins de gratifications que les autres et ils en viendraient à intérioriser cette image et à agir en conformité avec elle. On est au contraire très bien disposé à l'égard des beaux enfants, de sorte que ceux-ci en viennent à attendre des égards ou des faveurs de la part des autres. La vie des enfants (et plus tard des adultes) attrayants sur le plan physique est donc plus agréable que celle des enfants moins attirants. Langlois et Downs (1979) ont observé que les comportements indésirables des enfants de cinq ans peu attirants physiquement étaient plus nombreux que ceux des enfants physiquement attrayants.

Mazur (1986) affirme que l'apparence physique constitue peut-être la forme la plus odieuse de discrimination ouverte dans notre société : les gens beaux sont plus désirés, ils sont mieux traités et ne se rendent pas compte qu'ils ont plus de chance.

Reste à savoir comment l'on définit la beauté physique et quels sont les critères utilisés pour la mesurer. Est-ce la même chose pour les deux sexes? Peut-on établir des critères valables universellement? Dans son livre sur ce phénomène, Patzer (1985) recense plus de 700 études sur l'apparence physique, mais ne parvient pas à convaincre Mazur (1986) que l'on connaît vraiment l'effet de l'apparence physique sur les gens : l'apparence physique semble avoir un effet réel sur l'interaction sociale et sur le concept de soi, mais la dynamique précise de cet effet est encore mal connue.

Enfin, il existe un bon nombre de travaux montrant que les enfants obèses ou handicapés physiquement sont moins attirants socialement. Il en résulte pour eux une probabilité peu élevée d'expériences sociales enrichissantes et une image négative d'eux-mêmes (Sirois, 1986; Lerner, 1972), ce qui a pour effet de nuire au développement des compétences sociales.

### 4.2.6    Les relations entre certaines caractéristiques physiques et psychologiques chez l'enfant

L'apparence physique de l'enfant a donc un effet social et psychologique parce qu'elle influe sur l'attitude des gens à l'égard de ce dernier et, par ricochet, affecte l'image de soi.

Dans un autre ordre d'idées, certains travaux ont montré que l'apparence physique pouvait être liée à des prédispositions psychologiques congénitales. Nous examinerons ici deux de ces objets de recherche :

1) la relation entre certaines anomalies physiques mineures et l'hyperactivité chez le garçon;
2) la relation entre la pigmentation des yeux et l'inhibition comportementale.

La relation entre certains traits corporels et le caractère de l'individu est depuis fort longtemps l'objet d'études. À la fin du XIXe et au début du XXe siècle florissait une pseudo-science appelée phrénologie, qui étudiait les facultés intellectuelles et le caractère de l'individu d'après les bosses du crâne. Le psychiatre hongrois Léopold Szondi a mis au point un test psychologique basé sur l'apparence du visage et qui, selon lui, permettait de déterminer les tendances personnelles et pathologiques des individus. Selon Szondi (1972), il existerait huit facteurs ou besoins pulsionnels fondamentaux liés au bagage génétique de la personne. Ces tendances s'expriment dans les choix sociaux de la personne, et on peut utiliser ces derniers pour comprendre l'individu. La méthode de Szondi a soulevé un grand nombre de critiques. Ces idées ont été abandonnées par la communauté scientifique parce qu'elles se sont révélées non vérifiables.

Les psychologues refusent d'admettre que le comportement a une base biologique, mais certaines études récentes répondant aux exigences de la recherche expérimentale ont démontré qu'il existe des liens entre certains traits physiques et le caractère (Waldrop, Bell, McLaughlin et Halverson, 1978; Paulhus et Martin, 1986; Rosenberg et Kagan, 1987). Il ne s'agit évidemment pas de liens causals; la caractéristique physique ne provoque pas l'apparition du trait de caractère. Il ne s'agirait pas, comme dans le cas de l'apparence physique, du résultat de la rétroaction sociale à l'égard de la caractéristique physique particulière de la personne, mais plus probablement d'une association d'origine génétique entre la particularité physique externe observable et une particularité physiologique des structures responsables des comportements concernés. Ainsi, la particularité physique serait l'une des résultantes de la caractéristique génétique, la prédisposition psychologique en étant une autre, comme c'est le cas pour l'apparence physique typique des trisomiques 21 et leurs prédispositions psychologiques (voir le chapitre 2).

Waldrop et Halverson (1971a, 1971b) ont mené une série de cinq études portant sur des enfants normaux, lesquelles indiquent qu'il existe une relation entre la présence de certaines anomalies physiques mineures et l'hyperactivité chez le garçon. L'hyperactivité se définit ici comme un comportement caractérisé par l'instabilité: impulsivité, difficulté à demeurer immobile, impatience, agressivité et difficulté à se conformer à des règles de conduite. Chez la fille, la présence des mêmes anomalies physiques mineures n'est pas associée de façon constante à l'hyperactivité. Dans une des études, les résultats étaient les mêmes que pour les garçons; la majorité des filles dont le comportement était instable présentaient ces anomalies physiques, tandis que, dans une autre étude, les filles dont le comportement était marqué par une forte inhibition, de l'entêtement, etc., avaient plus tendance à présenter de telles anomalies.

Le tableau 4.3 (page 122) énumère un certain nombre d'anomalies physiques mineures dont l'origine serait chromosomique. La plupart d'entre elles se rencontrent chez les trisomiques 21 et certains enfants présentant des aberrations chromosomiques. (Pour une description plus détaillée des critères utilisés, on se reportera à Waldrop et Halverson, 1971b.)

Après examen physique, Waldrop et Halverson attribuent à l'enfant une cote selon le nombre d'anomalies mineures présentes. Les résultats qu'ils ont obtenus montrent qu'il existe une relation significative entre une cote élevée et une série d'indices indépendants d'hyperactivité (incapacité de supporter un délai, mouvement continuel, impulsivité, incapacité de concentrer son attention, de suivre des règles de conduite, etc.). Or, comme la présence de ces anomalies physiques mineures peut être décelée tôt après la naissance (sauf pour la première du tableau 4.3, évidemment), les auteurs estiment que leur échelle peut permettre de dépister les risques d'hyperactivité et, par là, de mettre en œuvre des mesures préventives. Il faut savoir que le nombre d'individus qui présentent ces anomalies physiques mineures est appréciable et que la relation avec le type de contrôle comportemental est d'autant plus forte que le résultat obtenu à l'échelle est élevé.

### 4.2.7 La tendance séculaire de la croissance physique

Depuis cent ans, les enfants nés dans les pays industrialisés ont tendance à être plus grands et à grandir plus rapidement. C'est ce que l'on appelle la « tendance séculaire » de la croissance physique. La figure 4.13 (page 124) illustre les effets de cette tendance sur la taille des garçons et des filles en Suède, pays où les données disponibles sont les plus complètes pour cette période, et sur l'âge d'apparition des premières menstruations dans plusieurs pays. Au Canada, la tendance séculaire serait du même ordre: depuis 1900, la taille des enfants de 5 à 7 ans élevés dans des conditions économiques moyennes y a augmenté en moyenne de 1 à 2 cm par décennie.

En Angleterre, des fouilles archéologiques dans des cimetières comportant la mesure d'os de corps inhumés entre les XIVe et XIXe siècles ont permis d'estimer à 1,67 m la taille de l'homme moyen de l'époque,

**Tableau 4.3**　Anomalies physiques mineures associées à l'hyperactivité chez le garçon

### Région de la tête

1. Cheveux fins et sujets à l'électrisation

   Il s'agit alors de cheveux très fins, habituellement blonds, qui ne peuvent rester en place en raison de leur facilité à s'électriser par frottement.

2. Deux ou plusieurs rosettes sur la tête

   La plupart des gens ont une rosette au sommet de la tête autour de laquelle poussent les cheveux. Cette rosette peut être à gauche ou à droite. Certaines personnes ont plus d'une rosette, et d'autres une ligne le long de laquelle poussent les cheveux.
   Il y a anomalie lorsque deux rosettes ou plus sont présentes ou que la ligne a plus de 2,5 cm de long.

3. Circonférence de la tête d'une étendue anormale

   Il y a anomalie lorsque la circonférence de la tête s'écarte de plus d'un écart type de la moyenne pour l'âge.

### Région des yeux

4. Épicanthus

   L'épicanthus est un repli formé par la peau au-devant de l'angle interne de l'œil. Il est présent chez 75 % des nourrissons de trois mois, mais disparaît généralement au début de l'enfance. Ce n'est donc que lorsqu'il se maintient chez l'enfant qu'il est considéré comme une anomalie physique mineure.

5. Hypertélorisme

   L'hypertélorisme correspond à un écartement excessif des yeux. Cependant, il existe des différences entre les races à cet égard et les normes utilisées doivent en tenir compte.

### Région des oreilles

6. Oreilles basses

   Les oreilles sont considérées comme plus basses que la normale lorsque le repli supérieur de l'oreille est situé au-dessous d'une ligne droite horizontale passant par le centre de l'œil.

7. Lobes de l'oreille adhérents

   Il y a anomalie si le point d'attachement de l'oreille à la tête est plus bas que le bout du lobe de l'oreille.

8. Oreilles mal formées

   Cette particularité est rare et considérée comme une anomalie lorsque l'oreille a une forme vraiment très inhabituelle.

9. Asymétrie des oreilles

   Il y a anomalie lorsqu'il est visible, sans qu'il soit besoin de recourir à un instrument de mesure, qu'une oreille est plus grosse que l'autre, qu'elle a une forme assez différente, qu'elle s'éloigne nettement plus de la tête ou qu'elle est plus basse que l'autre.

10. Oreilles molles

    Il y a anomalie lorsque les oreilles sont repliées vers l'avant, qu'elles ne présentent pas la résistance cartilagineuse habituelle et qu'elles tardent à reprendre d'elles-mêmes leur position initiale.

### Région de la bouche

11. Palais pointu

    Normalement, la voûte du palais a la forme d'un dôme, sa ligne supérieure correspondant à peu près à un arc de cercle. Le palais est considéré comme pointu si son sommet correspond à un angle plutôt qu'à un arc ou si sa forme angulaire se termine au sommet par une surface plate. La forme du palais évolue au cours des premières années de la vie et ce n'est que lorsque cette particularité physique se maintient au cours de l'enfance qu'elle est considérée comme une anomalie.

12. Langue à plus d'un sillon

    Cette caractéristique varie avec l'âge et se rencontre plus souvent chez les enfants d'âge préscolaire que chez les nourrissons ou les enfants d'âge scolaire. Elle correspond à la présence de plus d'un sillon sur la langue ou d'un sillon qui n'est pas situé au centre.

13. Langue à relief irrégulier (*smooth-rough spots*)

    Il y a anomalie lorsque la langue présente des épaississements localisés. Il ne faut cependant pas confondre cette anomalie avec le gonflement des papilles que la consommation de certains aliments peut entraîner.

| Région de la main | | |
|---|---|---|

**14.** Petit doigt recourbé

Le petit doigt est recourbé vers l'annulaire.

**15.** Pli palmaire transversal unique

Normalement, il existe deux plis transversals à la base des doigts. Il y a anomalie lorsqu'un seul pli transversal est présent.

| Région des pieds | | |
|---|---|---|

**16.** Troisième orteil plus long que le deuxième

Cette particularité physique est assez courante chez les enfants d'âge préscolaire, mais plus rare chez les enfants d'âge scolaire. Elle constitue une anomalie lorsqu'elle subsiste après l'âge de sept ans.

**17.** Rattachement palmaire partiel de deux orteils du milieu

Il y a anomalie lorsque deux orteils du milieu (2e et 3e ou 3e et 4e) sont légèrement palmés.

**18.** Grand écart entre le gros orteil et le deuxième

Il y a anomalie lorsque l'espace entre le gros orteil et le deuxième correspond à la moitié ou plus de la largeur du deuxième orteil.

Source : Adapté de M.F. Waldrop et C.F. Halverson (1971), « Minor physical anomalies and hyperactive behavior in young children », dans J. Hellmuth (dir.), *Exceptional Infant, Studies in Abnormalities,* New York, Brunner-Mazel.

alors qu'en 1976 cette taille était de 1,75 m (Hamill et autres, 1976). Entre les XIVe et XIXe siècles, cette tendance séculaire ne se serait pas manifestée, car la taille moyenne est demeurée stable. La tendance séculaire serait apparue au milieu du XIXe siècle dans les pays industrialisés et serait associée à l'amélioration de la santé et de l'alimentation publiques.

Comme l'indiquent les courbes des données de la figure 4.13 (page 124), cette tendance séculaire s'arrête graduellement en Suède ainsi que dans les autres pays industrialisés. Une étude américaine menée auprès de familles qui ont envoyé leurs fils adolescents à l'Université Harvard (Boston) pendant plusieurs générations a indiqué une différence de 2,6 cm entre la hauteur moyenne de la génération de 1858 et celle de 1888, de 1,1 cm entre 1888 et 1918, et aucune différence entre 1918 et 1941. La tendance continuerait cependant de se manifester dans les populations plus pauvres (Tanner, 1978).

La nutrition, en bas âge notamment, serait à l'origine de cette tendance séculaire ; la diminution des maladies associée aux progrès de la médecine y a sans doute aussi contribué. De plus, le plafonnement de la tendance pour les populations ayant déjà bénéficié de ces facteurs favorables à la croissance, par rapport à des populations plus pauvres où la tendance se maintient, tendrait à confirmer le rôle joué par l'environnement. Par ailleurs, certains chercheurs ont émis l'hypothèse que les gènes responsables d'une taille plus grande auraient tendance à dominer, de sorte que, lorsqu'ils sont unis à des gènes associés à une petite taille, l'enfant aurait une taille plus proche de celle du parent plus grand que de celle du parent plus petit (Muuss, 1972 ; Tanner, 1978).

### 4.2.8  Les problèmes de croissance physique

Compte tenu du génotype de l'enfant, sa croissance physique normale est un bon indicateur de sa santé physique et, jusqu'à un certain point, mentale. La société moderne reconnaît la grande importance de cet élément, et des centres spécialisés s'occupent maintenant du dépistage et de l'intervention en matière de croissance physique.

La plupart des enfants pour lesquels on consulte dans ces centres ont une faible croissance. Tanner (1978) énumère un certain nombre de facteurs qui expliqueraient la courte stature de l'enfant :

– une taille courte déterminée génétiquement de façon normale ;

– un ralentissement statistiquement normal du rythme de croissance ;

– des anomalies chromosomiques ;

– un problème de développement intra-utérin ;

**Figure 4.13**    Tendance séculaire des changements de taille et de poids

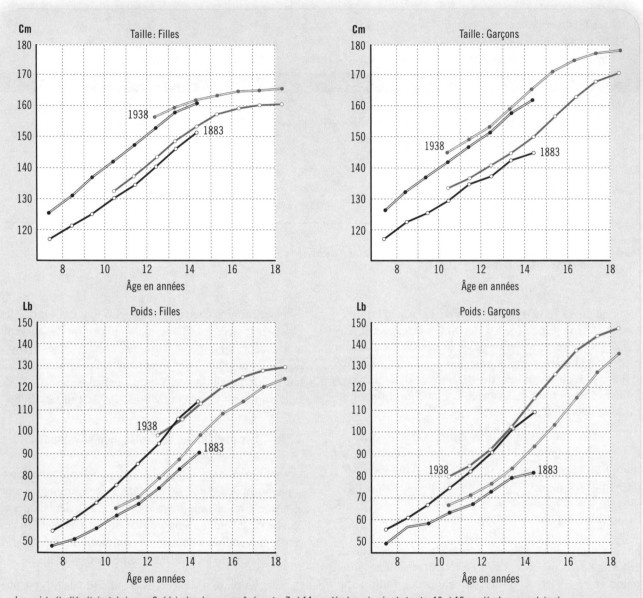

Les sujets étudiés étaient de jeunes Suédois des deux sexes âgés entre 7 et 14 ans (écoles primaires) et entre 10 et 18 ans (écoles secondaires). Les observations ont été effectuées en 1883 et 1938.

Source : B. Broman, C. Dahlberg et A. Lichtenstein (1942), « Height and weight during growth », *Acta Paediatrica Scandinavia*, 30.

- un dysfonctionnement des glandes responsables de la croissance ;
- un stress psychologique ;
- des atteintes des cartilages et des os ;

- des difficultés d'assimilation de la nourriture ;
- des maladies organiques affectant les reins, le cœur, etc. (Tanner, 1978, p. 206).

Nous examinerons brièvement ici les effets des six premiers facteurs sur la croissance physique.

### Une courte stature héréditaire

Lorsque l'enfant a une taille très petite pour son âge, c'est-à-dire dans les 3 % inférieurs de son groupe d'âge, il convient de consulter un centre spécialisé. On mesurera la taille de ses parents pour déterminer si la situation de l'enfant correspond à ce que l'on peut attendre normalement, compte tenu du bagage héréditaire. Il n'existe aucun traitement efficace pour corriger une courte stature déterminée génétiquement; les individus de courte taille sécrètent autant d'hormones de croissance que les autres et la prise d'hormones supplémentaires est sans effet (Tanner, 1978).

### Un retard de croissance statistiquement normal

Étant donné la distribution normale du rythme de croissance dans la population, il faut s'attendre que certains enfants affichent un retard de deux ans (et même plus) par rapport à la moyenne. En soi, un retard de croissance n'est pas une maladie et la puberté finit par arriver. Katchadourian (1977) rapporte qu'environ 25 % des enfants pour lesquels on consulte parce qu'ils ne grandissent pas assez vite font partie de cette catégorie des « retards constitutionnels ».

Cependant, pour l'enfant, le fait de savoir que le délai est normal ne l'empêche pas de voir qu'il est plus petit que les autres enfants de son âge. Lorsqu'un retard de croissance affecte un enfant dont les parents sont déjà petits, les effets sur le plan social sont encore plus marqués du fait de la différence manifeste avec les pairs. Certaines hormones accéléreront le rythme de maturation. Toutefois, avec des hormones telles que la testostérone, il y aura une accélération du rythme de maturation et une entrée plus rapide dans la puberté, mais aussi un vieillissement plus rapide des os. Si les os vieillissent plus vite que l'enfant ne grandit, la taille définitive sera diminuée en raison de la fermeture précoce des plaques de croissance osseuses. Tanner (1978) mentionne qu'il existe maintenant des composés hormonaux qui favorisent la croissance sans trop amener de vieillissement osseux. Ces composés peuvent donc atténuer les effets d'un retard de croissance et entraîner moins de conséquences néfastes.

### Un retard causé par une anomalie chromosomique

La trisomie 21 et le syndrome de Turner constituent les deux anomalies chromosomiques les plus couramment associées à une courte stature. L'apparence générale permet souvent de formuler tôt l'hypothèse d'une anomalie chez l'enfant, mais on a recours à la méthode diagnostique consistant à produire un caryotype du sujet, c'est-à-dire à photographier, à l'aide d'un microscope électronique, le noyau d'une cellule dans lequel les chromosomes apparaissent pêle-mêle et sont non appariés, puis à replacer dans l'ordre les 23 paires par découpage.

La trisomie 21 ou syndrome de Down est due à la présence d'un chromosome X supplémentaire à la $21^e$ paire. Typiquement, les trisomiques sont petits et rondelets et le restent pendant toute leur vie.

Le syndrome de Turner, observé chez les filles, est dû au fait qu'il n'y a qu'un seul chromosome X par cellule, ce qui donne une paire XO. Souvent, mais pas toujours, les filles atteintes du syndrome de Turner ont les mains et les pieds bouffis tôt après la naissance, un cou trapu, une poitrine large et un visage typique. L'absence d'ovaires fait qu'elles ne connaissent pas la poussée de croissance qui accompagne la puberté. La cause de la faible croissance n'est pas connue (les sujets ont une sécrétion normale d'hormones de croissance), mais certains traitements hormonaux peuvent atténuer les effets du syndrome de Turner sur l'apparition de caractéristiques sexuelles secondaires chez ces filles qui resteront cependant stériles. Tanner (1978) indique que la taille définitive de celles-ci est en moyenne de 1,40 m et qu'elle demeure liée à celle des parents.

### Un retard dû à un problème de développement intra-utérin

Un problème de développement intra-utérin peut entraîner une petite taille, compte tenu de l'âge fœtal et de la taille des parents. Ici, il ne s'agit pas d'une petitesse liée à une naissance prématurée où la taille peut être normale pour l'âge fœtal. Un problème de développement intra-utérin peut être dû à plusieurs facteurs: anomalie de l'embryon, problème du placenta limitant le flot de nourriture et d'oxygène, maladie ou malnutrition grave de la mère, etc.

Ces enfants petits pour leur âge fœtal ont une apparence typique que les pédiatres Silver et Russell ont décrit au cours des années 1950 (Tanner, 1978). Leur visage est triangulaire avec un front large et de grands yeux, une petite mâchoire inférieure avec une bouche dont les coins descendent, des oreilles décollées et placées bas sur la tête. Ces enfants sont actifs et, en général, ils se développent de façon normale, physiquement comme mentalement, excepté qu'ils restent plus courts que la taille des parents ne pourrait le laisser prévoir. Il ne semble pas exister de traitement efficace pour ces enfants à l'heure actuelle.

### Un retard d'origine endocrinienne

Une atteinte de la glande thyroïde et un déficit d'hormone de croissance constituent les deux principales causes de nature endocrinienne d'une petite taille chez l'enfant. Certains troubles glandulaires précipitant l'apparition de la puberté peuvent aussi être responsables d'un arrêt précoce de la croissance physique après une période au cours de laquelle l'enfant atteint a été très en avance pour son âge. Les enfants présentant un déficit d'hormones de croissance sont habituellement gras, mais d'apparence normale par ailleurs.

La plupart des déficits en hormones de croissance ont une origine inconnue ; parfois, certaines tumeurs au cerveau ou à la glande pituitaire peuvent être en cause. Les techniques médicales modernes permettent souvent de localiser et d'exciser ces tumeurs, et donc d'amener une reprise de la croissance physique normale (voir la notion de « croissance compensatoire » à la sous-section 4.2.9).

Le traitement d'un déficit d'hormones de croissance est maintenant tout à fait possible. Il consiste en l'injection intramusculaire d'hormones de croissance humaines pendant toute la durée de la croissance. Comme cette hormone est spécifique à l'espèce, elle doit être prélevée sur les corps à l'autopsie ; la glande pituitaire de l'adulte en contient autant que celle de l'enfant ayant une croissance normale. Lorsque le traitement commence suffisamment tôt (au moins avant six ans), le résultat est généralement excellent (Tanner, 1978).

### Les causes psychologiques

Chez l'enfant, le fait de vivre un stress intense et prolongé peut avoir pour conséquence une diminution notable de la sécrétion de l'hormone de croissance. Comme dans les autres cas de déficit d'hormones de croissance, ces enfants seront plutôt gras. Un climat familial qui expose constamment l'enfant à de vives tensions peut provoquer une baisse de la sécrétion. À un niveau beaucoup moindre d'intensité, Tanner (1978) a observé dans une recherche qu'il a menée avec Whitehouse auprès de garçons pensionnaires que ces derniers grandissaient plus vite pendant les vacances que pendant la période scolaire.

Des facteurs psychologiques peuvent expliquer les problèmes de nutrition chez l'enfant. En fait, un environnement malsain est souvent associé à des problèmes alimentaires. La figure 4.14 présente des photos d'une paire de jumeaux identiques adultes élevés séparément depuis la naissance. Le plus petit des deux a été élevé par un père abusif et a subi diverses privations d'ordre corporel et psychologique pendant tout le cours de son développement. Une étroite dépendance unit le bagage génétique et les facteurs environnementaux, lesquels peuvent favoriser ou non l'expression du potentiel des gènes dans le phénotype.

## 4.2.9 L'influence de l'environnement sur la croissance physique de l'enfant

L'hérédité détermine le potentiel de développement de l'ensemble des cellules du corps, mais, comme nous l'avons vu dans les chapitres précédents, l'environnement joue un rôle important dans l'expression du potentiel génétique dès le début de la vie prénatale, dans l'utérus. Après la naissance, la nourriture, les maladies, le stress psychologique, le climat ou la qualité de l'environnement peuvent interférer avec le plan génétique initial et influer sur la croissance physique. Howe et Schiller (1952) rapportent que, au cours de la Seconde Guerre mondiale, l'âge moyen d'apparition des menstruations chez les adolescentes en France, pays alors occupé par les Allemands, était de trois ans en retard par rapport à l'époque précédant la guerre. Des retards de croissance ont souvent été observés chez les enfants des populations en guerre. Outre un appauvrissement de l'alimentation, la guerre entraîne souvent aussi un stress psychologique intense, une diminution notable de la qualité de l'environnement et des conditions sanitaires générales. Les chances de rétablissement varient selon la durée, l'intensité de la privation et l'âge de l'enfant.

### Le phénomène de la croissance compensatoire

Tanner (1978) décrit le phénomène de la « croissance compensatoire » par lequel, lorsqu'il est placé en situation de rétablissement, l'organisme a tendance à reprendre son rythme normal de développement après une période de privation ayant amené un ralentissement de la croissance. Ce phénomène a été observé notamment auprès d'enfants traités pour un déficit d'hormones de croissance : le traitement a eu pour effet d'accélérer la croissance physique, mais seulement jusqu'à l'atteinte de la courbe de croissance définie par le potentiel génétique, ni plus ni moins. Lorsque la privation survient au cours du développement prénatal, le phénomène de la croissance compensatoire ne se produit pas, ce qui rend le retour à la normale moins probable.

Selon Tanner, le phénomène de la croissance compensatoire qui survient après un ralentissement de croissance dû à une privation d'éléments essentiels serait le résultat d'une reconnaissance par l'organisme (vraisemblablement par l'hypothalamus) d'une différence entre la progression codée génétiquement et celle, plus lente, que le corps subit. Une sorte de mémoire de la courbe de croissance servirait de guide pour le rétablissement : lorsque les éléments essentiels à la croissance redeviennent disponibles, l'organisme les utiliserait le plus rapidement possible pour recouvrer la taille programmée génétiquement et il reprendrait son rythme normal par la suite. Si la privation survient avant la création des structures responsables de cette mémoire du plan de croissance, le phénomène de la croissance compensatoire ne peut se produire.

### L'alimentation et la croissance physique

Compte tenu des facteurs génétiques liés à la race, les enfants appartenant à un milieu aisé se développent généralement davantage sur le plan physique que ceux issus de la classe inférieure. Le fait de trop manger ou de ne pas manger suffisamment a évidemment plus d'effets sur le poids que sur la taille. Sirois (1986) observe par ailleurs que la relation entre la classe sociale et le poids varie d'une culture à l'autre : dans les pays riches, ce sont les classes défavorisées qui comptent le plus d'obèses, tandis que, dans les pays pauvres, ce sont les classes les mieux nanties.

Comme c'est le cas pour la taille, un excès de poids peut affecter lourdement le développement psychologique de l'enfant. L'anorexie et l'obésité constituent deux extrêmes à cet égard.

### 4.2.10  L'anorexie mentale (*anorexia nervosa*)

L'anorexie mentale se définit comme la tendance à se priver de nourriture de façon excessive afin de perdre du poids. Levenkron (1982) rapporte que cette affection

**Figure 4.14**    Jumeaux monozygotes élevés séparément et dans des environnements différents

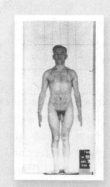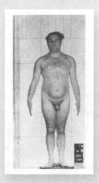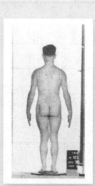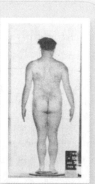

Source : J.M. Tanner (1978), *Fœtus into Man : Physical Growth from Conception to Maturity*, Cambridge (Mass.), Harvard University Press, p. 120, figure 37.

touche une adolescente sur 250 dans les pays industrialisés. C'est parce que nous croyons que l'anorexie prend sa source dans l'enfance que nous nous attardons sur ce problème apparaissant généralement à l'adolescence. Le tableau 4.4 donne la liste des symptômes associés à l'anorexie mentale ainsi que les critères de diagnostic clinique couramment employés.

Le nombre de cas d'anorexie augmente d'année en année, et bien que les jeunes filles de 13 à 22 ans constituent encore la population à plus hauts risques, les cliniques d'intervention traitent maintenant des patientes de 60 ans. Il s'agit d'un problème féminin dans plus de 90 % des cas. Cette affection encore mal comprise fait l'objet de nombreux travaux. Il semble que le problème devient grave ou « clinique » lorsque la personne ne peut plus cesser de se priver de nourriture et que son habitude compulsive altère sa santé (altération généralement niée par la personne, même si elle apparaît évidente pour son entourage).

Levenkron (1982) mentionne que l'anorexique n'est généralement pas l'aînée de la famille (80 % des cas). Au cours de son enfance, elle avait de bons résultats scolaires et se conduisait bien. L'anorexique aurait vécu, au cours de son enfance, avec un ou des parents aux prises avec des problèmes mentaux (anxieux ou dépressifs parfois) et présentant dans certains cas une sorte de dépendance à l'égard de cette fille « forte » qui coopère bien et à qui l'on peut confier de lourdes responsabilités. Dans cette dynamique, les propres besoins de l'enfant sont ignorés de ses parents et elle est appréciée surtout dans la mesure où elle donne aux autres. L'enfant n'apprend pas à déceler et à exprimer ses propres besoins. Seule et ne pouvant compter sur aucun appui dans l'exercice de ses responsabilités, elle acquiert la conviction que les autres ne se soucient pas d'elle et qu'elle doit elle-même se prendre en charge. Le souci de se prendre en charge et de se mettre à l'abri devient constant et les exigences qu'elle s'impose deviennent de plus en plus rigoureuses.

L'obsession de la maîtrise du poids et de l'alimentation relèverait de cette recherche de la perfection (recherche de la maigreur « idéale ») et en même temps elle témoignerait du refus d'entrer dans le monde adulte, lequel amène notamment la recherche de l'intimité et l'expression de la sexualité. L'absence des règles et la disparition des seins et des rondeurs de hanches associées à l'anorexie permettent en quelque sorte d'éviter d'avoir l'air d'une femme et d'affronter la sexualité. Certains auteurs lient aussi l'apparition de l'anorexie à l'adolescence à la volonté de s'opposer à des parents qui acceptent mal de voir leur fille s'émanciper ; la réaction anorexique viendrait de la volonté d'obtenir au moins l'indépendance, à l'abri des demandes des parents (Bruch, 1977).

Bien qu'elle soit la plus courante, cette explication plutôt psycho-dynamique de la genèse de l'anorexie mentale n'est probablement pas la seule possible. La valorisation sociale de la minceur a certainement contribué à répandre cette affection. On peut d'ailleurs établir un parallèle entre la valorisation des modèles féminins ultraminces et celle de la bonne condition physique, qui pousse, non pas surtout des femmes cette fois, mais surtout des hommes à faire du jogging de façon compulsive, excessive, jusqu'à causer une blessure. Le capital de bonne forme physique qui est accumulé est comparable au capital de minceur que l'anorexique recherche.

### 4.2.11 L'obésité infantile

L'obésité infantile est un bon prédicteur de l'obésité adulte. Des facteurs héréditaires influent sur le gain de poids de l'enfant. Ces facteurs sont trop souvent oubliés, ce qui entraîne une culpabilisation de l'enfant (et de ses parents). L'opinion très répandue selon laquelle, avec un régime donné, n'importe qui peut atteindre n'importe quel poids est tout à fait erronée. Cette illusion de maîtrise, entretenue notamment par les marchands de techniques amaigrissantes, crée des déceptions qui peuvent laisser des traces indélébiles sur l'image de soi et la perception de sa valeur personnelle (Sirois, 1986). La maîtrise possible du poids varie suivant le bagage héréditaire.

Cela étant dit, les habitudes alimentaires acquises dans la famille constituent un des principaux facteurs qui expliquent le surplus de poids. Non seulement la consommation de nourriture a des effets directs sur le physique de l'enfant, mais, psychologiquement, l'enfant peut en arriver à interpréter de façon erronée les indices proprioceptifs associés à la faim. Il peut en résulter une fausse interprétation de la sensation de faim ou de satiété et, par la suite, une dépendance à l'égard de la nourriture.

**Tableau 4.4**    Symptômes psychologiques associés à l'anorexie et critères de diagnostic couramment utilisés

**Symptômes psychologiques**

1. Peur excessive de changer d'apparence corporelle, de gagner du poids.
2. Préoccupation obsessionnelle à l'égard de la consommation de nourriture solide ou liquide.
3. Organisation de la journée autour d'une série de rites que la personne observe scrupuleusement.
4. Sentiment d'infériorité en matière d'intelligence, de personnalité ou d'apparence générale.
5. Difficulté à prendre des décisions et crainte irraisonnée de commettre des erreurs, ce qui pousse l'individu à éviter ce qui est nouveau et à s'en tenir strictement à ses habitudes.
6. Réaction passive-agressive, c'est-à-dire immobilisme entêté face aux pressions (parfois maladroites et violentes) exercées par l'entourage en vue de l'amener à consommer de la nourriture.
7. Perte d'intérêt à l'égard de la sexualité, peur de l'intimité, des contacts physiques ou des émotions.
8. Perception déformée de la réalité principalement en ce qui concerne l'apparence du corps et de la quantité de nourriture consommée: refus d'admettre sa maigreur et opinion suivant laquelle d'autres personnes, pourtant nettement plus lourdes, sont plus minces que soi.
9. Peur extrême de la critique des autres, principalement d'être considérée comme « grosse ».
10. Dépression possible, surtout chez les anorexiques chroniques.
11. Anxiété atténuée par le jeûne et la perte de poids.

**Critères utilisés pour le diagnostic clinique de l'anorexie mentale.**

1. Perte de poids de l'ordre de 25 % du poids normal.
2. Absence des menstruations (aménorrhée).
3. Amincissement des cheveux.
4. Dessèchement de la peau.
5. Constipation.
6. Apparition de duvet sur la peau.
7. Baisse de la pression sanguine (80/50 n'est pas rare).
8. Baisse de la température du corps (34-35 °C).
9. Baisse du rythme cardiaque (de 60 à 39 battements par minute).
10. Baisse des niveaux de potassium et de chlorure dans le cas où la personne a l'habitude de vomir.

Source: Adapté de S. Levenkron (1982), *Treating and Overcoming Anorexia Nervosa*, New York, Charles Scribner's Sons, p. 2 à 13.

## 4.3    LE DÉVELOPPEMENT PERCEPTIF

### 4.3.1    Les méthodes utilisées

L'étude du développement perceptif présente un problème particulier au cours de la période précédant la maîtrise du langage. Pour savoir si un adulte distingue les couleurs, on peut lui présenter des cartes comportant deux régions colorées et lui demander de dire si les régions sont de couleurs identiques ou différentes. Une telle manière de faire pourrait aussi fonctionner avec des enfants de deux ou trois ans, dans la mesure où ils maîtrisent suffisamment le langage pour comprendre des questions et y répondre. Mais que faire lorsque l'on veut savoir si un nouveau-né distingue les couleurs? Il s'agit là d'un problème épineux qui a longtemps fait obstacle à l'étude des habiletés perceptives du jeune enfant.

Un grand pas en avant a été fait dans les années 1960 lorsque les chercheurs ont noté que des gestes simples du nourrisson pouvaient fournir des indications précieuses sur ce qu'il perçoit. Dans le domaine de la vision, on s'est aperçu que le nourrisson regardait beaucoup plus longtemps certains objets que d'autres, ce qui a conduit à créer la méthode de la préférence visuelle. Cette méthode consiste à présenter plusieurs fois deux objets différents et à enregistrer le temps de fixation visuelle après chaque présentation. On conclut qu'il y a discrimination perceptive lorsque les temps moyens de fixation visuelle des deux objets sont différents. S'appuyant sur cette méthode, Fantz (1961) a observé que les nourrissons de deux mois regardaient beaucoup plus longtemps un visage humain qu'un cercle blanc ou qu'un cercle noir. Une autre méthode est celle de l'habituation, laquelle consiste à présenter le même objet plusieurs fois jusqu'à ce que le temps de fixation visuelle ait diminué de 50 % (voir la figure 4.15). Une fois que le résultat escompté est obtenu, on présente un nouvel objet. Si la durée de la fixation visuelle augmente soudainement, on considère que l'enfant fait la distinction entre le nouvel objet et l'ancien.

En ce qui concerne l'audition, on a noté que les nourrissons étaient portés à tourner la tête en direction des sons qu'on leur faisait entendre. On en a conclu que les mouvements de la tête pouvaient servir à évaluer la capacité du nourrisson à localiser les sons. On a aussi observé que des nourrissons à qui l'on avait placé une tétine dans la bouche modifiaient le rythme de la succion en fonction des sons entendus. Bref, les chercheurs sont parvenus peu à peu à déterminer une variété d'indices qui permettent de retracer l'évolution des compétences perceptives. Le tableau 4.5 énumère les principaux indicateurs utilisés au cours de la période qui précède l'acquisition du langage.

L'étude de la perception est plus aisée dès lors que les enfants commencent à maîtriser le langage. Toutefois, les jeunes enfants ont une capacité d'attention beaucoup plus restreinte que les adultes, ce qui limite la durée de leur participation dans les études. De plus, il faut employer des termes simples lorsqu'on leur pose des questions et prévoir des réponses courtes.

### 4.3.2    La perception visuelle

La vision est un sens complexe qui comporte de multiples aspects. Voir un objet peut vouloir dire que nous l'avons perçu dans notre champ visuel, sans plus. Cela peut aussi vouloir dire que nous en percevons la forme ainsi que les détails. Il s'agit dans ce cas d'une analyse perceptive beaucoup plus fine et c'est habituellement cette analyse qui est requise lorsque nous devons reconnaître ou décrire des objets. Enfin, nous pourrions aussi concentrer notre attention sur la couleur de cet objet ou sur la distance à laquelle il se trouve, ou sur les deux.

Il convient donc de faire une distinction entre la vision périphérique et la vision centrale. La première

**Figure 4.15**    La méthode de l'habituation visuelle

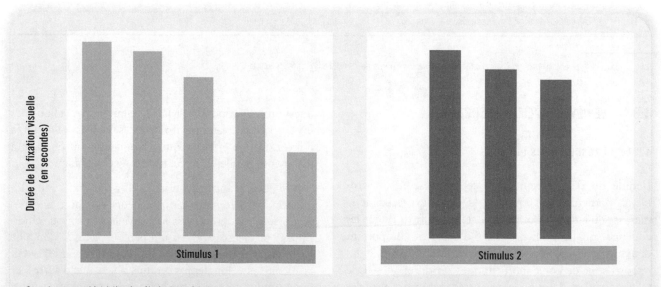

On présente un objet (stimulus 1) plusieurs fois jusqu'à ce que la durée de fixation visuelle diminue de 50 %, puis on présente un autre objet (stimulus 2). Si la durée de fixation visuelle augmente soudainement, on considère que l'enfant fait la distinction entre les deux objets.

Tableau 4.5    Principaux indicateurs utilisés pour mesurer les compétences perceptives au cours de la période précédant l'acquisition du langage

| Réponse | Compétence perceptive |
|---|---|
| Fixation visuelle | Acuité visuelle (vision centrale) |
| | Perception des couleurs |
| | Perception des formes |
| | Perception de la profondeur |
| Mouvements des yeux | Perception des objets (vision périphérique) |
| Mouvements de la tête | Localisation des sons |
| Extension des mains | Perception de la distance |
| Rythme de succion | Discrimination des sons |
| Retrait de la main | Perception de la douleur |
| Expression faciale | Goût |
| | Odorat |
| Déplacement | Perception de la profondeur |
| Extension des bras | Perception de la distance |

permet la perception des objets qui apparaissent à la périphérie de notre champ visuel et la seconde sert à l'analyse des objets qui se trouvent au milieu de notre champ visuel. L'acuité visuelle désigne la capacité de distinguer les détails des objets. Elle est liée à la vision centrale.

### La détection des objets

La détection des objets relève de la vision périphérique. Plus un objet est à la périphérie du champ visuel, plus l'angle où il se trouve s'écarte du champ de vision centrale. C'est cet angle qui sert à estimer la qualité de la détection des objets. Les adultes peuvent percevoir un objet qui se trouve à 70 degrés de leur champ de vision centrale. Cet angle est seulement de 30 degrés à la naissance (Lewis, Maurer et Kay, 1978). Il augmente rapidement au cours des mois suivants pour atteindre 45 degrés à deux mois et près de 60 degrés à cinq mois (MacFarlane, Harris et Barnes, 1976). La détection des objets se développe donc rapidement.

### L'acuité visuelle

L'acuité visuelle réfère à la capacité de distinguer les détails des objets. Habituellement, pour la mesurer, on utilise une petite affiche sur laquelle figurent des lettres de l'alphabet de différentes grandeurs. L'acuité visuelle est définie de façon normative, c'est-à-dire en fonction des capacités de la majorité des adultes ayant une vue normale. Une vision de 20/20 signifie que la personne évaluée peut voir à 20 pieds ce qu'un adulte normal voit à 20 pieds. Une vision de 20/40 signifie que la personne évaluée doit être à 20 pieds pour voir ce que la plupart des gens voient à 40 pieds.

Évidemment, cette méthode ne peut être employée avec les très jeunes enfants. On évalue leur acuité visuelle en leur présentant des images analogues à celles de la figure 4.16 (page 132) et en utilisant la procédure de préférence visuelle ou celle d'habituation visuelle. Ces méthodes ont permis de constater que l'acuité visuelle est très faible à la naissance. Elle se situe entre 20/400 et 20/800. Elle atteint 20/100 à l'âge de trois mois et serait proche de celle de l'adulte à 12 mois (Banks et Salapatek, 1983). Un premier élément qui limite l'acuité visuelle au cours des premiers mois est l'absence d'accommodation du cristallin, cet organe de l'œil qui focalise les rayons lumineux sur la région centrale de la rétine (fovéa). La réponse d'accommodation du cristallin apparaît vers le premier mois et s'améliore rapidement par la suite pour devenir comparable à celle de l'adulte vers le sixième mois (Aslin et Smith, 1983 ; Banks et Salapatek, 1983). La faible acuité visuelle à la naissance serait aussi due au manque de maturité des circuits nerveux intervenant dans la vision. Ces derniers continuent de se développer après la naissance sous l'action des stimulations lumineuses provenant de l'environnement. Enfin, l'acuité visuelle dépend de la convergence des yeux. Meilleure est cette convergence, meilleure est l'acuité visuelle. Les yeux ne convergent pas bien à la naissance, mais la convergence se développe rapidement et devient bonne entre le premier et le deuxième mois (Aslin, 1977).

Figure 4.16    Exemples de stimuli visuels utilisés pour mesurer l'acuité visuelle

Le modèle de gauche se caractérise par une fréquence spatiale plus faible que celle du modèle de droite.

### La perception des couleurs

À l'aide de la méthode de la préférence visuelle, on a pu établir que le nouveau-né a une certaine sensibilité aux couleurs. L'analyse de la fixation visuelle montre qu'il préfère certaines couleurs au gris. Adams, Maurer et Davis (1986) ont observé que des nourrissons âgés de un à cinq jours regardaient plus longtemps des surfaces rouges, jaunes et vertes que des surfaces grises. Les nouveau-nés préfèrent aussi certaines couleurs à d'autres. Adams (1987) a constaté qu'ils ont tendance à regarder plus longtemps des surfaces jaunes et rouges que des surfaces vertes et bleues. Cependant, les capacités des nouveau-nés sont moins impressionnantes lorsque les surfaces colorées et les surfaces grises comportent le même niveau de brillance. Dans de telles situations, ils ne parviennent qu'à distinguer entre le rouge et le gris (Adams, Courage et Mercer, 1994). La perception des couleurs

se développe rapidement au cours des mois suivants. À l'âge de trois mois, les nourrissons peuvent distinguer le jaune, le vert, le bleu, le rouge et des gris de brillance équivalente (Mercer, Courage et Adams, 1991).

### La perception de la profondeur et de la distance

Dans les premières tentatives qui ont été faites en vue d'évaluer la perception de la profondeur, on a utilisé le dispositif représenté à la figure 4.17 (Gibson et Walk, 1960). Ce dispositif comprend un plancher à motif de damier comportant deux niveaux, séparés l'un de l'autre par une distance d'environ 1,5 mètre. L'enfant est placé du côté du plancher le plus haut alors que la mère (ou une autre personne qui lui est familière) est placée du côté opposé et doit inviter son enfant à venir auprès d'elle. Pour rejoindre sa mère, l'enfant doit ramper et traverser une surface vitrée qui prolonge le plancher le plus haut. L'appareil est donc conçu pour fournir des indices de profondeur qui devraient normalement conduire l'enfant à hésiter à rejoindre sa mère s'il perçoit la profondeur. S'appuyant sur cette méthode, Gibson et Walk ont observé que les enfants qui étaient en âge de ramper (donc entre six et sept mois) refusaient de traverser la surface vitrée.

L'une des limites de cette méthode est qu'elle ne s'applique qu'aux enfants qui sont en âge de ramper. Elle ne permet donc pas de savoir si les enfants peuvent percevoir la profondeur avant le sixième mois. Pour résoudre ce problème, Bower (1972) ainsi que Granrud, Yonas, et Peterson (1984) ont utilisé une autre méthode qui consiste à présenter à de jeunes enfants deux objets, dont l'un est à portée de main et l'autre ne l'est pas. Les chercheurs ont noté qu'à partir de l'âge de cinq mois, mais pas avant, les enfants tendaient davantage

les bras vers l'objet qui était à portée de main que vers celui qui ne l'était pas. La méthode de la préférence visuelle a aussi été utilisée pour étudier la perception de la profondeur. Held, Birch, et Gwiazda (1980) ont présenté à des nourrissons des figures dont les éléments donnaient l'impression de se situer à des distances différentes et d'autres figures dont les éléments donnaient l'impression d'être situés à la même distance. En prenant le temps de fixation visuelle comme indicateur, ils ont observé que les nourrissons regardaient plus longtemps les premières figures que les secondes à partir de l'âge de trois mois.

### La constance de la forme et de la taille des objets

La constance de la forme et celle de la taille des objets sont des invariants perceptifs. Lorsque vous vous approchez

**Figure 4.17**    Test de perception de la profondeur

L'enfant tapote le verre du côté profond, mais il refuse de ramper sur le plancher de verre pour rejoindre sa mère.

d'une personne, vous savez que sa taille est constante bien que l'image qui se projette sur la rétine de votre œil soit de plus en plus grande. De même, lorsque vous vous approchez d'une personne, vous savez qu'elle conserve sa forme bien que l'image qui se forme sur votre rétine change continuellement. Le système visuel est conçu de telle sorte qu'il vous permet d'abstraire certaines qualités constantes des objets de l'environnement en dépit du fait que les stimulations visuelles changent continuellement. L'utilisation de la méthode d'habituation visuelle a permis d'établir que la constance de la taille des objets serait présente au cours des jours qui suivent la naissance (Slater, Mattock et Browne, 1990) alors que la constance de la forme des objets apparaît entre le deuxième et le troisième mois (Bower, 1966 ; Caron, Caron et Carlson, 1979).

### La perception des visages humains

Le visage humain est un objet visuel complexe qui fournit des informations très importantes sur le plan social. Les expressions faciales permettent de reconnaître l'état affectif des personnes qui nous entourent. Le langage non verbal représente selon Izard (1991) le premier moyen de communication qu'utilise le nourrisson avec son entourage. La perception des visages humains est également importante parce qu'elle permet à l'enfant de distinguer les différentes personnes de son entourage, et notamment de distinguer entre ses parents ou ses proches et les personnes étrangères. Ces deux types de distinction évoluent fort différemment.

Des travaux portant sur l'imitation néo-natale ont montré que l'enfant peut distinguer de façon grossière les mouvements du visage quelques heures après la naissance (voir la figure 4.18). Si un adulte effectue certains mouvements faciaux simples, comme ouvrir la bouche ou sortir la langue, les nourrissons âgés de seulement 36 heures montrent une certaine tendance à imiter ces mêmes mouvements (Meltzoff et Moore, 1977, 1983). Le fait que les nourrissons peuvent imiter les mouvements faciaux implique qu'ils perçoivent ces mouvements. Il importe toutefois de rappeler que cette capacité est très limitée. Le nourrisson peut percevoir uniquement les mouvements faciaux très marqués. Comme nous l'avons mentionné plus tôt, l'acuité visuelle est très faible au cours du premier mois de vie, ce qui fait que les nourrissons ne peuvent percevoir les détails des objets.

La capacité de distinguer les expressions du visage apparaît quelques mois plus tard. Labarbera, Izard, Vietze et Parisi (1976) ont pu montrer à l'aide de la méthode de préférence visuelle que les nourrissons regardent plus longtemps les expressions de joie

**Figure 4.18**     Capacité de l'enfant à imiter les expressions faciales

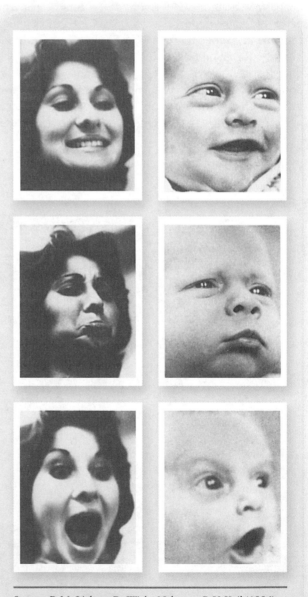

Source : R.M. Liebert, R. Wicks-Nelson et R.V. Kail (1986), *Developmental Psychology*, 4e éd., Englewood Cliffs (N.J.), Prentice-Hall, p. 104, fig. 4.2.

que les autres types d'expression à partir de l'âge de quatre mois. Cette même méthode a permis d'établir que les expressions de colère et de tristesse sont distinguées des autres expressions vers le cinquième mois et que les expressions de peur et de surprise le sont vers le huitième mois. La capacité de percevoir les nuances dans l'expression de la même émotion apparaît seulement vers le septième mois (Nelson, 1987). L'ensemble de ces observations suggère que le nourrisson commencerait à former des catégories émotionnelles fondées sur les expressions du visage seulement à partir du septième mois.

La capacité de distinguer les visages humains des autres objets visuels de l'environnement se manifeste entre le deuxième et le troisième mois (Haaf et Brown, 1976). Les nourrissons manifestent une préférence visuelle pour le visage humain quelques jours après la naissance (Fantz, 1961), mais cette préférence semble s'expliquer par la complexité, le fort niveau de contraste et la mobilité du visage. Lorsque ces derniers éléments sont contrôlés, c'est-à-dire lorsque l'on montre à des nourrissons des dessins représentant des visages et diverses autres formes apparentées, la préférence pour le visage humain n'est observable qu'à partir de 2 ou 3 mois.

Puisque les enfants savent très tôt distinguer les visages humains des objets présents dans l'environnement, on serait tenté de croire qu'ils parviennent à distinguer les visages des différentes personnes dans les semaines ou les mois qui suivent. Mais ce n'est pas le cas. Les premiers travaux qui se sont intéressés à ce sujet ont montré que le visage de la mère était préféré à celui d'une personne étrangère dès le troisième mois, mais des travaux ultérieurs ont établi que les nourrissons utilisaient des indices autres que la configuration pour distinguer les visages, comme la coiffure et les détails vestimentaires (Diamond et Carey, 1977). Lorsque ces indices sont contrôlés, les enfants ne parviennent à distinguer différents visages que vers la sixième année. Cette habileté augmente par la suite et se compare à celle de l'adulte vers l'âge de 10 ans (Carey, 1996).

### 4.3.3    La perception auditive

L'ouïe est, au même titre que la vision, un sens qui revêt une grande importance pour l'adaptation de l'être humain. Elle nous permet de recevoir des informations précieuses sur les événements qui ont cours dans l'environnement. Elle peut nous permettre, par exemple, de déceler la présence d'un danger même si ce dernier n'est pas visible. Elle est essentielle à la communication verbale. Songeons à la quantité prodigieuse d'apprentissages que nous faisons au moyen de la communication verbale.

### La détection des sons

Nous disposons de plusieurs données qui suggèrent que la capacité de détecter les sons existe déjà avant la naissance. En étudiant le rythme de succion, des chercheurs (DeCasper et Fifer, 1980; DeCasper et Spence, 1986) ont constaté que les enfants âgés de quelques jours préféraient la voix de leur mère à celle d'une personne étrangère ou à celle de leur père. La méthode utilisée consistait à mettre une tétine dans la bouche de nouveau-nés et à leur faire entendre des enregistrements de voix. Les nouveau-nés faisaient alors des pauses de longueur variable. Les chercheurs ont fait entendre à certains nouveau-nés la voix de leur mère pendant les pauses longues (définies comme dépassant la durée moyenne des pauses) et la voix d'une personne étrangère pendant les courtes pauses (définies comme étant d'une durée inférieure à la valeur moyenne des pauses) et ils ont inversé cette relation pour d'autres enfants. Il est apparu que les nouveau-nés modifiaient les pauses entre les épisodes de succion de manière à entendre davantage la voix de leur mère. Le fait qu'ils manifestaient une préférence pour la voix de la mère, mais non pour celle du père, semble indiquer que cette préférence n'apparaît pas après la naissance et que l'audition est fonctionnelle avant cette dernière. Birnholz et Benacerraf (1983) sont également parvenus à la même conclusion; ils ont observé à l'aide d'une technique d'imagerie par ultrasons que les fœtus de sept mois plissaient les paupières lorsqu'un son était émis.

La capacité de détection des sons des nouveau-nés est cependant bien inférieure à celle de l'adulte, en particulier pour les basses fréquences. Alors que les adultes peuvent détecter des sons d'une dizaine de décibels, équivalant au son produit par la respiration d'une autre personne, le seuil de détection est d'environ 60 décibels quelques jours après la naissance, ce qui correspond au son produit par une conversation normale entre deux personnes (Schneider, Trehub et Bull, 1980). Cette différence est cependant moins marquée pour les sons de haute fréquence (20 000 décibels et plus). La différence de sensibilité entre le nouveau-né et l'adulte est de l'ordre d'une cinquantaine de décibels (Aslin, Jusczyk et Pisoni, 1998). Le plus grand gain de sensibilité se produit au cours des six premiers mois. Il est de l'ordre de 35 à 40 décibels entre un et six mois et de l'ordre de 10 à 15 décibels entre six mois et l'âge adulte.

### La localisation des sons

La capacité de localiser les sons s'évalue par l'examen des mouvements de la tête et des yeux. La méthode utilisée consiste à présenter un stimulus visuel à l'enfant. Lorsque l'enfant regarde l'objet, un son est émis à gauche ou à droite du stimulus. Avec cette méthode, Muir et Field (1979) ont pu constater que la plupart des nouveau-nés tournent la tête et les yeux en direction de la source du son lorsque l'angle est de 90 degrés. Curieusement, cette tendance diminue vers le deuxième mois et réapparaît avec plus de force à partir du quatrième mois (Muir et Clifton, 1985). Ce profil de développement correspondrait selon certains auteurs à la transition entre un mouvement fondé sur l'activité réflexe et un autre fondé sur l'activité volontaire ou intentionnelle de l'enfant.

### La discrimination des sons

La discrimination des sons désigne la capacité de distinguer les sons. Ces derniers peuvent se distinguer en fonction de leur l'intensité, de leur fréquence et de leur durée. Les adultes sont capables de détecter une différence d'intensité de l'ordre de 1 ou 2 décibels, selon la fréquence du son. Pour les enfants de six mois, la plus petite différence perçue varie entre 3 et 12 décibels (Sinnott et Aslin, 1985). La discrimination de la fréquence s'exprime quant à elle de façon relative (%). Les adultes peuvent distinguer un écart de 1 % entre deux sons. Par exemple, ils peuvent distinguer un son de 10 000 hertz d'un autre de 10 100 hertz. Le seuil relatif de perception est de 3 % à l'âge de trois mois et de 2 % à six mois (Olsho et autres, 1982). Quant à la discrimination de la durée des sons, Morrongiello et Trehub (1987) rapportent que les enfants de six mois peuvent distinguer un écart de 25 millisecondes entre deux sons alors que le seuil de détection des adultes est de 10 millisecondes. L'ensemble des observations précédentes conduit à penser que les compétences auditives de base nécessaires à la perception du langage sont en

place dès le sixième mois de vie. Nous verrons d'ailleurs au chapitre 15 que les nourrissons manifestent de surprenantes capacités en ce qui concerne la discrimination des sons du langage humain.

### 4.3.4　Le goût et l'odorat

Les nouveau-nés sont en mesure de distinguer des substances gustatives quelques heures seulement après la naissance (Crook, 1987; Steiner, 1977, 1979). Ils font des mimiques différentes selon que le liquide qu'ils boivent est sucré, salé, amer ou sûr. Ils ont plus tendance à téter un liquide sucré qu'un liquide salé, amer ou sûr. D'une manière générale, ils manifestent une préférence pour le sucré et une aversion pour les trois autres saveurs. De plus, lorsqu'ils sont dans un état de détresse, le sucré a une propriété plus apaisante que le salé, le sûr et l'amer (Smith, Fillion et Blass, 1990). On note un changement de goût autour du quatrième mois, le salé devenant à ce moment une saveur préférée au sûr et à l'amer. Les nouveau-nés peuvent aussi sentir la puissance des saveurs. Quelques heures après la naissance, leurs réactions d'aversion pour les substances salées, amères et sûres sont plus vives lorsque ces saveurs sont très concentrées (Steiner, 1979).

L'odorat est sans doute moins essentiel dans l'adaptation humaine que dans l'adaptation de plusieurs espèces animales et il a été moins étudié que les autres sens. Néanmoins, des recherches ont établi qu'il est un des sens les plus développés à la naissance. Steiner (1977, 1979) a montré que des bébés de quelques jours avaient sur leur visage une expression de plaisir lorsqu'on leur faisait sentir du beurre de banane, une expression positive ou neutre lorsqu'on leur présentait de la vanille, une expression de rejet devant une odeur de poisson et de dégoût devant celle des œufs pourris.

Cernoch et Porter (1985) ont voulu déterminer si les nouveau-nés normaux (c'est-à-dire nés après 37 semaines de gestation et présentant un indice d'Apgar de 6 à 10) âgés de 12 à 18 jours pouvaient différencier l'odeur de leur mère, de leur père et d'une personne étrangère. Ils ont demandé aux adultes de porter un tampon de coton (10 cm sur 10 cm) sous leur bras pendant la nuit précédant l'expérience (environ huit heures) et de ne pas utiliser de déodorant. Chacun des deux tampons était placé deux fois pendant une minute avec un intervalle de deux minutes de chaque côté de la tête du bébé éveillé, sans qu'il y ait contact direct avec ce dernier, et l'on mesurait le temps que mettait la tête à se tourner vers l'un ou l'autre. Les bébés nourris au sein par leur mère tournaient leur tête vers le tampon porté par cette dernière alors que ce n'était pas le cas avec celui porté par une autre mère qui allaitait son enfant. On a donc été conduit à conclure que l'enfant était sensible à l'odeur spécifique et non pas au lait de femme en général. Cette sensibilité à l'odeur maternelle n'apparaissait pas chez les bébés nourris au biberon, et l'ensemble des bébés ne faisaient pas de différences entre les odeurs associées à leur père et celles d'une personne étrangère. Donc, les nourrissons allaités par leur mère peuvent distinguer l'odeur corporelle de celle-ci d'autres odeurs corporelles.

Cette capacité du nourrisson de différencier l'odeur de la femme qui l'allaite a son pendant dans la capacité des mères à différencier l'odeur de leur enfant quelques jours seulement après l'accouchement (Russell, Mendelson et Peeke, 1983). On a de plus observé que même les mères ayant subi une césarienne, et qui n'avaient donc eu qu'un contact limité avec leur enfant, reconnaissaient leur bébé de 21 à 42 heures par l'odeur seulement (Porter, Cernoch et McLaughlin, 1983).

L'importance du rôle de l'odorat dans les contacts entre la mère et l'enfant fait contraste avec le peu d'attention que l'on accorde à ce sens dans les rapports humains. Il se peut que nous soyons plus influencés par l'odorat que nous ne le croyons dans nos relations avec les autres.

### 4.3.5    Le toucher

Dès sa naissance, l'enfant réagit aux stimulations tactiles : un objet piquant mis en contact avec la plante du pied provoque une réaction de retrait tandis que le fait de prendre l'enfant sur son épaule et de lui caresser le dos et la tête a pour effet de le consoler. La circoncision, cette opération chirurgicale qui consiste à enlever le prépuce du pénis, provoque des réactions qui montrent sans équivoque que l'enfant éprouve de la douleur (Gunnar, Malone et Fish, 1985). Porter, Miller et Marshall (1986) ont fait une analyse spectrographique des vocalisations émises par 30 garçons normaux de 1 ou 2 jours, et ils ont constaté que les pleurs du nouveau-né varient systématiquement en fonction de l'intensité de la stimulation douloureuse induite lors de la circoncision.

La même expérience a montré aussi que des adultes associaient correctement l'intensité des pleurs des nouveau-nés à l'intensité de la douleur induite par l'opération.

La bouche constitue une zone du toucher particulièrement sensible chez le nourrisson et est pour lui un moyen privilégié d'exploration des objets.

Meltzoff et Borton (1979) ont établi que le bébé peut reconnaître visuellement les objets qu'il a mis dans sa bouche auparavant. Ces chercheurs ont donné à une soixantaine d'enfants de un mois l'une ou l'autre, au hasard, de deux sucettes de caoutchouc de forme différente (voir la figure 4.19). L'une était lisse et l'autre avait des petites bosses. Ensuite, ils ont montré aux nourrissons une réplique en polystyrène de chacune des sphères et ils ont observé que 70 % des bébés regardaient plus longtemps le modèle qu'ils avaient exploré oralement que l'autre, ce qui, pour les auteurs, indique qu'ils ont reconnu l'objet. Il s'agit là d'une démonstration de la capacité du bébé à reconnaître visuellement un objet exploré tactilement, en d'autres termes, à faire un appariement intersensoriel.

**Figure 4.19**    Sucettes utilisées pour tester les capacités d'appariement intersensoriel des enfants

Source : A.N. Meltzoff et R.W. Borton (1979), « Intermodal matching by human neonates », *Nature*, 282, novembre, p. 403.

Le toucher représente donc pour le bébé un autre moyen de communication avec les autres, d'acquérir des connaissances, d'éprouver des sensations nouvelles et de se protéger contre ce qui est susceptible de nuire à l'organisme.

### 4.3.6    L'appariement intersensoriel

Dans les sections qui précèdent, nous avons examiné les habiletés perceptives de l'enfant en rapport avec chacun des cinq sens. Nous avons vu que, très tôt, les enfants peuvent extraire une certaine quantité d'informations de l'environnement. Il est intéressant de noter que la capacité de l'enfant à percevoir les stimulations physiques ne se limite pas à traiter indépendamment chaque forme de stimulation. L'enfant est aussi capable de percevoir les structures qui sont communes à des stimulations physiques de nature différente.

Pour expliquer ce phénomène, il convient de revenir à l'étude de Meltzoff et Borton (1977) dont il a été question dans la section précédente. Ces chercheurs ont observé que des nourrissons âgés de un mois manifestaient une préférence visuelle pour une sucette qu'ils avaient explorée oralement, même s'ils ne l'avaient pas encore vue. Pour qu'une telle préférence soit observée, il faut que les enfants aient été capables de déterminer la forme de la sucette au moyen des récepteurs tactiles et kinesthésiques de la bouche. Il faut aussi qu'ils aient pu faire un rapprochement entre la sensation tactile et la forme visuelle de la sucette. Cette capacité de faire correspondre des sensations provenant de deux organes des sens constitue l'appariement intersensoriel. Les expériences concernant ce dernier montrent que les systèmes perceptifs du nourrisson sont beaucoup plus actifs qu'on ne le croyait. L'appariement sensoriel est un phénomène encore mal connu; on ne comprend pas encore les mécanismes qui permettent à l'enfant de percevoir les structures que partagent des stimulations physiques de nature différente.

Plusieurs autres types d'appariement intersensoriel ont été mis en évidence. Par exemple, les nourrissons sont capables de rapprocher entre eux des éléments visuels et auditifs. Si on leur présente de courts films montrant une personne qui parle, ils fixent plus longtemps l'image synchronisée avec la voix que celle qui ne l'est pas (Dodd, 1979). On doit en conclure que les nourrissons peuvent établir une correspondance entre les mouvements de la bouche et les sons émis.

Meltzoff et Moore (1977) fournissent un autre exemple de correspondance entre l'information visuelle et l'information proprioceptive. Ils ont observé que des nouveau-nés âgés de 12 à 21 jours peuvent imiter des mouvements faciaux simples, comme tirer la langue, ouvrir la bouche et faire la moue. L'observation qu'ils ont faite est très étonnante à deux points de vue. Elle montre d'abord que les nourrissons peuvent coordonner une information de nature visuelle avec l'information proprioceptive qui provient de leurs muscles, de leurs tendons et de leur peau. En outre, elle indique que les enfants ont une capacité rudimentaire d'apprentissage quelques jours après la naissance.

### 4.3.7    Observations générales sur le développement perceptif

Les sections précédentes ont fait état des changements qui touchent les différents organes des sens. Nous dégagerons maintenant certaines tendances générales du développement perceptif. Gibson et Spelke (1983) notent que la perception de l'enfant se caractérise par des gains en spécificité, en sélectivité et en efficacité. De nombreuses observations attestent que la perception devient plus spécifique au cours de l'enfance. Comme nous l'avons vu plus haut, l'acuité visuelle augmente grandement dans les premiers mois suivant la naissance. Elle est de moins de 20/400 quelques heures après la naissance, elle passe à 20/100 à trois mois et est proche de 20/20 à 12 mois. Les enfants deviennent donc de plus en plus capables de faire des distinctions visuelles fines, c'est-à-dire de percevoir les menus détails des objets. Il en est de même pour l'ouïe. Pour la perception de la puissance sonore, par exemple, le gain de sensibilité est de 35 à 40 décibels au cours des six premiers mois et de 10 à 15 décibels entre six mois et l'âge adulte.

La perception devient aussi plus sélective au cours de l'enfance, c'est-à-dire que l'enfant devient de plus en plus capable de diriger son attention sur certains objets ou certains événements. Même s'ils veulent se concentrer sur un objet précis, les jeunes enfants peuvent être facilement distraits par d'autres objets ou par des événements. Par exemple, si on leur demande de trier des objets selon leur forme, ils prennent beaucoup plus de temps pour exécuter la tâche lorsque les objets comportent des petits détails que lorsqu'ils n'en comportent pas. Strutt, Anderson et Well (1975) ont noté que la capacité des enfants à diriger leur attention sur un objet précis augmente beaucoup entre 6 et 9 ans. Les gains en sélectivité se poursuivent jusqu'à l'âge adulte, mais ils sont nettement moins importants.

Le fait que la perception devienne plus sélective s'exprime aussi par le manière de regarder les objets. Les nourrissons n'ont pas tendance à regarder de façon systématique toutes les parties ou tous les détails d'un objet donné. Ils regardent surtout les contours des objets. Ils ont moins tendance à regarder les parties intérieures des objets, à moins que ceux-ci ne comportent des zones fortement contrastées. Ainsi, dans le cas de la perception des visages, ils passent beaucoup plus de temps à regarder les contours de la tête et la région des yeux. Comme le montre la figure 4.20, il se produit des changements sensibles entre le premier et le deuxième mois. L'exploration visuelle de l'enfant de deux mois est déjà plus complète que celle de l'enfant de un mois. On note également que l'exploration visuelle devient graduellement plus systématique. Même les enfants d'âge préscolaire n'ont pas tendance à regarder systématiquement les différentes parties des objets. Si

Figure 4.20    Séquence selon laquelle des enfants de 1 et 2 mois scrutent le visage humain

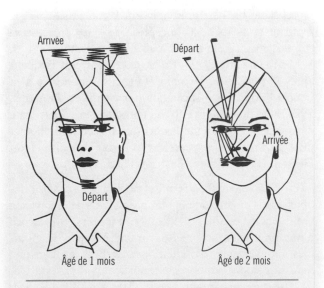

Âge de 1 mois          Âge de 2 mois

Source : Adaptée de E.M. Hetherington et R.D. Parke (1986), *Child Psychology : A Contemporary Viewpoint*, 3ᵉ éd., New York, McGraw-Hill, p. 167, figure 5.7.

on leur demande de dire si deux images, comportant chacune plusieurs éléments, sont identiques, ils ont plutôt tendance à comparer les éléments de chacune des images et commettent plusieurs erreurs. Ils oublient de comparer certains éléments et ils ne comparent pas toujours les bons éléments. Une étude de Vurpillot (1968) indique qu'il faut près d'une dizaine d'années avant que l'exploration visuelle ne devienne systématique.

Selon Gibson et Spelke (1983), la perception devient aussi plus efficace à mesure que l'enfant se développe. Les enfants plus vieux sont non seulement meilleurs que les plus jeunes lorsqu'ils doivent déterminer si deux images sont identiques ou différentes, ils sont également plus rapides. Cette augmentation de l'efficacité est due au fait qu'ils accordent plus d'attention aux éléments difficilement discernables qu'à ceux qui sont aisément discernables. Cette répartition des ressources de traitement perceptif n'est pas aussi marquée chez l'enfant d'âge préscolaire.

## 4.4    LE DÉVELOPPEMENT MOTEUR

### 4.4.1    Aspects psychologiques du développement moteur

Il est difficile aux adultes que nous sommes de nous imaginer que des gestes aussi simples que saisir un objet avec la main, rester debout quelques minutes ou marcher ont nécessité des efforts intenses. Bien souvent, nous prenons conscience de l'importance de la motricité seulement lorsque nous sommes immobilisés à la suite d'un accident ou d'une maladie. Nous réalisons alors à quel point notre autonomie et notre liberté se trouvent limitées par l'incapacité de nous mouvoir.

Pour le jeune enfant, la capacité de maîtriser les muscles du corps représente un accomplissement majeur qui change la relation qu'il a avec le monde environnant. Étant donné ses capacités rudimentaires, le nouveau-né se trouve dans une situation de dépendance totale à l'égard de ses parents ou des personnes qui en prennent soin. Très tôt, il peut regarder et écouter ce qui se passe autour de lui. Il peut aussi explorer avec sa bouche ou ses mains les objets autour de lui. Cependant, il ne peut saisir et explorer avec la main les objets comme il le voudrait et il ne peut se déplacer pour s'approcher des objets ou des personnes. La capacité de contrôler les muscles du corps représente une première forme d'autonomie qui est déterminante sur le plan psychologique. De plus, la capacité de manipuler les objets et de se déplacer permet à l'enfant d'explorer le monde dans lequel il se trouve, d'acquérir de nouvelles connaissances et de satisfaire sa curiosité. En ce sens, la motricité contribue au développement perceptif et cognitif.

### 4.4.2    Le contrôle de la posture

La posture désigne la position du corps dans l'espace et implique le contrôle de la musculature de la tête, du tronc et des membres supérieurs et inférieurs. L'évolution de la posture suit la direction céphalo-caudale, les parties du haut de l'axe corporel étant contrôlées plus tôt que les parties du bas de l'axe corporel (Rigal, 1985). L'enfant parvient d'abord à contrôler les muscles du cou, puis des épaules, des bras, des hanches et finalement des jambes. Cette séquence de contrôle des muscles se manifeste par la capacité de soulever le menton vers le premier mois, de soulever la poitrine vers le deuxième mois, de garder un certain temps la position assise vers le quatrième mois et de garder la position debout (mais appuyé sur un objet ou maintenu en équilibre par un adulte) vers le neuvième mois (Bayley, 1969). Comme l'illustre la figure 4.21, ces habiletés rudimentaires évoluent graduellement vers des habiletés plus complexes permettant à l'enfant de passer d'une position à une autre et de garder une position sans l'aide de l'adulte ou sans appui sur un objet. Ainsi, l'enfant devient capable de maintenir sa tête droite vers le troisième mois, de passer de la position couchée à la position assise vers le septième mois et de se mettre debout par lui-même vers le quatorzième mois.

La capacité de l'enfant à prendre une certaine posture ou à la garder pendant plusieurs minutes dépend de la maturation du système nerveux, de la force musculaire, des proportions corporelles et de l'intégration de l'information sensorielle (Thelen, 1995). Les circuits nerveux responsables du contrôle de la posture se développent très tôt après la naissance et certains sont même en place avant la naissance. De même, l'intégration de l'information sensorielle, indispensable au contrôle de l'équilibre, serait fonctionnelle très tôt après la naissance. Plusieurs études indiquent que les nouveau-nés prennent en compte l'information visuelle et proprioceptive dans le maintien de l'équilibre (Jouen, 1988). L'incapacité des nouveau-nés à maintenir la tête droite

dépendrait surtout du fait que cette dernière est proportionnellement très lourde et que la musculature du cou n'est pas suffisamment forte. Les enfants prennent aussi en compte les informations visuelles et proprioceptives nécessaires à la maîtrise de la position assise avant de pouvoir s'asseoir par eux-mêmes. S'ils sont placés en position assise sur une plate-forme et que celle-ci bascule vers l'arrière, ils contractent leurs muscles abdominaux pour compenser le mouvement de la plate-forme (Hirschfeld et Forssberg, 1994).

Un autre facteur limitant l'équilibre du jeune enfant est lié à la rapidité avec laquelle il active ses muscles pour exécuter les mouvements correctifs. L'équilibre statique dépend en fait d'une série de petits ajustements dans l'activation des muscles antagonistes. Les jeunes enfants mettent plus de temps que les enfants plus vieux à contracter leurs muscles pour rétablir leur équilibre (Shumway-Cook et Woollacott, 1985). Il en résulte des oscillations du corps beaucoup plus grandes et plus difficiles à maîtriser. Les changements qui s'opèrent sur ce plan s'étendent jusqu'à la fin de l'enfance.

### 4.4.3    La préhension

La préhension désigne l'action de prendre ou de saisir et implique le contrôle des muscles des épaules, des bras, des paumes et des doigts. Un contrôle rudimentaire des muscles des bras est présent avant la naissance : vers le septième mois après la conception, le fœtus porte occasionnellement l'une de ses mains à la bouche (DeVries, Visser et Prechtl, 1985). Ce geste devient plus fréquent après la naissance, la main étant souvent portée à la bouche pour être sucée (Butterworth et Hopkins, 1988). On note aussi, entre la naissance et le quatrième mois, que l'enfant agite les bras en direction de l'objet qu'il regarde, sans toutefois pouvoir le saisir (von Hofsten, 1982 ; White, Castle et Held, 1964).

La capacité d'étendre les bras pour saisir les objets de l'environnement apparaît vers le quatrième mois (Thelen et autres, 1993). On est alors en présence d'une préhension imprécise, caractérisée par de multiples mouvements d'oscillation des bras et par une mauvaise coordination des mouvements d'ouverture et de fermeture de la main (von Hofsten, 1979). À cet âge, l'enfant a aussi tendance à saisir un objet à l'aide des deux mains, comme s'il lui était difficile de mouvoir une seule main.

**Figure 4.21**    Le développement moteur durant les 15 premiers mois de la vie

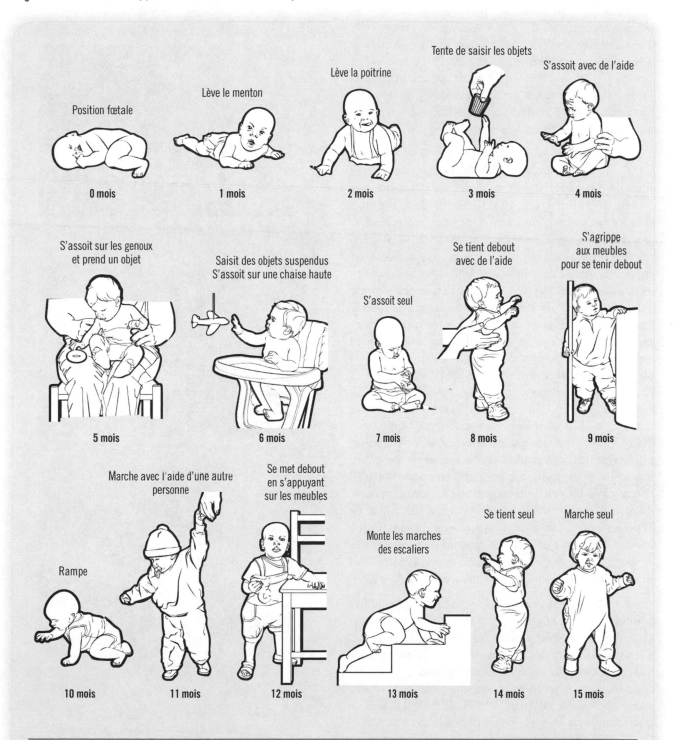

Source : Adaptée de R.V. Kail (2004), *Children and Their Development*, 3e éd., Upper Saddle River (N.J.), Pearson Prentice Hall, p. 162.

Entre le quatrième et le douzième mois, la préhension se fait beaucoup plus directe. Les bras se placent directement dans le voisinage de l'objet et la main s'ouvre et se referme juste au bon moment pour saisir l'objet (von Hofsten, 1979, 1991). La préhension devient plus économique du point de vue énergétique, la saisie à l'aide d'une seule main devenant plus courante (Bruner, 1973). La saisie à une main libère l'autre main, qui peut être alors utilisée pour manipuler l'objet et l'examiner.

La préhension subit des changements qualitatifs entre le quatrième et le douzième mois (Connolly et Elliott, 1972 ; Halverson, 1931). L'enfant de quatre mois saisit l'objet en étendant les bras et en faisant des mouvements de ratissage. Lorsque ses mains touchent l'objet, il referme ses bras et coince l'objet entre ses mains. À cet âge, il a toutefois de la difficulté à tenir fermement l'objet des deux mains. Vers le sixième mois, la prise devient cubito-palmaire. L'enfant utilise davantage une seule main pour saisir l'objet et le coince entre la partie extérieure de la paume et les quatre derniers doigts. Il peut aussi faire passer l'objet d'une main à l'autre. Un mois plus tard, il utilise toute la paume pour saisir l'objet. La prise est alors qualifiée de palmaire (voir la figure 4.22). Le pouce commence à être utilisé vers le huitième mois et donne lieu à la prise radiopalmaire. L'opposition entre le pouce et les autres doigts permet une saisie beaucoup plus ferme de l'objet. Enfin, vers le neuvième mois, l'enfant utilise la pince digitale pour saisir les petits objets. Il coince alors les petits objets entre le pouce et un autre doigt, le plus souvent l'index ou le majeur. L'évolution de la préhension se fait donc de façon proximo-distale : il y a au début contrôle des muscles situés près de l'axe corporel (ceux des épaules) et, à la fin, contrôle des muscles les plus éloignés de cet axe (ceux des doigts).

La préférence manuelle pour la saisie des objets commence à apparaître vers la deuxième année, mais seulement pour une minorité d'enfants (Ames et Ilg, 1964). La plupart des enfants ont une préférence pour une main à un moment, puis une préférence pour l'autre main à un autre, ou encore aucune préférence à certains moments (Gesell et Ames, 1947). C'est vers l'âge de quatre ans que la préférence manuelle devient définitive. La majorité des enfants se servent de préférence de la main droite (87 %), et près de 13 % se servent habituellement de la main gauche (Anderson, 1993).

**Figure 4.22    Différents types de prises manuelles**

La photographie du haut illustre la prise directe qui permet à l'enfant de saisir des objets délicats et instables. La prise radiopalmaire (au centre) permet de saisir fermement des objets assez grands, alors que la pince digitale (en bas) permet de saisir des petits objets.

Le profil évolutif que nous venons de décrire exprime une tendance générale de l'enfant dans sa façon de prendre les objets, c'est-à-dire un mode électif de saisie. Il faut noter que le type de saisie dépend des caractéristiques de l'objet et de la distance à laquelle il se trouve. Ainsi, la prise radiopalmaire continuera d'être utilisée bien après l'âge de huit mois. La pince digitale sera, quant à elle, surtout utilisée pour la saisie de petits objets. Les enfants adaptent donc le type de prise qu'ils utilisent aux objets. Notons aussi que l'enfant peut saisir un objet bien avant quatre mois si ce dernier est placé dans la paume de la main. Nous avons vu plus tôt que les nouveau-nés ferment la main pour saisir un objet qui effleure la paume (réflexe d'agrippement).

La préhension est une action qui exige une coordination entre les informations sensorielles et l'activité des muscles. L'intégration de l'information visuelle est, bien sûr, importante pour le contrôle de la préhension, mais certains travaux récents indiquent que l'intégration des informations tactiles et proprioceptives surviendrait beaucoup plus tôt au cours du développement (Bertenthal et Clifton, 1998). Le fait que la main est portée à la bouche pendant la période fœtale indique qu'une forme rudimentaire de coordination entre les informations tactiles et proprioceptives et l'activité des muscles est déjà présente avant la naissance. Par ailleurs, bien que l'information visuelle joue un rôle de premier plan dans le contrôle du mouvement, elle n'est pas absolument essentielle. Les enfants de quatre à huit mois peuvent saisir un objet dans l'obscurité s'il émet un son (Perris et Clifton, 1988). De plus, des analyses détaillées de la fixation visuelle montrent que l'enfant regarde l'objet lorsqu'il veut le saisir, mais qu'il ne regarde pas nécessairement sa main pour la diriger vers l'objet (von Hofsten, 1982). Cela implique qu'il oriente ses bras et ses mains en se servant des informations proprioceptives provenant des muscles et des tendons.

### 4.4.4    La locomotion

La marche est une action complexe qui nécessite des mouvements alternatifs des membres inférieurs, chaque jambe effectuant successivement des mouvements de flexion et d'extension. Elle requiert non seulement de la coordination musculaire, mais de l'équilibre et la force nécessaire pour supporter le poids du corps sur une seule jambe (Thelen, 1995). Enfin, comme la posture et la préhension, elle suppose la capacité d'intégrer les infor-

mations visuelles, tactiles et proprioceptives. Son évolution passe par plusieurs étapes dont le nombre varie selon les auteurs. Les premiers travaux (Gesell et Ames, 1940) distinguaient près de 23 stades dans l'acquisition de la marche. Actuellement, on pense plutôt que l'évolution de la marche comprend entre trois et cinq étapes (Bertenthal et Clifton, 1998; Thelen, 1986).

Dès la naissance, l'enfant effectue des mouvements alternatifs des jambes qui ressemblent beaucoup à la marche, s'il est soutenu par les aisselles, le corps légèrement incliné vers l'avant et les pieds au sol. Ces mouvements correspondent au réflexe de la marche automatique et ils disparaissent spontanément vers le deuxième mois, excepté si on fait accomplir à l'enfant des exercices qui les sollicitent (Zelazo, Zelazo et Kolb, 1972).

Les mouvements alternatifs des jambes réapparaissent vers le sixième mois lorsque l'enfant est soutenu et qu'il est placé sur un tapis roulant. Les mouvements qu'il exécute alors sont beaucoup plus proches de la marche adulte (Thelen, 1986; Thelen et Fisher, 1982). Cependant, les muscles des jambes ne sont pas encore assez puissants pour que l'enfant puisse faire porter son poids sur une seule jambe. De plus, même s'il a une bonne coordination des jambes, l'enfant n'a pas encore acquis un équilibre suffisant pour marcher sans aide. Vers l'âge de 11 mois, les jambes sont suffisamment fortes et l'enfant peut marcher s'il s'appuie sur des objets.

Des observations récentes indiquent que les mouvements de coups de pied que font les enfants lorsqu'ils sont couchés ou assis présentent, sur les plans structurel et dynamique, plusieurs points communs avec la marche. On note une augmentation marquée des coups de pied, donnés tantôt par un pied, tantôt par l'autre, entre la naissance et le sixième mois. Selon Thelen et Fisher (1982), ces coups de pied montrent que l'enfant demeure capable de produire des mouvements alternatifs des jambes, contrairement à ce qu'on pensait dans le passé.

La marche indépendante apparaît vers le douzième mois. Il s'agit toutefois d'une marche instable qui manque d'aisance. Cette marche se fait avec le pied à plat, les bras relevés de chaque côté du corps et avec une distance latérale entre les pieds plus grande que ce que l'on observe chez l'adulte (voir la figure 4.23, page 144). Comme la tête est proportionnellement lourde, le centre de gravité du corps est plus élevé que celui de l'adulte, ce qui représente une difficulté pour le maintien de l'équilibre. Pour abaisser le centre de gravité de son

Figure 4.23    La marche du jeune enfant

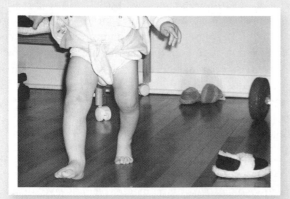

Les mouvements des jambes comportent un écart latéral assez grand (en haut) et les bras sont relativement éloignés de l'axe corporel (au centre). Le transfert du poids du talon vers les orteils (en bas) permet une marche plus fluide.

corps, l'enfant marche avec une légère flexion des hanches et des genoux. Vers l'âge de deux ans, la marche devient plus fluide. Le transfert du poids du corps se fait alors du talon vers les orteils, et il n'est plus besoin de poser le pied à plat. De plus, à cet âge, la marche s'accompagne du balancement alternatif des bras. Vers la troisième année, la marche devient une activité automatique et ne requiert plus d'efforts de la part de l'enfant.

Bertenthal et Clifton (1998) distinguent deux autres étapes dans l'acquisition de la marche : la reptation et la quadrupédie. La reptation consiste en déplacements sur le ventre à l'aide des jambes et des bras et apparaît entre le cinquième et le huitième mois. La quadrupédie correspond à un déplacement avec appui sur les bras et les genoux et fait son apparition vers le dixième mois.

### 4.4.5    Le développement moteur après deux ans

La séquence des acquisitions motrices décrite au tableau 4.6 concerne les progrès observés chez le nourrisson. Évidemment, la marche n'est pas la fin du développement moteur, lequel se poursuivra jusqu'à l'âge adulte. À partir de deux ans, les mouvements de l'enfant deviennent progressivement plus agiles : il peut courir, sauter, sauter à cloche-pied, monter ou descendre un escalier, ou se tenir

L'augmentation de la force musculaire et de la coordination motrice permet à l'enfant de s'adonner à des activités plus complexes.

en équilibre. Le tableau 4.6 décrit brièvement ces diverses actions et les situe dans le temps. Il présente aussi une brève description de la capacité de lancer et d'attraper une balle.

Au cours de l'enfance, la séquence des acquisitions motrices est liée à la maturation neurologique. Cette maturation résulte de la myélinisation des neurones responsables de l'activité et est programmée

**Tableau 4.6**   Description des progrès de certaines habiletés motrices de 2 à 11 ans

### La course

Dès l'âge de 18 mois, on peut voir l'enfant courir lorsqu'il joue à fuir ou à attraper quelqu'un. Au début, cette «course» est une sorte de marche rapide puisque la force et l'équilibre ne sont pas encore suffisants pour permettre aux deux pieds de quitter complètement le sol, ce qui est le propre de la course (Zaichkowsky, Zaichkowsky et Martinek, 1980). C'est entre 2 et 3 ans que la course apparaît, avec le saut réel qu'elle implique. D'abord maladroite, la course gagne en souplesse et en coordination, puis devient, vers 4 ou 5 ans, une action bien coordonnée et beaucoup plus rapide qu'à 2 ou 3 ans. La vitesse de la course augmente graduellement au cours de l'enfance, les garçons étant en général plus rapides que les filles.

### Le saut

Le saut, qui est un élément constitutif de la course, n'est au début qu'un pas étiré. Vers deux ans et demi, âge où la musculature des jambes est suffisamment forte, les deux pieds peuvent quitter le sol et effectuer un saut réel. Capable de courir pour prendre de l'élan, l'enfant peut faire un saut en longueur de 36 à 60 cm à trois ans (Bayley, 1935). Vers deux ans et demi environ, l'enfant est capable de sauter à pieds joints. Les performances en saut en hauteur augmentent linéairement entre 7 et 11 ans (Johnson, 1962) et, après sept ans, les garçons sautent plus haut que les filles. Il en va à peu près de même pour les performances en saut en longueur.

### Le saut à cloche-pied

Le saut à cloche-pied consiste à avancer en sautant sur un seul pied. Il requiert de l'équilibre en même temps qu'une force suffisante des jambes. L'équilibre au repos sur un pied n'est pas vraiment acquis avant deux ans et demi, et ce n'est généralement que vers l'âge de quatre ans que l'enfant peut sauter à cloche-pied.

### Monter ou descendre un escalier

Les premières fois qu'un enfant monte ou descend un escalier, c'est généralement à quatre pattes. Il tentera sans doute de le descendre la tête la première au début, mais il s'apercevra rapidement qu'il est plus facile de le descendre à reculons. L'enfant qui marche peut aussi monter et descendre debout l'escalier si celui-ci est muni d'une rampe, mais il ne cesse complètement de mettre les deux pieds sur la même marche que vers l'âge de quatre ans. L'aisance dans l'escalier augmente ensuite progressivement.

### L'équilibre

Avant l'âge de deux ans, il n'y a pas vraiment d'équilibre statique ni d'habileté à marcher en ligne droite, mais vers trois ans, l'enfant peut généralement se tenir en équilibre sur une jambe pendant 3 ou 4 secondes et franchir une distance de 3 m sur une ligne au sol d'une largeur de 2,5 cm. Vers l'âge de cinq ans, les filles seraient plus capables que les garçons de garder leur équilibre statique, alors qu'après 6-7 ans, il n'y aurait plus de différence entre les deux sexes; par la suite, leur capacité ne progresse que lentement jusqu'à l'adolescence. Sur le plan de l'équilibre dynamique illustré par la capacité de marcher sur une poutre, les progrès seraient également assez lents (par rapport à la course, par exemple) et les filles ont tendance à dépasser les garçons (Zaichkowsky, Zaichkowsky et Martinek, 1980).

### Lancer et attraper une balle

Avant deux ans, l'enfant debout peut projeter une balle avec ses mains, mais il ne s'agit pas vraiment de lancers: les deux mains sont utilisées ou le mouvement s'effectue sans véritable maîtrise de la direction. Vers 2 ou 3 ans, le lancer s'effectue avec l'aide de l'avant-bras, sans positionnement des pieds ni rotation du tronc. Entre 3 et 4 ans, il y a rotation du tronc, et le bras s'étend davantage dans le mouvement de lancer. Entre 5 et 6 ans, l'enfant fait un pas en avant au moment de faire le mouvement du bras, mais le pied avancé est celui du côté du bras qui lance. C'est après six ans que le lancer du type «base-ball» est coordonné, avec, pour un enfant droitier, le poids qui part du pied droit et va sur le gauche par un pas en avant en même temps que l'avant-bras effectue son extension et qu'il y a rotation du tronc.

Il semble que le rôle de l'entraînement est déterminant dans la maîtrise du lancer, ce qui peut expliquer les grandes différences entre les cultures ou les individus. Entre 7 et 11 ans, on observe, chez les filles comme chez les garçons, une amélioration de 100 % dans la précision des lancers.

Attraper une balle en vol est difficile parce que le geste porte sur un objet en mouvement, ce qui requiert beaucoup de précision et de vitesse dans la coordination de la vision et de la préhension. Les premiers vrais succès avec un ballon de 20 cm de diamètre qui arrive dans la poitrine après avoir fait un bond de 4 ou 5 m ne sont obtenus, dans 60 % à 80 % des essais, que vers cinq ans. Les progrès se font ensuite graduellement (Zaichkowsky, Zaichkowsky et Martinek, 1980).

**Tableau 4.7** Chronologie de l'acquisition de certaines habiletés motrices usuelles chez l'enfant

| Habiletés liées au fait de manger | |
| --- | --- |
| 15 mois | L'enfant est capable de prendre un gobelet avec ses doigts, mais il n'a pas appris à plier le poignet et risque de renverser le contenu. |
| | Il peut tenir une cuillère et y mettre de la nourriture, mais il a du mal à la remplir ; il porte la cuillère à la bouche, mais peut la tourner à l'envers. |
| 18 mois | Il prend le gobelet, le porte à la bouche et boit proprement, mais il peut laisser tomber le contenant lorsqu'il a fini. |
| | Il réussit à remplir une cuillère, mais a de la difficulté à la faire entrer dans la bouche ; la nourriture déborde de la bouche. |
| 24 mois | Il peut tenir d'une main un petit verre et en boire le contenu sans trop de risques. |
| | Il est capable de manger avec une cuillère sans trop renverser de nourriture. |
| 36 mois | Il peut se servir d'un pot pour verser un liquide dans un verre. |
| | Les filles peuvent prendre une cuillère en soutenant le dos avec les doigts de l'autre main avec peu de risques de dégâts. |

| Habiletés liées à l'habillage | |
| --- | --- |
| 15 mois | L'enfant aide à l'habillage en étirant le bras ou la jambe. |
| 18 mois | Il peut enlever ses moufles, son bonnet ou ses chaussettes. |
| | Il peut descendre une fermeture à glissière. |
| 24 mois | Il peut retirer ses chaussures si les lacets sont détachés. |
| | Il aide à l'habillage en trouvant les manches et en y insérant son bras (même chose pour la jambe). |
| | Il peut monter ou descendre son pantalon. |
| | Il peut se laver les mains et les essuyer, mais plutôt maladroitement. |
| 36 mois | Il peut enlever plusieurs vêtements lui-même, mais a besoin d'aide pour certains vêtements tels que les chandails ou les chemises. |
| | Il peut déboutonner ses vêtements à l'avant ou sur le côté. |
| | Il ne différencie pas bien l'avant de l'arrière des vêtements et peut mettre son pantalon sens devant derrière, etc. |
| | Il se lave et se sèche les mains correctement. |
| | Il peut se brosser les dents avec de l'aide. |
| 48 mois | Il peut s'habiller et se déshabiller avec un peu d'aide. |
| | Il distingue l'avant et l'arrière des vêtements et les met correctement. |
| | Il peut se laver les mains et la figure. |
| | Il se brosse les dents seul. |
| 60 mois | Il s'habille et se déshabille correctement. |
| | Il peut être capable de nouer ses lacets (habituellement vers six ans). |

Source : Adapté de A. Gesell (1940), *The First Five Years of Life : A Guide to the Study of the Preschool Child,* New York, Harper & Brothers.

génétiquement. Donc, le développement moteur de l'enfant dépend à la fois de la programmation génétique et de l'interaction avec l'environnement. L'acquisition de la motricité globale, et en particulier de la maîtrise de la position assise ou debout et de la marche, serait relativement peu sujette à l'influence de l'environnement, tandis que la motricité fine (usage d'ustensiles pour manger, d'un crayon pour dessiner, etc.) dépendrait davantage des possibilités offertes par l'environnement (Graham, 1986).

Bien avant la fin de la première année, l'enfant est en mesure d'effectuer des mouvements complexes, comme prendre le biberon qu'il voit devant lui et le porter à sa bouche, témoignant ainsi d'une capacité d'agir sur l'environnement en poursuivant des buts précis. Dans l'exploration motrice de l'environnement, des processus cognitifs de plus en plus complexes sont nécessaires pour planifier et coordonner les unités motrices entre elles dans la poursuite d'un but. Le développement moteur contribue donc grandement au développement psychologique de l'enfant. Le tableau 4.7 indique les âges moyens où certaines habiletés motrices liées à l'alimentation et à l'habillage de l'enfant sont acquises.

## 4.4.6   Les problèmes de développement moteur

### Le retard général du développement moteur

L'étroite relation qui existe entre le développement neurologique et le développement moteur fait qu'un retard marqué dans le développement moteur est souvent associé à un retard de langage et, plus généralement, à un retard mental comme tel. L'inverse n'est toutefois pas nécessairement vrai puisqu'un retard mental peut ne pas être accompagné d'un retard moteur. La paralysie cérébrale, des anomalies propres au système nerveux central peuvent être à l'origine d'un retard moteur général.

Le tableau 4.8 tiré de Graham (1986) fournit quelques indications concernant les délais au terme desquels il faut envisager un retard dans l'acquisition motrice. Comme le dit Gesell (1940, p. 240):

L'ensemble du développement de l'enfant ne doit pas être évalué à partir de ses habiletés motrices seulement. L'enfant de trois ans qui ne marche pas présente sans doute un retard dans l'acquisition de la marche, mais il n'est pas pour cela un enfant retardé.

Le développement de l'enfant ne peut être évalué sur la base d'une seule habileté ou d'un seul type de comportement.

### Les problèmes de coordination motrice (dyspraxie motrice spécifique)

Les enfants qui présentent des difficultés de coordination motrice, c'est-à-dire une maladresse notable, tardent souvent à marcher, à manger sans aide à table, à s'habiller seuls, mais toutefois leur langage peut être normal (Graham, 1986). À mesure qu'ils grandissent, les enfants

**Tableau 4.8**   Âges moyens d'acquisition de certaines capacités motrices et âge à partir duquel on peut parler de retard

| Capacité motrice | Âge moyen d'acquisition (en mois) | Âge à atteindre avant de penser à un retard développemental |
|---|---|---|
| **Motricité globale** | | |
| Supporte sa tête lorsqu'il est tenu assis | 3 | 5 |
| Se tient assis sans aide | 7 | 10 |
| Se tient debout en s'appuyant sur un objet | 10 | 15 |
| Fait deux ou trois pas sans aide | 14 | 18 |
| Monte un escalier en tenant la rampe | 20 | 30 |
| Saute à pieds joints | 30 | 42 |
| Saute à cloche-pied | 48 | 72 |
| **Motricité fine** | | |
| Saisit un hochet | 3 | 5 |
| Transfère un cube d'une main à l'autre | 7 | 10 |
| Saisit un petit objet entre le pouce et l'index | 9 | 12 |
| Boit dans un gobelet | 14 | 20 |
| Empile quatre cubes | 20 | 33 |
| Copie le dessin d'un cercle | 36 | 42 |
| Enfile des perles | 40 | 48 |
| Copie le dessin d'une croix (+) | 48 | 54 |
| Copie le dessin d'un carré | 54 | 66 |

Source: Adapté de P. Graham (1986), *Child Psychiatry: A Developmental Approach,* Oxford, Oxford University Press.

atteints de dyspraxie motrice ont de plus en plus de difficulté à exécuter les tâches scolaires requérant la manipulation de crayons, à être compétitifs dans les activités physiques, ce qui peut affecter leur image d'eux-mêmes et occasionner des difficultés dans l'adaptation scolaire. Le dépistage précoce de ce type de dyspraxie peut permettre la mise en route immédiate de traitements salutaires relevant de la physiothérapie ou de l'ergothérapie. La connaissance de la nature réelle de l'affection peut aussi contribuer à rendre l'entourage de l'enfant plus compréhensif.

### Les tics

Le tic se définit comme un mouvement bref involontaire, se répétant fréquemment. Même si des tics peuvent apparaître tôt dans l'enfance et tard dans l'adolescence, c'est le plus souvent entre 5 et 7 ans qu'ils surgissent chez l'enfant. Il y aurait environ 10 % des enfants qui en seraient atteints légèrement, la prévalence étant beaucoup plus grande chez les garçons que chez les filles (trois garçons pour une fille).

Souvent, le tic est une réaction à une situation de stress (entrée à l'école, problème familial, etc.). La plupart du temps, il disparaît spontanément au bout de quelques mois. Dans les cas de tics légers, le traitement habituel consiste à supprimer les sources de stress connues, à ne pas accorder d'attention au tic et à apporter du soutien affectif à l'enfant. Il existe par ailleurs des méthodes béhavioristes de traitement des tics persistants qui peuvent donner de bons résultats (voir Ladouceur, 1979 ; Bouchard et Ladouceur, 1988).

# Questions

1. Qu'est-ce que le principe de développement proximo-distal ?
2. *Vrai ou faux.* La croissance du corps ne se termine pas à la fin de l'adolescence, mais se poursuit jusque vers l'âge de 30 ans.
3. Quel est le premier centre d'ossification ?
4. Comment se fait la croissance en largeur de l'os ?
5. Donnez un exemple d'exercice physique déconseillé aux jeunes en raison du stress excessif auquel il expose les articulations.
6. Dites ce qu'est un neurone et mentionnez trois de ses éléments constitutifs
7. *Complétez la phrase.* Le cerveau est constitué de deux types de cellules : les _____ et les _____.
8. Qu'est-ce que la myélinisation des neurones ?
9. Illustrez par un exemple le fait que la myélinisation du système nerveux conditionne l'apparition des fonctions sensorimotrices chez l'enfant.
10. *Complétez la phrase.* Le terme « _____ » désigne le phénomène par lequel les deux hémisphères cérébraux sont responsables de fonctions distinctes.

11. Comment Broca se rendit-il compte du rôle important de l'hémisphère dit «dominant» dans la compréhension du langage?

12. *Complétez la phrase.* Les deux hémisphères cérébraux sont reliés entre eux par _____.

13. Quel rôle la locomotion a-t-elle joué dans le développement de la symétrie corporelle au cours de l'évolution des espèces?

14. En quoi la symétrie bilatérale du cerveau peut-elle être un inconvénient dans la manipulation?

15. Les hommes et les femmes présentent certaines différences quant à la localisation cérébrale du centre de contrôle de certaines fonctions psychologiques. Indiquez les énoncés qui sont corrects parmi les suivants.

    a) La zone de contrôle de la production du langage oral est plus précisément localisée chez la femme.

    b) La zone de contrôle du vocabulaire est plus précisément localisée chez l'homme.

    c) La zone de contrôle de la motricité des mains est plus précisément localisée chez l'homme.

16. *Vrai ou faux.* Il y a peu d'études portant spéciale-ment sur les effets psychologiques du rythme de croissance chez l'enfant, mais il est probable que le fait d'acquérir plus tôt différentes capacités d'adaptation représente un désavantage pour l'enfant.

17. Qu'est-ce que l'on entend par «tendance séculaire» en matière de croissance physique?

18. *Vrai ou faux.* La tendance séculaire est apparue dès le XIXᵉ siècle dans les pays industrialisés et elle se maintient fortement encore aujourd'hui.

19. Énumérez quatre causes possibles d'une faible croissance physique chez l'enfant.

20. Qu'est-ce que le phénomène de croissance compensatoire?

21. Indiquez deux critères utilisés pour le diagnostic clinique de l'anorexie mentale.

22. Parmi les groupes d'âge suivants, lequel est le plus souvent atteint d'anorexie mentale?

    a) 6 à 12 ans

    b) 13 à 22 ans

    c) 23 à 32 ans

    d) 33 à 44 ans

    e) 45 ans et plus

23. Qu'est-ce que la méthode de préférence visuelle et quelle est son utilité?

24. Nommez deux facteurs qui affectent l'acuité visuelle au cours du premier mois de vie.

25. Qu'est-ce qui fait que la méthode inventée par Gibson et Walk (1960) pour évaluer la perception de la profondeur est limitée?

26. Donnez deux exemples d'invariants perceptifs.

27. *Vrai ou faux.* La capacité des enfants à distinguer les visages de différentes personnes se rapproche de celle des adultes vers l'âge de trois ans.

28. Expliquez en quoi la technique d'imagerie par ultrasons a permis d'obtenir des informations sur la perception des sons avant la naissance.

29. À partir de quel âge les enfants commencent-ils à distinguer les substances gustatives?

30. Qu'est-ce que l'appariement intersensoriel?

31. L'augmentation de l'efficacité des systèmes perceptifs constitue l'une des tendances générales du développement de la perception. Qu'est-ce qui explique, au moins en partie, cette augmen-tation de l'efficacité?

32. Illustrez à l'aide d'exemples le fait que la maîtrise des positions assise et debout suit la direction céphalo-caudale.

33. Quels sont les changements qui se manifestent entre le quatrième et le douzième mois en ce qui concerne la saisie manuelle des objets?

34. Quelle direction le développement de la préhen-sion suit-il?

35. Indiquez deux facteurs qui empêchent l'enfant de six mois de marcher sans aide bien qu'il soit capable d'effectuer des mouvements alternatifs de flexion et d'extension des jambes.

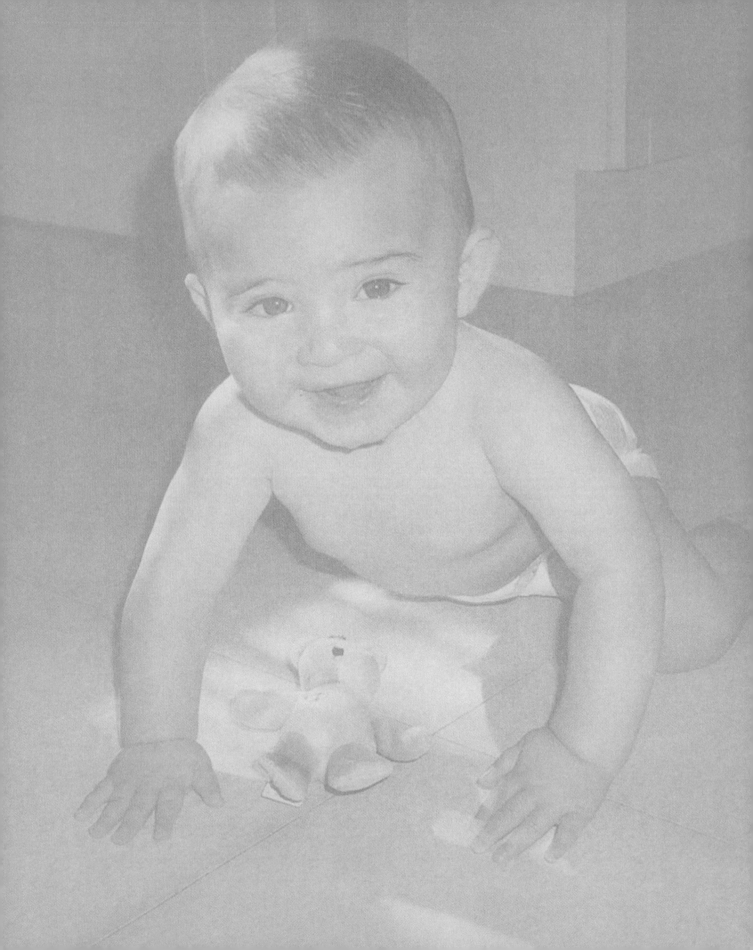

# Les stades du développement cognitif

Chapitre 5

Richard Cloutier
Pierre Gosselin

## 5.1   INTRODUCTION

Avec ce cinquième chapitre, nous entrons dans le domaine du développement de l'intelligence chez l'enfant. L'intelligence est une dimension psychologique de première importance parce que toute la vie mentale repose sur elle. La façon dont on perçoit le monde physique et social autour de soi, la façon dont on regarde les événements que l'on vit, la façon dont on se voit soi-même, reposent sur le fonctionnement de notre intelligence. L'ensemble de l'expérience subjective est déterminée par le « film mental » qui se déroule dans le cerveau. Or cette faculté que l'on appelle « intelligence » se transforme radicalement entre 0 et 12 ans, et c'est ce qui justifie la place que nous lui accordons dans le présent ouvrage : les trois prochains chapitres lui sont consacrés.

> Malheureusement, les concepts réellement intéressants de ce monde échappent le plus souvent à nos tentatives les plus déterminées de les cerner, de leur donner une définition et de les contraindre à y correspondre par la suite. De façon perverse, leur définition demeure multiple, ambiguë, imprécise et, par-dessus tout, instable et ouverte, ouverte aux accords et aux désaccords, à certaines reformulations et à l'introduction d'exemples nouveaux qui cadrent parfois très mal avec l'idée initiale. Mais il n'est peut-être pas mauvais que nos concepts généraux présentent ce type de complexité et d'instabilité (certains parleraient de richesse, de créativité). (Flavell, 1985, p. 2.)

Dans les chapitres qui suivent, nous nous attacherons à l'étude des concepts généraux (intelligence, créativité, stade de développement, etc.) auxquels se référait Flavell (1985) dans la citation précédente. Cependant, sans vouloir faire abstraction de la diversité des manières d'envisager ces concepts, nous nous efforcerons de fournir un cadre à notre étude de ces derniers, cadre qui aura certainement pour effet de limiter notre analyse, mais qui nous empêchera de nous perdre dans la multitude des approches existantes.

Premièrement, nous inscrivons notre étude du développement de l'intelligence dans le cadre piagétien. Jean Piaget (1896-1980) n'est certainement pas le seul à distinguer différents stades dans le développement de la pensée humaine ; certains diront par ailleurs que sa théorie est dépassée parce qu'elle exclut certains éléments du développement. Par exemple, Piaget n'a pas vraiment considéré les aspects affectifs et sociaux du développement mental de l'enfant ; il n'a pas donné non plus de description du développement cognitif adulte, son analyse s'arrêtant à l'adolescence. Bien que ces critiques soient justifiées, la théorie de Piaget fournit probablement le modèle le plus cohérent du développement de l'intelligence chez l'enfant, et c'et ce qui explique que nous nous attardions sur lui dans le présent chapitre.

La doctrine piagétienne permet par ailleurs d'assurer une continuité avec le développement du corps étudié dans les chapitres précédents : pour Piaget, en effet, l'équilibre intellectuel s'inscrit dans le prolongement direct de l'équilibre biologique et répond aux mêmes grandes nécessités fonctionnelles (adaptation et organisation). L'activité physique de l'enfant est la base première de son activité mentale. Le développement physique et moteur, que nous avons examiné dans le chapitre 4, constitue donc le point de départ du présent chapitre, consacré aux stades du développement cognitif définis par Piaget.

## 5.2   JEAN PIAGET : L'HOMME ET L'ŒUVRE

Jean Piaget est né le 9 août 1896 à Neuchâtel. Il reçoit sa formation initiale en biologie.

À l'âge de 10 ans, il publie un premier article dans un journal d'histoire naturelle de Neuchâtel : un cour texte sur un moineau partiellement albinos qu'il avait observé dans un parc (Piaget, 1976). Très tôt passionné pour la recherche scientifique, il travaille, pendant les quatre années du cours secondaire, comme assistant de laboratoire pour Paul Godet, directeur du Musée d'histoire naturelle de Neuchâtel. Au cours de cette période déterminante pour le développement de sa pensée, il publie plusieurs articles sur les mollusques ; à l'âge de 21 ans, Piaget a déjà à son actif une vingtaine d'articles sur les mollusques de Suisse et de France.

Durant son adolescence, Piaget s'intéresse à diverses questions philosophiques, religieuses ou psychologiques, en gardant constamment la biologie comme point de référence. Cette orientaton biologique demeurera présente dans toute son œuvre, dont le fil conducteur principal est l'explication biologique de la connaissance (Piaget, 1976). Dès les années du baccalauréat, qu'il obtient en 1915, Piaget lit et écrit beaucoup. Ses études en philosophie (Bergson, Kant, Spencer) et en psychologie (James, Janet) ajoutées à sa formation poussée en biologie l'amènent à cette constatation :

[…] entre la biologie et l'analyse de la connaissance, il me fallait quelque chose de plus que la philosophie. Je crois que c'est à ce moment-là que je découvris un besoin qui ne pouvait être satisfait que par la psychologie. […] Ce fut dans ce champ de recherche que les habitudes mentales que j'avais acquises au contact de la zoologie devaient me rendre de grands services. Je n'ai jamais cru à un système sans contrôle expérimental précis. (Piaget, 1976, p. 5 et 7.)

Pour des raisons de santé, Piaget doit se retirer pendant un an à la montagne où il s'occupe à lire et à rédiger ses réflexions philosophiques, publiées en 1917 sous le titre *Recherche*. En 1918, à l'âge de 22 ans, il rédige sa thèse de doctorat en sciences naturelles qui sera publiée en 1921 sous le titre *Introduction à la malacologie valaisanne*. Il se rend à Zurich pour y faire un stage dans les laboratoires de Lipps, à la clinique psychiatrique de Bleuler. En 1919, à Paris, il s'intègre dans l'équipe de Simon, associé de Binet et coauteur du Binet-Simon, l'un des premiers tests standardisés de l'intelligence.

Piaget fut chargé de standardiser les tests d'intelligence du psychologue anglais Burt sur une population normale d'enfants parisiens. À cette époque, il réalise que les solutions erronées des enfants aux problèmes des tests ne sont pas fournies au hasard, mais suivent une logique qu'il s'attache à étudier au moyen de ce qui va devenir sa méthode clinique. Cette méthode consiste à sous-questionner le sujet en vue de mettre en évidence son raisonnement spontané face à des problèmes précis; l'analyse de ce raisonnement permet d'en dégager la structure de pensée. Il s'agit d'un énorme progrès par rapport à l'attitude « normative » de la recherche psychométrique d'alors.

Enfin, j'avais découvert mon champ de recherche […]. Ainsi mes observations montrant que la logique n'était pas innée, mais qu'elle se développe peu à peu, semblaient compatibles avec mes idées sur la formation de l'équilibre vers lequel tendent les structures mentales; en outre, la possibilité d'étudier directement le problème de la logique était en accord avec mes intérêts philosophiques antérieurs. Enfin, mon but qui était de découvrir une sorte d'embryologie de l'intelligence était adapté à ma formation biologique […]. (Piaget, 1976, p. 10.)

Après la publication de quatre articles portant sur ces recherches (Piaget, 1921a, 1921b, 1922, 1923a), Piaget se voit offrir par Édouard Claparède le poste de chef des travaux à l'Institut Jean-Jacques-Rousseau de Genève. La psychologie et l'épistémologie génétiques vont dorénavant devenir ses deux principaux champs

d'études bien qu'il continue de publier des travaux en biologie jusqu'en 1930 (Droz et Rahmy, 1972).

En 1925, 1927 et 1931, trois enfants naissent dans la famille de Piaget: Lucienne, Jacqueline et Laurent. Aidé de sa femme, l'auteur entreprend alors une observation active du développement de ses trois enfants au cours des trois ou quatre premières années de leur vie. Cette démarche lui permet de comprendre et de décrire les liens qui existent entre les actions sensorimotrices et les opérations intellectuelles avant l'apparition du langage. Ne pouvant interroger des enfants si jeunes, Piaget commence à cette époque à se fonder sur l'activité de l'enfant portant sur des objets pour comprendre sa pensée. Trois importants ouvrages ont résulté de cette recherche familiale (Piaget, 1936, 1937, 1945).

L'œuvre de Piaget dans le domaine de la psychologie de l'enfant est probablement la plus marquante du XXᵉ siècle, quantitativement et qualitativement; pendant 60 ans, les publications se sont succédé à un rythme soutenu, tant en psychologie génétique qu'en philosophie (épistémologie), en sociologie ou en pédagogie. « Fondamentalement, je suis un anxieux que seul le travail soulage » (Piaget, 1976, note 17, p. 21), disait-il à

Jean Piaget

ceux qui lui demandaient comment il faisait pour écrire autant avec ses multiples charges universitaires. Pendant ses nombreuses années de production, il s'est entouré d'un nombre imposant de collaborateurs et de collaboratrices. Barbël Inhelder est certainement la figure la plus importante de ce groupe, comme en témoigne la série d'ouvrages qu'elle a signés avec lui.

Aujourd'hui, Piaget est connu internationalement, car ses ouvrages ont été traduits dans plusieurs langues et les chercheurs qu'il a formés ont continué, dans différents pays, à faire avancer la recherche dans le domaine de la psychogenèse.

## 5.3   LA CONCEPTION PIAGÉTIENNE DE L'INTELLIGENCE

> Le développement psychique qui débute dès la naissance et prend fin à l'âge adulte est comparable à la croissance organique: comme cette dernière, il consiste essentiellement en une marche vers l'équilibre. De même, en effet, que le corps est en évolution jusqu'à un niveau relativement stable, caractérisé par l'achèvement de la croissance et par la maturité des organes, de même la vie peut être conçue comme évoluant dans la direction d'une forme d'équilibre finale représentée par l'esprit adulte. Le développement est donc en un sens une équilibration progressive, un passage perpétuel d'un état de moindre équilibre à un état d'équilibre supérieur. (Piaget, 1964c, p. 9.)

Pour Piaget, le développement du corps et celui de l'intelligence procèdent tous deux d'un mécanisme d'équilibration progressive. Le développement implique le passage d'un état d'équilibre à un autre, d'un stade à un autre. Chaque nouveau stade intègre les éléments du précédent, mais les réorganise en y ajoutant des éléments nouveaux, processus qui augmente la capacité d'adaptation de l'organisme.

La citation ci-dessous montre que, pour Piaget, la naissance et l'âge adulte apparaissent comme les limites à l'intérieur desquelles s'inscrit le développement. Aujourd'hui, les limites se sont étendues: l'examen du développement prénatal permet de voir qu'avant même la naissance, l'activité mentale se développe et qu'à la naissance, certaines compétences s'exercent déjà, ce qui oblige à reconnaître que l'intelligence chez l'enfant apparaît avant la naissance. D'autre part, des études récentes sur le développement aux différentes époques de la vie ont établi que les processus mentaux continuent d'évoluer à l'âge adulte. L'âge adulte s'accompagne de changements de l'activité cognitive qui ne sont pas seulement quantitatifs (impliquant des éléments nouveaux de connaissance), mais aussi qualitatifs, c'est-à-dire qu'il se produit des changements dans la manière même de penser (Levinson, 1986).

Dans son autobiographie, Piaget précise ce qui suit:

> Mon unique idée, que j'ai exposée sous des formes diverses en (hélas!) 22 volumes, a été que les opérations intellectuelles procèdent en termes de structures d'ensemble. Ces structures déterminent les types de l'équilibre vers lequel tend l'évolution tout entière; à la fois organiques, psychologiques et sociales, leurs racines descendent jusqu'à la morphogenèse biologique même. (Piaget, 1976, p. 23.)

Ducret (1984) distingue quatre grands axes dans l'œuvre de Piaget:

1) la dimension génétique, qui rend compte de la hiérarchisation des conduites;

2) le structuralisme, dans lequel les connaissances constituent des systèmes organisés;

3) le constructivisme, en vertu duquel le sujet joue un rôle actif dans l'élaboration de ses connaissances;

4) l'interactionnisme, dans lequel l'adaptation de l'organisme à son milieu apparaît comme le résultat de l'interaction entre l'assimilation du milieu à la structure du sujet et l'accommodation de cette structure au milieu.

### 5.3.1   La définition de l'intelligence selon Piaget

> Définir l'intelligence par la réversibilité progressive des structures mobiles qu'elle construit, c'est donc redire, sous une nouvelle forme, que l'intelligence constitue l'état d'équilibre vers lequel tendent toutes les adaptations successives d'ordre sensorimoteur et cognitif, ainsi que tous les échanges assimilateurs et accommodateurs entre l'organisme et le milieu. (Piaget, 1967a, p. 17.)

La phrase citée est complexe, mais elle résume bien la conception piagétienne de l'intelligence. L'intelligence est un équilibre. Cet équilibre est le résultat d'une interaction entre le sujet et son milieu, interaction qui est influencée par les caractéristiques du sujet et par celles du milieu. Les façons d'échanger avec le milieu évoluent; elles se développent selon un plan génétique précodé, mais qui ne se réalise qu'avec l'action du sujet dans son milieu. Le développement est une construction qui résulte de l'activité du sujet. Sans celle-ci, le simple passage du temps amène une maturation de l'organisme qui ne s'accompagne pas d'une évolution des connaissances. C'est dire l'importance, pour le développement de l'intelligence, d'une participation active du sujet dans un milieu stimulant.

Dans le présent chapitre, ces notions s'éclaireront progressivement grâce aux nombreuses explications qui seront apportées.

## 5.4 LES DEUX GRANDS INVARIANTS FONCTIONNELS

Sur le plan cognitif comme sur le plan biologique, Piaget croit que le fonctionnement repose sur deux grands principes ou invariants : l'adaptation et l'organisation. L'organisme possède une organisation propre et il vit dans un milieu avec lequel il interagit pour s'adapter. Son adaptation à l'environnement dépend à la fois de son organisation interne et des caractéristiques du milieu. Ces deux principes valent autant pour l'adaptation biologique que pour l'adaptation mentale, l'activité intellectuelle étant un prolongement des activités plus primitives de l'organisme que sont les actions sensorimotrices, par exemple.

### 5.4.1 L'adaptation

Nous prendrons ici la nutrition comme exemple d'adaptation. Quand les organismes vivants se nourrissent, ils incorporent des éléments provenant de leur milieu. L'énergie nécessaire à la croissance et à la survie de leur corps est ainsi puisée dans l'environnement en fonction des besoins de l'organisme et des ressources du milieu. Les aliments sont assimilés, c'est-à-dire transformés par l'appareil digestif, puis intégrés dans les cellules. L'assimilation dépend aussi des caractéristiques des aliments : ceux-ci sont plus ou moins faciles à digérer, de sorte que le système digestif doit s'accommoder des caractéristiques de la nourriture. Piaget appelle « schèmes » les structures d'activité de l'organisme.

L'organisme assimile les aliments d'une certaine manière, selon une séquence ou un programme. La manière de se nourrir varie suivant les espèces animales : un mollusque n'absorbe pas la nourriture de la même façon qu'un cheval ou qu'un homme. Chaque espèce a son propre mode d'assimilation, mais toutes, en se nourrissant, incorporent des éléments issus du milieu. La nutrition constitue un exemple du processus par lequel l'organisme assimile des éléments qui lui sont extérieurs : celui-ci les transforme pour les incorporer à ses propres structures en s'y accommodant, c'est-à-dire en adaptant sa digestion aux propriétés de la matière ingérée. Deux mécanismes sont donc à la base de l'adaptation : l'assimilation et l'accommodation.

Selon Piaget, le développement de l'intelligence obéit aux mêmes mécanismes que le corps biologique. L'adaptation y constitue aussi un état d'équilibre entre l'assimilation et l'accommodation. Le tableau 5.1 (page 156) donne la définition des mécanismes d'assimilation et d'accommodation, et fournit des exemples d'interactions dans différentes fonctions humaines.

L'adaptation résultant de l'équilibre entre l'assimilation et l'accommodation passe par différents niveaux d'organisation ou stades de développement. Chacun des actes accomplis implique une interaction entre les caractéristiques du sujet, ses structures et celles du milieu. Cette interaction détermine l'organisation du sujet.

### 5.4.2 L'organisation

Chacune des étapes de l'évolution mentale correspond à un niveau d'équilibre défini par une structure, par une « organisation » des actions possibles. Piaget distingue quatre grandes périodes de développement de l'intelligence :

1) la période sensorimotrice (de 0 à 2 ans) ;
2) la période préopératoire (la pensée symbolique [de 2 à 5 ans] et la pensée intuitive [de 5 à 7 ans]) ;
3) la période des opérations concrètes (de 7 à 12 ans) ;
4) la période opératoire formelle (de 12 ans à l'âge adulte).

Chacune de ces grandes périodes correspond à une façon de penser ou de s'adapter mentalement et comprend un certain nombre de stades.

Un stade de développement de l'intelligence correspond donc à un niveau particulier d'organisation de la pensée. Selon Piaget, l'ordre de succession des différents stades est toujours le même chez tous les enfants. Le rythme d'évolution peut cependant varier selon les individus, en fonction de leurs caractéristiques personnelles, de la stimulation reçue du milieu ou du domaine cognitif concerné. Chaque nouveau stade correspond à un palier d'équilibre qui intègre les acquis des stades antérieurs dans une nouvelle organisation plus souple, plus adaptée à la diversité du réel. Piaget parle à cet égard d'emboîtement hiérarchique des stades.

Piaget s'est aussi intéressé au développement de l'intelligence chez l'enfant parce qu'il croyait que le chemin que chacun parcourt dans sa psychogenèse est le même que celui que l'humanité a parcouru dans son évolution, de sorte que, si l'on reculait dans l'histoire, on s'apercevrait qu'à une certaine époque, les hommes pensaient comme des enfants de 5 ans, de 10 ans, etc.

### 5.4.3   Les structures cognitives

La notion de structure est centrale dans la conception piagétienne de l'intelligence. Les actions comme les pensées ne se produisent pas de façon anarchique. Chacun a une façon de tenir un crayon, de lire un texte.

L'individu ne peut pas, subitement, changer sa manière de tenir un crayon ou de lire et conserver le même niveau d'efficacité dans ces tâches perceptuelles et motrices. Certes, il serait possible d'apprendre à écrire de la main gauche si on écrit de la main droite, mais il faudrait « réapprendre », c'est-à-dire construire un nouveau schème d'action, une nouvelle structure. De même, le sujet pourrait réapprendre la lecture en lisant dans un miroir, mais ce serait certainement là une toute nouvelle façon de faire.

L'adaptation, comme l'organisation, repose sur des structures de fonctionnement, sur des schèmes. Le schème, c'est ce qu'il y a de constant dans une activité qui se répète. Lorsqu'on prend un dictionnaire, une disquette d'ordinateur ou un crayon, il y a des gestes communs à chacune de ces actions : c'est le schème de la préhension. Mais certains éléments diffèrent aussi dans ces actions : la préhension s'accommode à la forme particulière des objets, sans quoi l'action est inadaptée. On ne prend pas un dictionnaire de la même façon que l'on prend un crayon, etc.

**Tableau 5.1**   L'adaptation définie en fonction des mécanismes d'assimilation et d'accommodation selon Piaget

| Adaptation | |
| --- | --- |
| L'adaptation est un équilibre entre l'assimilation et l'accommodation. Elle résulte de l'assimilation d'éléments en fonction des structures déjà existantes de l'organisme et de l'accommodation de ces dernières aux situations nouvelles. Théoriquement, la recherche d'équilibre – l'équilibration – est constante pendant | le développement et ne s'achève qu'avec la constitution d'un système stable d'adaptation. L'adaptation associe donc les transformations que l'organisme fait subir au milieu (assimilation) et celles qui s'opèrent en lui lorsqu'il incorpore des éléments nouveaux (accommodation). |
| **Assimilation** | **Accommodation** |
| L'assimilation est le mécanisme par lequel l'organisme incorpore des éléments extérieurs en fonction de ses structures propres. | L'accommodation est le mécanisme par lequel l'organisme modifie ses structures afin de s'adapter à la réalité. |

L'assimilation et l'accommodation sont présentes dans toutes les fonctions de l'organisme, depuis le plan biologique jusqu'aux activités mentales complexes. En voici quelques exemples :

*Exemple 1:*  La digestion. Lorsqu'une personne se nourrit, les aliments sont digérés, c'est-à-dire assimilés au corps. L'assimilation diffère toutefois selon le type d'aliment. Le système digestif doit s'adapter aux caractéristiques des aliments de sorte que la transformation de ceux-ci peut prendre plus ou moins de temps, selon, par exemple, qu'il a affaire à des aliments lourds ou à des aliments légers.

*Exemple 2:*  Le manche de hache. Autrefois, les bûcherons se fabriquaient parfois de nouveaux manches de hache au début de la saison de coupe. Une certaine période d'adaptation à l'outil pouvait alors être observée : la main de l'homme (c'est-à-dire la structure de l'organisme) assimilait l'outil par frottement et en usait des parties de différentes façons. La main s'adaptait, par ailleurs, à la forme du manche : il en résultait parfois des ampoules ou de la corne à certains endroits. La main et la hache s'adaptaient l'une à l'autre.

*Exemple 3:*  La résolution du problème. La solution à un problème suppose que les données ont été assimilées, c'est-à-dire intégrées aux structures mentales, lesquelles à leur tour doivent s'accommoder aux caractéristiques spécifiques des données du problème. La solution du problème, c'est-à-dire l'adaptation, est le résultat de la rencontre entre les opérations mentales dont le sujet est capable (pôle d'assimilation) et l'application de ces structures au contexte du problème (pôle d'accommodation).

Source: Adapté de J. Piaget (1963), *La naissance de l'intelligence,* 4ᵉ éd., Neuchâtel, Delachaux et Niestlé.

Dans *La naissance de l'intelligence,* Piaget (1963b) décrit de façon détaillée l'évolution des schèmes sensorimoteurs depuis les réflexes présents à la naissance jusqu'au développement de la représentation mentale des structures d'action. Ainsi, le nouveau-né possède le réflexe de succion, si important pour sa survie. Le schème de succion évolue et intègre progressivement d'autres objets que le mamelon ou la tétine pour devenir un des moyens privilégiés d'exploration de l'environnement. La structure d'action inhérente à la succion se répète, mais elle évolue pour s'étendre à d'autres fonctions que la fonction nutritive : la bouche, que l'enfant utilise dès sa naissance, devient un moyen d'entrer en contact avec l'environnement, de connaître les objets. À mesure que la préhension et la vision se coordonnent, la succion cesse de servir à l'exploration, car l'enfant développe d'autres structures, d'autres schèmes pour entrer en contact avec le monde. Les structures d'actions restent présentes, mais d'autres structures plus complexes et plus englobantes reposant sur la capacité de se représenter mentalement la réalité s'installent. Ainsi apparaissent des actions mentales réversibles : les opérations. Nous verrons plus loin comment Piaget applique cette idée de structure à chacun des stades de développement de l'intelligence.

## 5.5   LES FACTEURS DE DÉVELOPPEMENT

Dans la théorie de Piaget donc, l'activité mentale correspond au prolongement de l'activité physique, ces deux niveaux d'adaptation impliquant une interaction du sujet avec son milieu, interaction définie par le niveau d'organisation des structures du sujet et par les caractéristiques du milieu. Le développement est constitué par le passage d'un niveau d'organisation à un autre, chaque niveau représentant un degré du développement, ce qui explique l'ordre invariable de succession des stades. Mais qu'est-ce qui explique le développement, c'est-à-dire le fait que l'on passe d'un stade à un autre plutôt que de rester constamment au même niveau ?

Selon Piaget, le développement de l'intelligence serait dû aux quatre facteurs suivants :

1) la maturation de l'organisme ;
2) l'expérience de l'environnement physique ;
3) l'influence du milieu social ;
4) l'équilibration.

### 5.5.1   La maturation

La maturation physique de l'organisme joue un rôle crucial dans le développement de l'intelligence du fait qu'elle met en place les structures neurologiques sur lesquelles repose l'activité mentale. On connaît encore mal les liens biochimiques entre le fonctionnement mental et les structures du cerveau, mais on sait déjà que ces dernières entrent en fonction et se différencient à divers âges et qu'il existe des moments privilégiés pour l'acquisition de certaines fonctions comme le langage, le raisonnement abstrait, etc. Toutefois, la maturation rend seulement les structures nerveuses aptes à recevoir des contenus mentaux ; elle ne garantit pas l'acquisition de ces derniers. Les pensées ne sont pas innées et d'autres facteurs doivent intervenir pour les expliquer.

### 5.5.2   L'expérience du monde physique

Nous avons vu au chapitre 4 qu'il existe des moments critiques où l'organisme doit vivre certaines expériences pour que ses fonctions sensorimotrices se développent normalement. Chez le chat par exemple, le développement de certaines structures nerveuses comme le cortex visuel serait compromis si, à une certaine époque de la maturation postnatale, l'animal ne recevait pas les stimulations nécessaires à la mise en place de la circuiterie nerveuse responsable de la vision.

Piaget (1970) distingue trois catégories d'expériences acquises dans l'environnement physique :

1) l'exercice ;
2) l'expérience physique des objets ;
3) l'expérience logico-mathématique.

Chacune de ces trois catégories implique l'action du sujet puisqu'il ne peut y avoir d'expérience sans action.

Dans l'exercice, l'organisme répète une action (un schème) pour la consolider. L'exercice permet au nourrisson de consolider son réflexe de succion et de l'étendre éventuellement à des objets nouveaux. De même, les opérations mentales, pour demeurer fonctionnelles, doivent s'exercer. Dans l'exercice, le principal agent de développement est donc le sujet lui-même.

À l'opposé, dans l'expérience physique des objets, la principale source de connaissance est constituée par les objets sur lesquels porte l'action du sujet.

C'est par le contact visuel avec différents objets que l'enfant peut déterminer des caractères tels que la couleur ou la forme; c'est par la manipulation des objets que des notions comme la chaleur ou le poids peuvent être acquises. Ces connaissances ne peuvent s'acquérir par l'exercice seul puisqu'elles proviennent de l'abstraction des propriétés des objets.

La connaissance qui provient de l'expérience logico-mathématique résulte de l'action du sujet sur les objets et non pas des propriétés physiques des objets. Piaget (1970) donne l'exemple de l'enfant qui aligne des jetons pour en faciliter le décompte et qui découvre qu'il obtient le même nombre en les comptant de gauche à droite ou de droite à gauche; il dispose ensuite les jetons en cercle et constate qu'il arrive au même résultat. Il s'agit là d'une expérience logico-mathématique où l'enfant découvre que le nombre des objets est indépendant de leur position dans l'espace ou de l'ordre dans lequel ils sont comptés; il acquiert ainsi la notion de la conservation du nombre. Dans ce cas, ce ne sont ni les objets eux-mêmes ni l'exercice qui sont à la source de la connaissance, mais bien le résultat de l'action du sujet sur les objets.

### 5.5.3 L'influence du monde social

L'influence de l'environnement social constitue le troisième facteur de développement. Le fait que le rythme de développement de la pensée peut être accéléré par des interventions éducatives appropriées (Cloutier, 1978) montre que l'environnement social influe grandement sur l'éveil de l'intelligence. Par ailleurs, étant donné qu'il est invariable, l'ordre de succession des stades ne peut dépendre de l'environnement (Piaget, 1976).

> En fait, les influences sociales et éducatives et l'expérience physique sont sur le même pied à cet égard, elles ne peuvent avoir d'effet sur le sujet que s'il est prêt à les assimiler, et il ne peut arriver à cela que s'il possède déjà les instruments ou structures adéquats (ou leurs formes primitives). En fait, ce qui est enseigné n'est effectivement assimilé que lorsqu'il donne lieu à une reconstruction active et même à une réinvention de la part de l'enfant. (Piaget, 1970, p. 721.)

### 5.5.4 L'équilibration

Piaget croit que les trois premiers facteurs de développement ne suffisent pas à eux seuls pour expliquer la séquence invariable du développement. Ces trois facteurs

hétérogènes ne peuvent amener un résultat aussi constant que s'ils sont coordonnés entre eux et que s'ils s'équilibrent. Un quatrième facteur de développement intervient donc, celui de l'équilibration, constituée par un processus d'autorégulation par lequel l'organisme recherche un équilibre adaptatif dans l'intégration des

Si un enfant de quatre ans est placé devant deux boulettes de pâte à modeler identiques et si, devant lui, l'une d'elles est façonnée en saucisse, il dira que la quantité de pâte à modeler n'est plus la même. L'enfant, ne considère qu'une seule dimension: la saucisse est plus volumineuse parce qu'elle est plus longue que la boulette (voir la figure 5.1.b). Si, maintenant, on allonge la saucisse jusqu'à ce qu'elle ait l'apparence d'un fil, l'enfant dira qu'il y a moins de pâte à modeler parce que «c'est mince comme un fil». À cet âge, l'enfant ne voit pas les contradictions; il raisonne sur des états, des apparences, et pour lui, la modification d'une apparence peut amener un changement de quantité (voir la figure 5.1.c).

Un enfant de 5-6 ans placé dans la même situation pourra, lui aussi, dire au début que la saucisse contient plus de pâte à modeler parce qu'elle est plus longue. La poursuite de la transformation créera toutefois de l'incertitude chez lui: il pourra se demander comment il se fait que la quantité de pâte à modeler semble diminuer («c'est mince comme un fil»). La variation dans les réponses («tantôt il y en a plus, tantôt il y en a moins...») constitue un problème pour lui et le pousse à reconsidérer sa façon d'envisager le phénomène, à chercher une solution. La tendance à chercher à résoudre une contradiction qui apparaît constitue l'équilibration. Dans notre exemple, c'est ce processus d'autorégulation qui entraîne l'enfant de 5-6 ans à ne plus juger exclusivement sur les apparences, mais à raisonner sur la transformation qu'il a observée. Il s'aperçoit que la longueur et la largeur de la forme sont liées entre elles et dépendent de la transformation. Il pourra alors compenser une dimension par l'autre en observant que «c'est plus long mais c'est plus mince» ou sortir de l'image présente et renverser la transformation (réversibilité) [« si l'on refait la boulette comme tout à l'heure, il y en aura pareil»].

Pour Piaget,

> [...] la transition d'un stade à un autre est donc une équilibration dans le sens le plus classique du mot. Mais comme ces déplacements du système sont des activités du sujet, et puisque chacune de ces activités consiste à corriger celle qui la précède immédiatement, l'équilibration devient une séquence d'autorégulations dont les processus rétroactifs résultent finalement en la réversibilité opératoire. (Piaget, 1970, p. 725.)

Figure 5.1    L'expérience de la conservation de la quantité de pâte à modeler

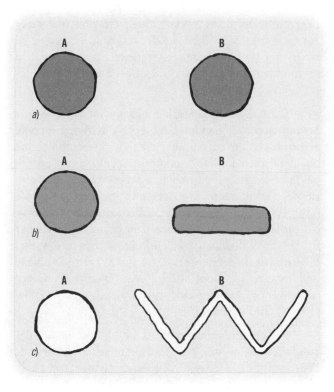

données du milieu à ses structures (assimilation) et dans l'ajustement de ces dernières aux exigences du milieu (accommodation).

## 5.6    LA PÉRIODE SENSORIMOTRICE (DE 0 À 2 ANS)

Dans la théorie de Piaget, l'intelligence sensorimotrice est une intelligence d'action. L'enfant n'a pas encore de représentation mentale, de sorte que sa pensée porte sur ce qui se passe autour de lui « ici et maintenant ». À la fin de la deuxième année, le pensée aura progressivement franchi ces limites imposées par le présent : la mémoire des choses, c'est-à-dire leur représentation mentale, permettra de sortir du présent et de prévoir l'avenir.

Ces deux premières années de la vie donnent lieu à un progrès considérable dans la capacité d'adaptation. La différence entre les capacités du nouveau-né et celles de l'enfant de deux ans est telle que Flavell (1985) considère que l'écart entre le premier et le second est plus grand que celui qui sépare l'enfant de deux ans de l'adulte.

La période sensorimotrice, comme son nom l'indique, est dominée par le développement sensoriel et moteur. Si l'on peut parler d'une intelligence sensorimotrice, c'est certainement d'une intelligence de perception et d'action dont il s'agit et non pas d'une pensée basée sur des symboles ou des représentations mentales de la réalité. La source des connaissances nouvelles correspond alors à l'observation des objets et aussi à l'effet de l'action exercée sur eux.

> Le nourrisson « connaît », en ce sens qu'il identifie les objets et événements familiers, et il « pense », en ce sens qu'il se comporte envers eux avec sa bouche, sa main, ses yeux et ses autres instruments sensorimoteurs d'une façon prédictible, organisée et souvent bien adaptée. (Flavell, 1985, p. 13.)

Piaget distingue six stades de développement sensorimoteur, chacun étant caractérisé par un type d'acquisitions. C'est l'observation séquentielle de ses trois enfants qui a permis à l'auteur de bâtir sa théorie du développement sensorimoteur. Les âges d'accession aux stades sont fournis à titre indicatif et servent de points de repère. Ils ne correspondent pas à des normes précises de développement, et des différences individuelles parfois importantes peuvent être observées quant au moment d'apparition de certaines conduites.

Piaget indique que les conduites particulières de chaque stade ne se succèdent pas de façon linéaire, que les nouveaux acquis n'effacent pas les précédents, mais se superposent comme les couches d'une pyramide ; les nouveaux modes de comportement améliorent ou complètent les anciens (Piaget, 1963b). C'est grâce aux schèmes que Piaget a pu distinguer des particularités propres à chaque stade. En effet, les conduites ne sont pas le fruit du hasard, elles sont organisées. Le schème correspond à la structure ou à la base mentale de l'action. Cela est vrai non seulement pour les actions sensorimotrices, mais aussi pour les opérations mentales qui apparaîtront ultérieurement. Ainsi, pour apprécier l'activité du nourrisson, on peut observer les unités d'actions qui se répètent, puis se modifient et se combinent entre elles (coordination des schèmes), engendrant des structures plus vastes qui permettent l'adaptation à des situations plus complexes.

Les acquisitions du palier précédent sont donc utilisées pour créer des unités ou des schèmes d'action plus complexes.

### 5.6.1 Le stade 1 : l'exercice des réflexes (de 0 à 1 mois)

Comme nous l'avons vu au chapitre 4, le nouveau-né présente une série de réflexes dont certains disparaîtront et d'autres se maintiendront. Depuis la publication des travaux de Piaget sur le développement sensorimoteur au cours des années 1930, bon nombre d'études ont mis en évidence le fait que le nouveau-né a des capacités plus différenciées que l'on croyait. Flavell (1963), amorçant la description du stade 1 de la période sensorimotrice, affirme : « Il est évident, pour quiconque a déjà observé un nouveau-né, que le répertoire comportemental qu'il possède est extrêmement limité. » (P. 89.) Ce type d'affirmation est de plus en plus rare, car on s'est rendu compte, avec des techniques d'observation plus raffinées, que le nouveau-né dispose d'un répertoire comportemental beaucoup plus étendu qu'il n'y paraît à première vue.

Les récentes recherches n'ont toutefois pas entraîné le rejet de la théorie piagétienne du développement sensorimoteur. Au contraire, la thèse selon laquelle l'ordre de succession des différents stades est invariable a été confirmée par des études récentes conduites sur le singe ou le chat, et portant notamment sur le développement de la permanence de l'objet (Dumas, 1985).

Pour Piaget, les réflexes dont l'enfant est doté à sa naissance constituent les premiers schèmes, les premières structures de conduite. Pendant le premier mois, l'exercice de ces schèmes permettra leur différenciation et leur application à des objets nouveaux. Par exemple, Bruner écrit :

> Le schème de succion initial du nouveau-né consiste en un tout indissociable, un mouvement d'ensemble dont le but est de créer une pression négative dans toute la cavité buccale. Dès la première succion, l'ensemble de ce schème se déploie. Par la suite cependant, il s'opère un changement. Il est intéressant de remarquer que, vers la quatrième semaine, cet ensemble comportemental indifférencié est devenu une série d'éléments intégrés mais différenciés, qui peuvent se manifester isolément. (1967, p. 7-8.)

### 5.6.2 Le stade 2 : les réactions circulaires primaires (de 1 à 4 mois)

Le premier mois de la vie a donc été principalement consacré à la consolidation des réflexes. Le deuxième stade apparaît lorsque ces réflexes commencent à se modifier pour devenir ce que Piaget nomme les premières habitudes.

Au début de la vie, le schème, c'est-à-dire le pôle assimilation de la conduite, n'est pas différencié du pôle accommodation puisque le réflexe se présente comme une unité automatique de comportement qui ne s'adapte pas aux exigences du milieu. À mesure que les expériences s'accumuleront, ce schème sortira de son moule pour s'accommoder à l'environnement. Ainsi, dans le cas du bébé qui se met à sucer son pouce, non pas par hasard mais du fait de la coordination main-bouche, Piaget parle d'accommodation acquise, car ni le réflexe de la bouche (succion) ni celui de la main (préhension) ne peuvent expliquer à eux seuls cette acquisition ; celle-ci résulte de l'expérience.

L'enfant commence donc à présenter des conduites qui ne sont plus seulement des réflexes mais des extensions de ceux-ci. À ce stade se met en place la réaction circulaire primaire, c'est-à-dire « un exercice fonctionnel acquis, prolongeant l'activité réflexe et ayant pour effet de fortifier et d'entretenir non plus seulement un mécanisme tout monté, mais un ensemble sensorimoteur à résultats nouveaux poursuivis pour eux-mêmes » (Piaget, 1963b, p. 64). La succion du pouce, la protrusion de la langue, l'exploration systématique du regard, le gazouillis, constituent des exemples de réactions circulaires primaires apparaissant à cet âge. La réaction circulaire est dite primaire parce qu'elle est surtout centrée sur le corps propre de l'enfant, sur l'accomplissement d'un mouvement, d'un geste, plutôt que sur des objets, comme ce sera le cas pour la réaction circulaire secondaire apparaissant au stade 3.

Voici deux exemples d'observations faites par Piaget (1963b) sur ses enfants âgés de deux mois :

> Dès 0;2 (8) [2 mois et 8 jours], Laurent se tripote constamment la figure, avant, pendant ou après la succion des doigts. Cette conduite acquiert peu à peu de l'intérêt pour elle-même et donne ainsi naissance à deux habitudes nettes. La première consiste à se tenir le nez. Ainsi, à 0;2 (17), Laurent gazouille et sourit seul, sans aucune envie de sucer, tandis qu'il se tient le nez de la main droite. Il recommence à 0;2 (18)

pendant sa succion (il se tient le nez des quatre doigts tout en suçant le pouce), puis continue après. À 0;2 (19), il se saisit le nez, tantôt de la droite, tantôt de la gauche, se frotte l'œil en passant, mais revient constamment au nez. Le soir, il se tient le nez des deux mains. À 0;2 (22), il semble diriger sa main droite vers le nez alors que je le lui pince. À 0;2 (24) et les jours suivants, nouveaux attouchements du nez. (P. 88, observation n° 57.)

Vers 0;2(16), elle [Lucienne] tripote un oreiller. À 0;2(20), elle ouvre et ferme les mains à vide, et gratte une étoffe. À 0;2 (27), elle garde quelques instants sa couverture dans la main, puis un coin de drap qu'elle a saisi par hasard, puis une petite poupée que j'ai appliquée contre la paume de sa main droite. À 0;3(3), elle heurte un édredon de la main droite: elle le gratte en regardant très attentivement ce qu'elle fait, puis le relâche, le reprend, etc. Elle perd ensuite le contact, mais dès qu'elle le sent à nouveau, elle le saisit sans le gratter. Même réaction plusieurs fois de suite. Il y a donc réaction circulaire assez systématique orientée par le toucher et non pas par la vue. (P. 87, observation n° 54.)

La réaction circulaire est donc une conduite cyclique dont la dernière phase annonce la première, et qui ne cesse que lorsque l'intérêt commence à s'émousser. La réaction circulaire primaire porte sur le geste lui-même plus que sur la réussite d'une interaction avec un objet; il y a début d'accommodation à l'objet sur lequel s'exerce l'action, mais ce n'est qu'avec les réactions circulaires secondaires que l'attention se portera sur lui.

Avec les premières habitudes apparaît une structure comportant des étapes bien définies, mais où il n'y a pas encore à proprement parler d'intentionnalité. Dans la plupart des cas, l'action est accomplie pour elle-même, parce qu'elle procure des résultats intéressants, et non pas dans la poursuite intentionnelle dirigée consciemment vers un but. C'est vers la fin de ce stade 2 et au cours du stade 3 que débute l'activité intentionnelle. L'enfant fait alors une acquisition de première importance: celle de la coordination de la vision et de la préhension. Il y a l'intégration fonctionnelle de la préhension et de la vision, jusque-là indépendantes l'une de l'autre, intégration qui permet à l'enfant de saisir les objets qu'il voit.

### 5.6.3 Le stade 3: les réactions circulaires secondaires (de 4 à 8 mois)

Avec le troisième stade, les adaptations sensorimotrices intègrent l'intentionnalité proprement dite. Pour Piaget, la différenciation des moyens et des buts constitue un critère de conduite intelligente. Le nourrisson du stade 3

---

### LA COORDINATION VISION-PRÉHENSION

Piaget décrit cinq étapes dans la coordination vision-préhension. Il importe de les décrire, car elles permettent de bien comprendre comment des schèmes initialement indépendants s'associent pour former une nouvelle unité fonctionnelle. Il est aussi intéressant de voir que la succion joue un rôle de trait d'union entre la vision et la préhension.

Voici donc les cinq étapes décrites par Piaget:

1. L'enfant exerce ses réflexes de préhension, de mouvement des yeux et de succion.

2. Les réactions circulaires primaires comprennent la préhension d'objets touchés, l'exploration visuelle d'objets offerts à la vue et la succion. Un parallélisme s'établit aussi entre la succion et le mouvement des mains: le nourrisson ouvre et ferme sa bouche en même temps qu'il ouvre ou ferme sa main.

3. La coordination main-bouche apparaît: l'objet pris dans la main est porté immédiatement à la bouche pour être sucé. Il n'y a pas encore de coordination entre la vision et la préhension, car l'enfant ne saisit pas encore ce qu'il voit ni ne regarde sa main

lorsque celle-ci est retenue; les objets saisis ne le sont encore que par hasard. La bouche (et la succion qui s'y rattache) agit comme intermédiaire dans l'association vision-préhension: le lien initial entre la main et la bouche sert à faire entrer la main et l'objet que celle-ci peut tenir dans le champ de vision, ce qui permet l'association entre la vue et la main.

4. L'enfant prend l'objet qu'il voit à portée de sa main. La main et l'objet doivent tous deux se trouver dans le champ de vision pour être liés mentalement l'un à l'autre; la vue de la main seule ou de l'objet seul n'amène pas l'établissement d'un lien.

5. La perception visuelle de l'objet seul déclenche le schème de préhension: ce qui est vu peut être pris, la coordination entre la vision et la préhension est donc assurée. La coordination vision-préhension est un exemple typique de processus conduisant à l'association de deux types de conduites jusque-là indépendants l'un de l'autre et, par là, à la formation d'un schème permettant de nouvelles adaptations. Pour le nourrisson, le schème de vision-préhension devient un puissant outil d'exploration du monde extérieur, un moyen d'acquérir des connaissances.

s'intéresse plus qu'auparavant aux effets qui suivent les actes; la réaction circulaire secondaire consiste justement à considérer avec attention les effets d'une action. Le but n'est donc pas fixé d'avance, mais est plutôt lié aux effets de l'action qu'il veut faire durer; il faut au préalable qu'il y ait établissement du lien entre l'action et l'effet. Par exemple, l'enfant dont la main fait bouger un mobile suspendu devant lui répétera le cycle « secouer, regarder et écouter bouger, secouer » de façon circulaire pour maîtriser l'expérience sensorielle déclenchée fortuitement au début. Ce n'est plus, comme dans la réaction circulaire primaire, le geste lui-même qui est le centre de l'intérêt, mais l'objet saisi par la main.

À ce stade, l'enfant commence à explorer le monde qui l'entoure, et l'exploration se poursuivra pendant tout son développement cognitif. Sur le plan social, l'exploration se traduira par la tendance à imiter. Piaget précise que la capacité d'imiter est encore limitée:

– l'enfant ne peut imiter le modèle que pour des gestes qu'il a lui-même déjà exécutés spontanément;

– il ne peut imiter que des sons qu'il peut s'entendre ou se voir faire; par exemple, il lui est impossible de reproduire des expressions faciales qu'il ne se voit pas faire (Flavell, 1985).

### 5.6.4  Le stade 4 : la coordination des schèmes secondaires (de 8 à 12 mois)

Au stade 2, nous avons vu que des schèmes individuels comme la vision, la succion et la préhension entraient progressivement en interaction; nous avons affaire à l'établissement de la coordination de schèmes primaires. Au stade 4, des schèmes secondaires, déjà eux-mêmes constitués de schèmes primaires, se combinent entre eux.

Ces schèmes secondaires ne seront plus simplement utilisés pour faire durer une stimulation qui s'est produite au début plus ou moins fortuitement, mais pour obtenir un résultat dans une perspective intentionnelle. Par exemple, l'enfant qui cherche à saisir un objet pourra s'avancer, écarter un autre objet qui fait obstacle et poursuivre ensuite son effort jusqu'à ce que son but soit atteint. L'enfant peut subordonner une action à une autre dans la poursuite de son but.

Au stade 2, l'enfant avait commencé à explorer le monde extérieur, à planifier son action. Par exemple, il pouvait commencer à faire le geste de sucer à la vue du biberon. Au stade 4, l'enfant est capable de prévoir non seulement sa propre action, mais aussi celle d'autrui. Ainsi, il peut comprendre que sa mère s'apprête à lui donner à manger parce qu'il la voit préparer le repas. Donc, l'ouverture sur le monde lui permet non seulement d'organiser sa propre conduite, mais aussi de prévoir des événements extérieurs.

Les deux limites de la capacité d'imiter propres au stade précédent disparaissent au stade 4, et l'enfant peut maintenant reproduire de nouveaux gestes par l'observation des autres. Il parvient, par exemple, à imiter quelqu'un qui ouvre et ferme les yeux (donc imiter un geste qu'il ne se voit pas faire) ou pourra reproduire, approximativement au moins, un geste qu'il n'a jamais exécuté auparavant.

Le stade 4 est donc marqué par:

– la capacité de coordonner des séquences d'actions dans la poursuite intentionnelle d'un but;

– une plus grande capacité de relier fonctionnellement les objets et les événements.

### 5.6.5  Le stade 5 : la réaction circulaire tertiaire (de 12 à 18 mois)

Au stade 5 l'enfant est de plus en plus capable de s'approcher des objets pour les manipuler et pour comprendre leurs propriétés. Le stade 5 se caractérise par une expérimentation active, la recherche constante de nouveauté et l'exploration par essais et erreurs.

Les unités de conduite prennent alors la forme de « réactions circulaires tertiaires » parce que l'enfant ne répète plus les actions qui ont conduit à un résultat intéressant de la même manière d'une fois à l'autre, comme dans le cas de la réaction circulaire secondaire, mais il les fait varier pour voir la différence.

> Il ne s'agit plus seulement pour l'enfant d'appliquer des schèmes connus à l'objet nouveau, mais de saisir par l'esprit cet objet en lui-même. À cet égard, faire varier les positions, lancer ou rouler les objets, redresser une boîte, faire flotter, verser de l'eau, etc., sont des expériences actives qui sont bien loin, cela va sans dire, de la vérification d'une déduction préalable, comme dans l'expérience scientifique, mais qui

constituent déjà l'équivalent fonctionnel de l'expérience pour voir. (Piaget, 1963b, p. 240-241.)

La notion de réaction circulaire tertiaire renvoie donc à l'idée que la séquence comportementale (le cycle de la réaction) intègre la relation entre le sujet et les objets et aussi celle des objets entre eux. Piaget donne des exemples de conduites où l'enfant attire à lui un objet en tirant sur une ficelle qui y est attachée, en tirant le tapis sur lequel l'objet est placé, etc. La poursuite du but n'est plus la seule préoccupation, l'enfant s'intéresse aussi aux diverses manières de l'atteindre, si bien que parfois le but aura moins d'importance que le moyen. C'est le cas, par exemple, lorsque l'enfant doit pousser une boîte de carton qui l'empêche de monter sur une chaise et que le renversement de la boîte de toutes sortes de façons devient plus intéressant que le fait d'atteindre la chaise : l'enfant concentre son attention sur les différentes façons de déplacer l'obstacle et oublie le but.

### 5.6.6  Le stade 6 : l'invention de moyens nouveaux (de 18 à 24 mois)

Entre un an et demi et deux ans, l'enfant s'éloigne progressivement de l'action pour entrer dans la représentation mentale. Le stade 6 donne lieu à des découvertes résultant non plus nécessairement de l'accomplissement d'actions (expérimentations), mais de combinaisons mentales (inventions). C'est l'époque de la transition entre l'intelligence sensorimotrice et l'intelligence représentative.

Voici un exemple typique de cette nouvelle possibilité :

> À 1 an 8 mois et 9 jours, Jacqueline arrive devant une porte fermée avec une herbe en chaque main. Elle tend la main droite vers la poignée mais voit qu'elle ne pourra pas s'en tirer sans lâcher l'herbe. Elle la pose donc à terre, ouvre la porte, reprend l'herbe et entre. Mais lorsqu'elle veut ressortir de la chambre les choses se compliquent. Elle pose l'herbe à terre et prend la poignée. Mais elle s'aperçoit alors qu'en tirant à elle le battant de la porte elle va du même coup chasser l'herbe qu'elle a posée entre ce battant et le seuil. Elle la ramasse donc pour la mettre en dehors de la zone d'attraction du battant.

> Cet ensemble d'opérations qui ne constituent en rien une invention remarquable est cependant bien caractéristique des actes d'intelligence fondés sur la représentation ou la conscience des relations. (Piaget, 1963b, p. 294-295.)

L'enfant du stade 6 peut donc imaginer des gestes et ne passer à l'action que lorsque la solution est trouvée, contrairement à celui du stade 5, qui devait réaliser les différentes possibilités. Au stade 6, on parle d'invention de moyens nouveaux parce que la recherche d'un moyen adapté à la poursuite du but se fait mentalement plutôt que pratiquement dans l'action sur les objets.

Le développement survenant au cours de la période sensorimotrice se traduit donc par une progression de l'intérieur vers l'extérieur. Le nouveau-né, d'abord très centré sur lui-même, découvre progressivement les objets qui l'entourent. Le nourrisson explore de plus en plus activement le monde qui l'entoure en exerçant des schèmes d'action de plus en plus complexes. On peut concevoir l'ensemble du développement sensorimoteur comme une extroversion progressive (Flavell, 1985).

### 5.6.7  L'acquisition de la notion de permanence de l'objet

L'adulte sait que les objets qui l'entourent ont leur existence propre, c'est-à-dire qu'ils continuent d'exister même lorsqu'il ne les perçoit pas. Pour l'adulte, il n'y a pas de confusion entre sa perception des objets, l'action qu'il exerce sur eux et les objets eux-mêmes. Il sait qu'ils occupent une place constante et qu'ils peuvent à son insu être déplacés dans l'espace. Il possède la notion de permanence de l'objet.

L'une des grandes découvertes de Piaget a été de montrer que cette notion d'objet n'est pas présente chez le nouveau-né et qu'elle se construit par étapes au cours des deux premières années de sa vie. La permanence de l'objet constitue un invariant cognitif de grande importance, c'est-à-dire une référence mentale de base sur laquelle repose la fonction symbolique. Pour que l'on puisse se représenter un objet mentalement, ce dernier doit avoir son identité propre, c'est-à-dire :

- qu'il doit être conçu comme distinct de soi ou de l'action exercée sur lui ;
- que l'identité en question doit être permanente.

La désignation des objets à l'aide du langage repose sur cette permanence de l'identité de l'objet, sur la permanence de l'objet.

Piaget distingue six étapes dans le développement de la notion de permanence de l'objet, lesquelles correspondent aux six stades du développement sensorimoteur. Pour rendre compte de ce développement, Piaget a observé les réactions d'enfants face à la disparition d'objets. Nous examinerons brièvement les différentes étapes du développement de cette notion.

### Les stades 1 et 2 (de 0 à 4 mois)

Au cours des quatre premiers mois, la disparition d'un objet ne provoque pas de réaction de la part de l'enfant. Tout au plus, à la fin de cette période, l'enfant fixe l'endroit où l'objet est disparu sans chercher à savoir où il se trouve. L'enfant devient capable de suivre des yeux les objets en mouvement et de les regarder fixement lorsqu'ils s'arrêtent, mais leur disparition n'entraîne pas de recherche comme telle.

### Le stade 3 (de 4 à 8 mois)

À ce stade apparaît la capacité de prévoir la position de l'objet d'après la direction du mouvement. Si, par exemple, un objet tombe du berceau, l'enfant se penchera pour le suivre des yeux au lieu de fixer son regard sur l'endroit où il a cessé d'être perçu. Flavell (1985) mentionne qu'un enfant de ce stade qui regarde un train électrique se déplaçant sur un chemin de fer circulaire pourra prévoir l'apparition du train à la sortie d'un tunnel au lieu de simplement fixer l'entrée où le train est disparu.

L'enfant parvient aussi à reconnaître des objets familiers qui ne sont que partiellement visibles. La vue d'une partie seulement du biberon l'amènera à chercher à voir l'objet au complet, mais la disparition lente et visible de l'objet derrière un écran opaque n'entraînera pas de recherche. Si un voile opaque recouvre sa main tenant un objet, l'enfant ne ramènera pas ce dernier à lui; il recherchera visuellement l'objet comme s'il ne se rendait pas compte qu'il le tient ou il le laissera tomber sans faire de recherche. Si, par contre, le voile est transparent, l'enfant ramènera l'objet à lui. Il semble donc qu'à huit mois l'objet ne possède pas encore une identité propre pour l'enfant.

### Le stade 4 (de 8 à 12 mois)

À ce stade, l'enfant cherche l'objet qu'il a vu disparaître derrière un écran ou un voile opaque. Au début, il ne cherche l'objet que si celui-ci a disparu au moment où il allait le prendre; le mouvement sert donc alors de mémoire. À la fin du stade, l'enfant cherchera l'objet même s'il n'y a pas de mouvement dirigé vers lui. Piaget a observé un phénomène intéressant qu'il a nommé l'« erreur de stade 4 ». L'erreur de stade 4 consiste à rechercher l'objet disparu à l'endroit où il a déjà été retrouvé avec succès auparavant, même si ce n'est pas à cet endroit qu'il est disparu la dernière fois. Piaget en conclut que l'objet n'est pas encore complètement indépendant de l'action du sujet, qu'il serait encore psychologiquement contenu dans l'unité d'action globale, dans l'habitude acquise auparavant.

L'erreur de stade 4 se rencontre habituellement à ce stade de la période sensorimotrice. Voici ce qui se passe. Devant l'enfant, on dissimule un petit objet intéressant en le déposant dans un contenant A (ce peut être sous un voile). L'enfant de stade 4 voit disparaître l'objet et va le chercher dans le contenant. On répète plusieurs fois ce jeu de cache-cache où l'enfant réussit à retrouver l'objet. Ensuite, devant l'enfant, on fait disparaître l'objet dans un contenant B différent du contenant A.

L'enfant de stade 4 a alors tendance à aller chercher l'objet dans le contenant A où il avait l'habitude de le trouver. En constatant son insuccès, il cessera sa recherche plutôt que d'aller voir dans le contenant B. C'est l'erreur de stade 4.

Piaget (1977) explique cette erreur, qui disparaît au stade 5, par le fait que l'enfant, exclusivement centré sur son action, ne tient pas compte, contrairement à ce que le problème exige, de l'endroit où était l'objet au moment où il l'a vu disparaître la dernière fois. C'est comme si l'habitude de trouver l'objet en A empêchait l'enfant de voir le nouvel endroit, B, où l'objet est placé. Maury (1980), Dumas (1985) et Perreault (1985) examinent en détail l'erreur de stade 4.

### Le stade 5 (de 12 à 18 mois)

Au stade 5, l'enfant s'affranchit de l'habitude et peut chercher l'objet derrière l'écran où il a disparu, sans égard au nombre de fois qu'il l'a trouvé dans un autre lieu. L'enfant comprend les déplacements visibles de l'objet, c'est-à-dire qu'il sait le chercher aux endroits où il l'a vu disparaître.

À ce stade toutefois, l'enfant ne parvient pas encore à maîtriser les déplacements invisibles, c'est-à-dire qu'il ne sait pas chercher ailleurs que là où il a vu l'objet disparaître. Ainsi, si on cache un petit objet sous un gobelet opaque, l'enfant pourra l'y trouver sans difficulté. Par contre, si on met un voile sur le gobelet contenant l'objet et que, laissant l'objet sous le voile, on ramène le gobelet vide devant l'enfant, ce dernier cherchera l'objet sous le contenant mais cessera sa recherche en constatant que l'objet est absent. Il ne songera pas à aller voir sous le voile, il n'inférera pas que l'objet peut avoir été déplacé au moment où le contenant n'était pas visible, ce qui correspond à un déplacement invisible.

### Le stade 6 (de 18 à 24 mois)

À ce dernier stade de la période sensorimotrice, l'enfant est en mesure de se représenter des déplacements de l'objet qui ne sont pas visibles. L'enfant agit comme s'il avait la conviction que l'objet a vraiment une identité propre, une permanence, et que, s'il ne se trouve pas à un endroit, il doit se trouver à un autre. Piaget (1963b) rapporte l'expérience suivante :

> Jacqueline, à 1;7(23), est assise en face de trois objets-écrans A, R, C, alignés à égale distance les uns des autres (un béret, un mouchoir et sa jaquette). Je cache un petit crayon dans ma main en disant : « Coucou, le crayon », je lui présente ma main fermée, la met sous A, puis sous R, puis sous C (en laissant le crayon sous C) ; à chaque étape, je présente à nouveau ma main fermée, en répétant : « Coucou, le crayon ». Jacqueline cherche alors le crayon directement en C, elle le trouve et rit. (P. 71.)

Dans cet exemple, la fillette aurait pu commencer sa recherche en A et la poursuivre jusqu'en C au besoin. L'enfant peut maintenant se représenter mentalement l'objet, et la disparition subite de ce dernier n'est pas acceptable. Pour la première fois, un magicien qui fait disparaître des objets dans son chapeau est susceptible d'attirer l'attention de l'enfant, car, pour trouver inhabituelle la disparition d'un objet, il faut posséder la notion de la permanence de l'objet. Pour l'enfant qui en est aux premiers stades de la période sensorimotrice, l'objet qui disparaît dans le chapeau du magicien n'a rien de vraiment particulier puisque, pour lui, il est normal que les objets apparaissent ou disparaissent.

### 5.6.8    Les origines de la fonction symbolique

Nous avons vu que, au début de la période sensorimotrice, l'activité du sujet et les objets sur laquelle elle porte ne sont pas différenciés. Flavell (1985) rapporte : « Tant que les éléments externes ne sont pas considérés comme des entités indépendantes, conceptuellement, ils ne peuvent être des objets de référence symbolique. » (P. 29-30.) Lorsque l'enfant fait ses premières imitations, il a déjà commencé à établir une distinction entre lui et l'objet ou la chose qu'il imite. L'action représentant l'objet peut être plus ou moins éloignée de la réalité de ce dernier, par exemple dans le gazouillis imitant une automobile en mouvement, mais le geste n'en constitue pas moins une référence à l'objet. Flavell (1985) rapporte l'idée intéressante de Werner et Kaplan selon laquelle le fait de montrer du doigt un objet constituerait une forme précoce de comportement référentiel :

> Le fait d'attirer l'attention de façon consciente et délibérée de quelqu'un sur un objet en désignant ce dernier du doigt constitue un acte symbolique. On peut en effet affirmer que le fait de pouvoir tenir ce type de conduite implique l'acquisition d'une différenciation relativement claire entre soi et l'objet qui est désigné, c'est-à-dire l'acquisition de l'idée relativement claire que la personne est une chose et que l'objet pointé en est une autre. (P. 30.)

La représentation symbolique d'un objet requiert donc que l'identité de ce dernier soit reconnue comme distincte en même temps qu'elle nécessite l'apparition d'un symbole, lui aussi distinct, mais ayant un lien avec l'objet. Le lien peut être physique comme l'empreinte du pied dans la neige, il peut être une image comme un dessin de l'objet, il peut être conventionnel comme un mot servant à désigner l'objet, etc. Dans la théorie de Piaget, la fonction symbolique, c'est-à-dire le fait de pouvoir utiliser un système de représentation des objets, repose sur la permanence de l'objet. Cette permanence de l'objet implique l'intériorisation de l'image de l'objet, image à laquelle un symbole ou une étiquette pourra être attaché pour servir de référence dans la communication et les opérations mentales.

## 5.7    LA PÉRIODE PRÉOPÉRATOIRE (DE 2 À 6-7 ANS)

À partir de deux ans environ, la pensée de l'enfant entre dans une nouvelle période, marquée par le développement de la fonction symbolique (ou sémiotique). L'enfant franchit progressivement les limites jusque-là tracées par son activité motrice et accède au monde symbolique, à l'imaginaire. Il s'agit d'une véritable révolution sur le plan cognitif: le présent immédiat n'est plus le seul champ sur lequel s'exerce l'activité mentale, et les objets absents, éloignés dans l'espace ou dans le temps, peuvent être rappelés à volonté à l'esprit, selon les besoins de l'imagination ou de la communication. Les souvenirs et les projets futurs s'ajoutent donc au présent immédiat en tant qu'univers mentalement accessibles. L'univers de la représentation est beaucoup plus vaste que celui de l'action où était confiné l'enfant durant la période sensorimotrice.

Au cours de la période préopératoire, la pensée de l'enfant s'appuie sur un système représentatif qui est de plus en plus différencié et qui lui permet de communiquer avec autrui et de confronter ses idées avec celles des autres. Cette fonction symbolique favorise le développement du langage, outil essentiel de socialisation. Mais l'évolution se fait progressivement, l'activité intellectuelle a de nombreuses bornes à franchir. En fait, une bonne partie de ce que nous connaissons de cette période vient de comparaisons établies avec la période opératoire. Le mot préopératoire lui-même indique que l'opération mentale comme telle n'est pas encore acquise.

Cette période de développement comporte deux grandes phases: la phase préconceptuelle (de 2 ans à 4-5 ans environ) et la phase intuitive (de 4-5 ans à 6-7 ans). Cette dernière phase annonce la phase opératoire; l'enfant a plus de mobilité et son activité mentale est plus souple que dans la phase préconceptuelle, bien que la réversibilité ne soit pas encore présente.

Dans notre examen de la période préopératoire, nous décrirons d'abord les bases du système représentatif, puis nous étudierons les premières conduites symboliques et nous considérerons les limites de la pensée préconceptuelle telles qu'elles ressortent des situations décrites par Piaget. Enfin, nous terminerons notre examen des caractéristiques de la pensée préopératoire par un bref examen de la transition vers l'opération que constitue la pensée intuitive.

### 5.7.1  Le système représentatif

À la fin de la période sensorimotrice apparaît une fonction cruciale pour l'activité intellectuelle, à savoir la capacité de se représenter mentalement des objets, des événements ou des actions. Cette intériorisation du monde est la base du développement de la fonction symbolique. Sur cette capacité de conserver une image mentale de l'objet disparu ou absent s'établira ce que Piaget appelle la fonction symbolique: la capacité de représenter quelque chose, un « signifié », par un « signifiant ». Le signifié est l'objet ou l'image mentale de l'objet et le signifiant est le symbole qui représente l'objet ou l'image. Ainsi, les mots de la langue sont des signifiants de ce qu'ils représentent, les signifiés.

Le système représentatif impliquant l'utilisation de symboles pour évoquer les réalités en leur absence se développe progressivement. Au début, le jeune enfant ne possède pas un système de symboles ou de signifiants très complexe. Il existe alors une différence assez grande entre ce que l'enfant connaît mentalement et ce qu'il peut nommer avec un signifiant déterminé, propre à l'entité qu'il veut évoquer.

Mandler (1983) décrit cette asymétrie entre l'ensemble de ce que l'enfant connaît et ce que couvre sa fonction symbolique. Par exemple, un enfant peut avoir une image mentale de sa maison, de la disposition des pièces ou des objets, mais ne pas être en mesure de désigner ces réalités avec un signifiant approprié. La fonction symbolique ne couvrirait alors qu'une partie de l'ensemble du système représentatif: pour nommer une chose, l'enfant doit obligatoirement la connaître, et il peut aussi connaître quelque chose, mais ne pas pouvoir la nommer.

Les schèmes, ou structures des actions physiques et, plus tard, des actions mentales (opérations), correspondent à cette catégorie plus vaste de connaissances qui peut échapper à la fonction symbolique. Il existe des choses que l'on connaît et des choses que l'on peut faire sans pour autant être capable de les désigner par des symboles. Par exemple, si l'on vous demande d'expliquer ce qu'est une spirale, il est possible que vous soyez incapable de la décrire à l'aide de mots et que vous soyez obligé de faire appel aux ressources sensorimotrices, c'est-à-dire au geste qui imite une spirale.

### 5.7.2  Les premières conduites symboliques

Piaget et Inhelder (1971) distinguent cinq conduites où l'enfant utilise un signifiant pour représenter un signifié absent:

1) l'imitation différée;

2) le jeu symbolique;

3) le dessin;

4) l'image mentale;

5) le langage.

Selon les auteurs, la complexité de ces conduites va en croissant. Nous examinerons maintenant chacune d'elles en dégageant leur rôle respectif de précurseurs de la représentation mentale.

### L'imitation différée

L'imitation différée correspond à une imitation qui est faite en l'absence de la chose imitée, donc après coup. Selon Piaget, ce type de conduite, qui apparaît au cours de la période sensorimotrice, n'implique pas de représentation en pensée. Lorsque l'enfant, dans un premier temps, imite un modèle qu'il voit devant lui et, plus tard, reproduit les gestes observés, l'action constitue le support de ce qui est gardé en mémoire. Il s'agit donc du début d'une représentation, mais qui n'est pas encore présente en pensée; le geste imitateur joue le rôle d'un signifiant pour l'activité du modèle, le signifié.

Selon Piaget, l'imitation joue un rôle très important dans l'acquisition du système représentatif, car quatre des cinq conduites symboliques décrites ici reposent sur elle (l'imitation différée, le jeu symbolique, le dessin et l'image mentale), et le langage s'acquiert nécessairement dans un contexte d'imitation. En effet, si l'enfant qui prononce des mots ne reproduit pas nécessairement ce qu'il a entendu, les mots eux-mêmes font partie du code constitué par la langue, laquelle s'apprend par l'imitation des modèles sociaux.

L'imitation est une préfiguration de la représentation, c'est une représentation en acte qui, à la fin de la période sensorimotrice, est suffisamment détachée du modèle pour pouvoir apparaître seule, en imitation différée: «Ainsi détaché de son contexte, l'acte devient signifiant différencié et, par conséquent, en partie déjà représentation en pensée.» (Piaget et Inhelder, 1971, p. 44.)

### Le jeu symbolique

Le jeu symbolique constitue un moyen privilégié pour l'enfant d'appliquer sans contrainte ses schèmes à lui, en réponse à ses propres besoins affectifs et intellectuels.

Cette activité est sans contrainte parce qu'elle ne sert pas à l'adaptation au monde réel: les symboles sont empruntés à l'imitation, mais ils n'ont pas à se conformer au modèle, et l'enfant les utilise et les transforme à sa guise selon les caprices de son imagination.

> Obligé de s'adapter sans cesse à un monde social d'aînés, dont les intérêts et les règles lui restent extérieurs, et à un monde physique qu'il connaît encore mal, l'enfant ne parvient pas comme nous à satisfaire les besoins affectifs et même intellectuels de son moi dans ces adaptations, qui, pour les adultes, sont plus ou moins complètes, mais qui demeurent pour lui d'autant plus inachevées qu'il est jeune. Il est donc indispensable à son équilibre affectif et intellectuel qu'il puisse disposer d'un secteur d'activité dont la motivation ne soit pas l'adaptation au réel mais, au contraire, l'assimilation du réel au moi, sans contraintes ni sanctions: tel est le jeu, qui transforme le réel par assimilation plus ou moins pure aux besoins du moi, tandis que l'imitation (lorsqu'elle constitue une fin en soi) est accommodation plus ou moins pure aux modèles extérieurs et que l'intelligence est équilibre entre l'assimilation et l'accommodation. (Piaget et Inhelder, 1971, p. 46.)

Piaget cite l'exemple d'une fillette qui fait semblant de dormir «assise et souriant largement, mais en fermant les yeux, la tête penchée, le pouce dans la bouche...» (1971, p. 43). Encore ici, c'est l'action d'imiter le sommeil qui constitue le support représentatif, mais des objets symboliques pourront être intégrés à cette action, comme une feuille de papier faisant office de couverture, etc.

Cette grande aptitude du jeu symbolique à combler les besoins des enfants se révèle clairement dans l'observation en garderie, où les enfants, lorsqu'ils sont laissés libres d'agir à leur guise, passent une forte proportion de leur temps à jouer à «faire semblant» (Bissonnette, Cloutier et Ingels, 1984). Sur les plans affectif et social, le jeu symbolique permet de résoudre des conflits, de jouer des rôles sans contrainte extérieure selon les besoins du moment. Il est essentiellement une activité centrée sur le moi. Pas étonnant que l'on y observe des paradoxes comme les monologues collectifs, où plusieurs enfants parlent en groupe, non pas tellement pour communiquer entre eux, mais pour s'exprimer individuellement, sans égard pour ce que dit le voisin.

Cette fonction adaptative du jeu imaginaire dégagé des contraintes du réel est une caractéristique dominante de l'activité spontanée entre 2-3 et 5-6 ans, mais elle continuera de se manifester pendant toute l'enfance et, en se modifiant, elle sera présente peut-être pendant toute la vie. Piaget distingue quatre catégories de jeu:

1) le jeu d'exercice, apparaissant dès le stade sensorimoteur et ayant pour fonction de consolider un savoir nouvellement acquis;

2) le jeu symbolique, que nous venons de décrire;

3) le jeu de règles (marelle, cache-cache, etc.), qui a un aspect social important;

4) le jeu de construction ou de solution de problèmes (jeu-questionnaire, jeu de chimie, construction mécanique, etc.), qui a encore un caractère ludique, mais qui vise à accroître l'adaptation au réel.

### Le dessin

Piaget situe le début de la représentation graphique à mi-chemin entre le jeu symbolique et l'image mentale: ce n'est pas une copie du réel comme peut l'être l'image mentale, et ce n'est pas une activité ludique sans contrainte puisqu'il y a volonté de produire une image. L'auteur n'en observe pas l'apparition avant 24 ou 30 mois sous forme de gribouillage s'apparentant davantage au jeu symbolique pur, mais qui évolue assez rapidement vers une reconnaissance des formes, lesquelles sont reproduites fortuitement d'abord et, par la suite, mieux maîtrisées. Le réalisme du dessin passe par différentes phases: le sujet dessine d'abord ce qu'il sait des choses, plutôt que ce qu'il voit réellement et, progressivement, il intègre les caractéristiques spatiales objectives. L'évolution du dessin se poursuit jusqu'à l'âge adulte (directions, axes, perspectives, etc.) [Noelting, 1973].

### L'image mentale

Pour Piaget, l'image mentale peut être considérée, à ses débuts, comme la reproduction mentale d'une action, sans manifestation observable. Cette façon de voir illustre bien la conviction de l'auteur selon laquelle la pensée est le prolongement de l'action. L'acquisition de la notion de la permanence de l'objet constitue l'une des premières indications de la présence de l'image mentale. Le fait que cette dernière n'apparaît qu'avec le début de la fonction symbolique montre qu'il ne s'agit pas d'un prolongement direct de la perception: si c'était le cas, il y aurait des images mentales dès la période sensorimotrice, période où la perception est évidemment bien présente.

Selon Piaget, il existe deux types d'images mentales: l'image reproductrice et l'image anticipatrice. L'image reproductrice est consacrée à la copie de tableaux connus, sans mouvements ni transformations. Ce type d'image statique ou d'image-copie est typique de la pensée préopératoire, où le sujet ne peut encore opérer des transformations mentales. Vers 6-7 ans, avec l'avènement des opérations concrètes, apparaissent les images anticipatrices ou de transformations, plus mobiles, capables de prendre en compte des changements. Il s'agit du support symbolique nécessaire à l'action intériorisée qui fera son apparition vers 7-8 ans.

### Le langage

L'évocation verbale d'objets ou d'événements absents implique l'utilisation de signifiants différenciés par rapport aux signifiés évoqués. Le langage permet à l'enfant de sortir du présent dans lequel est confinée l'action sensorimotrice, en rappelant le passé ou en prévoyant le futur, comme il permet de sortir de la situation actuelle dans l'espace en faisant appel à des objets situés dans un autre espace. Contrairement aux autres conduites symboliques mentionnées plus haut, le langage n'est pas construit par l'enfant: il constitue un code déjà tout fait contenant des concepts, des relations qui contribueront activement au développement de la pensée. Le langage représente donc un outil d'apprentissage de la logique en même temps qu'il est le moyen privilégié de communication avec les autres.

### L'interdépendance des conduites symboliques

Il faut souligner que les premières conduites symboliques ne sont pas indépendantes les unes des autres; fréquemment, elles apparaissent ensemble dans un jeu ou une imitation où le langage est joint au geste, où le dessin accompagne le jeu, etc. Considérée dans son ensemble, la fonction symbolique est la capacité d'évoquer des objets ou des situations actuellement non perçus au moyen de symboles différenciés. Les moyens permettant de réaliser ces évocations sont l'imitation, le jeu, l'image mentale, le dessin ou le langage. Ces moyens se développent considérablement entre 2 ans et 6-7 ans; il suffit de comparer les niveaux de langage ou les jeux à ces deux âges pour mesurer l'ampleur des progrès réalisés.

La fonction symbolique permet de sortir du lieu actuel en évoquant l'ailleurs, elle permet de quitter le présent en intégrant le passé ou en projetant le futur, ce qui donne plus de vitesse, plus de mobilité et un répertoire beaucoup plus grand aux conduites mentales.

Malgré les progrès rapides accomplis au cours de cette période, les limites de la pensée y sont encore nombreuses comparativement à celles de l'adulte. En nous référant aux exemples pratiques décrits par Piaget, nous étudierons maintenant les caractéristiques de la pensée préopératoire.

## 5.8   LES CARACTÉRISTIQUES DE LA PENSÉE PRÉOPÉRATOIRE

Dans une large mesure, la pensée préopératoire a été définie en fonction de la capacité opératoire, donc en fonction de ce qu'elle n'a pas. Aussi, lorsqu'il s'agit de définir les caractéristiques de la pensée préopératoire dans la théorie de Piaget, est-il surtout question de limites. Dans la section suivante, nous indiquerons les limites de la pensée préopératoire. Ensuite, nous verrons que les situations expérimentales mises en place par Piaget témoignent de ces limites.

### 5.8.1   Les limites de la pensée préconceptuelle (de 2 à 4-5 ans)

Les limites de la pensée préconceptuelle sont:
- l'égocentrisme;
- la centration;
- la pensée statique;
- la non-réversibilité;
- les préconcepts.

Ces caractéristiques sont subordonnées les unes aux autres.

### L'égocentrisme

Au cours de la période préopératoire, l'enfant passe du vécu présent et immédiat de l'action et du tableau perceptuel (intelligence sensorimotrice) à un monde intériorisé, représenté. De la même façon que le progrès sensorimoteur s'était opéré depuis le sujet lui-même vers l'extérieur, donnant lieu à une ouverture de plus en plus grande sur le monde, la reconstruction qui a lieu sur le plan de la représentation se fait à partir du sujet lui-même. Le système représentatif de l'enfant est d'abord collé à son univers à lui, l'enfant étant égocentrique. Les mots utilisés renvoient à son image mentale à lui et non pas à un concept général. L'enfant vit dans un monde particulier, où le mot chien ne désigne pas l'ensemble d'une espèce animale, mais tel ou tel chien particulier qu'il a rencontré, son image mentale à lui du chien.

Dans l'espace, l'égocentrisme se manifeste par l'incapacité de l'enfant durant la période préopératoire à se placer, en pensée, d'un autre point de vue que le sien. Socialement, l'égocentrisme peut se traduire par la difficulté à adapter son langage aux besoins de son interlocuteur, comme en témoignent les monologues collectifs que l'on peut observer à cet âge.

### La centration

Étant donné son égocentrisme, il n'est guère étonnant que l'enfant considère un seul aspect d'une situation et néglige les autres. La centration sur son point de vue propre soulignée par l'égocentrisme spatial ou social en fait foi. L'incapacité de se décentrer d'une dimension ou d'une perspective amène l'enfant à raisonner de façon unidimensionnelle; par exemple, il ne peut compenser un aspect de la réalité, comme la largeur d'un champ, par un autre, comme la longueur, dans l'estimation de la surface. Cette tendance à ne considérer qu'une dimension à la fois conduira l'enfant à commettre des erreurs typiques de raisonnement, comme l'indiquent les nombreuses expériences menées par Piaget et ses collaborateurs en vue de vérifier la présence des conservations.

### La pensée statique

La pensée préopératoire est statique parce qu'elle ne peut tenir compte des transformations. L'enfant raisonne sur des tableaux, sur ce qu'il voit, sans pouvoir tenir compte des changements qui ont déjà eu lieu ou de ceux qui pourraient se produire. Par exemple, dans l'évaluation de la quantité de liquide que contiennent deux verres, l'enfant se basera exclusivement sur la hauteur de la colonne de liquide. Si les deux verres sont identiques et contiennent la même quantité de liquide, l'enfant conclura avec justesse que les deux verres contiennent la même quantité de liquide. Mais si, devant lui, on verse tout le liquide de l'un de ces deux verres dans un verre plus haut et plus mince, l'enfant dira que ce dernier renferme plus de liquide parce que le liquide « monte plus haut ».

L'enfant de la période préopératoire s'arrête à l'apparence des choses, il raisonne sur des états sans prendre en compte les transformations : sa pensée est statique. Une des conséquences de cette incapacité de lier les états entre eux est que l'enfant ne perçoit pas les contradictions manifestes dans sa logique : ce qui était égal il y a un instant est maintenant plus grand, et redeviendra égal bientôt, sans que cela lui paraisse suspect. L'enfant dira tantôt que les petits bateaux de bois flottent parce qu'ils sont légers et que les gros bateaux de bois flottent parce qu'ils sont lourds (Piaget, 1924, p. 138).

### La non-réversibilité

Une des principales caractéristiques de l'opération mentale est sa réversibilité, c'est-à-dire la possibilité d'être effectuée en sens inverse, d'être renversée mentalement. Dans l'exemple précédent des transvasements de liquides, il y aurait réversibilité si l'enfant imaginait que le liquide est versé de nouveau dans le verre de départ identique au verre témoin. Dans ce cas, l'annulation mentale de la transformation de la colonne de liquide est la base de la conservation : « si je verse de nouveau le liquide dans le verre de tout à l'heure, ce sera égal », donc la transformation en apparence peut être compensée par la transformation inverse.

Dans la théorie de Piaget, la réversibilité est un élément essentiel de l'équilibre des structures cognitives. L'enfant de la période préopératoire, qui n'a pas encore atteint le stade de la réversibilité, se trouve donc impuissant à résoudre le problème des transformations et croit, puisqu'il ne considère qu'un seul aspect des choses, qu'une même entité est tantôt plus grande ou plus petite, selon l'apparence qu'elle revêt.

### Les préconcepts

Les préconcepts sont les notions attachées par l'enfant aux premiers signes verbaux dont il acquiert l'usage. Le caractère propre de ces schèmes est de demeurer à mi-chemin entre la généralité du concept et l'individualité des éléments qui le composent, sans atteindre ni l'une ni l'autre (Piaget, 1967a, p. 137).

L'enfant de la période préopératoire, lorsqu'il évoque une maison, n'en est plus à avoir une seule maison comme image mentale (comme l'enfant de la période sensorimotrice qui nommerait l'image d'une maison qu'il a devant lui), mais il n'en est pas encore à la classe généralisable de « maison » ; il dispose du précurseur du concept de maison, un préconcept de maison.

Le raisonnement transductif est une des conséquences de cette absence de concepts généralisables. Le raisonnement transductif consiste à lier entre eux, de proche en proche, plusieurs préconcepts. Un exemple de raisonnement transductif nous est fourni par l'expérience de classification où l'enfant doit établir une classe d'objets semblables. On lui propose alors des cercles rouges, des cercles bleus, des triangles rouges et des triangles bleus. Son classement pourra être fait selon la forme d'abord ; il alignera des cercles, mais le cercle rouge sera suivi d'un triangle rouge et d'un triangle bleu. L'enfant raisonnant de façon transductive ne se rendra pas compte qu'il vient alors de changer de critère de classification, passant du critère « forme » au critère « couleur ». La transduction, ou changement de critère, ne sera pas regardée comme incohérente parce que le classement se fait de proche en proche : les éléments voisins ont tous un trait en commun. À mesure que l'enfant évoluera vers le stade opératoire, les ensembles représentatifs de la pensée s'éloigneront du proche en proche pour intégrer des ensembles plus vastes, des concepts universels.

### 5.8.2 La pensée intuitive (de 4-5 ans à 6-7 ans)

Le stade du raisonnement intuitif, inclus dans la période préopératoire, est considéré comme une étape de transition vers l'opération. Les bornes du raisonnement préconceptuel sont graduellement franchies, mais la mobilité opératoire fait encore défaut. Il s'agit d'une étape du développement que Piaget a beaucoup étudiée, notamment parce qu'à partir de 4-5 ans, l'enfant est capable de mieux s'exprimer, ce qui facilite la collecte de données sur sa façon de penser.

> En effet, de 4 à 7 ans, on assiste à une coordination
> graduelle des rapports représentatifs, donc à
> une conceptualisation croissante qui, dans la phase

symbolique ou préconceptuelle, conduira l'enfant au seuil des opérations. Mais, chose très remarquable, cette intelligence dont on peut suivre les progrès souvent rapides demeure constamment prélogique [...]. (Piaget, 1967a, p. 139.)

La figure 5.2 montre deux verres A et B identiques contenant un certain nombre de billes. L'enfant de 4-5 ans reconnaîtra l'équivalence du nombre de billes dans les deux contenants « parce qu'il y en a égal dans les deux verres ». Mais si devant lui, nous plaçons les billes du verre B dans un verre C de forme plus mince et plus haute, l'enfant dira qu'il y en a plus en B « parce que ça monte plus ». Il s'agit là d'un exemple typique de non-conservation de la quantité par centration sur une dimension perceptivement prégnante du contenant (ici, la hauteur). Si, par la suite, on met les billes du verre B dans un verre D encore plus haut mais aussi beaucoup plus mince, l'enfant donnera une réponse tout à l'opposé et dira que maintenant il y en a moins « parce que c'est trop mince ».

Cette alternance entre deux types de centration qui conduit à un renversement de la réponse correspond pour Piaget à une régulation intuitive témoignant d'une évolution vers l'opération. Dans l'opération, les deux dimensions (hauteur et largeur) sont combinées selon la bonne logique tandis que, dans la régulation, elles sont considérées alternativement.

Dans la même expérience, si l'on place l'enfant devant les verres A et C vides et qu'on lui demande de mettre simultanément une bille en A avec la main gauche et une bille en C avec la main droite, il dira qu'il y a équivalence jusqu'à ce que la différence perceptuelle trop prononcée l'amène à cesser d'affirmer qu'il y a égalité et à conclure qu'il y a plus de billes d'un côté que de l'autre (Piaget, 1967a).

La figure 5.3 (page 172) montre une série de huit jetons blancs espacés également. On demande à l'enfant de 3-4 ans de faire une rangée de jetons noirs contenant le même nombre de jetons que la rangée du haut. La rangée qu'il fera aura la même longueur que le modèle, mais il ne s'occupera pas de l'espacement (voir la figure 5.3.b) et ainsi sa rangée pourra avoir plus de jetons que le modèle.

De son côté, le sujet intuitif de 5-6 ans réussira à conserver la correspondance perceptive en disposant chacun de ses jetons noirs vis-à-vis chaque jeton blanc. La correspondance terme à terme lui permet de réussir

le problème (voir la figure 5.3.c). Si toutefois, devant ce sujet, on resserre la rangée de jetons blancs, il conclura qu'il y en a plus dans la rangée noire « parce que c'est

Figure 5.2    L'expérience de la conservation du nombre de billes

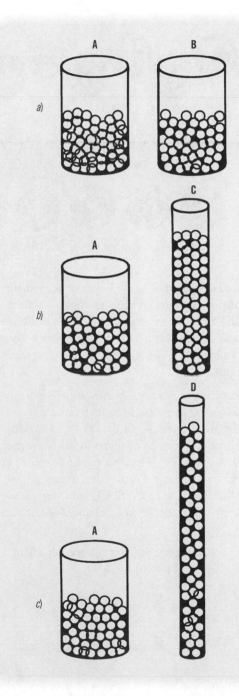

**Figure 5.3**    L'expérience de la conservation du nombre de jetons

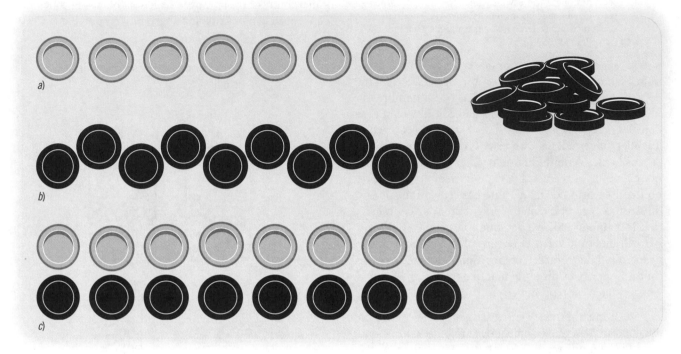

plus long». Si l'on rétablit la correspondance visuelle, il dira de nouveau que le nombre est égal. L'enfant ne décèle donc l'équivalence que lorsqu'il y a correspondance visuelle, mais cette conservation ne résiste pas à l'écart perceptuel. Il s'agit d'un exemple de schème intuitif d'équivalence.

L'expérience des trois perles enfilées sur un fil de fer rigide qui traversent un tunnel (voir la figure 5.4) constitue un autre exemple illustrant les bornes de la pensée intuitive. L'enfant doit prévoir l'ordre de sortie du tunnel des trois perles A, B et C. À partir de quatre ans, l'enfant arrive à prévoir l'ordre de sortie, qui est le même que l'ordre d'entrée (A, B, C), mais il ne parvient pas à renverser cet ordre mentalement de manière

**Figure 5.4**    L'expérience de la conservation de l'ordre
(train et tunnel)

à prévoir l'ordre de retour de la série (C, B, A) si le «train» revient sur son chemin pendant qu'il est engagé dans le tunnel.

Dans l'expérience de la perspective (voir la figure 5.5), où le sujet doit trouver la photo prise d'un autre point de vue que le sien, la pensée préconceptuelle typique enferme l'enfant dans un seul point de vue: le sien. Dans cette expérience, l'enfant de 4-5 ans peut avoir l'intuition que d'autres ont un point de vue différent du sien, mais il n'arrive pas encore à réorganiser, mentalement, les relations spatiales entre les objets pour reconstruire le paysage tel qu'il apparaît dans une autre perspective que la sienne.

La conduite de l'enfant de niveau intuitif dans ces différentes situations permet de comprendre qu'à partir de 4-5 ans, une deuxième étape de la pensée préopératoire s'amorce, qui préparera l'opération comme telle. On observe alors des régulations, c'est-à-dire le passage d'une réponse à une autre, en alternance et non pas simultanément, avec une dépendance à l'égard des perceptions qui subsiste encore. Lorsque l'enfant arrivera à considérer différents aspects d'une réalité donnée, il pourra se dégager de l'apparence des choses pour compenser une dimension par une autre, pour renverser une situation ou défaire une transformation qui vient de se produire devant lui.

Cette mobilité donnant accès à la pensée réversible correspond à l'opération.

### 5.8.3    Quelques conduites préopératoires typiques

Nous avons vu plus haut que Piaget distingue deux phases de développement dans cette période préopératoire qui va de 2 à 6-7 ans : la phase préconceptuelle (de 2 à 4-5 ans) et la phase intuitive (de 4-5 ans à 6-7 ans). Au cours de cette dernière phase, l'enfant évolue progressivement vers une pensée plus mobile, vers l'opération. Dans la section suivante, nous présenterons des exemples de raisonnements que des sujets de la période préopératoire ont fournis dans les épreuves ou les expériences que Piaget et ses collaborateurs ont réalisées en vue de comprendre la pensée de l'enfant de cet âge.

Généralement, trois niveaux de réussite sont décrits pour ces problèmes : l'échec, la transition et la réussite. Le niveau « transition » correspond à la phase

**Figure 5.5**    L'expérience de la perspective

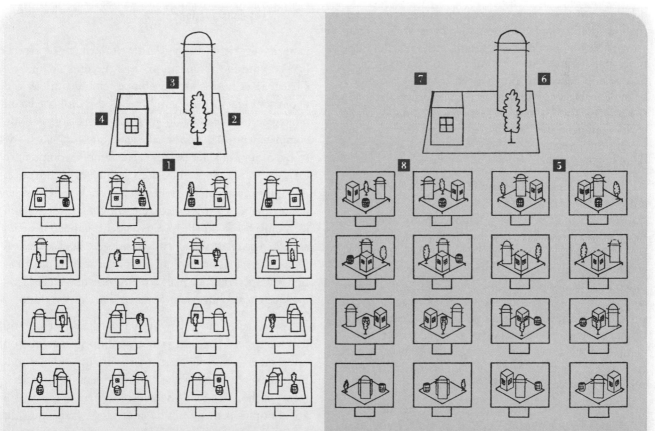

Consigne : On présente au sujet l'image d'une île sur laquelle se trouvent une maison, un phare, un arbre et un baril. On lui montre aussi une série de photos prises de différents points de vue à partir d'un avion en vol autour de l'île. Certaines photos sont impossibles. Le sujet doit inscrire, dans le carré sous la photo, le numéro de la position à partir de laquelle la photo aérienne a été prise.

Source : G. Noelting (1973), « Le phare », dans *Stadex collectif*, série de 10 épreuves de développement cognitif, Québec, Université Laval, École de psychologie.

intuitive, l'échec, à la phase préconceptuelle et la réussite, à l'avènement de l'opération concrète. Cette description nous permettra de relier la période préopératoire à celle des opérations concrètes, caractérisée par l'accession à la pensée réversible. Nous utilisons donc ici certaines épreuves piagétiennes pour illustrer les caractéristiques de la pensée préopératoire dans des situations concrètes.

### La méthode clinique

Parmi les principales contributions de Piaget à la psychologie de l'enfant, l'utilisation de la méthode expérimentale est sans doute l'une des plus importantes. Dès ses premiers contacts avec les enfants, à l'époque où il était en stage à Paris au laboratoire de Théodore Simon, au début du XXe siècle, Piaget s'est rendu compte que l'interrogation standardisée utilisée pour vérifier qu'un enfant est capable ou non de répondre correctement à des questions était moins fertile en informations sur sa pensée qu'une approche plus souple. Avec la méthode clinique, le chercheur s'intéresse soit aux conduites non verbales spontanées, soit au mélange des conduites non verbales et des commentaires verbaux de l'enfant, ou encore aux raisons qui motivent ses réponses, qu'elles soient bonnes ou mauvaises.

Au cours de la période sensorimotrice de ses enfants, Piaget fut souvent amené à observer systématiquement leurs conduites spontanées sans intervenir, mais aussi à provoquer des situations pour vérifier des hypothèses au lieu d'attendre l'apparition de ces mêmes conduites. Le problème consistant à trouver des indices reflétant avec justesse la pensée de l'enfant s'est posé au cours de la période préopératoire, où le langage n'est pas suffisamment développé pour permettre à l'enfant d'exprimer sa pensée, mais où l'on ne peut réduire ses raisonnements à ses gestes observables. À ce moment, l'étude conjointe du matériel verbal et de l'action concrète du sujet s'est révélée une méthode très fertile.

Une bonne partie des observations de Piaget ont donc été obtenues à l'aide de ce qu'il a appelé sa « méthode clinique » : une situation impliquant la participation active de l'expérimentateur dans la recherche d'information sur la façon de penser de l'enfant qui a à résoudre des problèmes concrets. Une situation pratique est donc proposée au sujet, souvent un problème présenté sous forme de jeu, où il doit répondre à une question. Une fois la réponse fournie, l'expérimentateur tente de déterminer comment le sujet y est arrivé, comment il peut expliquer ce qu'il pense (Piaget, 1926). L'objectif est de recueillir le maximum d'informations sans influencer le raisonnement. La notion de bonne ou mauvaise réponse est alors tout à fait secondaire par rapport à l'objectif de connaître la logique sous-jacente à la réponse de l'enfant. Évidemment, l'interrogation de plusieurs sujets à l'aide de cette méthode clinique ne débouche pas sur des protocoles identiques, puisque des sujets différents répondront de manière différente à une même situation, ce qui donnera lieu à des sous-questions variables. C'est alors la structure du problème, les items en jeu qui permettront de comparer les sujets entre eux.

### Les conservations

Dans la théorie de Piaget, le développement de l'intelligence entraîne l'apparition de structures cognitives. Chacune des notions se développe selon des stades qui définissent une forme d'équilibre, c'est-à-dire une façon d'intégrer les données du problème. Une fois acquise complètement, la notion devient quelque chose de stable à quoi le sujet peut se référer pour comprendre les situations changeantes dans lesquelles il se trouve. Ainsi, les conservations sont des notions qui définissent des invariants, c'est-à-dire qu'elles ne changent pas selon le moment ou qu'elles transcendent l'apparence des choses. La réversibilité caractéristique de l'opération repose sur l'existence d'un invariant : une transformation (ou opération) ne peut être inversée que si elle laisse quelque chose d'invariant après qu'elle s'est produite.

Comme nous l'avons vu dans notre étude du développement cognitif, la notion d'objet constitue un invariant en ce qu'elle permet de croire qu'un objet continue d'exister même s'il est partiellement ou complètement caché, ou qu'il demeure inchangé même s'il apparaît plus petit du fait de la distance. Piaget a décrit le développement de plusieurs types de conservations dans les domaines des quantités physiques, du nombre, de l'espace, etc. Nous en présentons ici trois exemples. Précisons que ces schèmes ou invariants ne se construisent pas tous en même temps : leur acquisition donne lieu à des décalages horizontaux, notion qui sera présentée à la sous-section 5.9.2.

### La conservation du liquide

L'épreuve de la conservation du liquide est probablement l'expérience piagétienne la plus connue. La figure 5.6 (page 176) montre le matériel utilisé pour les quatre problèmes posés à l'enfant dans cette expérience. Le jeu proposé à l'enfant est celui des « liquides » ou des « transvasements ».

Comme dans toutes les épreuves piagétiennes de ce type, une fois le contact établi avec l'enfant, la première étape consiste à lui présenter le matériel en lui demandant de nommer chacun des éléments.

— Qu'est-ce que nous avons ici ?… Tu peux me dire ce que c'est, ça ?
— Un verre…
— Et ça ?
— Un autre verre pareil à l'autre…
— Et ça ?
— Un pot de jus d'orange…

(Il convient d'appeler l'enfant par son prénom lorsqu'on s'adresse à lui.) Une fois ces étapes franchies, on demande au sujet de bien regarder, et l'on verse, devant lui, dans les deux verres identiques, une quantité égale de liquide.

1. Problème 1

   On lui demande alors : « Supposons que ceci est ton verre et que ceci est le mien et que nous buvons chacun notre jus complètement ; est-ce que j'aurai plus à boire que toi, est-ce que tu auras plus à boire que moi ou est-ce que nous aurons tous les deux la même quantité de jus à boire ? » Les deux verres étant identiques (voir la figure 5.6.b), même les sujets de la période préopératoire qui basent leur réponse sur la hauteur du niveau du liquide dans les deux verres peuvent dire, avec raison, que les deux auront « la même chose à boire ».

2. Problème 2

   Ensuite, on dit à l'enfant : « Maintenant, regarde bien ce que je vais faire. Je vais verser le jus de mon verre dans ce verre-ci (verre haut et mince, figure 5.6.c). Alors, maintenant, si je bois ce jus (verre haut et mince) et si tu bois ce jus (verre témoin), est-ce que j'aurai plus à boire que toi, est-ce que tu auras plus à boire que moi ou est-ce que nous aurons tous les

deux la même chose à boire ? » Après avoir enregistré la réponse de l'enfant et lui avoir demandé : « Comment fais-tu pour le savoir ? », on le prie de dire ce qui se passerait si on versait de nouveau le jus du verre haut et mince dans le verre du début. Une fois la réponse obtenue, on verse le contenu du verre haut et mince dans le premier verre et on demande au sujet de confirmer l'égalité du contenu des deux verres.

La conduite préopératoire typique est ici la centration sur la hauteur de la colonne de liquide : le sujet dit qu'il y a plus à boire dans le verre haut et mince « parce qu'il y en a plus, que ça monte plus haut ».

3. Problème 3

   On poursuit le jeu de la même façon avec, cette fois, un verre très haut et très mince (figure 5.6.d) pouvant, le cas échéant, provoquer une décentration de la hauteur en raison de la prégnance de la « minceur » du contenant. Certains sujets intuitifs pourront présenter une telle décentration et dire qu'il y a maintenant moins à boire dans le verre très haut et très mince « parce que c'est trop mince ». Comme pour le problème 2, on demande au sujet de dire ce qui se passerait si on versait de nouveau le contenu dans le verre du début, puis, une fois la réponse obtenue, on verse le liquide dans le verre témoin pour constater l'égalité.

4. Problèmes 4 et 5

   L'interrogation se poursuit de la même manière, d'abord avec le verre bas et large (figure 5.6.e), puis avec les quatre petits verres (figure 5.6.f). Encore ici, la conduite préopératoire typique consiste à répondre en fonction d'une seule dimension du contenu, la hauteur ou la largeur, selon la prégnance perceptuelle. La conduite intuitive pourra se traduire par l'alternance entre la centration et la décentration et, la conservation achevée, par l'affirmation de l'instabilité de la quantité de liquide. Le sujet du stade opératoire concret pourra en effet dépasser l'apparence des choses soit en compensant la hauteur par la largeur (argument de compensation), soit en disant que c'est le même liquide que tout à l'heure et qu'on n'en a ni enlevé ni ajouté (argument d'identité), soit en renversant mentalement la transformation en disant que si on versait de nouveau le liquide dans le verre du début, ce serait pareil (argument de réversibilité).

**Figure 5.6**    L'expérience de la conservation du liquide

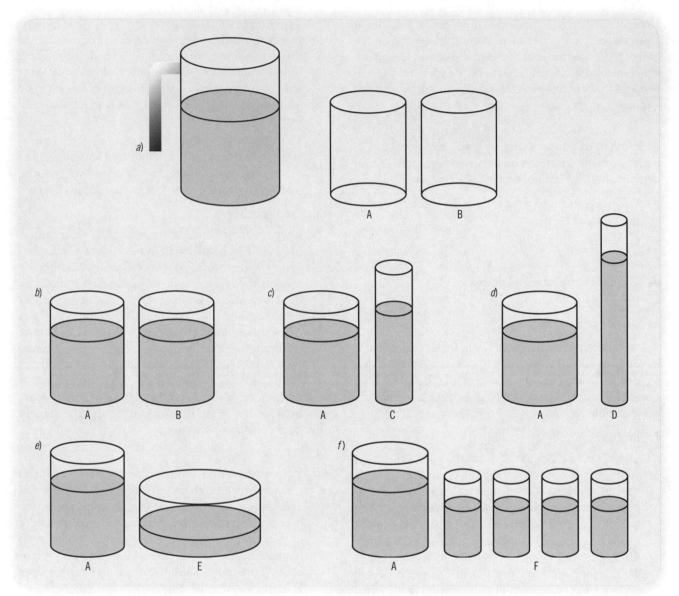

### La conservation des longueurs

La longueur, comme la surface, est une entité spatiale et, à ce titre, entre dans la connaissance de l'espace. Deux expériences simples à reproduire peuvent permettre de déterminer si la notion de la conservation de la longueur a été acquise : l'expérience des baguettes déplacées et celle des baguettes sectionnées.

1. Les baguettes déplacées

En utilisant le même type d'introduction à ce jeu que celle déjà décrite pour la conservation du liquide, on présente à l'enfant deux baguettes identiques et on lui fait reconnaître l'équivalence de longueur. Avec le matériel montré à la figure 5.7, c'est-à-dire deux baguettes identiques de 12 cm disposées parallèlement avec un espace de 5 cm environ entre elles,

**Figure 5.7**    L'expérience de la conservation de la longueur

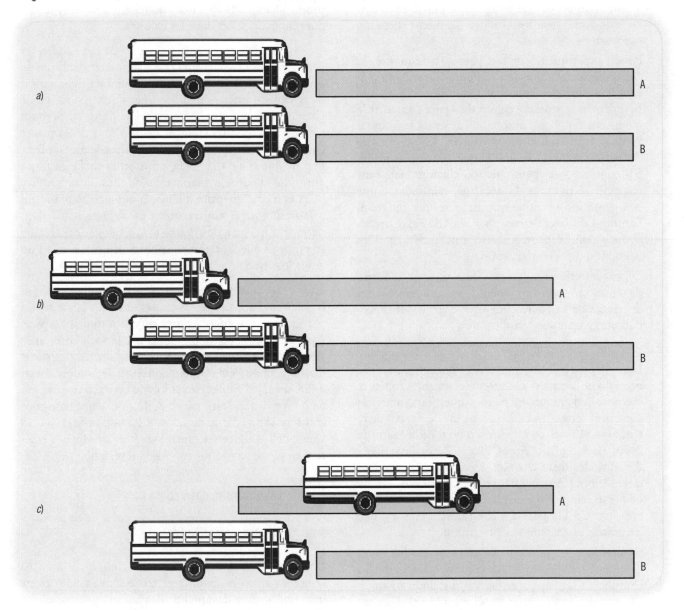

on dit à l'enfant qu'on va jouer aux autobus ou aux autos selon que l'on dispose de deux autobus ou de deux automobiles jouets.

On cherche d'abord à savoir si l'enfant peut constater l'égalité de la longueur des deux baguettes et on lui demande: «Si je parcours tout ce chemin (la distance du début à la fin de la baguette) avec mon autobus et si tu parcours tout ce chemin avec ton autobus (autre baguette), est-ce que mon chemin sera plus long que le tien avec mon autobus, est-ce que ton chemin sera plus long que le mien ou est-ce que le chemin sera de la même longueur pour nous deux? Comment sais-tu cela?»

Ensuite, l'expérimentateur décale la baguette A d'environ 5 cm vers la gauche (figure 5.7.b). Il place les deux autobus au début de leur route respective et demande: « Est-ce que mon autobus a plus de chemin à parcourir, est-ce que le tien en a plus à parcourir ou est-ce qu'ils ont tous les deux le même chemin à parcourir ? »

Puis, l'expérimentateur fait parcourir la moitié du chemin à son autobus (en A, figure 5.7.c) et, en plaçant l'autobus de l'enfant au début de son parcours B, il demande alors à l'enfant de « faire parcourir le même chemin à son autobus » sur sa route à lui. Si l'enfant arrête son autobus vis-à-vis de l'autobus de l'expérimentateur, cela indique une centration. S'il continue « un peu » sur son chemin, mais sans respecter la distance du décalage, cela indique une compensation intuitive qui demeure qualitative. Si l'autobus du sujet dépasse l'autobus de l'expérimentateur selon la même distance que le décalage des baguettes, il y a conservation.

On peut utiliser d'autres décalages et d'autres distances et étudier comment l'enfant compense les décalages de la route elle-même avec les distances parcourues par son autobus.

2. Les baguettes sectionnées

Dans l'épreuve bien connue des baguettes sectionnées, on utilise aussi les autobus et les autos jouets et on pose à l'enfant les mêmes questions, mais on compare cette fois-ci la longueur de la baguette témoin A (12 cm) avec quatre sections de baguette de 3 cm de longueur. Après avoir obtenu le constat d'égalité des deux chemins à parcourir en alignant bout à bout les quatre segments parallèles à la baguette témoin, on dispose ces derniers comme il est montré à la figure 5.8.b, en faisant en sorte que les bouts des chemins soient décalés.

Ce problème est plus difficile que celui des baguettes déplacées, car il n'offre pas de correspondance visuelle. Une fois la réponse obtenue, on demande au sujet: « Comment fais-tu pour en être certain ? » L'un ou l'autre des trois arguments de conservation (identité, compensation ou réversibilité) peut être apporté par le sujet qui conserve, mais ce dernier peut aussi utiliser un autre élément invariable tel qu'un instrument de mesure de la longueur (ficelle ou règle).

### *La conservation de la surface*

La figure 5.9 montre le matériel qui est utilisé pour cette épreuve appelée le « jeu des champs et des vaches ». On explique à l'enfant que chacune des deux vaches a son propre champ d'herbe, mais qu'il peut aussi y avoir des maisons construites dans les champs.

Au début, il s'agit encore ici de faire constater l'égalité des deux champs et le caractère identique de toutes les petites maisons. Ensuite, tenant une maison dans chaque main, on place une maison sur chaque champ, puis une autre, et ainsi de suite, en prenant soin de bien les aligner sur le champ A et de les placer en désordre sur le champ B. On demande alors à l'enfant de dire si c'est la vache en A ou la vache en B qui aura plus d'herbe à manger ou si elles auront toutes deux la même quantité d'herbe à manger. L'enfant qui a la notion de la conservation ne s'arrête pas à l'apparente différence des deux surfaces et est capable de se rappeler que les champs sont identiques et que l'on a mis le même nombre de maisons dans chacun.

Le sujet de la période préopératoire, qui base sa réponse sur l'apparence des choses, dira que la vache A a plus d'herbe à manger « parce qu'elle a tout cet espace, toute cette herbe pour elle, tandis que la vache B a toutes ces maisons qui prennent de la place sur l'herbe ». À partir du moment où l'enfant peut conserver le nombre, c'est-à-dire se rappeler que chaque fois qu'on a mis une maison en A on en a aussi mis une en B, il possède une base pour conclure à l'invariance de l'espace. La notion de la conservation de la surface s'acquiert vers l'âge de sept ans environ, en même temps que celle de la réversibilité.

### **Les notions mathématiques**

### *Le concept de nombre*

Un enfant de quatre ans peut savoir compter jusqu'à 10 et ne pas pouvoir dénombrer correctement huit jetons qui sont alignés devant lui. Il a appris par cœur une séquence de 10 mots, mais il ne peut faire la correspondance entre chaque mot et chaque élément à dénombrer. Plus tard, à cinq ans par exemple, il peut dénombrer les huit jetons si ceux-ci sont disposés en ligne droite, mais il peut se tromper dans son dénombrement si les jetons sont empilés ou disposés en cercle (Piaget, 1953).

L'enfant peut nommer les chiffres, mais il n'a pas encore acquis l'élément essentiel du concept de nombre, à savoir que le nombre des éléments d'un ensemble demeure invariant (il est conservé, il ne change pas) quelle que soit leur disposition dans l'espace. Comme nous l'avons vu à la sous-section 5.8.2, l'enfant de la période préopératoire croit que le nombre de jetons varie selon l'espace occupé par la série: ainsi, il dira qu'une série de huit jetons espacés chacun de 2 cm comprend un plus grand nombre d'éléments qu'une série de huit jetons espacés chacun de 1 cm. L'espace occupé constitue la base de l'évaluation numérique. Il est intéressant de noter que certaines tribus anciennes se fondaient sur l'espace occupé par leur troupeau pour en évaluer le nombre ou l'importance.

Selon Piaget (1953), la conservation du nombre repose sur celle de la quantité. Pour pouvoir conserver la quantité d'éléments compris dans un ensemble, l'enfant doit comprendre que, si on change la disposition d'une série de jetons, de billes dans un pot, etc., le nombre n'est pas modifié. En effet, il est possible d'affirmer que les billes que contient un bocal conservent leur nombre lorsqu'on les vide dans un contenant haut et mince. Le principe de la conservation vaut même si l'on ignore le nombre de billes que contient le pot. Piaget (1953) démontre que la compréhension du principe logique de la conservation de la quantité précède l'établissement de la correspondance terme à terme entre un chiffre et un élément dans le dénombrement d'un ensemble. Compter un ensemble d'objets exige donc qu'on attribue un chiffre et un seul à chaque élément. On parle de correspondance terme à terme parce que, si un élément est oublié ou compté deux fois, il y aura erreur de dénombrement.

### La notion de mesure

Piaget et Inhelder ont proposé à des enfants un jeu où il s'agit de construire avec des blocs, à même le parquet, une tour de la même hauteur que le modèle qui, lui, est

Figure 5.8    L'expérience des baguettes sectionnées

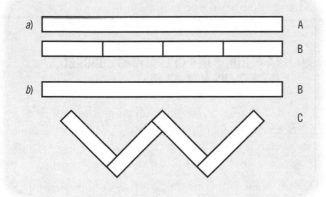

Figure 5.9    Le jeu des champs et des vaches

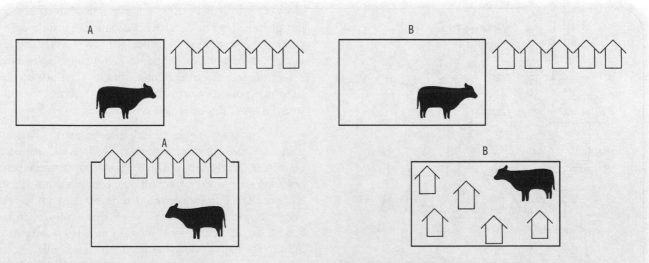

Consigne: Après avoir constaté l'équivalence des champs et des maisons en A et en B, l'enfant doit déterminer si les vaches disposent de la même quantité d'herbe à brouter après qu'un même nombre de maisons ont été placées dans leur champ respectif.

placé sur une table basse ou une estrade. La figure 5.10 illustre cette épreuve appelée la « construction d'une tour ». L'enfant dispose d'une corde et d'une baguette pour mesurer la hauteur (Piaget, 1953).

Le premier niveau de conduite observé, typiquement préopératoire, consiste dans la construction d'une tour dont le sommet semble du même niveau que le modèle, abstraction faite des points de départ de chacun (le modèle repose sur une estrade, et la construction de l'enfant, sur le parquet). Certains sujets vont même jusqu'à placer une baguette à l'horizontale sur les deux sommets pour faire la preuve de l'égalité des tours, en dépit du fait que leurs bases respectives ne sont pas situées au même niveau.

Vers six ans, les enfants commencent à se rendre compte que le fait que le modèle ne repose pas sur le parquet doit être pris en considération. Certains pensent à rapprocher leur tour du modèle, mais la règle du

**Figure 5.10**    La construction d'une tour

jeu l'interdit. Ils cherchent alors un objet qui leur permettra de transposer la hauteur d'une tour à l'autre. Le premier instrument de mesure est souvent leur propre corps : ils s'approchent de leur construction et marquent de leur main la hauteur de celle-ci pour ensuite aller mesurer l'autre tour. Un peu plus tard, cet instrument « élastique » constitué par le corps est remplacé par un objet, comme une baguette ou une ficelle, sur lequel la hauteur de la tour à mesurer peut être indiquée. C'est alors la découverte de la notion de mesure comme telle, qui correspond à la relation de transitivité : si A (tour construite) est égal à B (instrument de mesure) et si B est égal à C (tour modèle), alors A est égal à C. La capacité d'effectuer cette relation de transitivité dénote l'atteinte du niveau opératoire.

## 5.9    LA PÉRIODE DES OPÉRATIONS CONCRÈTES (DE 6-7 ANS À 11-12 ANS)

L'âge de 6-7 ans correspond à un point tournant dans le développement de la pensée : c'est le début de la capacité d'établir mentalement des liens entre des actions, d'agir en pensée, c'est-à-dire d'opérer.

Dans la théorie de Piaget, la notion d'action est centrale dans toutes les étapes du développement. Nous avons vu que l'intelligence sensorimotrice est une intelligence tournée vers l'action, c'est-à-dire que la pensée et l'action sont très proches l'une de l'autre ; l'enfant vise alors la réussite de l'action et non pas la compréhension des phénomènes ou la vérité. Pendant la période préopératoire, l'action est le principal moyen d'étendre les connaissances ; elle est sortie du présent immédiat dans lequel elle se trouvait enfermée durant la période sensorimotrice pour s'exercer dans différents contextes sous forme d'imitation ou de jeu symbolique.

Au cours de la période préopératoire, l'action peut être représentée symboliquement, mais elle demeure constituée de tableaux qui ne sont pas fonctionnellement liés les uns aux autres. L'enfant peut concevoir une action et, le cas échéant, la mettre à exécution dans un jeu ou une imitation différée, mais il reste dépendant des apparences, de ses perceptions, et son esprit n'a pas encore la mobilité requise pour lier les images entre elles, pour opérer mentalement des transformations. C'est ce qui explique que le raisonnement de l'enfant est esclave des apparences, qu'il n'intègre pas les transformations pour les renverser (réversibilité) ou les combiner (compensation, établissement de hiérarchies et de classes, etc.) entre elles.

La mobilité apparaîtra vers 6-7 ans. Elle n'est cependant pas présente en même temps dans toutes les situations, mais plutôt par étapes : la même structure de raisonnement n'est pas appliquée simultanément dans tous les problèmes, ce qui donne lieu à des décalages dans le temps ; ce sont les décalages horizontaux, que nous décrirons plus loin.

L'apparition de l'opération mentale vers 6-7 ans marque donc le début d'une ère nouvelle sur le plan de l'intelligence. Cette nouvelle capacité cognitive est cependant limitée : elle est concrète et non pas abstraite, c'est-à-dire qu'elle porte directement sur des objets et non sur des idées abstraites.

### 5.9.1    Les groupements d'opérations

Pour Piaget donc, l'opération mentale est une action intériorisée, une transformation effectuée en pensée. Donnons-en un exemple simple. Si j'écris 4 + 3 = 7, je représente une série d'actions combinées en un ensemble : le chiffre 4 implique la répétition de l'unité quatre fois, le chiffre 3, trois fois, le symbole +, l'addition des deux ensembles 4 et 3, tandis que le signe = désigne l'action de remplacer les deux ensembles par le chiffre 7 qui répète l'unité sept fois. Ces opérations pourraient être effectuées sur des objets concrets tels que des pommes, que l'on rassemblerait en ensemble (3, 4) puis réunirait en un ensemble plus grand (7), etc., avec la possibilité de revenir de 7 à 4 et 3, etc. En mathématiques, ces actions concrètes sont intériorisées. Ainsi, l'opération mentale est une action réelle, mais intériorisée.

Dans le domaine de la logique, des opérations de même type sont effectuées lorsque l'on englobe la classe des roses et celle des tulipes dans la classe plus grande des fleurs, qui à son tour peut être réunie à celle des arbres dans la classe plus grande des végétaux, qui à son tour peut être incluse avec la classe des animaux dans l'ensemble « organismes vivants », etc. L'organisation de classes donne lieu à des additions, à des soustractions, à des relations d'égalité, de « plus grand que », « plus petit que », etc., qui pourraient être représentées par des actions concrètes, mais que, maintenant, le sujet n'a pas à exécuter puisqu'il peut les faire en pensée. « Bref,

le caractère essentiel de la pensée logique est d'être opératoire, c'est-à-dire de prolonger l'action en l'intériorisant. » (Piaget, 1967a, p. 41.)

Mais l'opération mentale représente plus que la simple intériorisation du mouvement physique dont était capable le sujet de la période préopératoire, lequel pouvait imaginer l'action de verser, de tourner, etc.

> La nature spécifique des opérations, comparées aux actions empiriques, tient au contraire au fait qu'elles n'existent jamais à l'état discontinu. C'est par une abstraction entièrement illégitime que l'on parle d'« une » opération : une seule opération ne saurait être une opération car le propre des opérations est de constituer des systèmes. (Piaget, 1967a, p. 42.)

C'est ce qui amène Piaget à parler de groupements opératoires, c'est-à-dire de systèmes organisés d'opérations. Les concepts employés par Piaget ne sont pas toujours faciles à saisir, mais il importe de prendre le temps de comprendre celui de groupement opératoire, qui renvoie à l'idée que l'opération est une action intériorisée, non pas un geste isolé, mais plutôt la manifestation d'un système organisé. La notion de classe suppose l'existence d'un système de classification. Ainsi, comme il ne dispose pas d'un système cohérent de classification, l'enfant de la période préopératoire ne peut ranger des choses par classes.

La figure 5.11 (page 182) montre des fleurs (une marguerite, trois roses et six tulipes), des outils de jardinage (un râteau et une pelle), une poupée et un crayon. Si on demande à un enfant de 3-4 ans de mettre ensemble les objets de cette collection qui vont bien ensemble, nous observons que l'enfant aligne les objets ou les groupe en fonction des données d'une histoire telle que celle de « la petite fille (poupée) qui joue au jardin avec des fleurs », etc. Piaget appelle ce type de conduite « collection figurale ». Vers 4-5 ans, l'enfant pourra établir que la poupée, les fleurs et les outils forment des ensembles distincts. Si on prend toutes les fleurs et qu'on dise : « Comment s'appellent ces choses que j'ai ici ? », l'enfant répondra probablement que ce sont des fleurs si on désigne l'ensemble et il donnera le nom de la fleur si on lui désigne un sous-groupe. Si on demande à l'enfant s'il y a plus de tulipes que de roses il répondra qu'il y a plus de tulipes. Mais si on lui demande : « Dans tout cela, à ton avis, est-ce qu'il y a plus de tulipes que de fleurs ? », l'enfant répondra qu'il y a plus de tulipes.

**Figure 5.11** L'épreuve des fleurs ou du « tous ou quelques »

Consigne : Après avoir nommé chacun des éléments qui ont été dessinés, l'enfant est invité à « mettre ensemble les choses qui vont bien ensemble ». L'objectif est de déterminer comment l'enfant parvient à établir des classes (organismes vivants, objets inanimés, etc.) et à comprendre l'emboîtement des classes et des sous-classes (fleurs : tulipe, rose, marguerite ; outils : râteau, pelle, crayon).

Cette version de l'expérience des « tous et quelques » de Piaget indique que l'enfant de niveau intuitif organise des ensembles distincts prolongeant la perception, ensembles qu'il peut comparer deux à deux, mais sans avoir de système cohérent de classification où un objet peut à la fois appartenir à une classe et à une sous-classe. Comprendre que chaque tulipe fait à la fois partie de la classe des fleurs et de la sous-classe des tulipes, c'est disposer d'un système où « classe » et « sous-classe » sont organisées hiérarchiquement, donc d'un système de classification. La compréhension de l'emboîtement hiérarchique de catégories géographiques telles que « continent-pays-province-ville-quartier-rue, etc. » repose sur un système de classification.

Piaget (1967a) tire des travaux d'André Rey un exemple qui illustre bien cette intégration des opérations en systèmes. La figure 5.12 illustre l'expérience décrite ci-dessous.

Prenons comme exemple une intéressante expérience due à notre collaborateur André Rey : un carré de quelques centimètres étant dessiné sur une feuille de papier également carrée (de 10 à 15 cm de côté), on demande au sujet de dessiner le plus petit carré qu'il puisse tracer au crayon, ainsi que le plus grand carré qu'il soit possible de représenter sur une feuille. Or, tandis que les adultes (et les enfants dès 7-8 ans) parviennent d'emblée à fournir un carré de 1-2 mm de côté, ainsi qu'un carré doublant de près les bords du papier, les enfants de moins de 5-6 ans ne dessinent d'abord que des carrés à peine plus petits et à peine plus grands que le modèle, puis procèdent par tâtonnements successifs et souvent infructueux, comme s'ils n'anticipaient à aucun moment les solutions finales. On voit immédiatement, en ce cas, l'intervention d'un « groupement » de relations asymétriques (A < B < C...), présent chez les grands et qui semble absent au-dessous de 7 ans : le carré perçu est situé en pensée dans une série de carrés virtuels de plus en plus grands et de plus en plus petits par rapport au premier. On peut alors admettre :

1) que le schème anticipateur n'est que le schème du groupement lui-même, c'est-à-dire la conscience de la succession ordonnée des opérations possibles ;

2) que le remplissage du schème est la simple mise en œuvre de ces opérations ;

3) que l'organisation du « complexe » des notions préalables tient aux lois mêmes du groupement. (Piaget, 1967a, p. 45.)

Dans plusieurs épreuves opératoires, on peut reconnaître la présence ou l'absence de tels systèmes d'opérations expliquant les conduites des sujets ; les invariants sous-jacents aux conservations des quantités physiques, de l'espace ou du nombre en sont des exemples.

Par l'expérience très simple de la conservation de la distance, on peut déterminer si un tel invariant est renfermé dans les réponses du sujet opératoire. Si on place face à face deux figurines miniatures (du genre Schtroumpf) à une certaine distance l'une de l'autre (20 cm environ) et que, devant l'enfant, on place un livre assez épais entre les deux figurines, l'enfant de la période préopératoire dira que la distance entre les figurines est plus petite lorsque le livre y est ; pour lui, l'épaisseur du livre réduit la distance « puisqu'elle ne compte pas », comme si un espace plein n'avait pas la même valeur qu'un espace vide du point de vue de la distance (Piaget, 1953). Apparaissant vers 6-7 ans, l'invariant permet de concevoir la distance comme une longueur absolue séparant deux points, sans égard aux objets placés entre ces derniers.

### 5.9.2   Les limites du concret et les décalages

Nous avons vu que l'opération permet à l'enfant de 6-7 ans de sortir de la centration sur des aspects particuliers de la réalité ou de se placer à un autre point de vue que le sien. L'opération amène une décentration :

**Figure 5.12**   L'expérience du plus petit et du plus grand carré

a)
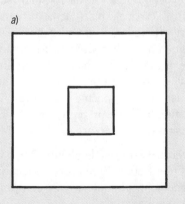

b)
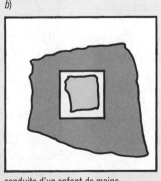
conduite d'un enfant de moins de 5-6 ans

c)
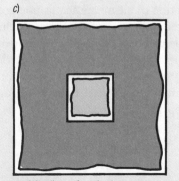
conduite d'un enfant de plus de 7-8 ans

Consigne : On présente à l'enfant une feuille sur laquelle on a dessiné un carré (a). On lui demande alors de dessiner le plus petit carré possible ainsi que le plus grand carré possible sur la même feuille. Les enfants du stade préopératoire vont alors tracer un carré à peine plus petit et un autre à peine plus grand que le modèle. Les sujets du stade opératoire fourniront des dessins qui sont à la limite du plus petit et du plus grand carré possible.

La pensée ne s'attache plus alors aux états particuliers de l'objet, mais elle s'astreint à suivre les transformations successives elles-mêmes, selon leurs détours et leurs retours possibles; elle ne procède plus d'un point de vue particulier du sujet, mais coordonne tous les points de vue distincts en un système de réciprocités objectives. (Piaget, 1967a, p. 152.)

Entre 6-7 et 11-12 ans, l'enfant acquiert progressivement la capacité d'effectuer des opérations logico-arithmétiques (sériation, classification, nombre, etc.) et des mesures spatio-temporelles (distance, longueur, surface, volume, durée, etc.). Mais il est important de noter qu'il n'acquiert pas toutes ces capacités en même temps et que les opérations ne sont possibles que lorsqu'elles s'appuient sur du concret. Par exemple, l'enfant de huit ans pourra résoudre facilement le problème suivant: « Si François est plus grand que Geneviève, et Geneviève plus grande qu'Anne-Marie, alors François est-il plus petit que, plus grand que ou de même taille que Geneviève ? » lorsque les personnes sont représentées matériellement ou graphiquement, et il n'y arrivera que s'il peut exprimer les propositions sous une forme concrète. La pensée concrète est tributaire de l'action; jusqu'à l'adolescence, la logique de l'enfant n'est pas encore indépendante de l'action, les relations portent sur des réalités concrètes et non pas encore sur des propositions abstraites. Cette dépendance à l'égard du concret fait que les opérations n'ont pas une extension universelle; elles sont encore enfermées dans des zones conceptuelles particulières. C'est ce qui donne lieu aux décalages horizontaux.

La notion de décalage se définit comme la répétition d'une même acquisition cognitive à des âges différents dans le développement du sujet. Piaget a défini deux types de décalages: les décalages verticaux et les décalages horizontaux. Nous décrirons brièvement le premier type de décalage et nous concentrerons notre attention sur le deuxième, plus immédiatement lié aux opérations concrètes.

### Le décalage vertical

Le décalage vertical se caractérise par une acquisition cognitive à deux périodes différentes du développement plutôt qu'à l'intérieur de la même période. Les deux acquisitions portent sur un même univers de contenu et peuvent avoir entre elles une certaine ressemblance de structure, mais elles impliquent deux niveaux de fonctionnement cognitif complètement différents.

À des périodes différentes du développement, le décalage vertical consiste à appliquer à un même contenu des opérations appartenant à des niveaux différents de structuration. Voici deux exemples de décalage vertical.

Du point de vue visuel, le nourrisson de la période sensorimotrice a acquis la constance perceptuelle de l'objet, c'est-à-dire qu'il peut reconnaître celui-ci, quel que soit l'angle sous lequel il le voit. Ainsi, un tout jeune enfant peut reconnaître son biberon ou un autre objet familier même si l'angle sous lequel il perçoit l'objet varie; le stimulus qui touche la rétine diffère, mais, dans son activité sensorimotrice, l'enfant montre qu'il reconnaît que l'objet est constant. Pourtant, ce n'est que vers 8-9 ans que l'enfant est capable de coordonner les perspectives, c'est-à-dire de se représenter l'image qu'il verrait s'il était placé dans un autre endroit. Dans les deux cas, la structure concernée porte sur la coordination de perspectives et, dans les deux cas également, le contenu correspond à des objets perçus sous différents angles. Le niveau cognitif en jeu diffère toutefois de façon marquée: des actions sensorimotrices dans le premier cas, et une opération mentale s'effectuant sur des relations spatiales dans le second.

Le second exemple nous est fourni par la comparaison de la capacité du jeune enfant, dès la période sensorimotrice, à se représenter l'espace dans lequel il vit (le plan intérieur de sa maison, par exemple) avec la capacité, acquise beaucoup plus tard, à dessiner un plan de cet espace. Encore ici, il y a une identité de structure (l'organisation d'un espace familier) et de contenu (des éléments à situer dans l'espace), mais deux niveaux d'activité mentale fort différents; le premier niveau a rapport avec la coordination de l'activité sensorimotrice dans l'espace, capacité que l'on trouve bien chez certains animaux (comme le chien qui retrouve facilement son chemin dans un quartier), et le deuxième comporte une activité de reconstruction au niveau représentatif des relations spatiales dans un tout cohérent.

Le décalage vertical est donc le phénomène par lequel une même réalité est considérée à deux niveaux différents de développement, chaque niveau comportant son propre « appareil mental ».

On peut comparer le décalage vertical au fait de se retrouver après plusieurs années d'absence dans un lieu, une maison ou une cour où l'on a passé beaucoup de temps dans son enfance: il est alors étonnant de constater que le souvenir que nous avions du lieu diffère grandement de ce que nous voyons maintenant. Souvent, l'espace paraît plus grand aux yeux de l'enfant qu'à ceux de l'adulte.

### Le décalage horizontal

Il y a décalage horizontal lorsqu'un délai sépare, dans une même période de développement, deux applications réussies de contenus différents d'une même structure cognitive. On parle de décalage horizontal parce que l'écart temporel se produit dans le même stade du développement. La figure 5.13 (page 186) fournit la description du décalage horizontal typique lié à l'acquisition de la conservation de la matière, du poids et du volume. Il est important de noter que les trois épreuves mettent en jeu le même matériel et les mêmes transformations physiques; en outre, leur résolution peut être justifiée par l'un ou l'autre des trois mêmes arguments logiques. Un décalage de deux ans dans l'acquisition de chaque notion constitue un décalage horizontal.

On peut voir à la figure 5.13 que la conservation de la substance implique le même type de raisonnement avec les trois mêmes arguments que la conservation du poids ou du volume:

1) la compensation d'une dimension de la forme de la pâte à modeler par une autre («c'est plus long mais plus mince»);

2) l'identité de la matière («c'est la même pâte à modeler, on n'en a rien enlevé ni rien ajouté»);

3) la réversibilité («on a seulement changé la forme; si on refaisait la même forme que tout à l'heure, ce serait pareil»).

Ainsi, la période des opérations concrètes (de 6-7 à 11-12 ans) se caractérise par la mise en place d'une structure opératoire, c'est-à-dire d'un système d'actions mentales réversibles. Ces opérations demeurent cependant liées aux objets concrets sur lesquels porte l'action. Or, certains objets ou contenus se prêtent moins facilement à l'application des structures opératoires, ce qui entraîne des décalages horizontaux.

L'action mentale de l'enfant n'est donc pas encore indépendante du contenu sur lequel elle porte, comme ce sera le cas plus tard, à la *période des opérations formelles*. En effet, la réflexion de l'adolescent pourra faire appel à des abstractions, porter sur des hypothèses et déboucher sur des théories, elle ne sera plus confinée à l'expérience concrète comme chez l'enfant.

## 5.10 APRÈS PIAGET: LES THÉORIES NÉOPIAGÉTIENNES

Les travaux de Piaget, décédé en 1980, exercent toujours une influence profonde sur les spécialistes du développement de la pensée. Ils ont inspiré de nombreuses études qui ont contribué à agrandir nos connaissances concernant les changements qui s'opèrent dans la pensée de l'enfant et les processus qui en sont responsables. Plusieurs études réalisées au cours des 30 dernières années ont confirmé que la théorie de Piaget pouvait s'appliquer dans des contextes plus variés que ceux pour lesquels son auteur l'avait conçue. D'autres, par contre, ont mis en évidence des phénomènes que la théorie ne peut expliquer de façon satisfaisante. Nous examinerons d'abord certains aspects de la théorie que les nouvelles recherches infirment. Nous considérerons ensuite les modifications à la théorie qui ont été proposées pour intégrer les résultats de ces recherches.

### 5.10.1 L'homogénéité du fonctionnement cognitif

L'une des notions fondamentales de la théorie piagétienne est la notion de stade de développement, laquelle implique une homogénéité du fonctionnement cognitif. Chaque stade se caractérise par une structure qui lui est propre. Ainsi, au cours de la première période, la pensée de l'enfant se manifeste par une coordination de ses habiletés perceptives et motrices. Durant la période suivante, la pensée devient capable d'utiliser des symboles pour résoudre différents problèmes. Toutefois, la capacité de l'enfant à cet égard est rudimentaire, celui-ci ne pouvant concevoir que certains changements de situations sont réversibles. Selon la théorie de Piaget, l'enfant du stade préopératoire ne devrait pas pouvoir résoudre des problèmes relevant du stade opératoire. Or, certaines études indiquent que cette homogénéité est moins forte que ne l'affirme la théorie (Bidell et Fischer, 1995; Bjorklund, 1995; Siegler, 1991). Le premier cas dont nous discuterons concerne la coordination des perspectives. Piaget avait étudié, à l'aide du matériel présenté à la figure 5.14 (page 188), la capacité de l'enfant à se représenter le point de vue d'une autre personne. L'enfant était placé à un certain endroit devant une table sur

**Figure 5.13** Décalage horizontal typique dans l'acquisition des notions de conservation de la quantité, de la matière, du poids et du volume

| Conservation | Description du matériel et de la transformation effectuée à chacun des trois items, et question posée à l'enfant | |
| --- | --- | --- |
| | Item n° 1 | Item n° 2 |
| | 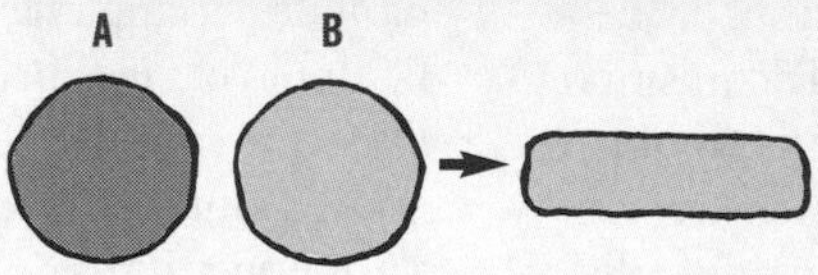 Soit deux boules de pâte à modeler identiques A et B. / On aplatit B pour en faire une galette mince et large. | 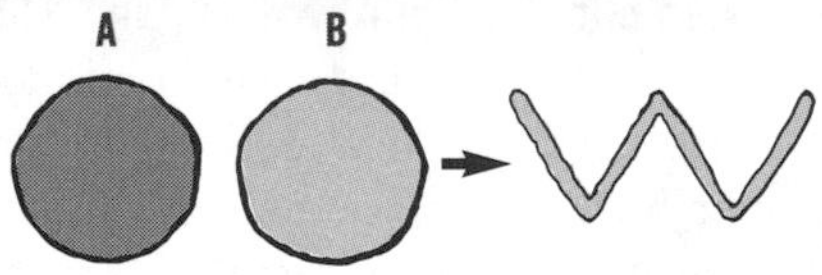 Soit deux boules de pâte à modeler identiques A et B. / On roule B pour en faire une saucisse longue et mince. |
| **Quantité de matière** | « Maintenant qu'on a fait une galette, est-ce qu'il y a plus de pâte à modeler dans la boule A, dans la galette ou si c'est la même chose dans les deux ? » | « Maintenant qu'on a fait une saucisse, est-ce qu'il y a plus de pâte à modeler dans la boule A, plus dans la saucisse ou si c'est la même chose dans les deux ? » |
| **Poids** | « Si je dépose la boule sur un plateau de la balance et cette galette sur l'autre plateau, est-ce que la boule pèsera plus lourd, est-ce que la galette pèsera plus lourd ou si les deux pèseront la même chose ? » | « Si je dépose la boule sur un plateau de la balance et cette saucisse sur l'autre plateau, est-ce que la boule pèsera plus lourd, est-ce que la saucisse pèsera plus lourd ou si les deux pèseront la même chose ? » |
| **Volume** | « Si maintenant je plonge la boule dans un bocal contenant de l'eau et la galette dans un autre, est-ce que l'eau montera plus du côté de la boule, plus du côté de la galette ou si ce sera la même chose dans les deux bocaux ? » | « Si maintenant je plonge la boule dans un bocal contenant de l'eau et la saucisse dans un autre, est-ce que l'eau montera plus du côté de la boule, plus du côté de la saucisse ou si ce sera la même chose dans les deux bocaux ? » |

| | | Âge d'acquisition |
|---|---|---|

| Item n° 3 | | |
|---|---|---|

**A**  **B**

Soit deux boules de pâte à modeler identiques A et B.

On émiette B en petits morceaux.

| « Maintenant qu'on a fait des miettes, est-ce qu'il y a plus de pâte à modeler dans la boule A, plus dans les miettes ou si c'est la même chose dans les deux ? » | | 7-8 ans |
|---|---|---|
| « Si je dépose la boule sur un plateau de la balance et ces miettes sur l'autre plateau, est-ce que la boule pèsera plus lourd, est-ce que les miettes pèseront plus lourd ou si les deux pèseront la même chose ? » | | 9-10 ans |
| « Si maintenant je plonge la boule dans un bocal contenant de l'eau et les miettes dans un autre, est-ce que l'eau montera plus du côté de la boule, plus du côté des miettes ou si ce sera la même chose dans les deux bocaux ? » | | 11-12 ans |

laquelle étaient disposées trois petites montagnes, et l'expérimentateur était placé à un autre endroit. On présentait à l'enfant différents dessins qui montraient les petites montagnes de différents points de vue, et on lui demandait de choisir celui qui correspondait à son propre point de vue ainsi que celui qui correspondait au point de vue de l'expérimentateur. Piaget et Inhelder (1956) avaient trouvé que les enfants de la période préopératoire pouvaient sans peine choisir le dessin qui correspondait à leur propre point de vue, mais non celui qui correspondait au point de vue de l'autre personne. Dans ce dernier cas, ils avaient tendance à choisir le dessin qui montrait leur propre point de vue, ce qui suggérait qu'ils étaient incapables de coordonner différentes perspectives. Selon Piaget, la capacité de se représenter la perspective visuelle d'une autre personne est caractéristique de la période opératoire concrète.

L'un des problèmes potentiels que comporte la tâche utilisée par Piaget et Inhelder (1956) est sa complexité sur le plan de la représentation spatiale. Pour réussir la tâche, il faut pouvoir s'imaginer mentalement la disposition assez complexe des montagnes. Il est donc possible que les jeunes enfants puissent se représenter le point de vue d'une autre personne, mais pas dans une situation aussi complexe que celle des trois petites montagnes. Plusieurs études rapportent que lorsque la situation est plus simple, les jeunes enfants sont capables de se représenter le point de vue d'une autre personne. Lempers, Flavell et Flavell (1977) rapportent que les enfants de deux ans qui veulent montrer une image à une personne la tiennent à la verticale, face à la personne et non face à eux-mêmes. Vers la quatrième année, les enfants peuvent juger correctement si une autre personne, placée face à eux, voit une image à l'endroit ou à l'envers (Masangkay et autres, 1974). Il semble donc que les enfants de la période préopératoire peuvent manifester des capacités qui sont caractéristiques de la période opératoire lorsqu'ils ont à résoudre des problèmes plus simples. Ces recherches ébranlent quelque peu la théorie, car elles indiquent que le fonctionnement cognitif de l'enfant n'est pas aussi homogène que Piaget ne l'avait cru.

L'homogénéité du fonctionnement cognitif postulée par Piaget a aussi une implication quant à la possibilité de faire progresser les enfants d'un stade à l'autre à l'aide d'un entraînement de courte durée. Selon la théorie, le stade correspond à une structure générale de fonctionnement, et cette dernière se modifie lentement au cours de la vie. Un entraînement de courte durée ne devrait donc pas permettre à l'enfant de réussir des épreuves qui relèvent d'un stade plus avancé. Or, des études n'ont pas permis de confirmer cet aspect de la théorie. Il est vrai que l'entraînement à une épreuve qui est généralement réussie pendant la période opératoire concrète n'amène pas une amélioration sensible de la performance lorsque l'enfant se trouve au début du stade préopératoire. Cependant, Halford (1989) a noté qu'il était possible de familiariser des enfants légèrement plus vieux (milieu du stade préopératoire) avec des notions de conservation telles que celles qui concernent les liquides. Un tel succès tend à confirmer que le fonctionnement cognitif de l'enfant n'est peut-être pas aussi homogène que ne l'affirme la théorie.

**Figure 5.14** L'épreuve des trois petites montagnes

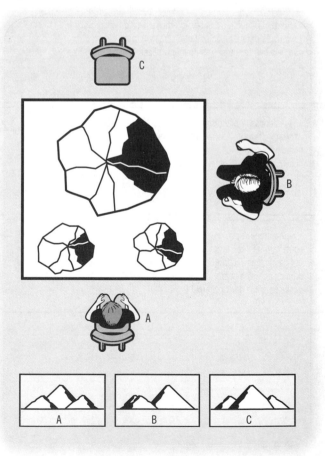

### 5.10.2  La primauté des structures logico-mathématiques

Les différents stades qui sont distingués dans la théorie correspondent à des structures logico-mathématiques. Comme nous l'avons vu plus haut, le développement se caractérise par une capacité accrue de coordination des schèmes, et cette coordination culmine dans la capacité d'exécuter des opérations logico-mathématiques, d'abord sur des objets concrets, puis, plus tard, sur des abstractions. L'une des critiques adressées à la théorie concerne la grande importance accordée aux opérations logiques et mathématiques dans la description du développement de la pensée (Case, 1995). La théorie négligerait d'autres formes de coordinations ou d'opérations qui jouent un rôle important dans certaines sociétés ou encore dans d'autres domaines, comme ceux de l'affectivité et des relations sociales. Cette critique se trouve justifiée du fait que l'universalité du stade opératoire formel n'est pas bien établie. Dans les cultures qui ne possèdent pas de système d'éducation, les adolescents et les adultes qui réussissent les épreuves caractéristiques du stade opératoire formel sont peu nombreux (Dasen, 1972). De plus, l'ordre de réussite des épreuves de conservation est en relation avec les pratiques culturelles. Dans certaines sociétés, la fabrication artisanale des contenants en terre cuite est une occupation qui est assez courante. Price-Williams, Gordon et Ramirez (1969) ont remarqué que les enfants issus de familles vivant de ce type de fabrication acquièrent la notion de la conservation de la matière plus tôt que les autres types de conservation. Cette étude démontre que les pratiques culturelles qui ont cours dans un milieu influent sur le développement cognitif de l'enfant.

### 5.10.3  Les mécanismes responsables du changement

Une théorie satisfaisante du développement de la pensée doit non seulement décrire les changements qui s'opèrent au cours de la vie, mais aussi définir des mécanismes permettant d'expliquer le changement. Piaget fait appel à la notion d'adaptation qui implique un équilibre entre des processus d'assimilation et d'accommodation. Les processus d'assimilation sont responsables de la stabilité relative des structures cognitives. Ils correspondent à la tendance de l'enfant à voir la réalité à travers ses schèmes de pensée. Les processus d'accommodation sont, quant à eux, responsables de la transformation des structures cognitives. Ils se rapportent à la tendance de l'enfant à modifier ses schèmes de pensée lorsqu'il fait face plusieurs fois à des situations ou à des problèmes que les schèmes déjà en place ne lui permettent pas de comprendre. Pour des théoriciens comme Case (1998) et Fischer (1980), cette explication est trop générale et il est difficile de la vérifier empiriquement. Entre autres, la théorie ne rend pas compte du fait que le fonctionnement cognitif comporte une certaine hétérogénéité et que des changements localisés peuvent se produire à la suite d'entraînements de courte durée. Fischer (1980) et Gauvain (2001) pensent que la théorie piagétienne ne donne pas un rôle suffisamment important à l'influence du milieu et à celle de l'apprentissage.

L'explication proposée par Piaget concernant le développement de certaines notions et conduites paraît peu satisfaisante. Selon lui, la permanence de l'objet s'acquiert par l'action de l'enfant sur les objets. À force de manipuler les objets avec ses mains et de les mettre dans différents endroits, l'enfant découvre que les objets continuent d'exister même s'ils cessent d'être visibles. Les activités locomotrices de l'enfant joueraient aussi un rôle important. En se déplaçant d'un endroit à un autre, l'enfant constate que des objets ne sont plus visibles lorsqu'il quitte la pièce, mais redeviennent visibles dès qu'il revient dans la pièce. À la suite de ces expériences, l'enfant en vient à abstraire un caractère constant des objets, à savoir leur permanence, autour du neuvième mois.

Une expérience conduite par Baillargeon (1987) remet en question le rôle des activités motrices dans l'élaboration de cette notion. La méthode consistait à faire pivoter de l'avant vers l'arrière un panneau placé sur une table. La moitié des enfants de l'étude formaient le groupe expérimental et étaient placés dans les trois situations suivantes (voir la figure 5.15, page 190, colonne de gauche). Dans la première, le panneau pouvait pivoter de l'avant vers l'arrière jusqu'à un angle maximal de 180 degrés. Dans la deuxième situation, un objet se trouvait derrière le panneau, l'empêchant de pivoter de 180 degrés. Dans la troisième situation, le même objet se trouvait derrière le panneau, mais il était possible de le faire disparaître à l'insu de l'enfant grâce à une trappe aménagée sur le dessus de la table. Une fois l'objet disparu, le panneau pouvait pivoter comme dans la première situation. Comme on peut l'imaginer, cette expérience doit normalement surprendre toute personne qui a acquis la notion de la permanence de l'objet. Si l'objet se trouve toujours derrière le panneau, comment le panneau peut-il pivoter de 180 degrés?

La mesure retenue pour évaluer la réaction de l'enfant était le temps de fixation visuelle. Le protocole consistait à faire pivoter le panneau plusieurs fois jusqu'à ce que l'enfant réduise de façon marquée la durée de la fixation visuelle (phase d'habituation). Une fois ce résultat obtenu, on plaçait l'objet derrière le panneau rabattu vers l'avant, puis on faisait pivoter le panneau à différents angles. Dans la deuxième situation, le panneau s'arrêtait lorsqu'il touchait l'objet (événement possible) alors que, dans la troisième, il pivotait complètement vers l'arrière (événement impossible).

L'autre moitié des enfants formaient le groupe de contrôle et étaient eux aussi placés devant trois situations (colonne de droite de la figure 5.15). Cependant, aucune des situations ne comportait un événement impossible. Cette méthode a permis à Baillargeon d'observer un phénomène fort intéressant: les enfants regardaient plus longtemps l'événement impossible que les événements possibles dès l'âge de trois mois. Le fait que de jeunes enfants ont acquis une notion rudimentaire de permanence de l'objet alors que leurs habiletés motrices sont encore trop limitées pour leur permettre de prendre les objets avec leurs mains est difficilement conciliable avec les mécanismes proposés par la théorie piagétienne. Une telle observation suggère fortement que d'autres mécanismes sont en cause dans l'acquisition de la notion de la permanence de l'objet.

**Figure 5.15**    L'évaluation de la permanence de l'objet dans l'étude de Baillargeon (1987)

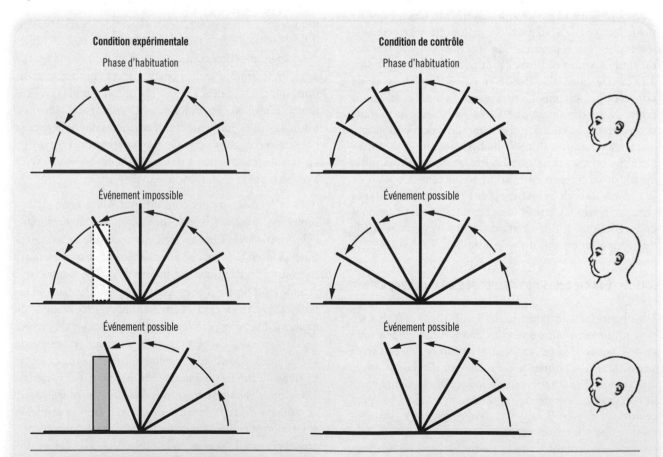

Source: R. Baillargeon (1987), «Object permanence in 3 ½ and 4 ½ -month-old infants», *Developmental Psychology*, 23, p. 656, figure 1.

### 5.10.4  Les théories néopiagétiennes

Les théories néopiagétiennes (Case, 1991, 1998; Fischer, 1980; Pascual-Leone, 1988) désignent les théories élaborées par certains chercheurs qui embrassent plusieurs des grands principes établis par Piaget. Ces théories s'éloignent toutefois des idées de Piaget sur certains points. Elles renferment de nouvelles idées qui permettent de remédier aux insuffisances de la théorie que nous avons relevées dans les sections précédentes.

Case (1995) considère que les théories néopiagétiennes partagent un certain nombre de postulats. D'abord, elles mettent l'accent sur les structures cognitives générales, c'est-à-dire qu'elles cherchent à comprendre le développement de la pensée en dégageant quelques structures générales qui rendent compte des multiples conduites de la personne. Elles s'écartent donc de la tendance à vouloir élaborer une multitude de modèles théoriques qui expliquent le comportement de la personne dans des champs d'activité très précis. Elles retiennent aussi de Piaget l'idée que l'enfant joue un rôle actif dans le développement de ses structures cognitives, qu'il existe un ordre de succession des stades et que ceux-ci sont hiérarchisés. Plus particulièrement, elles conservent l'idée que les structures cognitives qui apparaissent à un moment donné sont intégrées dans des structures encore plus vastes qui émergent plus tard. Enfin, comme Piaget, elles établissent la limite de complexité que la pensée d'un enfant peut atteindre à un âge déterminé.

Voyons maintenant comment ces théories ont tenté de résoudre les problèmes rencontrés par la théorie de Piaget. Le premier problème dont nous avons fait état est celui d'une certaine hétérogénéité du fonctionnement cognitif. Fischer (1980) et Case (1991) résolvent cette difficulté en affirmant que le changement des structures cognitives se produit de façon locale et non de façon globale, comme le croyait Piaget. Fischer accorde à cet égard une importance plus grande que Piaget à l'influence du milieu et à celle de l'apprentissage. Il considère que le développement des habiletés mentales est en relation étroite avec la pratique. Plus le milieu offre à l'enfant des occasions d'exercer une habileté mentale, plus il la développe. L'hétérogénéité du fonctionnement cognitif tient au fait que les différents milieux n'encouragent pas tous également le développement des diverses habiletés mentales. La théorie de Fisher fournit donc une explication plus satisfaisante de l'hétérogénéité du fonctionnement cognitif. Elle permet aussi de mieux comprendre le fait que certaines habiletés sont plus développées chez certains enfants que chez d'autres et dans certaines cultures que dans d'autres.

Le deuxième aspect par lequel les théories néopiagétiennes se distinguent de la théorie de Piaget concerne la nature des structures cognitives. Pour Piaget, les grandes structures qui régissent les structures plus simples, comme les représentations ou les concepts élaborés par l'enfant ou l'adolescent, sont des structures logico-mathématiques. Fischer (1980) a recours à la notion d'habileté pour expliquer le fonctionnement intellectuel. Comme dans la théorie de Piaget, les habiletés sont d'abord sensorimotrices (de la naissance à 2 ans), puis sont relatives aux représentations (de 2 à 12 ans) et enfin aux abstractions (à partir de 12 ans). C'est donc le type d'information que l'enfant peut maîtriser qui caractérise les grandes étapes du développement de la pensée. Chacun des trois stades comporte quatre sous-stades qui diffèrent par le nombre de structures (actions, représentations ou abstractions) que l'enfant parvient à coordonner. Dans le premier sous-stade, l'enfant peut maîtriser ou coordonner une seule action, une seule représentation ou une seule abstraction. Dans le deuxième sous-stade, il peut maîtriser deux de ces structures. Cette coordination devient elle-même une nouvelle structure que l'enfant peut coordonner avec une ou plusieurs autres structures de même niveau au cours du troisième sous-stade. Ces structures forment alors un système qui pourra lui-même être mis en relation avec un autre système dans le quatrième et dernier sous-stade. Les quatre stades présentent le même système de développement. Ce qui les distingue est le type d'information qui est coordonnée. Le développement de la pensée culmine avec la capacité d'établir des relations entre des systèmes de relations. La nature de ces relations peut être logico-mathématique, mais elle ne l'est pas nécessairement. Elle dépend plutôt des types d'opérations qui sont les plus communs dans une culture à une époque donnée de l'histoire.

Enfin, les théories néopiagétiennes définissent des mécanismes plus précis pour expliquer le changement ou les transitions entre les stades. Pour Case (1991, 1998), la capacité croissante de l'enfant à coordonner des structures de plus en plus complexes est en relation avec la capacité de la mémoire de travail. Cette dernière correspond au nombre d'éléments contenus dans la mémoire qui peuvent être rappelés pour faire des opérations. Cette capacité serait très limitée au cours des quatre premières années et elle ne permettrait à l'enfant que de considérer uniquement une seule dimension d'une situation. Elle augmenterait d'une unité entre 5 et 6 ans, d'une autre entre 7 et 8 ans et ainsi de suite jusqu'à l'âge de 16 ans. Selon la théorie, l'incapacité des jeunes enfants à résoudre les problèmes de conservation est due au fait que leur mémoire de travail ne leur permet pas de garder à l'esprit deux dimensions d'une situation. Dans l'épreuve de la conservation du liquide, par exemple, ils ne peuvent utiliser en même temps un schème qui représente la hauteur de la colonne de liquide et un autre qui représente la largeur de la colonne de liquide.

Un autre mécanisme postulé par Case (1998) pour expliquer le développement de la pensée est l'élaboration des structures exécutives de contrôle. Ces dernières renvoient à la capacité de l'enfant à saisir la nature des problèmes qu'il rencontre, à viser un but ou un résultat, à déterminer la manière d'agir et à la suivre correctement. Les structures exécutives de contrôle joueraient selon Case un rôle de premier plan dans l'organisation des activités de l'enfant étant donné que beaucoup de situations de la vie courante peuvent être vues comme des problèmes à résoudre. Prenons le cas d'un enfant de trois mois qui veut prendre dans ses mains un petit objet placé devant lui. Il doit avoir une représentation de la situation courante (l'objet n'est pas dans ses mains), une représentation de la situation souhaitée (avoir l'objet dans ses mains), choisir parmi les activités motrices celles qui sont les plus appropriées (schèmes de vision et de préhension) et les réaliser en les coordonnant.

Les structures exécutives de contrôle évolueraient grandement au cours de l'enfance et de l'adolescence. Le premier changement est quantitatif et concerne le nombre de schèmes ou de représentations qui peuvent être utilisés. Les structures exécutives de contrôle deviennent de plus en plus complexes et comprennent, outre les buts finaux, des buts immédiats; elles peuvent même inclure un plus grand nombre de schèmes ou de représentations se rapportant au problème. Le nourrisson peut seulement envisager un aspect d'une situation. Peu à peu, il devient capable de se représenter plusieurs aspects d'une situation et peut faire des opérations sur les représentations en question.

Le deuxième changement qui touche les structures exécutives de contrôle est qualitatif et concerne le type d'information sur lequel portent leurs opérations. Au cours des 20 premiers mois, les opérations des structures exécutives de contrôle concernent des informations sensorimotrices. Entre 18 mois et 5 ans, elles portent sur des relations que l'enfant peut établir entre les objets ou entre les événements. Un peu plus tard, elles portent sur les relations qui peuvent être faites entre les relations du niveau précédent. Autrement dit, les contenus sur lesquels portent les opérations des structures exécutives de contrôle deviennent de plus en plus abstraits à mesure que l'enfant grandit.

# Questions

1. Dans quelle discipline Piaget acquit-il une formation universitaire ?

2. Quel est le nom de la principale collaboratrice de Piaget ?

3. Nommez deux des quatre grands axes que Ducret (1984) distingue dans l'œuvre de Piaget.

4. Quels sont les deux grands invariants fonctionnels définis par Piaget ?

5. *Vrai ou faux.* Selon Piaget, l'ordre dans lequel les enfants traversent les stades peut varier, mais le rythme d'évolution d'un stade à l'autre est invariant.

6. Que signifie l'expression « hiérarchisation ou emboîtement hiérarchique des stades » ?

7. Qu'est-ce qu'un schème ?

8. *Vrai ou faux.* Pour Piaget, l'activité mentale s'inscrit dans le prolongement de l'activité physique.

9. Distinguez l'un de l'autre l'exercice et l'expérience physique des objets en indiquant ce qui représente la principale source d'information pour l'enfant.

10. *Vrai ou faux.* Selon Piaget, on peut enseigner des contenus à l'enfant même si ses structures mentales ne sont pas assez développées pour les assimiler.

11. Quels sont les schèmes d'action dont dispose le nouveau-né ?

12. Donnez deux exemples de réaction circulaire primaire.

13. *Vrai ou faux.* Dans la réaction circulaire secondaire, le but n'est pas fixé à l'avance, mais est lié à la compréhension du fait que l'action produit un effet.

14. Au stade 4 de la période sensorimotrice (de 8 à 12 mois), en quoi consiste la coordination des schèmes secondaires ?

15. La réaction circulaire tertiaire renvoie à l'idée que la séquence comportementale (le cycle de la réaction) intègre non seulement la relation entre le sujet et les objets, mais aussi la relation entre les objets. À quel stade de la période sensorimotrice les réactions circulaires tertiaires font-elles leur apparition ?

16. *Choisissez la bonne réponse.* Dans l'ensemble de la période sensorimotrice, le développement se fait de quelle façon ?

    a) de l'extérieur vers l'intérieur

    b) de l'intérieur vers l'extérieur

17. Nommez une des deux conditions qui doivent être présentes pour qu'il y ait représentation mentale d'un objet.

18. Dans le processus d'acquisition de la notion de la permanence de l'objet, en quoi consiste l'erreur de stade 4 décrite par Piaget ?

19. *Vrai ou faux.* Pour le sujet des premiers stades de la période sensorimotrice, l'objet qui disparaît dans le chapeau du magicien n'a rien de vraiment étonnant puisque dans son monde, il est normal que les objets apparaissent ou disparaissent.

20. Nommez les deux phases qui subdivisent la période préopératoire chez Piaget.

21. *Expliquez brièvement*. L'imitation est une préfiguration de la représentation.

22. Comment appelle-t-on le phénomène suivant : plusieurs enfants parlent en groupe, non pas tellement pour communiquer entre eux, mais pour s'exprimer individuellement, sans considération pour ce que raconte le voisin ?

23. *Vrai ou faux*. L'acquisition de la permanence de l'objet constitue l'une des premières indications de la présence de l'image mentale.

24. *Vrai ou faux*. Pour Piaget, la fonction symbolique de l'enfant de 3-4 ans comprend deux types d'images mentales : l'image reproductrice (constituant une copie d'un tableau connu) et l'image anticipatrice ou de transformation (capable de représenter des changements dans la réalité).

25. L'égocentrisme de la pensée préconceptuelle se manifeste notamment sur les plans représentatif, spatial et social. Apportez deux exemples qui illustrent cette assertion.

26. *Complétez la phrase*. L'enfant de la période préopératoire raisonne sur des états sans pouvoir intégrer les transformations ; sa pensée est _____.

27. *Complétez la phrase*. Une alternance entre une centration et une centration opposée conduisant au renversement de la réponse correspond pour Piaget à _____.

28. Piaget a généralement défini trois niveaux de réussite dans les épreuves dont il s'est servi pour étudier la transition entre le raisonnement préopératoire et le raisonnement opératoire concret. Dites quels sont ces trois niveaux et indiquez le stade de développement auquel chacun correspond.

29. *Vrai ou faux*. Dans la méthode piagétienne d'interrogation de l'enfant, la bonne ou la mauvaise réponse de ce dernier permet d'apprécier la logique de la solution qu'il apporte.

30. Une fois le contact établi avec l'enfant, quelle est généralement la première étape de l'épreuve piagétienne ?

31. *Vrai ou faux*. Dans l'épreuve de conservation des liquides, l'enfant de la phase intuitive a tendance à évaluer la quantité de liquide en n'ayant égard qu'à une seule dimension du contenant. Si on verse un liquide dans un verre extrêmement mince, la colonne de liquide montera très haut et l'enfant sera frappé par la minceur du contenant comparativement au verre du début. Il aura alors tendance à répondre qu'il y a moins de liquide dans le verre haut car « c'est trop mince ».

32. Dans l'épreuve des « baguettes déplacées », donnez une réponse basée sur :

    a) l'argument d'identité ;

    b) l'argument de compensation.

33. *Vrai ou faux*. La conservation de la surface s'acquiert vers sept ans environ, en même temps que la réversibilité.

34. *Expliquez brièvement*. Dénombrer un ensemble d'éléments, c'est établir une correspondance terme à terme.

35. Qu'est-ce qu'une opération mentale ?

36. Qu'est-ce qu'un groupement opératoire ?

37. Décrivez brièvement la conduite d'un sujet de la période préopératoire à qui l'on présente une feuille sur laquelle est dessiné un carré (de 10 à 15 cm de côté) et à qui l'on demande de dessiner le plus petit carré possible et le plus grand carré possible.

38. Laquelle des deux définitions suivantes s'applique au décalage vertical ?

    a) À des périodes différentes du développement, l'application d'opérations de niveau différent de structuration à un même contenu.

    b) À l'intérieur d'une même période de développement, l'application décalée dans le temps d'une même structure cognitive à des contenus différents.

39. Énumérez trois notions donnant lieu à un décalage horizontal.

40. Certaines études indiquent que les enfants d'âge préscolaire peuvent imaginer le point de vue d'une autre personne dans des situations simples. Quelle difficulté cela soulève-t-il pour la théorie piagétienne ?

41. La primauté des structures logico-mathématiques est-elle confirmée par les études interculturelles ?

42. Laquelle des notions suivantes a été étudiée dans l'étude de Baillargeon (1987)?

    *a)* la conservation du volume

    *b)* la permanence de l'objet

    *c)* l'invariance des stades de développement

    *d)* l'universalité des stades de développement

    *e)* la coordination des perspectives

43. Quelle était la mesure utilisée dans l'étude de Baillargeon (1987)?

44. Nommez trois principes définis par Piaget auxquels adhèrent les théories néopiagétiennes.

45. Comment se produit le changement cognitif selon les théories néopiagétiennes?

46. Lesquels des facteurs suivants expliquent selon Case (1991) la transition entre les stades de développement?

    *a)* l'assimilation

    *b)* l'augmentation de la capacité de la mémoire de travail

    *c)* l'élaboration des structures exécutives de contrôle

    *d)* l'apprentissage

    *e)* l'accommodation

# Chapitre 6

# L'intelligence

Richard Cloutier

## 6.1   INTRODUCTION

L'intelligence est probablement la composante la plus importante du fonctionnement psychologique humain. Ce que l'humain saisit de la réalité physique qui l'entoure, mais aussi ce qu'il comprend des autres et de lui-même reposent sur ses facultés cognitives. À mesure que l'appareil mental de l'enfant se développe, sa représentation du monde change et, comme les sentiments et les émotions dépendent des facultés cognitives, c'est toute la psychologie individuelle qui progresse en même temps que l'intelligence. Dans un monde de plus en plus exigeant sur le plan du savoir et de la capacité d'adaptation, l'intelligence représente un outil essentiel dans le fonctionnement de l'individu, et tout ce qui affecte son développement a un effet direct sur sa vie.

La reconnaissance du rôle capital de l'intelligence n'est pas récente : les travaux de Francis Galton et d'Alfred Binet, qui datent maintenant de plus d'un siècle, ont fait ressortir l'importance de la fonction remplie par l'intelligence dans le développement et le fonctionnement humains (Binet, 1903 ; Galton, 1869, 1883). En psychologie, l'intelligence est un des sujets les plus abondamment traités, et la recherche la concernant demeure encore très active aujourd'hui, sans doute en raison des enjeux énormes qui s'y rattachent, tant du point de vue personnel et interpersonnel que du point de vue social et économique.

En même temps, les travaux consacrés à l'intelligence n'ont pas permis de résoudre des questions d'importance telles que les suivantes : l'intelligence est-elle héréditaire ou acquise ? L'intelligence est-elle un facteur unique (le facteur G) ou en existe-t-il plusieurs formes différentes ? L'intelligence est-elle immuable ou peut-elle changer ? S'agit-il d'un trait qui se manifeste de façon constante ou variable d'un contexte à l'autre (Gardner, 2003) ?

Qu'est-ce que l'intelligence ? Voilà la question qui a dominé les débats sur les habiletés cognitives et pour laquelle les tentatives de réponses témoignent de l'évolution des conceptions de l'intelligence au cours des ans. En 1903, conscient de la complexité de cette question, Binet affirmait que « l'intelligence c'est ce que les tests d'intelligence mesurent ». Reprise par Boring en 1923, cette boutade signifiait que, faute de mieux, ce sont les instruments d'évaluation de l'intelligence qui traduisent le plus précisément les conceptions de l'intelligence. Sternberg et Detterman (1986) ont recueilli les réponses de 24 chercheurs anglophones de différents pays (États-Unis, Canada, Australie, Angleterre) aux questions suivantes :

– Selon vous, qu'est-ce que l'intelligence et comment peut-elle être mesurée ?

– Quelles sont les principales étapes qui restent à franchir dans la recherche portant sur la question ?

En 1921, les éditeurs du *Journal of Educational Psychology* (Terman, 1921) avaient déjà posé les mêmes questions à 14 experts dans le cadre d'un symposium sur l'intelligence. Sternberg et Berg (1986) ont comparé les définitions obtenues en 1921 avec celles qui l'ont été en 1986 et relevé des ressemblances et des différences. Chez les deux groupes d'experts, les notions d'« adaptation à l'environnement », de « processus mentaux de base » et de « pensée abstraite » (raisonnement, résolution de problèmes, prise de décision, etc.) ont été fréquemment mentionnées en tant que composantes de l'intelligence. Dans les deux groupes, la question de la nature unique ou multiple de l'intelligence, ou de son caractère restrictif ou ouvert à de vastes réalités, fait l'objet d'un débat. La comparaison révèle aussi que la question de métacognition, c'est-à-dire de la pensée sur la pensée ou de l'activité de régulation de l'activité mentale, n'existait pas en 1921, alors qu'en 1986 on constate qu'elle a déjà fait l'objet de plusieurs travaux. Sternberg et Berg (1986) attribuent cette évolution aux connaissances nouvelles qu'ont apportées les travaux sur le fonctionnement des ordinateurs et l'intelligence artificielle. Ils notent aussi que le contexte culturel et la maîtrise des connaissances occupent plus de place dans la seconde vague d'enquêtes que dans la première, ce qui témoigne des préoccupations sociales actuelles.

Quant aux éléments sur lesquels devrait porter la recherche, les deux groupes d'experts s'accordent pour mettre au premier rang le développement de l'intelligence, l'étude des facultés autres que cognitives ainsi que l'étude de l'intelligence dans des domaines particuliers ou dans ses manifestations courantes. Les experts de 1921 s'intéressaient surtout à des questions statistiques liées à la psychométrie et aux processus mentaux supérieurs, tandis que ceux de 1986 s'appliquaient à comprendre les processus élémentaires à la base de l'intelligence, à étudier les exigences de l'environnement concernant celle-ci et à élaborer des modèles plus précis du fonctionnement cognitif.

Les multiples définitions qui ont été proposées jusqu'à maintenant ont cependant ceci de commun que l'intelligence est une forme ou une autre d'adaptation à l'environnement. C'est par l'angle sous lequel cette adaptation est envisagée que se distinguent les courants de pensée à cet égard. Ainsi, Sternberg (2000) affirme que la conception que les experts se font de l'intelligence découle de différentes métaphores. Dans la *métaphore géographique,* que l'on peut associer aux recherches psychométriques menées, entre autres, par Spearman (1927), Guilford (1967) ou Carroll (1993), l'intelligence apparaît comme une carte de l'esprit dans laquelle la présence plus ou moins dominante de certains facteurs permet de distinguer entre eux les profils intellectuels des individus. Dans la *métaphore informatique,* renvoyant aux conceptions de Simon (1976), de Hunt (1978) et de Sternberg (1977), l'intelligence est regardée comme l'ensemble des processus élémentaires de traitement de l'information qui s'évaluent par le temps de réaction ou qui se traduisent par des stratégies cognitives et elle réfère au développement de modèles complexes des processus mentaux. Avec la *métaphore biologique,* il y a tentative d'établir un lien direct entre le fonctionnement du cerveau et l'intelligence. Les réseaux neuronaux, la vitesse de conduction nerveuse, la spécialisation hémisphérique et le rôle de certaines zones nerveuses dans l'accomplissement de différentes tâches mentales figurent parmi les sujets d'étude dans les théories qui y sont associées. Les travaux de Hebb (1949), de Luria (1980) et de Wickett et Vernon (1994) se rattachent à cette conception de l'intelligence. Différentes techniques sont employées telles que l'électro-encéphalogramme et l'imagerie par résonance magnétique. La *métaphore épistémologique* s'applique surtout à l'œuvre de Jean Piaget, centrée sur l'étude des stades du développement des connaissances et des structures cognitives (schèmes). Dans la *métaphore anthropologique,* correspondant aux travaux réalisés par Berry (1984), Cole (1996) ou Greenfield (1997), l'intelligence apparaît comme une construction sociale : le développement de l'individu est subordonné au respect des normes sociales qui définissent les comportements intelligents. La *métaphore sociologique* renvoie aux travaux de Feuerstein (1980) et Vygotsky (1978), qui mettent au premier plan le rôle joué par les interactions sociales dans le développement de l'intelligence, l'individu acquérant des connaissances dans ses rapports avec les personnes de son entourage. Enfin, Sternberg (2000) estime que ses travaux (1997) et ceux de Gardner (1993a, 1993b), entre autres, relèvent d'une *métaphore des systèmes* parce qu'ils véhiculent une conception systémique de l'intelligence qui comporte plusieurs niveaux d'analyse et qui intègre des éléments des autres métaphores (géographique, biologique, sociologique, etc.).

## 6.2    LES APPROCHES SCIENTIFIQUES DE L'INTELLIGENCE

Les différents courants de la recherche sur l'activité intellectuelle expriment des conceptions particulières et complémentaires de l'intelligence. Certains ouvrages ont tenté d'en dégager une synthèse (Sternberg, 2000 ; Sternberg, Lautrey et Lubart, 2003). Certaines théories sont plus utiles que d'autres pour nous aider à comprendre la psychologie de l'enfant, et elles sont décrites dans le présent ouvrage. La théorie du développement de l'intelligence bâtie par Jean Piaget, qui a été examinée en détail dans le chapitre précédent, est probablement celle qui est la plus complète, mais, cependant, d'autres approches ont permis d'agrandir nos connaissances concernant différents aspects de cette question fondamentale. C'est le cas de la neuropsychologie, de la neurobiologie, de la psychométrie, du modèle triarchique de Sternberg et de la théorie de l'intelligence émotionnelle.

### 6.2.1    La neuropsychologie

La neuropsychologie est une branche de la psychologie qui traite des rapports entre le cerveau et le comportement : quels renseignements le comportement et le raisonnement de l'individu nous apportent-ils sur le fonctionnement du système neurologique ? Les connaissances acquises concernant le développement du cerveau et les effets de certaines lésions sur son fonctionnement permettent, au moment de l'interprétation des résultats des différents tests, de déceler des déficits ou des lésions. En neuropsychologie, on utilise diverses sources d'information (enfant, parents, école, histoire médicale et sociale, etc.) et on fait appel également à la psychométrie, laquelle a pour but de mesurer les habiletés en vue de les rapporter au fonctionnement neurologique du cerveau et au rendement intellectuel. Des tests spécialisés sont administrés non seulement pour comparer le rendement de l'enfant par rapport à celui des autres, mais aussi pour établir des liens entre les forces et les faiblesses décelées dans les différents tests et en dégager la signification quant aux fonctions cérébrales (Lezak, 1995). Le comportement observé dans différentes tâches donne donc des indications concernant le fonctionnement du cerveau : à partir des connaissances sur les effets que certaines lésions ou affections cérébrales ont sur le comportement, l'étude des particularités de ce dernier permet d'établir un diagnostic neurologique (Kolb et Whisaw, 1996). Ainsi, on pourra évaluer les capacités d'apprentissage de matériel nouveau, les déficits de différenciation tactile, d'attention, de concentration, de mémoire, de motricité, de langage ainsi que les aptitudes à résoudre des problèmes logiques, spatiaux ou mathématiques, en vue de reconnaître les zones du cerveau pouvant être affectées par un traumatisme crânien ou une maladie infectieuse. Une telle démarche permet à la fois d'apprécier le déficit (ou l'absence de déficit) de l'individu par rapport à la norme et, ainsi, de contribuer à l'établissement d'un diagnostic, de déterminer les effets bénéfiques d'un éventuel traitement et de mettre en route un programme de rééducation adapté aux besoins de l'enfant. Les examens neuropsychologiques sont chose courante en milieu hospitalier : on y a recours, par exemple, pour évaluer les dommages neurologiques causés par un traumatisme crânien ou le déficit entraîné par une maladie dégénérative. On les utilise de plus en plus dans les établissements d'enseignement pour venir en aide aux enfants présentant des déficits d'attention, des difficultés d'apprentissage, etc.

## 6.2.2 La neurobiologie

Comment le cerveau fonctionne-t-il ? D'une part, les techniques électroniques permettent de décrire le fonctionnement du neurone avec une précision croissante ; d'autre part, il y a le comportement et les activités mentales que la psychologie scrute sous tous leurs angles, depuis la simple vitesse de réaction à un stimulus jusqu'à la métacognition, c'est-à-dire la pensée sur la pensée. Mais entre ces deux pôles, les zones grises abondent. Est-ce que chaque fonction cognitive a son siège dans un endroit spécifique du cerveau ou si le cerveau est un ensemble dont les zones ont les mêmes fonctions ? Il semble en fait que ces deux réalités coexistent : certaines fonctions intellectuelles reposent sur l'activation de régions déterminées du cerveau et ces dernières sont soumises à des réseaux d'opérateurs qui contrôlent leur activité. À l'aide de la résonance magnétique par exemple, on arrive aujourd'hui à discerner les régions du cerveau qui sont sollicitées par certaines opérations mentales. Plus précisément, comme le rapporte Haier

(2003), c'est l'étude des réseaux de connexions entre les différentes régions activées ou désactivées du cerveau qui peut nous permettre de comprendre la relation entre le cerveau et l'intelligence :

> Parce que plusieurs systèmes neurotransmetteurs relient les régions du cerveau entre elles, le principal enjeu pour la recherche en imagerie du cerveau en psychologie est de rechercher quels sont les circuits de neurones qui sont mis en action dans des tâches mentales définies et d'expliquer les différences individuelles dans les performances. (Haier, 2003, p. 185-186.)

Cet auteur rapporte une série d'expériences où l'activité du cerveau était enregistrée pendant que certains sujets passaient un test non verbal mesurant l'intelligence générale (facteur G) et que d'autres réalisaient une tâche d'attention simple. Les résultats ont montré que certaines régions du cerveau n'étaient activées que dans la résolution de problèmes complexes et que la tâche d'attention ne les activait pas. Cependant, les résultats au test d'intelligence variaient d'un participant à l'autre, et on a pu établir un lien entre le niveau d'activation des régions intéressées du cortex cérébral et les résultats obtenus. On a ainsi trouvé que le niveau d'activation et le rendement étaient en rapport inverse : les sujets les plus forts au test présentaient un niveau moindre d'activité des régions corticales concernées. Dans une autre expérience, on a demandé à des volontaires de pratiquer un jeu vidéo pendant 4 à 8 semaines après avoir mesuré leur activité cérébrale initiale pendant le jeu. En moyenne, après la pratique, le score des sujets au jeu vidéo était sept fois meilleur qu'au début, tandis que l'activité de plusieurs zones corticales initialement commandées par la tâche diminuait au fur et à mesure que les participants devenaient plus habiles. Les auteurs ont conclu que, avec la pratique et l'amélioration de leur performance, les participants avaient appris à connaître, inconsciemment, les régions de leur cerveau qu'ils n'avaient pas à utiliser pour cette tâche. Ces résultats tendent à confirmer l'hypothèse de l'*efficience cérébrale* selon laquelle plus l'intelligence est développée, moins le cerveau est sollicité pour résoudre un problème donné (Haier, 1993, 2003). Le développement de l'intelligence au cours de l'enfance et de l'adolescence serait lié à cet allégement progressif de l'activité cérébrale, l'acquisition d'habiletés intellectuelles entraînant une utilisation plus économique des circuits neurologiques sur le plan de l'activation corticale pour une tâche donnée. L'intelligence permettrait ainsi de réaliser les tâches mentales en utilisant moins d'énergie.

On a constaté qu'il existait une relation entre la vitesse de traitement de l'information chez de jeunes enfants (temps d'adaptation à un stimulus, temps de reconnaissance visuelle) et le rendement intellectuel mesuré quelques années plus tard, ce qui tend à montrer que l'intelligence est fonction de la vitesse de traitement de l'information (Slater, 1995 ; Deary, 2000). Plusieurs chercheurs ont observé qu'à mesure qu'il grandit, l'enfant traite l'information de plus en plus rapidement, ce qui a pour effet de réduire le temps d'exécution des opérations mentales. Une diminution du temps de réponse de l'ordre de 50 % n'est pas rare dans plusieurs tâches axées sur la vitesse. Kail (1988, 1991) rapporte que les vitesses d'opérations telles qu'une addition mentale, une rotation mentale, une recherche en mémoire, une inspection visuelle et une action motrice simple augmentent considérablement avec l'âge et au même rythme. Certes, nous savons que les stratégies cognitives évoluent elles aussi et qu'elles peuvent influer fortement sur la vitesse de résolution d'un problème, mais le fait qu'on observe constamment des différences dans l'exécution d'un âge à l'autre permet d'affirmer que le développement entraîne des changements neuropsychologiques profonds (Fry et Hale, 1996 ; Kail, 1991 ; Loranger et autres, 2002 ; Salthouse, 1996). C'est comme si, avec l'âge, du fait qu'il avait accès à un ordinateur plus puissant pour exploiter le même logiciel, l'enfant voyait sa vitesse d'exécution décupler.

Chez les personnes âgées, on a mis en évidence une relation analogue entre la vitesse de traitement de l'information et les capacités intellectuelles : le vieillissement entraînerait une diminution de la vitesse d'exécution de plusieurs types d'opérations, donc une baisse de rendement dans diverses tâches intellectuelles (Salthouse, 1996).

La vitesse de traitement de l'information serait donc sensible au processus de maturation neurologique et, sans être le seul facteur en cause dans la modulation de l'intelligence, elle exercerait une influence significative sur celle-ci en raison de son rôle fondateur sur le plan des opérations mentales.

### 6.2.3　La psychométrie

La psychométrie s'intéresse à la mesure de caractéristiques psychologiques telles que l'intelligence, la personnalité, les attitudes ou les motivations. Les différences observées entre les individus et les modèles de performances mentales servent à l'élaboration de théories sur l'intelligence. L'analyse du rendement d'un grand nombre de personnes dans des tâches variées (vocabulaire, connaissances, mémoire, raisonnement arithmétique, jugement, assemblage de blocs, etc.), à l'aide d'outils statistiques comme l'analyse factorielle, permet de discerner des tendances en ce qui concerne les modèles d'organisation des processus mentaux. L'idée que les êtres humains ont des profils d'habiletés mentales différents et qu'il est possible de les mesurer remonte à plus de 100 ans. Si l'on en juge par l'intérêt que les tests ont suscité pendant tout ce temps, tant en santé qu'en éducation et en gestion des ressources humaines, il s'agit d'une des découvertes les plus importantes de la psychologie. La psychométrie a eu plusieurs promoteurs. En Angleterre, sir Francis Galton (1822-1911), cousin de Charles Darwin, appliqua à la mesure de l'intelligence les conceptions évolutionnistes de Darwin selon lesquelles les capacités humaines sont un perfectionnement de celles qu'on observe chez les animaux et selon lesquelles les capacités intellectuelles sont en relation avec les capacités physiques. D'après Galton (1883), deux qualités permettaient de distinguer les gens intelligents des autres : l'énergie et la sensibilité. La première qualité correspond à la capacité de travail de la personne ; les observations de Galton l'avaient en effet amené à croire que les gens doués affichent un niveau d'énergie remarquable. Quant à la seconde qualité, elle témoigne de sa conviction que toute information qui provient du monde extérieur passe par nos sens, de sorte que plus nos sens sont sensibles à la lumière, aux sons, aux odeurs, aux textures, etc., plus l'intelligence a de la matière sur quoi opérer (Sternberg, Lautrey et Lubert, 2003). Galton mit au point une cinquantaine de tests psycho-physiques mesurant diverses aptitudes : la force de préhension de la main, la vitesse de réaction, la discrimination sensorielle (comme la distance nécessaire pour que deux piqûres d'aiguille sur la peau soient perçues comme distinctes), les seuils de différenciation des poids, etc. L'idée centrale était donc que des tests physiques peuvent aider à déterminer l'habileté mentale. On retrouve certains aspects de cette conception en neurobiologie, notamment avec le concept d'efficacité neurale, mais celui-ci a perdu beaucoup de son intérêt lorsque l'on s'est rendu compte que bon nombre d'aptitudes psycho-physiques n'étaient que faiblement liées entre elles et pouvaient difficilement être toutes rattachées à l'intelligence.

Le psychologue français Alfred Binet (1857-1911) est considéré comme le premier à avoir défini une méthode d'évaluation de l'intelligence des jeunes enfants. Pour lui et son collègue Théodore Simon (1873-1961), les mesures psycho-physiques passent à côté du vrai domaine de l'intelligence qui est l'activité mentale et non pas l'activité physique. Ils mirent au point le premier test mental standardisé après que le gouvernement français, désireux de dépister dès leur entrée à l'école les enfants susceptibles d'éprouver des difficultés, les eut chargés d'élaborer un procédé permettant de les reconnaître. Binet conçut une série de problèmes qu'il testa auprès de populations d'enfants. On présente à l'enfant une feuille sur laquelle est tracé un cercle interrompu à un endroit, puis on lui demande d'imaginer que le cercle est son jardin et qu'il y a perdu une balle – qui n'est pas visible maintenant parce qu'elle est petite et qu'il y a de l'herbe. On lui demande de tracer le chemin qu'il parcourrait pour retrouver sa balle. Cette épreuve permet de voir comment l'enfant organise

Alfred Binet

sa recherche dans l'espace, s'il explore de façon ordonnée sans retourner sur ses pas, ou bien de façon brouillonne ou désordonnée. Pour Binet et Simon, la pensée intelligente comporte trois éléments : la direction, l'adaptation et la critique. La *direction* consiste à savoir ce qui doit être fait et comment le faire : ainsi, pour trouver un livre dans une bibliothèque publique, il faut franchir un certain nombre d'étapes (l'étage du bâtiment où se trouve le livre en question, la cote de ce dernier, le nom de son auteur et son titre exact, le catalogue où figure la cote du livre en rayon, etc.) et connaître l'ordre dans lequel ces diverses actions doivent être exécutées (ordre qui diffère de l'ordre d'énumération précédent). La direction correspond donc à la préparation de l'exécution.

L'*adaptation* implique le choix et l'application d'une manière d'agir adaptée au but qu'on poursuit : ainsi, si l'on recherche à l'aveugle le livre sur les rayons sans avoir au préalable consulté le catalogue, on risque de perdre beaucoup de temps ; il est évidemment plus sensé de chercher d'abord la cote dans le catalogue et d'aller prendre ensuite le livre sur le rayon.

La *critique* est la capacité d'examiner la valeur d'une action. Le sujet qui ne s'aperçoit pas qu'il a avantage à prendre la cote du livre risque de perdre beaucoup de temps. La critique, étroitement liée à l'adaptation, correspond donc au contrôle de la qualité de la démarche mentale. Non seulement Binet a été le premier, il y a 100 ans, à concevoir un test standardisé d'intelligence, mais les types d'items qu'il a proposés sont encore utilisés de nos jours : la version moderne de l'échelle d'intelligence de Binet, la Stanford-Binet, standardisée à l'Université de Stanford (Californie) par Lewis Terman et Maud Merrill (Terman, 1916), est encore en usage pour l'évaluation des individus entre l'âge de deux ans et l'âge adulte. Sternberg (2003) situe aussi les tests de type « Wechsler », encore les plus employés actuellement comme mesure individuelle de l'intelligence, dans la lignée de celui de Binet.

Charles Spearman (1863-1945), psychologue et mathématicien anglais, est considéré comme le fondateur de la méthode factorielle dans l'étude de l'intelligence. Celle-ci correspond-elle à une fonction unique ou à une série de fonctions distinctes ? Spearman (1904) s'est aperçu que les personnes qui avaient un rendement élevé dans une tâche intellectuelle avaient tendance à avoir également un rendement élevé dans d'autres. L'observation du lien existant entre les différentes habiletés intellectuelles a été à l'origine d'une notion capitale en psychométrie : le facteur d'intelligence générale. Selon Spearman (1927), il y a deux types de facteurs dans l'intelligence humaine :

1) un facteur général (facteur G), commun à l'ensemble des habiletés cognitives ;

2) des facteurs particuliers à une habileté donnée (mémoire, raisonnement logique, spatial, numérique, etc.).

C'est par l'analyse factorielle du rendement intellectuel dans différentes tâches que Spearman est arrivé à sa théorie. L'analyse factorielle est une méthode statistique basée sur les corrélations entre les items ou les questions du test. Elle permet de grouper en facteurs les items réussis qui présentent un trait commun et d'écarter les autres items. Pour Spearman, le facteur G témoigne du caractère universel de la fonction cognitive ; il repose sur l'énergie mentale, ce potentiel de base qui peut s'actualiser avec plus ou moins de force dans des domaines plus particuliers de l'intelligence, et ainsi donner lieu à des facteurs plus spécifiques de l'intelligence. Encore aujourd'hui, le facteur G est considéré comme le reflet des corrélations existant entre les habiletés particulières qui ont été mesurées (ce qu'elles ont en commun), mais il n'y a pas encore d'explication complète des processus mentaux sous-jacents à un facteur général d'intelligence (Stankov, 2003).

Après Spearman, de nombreux chercheurs se sont fondés plus ou moins sur l'analyse factorielle appliquée aux tests mentaux pour construire un modèle théorique de l'intelligence et de son fonctionnement. Thurstone (1938), Cattell (1963, 1971), Guilford (1967) et Carroll (1993, 1996) figurent parmi ces chercheurs. Thurstone (1938), par exemple, s'est rendu compte que l'importance du facteur G diminuait quand on utilisait un large éventail de tests mentaux. Cet auteur a proposé un modèle de l'intelligence comportant sept facteurs indépendants :

1) la compréhension (connaissance des concepts associés aux mots) ;

2) le vocabulaire (connaissance d'un grand nombre de mots) ;

3) l'arithmétique (capacité de compter et de résoudre des problèmes mathématiques) ;

4) l'opération dans l'espace (capacité de déplacer mentalement des figures ou des objets) ;

**Figure 6.1**   Le modèle en trois strates de Carroll

| Strate III | Facteur G | | | | | | | |
|---|---|---|---|---|---|---|---|---|
| Strate II | Intelligence fluide | Intelligence cristallisée | Mémoire et apprentissage général | Perception visuelle | Perception auditive | Habileté de composition (*retrieval*) | Rapidité de l'opération mentale | Vitesse d'exécution |
| Strate I | Raisonnement séquentiel<br><br>Induction<br><br>Raisonnement quantitatif | Langage écrit<br><br>Compréhension verbale<br><br>Vocabulaire | Étendue de la mémoire<br><br>Mémoire associative | Aptitude à visualiser<br><br>Relations spatiales<br><br>Vitesse de récognition | Discrimination auditive<br><br>Discrimination du langage parlé | Créativité<br><br>Fluidité des idées<br><br>Habileté à nommer | Rapidité d'exécution des tests cognitifs<br><br>Aisance à faire des opérations arithmétiques<br><br>Rapidité de perception | Temps de réaction simple<br><br>Vitesse de catégorisation (choix)<br><br>Vitesse de compréhension du langage |

Sources : Adaptée de J.B. Carroll (1993), *Human Cognitive Abilities : A Survey of Factor-Analytic Studies*, New York, Cambridge University Press, et de J.B. Caroll (1996), A three stadium theory of intelligence : Spearman's contribution, dans J. Dennis et P. Tapsfield (dir.), *Human Abilities : Their Nature and Measurement*, Mahwah (N.J.), Erlbaum.

5) la vitesse de perception (rapidité de reconnaissance des stimuli);

6) le raisonnement logique (capacité de trouver des analogies, des règles ou des principes dans des problèmes logiques);

7) la mémoire (capacité de se rappeler des listes de mots, de chiffres ou d'images).

Pour résoudre la contradiction entre l'idée d'un facteur unique d'intelligence (le facteur G) et celle d'une intelligence composée d'une série de facteurs particuliers, certains auteurs ont proposé une intégration conceptuelle sur la base de modèles hiérarchiques où le facteur G est au sommet de la hiérarchie et domine les facteurs particuliers.

Dans cette optique, Carroll (1993) a analysé plus de 460 ensembles de données publiées sur les habiletés intellectuelles et a été amené à proposer un modèle en trois strates. Il s'agit probablement de la tentative la plus exhaustive d'intégration des connaissances portant sur les modèles factoriels de l'intelligence. Dans le modèle de Carroll présenté à la figure 6.1 (page 203), à la strate supérieure (strate III), on trouve le facteur G, décrit plus haut dans le paragraphe consacré à l'exposé de la méthode de Spearman. La deuxième strate rassemble des habiletés «larges» de fonctionnement intellectuel; elle comporte huit facteurs:

1) l'intelligence fluide, qui renvoie à la capacité d'établir des relations, de construire des propositions et de dégager des inférences, capacité qui peut être mesurée par des tests d'analogies, de raisonnement abstrait ou de séries à compléter;

2) l'intelligence cristallisée, qui renvoie aux capacités acquises par l'éducation et l'expérience telle qu'elle est mesurée par des épreuves de compréhension verbale, de vocabulaire ou de connaissances;

3) la mémoire et l'apprentissage général;

4) la perception visuelle;

5) la perception auditive;

6) l'habileté générale de composition ou d'évocation conceptuelle (*broad retrieval ability*);

7) la rapidité de l'opération mentale;

8) la vitesse d'exécution générale.

L'ordre dans lequel ces habiletés sont placées reflète la relation qu'elles entretiennent avec le facteur G. Enfin, à la strate inférieure (strate I), se trouve l'ensemble des habiletés intellectuelles particulières telles que le calcul arithmétique, la connaissance des mots, l'orientation spatiale, la vitesse de perception, le temps de réaction, etc.

L'idée à la base de ce type de modèle hiérarchique est donc que la strate de fonctionnement supérieure renferme les composantes cognitives particulières du niveau inférieur. Davidson et Downing (2000) affirment que ce type de modèle décrit, explique et prédit la performance aux tests mentaux sur plusieurs années et dans un large éventail de tâches cognitives. Ces modèles ont grandement stimulé la recherche sur l'intelligence humaine et ont permis d'élaborer de nombreux tests de grande qualité. Cependant, on a vu apparaître divers modèles hiérarchiques présentant des différences entre eux, notamment en ce qui concerne la nature et le rôle du facteur G (Carroll, 1993; Ceci, 1996; Davidson et Downing, 2000; Horn, 1989).

### 6.2.4 Le modèle triarchique de Sternberg

Robert Sternberg, un chercheur très prolifique, a élaboré différents modèles de l'intelligence au cours des 30 dernières années (Sternberg, 1977, 1985, 1988, 1997, 1999). Son modèle le plus connu, le modèle «triarchique», distingue trois grandes dimensions de l'intelligence, dont

Robert Sternberg

chacune interagit constamment avec les deux autres : *a*) la dimension interne de l'intelligence, constituée des mécanismes de traitement de l'information qui définissent le comportement intelligent ; *b*) la dimension externe de l'intelligence qui renvoie à l'exercice de l'intelligence, à l'action et à l'apprentissage dans le milieu de vie ; et *c*) la dimension expérientielle de l'intelligence, qui implique la mise à profit des acquis intellectuels en vue de l'adaptation à une situation nouvelle. Chacune des dimensions a fait l'objet de travaux débouchant sur une sous-théorie intégrée dans le modèle triarchique (Davidson et Downing, 2000 ; Gignac et Loranger, 2001 ; Sternberg, 2003).

### La dimension interne de l'intelligence

Dans la théorie triarchique, la dimension interne de l'intelligence est constituée de trois types de mécanismes mentaux responsables du traitement de l'information : *a*) les métacomposantes ; *b*) les composantes de performance ; et *c*) les composantes d'acquisition de connaissances. Cette première dimension est donc relative aux composantes de l'intelligence.

Les *métacomposantes* sont les processus mentaux de niveau supérieur qui servent à la résolution de problèmes. Sternberg (1985, 1990, 1997) en distingue huit :

1) la reconnaissance du problème et de la nécessité de trouver une solution ;

2) la définition des données du problème, des buts et des obstacles qu'il implique ;

3) le choix des processus de niveau inférieur qui seront utilisés pour trouver une solution ;

4) le choix d'un mode d'action approprié à la recherche de la solution ;

5) le choix d'une représentation mentale des données, des rapports à établir entre elles et des buts à atteindre ;

6) la sollicitation de l'attention et des autres facultés en vue de la résolution du problème ;

7) le suivi (monitorage) du processus de résolution du problème ;

8) l'examen de la valeur de la solution.

Les *composantes de performance* sont les processus mentaux de niveau inférieur que l'individu utilise pour répondre aux exigences provenant des métacomposantes. Les composantes de performance peuvent être très nombreuses et elles varient souvent en fonction des données du problème. Voici des exemples de composantes de performance : l'encodage des données du problème, l'inférence, l'appréciation des possibilités, la justification du choix de la solution, l'exécution de la solution retenue, etc.

Les *composantes d'acquisition de connaissances* permettent à l'individu d'acquérir les connaissances nécessaires à la résolution d'un problème. Comme les composantes de performance, elles occupent une place inférieure par rapport aux métacomposantes. L'encodage sélectif, la combinaison sélective et la comparaison sélective sont les trois types de composantes d'acquisition de connaissances qui sont reconnus dans le modèle triarchique. La notion de sélection intervient dans les trois et témoigne de l'importance de l'économie de l'effort dans le processus d'acquisition. L'*encodage sélectif* est le processus en jeu dans l'acquisition des données qui se rapportent au problème et l'élimination des informations inutiles. Dans la plupart des situations comportant un problème à résoudre, la quantité d'informations dont dispose l'individu excède très largement ce dont il a besoin ; la capacité de trier les informations est donc essentielle dans la recherche d'une solution. La *combinaison sélective* renvoie à la mise en relation des éléments pertinents d'information encodés de façon à former un tout cohérent adapté à la situation. La *comparaison sélective* implique l'établissement de relations entre l'information nouvelle et l'information déjà en mémoire de façon à tirer le maximum de sens des données du problème. Sternberg (1988) a observé que les personnes très habiles à résoudre des problèmes passaient plus de temps que les autres à la collecte des données, à la planification de leur action et à l'examen des résultats.

### La dimension externe de l'intelligence

La deuxième dimension de l'intelligence dans le modèle triarchique concerne le contexte ou l'environnement dans lequel l'intelligence se déploie ; elle se rapporte aux mécanismes intervenant dans l'adaptation de la personne au milieu, dans l'adaptation du milieu aux besoins de l'individu ou dans le choix de l'environnement approprié. Cette dimension renvoie donc à l'application pratique des composantes de la dimension interne (les métacomposantes, les composantes de performance et les composantes d'acquisition des connaissances). En fait, le comportement intelligent poursuit généralement un ou plusieurs des trois buts suivants : s'adapter à un environnement, le maîtriser ou le choisir. À cet égard, Davidson et Downing affirment :

> Les individus intelligents savent souvent quand et comment s'ajuster à un environnement particulier. Si l'ajustement ne réussit pas, ils savent quand et comment modifier l'environnement de manière que leurs besoins soient satisfaits. Si la modification de l'environnement ne se révèle pas une solution, ils savent quand et comment choisir un environnement plus approprié. (Davidson et Downing, 2000, p. 43.)

Cette dimension externe de l'intelligence implique donc un rapport avec l'environnement.

Chaque individu a son propre profil d'intelligence, une dimension pouvant être plus développée qu'une autre. Certaines personnes sont plus fortes dans la sphère interne en raison du caractère analytique de leur intelligence tandis que d'autres seront plus pratiques et plus aptes à s'ajuster à l'environnement ou à le modifier. Ainsi, Sternberg, Ferrari, Clinkenbeard et Grigorenko (1996) ont observé que les élèves doués réussissaient mieux lorsque l'enseignement qui leur était donné était adapté à leur profil intellectuel particulier que lorsqu'ils avaient affaire à un enseignement standard.

### La dimension expériencielle de l'intelligence

La troisième dimension du modèle triarchique concerne l'ajustement à la nouveauté en rapport avec l'uniformisation du traitement de l'information. Elle renvoie à la relation entre les connaissances déjà acquises et la situation nouvelle. L'intelligence permet l'adaptation à de nouvelles situations au fur et à mesure de l'acquisition de l'expérience et elle permet d'uniformiser l'activité cognitive de manière à pouvoir affecter les ressources mentales à l'exécution de tâches nouvelles. Cette « capitalisation » de l'expérience s'observe durant toute l'enfance ; l'enfant intègre en « schèmes » les modèles de comportement acquis et les applique ensuite avec un minimum d'effort intellectuel. Ces modèles d'habiletés plus ou moins automatisées peuvent ensuite être appliqués avec succès à des problèmes nouveaux. Le phénomène de mise à profit de l'expérience antérieure vaut aussi pour le processus d'encodage, de combinaison ou de comparaison d'informations qu'exigent les situations nouvelles. L'apprentissage de la lecture fournit un bel exemple de ce processus : au début, chaque unité d'information doit être décodée individuellement, mais bientôt, l'automatisation du décodage élémentaire permettra à l'enfant de passer au mot puis à la phrase. L'automatisation du décodage lui permet de concentrer son attention sur le sens des mots ou de la phrase. En fait, les enfants qui ont des difficultés de compréhension en lecture ont souvent une automatisation déficiente des processus élémentaires de décodage des symboles écrits et, lorsqu'ils arrivent à mieux automatiser le décodage, leur compréhension s'améliore.

Selon Sternberg, la capacité de s'ajuster aux nouvelles situations est directement liée à l'automatisation des acquis antérieurs : ces derniers peuvent être utilisés sans effort, c'est-à-dire sans avoir à exploiter les ressources mentales qui doivent servir à traiter les informations nouvelles.

### 6.2.5  L'intelligence de la réussite

Plus récemment, Sternberg a élaboré un autre modèle : la théorie de l'intelligence de la réussite (Sternberg, 1999, 2003). Cette théorie intègre le modèle triarchique et le complète en l'inscrivant dans le milieu de vie particulier de l'individu. L'intelligence y est définie comme l'aptitude à réussir en conformité avec les standards personnels. Dans cette optique, l'intelligence est évaluée en fonction des buts personnels plutôt qu'en fonction de normes collectives :

> La capacité de réussir dépend de l'utilisation des forces ainsi que de la correction et de la compensation des faiblesses. Les gens intelligents qui réussissent savent reconnaître ce qu'ils font bien et ensuite tirent le meilleur parti possible de leurs forces et de leurs faiblesses. Ils regardent ces forces et ces faiblesses non pas comme des traits fixes mais comme des caractéristiques valables dans un contexte particulier à un moment donné. L'équilibrage des habiletés sert à s'adapter aux divers environnements, à les façonner ou à les choisir... La réussite résulte d'un équilibre entre les habiletés analytiques, créatives et pratiques. Les habiletés analytiques sont employées pour analyser, évaluer, juger, comparer et opposer. Les habiletés créatives sont utilisées pour créer, inventer, découvrir, explorer et imaginer. Les habiletés pratiques sont utilisées pour appliquer, utiliser, mettre en pratique et établir. (Sternberg, 2003, p. 56.)

Cette théorie remet en question les normes ou les critères à partir desquels l'intelligence est évaluée. Par exemple, en considérant les notes scolaires comme un critère de réussite d'un enfant, on peut négliger de voir que celui-ci investit ses efforts dans les sports et que c'est cette raison qui explique l'insuffisance de son travail scolaire.

### 6.2.6    La théorie des intelligences multiples de Gardner

Dans la foulée des efforts pour envisager l'ensemble de l'intelligence et non pas seulement les habiletés les plus sollicitées à l'école, et pour étendre les mesures à des dimensions autres que le domaine verbal, arithmétique ou spatial, Howard Gardner (1993a, 1993b, 1999, 2003) a tenté de montrer que les humains n'ont pas une, mais plusieurs intelligences relativement distinctes les unes des autres. Selon lui, les habiletés linguistiques, logico-mathématiques ou spatiales mesurées dans les tests standardisés traditionnels sont essentielles en ce qu'elles font partie de l'apprentissage scolaire, mais en fixant son attention sur elles, on laisse de côté des fonctions intellectuelles importantes. Gardner distingue sept types d'intelligences. Même s'il n'existe pas encore de tests éprouvés permettant de mesurer chacune d'entre elles, il affirme que « toute conception intégrative de l'intellect humain doit nécessairement prendre en compte toute cette étendue d'intelligences, ce qui va bien au-delà de ce que l'on rencontre dans les perspectives "orthodoxes dominantes" » (Gardner, 2003, p. 47). Selon lui, nous différons les uns des autres par notre profil d'intelligences, chacune de ces intelligences nous permettant de

Howard Gardner

résoudre des problèmes ou d'agir dans la situation où nous nous trouvons à tel moment de notre histoire. Pour l'auteur, l'intelligence n'est pas immuable : elle peut évoluer selon les possibilités qui sont offertes en matière d'éducation, selon la motivation personnelle et la valeur accordée par la culture aux différentes habiletés. Pour Gardner (2003), le milieu culturel dans lequel l'enfant grandit joue un rôle essentiel dans l'acquisition du profil d'intelligences : un milieu qui s'intéresse beaucoup à la musique favorisera l'intelligence musicale, de même qu'un milieu qui valorise les fonctions motrices et athlétiques encouragera la formation de profils « corporels kinesthésiques » chez les jeunes, peut-être au détriment des autres intelligences. Le tableau 6.1 (page 208) définit sommairement les différentes intelligences que comporte le modèle de Howard Gardner.

### 6.2.7    L'intelligence émotionnelle

L'intelligence émotionnelle est une forme d'intelligence sociale qui renvoie à la capacité de reconnaître et de comprendre ses émotions ainsi que celles des autres et d'utiliser cette dernière pour orienter ses pensées et ses actions dans un contexte social (Mayer et Salovey, 1993, 1997). Les travaux qui ont été consacrés à la pensée sociale (voir le chapitre 8) au cours des dernières décennies ont reconnu l'existence d'une « intelligence sociale » distincte de l'intelligence verbale ou de l'intelligence logico-mathématique (Gardner, 1983 ; Ruisel, 1992 ; Thorndike, 1920). Il est établi depuis longtemps que, à quotient intellectuel (QI) égal, certaines personnes se distinguent des autres par leur grande capacité à décrire leurs sentiments et leurs pensées ainsi que ceux des autres et elles font habilement usage de cette capacité dans leurs relations interpersonnelles. Le modèle de Gardner accorde une place à l'« intelligence intrapersonnelle » et à l'« intelligence interpersonnelle ». Dans une large mesure, la notion d'intelligence émotionnelle, très en vogue depuis quelques années à la suite notamment de la publication des ouvrages de Daniel Goleman (1995, 1998), recoupe celles d'intelligence intrapersonnelle et d'intelligence interpersonnelle, mais elle est peut-être plus accessible à un large public.

John D. Mayer, Peter Salovey et leurs collaborateurs, des pionniers dans le domaine, affirment que la notion d'intelligence émotionnelle fait avancer significativement nos connaissances sur l'intelligence parce qu'elle constitue une fonction nouvelle et que

**Tableau 6.1** Les intelligences multiples de Gardner

| Intelligence | Processus mentaux mis en jeu | Caractères souvent rencontrés chez : |
|---|---|---|
| L'intelligence linguistique/verbale | Sensibilité aux différents éléments du langage parlé et écrit : sons, mots, manière de s'exprimer, etc. | Les gens qui aiment parler, lire ou écrire (pédagogues, écrivains, etc.). |
| L'intelligence logico-mathématique | Habiletés à raisonner, à calculer, à conduire un raisonnement logique, à compter, à classer les choses et les idées. | Les personnes qui aiment résoudre des problèmes, réfléchir sur les causes : les scientifiques, les mathématiciens, les détectives, etc. |
| L'intelligence musicale | Capacité de goûter et de comprendre la musique, de percevoir les structures rythmiques et musicales et de les reproduire. | Musiciens, compositeurs, techniciens du son, mélomanes, etc. |
| L'intelligence spatiale | Habileté à percevoir les trois dimensions de l'espace et à effectuer des opérations mentales sur ces perceptions. La capacité d'ordonner l'espace mentalement, de s'orienter dans celui-ci et de s'exprimer au moyen d'images fait partie de cette intelligence. | Peintres, architectes, designers, géographes, guides forestiers, etc. |
| L'intelligence corporelle/kinesthésique | Habileté à utiliser son corps avec précision et souplesse pour s'exprimer, pour atteindre un but ou pour manipuler des objets. Les personnes qui aiment toucher, qui s'expriment avec des gestes et apprennent en bougeant et qui ont du plaisir à maîtriser des tâches physiques complexes ont souvent ce type d'intelligence. | Acrobates, athlètes, danseurs, physiothérapeutes, chirurgiens, mécaniciens, etc. |
| L'intelligence interpersonnelle | Habileté à percevoir et à comprendre les émotions, les attitudes et les intentions des autres. Capacité d'entrer en relation avec les autres, à comprendre les dynamiques sociales, à communiquer et à résoudre des conflits interpersonnels. | Psychothérapeutes, médiateurs, pédagogues, relationnistes, vendeurs, etc. |
| L'intelligence intrapersonnelle | Capacité de se connaître soi-même, c'est-à-dire de percevoir ses sentiments profonds, ses forces et ses faiblesses, et de se guider sur eux dans ses actions. | Les personnes qui aiment à réfléchir sur elles-mêmes. |

Gardner (1998) a ajouté d'autres types d'intelligences à cette liste initiale. Ainsi, l'intelligence « naturaliste » renvoie à l'habileté à reconnaître et à classer les différentes formes et structures rencontrées dans la nature telles que les variétés d'animaux, de végétaux ou de minéraux et les liens qui les unissent dans l'évolution et dans l'environnement. L'intelligence « spirituelle » (capacité de comprendre les phénomènes métaphysiques, les religions, le mysticisme, etc.) et l'intelligence « existentielle » (habileté à comprendre les grandes questions : la vie, la mort, la liberté, le destin, etc.) ont aussi été ajoutées à la liste initiale d'intelligences, témoignant que le modèle peut accueillir d'autres types d'intelligences qui n'ont pas encore été reconnus.

les instruments conçus pour la mesurer sont valables. Ces auteurs ainsi que plusieurs autres affirment que l'élément central de l'intelligence est le raisonnement abstrait et que plusieurs autres fonctions telles que l'intelligence émotionnelle viennent s'y greffer (Mayer, Salovey, Caruso et Sitarienos, 2001, 2003). Pour eux, une émotion est « une réponse mentale organisée à un événement qui inclut, notamment, des aspects physiologiques, expérienciels et cognitifs » (Mayer, Salovey, Caruso et Sitarienos, 2001, p. 234). L'intelligence émotionnelle comporte quatre ramifications :

1) la perception des émotions (chez soi et chez les autres, dans différents contextes de rapports interpersonnels, comme dans un film ou une histoire, etc.);

2) l'intégration des émotions aux processus de pensée (habileté à reconnaître et à utiliser les émotions dans la réflexion et dans l'expression des sentiments);

3) la compréhension des émotions;

4) la gestion des émotions (aptitude à accepter l'expression des émotions et à les moduler, chez soi et chez autrui, dans le but d'accroître la compréhension mutuelle).

L'encadré ci-contre présente la façon d'évaluer l'intelligence émotionnelle.

## 6.3    LES TESTS D'INTELLIGENCE

### 6.3.1    La mesure de l'intelligence chez les enfants

Les données qui précèdent témoignent d'une nette tendance à l'élargissement de la notion d'intelligence pour englober des sphères d'activité mentale autres que les sphères verbale, logique, spatiale et arithmétique. On parle de plusieurs intelligences, et même les émotions sont considérées comme relevant du domaine de l'intelligence. Cette tendance a déjà des répercussions appréciables sur la façon de concevoir les programmes scolaires et la réussite scolaire. Toutefois, on continue presque partout de mesurer de la même manière l'intelligence chez les enfants. Les tests mis au point par Alfred Binet et David Wechsler servent encore de base aux instruments de mesure employés aujourd'hui : actuellement, on utilise par exemple la quatrième édition du Stanford-Binet (Thorndike, Hagen et Sattler, 1986) ou l'échelle d'intelligence pour enfants de Wechsler, le WISC-III (Wechsler, 1991). Il s'agit de tests individuels d'intelligence couramment regardés comme des références en matière d'évaluation psychologique de l'enfant. Il existe aussi des tests collectifs d'intelligence administrés en groupe. Ces tests ont eu une influence beaucoup moins grande sur le développement des théories de l'intelligence, mais ils sont toujours largement utilisés en éducation et en gestion des ressources humaines

---

**EXEMPLES D'ITEMS DE TESTS D'INTELLIGENCE ÉMOTIONNELLE**

Exemples de questions utilisées par Mayer, Caruso et Salovey (1999, 2002) pour évaluer l'intelligence émotionnelle

- Première ramification : habileté à percevoir les émotions

  *Expression faciale des émotions :* on présente au répondant, sur un écran d'ordinateur, des photos de visages présentant six émotions de base, chaque photo étant suivie à l'écran du nom de l'émotion que l'image est censée exprimer : joie, colère, peur, tristesse, dégoût, surprise. Le répondant doit indiquer sur une échelle dans quelle mesure l'émotion indiquée était présente sur le visage, les réponses possibles variant entre 1 « pas du tout présente » et 5 « tout à fait présente ».

- Deuxième ramification : intégration des émotions dans les processus de pensée

  *Synesthésie :* mesure de l'habileté à décrire des émotions et leur équivalent dans une autre modalité sensorielle (mouvement, toucher, couleur, rythme, etc.). On demande au répondant d'imaginer un événement qui pourrait lui faire éprouver un sentiment donné et ensuite de le décrire sur la base de 10 échelles mettant en jeu des modalités sensorielles différentes. Par exemple, on demande au sujet d'imaginer quelque chose qui pourrait lui faire éprouver de la surprise et de l'insatisfaction et ensuite de situer son émotion sur 10 échelles en 5 points de qualificatifs : chaleur (1) froid (5) ; jaune ... pourpre ; pointu ... lisse ; etc.

- Troisième ramification : compréhension des émotions

  *Mélange :* évaluation de la compréhension des composantes d'émotions complexes. Par exemple, on demande au répondant d'indiquer laquelle des paires d'émotions correspond le plus à l'optimisme : a) plaisir et anticipation ; b) acceptation et joie ; c) surprise et joie ; d) plaisir et joie.

- Quatrième ramification : gestion des émotions

  *Gestion des sentiments des autres :* on décrit une situation fictive au répondant et on lui demande d'évaluer le plan d'action des personnages ayant besoin d'aide. « Un de vos collègues de travail a l'air bouleversé et vous demande si vous pourriez manger avec lui le midi. À la cafétéria, il s'arrange pour que vous vous assoyiez à l'écart des autres. Après un échange de propos anodins, il vous dit qu'il voudrait vous parler de ce qui le préoccupe. Il vous apprend qu'il a menti dans son curriculum vitæ, qu'il n'a pas le diplôme collégial qu'il a prétendu avoir. Sans ce diplôme, il n'aurait pas eu son emploi. » Le répondant doit apprécier la valeur de différentes réponses : « lui demander comment il se sent afin de mieux comprendre sa situation », « lui offrir de l'aide, mais sans insister au cas où il ne voudrait pas de votre aide », etc. Les réponses possibles sur une échelle de 5 vont de « extrêmement inefficace » (1) à « extrêmement efficace » (5).

  La cotation des réponses au test a été établie par consensus entre répondants et experts.

---

Sources : Adapté de J.D. Mayer, D.R. Caruso et P. Salovey (1999), « Emotional intelligence meets traditional standards for an intelligence », *Intelligence*, 27, p. 267 à 298, et de J.D. Mayer, P. Salovey et D.R. Caruso (2002), *Mayer-Salovey-Caruso Emotional Intelligence Test (MSCEIT) User's Manual*, Toronto, MHS Publishers.

parce qu'ils permettent d'obtenir des données de bonne qualité à un coût très inférieur à celui des épreuves individuelles. Évidemment, comme le rôle de l'examinateur est restreint dans les tests de groupe, les résultats obtenus, contrairement à ceux de l'épreuve individuelle, ne reflètent pas des situations particulières telles que la faible motivation, l'anxiété ou la fatigue qui peuvent influer sur le rendement de l'enfant (Kaufman, 2000).

La plupart des tests d'intelligence de groupe conçus pour les enfants sont constitués de sous-tests (compréhension verbale, analogies, raisonnement arithmétique, histoires en images, etc.) adaptés aux différents âges allant de la maternelle à la fin du secondaire. Pour les enfants plus jeunes, les tests n'impliquent pas des mots à lire mais plutôt des images. Le test Otis-Lennon (Chevrier, 1967; Otis et Lennon, 1997) est un exemple typique d'outil adapté aux enfants. Il est administré en classe sous la forme «papier-crayon» et les élèves ont à répondre à des questionnaires à choix multiples, ce qui facilite l'administration et la cotation. Ce sont les habiletés liées au rendement scolaire qui en sont la cible principale (raisonnement verbal et non verbal), ce type d'instrument étant principalement utilisé pour évaluer le potentiel de réussite scolaire.

Il existe aussi des épreuves d'intelligence pour les nourrissons et les jeunes enfants (0 à 2 ans). Comme les enfants de ce groupe d'âge ne peuvent ni lire ni parler et qu'ils ne coopèrent pas toujours, les tests reposent sur l'observation de leur comportement à la suite de la présentation de stimuli standardisés. C'est donc sur les réponses perceptives ou motrices du jeune enfant que repose l'évaluation psychologique. Dans l'échelle de Bayley (1993) par exemple, on évalue la façon dont l'enfant localise un son en se tournant vers la source, la façon dont il suit des yeux un objet qui tombe ou dont il s'assied ou tient un gobelet pour boire, etc. Dans le but d'élargir le spectre des habiletés mentales couvertes, les versions plus récentes incluent des items qui mesurent la mémoire de l'enfant, sa capacité de s'adapter à la nouveauté, de ranger des objets par catégories, de résoudre certains problèmes, etc. (Kopp, 1994; Fagan et Detterman, 1992). Le tableau 6.2 et la figure 6.3 (pages 212 et 213) donnent un aperçu des tâches à exécuter dans les tests d'intelligence pour enfant.

### 6.3.2 Les normes de l'intelligence

Le rendement intellectuel d'un individu à un test s'évalue par comparaison avec celui d'autres individus au même test. Aussi le groupe de comparaison et l'individu évalué doivent-ils présenter certains caractères communs: de même qu'il serait absurde de comparer dans une épreuve de course à pied la performance d'un coureur à pied avec celle d'un cycliste, de même il ne conviendrait pas de comparer le rendement d'un enfant avec celui d'un adulte à un même test d'intelligence.

Comme l'enfant acquiert normalement de nouvelles connaissances et habiletés à mesure qu'il se développe, l'âge doit être pris en considération lorsqu'il s'agit de déterminer si le rendement est supérieur à la moyenne, dans la moyenne ou inférieur à la moyenne.

### 6.3.3 L'âge mental et le quotient intellectuel (QI)

La notion d'âge mental renvoie à la base de comparaison suivante: un enfant dont le rendement intellectuel est élevé aura un score au test qui se compare au score obtenu par des enfants plus vieux. Ainsi, on peut dire qu'un enfant de cinq ans a un âge mental de sept ans si ses résultats au test sont égaux à ceux de la moyenne des enfants de sept ans. À l'inverse, un enfant est regardé comme ayant un âge mental inférieur à son âge chronologique si son score est inférieur à la moyenne des enfants de son âge.

Le quotient intellectuel se définit comme le rapport entre l'âge mental (AM) et l'âge chronologique (AC):

$$AM \div AC \times 100 = QI.$$

Un enfant de cinq ans dont le score est égal à la moyenne des enfants de sept ans pour l'ensemble du test, donc qui a un âge mental de sept ans, a un QI de 140 [$7 \div 5 \times 100 = 140$]. Le QI moyen de la population est de 100 [5 ans d'âge mental $\div$ 5 ans d'âge chronologique $\times$ 100 = 100]. La figure 6.2, qui présente la courbe normale (courbe de Gauss), nous renseigne sur la distribution de la population quant au quotient intellectuel.

### 6.3.4 L'administration standardisée des tests

Outre l'âge et le quotient intellectuel, d'autres éléments peuvent influer sur le rendement à un test: la motivation, le sexe, la culture, le niveau socio-économique de la famille, etc. La plupart des tests d'intelligence pour enfants ne tiennent pas compte de ces éléments dans leurs normes de comparaison, et les débats concernant l'universalité des tests continuent de rebondir. Nous examinerons cette question en détail à la section 6.4 portant sur les facteurs qui influent sur le rendement intellectuel.

Le mode d'administration du test doit aussi être constant. La notion même de test implique que l'administrateur de l'épreuve ne peut rien modifier dans le protocole de passation. En effet, étant donné que tout changement dans le mode d'administration peut aider l'individu ou lui nuire, la comparaison de son rendement avec celui du groupe de référence risque d'être faussée. Le principe de l'uniformité de la mesure est valable pour l'évaluation de l'intelligence, comme il l'est pour celle de la performance des athlètes aux Jeux olympiques par exemple ; tout changement aux procédures peut invalider la comparaison.

La grande majorité des tests d'intelligence tiennent compte de trois éléments dans l'évaluation du rendement :

1) la vitesse d'exécution des problèmes ;

2) la quantité de connaissances que possède le sujet (par exemple, l'étendue du vocabulaire de l'enfant) ;

3) le degré de difficulté des problèmes (il est plus difficile de dessiner un cube qu'un carré).

La prise en compte de ces éléments dans la mesure du rendement nécessite une procédure très stricte et tout manquement peut influer sur la cote attribuée au sujet. Il faut donc que les techniques psychométriques soient parfaitement maîtrisées par l'administrateur du test.

### 6.3.5   La validité et la fiabilité de la mesure

La validité et la fiabilité des tests sont deux autres éléments essentiels. La *validité* d'un test, c'est sa capacité à vraiment mesurer ce qu'il a pour but de mesurer. C'est pourquoi la définition que l'on donne de l'intelligence est très importante. Si, comme les psychophysiciens du XIXᵉ siècle, on considérait que la force corporelle, la sensibilité tactile ou la capacité de différencier des poids font partie de l'intelligence et si on les prenait en compte dans la fabrication du test, les mesures ne concorderaient probablement pas avec celles qui sont utilisées aujourd'hui. La référence dans l'évaluation des résultats au test à des signes classiques d'intelligence constitue le mode de validation dit « critérié ». Le rendement à d'autres tests standardisés, les notes scolaires, l'appréciation du rendement intellectuel par les enseignants font partie des critères employés dans la validation de tests. Force est de constater que ce type de critère de validation laisse de côté plusieurs dimensions que l'on serait justifié d'inclure dans une définition moins étroite de l'intelligence : orientation spatiale (capacité, par exemple, de s'orienter en forêt), aptitude à comprendre autrui, aptitudes musicales, qualités de meneur, aptitude au dessin, etc.

La *fiabilité* d'un test réfère à sa cohérence interne et à sa stabilité. Il y a cohérence interne lorsque, par exemple, les scores aux numéros pairs du test donnent une mesure du rendement intellectuel comparable à celle des numéros impairs. La stabilité du test s'évalue en comparant les résultats obtenus à deux passations effectuées en des moments différents dans le temps : si le score des sujets au test monte ou descend de façon imprévue, c'est que le test n'est pas stable.

**Figure 6.2**   Courbe illustrant la distribution normale théorique du quotient intellectuel dans l'ensemble de la population

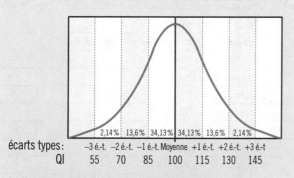

La plupart des tests standardisés convertissent les scores bruts de façon que le QI moyen de la population soit de 100 et que l'écart type de la distribution soit de 15. En se basant sur la moyenne (100) et l'écart type (15), on peut trouver la proportion de la population dont le QI se range dans telle ou telle tranche d'écart type. Dans la figure ci-dessus, les pourcentages inscrits sous la courbe indiquent la proportion de la population dont le QI se situe dans chaque tranche. Par exemple, 34,13 % des individus ont un QI qui varie entre 100 et 115 tandis que 13,6 % des gens ont un QI qui varie entre 115 et 130.

### 6.3.6  Exemples de tests d'intelligence pour les jeunes enfants

Il existe une grande variété de tests d'intelligence (Buros, 1972; Kaufman, 2000). Nous présentons ici, à titre d'illustration, un certain nombre d'exemples qui ne sont pas représentatifs de l'ensemble des instruments dont disposent les psychologues. Nous distinguons toutefois les échelles d'intelligence destinées aux jeunes enfants de celles qui sont utilisées avec les enfants d'âge scolaire ou les adolescents parce que les habiletés qui font l'objet de l'évaluation dans ces tranches d'âges ne sont pas les mêmes. D'autre part, les résultats globaux obtenus par les nourrissons aux échelles de développement n'ont qu'une corrélation moyenne-faible avec le QI au cours de l'adolescence, même si certains éléments comme la capacité d'adaptation, le temps de réaction visuelle ou la mémoire de reconnaissance mesurés chez les nourrissons sont en corrélation avec le QI à 11 ans (Rose et Feldman, 1997). En revanche, le rendement intellectuel testé plus tard pendant l'enfance, à cinq ans par exemple, correspond assez fortement à celui que l'on observe à la fin de l'adolescence (Bukatko et Daehler, 2001).

Le tableau 6.2 présente une série de capacités évaluées dans les échelles de Bayley conçues pour les jeunes enfants (moins de 30 mois).

On peut noter au tableau 6.2 que l'évaluation repose largement sur les capacités sensorimotrices de l'enfant plutôt que sur la manipulation de concepts. Évidemment, cela tient au fait qu'avant la deuxième année l'enfant ne dispose que de très peu de concepts, son activité mentale se concentrant sur les activités sensorimotrices à réaliser, phénomène que Piaget a très clairement décrit. Par ailleurs, comme nous l'avons mentionné plus haut, selon des travaux publiés après ceux de Bayley, certains processus de traitement de l'information comme la mémoire de reconnaissance, la capacité d'adaptation et la vitesse de perception visuelle chez les nourrissons auraient une valeur prédictive en ce qui concerne le QI à la fin de l'enfance, ce qui indique que, même chez les tout-petits, certaines caractéristiques mentales pourraient concorder avec l'intelligence mesurée ultérieurement

**Tableau 6.2**  Exemples de capacités faisant l'objet d'une évaluation dans les échelles d'intelligence pour jeunes enfants (tirés des échelles de développement de l'enfant de Bayley)

| Âge (en mois) | Capacité psychomotrice | Capacité mentale |
|---|---|---|
| 0 | Peut tourner sa tête sur le côté | Réagit au son d'une cloche |
| 1 | Se tient la tête lorsqu'il est en position verticale | Suit des yeux une lumière en mouvement rotatif |
| 2 | Peut se soulever avec ses bras | Reconnaît sa mère de vue |
| 3 | Ouvre spontanément les mains | Peut prendre un anneau suspendu |
| 4 | Peut dodeliner de la tête | Cherche à prendre un cube placé devant lui |
| 5 | Peut se mettre en position assise à l'aide de ses bras | Aime les espiègleries |
| 6 | Peut se tenir seul assis pendant 30 secondes sans tomber | Suit des yeux une cuillère qui tombe |
| 8 | Peut se mettre en position debout à l'aide de ses bras | Peut ôter le voile qui recouvre un jouet |
| 10 | Peut s'asseoir seul | Peut regarder les images d'un livre |
| 12 | Peut marcher seul | Peut babiller |
| 14 | Peut marcher à reculons | Gribouille spontanément avec un crayon |
| 16 | Peut se tenir sur une jambe | Réussit, avec de l'aide, à placer des chevilles dans des trous sur une planche |
| 18 | Peut se tenir debout sur une planche étroite | Fait exécuter sur commande des gestes à une poupée |
| 20 | Peut marcher sur une planche étroite | Peut désigner du doigt trois images |
| 22 | Se tient sur une jambe sans aide | Peut dire ce que représentent les trois images |
| 24 | Peut marcher sur une ligne tracée sur le sol | Peut reproduire des lignes simples horizontales et verticales |

(Dougherty et Haith, 1997; Rose et Feldman, 1997; Rose, Feldman et Jankowski, 2003). Le test d'intelligence pour jeunes enfants de Fagan est un exemple d'instrument de mesure inspiré plus largement de cette nouvelle approche des processus de traitement de l'information chez les tout-petits (Fagan et Detterman, 1992). Pour leur part, Raine, Reynolds, Venables et Mednick (2002) ont noté une étroite corrélation entre la recherche de stimulation chez les enfants de 3 ans et leur QI à 11 ans: les enfants ayant un niveau élevé de recherche de stimulation dans leur comportement à 3 ans avaient, à 11 ans, un QI qui était en moyenne plus élevé de 12 points que les enfants du même âge dont la recherche de stimulation avait été faible à 3 ans. Ce genre d'étude témoigne de l'importance d'élargir l'éventail des processus pris en compte dans l'évaluation de l'intelligence chez les tout-petits (Fagan, 2000).

### 6.3.7    Les tests pour enfants

Il existe plusieurs formes de tests d'intelligence pour enfants, certains ne comportant qu'un seul type de question comme des images représentant un objet que l'enfant doit identifier (test de vocabulaire) ou des suites de figures dont l'enfant doit découvrir ce qu'elles ont en commun (test de raisonnement inductif non verbal). Les tests les plus couramment utilisés pour déterminer le QI comportent plusieurs sortes d'items. Avec le Stanford-Binet, les échelles élaborées par David Wechsler constituent probablement les outils psychométriques les plus couramment utilisés dans l'évaluation du rendement intellectuel de l'enfant (Neisser et autres, 1996). L'échelle d'intelligence pour enfants de Wechsler (WISC-III) comprend une série de sous-tests permettant d'évaluer des enfants de 6 à 16 ans (Wechsler, 1991). Pour les enfants de 3 à 7 ans, on dispose de l'échelle préscolaire et primaire d'intelligence

**Figure 6.3**    Exemples de tâches proposées aux enfants: le Stanford-Binet et le Wechsler

| Exemples d'items utilisés dans l'échelle d'intelligence Stanford-Binet | | |
|---|---|---|
| **Âge** | **Domaine cognitif** | **Position du problème** |
| | Vocabulaire en image (raisonnement verbal) | On présente une image à l'enfant et on lui dit: «Voici une image. C'est une image de quoi? Comment appelle-t-on cela?» |
| 2 ans | | Images présentées: automobile livre rose (fleur) horloge ciseaux marteau |
| 4 ans | | goéland bâton de hockey râteau route |
| 6 ans | | pont franchissant une route agneau ou mouton |
| | Absurdités (raisonnement verbal) | On présente à l'enfant une image et on lui dit: «Voici des images où il y a quelque chose d'impossible. Dis-moi ce qui ne va pas là-dedans, quelle est l'erreur.» |
| 2 ans | | Images présentées: une maison à l'envers sur le sol, un garçon qui renverse de la nourriture sur sa tête avec sa fourchette, |
| 3 ans | | un garçon qui a son chapeau à l'envers sur la tête, une poule qui a des oreilles de lapin, un tricycle dont les roues sont carrées |
| 4 ans | | un garçon qui se sert d'une cuillère pour écrire, un homme en cage et un lion qui le regarde |
| 6 ans | | un garçon qui se brosse les dents avec la brosse à l'envers, les poils dirigés vers l'extérieur de la bouche une femme qui parle au téléphone en tenant le combiné à l'envers, le fil sortant de la partie appuyée contre l'oreille |

**Figure 6.3** Exemples de tâches proposées aux enfants : le Stanford-Binet et le Wechsler (*suite*)

| | | |
|---|---|---|
| | Mémoire des phrases (mémoire à court terme) | Il s'agit de phrases plus ou moins complexes que l'on énonce oralement et que l'enfant doit répéter. |
| | | Exemples de phrases : |
| 2 ans | | Grand garçon.<br>Gros chien. |
| 3 ans | | Regarde là.<br>Les avions vont vite. |
| 4 ans | | Va à la maison.<br>Regarde la drôle de poupée. |
| 6 ans | | Le petit enfant ne cesse pas de courir.<br>La lune luit à travers ma fenêtre. |

**Description de types d'items que l'on trouve dans les échelles d'intelligence de Wechsler, WPPSI (3 à 7 ans) et WISC (6 à 16 ans)**

**Échelles verbales**

| | |
|---|---|
| Connaissances | Dans cette échelle, les questions portent sur des choses qui sont familières à la plupart des enfants.<br>Exemples :<br>Combien de doigts as-tu ?<br>Quelle est la couleur de la neige ?<br>Nomme-moi les jours de la semaine.<br>De quel côté le soleil se lève-t-il ? |
| Vocabulaire | On demande à l'enfant de donner la signification de mots dont la difficulté croît selon l'ordre de présentation.<br>Exemples : botte, fourchette, vache, casquette, enveloppe, siffler, imiter, troubler, accélérer, coordonner. |
| Jugement | L'enfant doit expliquer la chose appropriée à faire (ou à ne pas faire) dans un contexte donné.<br>Exemples :<br>Pourquoi faut-il se brosser les dents ?<br>Que dois-tu faire si tu brises le jouet de ton ami ?<br>Pourquoi faut-il bien fermer les portes de la maison en hiver ?<br>Pourquoi faut-il dormir ? |
| Similitudes | Il s'agit pour l'enfant de dire en quoi deux choses sont semblables, ou encore de compléter une phrase en établissant une relation de similitude.<br>Exemples :<br>On peut voyager en train mais aussi _____.<br>En quoi une pomme et une orange sont-elles semblables ?<br>En quoi un chapeau et des gants sont-ils semblables ?<br>On peut faire du ski sur l'eau mais aussi sur _____ |
| Arithmétique | L'enfant doit répondre à des problèmes de difficulté croissante allant du simple dénombrement au calcul complexe.<br>Exemples :<br>Voici deux boîtes (images) contenant des billes. Dans quelle boîte y a-t-il plus de billes ?<br>Voici une rangée de jetons (10). Compte-les avec ton doigt.<br>Une petite fille avait 35 sous. Elle en a dépensé 10 et en a donné 5 à son amie. Combien de sous lui reste-t-il ? |
| Mémoire des chiffres | Une série de chiffres de longueur variable est présentée oralement à l'enfant et il doit les répéter dans le même ordre ou dans l'ordre inverse. Échelles non verbales |
| Images à compléter | L'enfant doit indiquer l'élément qui manque sur l'image d'un objet qui lui est présentée.<br>Exemples :<br>Un garçon qui n'a pas de bouche.<br>Un râteau auquel il manque une dent.<br>Un tricycle auquel il manque une roue.<br>Un camion qui n'a qu'un phare. |

**Figure 6.3**     Exemples de tâches proposées aux enfants : le Stanford-Binet et le Wechsler (*suite*)

**Échelles non verbales**

**Labyrinthes**

À l'aide d'un crayon, l'enfant doit indiquer le chemin à suivre pour se rendre en évitant tous les culs-de-sac jusqu'à un point désigné. Une série de labyrinthes de difficulté croissante est présentée et le nombre d'erreurs dans chacun est indiqué.

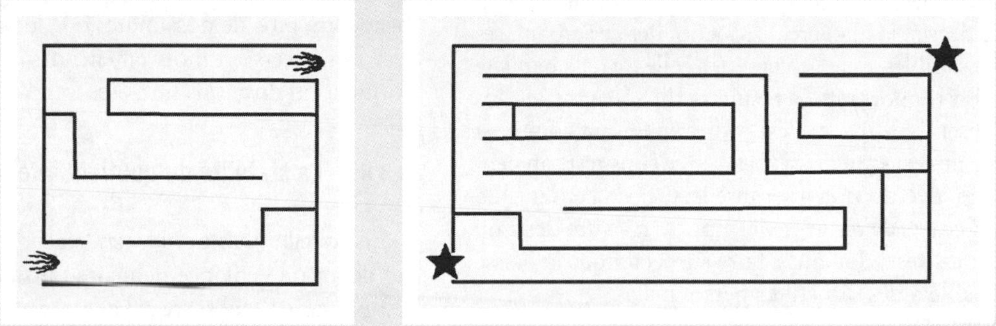

**Dessins géométriques**

L'enfant doit reproduire au crayon une série de dessins de complexité croissante.
Exemples : un cercle, une croix, deux cercles tangents, un losange, un cube en perspective.

**Dessins avec blocs**

Une image modèle est présentée à l'enfant qui doit la reproduire en combinant des blocs dont chaque côté peut être rouge, blanc, moitié rouge, moitié blanc.

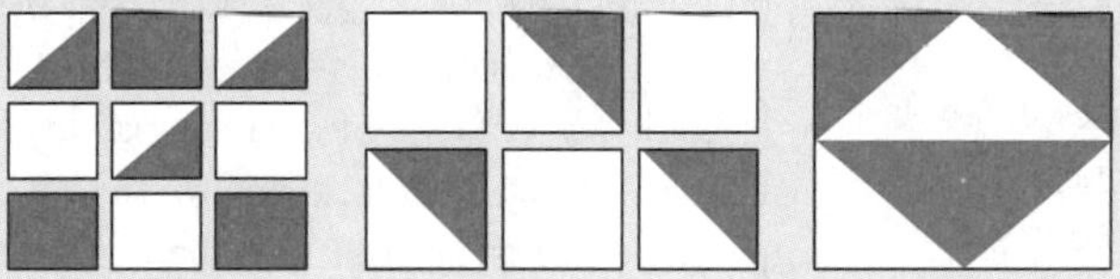

**Arrangement d'images**

Il s'agit de mettre en ordre des séries d'images afin d'illustrer une histoire qui a un début et une fin. C'est un peu comme ordonner les images d'une bande dessinée de façon que l'histoire ait un sens.

**Assemblage d'objets**

L'enfant doit reconstituer l'image d'un objet démantelé ; c'est comme un casse-tête de complexité variable où il s'agira, par exemple, de reconstituer une table, un visage, etc.

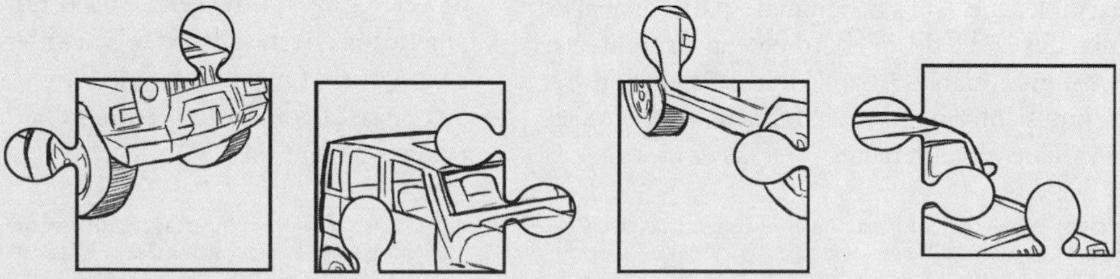

(WPPSI – R ; Wechsler, 1989). Les sous-tests se répartissent en deux grandes catégories: les sous-tests verbaux et non verbaux. La figure 6.3 (page 213) fournit des exemples de tâches proposées aux enfants dans les tests de type Wechsler.

L'étude du rendement à chaque sous-test (vocabulaire, analogies, arithmétique, visualisation spatiale, etc.) permet de décrire la manière de fonctionner de l'enfant, ses forces et ses faiblesses relativement à telle ou telle habileté mentale. En rapportant les résultats du sous-test le plus élevé à l'ensemble du test, c'est-à-dire en faisant comme si l'ensemble du test était aussi fort que ce sous-test, on peut obtenir une idée du potentiel intellectuel de l'enfant. La présence d'écarts de rendement importants entre deux ou plusieurs sous-tests doit aussi faire suspecter que la baisse est attribuable à des difficultés personnelles.

### Les tests informatisés d'aptitudes intellectuelles pour enfants

Il existe maintenant un bon nombre de tests psychométriques informatisés, et la recherche des 20 dernières années dans ce domaine montre que les instruments de mesure informatiques peuvent être aussi valides et aussi fiables que les instruments traditionnels (Wainer, 2000). L'enfant qui est capable de lire et d'utiliser une souris d'ordinateur pour indiquer ses réponses à l'écran peut passer un test informatisé d'aptitudes, d'intérêts, de lecture, de langage, etc. Les tests informatisés ont l'avantage de permettre une administration strictement contrôlée de l'épreuve, une cotation instantanée, un examen suivi du comportement du sujet et la mesure d'éléments qu'il est impossible d'évaluer avec la méthode papier-crayon, comme le temps précis de réponse pour chaque item du test. Il va sans dire que la gestion des dossiers psychométriques des enfants en est grandement facilitée. Sur le plan déontologique, l'informatisation permet d'assurer une protection complète de l'accès aux dossiers des enfants (Loranger et Pépin, 2001). Évidemment, il reste beaucoup de  questions qui demeurent sans réponses dans ce domaine en constante évolution. Par exemple, quel est l'âge minimal à partir duquel les résultats obtenus à l'aide de l'ordinateur peuvent être considérés comme valables? Étant donné l'évolution très rapide des outils informatiques, comment peut-on s'assurer de la validité des différentes versions des tests?

La figure 6.4 fournit des exemples d'items présentés à l'enfant dans un test informatisé d'aptitudes intellectuelles. La ressemblance avec les items des tests papier-crayon est notable: l'écran remplace simplement le papier en ce qui concerne la présentation et l'enregistrement de l'information. Cependant, l'ordinateur offre beaucoup plus de possibilités que le papier: il peut montrer des objets en mouvement, des figures qui se transforment ou disparaissent, etc.

### 6.3.8    La stabilité du quotient intellectuel

Dans quelle mesure le rendement intellectuel mesuré au début de l'enfance demeure-t-il stable dans le temps? Est-ce que le QI observé à 3 ans sera le même à 11 ans? Les travaux consacrés à cette question sont généralement basés sur la corrélation entre les résultats à une même mesure d'intelligence répétée à différents âges auprès des mêmes enfants (Canivez et Watkins, 1998). Globalement, on observe que plus la première mesure est effectuée en bas âge, moins le QI est stable par la suite. La principale raison de cet écart plus grand entre le QI des jeunes enfants et celui des enfants plus vieux ou des adolescents est que les tests utilisés ne sont pas de même nature. Comme les jeunes enfants ne maîtrisent pas bien le langage parlé et encore moins l'écrit, les tests leur font exécuter des tâches qui ne mesurent pas toutes nécessairement la même chose. Les exemples d'items fournis au tableau 6.2 (page 212) témoignent de cette différence dans les tâches selon l'âge. Par ailleurs, lorsque la mesure est répétée à intervalles rapprochés, une certaine accoutumance peut être observée et les scores peuvent s'améliorer (Kaufman, 1994). Il y a plus de 50 ans, Bayley (1949) avait montré cette relation entre la stabilité du QI et l'âge au premier test: plus l'enfant est âgé au premier test, plus la stabilité est grande. La figure 6.5 (page 218) présente les résultats de l'étude de Bayley. Plus récemment, Canivez et Watkins (1998) ont testé la stabilité du WISC-III de Wechsler (1991) auprès de 667 élèves âgés entre 5 et 14 ans et provenant de 33 États américains, testés deux fois à intervalle de 2,87 ans en moyenne. On constate une forte stabilité des résultats aux tests, la corrélation[1] entre la première et la seconde passation étant de 0,87.

---

1    La corrélation est une mesure de la relation entre les deux ensembles de scores. Lorsque le coefficient de corrélation r est négatif, cela indique une relation négative ou inverse entre les deux scores : quand l'un grandit, l'autre diminue. Plus le coefficient est élevé, plus le lien entre les deux mesures est étroit. Un r de 0 indique une relation nulle entre les scores, tandis qu'un coefficient de 1 indique une relation parfaite entre eux. Le coefficient au carré ($r^2$) témoigne de la proportion de variance commune entre les deux mesures. Si le $r = 0,5$ par exemple, cela veut dire que les deux mesures ont 25 % de variance commune: une variable explique 25 % de l'autre et il reste 75 % de la variance à expliquer. Ici, la corrélation de 0,87 signifie que le premier test prédit 75 % de la variance de la deuxième passation, ce qui est élevé.

Figure 6.4    Exemples d'items montrés à l'écran dans le test informatisé d'aptitudes intellectuelles

**Vocabulaire**

Trouve l'image qui va avec le mot : **chien**

**Vocabulaire**

Qui pèse beaucoup :

énorme          grand          carré          lourd          solide

**Sériation**

Quel est le chiffre qui vient à la suite des autres ?

## 1, 4, 7, 10, _____

9          5          3          13

**Casse-tête**

En te servant du modèle suivant, indique dans quelle case va le morceau de casse-tête.

**Exemple :**

Le morceau va dans la case de droite. **Clique sur cette case.**

Source : Adaptée de M. Loranger et M. Pépin (2001), *Le TAI–Enfants. Test d'aptitude informatisé*, Québec, Le réseau Psychotech.

**Figure 6.5** Variations de la corrélation entre des mesures du quotient intellectuel (QI) obtenues à différents âges et avec différents tests

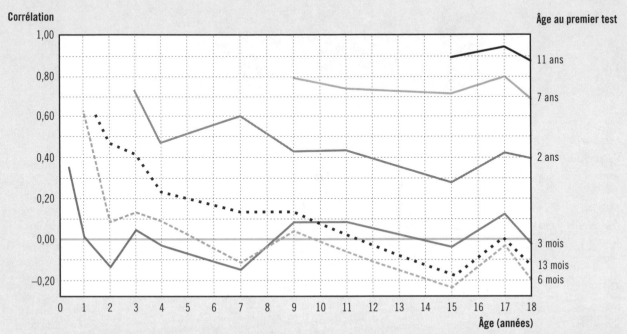

Les données ont été obtenues auprès d'un échantillon de 40 sujets évalués à partir de l'âge de 3 mois jusqu'à 18 ans (*Berkeley Growth Study*). Une corrélation qui se rapproche de 1,00 indique une similitude entre la mesure initiale et la reprise du test, et une corrélation de 0,00 indique l'absence de relation. Chaque point des courbes représente une passation différente et chaque courbe correspond à un test différent. Selon ces données, il est clair que les QI obtenus avant l'âge de 2 ans n'ont pas de valeur prédictive pour le QI à 18 ans ; mais déjà, à 3 ans, la valeur prédictive augmente.

Source : N. Bayley (1949), « Consistency and variability in the growth of intelligence from birth to eighteen years », *Journal of Genetic Psychology*, 75, p. 165 à 196.

Ces résultats sur la stabilité suffisante du QI dans de larges échantillons ne doivent cependant pas faire oublier qu'on observe couramment des variations à l'échelle des individus. Ainsi, Berk (2003) mentionne que des fluctuations de 10 à 20 points de QI sont courantes entre l'enfance et l'adolescence, notamment en raison de l'effet du milieu sur le développement cognitif : le QI des enfants qui grandissent dans un milieu riche et stimulant a tendance à augmenter et celui des enfants qui vivent dans un environnement appauvri a tendance à diminuer. À cet égard, on a émis l'hypothèse d'un « déficit environnemental cumulatif », selon laquelle les déficits cognitifs précoces entraînent à leur suite d'autres déficits, et il en résulte une accumulation de retards. L'important principe de « précocité-intensité » qui est appliqué dans les programmes destinés aux enfants à risque découle de ce constat : il faut intervenir le plus tôt possible et de façon assez énergique pour combler le déficit, faute de quoi celui-ci en entraînera d'autres. En conclusion, le QI mesuré par des tests valides est stable dans le temps, mais des variations individuelles couramment observées sont souvent liées à la qualité de la stimulation procurée à l'enfant.

### 6.3.9 Qu'est-ce que les tests d'intelligence prédisent ?

L'idée centrale dans l'utilisation des tests d'intelligence est que le rendement de l'enfant qui est mesuré témoigne de sa capacité à s'adapter et à réussir dans ses entreprises, notamment à l'école. Rappelons-nous que le test d'intelligence standardisé conçu par Binet faisait suite à une demande du ministère de l'Éducation, lequel désirait obtenir un outil de classification des enfants en fonction de leurs besoins scolaires. Bon nombre d'études rapportent une corrélation de l'ordre de $r = 0,5$ entre le QI et le rendement scolaire, ce qui représente 25 % de chevauchement entre les deux variables. Il s'agit d'une prédiction significative du rendement scolaire, mais il faut faire intervenir d'autres facteurs personnels pour expliquer le reste de la variance (intérêt pour l'école, manière d'étudier, stress, etc.) [Bukatko et Daehler, 2001 ; Neisser et autres, 1996]. La relation est plus forte chez les enfants de l'élémentaire que chez ceux du secondaire et elle est aussi plus étroite avec les matières scolaires faisant appel aux habiletés les plus présentes dans les tests (raisonnement verbal, vocabulaire, arithmétique, mémoire, etc.).

Gutman, Sameroff et Cole (2003) ont suivi les résultats des enfants de 145 familles, de la 1re année jusqu'à la 12e année et ont mesuré les effets du QI sur les notes scolaires moyennes en fonction des conditions de vie des enfants. Ils ont observé que l'intelligence mesurée à la maternelle était en relation significative avec le rendement scolaire ultérieur chez des enfants issus d'un milieu favorable au développement, mais que cette relation ne s'observait pas chez les enfants issus d'un milieu à risque, c'est-à-dire un milieu défavorisé aux prises avec différents problèmes (pauvreté, problème de santé mentale, anxiété de la mère, chômage, maladie, séparation, etc.). L'intelligence ne serait donc pas garante de la réussite chez tous les enfants, la réussite scolaire de ceux qui vivent dans un milieu défavorisé dépendant davantage d'autres facteurs (Gutman, Sameroff et Cole, 2003).

Le QI est aussi un bon indicateur de la durée des études, car les enfants qui ont un rendement intellectuel élevé ont tendance à faire des études plus avancées. Selon Neisser et autres (1996), le coefficient de corrélation entre le QI et la durée des études est de 0,55. Les enfants qui ont un rendement intellectuel élevé ont plus de chances d'avoir de bonnes notes, d'être encouragés par leurs parents et leurs enseignants et, globalement, d'aimer l'école, comparativement à ceux dont les résultats aux tests sont médiocres. En ce qui concerne le rapport entre le QI et d'autres facteurs de réussite dans la vie comme le niveau socio-économique, la trajectoire d'emploi, le bien-être psychologique, la santé mentale, etc., les résultats sont contradictoires, certains travaux observant un lien significatif (Herrnstein et Murray, 1994) et d'autres pas

(Sternberg, 1995). Il est vraisemblable de croire que le QI de l'enfant n'explique qu'en partie la réussite ultérieure et que plusieurs autres facteurs jouent aussi un rôle.

## 6.4 LES DÉTERMINANTS DU RENDEMENT INTELLECTUEL

Qu'est-ce qui fait qu'un enfant aura un rendement intellectuel supérieur à un autre? Dans notre examen des fondements biologiques du comportement humain, nous avons vu que les niveaux d'intelligence comparables des jumeaux identiques élevés séparément montrent que le bagage génétique influe sur le rendement intellectuel. Neisser et autres (1996) affirment que l'héritabilité, c'est-à-dire la proportion de la variation de l'intelligence associée à l'hérédité, est de l'ordre de 0,75 à la fin de l'adolescence. Dickens et Flynn (2001) rappellent toutefois qu'entre 1952 et 1982, le QI moyen de la population des Pays-Bas a augmenté de 20 points, une augmentation qui montre bien que l'environnement joue un rôle de premier plan. Ce n'est pas le lieu d'entrer dans ce débat; nous nous bornerons à dire qu'il est clair que, outre les caractéristiques génétiques, d'autres facteurs interviennent dans le rendement intellectuel. La qualité de l'environnement dans lequel l'enfant grandit peut influer sur le développement de son potentiel: qualité de la vie prénatale, nourriture, hygiène, soins de santé disponibles, richesse de stimulation intellectuelle et sociale, etc., sont autant de facteurs environnementaux qui favorisent le rendement intellectuel.

### 6.4.1 Les facteurs liés à la tâche

Lorsque la tâche proposée à l'enfant est susceptible de l'aider à s'adapter au monde qui l'entoure, on dit que cette tâche a pour lui une réelle valeur écologique. Au contraire, lorsque l'enfant doit résoudre un problème qui est étranger à ce qu'il vit, on dit que la tâche a une faible valeur écologique. Évidemment, il est possible de dire que, pour faire une évaluation dont les résultats soient généralisables, abstraction faite de la vie courante, il faut déterminer quels sont les éléments qui permettent de juger de l'adaptation au monde réel. Dans cette recherche des éléments constants, on peut aller fort loin dans le réductionnisme et se retrouver avec des tâches qui n'ont pas vraiment de valeur écologique (Ceci, 2000; Sternberg et Powell, 1982).

Parmi les facteurs liés à la tâche susceptibles d'influer sur le rendement intellectuel de l'enfant à un test, nous retrouvons:

- le répertoire des tâches évaluées;
- la difficulté de la tâche;
- l'indice de performance utilisé.

### Le répertoire des tâches évaluées

On peut affirmer que l'une des principales forces de la psychométrie a toujours consisté dans le fait qu'elle a recherché une mesure de l'intelligence basée sur l'évaluation des processus mentaux supérieurs et non pas sur des rendements comme la sensibilité ou le temps de réaction simple, comme l'avaient préconisé les psychophysiciens. Outre qu'ils ont mis au premier plan la valeur écologique, Wechsler et ses collaborateurs ont fait exécuter à l'enfant une grande variété de tâches verbales et non verbales afin de répertorier plusieurs dimensions du fonctionnement cognitif. La valeur de l'évaluation est fonction de l'étendue du répertoire examiné: si le diagnostic est basé sur une petite partie de ce que comprend l'intelligence, il est impossible de généraliser les résultats. Or, comme notre examen des intelligences multiples le montre, les tests d'intelligence traditionnels sont loin de couvrir tout l'éventail des tâches faisant appel à l'intelligence.

### La difficulté de la tâche

Les approches expérimentales qui s'intéressent surtout au temps de réaction dans la performance ont utilisé des tâches qui sont réussies dans 98-99 % des cas par le sujet, alors que d'autres chercheurs qui s'occupent du traitement cognitif de l'information recourent à des tâches qui sont très difficiles pour la plupart des sujets et dont l'exécution peut prendre plusieurs minutes; pourtant, les deux approches parlent d'intelligence (Lohman, 2000; Sternberg et Powell, 1982). Dans l'évaluation de l'intelligence, il importe d'utiliser des tâches présentant divers degrés de difficulté de manière que les enfants aient à résoudre des problèmes qui sont à leur portée et d'autres qui permettent de connaître les limites de leurs capacités. Un test trop facile ou trop difficile ne peut donner une idée claire du potentiel de l'enfant.

### L'indice de performance utilisé

La plupart des tests psychométriques évaluent le rendement du sujet d'après le nombre de bonnes réponses qu'il a pu fournir aux items dans les délais impartis. Le procédé ne tient pas compte de l'effet de la limite de temps et, pour certains enfants, le fait d'allouer un peu plus de temps peut améliorer significativement les résultats. Il ne tient pas compte non plus de la portion du problème que l'enfant peut résoudre correctement avant de commencer à errer et d'aboutir à une réponse erronée. C'est précisément ce dont Piaget s'est aperçu au cours de son stage en psychométrie au laboratoire de Simon: les bonnes réponses renseignent souvent moins sur les processus mentaux que les réponses erronées. Piaget a toujours considéré qu'une réponse erronée pouvait autant nous instruire sur les processus mentaux qu'une bonne réponse. Les deux réponses suivent une logique qui procède du mode de raisonnement du sujet, et il n'est pas possible de distinguer ce dernier lorsque l'on fonde l'évaluation sur le nombre de bonnes réponses. Les tests qui se basent seulement sur le nombre de bonnes réponses écartent donc:

- l'effet de la limite de temps sur le rendement;
- la portion du problème que l'enfant peut résoudre avant d'aboutir à une réponse erronée.

### 6.4.2   Les facteurs liés à la personne

Les principaux facteurs liés à la personne qui influent sur le rendement intellectuel sont les suivants:

- l'âge;
- le groupe ethnique d'appartenance;
- l'état d'esprit de l'individu au moment de l'évaluation.

Mentionnons d'abord que, après l'âge, le niveau d'intelligence lui-même est certainement le facteur qui paraît être le plus important dans la détermination du rendement. Évidemment, comme tend à le montrer notre exposé, il est difficile de savoir avec certitude quelle partie de l'intelligence couvre tel ou tel test. L'hypothèse centrale demeure donc que c'est l'intelligence qui détermine le rendement aux tests.

### L'âge

Nous avons vu que, dès le début de la recherche sur l'intelligence, l'âge est apparu comme un élément de première importance. En effet, l'âge mental a servi de base à la détermination du quotient intellectuel. Il est donc clair, pour les psychométriciens comme pour les piagétiens, que les opérations mentales se développent avec l'âge. La conception de l'intelligence varie toutefois selon l'âge que l'on considère, et cela n'est pas étranger au fait que les instruments et les notions utilisés pour décrire le fonctionnement mental varient d'une tranche d'âge à l'autre. Ainsi, la mesure des aptitudes chez les nourrissons se fonde principalement sur les tâches sensorimotrices, alors que le rendement observé à cet égard n'a qu'une faible corrélation avec le rendement intellectuel ultérieur. Plus tard, entre 2 et 5 ans par exemple, étant donné que le langage n'est pas un moyen de communication encore bien maîtrisé, on devra proposer des situations très concrètes sous forme de jeux avec des images pour s'assurer de la participation de l'enfant. Ensuite, les problèmes pourront graduellement porter sur des relations symboliques, faisant appel par exemple à des chiffres (mémoire, arithmétique, mesure, etc.), et ce ne sera qu'à l'adolescence que l'on pourra vraiment parler de pensée abstraite.

L'âge est donc un élément central dans notre conception des processus mentaux au cours de l'enfance et tout au long de la vie, mais on est encore loin d'une approche intégrée de l'intelligence s'appliquant à l'ensemble de la vie. Actuellement, les concepts et les instruments de mesure de l'intelligence varient en fonction de l'âge.

### Le groupe ethnique d'appartenance

La question de l'appartenance à un groupe ethnique défini en tant que facteur déterminant du rendement intellectuel demeure controversée. D'une part, la recherche montre que deux personnes ayant le même patrimoine génétique tendent à avoir le même rendement intellectuel (jumeaux identiques élevés ensemble : corrélation de 0,86 ; élevés séparément : 0,76 ; même personne testée deux fois : 0,87 ; enfants adoptés élevés ensemble : 0,00) [Scarr, Weinberg et Levine, 1986]. D'autre part, certaines données montrent que des groupes raciaux ont un rendement intellectuel moyen tantôt inférieur, tantôt supérieur à l'ensemble de la population.

Certains auteurs, comme Jensen (1980, 1985), ont tenté de démontrer que les tests n'étaient pas nécessairement biaisés culturellement et qu'ils pouvaient mesurer de façon fiable le rendement intellectuel. D'autres auteurs ont souligné le fait que les tests reflétaient systématiquement la position socio-économique des groupes ethniques. En France par exemple, on a observé que le QI des enfants était lié à la profession du père (professions libérales et cadres supérieurs : QI = 112 ; industriels : 107 ; ouvriers qualifiés : 98 ; agriculteurs : 96 ; manœuvres : 93) [Hurtig, 1981]. Est-ce l'hérédité ou la culture qui est en cause ?

Aux États-Unis, les données disponibles indiquent que les Noirs ont en moyenne un QI d'environ un écart type plus bas que la moyenne des Blancs (85 de moyenne comparativement à 100 pour les Blancs) alors que les Asiatiques ont un QI moyen de 103 ou 104 (Lynn, 1996 ; Peoples, Fagan et Drotar, 1995 ; Herrnstein et Murray, 1994). Aux États-Unis toujours, Williams et Ceci (1997) affirment qu'entre 1973 et 1988 les différences raciales du point de vue de l'intelligence ont diminué et sont demeurées stables par la suite. Selon eux, cette évolution s'expliquerait en partie par l'amélioration de l'éducation offerte aux minorités ethniques défavorisées.

Les polémiques sur les causes de ces écarts ethniques ont fait couler beaucoup d'encre et l'explication génétique continue d'être contestée. Par exemple, on a observé depuis la Seconde Guerre mondiale que les individus de race jaune (surtout les Chinois et les Japonais) ont un très bon niveau moyen de réussite scolaire et professionnelle. À partir de la recension d'une douzaine de travaux sur le rendement intellectuel de ces groupes ethniques, Flynn (1991) observe que leur QI, se situant autour de la moyenne ou un peu plus haut que la moyenne théorique de 100, ne peut expliquer à lui seul leur écart de performance scolaire et professionnelle ; des variables socioculturelles doivent être en cause (Neisser et autres, 1996).

La valeur attribuée à l'éducation dans la communauté et la famille est souvent invoquée pour expliquer les différences ethniques de rendement. L'importance accordée à la réussite scolaire, à l'effort soutenu et au travail bien fait serait beaucoup plus grande dans les familles asiatiques que dans les familles américaines. Scarr, Weinberg et Levine (1986) ont constaté que, dans ces dernières, 40 % des parents se déclaraient très satisfaits des résultats scolaires de leurs enfants, comparativement à 10 % seulement des mères japonaises et taïwanaises.

D'importantes recherches sur la stimulation précoce des enfants ont montré que le rendement intellectuel et scolaire était étroitement lié à la richesse de la stimulation procurée aux enfants dans leur famille (Bouchard et autres, 1991 ; Elardo, Bradley et Caldwell, 1977 ; Bradley, 1989). Par exemple, on a observé que, lorsque les mères noires américaines offraient à leurs enfants un environnement riche en occasions d'apprentissage, la différence de QI avec les Blancs diminuait de 28 % (Brooks-Gunn, Klebanov et Duncan, 1996).

Au Québec, conscient de l'importance de la stimulation précoce, le projet 1,2,3 GO ! a été mis en place en tant qu'expérience communautaire d'amélioration du bien-être des enfants de 0 à 3 ans et réalisé dans six endroits de la région de Montréal depuis 1995. Son objectif principal est d'aider des communautés locales à se mobiliser et de les soutenir dans leur travail visant à améliorer le bien-être des tout-petits, afin que ces enfants connaissent la réussite dès le début de leur vie. Nous examinerons plus en détail le rôle de la famille et de la communauté dans le chapitre 14, qui traite des agents de socialisation de l'enfant. Toutefois, il apparaît ici qu'il n'est pas facile de faire une distinction claire entre l'hérédité et la culture en matière de rendement intellectuel et que la recherche doit maintenir à tout prix sa crédibilité lorsque les enjeux sociaux sont aussi grands.

### La condition personnelle lors de l'évaluation

Le rendement à un test peut être influencé par plusieurs facteurs personnels, lesquels peuvent être circonstanciels ou durables : si l'on apprend à un individu qu'il doit passer un test d'intelligence dans cinq minutes, le stress auquel il sera exposé aura pour effet de diminuer son rendement plutôt que de l'augmenter.

La fatigue, le stress psychologique, une motivation faible, une vive émotion (chagrin, colère, anxiété), la dépression, sont des exemples de facteurs personnels qui peuvent diminuer le rendement au test et empêcher l'enfant d'exprimer tout son potentiel. Une certaine dose d'anxiété peut stimuler la motivation, mais en revanche une dose trop forte pourra embrouiller l'enfant, lui faire perdre ses moyens et l'empêcher de donner son plein rendement. Les athlètes des Jeux olympiques savent bien que leur performance ne peut être optimale que si tous les éléments favorables sont réunis ; si un seul vient à manquer, le rendement baisse. Dans le domaine de la performance intellectuelle, c'est un peu la même chose : au moment du test, les facteurs susceptibles de diminuer la performance sont plus nombreux que ceux qui peuvent l'augmenter. Il est très rare qu'une bonne réponse soit due à la chance, car les tests sont conçus pour réduire au minimum la probabilité du succès dû au hasard.

### 6.4.3 Les facteurs liés à l'environnement

Voici des exemples de conditions externes qui peuvent influer sur le résultat obtenu par l'enfant à un test d'intelligence :

- la qualité de l'environnement physique dans lequel l'enfant est évalué (distractions, interruptions, bruit, chaleur, froid, éclairage, etc.) ;
- le degré de familiarité de l'enfant avec le milieu dans lequel la mesure est effectuée, le fait de se retrouver dans un milieu inconnu avec des personnes étrangères pouvant constituer un handicap plus ou moins important pour l'enfant ;
- l'accessibilité du langage (mots utilisés, façon de communiquer l'information, mode de réponse, compréhension des problèmes, etc.) ;
- l'intensité de la demande, les tests d'intelligence étant souvent administrés dans un contexte de performance maximale avec une pression de temps.

Dans l'évaluation du potentiel intellectuel des enfants, il est très difficile de vraiment pondérer l'ensemble de ces facteurs internes et externes. Or, comme la majorité d'entre eux ont pour effet de diminuer le rendement, il est plus indiqué de rechercher les causes d'une faible performance que celles d'une performance élevée. Un enfant qui a un rendement intellectuel élevé dans un test ou un sous-test donné montre qu'il peut, dans certaines circonstances, fournir un rendement élevé.

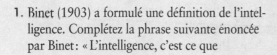

# Questions

1. Binet (1903) a formulé une définition de l'intelligence. Complétez la phrase suivante énoncée par Binet: «L'intelligence, c'est ce que _____.»

2. Dans la comparaison que Sternberg et Detterman (1986) ont établie entre la conception de l'intelligence chez des experts de 1921 et celle de 1986, indiquez une notion qui est apparue en 1986 et qui n'existait pas en 1921.

3. Selon Sternberg (2000), l'idée que les experts se font de l'intelligence traduit différentes métaphores. Nommez et décrivez brièvement une métaphore de l'intelligence.

4. *Vrai ou faux.* La psychométrie occupe une place de premier plan en neuropsychologie.

5. Expliquez brièvement l'hypothèse de l'efficience cérébrale.

6. Qu'arrive-t-il avec la vitesse de traitement de l'information au fur et à mesure que l'individu avance dans l'enfance et l'adolescence?

7. Pour Galton (1883), deux qualités permettent de distinguer les gens brillants des autres. Lesquelles?

8. Quel psychologue français est considéré comme le premier à avoir élaboré une méthode d'évaluation de l'intelligence des jeunes enfants?

9. À l'époque, à quoi servait le premier test mental standardisé mis au point par Binet et Simon?

10. Indiquez à quel élément de la pensée intelligente correspond chacun des énoncés, selon Binet et Simon.

    a)  Le choix d'une manière d'agir et le respect de celle-ci lors de l'exécution de l'opération: _____.

    b)  La capacité d'évaluer avec justesse l'activité: _____.

    c)  Savoir ce qui doit être fait et comment le faire: _____.

11. Quels sont les deux types de facteurs dans l'intelligence humaine selon Spearman?

12. Que retrouve-t-on à la strate III du modèle de Carroll?

13. Nommez les trois grandes dimensions de l'intelligence selon le modèle triarchique de Sternberg.

14. *Complétez la phrase.* Dans le modèle triarchique de l'intelligence selon Sternberg, les _____ sont les processus mentaux de niveau supérieur que l'on utilise dans la résolution de problèmes.

15. En vous référant au modèle de Sternberg, choisissez parmi les trois réponses suivantes celle qui correspond au processus défini par l'énoncé suivant: processus en jeu dans l'acquisition des données qui se rapportent au problème et élimination des informations qui ne sont pas pertinentes.

    a)  combinaison sélective

    b)  comparaison sélective

    c)  encodage sélectif

16. *Expliquez brièvement.* Un enfant qui apprend à lire met à profit l'expérience acquise pour automatiser les processus cognitifs relatifs à la lecture.

17. En quoi consiste la dimension externe de l'intelligence selon le modèle triarchique de Sternberg?

18. De quel type d'intelligence s'agit-il: l'habileté à réussir dans la vie selon les standards personnels de l'individu dans sa communauté?

**19.** *Vrai ou faux.* Selon Gardner, les tests d'intelligence standardisés couvrent l'ensemble du domaine de l'intelligence en évaluant les habiletés linguistiques, logico-mathématiques et spatiales.

**20.** Nommez trois types d'intelligence selon Gardner.

**21.** Définissez brièvement l'intelligence émotionnelle.

**22.** À quelle ramification de l'intelligence émotionnelle correspond chacun des énoncés suivants ? Inscrivez la lettre correspondant à l'appellation appropriée.

**Énoncé 1 :** Aptitude à comprendre et à exprimer des émotions et à les moduler, chez soi et chez autrui, dans le but de promouvoir la compréhension mutuelle.

**Énoncé 2 :** Aptitude à intégrer et à utiliser les émotions dans la réflexion et dans l'expression des sentiments.

*a)* Intégration des émotions aux processus de la pensée

*b)* Perception des émotions

*c)* Gestion des émotions

*d)* Compréhension des émotions

**23.** Étant donné que les nourrissons ne peuvent ni lire ni parler et qu'ils ne coopèrent pas nécessairement, sur quoi reposent alors les épreuves d'intelligence conçues pour eux ?

**24.** *Complétez la phrase.* Le rendement intellectuel de quelqu'un à un test ne prend sa signification qu'en comparaison avec _____.

**25.** Que veut-on dire lorsque l'on affirme qu'un enfant de cinq ans a un âge mental de sept ans ?

**26.** Quel serait le quotient intellectuel d'un enfant de sept ans qui aurait un âge mental de neuf ans ?

**27.** *Expliquez brièvement.* La façon d'administrer un test d'intelligence à un enfant doit demeurer constante.

**28.** La grande majorité des tests d'intelligence prennent en compte trois dimensions du rendement. Lesquelles ?

**29.** Distinguez les notions de *validité* et de *fiabilité* au regard des tests d'intelligence.

**30.** *Vrai ou faux.* Le rendement intellectuel mesuré à cinq ans, par exemple, correspond à peu près à celui que l'on observe à la fin de l'adolescence.

**31.** Voici une série d'items couramment utilisés dans les échelles d'évaluation des capacités mentales des jeunes enfants. Placez les habiletés en question par ordre d'apparition dans la vie de l'enfant :

*a)* peut nommer trois images

*b)* réagit au son d'une cloche

*c)* peut babiller

*d)* peut prendre un anneau suspendu

**32.** Les sous-tests des échelles d'intelligence de Wechsler se rangent dans deux catégories. Lesquelles ?

**33.** À quel domaine cognitif du Stanford-Binet correspond chacune des descriptions suivantes ?

*a)* Il s'agit de phrases plus ou moins complexes que l'on présente au sujet oralement et qu'il doit répéter.

*b)* On présente une image à l'enfant et on lui dit : « Voici une image. C'est une image de quoi ? Comment appelle-t-on cela ? »

*c)* On présente une image à l'enfant et on lui dit : « Voici une image où il y a quelque chose d'impossible. Dis-moi ce qui ne va pas là-dedans. Quelle est l'erreur ? »

**34.** À quel sous-test verbal (échelles d'intelligence de Wechsler) correspond chacune des questions suivantes ?

*a)* Pourquoi faut-il se brosser les dents ?

*b)* En quoi une pomme et une orange sont-elles semblables ?

*c)* Nomme-moi les jours de la semaine.

*d)* Qu'est-ce qu'une fourchette ?

*e)* Voici une rangée de jetons (10). Compte-les avec ton doigt.

**35.** En quoi consistent les sous-tests « Labyrinthes » et « Arrangement d'images » des échelles non verbales du test de Wechsler pour enfants ?

**36.** *Vrai ou faux.* En ce qui concerne la stabilité du quotient intellectuel, on observe que, globalement, plus la première mesure est faite en bas âge, plus le QI est stable ultérieurement.

**37.** Qu'implique le principe de « précocité-intensité » sur lequel s'appuient les programmes destinés aux enfants à risque ?

38. Qu'ont observé Gutman, Sameroff et Cole (2003) en mesurant les effets de l'intelligence sur les notes scolaires moyennes en fonction des conditions de vie de l'enfant ?

39. Quelle relation observe-t-on entre le QI et la durée des études ?

40. *Choisissez la bonne réponse.* Lorsque la tâche proposée à l'enfant contribue à son adaptation au monde qui l'entoure, quelle valeur lui attribue-t-on ?

    *a)* valeur empirique

    *b)* valeur de construit

    *c)* valeur écologique

41. Nommez deux facteurs liés à la tâche qui sont susceptibles d'influer sur le rendement intellectuel d'un enfant à un test.

42. *Vrai ou faux.* En psychométrie, il est important de varier le niveau de difficulté des questions, pour ainsi être en mesure d'adapter le test aux capacités de la population visée.

43. *Vrai ou faux.* Piaget considérait qu'il ne fallait pas tenir compte des réponses erronées de l'enfant à un test psychométrique parce que celles-ci n'étaient pas aussi révélatrices que les bonnes réponses.

44. Les tests qui se basent seulement sur le nombre de bonnes réponses fournies par l'enfant dans le temps alloué laissent de côté deux éléments importants. Lesquels ?

45. *Vrai ou faux.* La relation entre la stimulation précoce chez l'enfant et le rendement intellectuel est généralement faible.

46. Nommez trois facteurs liés à la condition personnelle susceptibles d'influer sur le rendement à un test.

47. Habituellement, comment estime-t-on le potentiel intellectuel maximal d'un enfant en s'appuyant sur les résultats aux différents sous-tests ?

# Chapitre 7

# L'apprentissage

Richard Cloutier

## 7.1    INTRODUCTION

L'apprentissage est au cœur de la vie de l'enfant dès sa naissance: l'acquisition de nouvelles connaissances sur soi et sur le monde est non seulement un élément central du développement, mais aussi une source intarissable de motivation à agir, à essayer de nouvelles choses, à découvrir. La mobilisation de l'enfant dans son projet de développement est intimement liée au plaisir qu'il ressent face à la découverte, à l'intérêt qu'il porte à la nouveauté. Apprendre à suivre les objets mobiles des yeux, à attraper les choses avec ses mains, à marcher, à parler, à lire, à compter, ce ne sont là que quelques exemples d'acquisitions à faire au cours de l'enfance. L'apprentissage est gratifiant en lui-même parce qu'il augmente le pouvoir de l'enfant, sa capacité de maîtriser son univers. L'enfant est naturellement attiré par le nouveau, par ce qui lui permet de comprendre ou de faire des choses qui étaient jusque-là hors de sa portée. Le degré d'engagement de l'enfant dans cette conquête du savoir témoigne de son engagement dans la vie, de sorte que les petits qui ne sont pas curieux, qui n'explorent pas activement leur monde, sont vraisemblablement en difficulté et risquent d'être handicapés dans leur développement psychologique (Mackner, Starr et Black, 1997). Plusieurs des apprentissages essentiels ont été étudiés ailleurs dans le présent ouvrage et maintenant, à la suite de notre examen de l'intelligence, il nous apparaît important de traiter de l'apprentissage scolaire et, plus particulièrement, de l'apprentissage de la lecture. Apprendre à lire constitue peut-être le principal objectif scolaire au cours des premières années de l'élémentaire. Cela s'explique par le fait que, après le langage parlé, le langage écrit représente le moyen le plus important de communication et d'accès au savoir. L'enfant qui est capable de lire a la possibilité d'explorer par lui-même le vaste monde. L'enfant qui n'arrive pas à lire ne peut pas fonctionner à l'école, l'écrit étant la clé de la plupart des matières; son fonctionnement à l'extérieur de l'école et l'ensemble de son développement psychologique seront aussi sérieusement affectés par cette importante limite. C'est ce qui explique l'importance accordée à l'apprentissage de la lecture dans tous les systèmes scolaires du monde. C'est aussi ce qui donne un statut particulier à la première année de l'élémentaire, époque du « décollage en lecture », dont le succès est si décisif et l'échec, si préoccupant.

## 7.2    L'APPRENTISSAGE DE LA LECTURE

Sur le plan psychologique, le processus de la lecture est très complexe et la science est loin d'en avoir exploré tous les aspects. On peut d'ailleurs se demander comment il se fait qu'autant d'enfants apprennent à lire. Segui et Ferrand (2000) mentionnent que les premières traces du langage parlé sont apparues il y a 2 millions d'années chez l'*Homo habilis* tandis que les premiers documents écrits ne remontent qu'à 6000 ans. En fait, un certain nombre d'éléments nous permettent de croire que le langage parlé est beaucoup plus naturellement inscrit dans le fonctionnement humain que la lecture-écriture:

1) la parole est universelle, toutes les sociétés humaines connues disposent d'une langue parlée, ce qui n'est pas le cas pour l'écrit;

2) l'acquisition de la parole précède celle de l'écrit chez tout individu comme dans l'histoire de toutes les sociétés;

3) l'acquisition de la langue parlée se fait naturellement, sans enseignement véritable alors que l'acquisition de l'écriture nécessite des efforts considérables;

4) il existe des prédispositions biologiques spécifiques pour la parole, structures résultant de l'évolution de l'espèce, et l'écrit en utilise une partie tout en sollicitant d'autres fonctions non linguistiques (Liberman, 1992; Ferrand, 2001).

Pour Liberman (1992), le langage parlé est un produit de l'évolution biologique tandis que l'écrit est un objet culturel.

### 7.2.1    Lecture et traitement de l'information

La lecture d'un texte implique un traitement de l'information comportant plusieurs niveaux, étroitement liés entre eux, allant d'une forme visuelle physique simple à la signification: d'abord la perception des signes graphiques, ensuite l'identification des lettres et de leurs combinaisons orthographiques, la traduction mentale des segments de lettres (graphèmes) en sons (phonèmes), la reconnaissance des mots en fonction de leur orthographe et leur traduction phonologique, la mémorisation des mots déjà lus et leur combinaison afin de dégager le sens de la phrase et la comprendre comme un tout. Le tableau 7.1 décrit les différents niveaux de traitement de l'information dans la lecture.

Même dans la lecture silencieuse, il est important de noter le rôle de la fonction phonologique, c'est-à-dire la traduction en sons des syllabes et des mots décodés. Perfetti, Zhang et Berent (1992) ont énoncé un principe phonologique universel voulant que, dans tous les systèmes d'écriture (français, anglais, chinois, etc.), la lecture silencieuse de la plupart des mots entraîne automatiquement une activation phonologique traduisant en sons (en phonèmes) les lettres perçues et donnant lieu à une prononciation du mot. Cette activation phonologique intervient dès le début du décodage et non pas à la fin du parcours visuel du mot ou de la phrase et elle facilite la mémorisation de ce qui est lu et donc la compréhension de la phrase (Ferrand, 2001). Ainsi, même dans une lecture silencieuse, nous prononçons mentalement les syllabes et les mots, et cela nous aide à mémoriser puis à comprendre, un peu comme le fait de lire un mot, un chiffre ou un numéro de téléphone à voix haute facilite la mémorisation. Ce décodage sonore se fait en interaction constante avec le décodage orthographique pendant la lecture, ce dernier apportant une information essentielle puisque plusieurs mots se prononcent de la même façon (saint, sein, sain; port, porc, pore, etc.) mais diffèrent par l'orthographe. Selon Ferrand (2001), les connaissances actuelles autorisent à croire que ces deux types de codage sont en interaction constante et débouchent sur l'identification du mot, début du processus sémantique par lequel le sens est construit. Pour cet auteur, le mot est un élément charnière entre les processus cognitifs inférieurs (perception des signes graphiques, décodage des lettres, des sons, etc.) et les processus supérieurs (niveau morphologique, sémantique) débouchant sur la compréhension du texte.

La complexité de ces processus et de leur interaction dans la lecture est telle que, pour arriver à lire un texte à vitesse normale, la plupart de ces derniers doivent être automatisés. C'est justement à cette intégration automatique que s'emploie l'enfant qui apprend à lire.

Voici une illustration pratique de la fonction des différents niveaux de traitement de l'information.

En lisant la première phrase ci-dessous, le lecteur arrive à décoder les lettres et à prononcer toutes les syllabes, mais il est incapable d'attribuer un sens aux mots ainsi formés.

Ig tashi cin lo azema enwel sub orkinplicu funa

Turquoise le venteux et berceau quand démocrate vers boulon

Cependant, dans la seconde suite de mots, la lecture permet d'identifier tous les mots, mais leur assemblage ne donne pas lieu à une phrase qui a un sens. Le lecteur obtient plus d'information qu'avec le premier groupe, information se rapportant aux mots individuels, mais, en fin de décodage, il ne dispose pas de beaucoup plus de sens qu'avec le premier.

Ainsi, au-delà des lettres et des syllabes, il y a les mots, mais ceux-ci doivent former un ensemble cohérent pour que surgisse un sens.

**Tableau 7.1**   Les niveaux de traitement de l'information dans la lecture

| Niveau de traitement de l'information | Unités de représentation de l'information | Exemples |
|---|---|---|
| Visuel | Lignes, signes graphiques | O — _ _ ↵ |
| Orthographique prélexical (avant le mot) | Lettres | A, B, C, D |
| Phonologique prélexical (avant le mot) | Phonèmes | /u/, /p/, /l/ |
| Orthographique lexical | Forme orthographique globale | Rose |
| Phonologique global | Forme phonologique globale | /ROZ/ |
| Morphologique | Préfixes | Re (comme dans « refaire ») |
| | Suffixes | ier (comme dans « potier ») |
| | Racines | Faire, pot |
| Sémantique | Traits sémantiques | Homme – humain – adulte – mâle |

Source : L. Ferrand (2001), *Cognition et lecture*, Bruxelles, De Boeck Université, p. 22. Reproduit avec permission.

L'apprentissage du langage écrit commence cependant bien avant l'école, dans la famille de l'enfant, qui peut l'avoir familiarisé avec les symboles écrits et les lettres. Bon nombre d'enfants de trois ans sont capables de reconnaître des commerces ou restaurants d'après leur enseigne. Le fait de savoir que les signes graphiques que constituent les lettres représentent un son particulier quand on les lit et qu'ils sont le support d'une signification constitue un préalable important pour la lecture. Bien sûr, la vitesse de cette «conscience phonologique» dépend largement de la stimulation offerte à l'enfant. Les jeunes enfants à qui on lit régulièrement des histoires, qui peuvent en parler et voir comment on forme les lettres ou comment les mots portent un sens ont un avantage certain par rapport à ceux qui vivent dans un milieu moins stimulant, pauvre en livres et offrant peu de temps de lecture avec un adulte «conteur». Dès la maternelle, des écarts notables s'observent entre les enfants de la population normale: certains peuvent déjà écrire leur nom alors que d'autres ne peuvent pas encore nommer les lettres de l'alphabet. C'est exactement la même chose en ce qui concerne l'écrit: l'utilisation des crayons et la pratique du dessin avant l'école permet à l'enfant de se familiariser avec l'expression graphique du sens. De ce point de vue, la fréquentation d'une garderie qui exerce une riche stimulation cognitive représentera certainement un avantage pour la lecture et l'écriture quelques années plus tard (Broberg, Wessels, Lamb et Hwang, 1997; Whitehurst et autres, 1994).

### 7.2.2    L'évolution de la compétence en lecture

Est-ce que les enfants qui apprennent rapidement et facilement à lire en première année continuent d'être en avance sur les autres par la suite ou si leur avantage sur les autres se perd progressivement? C'est là une question importante, notamment pour ceux qui éprouvent des difficultés à leur entrée à l'école. Smith (1997) a suivi l'évolution de la compétence en lecture de 57 enfants, de la maternelle jusqu'à la fin de la troisième année. Elle a observé que 71 % des enfants qui avaient les résultats les plus faibles à la maternelle se situaient encore sous la moyenne en troisième année, tandis que 93 % des enfants les plus forts au début étaient encore en avance quatre ans plus tard. Juel (1988) avait, 10 ans plus tôt, obtenu des résultats similaires en suivant une cohorte de 54 enfants de la première à la quatrième année de

Personne ne peut apprendre à lire à la place de l'enfant.

l'élémentaire. Dans les deux études, il y avait plus de garçons que de filles dans le groupe faible. Ces études indiquent que la compétence relative en lecture demeure constante. Phillips, Norris, Osmond et Maynard (2002) se sont attachés à rechercher les causes de la stabilité de l'avantage ou du désavantage, car ils étaient conscients de ses effets cumulatifs importants, dans une étude longitudinale intégrant un plus large échantillon sur une plus longue période. Ces chercheurs ont étudié l'évolution de la compétence relative en lecture de 187 enfants de la première à la sixième année de l'élémentaire provenant d'écoles différentes; ils ont pris soin de grouper ensemble les garçons et les filles de même niveau. Les résultats obtenus indiquent qu'en première année, il y a plus de garçons que de filles sous la moyenne, et plus de filles que de garçons au-dessus de la moyenne en lecture. Cependant, en quatrième année cette différence n'était plus appréciable, la proportion de garçons sous la moyenne étant restée à peu près la même, alors que la proportion de filles sous la moyenne avait presque doublé. Phillips, Norris, Osmond et Maynard (2002) rapportent un nombre plus élevé de lecteurs initialement sous la moyenne qui se trouvent par la suite dans la moyenne, de lecteurs moyens qui passent au-dessus de la moyenne et de lecteurs forts qui deviennent moyens comparativement aux études antérieurement publiées. La période qui s'étend de la fin de la troisième à la fin de la quatrième année semble propice au passage d'une catégorie à l'autre. Les auteurs constatent qu'une bonne proportion de lecteurs se maintiennent au même niveau de compétence, mais ils notent aussi un nombre significatif de passages d'une catégorie à l'autre ; pour eux, il importe de comprendre non seulement pourquoi certains enfants éprouvent dès le début des difficultés en lecture, mais aussi pourquoi certains voient leur compétence diminuer en cours de route.

Au cours de ses premières années d'école, l'enfant doit apprendre à lire, mais par la suite, il doit lire pour apprendre (Chall, 1983). Dans la troisième année de l'élémentaire, on s'attend que l'enfant ait parfaitement assimilé les processus visuels, phonologiques et orthographiques de base, qu'il reconnaisse rapidement les mots, qu'il ait donc une bonne vitesse de lecture et comprenne bien les textes. La complexité du matériel écrit présenté à l'enfant augmente à mesure que le vocabulaire s'enrichit, que la syntaxe se diversifie et que les textes s'allongent. Juel (1988) rapporte que, vers la fin de la quatrième année, les enfants qui sont faibles en lecture n'ont pas encore atteint le niveau que les bons lecteurs avaient atteint à la fin de la deuxième année. Il n'est donc guère surprenant de constater que les bons lecteurs lisent beaucoup plus en dehors de l'école et à l'école même que les lecteurs faibles.

Leach, Scarborough et Rescorla (2003), à l'instar de plusieurs autres auteurs, observent que, dans certains cas, les difficultés en lecture apparaissent plus tard, par exemple en quatrième année, à la suite d'un départ réussi en première année. Dans ces cas, les processus supérieurs de traitement de l'information seraient souvent à l'origine du problème, notamment ceux qui concernent la reconnaissance globale des mots et la compréhension du texte. Cependant, ces auteurs notent que les déficits qui apparaissent tardivement sont plus hétérogènes : certains d'entre eux sont relatifs à la compréhension, alors que d'autres ont leur source dans les processus sous-jacents à la reconnaissance du mot. On peut en conclure que les difficultés de lecture de l'enfant peuvent apparaître tardivement et de façon imprévisible.

### 7.2.3    L'enseignement de la lecture

Le processus d'acquisition de la lecture, essentiel dans l'alphabétisation, implique donc le franchissement de plusieurs étapes allant de l'apprentissage des lettres et des mots à celui des groupes de mots. La lecture occupe la première place dans la liste des apprentissages à faire à l'école, ce qui est confirmé par les études portant

sur les diverses méthodes d'enseignement. On est loin d'avoir tout compris à ce sujet, mais certaines grandes tendances se dégagent des connaissances disponibles. Ainsi, Kuhn et Stahl (2003) font une recension des écrits consacrés aux méthodes d'enseignement de la lecture et concluent : a) que l'enseignement de la lecture est généralement efficace même si l'on ne sait pas exactement si l'efficacité est due aux méthodes d'enseignement ou au fait que l'enfant est amené à lire de plus en plus de textes ; b) que les méthodes dites de lecture assistée où l'enfant lit à voix haute en même temps que l'enseignant et les autres élèves ou lit mentalement en même temps qu'une voix enregistrée semblent plus efficaces que les méthodes non assistées en ce qui concerne le développement de la rapidité et de la compréhension ; c) que les approches répétitives, basées sur la lecture répétée du même texte jusqu'à la parfaite maîtrise, ne semblent pas l'emporter sur les méthodes non répétitives qui varient les textes donnés à lire à l'enfant ; et d) que l'enseignement efficace est celui qui va au-delà de l'automatisation de la reconnaissance des mots pour intégrer aussi le rythme, l'expression et la forme sonore globale du texte (les dimensions prosodiques).

## 7.3    APPRENDRE À ÉCRIRE

Nous avons vu que la lecture repose sur une hiérarchie de processus mentaux constamment en interaction qui en viennent à être fortement automatisés de façon à s'intégrer dans une habileté qui se déploie facilement malgré sa très grande complexité. L'écriture relève du même code linguistique que la lecture, mais fait intervenir des habiletés différentes. Pour écrire, il faut connaître la nature et la forme des lettres et pouvoir les reproduire sur papier de façon lisible. La motricité fine qui entre en jeu dans la formation des lettres à l'aide d'un crayon est le résultat d'une longue évolution. En effet, entre le gribouillis que l'enfant de deux ans produit en laissant aller sa main spontanément sur le papier et la petite forme définie que la lettre constitue, le progrès est considérable. Vers trois ans, les enfants sont généralement en mesure de faire des dessins dans lesquels les courbes et les angles sont nettement distingués, ce qui indique une amélioration de la coordination manuelle (Adi-Japha, Levin et Solomon, 1998). Au début de l'apprentissage de l'écriture, vers quatre ans par exemple, l'enfant reproduit exactement les lettres qu'on lui demande de dessiner.

Adi-Japha et Freeman (2001) ont observé l'émergence, vers l'âge de six ans, d'un système de traitement et de production de lettres distinct du système de dessins : le mouvement de la main devient alors nettement plus fluide tant dans l'écriture que dans le dessin.

Sur le plan neurologique, le dessin et l'écriture exigent le même contrôle du mouvement de la main, mais ces deux fonctions ne se chevauchent pas complètement : chez certains adultes victimes de lésions cérébrales, tantôt c'est la capacité d'écrire qui disparaît, tantôt c'est la capacité de dessiner (Anderson, Damasio et Damasio, 1990 ; Silveri, 1996). Selon Adi-Japha et Freeman (2001) :

> Il serait économique pour le cerveau de réserver certaines régions au contrôle de l'écriture et du dessin parce que l'écriture est un système de notation très codifié avec des unités conventionnelles tandis que le dessin est un système de composition où les lignes se mélangent entre elles. Lorsqu'un cercle ou un ovale apparaît dans un texte, il sera probablement perçu comme étant la lettre O ; mais un cercle ou un ovale dans un dessin peut représenter beaucoup de choses. (P. 102.)

Le dessin impose relativement peu de contraintes aux mouvements de la main contrairement à l'écriture. Celle-ci, en revanche, favorise l'automatisation.

Évidemment, l'écriture implique davantage que la capacité de former des lettres avec un crayon ; il faut aussi avoir une idée, recueillir et trier l'information relative à celle-ci, et l'organiser de manière que le lecteur soit intéressé et comprenne l'idée. Ces habiletés sont en relation avec le développement cognitif de l'enfant et, ainsi, la description d'une journée à la plage faite par un élève de troisième année différera de celle d'un adolescent de 15 ans. La rédaction d'un texte requiert tout de même plusieurs habiletés relatives au vocabulaire, aux connaissances et à leur rappel, à la structure syntaxique, etc. On peut penser qu'étant donné la complexité des habiletés cognitives qu'un enfant doit solliciter pour exprimer ses idées dans un texte écrit, les habiletés motrices d'écriture peuvent être considérées comme secondaires dans l'ensemble de l'opération. Contrairement à ce que l'on a coutume de croire, Graham et Weintraub (1996) affirment que les exigences de l'écriture sur le plan manuel peuvent interférer de plusieurs manières avec les processus supérieurs de composition de texte. D'abord, s'il est très lent, l'enfant peut perdre le fil de ses idées avant même qu'il ait commencé à écrire. Ensuite, l'alternance entre la réflexion et l'exécution peut lui faire perdre sa concentration, ce qui peut rendre l'écrit incohérent et démotiver l'enfant du fait de l'application soutenue que l'activité exige de lui. Jones et Christensen (1999) ont eu l'idée d'étudier la relation entre l'automatisation de l'écriture à la main et la compétence en matière de rédaction de texte chez 114 collégiens. En évaluant de façon constante le niveau de compétence en lecture, ils ont trouvé que le score d'écriture à la main (basé sur la rapidité et la maîtrise de l'orthographe) avait une corrélation de 0,73 avec le résultat en rédaction de texte. Cela signifie que 53 % de la variance du résultat en composition de texte s'explique par l'automatisation de l'écriture à la main. Les auteurs en concluaient que les habiletés motrices et orthographiques jouent un rôle essentiel dans la rédaction de textes.

## 7.4    APPRENDRE À COMPTER

L'enfant est mis en contact avec la quantité et la multiplicité très tôt dans la vie. Bien avant de pouvoir nommer des chiffres, le nourrisson est capable de distinguer des objets d'après leur nombre. Kail (2001) rapporte des expériences démontrant que, dès l'âge de cinq mois, l'enfant peut distinguer des stimuli visuels représentant deux objets de stimuli présentant trois objets. On a affaire alors non pas à un décompte du nombre d'objets (la cardinalité), mais plutôt à un processus perceptif global où la quantité fait partie des caractéristiques distinctives au même titre que la forme ou la couleur. Dans sa description détaillée du développement de la notion de nombre chez l'enfant, Jean Piaget a mis en évidence le rôle des indices perceptifs dans l'évaluation des quantités avant l'acquisition de la cardinalité, c'est-à-dire la capacité de dénombrer les objets (voir le chapitre 5). Lorsqu'ils sont placés devant deux rangées de sept jetons identiques, les enfants de 3 ou 4 ans vont normalement dire que la rangée qui est la plus longue compte plus de jetons que l'autre, même si c'est seulement la distance entre les jetons individuels qui distingue les deux séries (Piaget, 1937, 1953). Les enfants du stade préopératoire pensent que, lorsqu'une chose occupe plus de place, elle comporte plus de matériel, principe qui est d'ailleurs souvent confirmé dans la nature.

Pour dénombrer correctement une série d'objets, l'enfant doit non seulement pouvoir nommer les chiffres, mais aussi : *a*) établir la correspondance entre chaque objet et chaque chiffre (correspondance terme à terme); b) respecter l'ordre dans la mise en correspondance des chiffres et des objets en évitant de répéter, d'inverser ou d'omettre un chiffre; et c) comprendre le principe de cardinalité en vertu duquel le dernier chiffre nommé représente le nombre d'objets compris dans la collection (Bermejo, 1996; Gelman et Gallistel, 1978). Vers l'âge de cinq ans, bon nombre d'enfants peuvent appliquer correctement ces règles et compter une dizaine d'objets, mais cela ne signifie pas qu'ils le font toujours sans erreur: l'arithmétique ne comporte pas de redondance et une seule omission dans le dénombrement conduit à l'erreur. Il est intéressant de noter qu'il n'est pas nécessaire de savoir les noms des chiffres pour pouvoir les utiliser. En effet, Skwarchuk et Anglin (2002) indiquent que les enfants apprennent un ensemble fini de mots et qu'ils construisent par la suite des chiffres additionnels lorsqu'on leur demande de compter le plus loin possible. Dans leur étude, les enfants de première année ont pu crier des nombres jusque dans les centaines, ceux de deuxième année, dans les milliers et ceux de cinquième, dans les millions, sans préalablement avoir entendu le chiffre généré. De plus, le temps requis pour créer les mots associés à chaque chiffre diminue avec l'âge, ce qui témoigne d'une automatisation plus grande du processus de création des chiffres.

La capacité de dénombrer les objets est à la base de l'apprentissage de l'addition et de la soustraction. Dans ses premières additions, l'enfant compte d'abord chacun des deux ensembles à additionner: «Si Jeanne a trois pommes et que sa mère lui en donne deux, combien a-t-elle de pommes en tout?» Pour résoudre ce problème, l'enfant de 5 ou 6 ans pourra compter sur ses doigts les trois premières pommes et ajouter deux autres doigts pour les deux pommes supplémentaires, et, à la fin, compter les cinq doigts que cela lui fait au total. À l'inverse, lorsqu'on lui demande: «Si Jeanne a trois pommes et qu'elle en donne deux à sa mère, combien lui reste-t-il de pommes?», l'enfant comptera les trois premières pommes sur ses doigts et enlèvera deux doigts pour les deux pommes à donner.

Avec l'apprentissage de l'arithmétique en classe, l'enfant délaissera progressivement le comptage à voix haute ou sur ses doigts au profit de l'opération mentale. Au début, celle-ci est un peu la copie du comptage sur les doigts mais, graduellement, l'enfant mémorise un répertoire grandissant de résultats d'additions ou de soustractions et va les chercher dans sa mémoire, ce qui exige beaucoup moins de temps. L'apprentissage par

cœur des tables de multiplication, étape mémorable dans la vie de l'élève, constitue un exemple connu de ce passage obligé vers la mentalisation des opérations arithmétiques. Cependant, comme la mémoire n'est pas infaillible, diverses méthodes de recherche de la réponse vont se maintenir jusqu'à l'âge adulte.

Si l'on vous demande combien fait 7 multiplié par 9 et si vous ne vous souvenez pas de cet élément de vos tables de multiplication, vous allez devoir reconstruire la réponse sur des bases plus sûres. Par exemple, vous pourrez vous rappeler que 7 fois 7 donne 49 et qu'on peut y ajouter 14 pour obtenir la somme recherchée. Les méthodes de ce genre varient considérablement d'un individu à l'autre et l'exercice joue un rôle considérable dans l'aisance avec laquelle les données mémorisées entrent en relation avec les opérations mentales. Selon Becker et Varelas (1993), la pensée mathématique est l'aboutissement de diverses acquisitions conceptuelles et sémiotiques (les signes et leur sens) qui sont mutuellement dépendantes.

## 7.5    L'ÉLÈVE, L'ÉCOLE ET L'APPRENTISSAGE

Après la famille, l'école constitue le principal agent de socialisation de la plupart des enfants. L'adaptation à l'école est déterminante dans la réussite scolaire de l'enfant et, dans une large mesure, dans sa réussite professionnelle par la suite. Outre ses habiletés intellectuelles, l'image que se fait l'enfant de l'école, les préalables dont il dispose avant d'y entrer, la manière de se percevoir lui-même dans cet environnement et sa confiance en soi sont autant de facettes qui entrent en jeu dans la réussite à l'école. Une attention particulière a été consacrée à l'estime de soi en raison du lien étroit que ce facteur entretient avec la réussite scolaire (Braken, 1996; Guay, Marsh et Boivin, 2003; Marsh, 1993; Marsh et Craven, 1997). L'estime de soi scolaire correspond au regard que l'enfant porte sur lui-même dans son fonctionnement à l'école. Cette perception couvre l'ensemble de son fonctionnement dans l'environnement scolaire et se fonde sur les observations qu'il a faites sur lui-même, sur ses comparaisons avec les autres. L'encadré de la page 234 fournit des exemples d'affirmations soumises aux enfants et qui ont pour but d'évaluer leur estime de soi scolaire.

L'estime de soi scolaire influe sur la réussite en raison de ses effets sur la motivation et les processus

Marque d'un X le choix qui te convient.

| | Tout à fait vrai | Plutôt vrai | Plutôt faux | Tout à fait faux |
|---|---|---|---|---|
| J'aime les mathématiques. | ☐ | ☐ | ☐ | ☐ |
| Je suis bon en lecture. | ☐ | ☐ | ☐ | ☐ |
| Je fais souvent des erreurs à l'école. | ☐ | ☐ | ☐ | ☐ |
| Je crois que je suis un bon élève. | ☐ | ☐ | ☐ | ☐ |
| Je déteste les examens. | ☐ | ☐ | ☐ | ☐ |

| Tout à fait comme moi ☐ / Un peu comme moi ☐ | Certains enfants pensent qu'ils sont très bons en classe. | MAIS | D'autres enfants se demandent s'ils sont capables de faire leurs travaux d'école. | Tout à fait comme moi ☐ / Un peu comme moi ☐ |
|---|---|---|---|---|
| Tout à fait comme moi ☐ / Un peu comme moi ☐ | Certains enfants sont très lents quand il s'agit de finir leurs travaux d'école. | MAIS | D'autres enfants peuvent faire leurs travaux d'école rapidement. | Tout à fait comme moi ☐ / Un peu comme moi ☐ |

Sources : Adapté de F.J. Boersma et J.W. Chapman (1992), *Perception of Ability Scale for Students – Manual,* Los Angeles (Calif.), Western Psychological Services ; M. Boivin, F. Vitaro et C. Gagnon (1992), « A reassessment of the self perception profile for children : Factor structure, reliability and convergent validity of a French version among second through sixth grade children », *International Journal of Behavioral Development,* 15, p. 275 à 290.

d'autorégulation. En ce qui concerne la lecture par exemple, l'estime de soi scolaire peut faire la différence entre la recherche d'occasions de lire ou la fuite de ces dernières ; elle peut déterminer la quantité d'efforts déployés pour lire de même que la persistance dans cette activité (Chapman, Tumer et Prochnow, 2000). Un certain nombre d'études se sont attachées à établir la relation de cause à effet entre l'estime de soi scolaire et la réussite : est-ce que les enfants réussissent mieux parce qu'ils ont une bonne estime d'eux-mêmes ou est-ce leur réussite qui les amène à acquérir l'estime d'eux-mêmes ? Certains auteurs affirment que l'estime de soi vient en premier et amène la réussite, mais il semble que les jeunes enfants ont tendance à avoir une image positive d'eux-mêmes ; Harter (1999) parle d'un biais positif normal dû aux limites cognitives de l'enfant plutôt qu'à une intention délibérée de fausser les faits. Il semble aussi que les perceptions des jeunes enfants ne correspondent pas à la réalité scolaire et que ce n'est que progressivement que la relation entre l'estime de soi scolaire et les indices de réussite s'améliore (Marsh, Craven et Debus, 1998). Au Québec, Guay, Marsh et Boivin (2003) ont mené une étude longitudinale auprès de 385 enfants provenant de 10 écoles élémentaires. Les élèves ont été évalués à la fin de la première, de la deuxième et de la troisième année de l'élémentaire. Les résultats ont montré que la fiabilité et la stabilité de l'estime de soi scolaire augmentent avec l'âge et que la corrélation avec la réussite scolaire est plus forte chez les élèves plus vieux. Quant à la relation causale, les auteurs concluent que les bons résultats ne sont pas dus à l'estime de soi et que l'estime de soi n'est pas due aux bons résultats, mais qu'il y a connexion réciproque entre les deux : la réussite influe sur l'estime de soi et vice versa (Guay, Marsh et Boivin, 2003).

L'image de soi scolaire se forme dès l'entrée à l'école, dès que l'enfant fait face aux difficultés qu'entraînent l'apprentissage, l'observation des règles, l'obéissance à l'autorité et la fréquentation d'autres enfants. La façon dont les efforts sont récompensés ou découragés, le fait que les tâches sont regardées comme faciles ou difficiles, les sentiments éprouvés face aux succès et aux échecs contribuent à créer cette perception de soi à l'école. Parce que l'école est essentiellement sociale et qu'elle comporte des enjeux affectifs importants pour l'enfant, elle n'offre pas seulement une expérience d'apprentissage intellectuel à l'enfant: l'ensemble du développement personnel est concerné dans l'expérience scolaire. En tant que «milieu obligatoire», l'école représente une zone d'occupation centrale pendant toute l'enfance; les échecs qui y sont vécus ont forcément un effet considérable sur le statut que l'enfant s'accorde en écho à celui que ce milieu lui accorde.

L'intensité sociale de l'école a le pouvoir de cristalliser et d'officialiser l'image d'un enfant sur la base des évaluations comparatives fréquentes qui sanctionnent son cheminement. Évidemment, si c'est l'échec qui domine l'expérience de l'enfant, un impact socio-affectif négatif est à prévoir. C'est à ce moment que les conditions relationnelles dans lesquelles l'enfant évolue seront déterminantes. Le soutien affectif, la chaleur des contacts

La classe peut être un univers passionnant pour les enfants.

interpersonnels et la réceptivité des enseignants et des parents pourront faire la différence entre un processus de dévalorisation et une entreprise de calibrage des défis pour favoriser la réussite. Il est facile d'aimer l'école quand on y obtient du succès; il est agréable de lire devant tout le monde lorsqu'on excelle en lecture. Mais quand on ne satisfait pas aux exigences minimales, quand on se fait dire constamment que ce qu'on fait n'est pas correct, l'image de soi est atteinte. De bonnes conditions d'apprentissage à l'école sont importantes mais, pour bon nombre d'élèves, elles doivent impérativement être accompagnées de bonnes relations interpersonnelles pour susciter un engagement suffisant dans le projet scolaire.

L'enfant qui vit des échecs scolaires de façon répétée au cours de ses premières années de scolarisation peut adopter différentes attitudes pour faire face à cette situation négative. Certains enfants tenteront de montrer aux autres que leurs échecs sont de leur faute, qu'ils ont de mauvaises notes parce qu'ils ne font pas ce qui leur est demandé. Ainsi, ils refuseront obstinément de suivre les consignes relatives aux travaux et à l'étude, ils feront en sorte que les autres voient bien qu'ils ne font pas d'efforts, ils exprimeront ouvertement et fréquemment leur indifférence à l'égard du travail scolaire. Ce type d'attitude, plus fréquent à mesure que l'enfant grandit, consiste globalement à rendre le caractère volontaire de l'échec aussi évident que l'échec lui-même de façon que ce ne soit pas soi-même qui apparaisse faible, mais la motivation scolaire.

## 7.6    L'ÉLÈVE ET LES DIFFICULTÉS D'APPRENTISSAGE

Un enfant est considéré comme présentant un trouble d'apprentissage s'il y a un écart significatif entre ses réalisations scolaires ou sociales et le potentiel qu'on lui reconnaît. Comme nous le verrons au chapitre 12, le diagnostic de *trouble d'apprentissage* exclut les retards scolaires dus à un handicap sensoriel ou moteur, à une perturbation émotionnelle ou à une déficience intellectuelle. On écarte aussi les cas de «motivation faible» et d'«environnement familial appauvri». Dans la pratique, toutefois, il est très difficile d'évaluer le poids respectif de ces deux derniers facteurs, et on sait par ailleurs que le milieu de vie de l'enfant peut s'ajouter aux caractéristiques personnelles pour faire éclore un trouble d'apprentissage. La définition de ce problème a fait couler beaucoup d'encre et il n'y a aucun consensus sur le sujet, ce qui a un effet sur les évaluations concernant sa prévalence. Selon Saint-Laurent (2002), la définition la plus communément admise de « difficulté d'apprentissage » est celle que propose le National Joint Committee on Learning Disabilities (NJCLD) :

> Le terme « difficulté d'apprentissage » recouvre un ensemble varié de troubles qui se traduisent par des difficultés dans l'acquisition et l'utilisation du langage réceptif et expressif, des habiletés en lecture, en écriture ou en mathématiques. Les troubles sont intrinsèques à la personne, ils sont probablement dus à une dysfonction du système nerveux central et ils peuvent survenir à n'importe quelle époque de la vie. Des troubles de comportement, de perception et d'adaptation sociale peuvent être concomitants, mais ils ne constituent pas une difficulté d'apprentissage comme telle. Bien que la difficulté d'apprentissage puisse être associée à un autre trouble (par exemple, le déficit sensoriel, le retard mental, le trouble mental sévère) ou être influencée par l'environnement (comme les différences culturelles, la scolarité insuffisante ou inappropriée), elle n'est pas le résultat de ces conditions ou influences. (National Joint Committee on Learning Disabilities, 1991 ; cité et traduit par Saint-Laurent, 2002, p.134.)

Deux éléments doivent être présents pour poser le diagnostic de trouble d'apprentissage :

1) l'enfant a un retard important dans son apprentissage par rapport à son potentiel ;

2) le retard et le potentiel ont fait l'objet d'une évaluation objective et fiable, et leur évaluation ne se base pas sur une performance ou sur une opinion individuelle.

Le ministère de l'Éducation du Québec estime qu'environ 8 % des élèves présentent des difficultés d'apprentissage (MEQ, 2000).

Face à la notion de problème d'apprentissage, la réaction la plus courante consiste à penser à l'apprentissage scolaire. Si, en effet, l'apprentissage scolaire est la zone fonctionnelle la plus clairement touchée par ce problème, elle n'est pas la seule : en général, les relations sociales de l'enfant sont également affectées. Avant d'examiner la façon particulière de penser des enfants ayant un problème d'apprentissage, nous considérerons les problèmes relationnels qu'ils vivent dans leurs milieux familial et scolaire.

### 7.6.1   Les problèmes relationnels associés aux troubles d'apprentissage

Plusieurs chercheurs ont constaté que les enfants présentant des troubles d'apprentissage connaissent des difficultés socio-affectives au cours de l'enfance et plus tard. Plusieurs troubles du comportement ont été observés : hyperactivité, tendance à la distraction, impulsivité, difficulté à communiquer, etc. Ces enfants auraient plus de difficulté à se faire des amis et à entretenir de bons contacts avec les adultes (Kurdek et Sinclair, 2000 ; Shiner, Masten et Tellegen, 2002 ; Yegin, 1986).

Sans prétendre qu'il s'agit là de causes des troubles d'apprentissage, examinons maintenant les particularités sur le plan des relations sociales attribuées à ces enfants par les parents et les enseignants, et aussi par les autres enfants.

### 7.6.2   La perception des parents et des enseignants

Comparativement aux parents d'enfants qui apprennent bien, les parents d'enfants ayant des troubles d'apprentissage ont tendance à décrire négativement leurs enfants dans les domaines suivants :

– capacité de communiquer : l'enfant a de la difficulté à exprimer ses idées et ses sentiments, il n'aime pas écouter et il est difficile de lui parler ;

– maîtrise de soi : il a de la difficulté à maîtriser ses impulsions ;

– autonomie : il est moins capable de satisfaire par lui-même ses besoins que ses frères et sœurs ;

– échanges affectifs : il manifeste moins de considération pour les autres, est moins en mesure de recevoir de l'affection tout en étant plus « collant » ou dépendant que les autres enfants (Eder et Mangelsdorf, 1997 ; Hallahan et Bryan, 1981).

Les enseignants percevraient aussi plus négativement les enfants ayant des troubles d'apprentissage que les enfants normaux : ils les trouvent moins coopératifs, moins attentifs, moins autonomes et plus difficiles à accepter socialement (Reyna et Weiner, 2001).

Cette immaturité sociale perçue par les parents et les enseignants peut être considérée comme un problème suffisamment grave pour en faire une question de première importance dans l'intervention éducative au lieu d'être traitée seulement comme secondaire au problème d'apprentissage. Chaque jour d'école, l'écolier a plus de chances de côtoyer d'autres enfants que d'avoir à diviser 99 par 12; l'intégration sociale est une dimension cruciale dans le développement de l'enfant.

### 7.6.3 L'attitude des autres enfants

Les camarades d'école ont-ils comme les adultes une perception peu positive de l'enfant qui a des troubles d'apprentissage? Pour éclairer cette question, plusieurs études ont utilisé des échelles sociométriques évaluant des dimensions comme l'«attrait social» ou le «rejet social» dans la classe. Les élèves sont invités à choisir, parmi les noms ou les photos des élèves de la classe, ceux avec qui ils aimeraient le plus ou le moins faire une activité (jeu, tâche, etc.) [Boivin, Dodge et Coie, 1995; Brendgen et autres, 2001].

Les enfants ayant des troubles d'apprentissage sont moins populaires et ont plus souvent tendance à être rejetés (DeRosier, Kupersmidt et Patterson, 1994; Franzoi, Davis et Vasquez-Suson, 1994; Ollendick, Weist, Borden et Green, 1992). Les filles qui présentent des troubles d'apprentissage seraient regardées encore moins favorablement que les garçons, et donc l'entourage social réagirait plus vivement à la présence du problème chez une fille que chez un garçon (Hallahan et Bryan, 1981; Kistner et Gatlin, 1989).

Sur le plan de la communication interpersonnelle, il semble que les enfants ayant des problèmes d'apprentissage auraient plus de difficulté à comprendre les sentiments des autres et à exprimer les leurs (Hallahan et Bryan, 1981) et que, dans les jeux de groupe, ils émettraient plus de commentaires tels que: «J'aurais pu faire mieux que lui», «Ce n'est pas si bon que cela», etc., et adresseraient moins de compliments et d'encouragements aux autres («C'est beau», «Bravo, tu as bien réussi», etc.) que les enfants normaux. Le fait de ne pas féliciter les autres pour leurs bons succès joint au fait de se montrer plus critiques à leur égard pourrait expliquer le taux élevé de rejet de ces enfants de la part de leurs camarades.

Stevenson et autres (1993) observent un lien entre les problèmes de lecture et l'hyperactivité chez des enfants de huit ans, et les retards de langage ont été mis en relation avec les problèmes de comportement à différents moments de l'enfance (Stevenson, 1996).

Dionne et autres (2003), dans une étude d'envergure portant sur 562 jumeaux, ont observé, dès l'âge de 19 mois, une corrélation modeste mais significative entre les habiletés langagières et l'agression physique. Les auteurs suggèrent que le retard sur le plan de la capacité d'expression pourrait accélérer la montée typique de l'agression vers l'âge de deux ans et ralentir l'apparition normale de mécanismes verbaux de résolution des conflits au cours de l'enfance. En contexte scolaire, il est plausible de présumer l'existence d'une telle interdépendance entre les difficultés en lecture et les habiletés sociales.

Sur le plan social, l'immaturité des enfants ayant des troubles d'apprentissage pourrait être liée à une appréciation négative de la part de leur entourage social (parents, enseignants, camarades d'école). Elle pourrait aussi être en relation avec la difficulté à communiquer verbalement et non verbalement avec autrui, qu'il s'agisse de comprendre les messages en provenance des autres (décodage) ou d'exprimer clairement ses idées et ses sentiments aux autres (se faire comprendre). Un déficit de la cognition sociale serait alors un aspect qui pourrait constituer une cible privilégiée dans les interventions rééducatives (Barkley, 1998; Durrant, Cunningham et Volker, 1990; Hindshaw, 1992, 2002).

## 7.7 LA DIMENSION SOCIO-CULTURELLE DES TROUBLES D'APPRENTISSAGE

Les troubles d'apprentissage, fortement associés à l'échec scolaire, s'observent-ils plus souvent dans certaines classes sociales que dans d'autres? S'agit-il d'un problème intrapsychique ou d'un problème qui est aussi lié à l'environnement de l'enfant?

Compte tenu du critère central dans la définition du trouble d'apprentissage, c'est-à-dire un rendement scolaire significativement inférieur à ce que le potentiel de l'enfant devrait donner, est-il possible de soutenir simplement que le problème est uniquement du côté de l'enfant? Depuis qu'on a commencé à s'intéresser aux enfants subissant des échecs à l'école, c'est-à-dire depuis le début du XXᵉ siècle, avec, notamment, les travaux d'Alfred Binet en France, l'hypothèse de la présence de dysfonctions cérébrales mineures pour expliquer les troubles d'apprentissage chez les enfants a toujours été regardée comme valable. Ainsi, ces troubles seraient dus à une défectuosité des circuits fonctionnels dans le cerveau (Dailly et Henocq, 1983). Mais se pourrait-il que les caractéristiques du milieu interagissent avec celles de l'enfant pour favoriser ou, au contraire, empêcher l'éclosion du trouble d'apprentissage ?

### 7.7.1 La famille et les problèmes d'apprentissage

Brantlinger et Guskin (1987) et Hill (2001) rapportent que le faible niveau socio-économique de la famille constitue un des facteurs qui sont souvent associés à l'échec scolaire de l'enfant : les enfants provenant de familles défavorisées réussissent généralement moins bien à l'école. Le niveau socio-économique de la famille est fonction de plusieurs variables : la scolarité, le revenu, la profession des parents, les valeurs culturelles et la valeur accordée à l'institution, la stimulation intellectuelle à la maison (habiletés sociales, langage, idéaux, présence de livres, de jouets éducatifs, etc.). En effet, certaines études associent davantage l'impact familial sur le rendement scolaire à la variable « culture parentale » qu'au « revenu parental » lui-même (Serpell, Sonnenschein, Baker et Ganapathy, 2002). Au moment de son entrée à l'école, l'enfant véhicule déjà toute une histoire culturelle. Sa capacité de comprendre les autres et de se faire comprendre d'eux, l'image qu'il a de lui-même, sa capacité de pourvoir lui-même à ses besoins et les notions utiles qu'il a apprises sont autant de facteurs de réussite. Or ces acquisitions préscolaires, étroitement liées à la stimulation intellectuelle fournie par la famille, déterminent si l'enfant entre à l'école avec une longueur d'avance ou un retard par rapport à la moyenne.

Feuerstein (1980) a fondé son approche sur l'idée que l'intelligence était le résultat d'un contact direct avec les stimuli de l'environnement et la transmission d'expériences d'apprentissage (*mediated learning experience*). La plupart des enfants dans le monde reçoivent des stimulations de l'environnement, en quantités variables. À cet égard, dans la vie de tous les jours, les enfants ne manquent pas de stimuli, surtout dans les familles où le téléviseur et la radio sont allumés du matin jusqu'au soir. Mais la stimulation brute, en vrac, n'est pas nécessairement utile. C'est la transmission d'expériences d'apprentissage qui détermine la qualité de l'environnement parce qu'elle requiert une intervention humaine, une médiation qui organise les stimuli, leur donne un sens : « Ce médiateur de connaissances, guidé par ses intentions, sa culture, ses valeurs

émotionnelles, choisit et organise le monde des stimuli pour l'enfant. » (Feuerstein, 1980, p. 16.)

Nous verrons dans le chapitre 14, qui porte sur les agents de socialisation de l'enfant, que la famille, en tant que premier milieu de vie, joue un rôle vraiment déterminant dans le développement psychologique de l'enfant. Tout au long de son cheminement scolaire, voyant se succéder les professeurs, les groupes-classes ou même les écoles, l'enfant qui ne peut compter sur l'appui constant et vigilant de ses parents se trouve souvent démuni et, en cas de difficulté, les ressources de l'école permettent rarement à elles seules de redresser la situation (Deslandes et Cloutier, 2002).

Dans la recherche d'une explication aux troubles d'apprentissage, l'idée selon laquelle il existe une cause unique, interne ou externe, paraît devoir être écartée. Il y a non pas un seul type de trouble d'apprentissage, mais plusieurs. Il nous apparaît que, dans la majorité des cas, une interaction entre les caractéristiques de l'enfant (y compris la génétique ou des lésions neurologiques, le cas échéant) et les caractéristiques du milieu dans lequel il a grandi peut expliquer les problèmes de l'enfant.

### 7.7.2 Le système scolaire

L'environnement scolaire peut expliquer, dans une certaine mesure, la prévalence de l'échec dans les milieux moins favorisés. Si l'école contribue d'une façon quelconque à l'apparition des troubles d'apprentissage, ce n'est certainement pas de façon délibérée, car les systèmes scolaires publics s'efforcent généralement de donner à tous les enfants des chances égales de réussite. Cependant, jusqu'à un certain point, ils sont le reflet de la société et peuvent afficher des disparités selon les régions socio-économiques qu'ils desservent (Jouvenet, 1985).

L'examen des publications portant sur le sujet nous permet de déterminer les facteurs susceptibles de favoriser les troubles d'apprentissage chez les enfants issus de milieux défavorisés ou ceux dont on sait déjà qu'ils ont des difficultés. Ces facteurs sont les suivants :

– La répartition des ressources : malgré l'apparente homogénéité des systèmes scolaires, les ressources humaines et matérielles ne sont pas également réparties entre les milieux socio-économiques, les écoles des quartiers pauvres étant souvent mal loties.

– Les normes en vigueur : comme les standards de réussite scolaire et de compétence sociale appliqués aux élèves sont souvent moins élevés dans les quartiers défavorisés, il en résulte que, si l'on se réfère aux indicateurs nationaux de rendement, les échecs y paraissent plus nombreux. Par ailleurs, comme l'État subventionne la rééducation des enfants présentant des troubles d'apprentissage, les écoles moins bien nanties sont tentées de gonfler le nombre des enfants en difficulté.

– La communication entre l'école et la famille : pour de multiples raisons, la communication entre l'école et la famille est moins bonne dans les milieux défavorisés (faible participation des parents aux activités conçues pour eux, difficulté pour l'école « d'apprivoiser » des parents qui se jugent peu qualifiés et qui souvent ont connu eux-mêmes des échecs scolaires, etc.), ce qui prive l'enfant d'une supervision parentale adéquate.

– L'attitude face au diagnostic : l'attitude négative envers l'enfant désigné comme un élève ayant des troubles d'apprentissage peut lui causer un préjudice sérieux.

# Questions

1. Nommez un critère permettant de croire que le langage parlé est beaucoup plus naturellement inscrit dans le fonctionnement humain que la lecture-écriture.

2. Quel est le rôle de la fonction phonologique (traduction en sons des syllabes et des mots décodés) dans la lecture silencieuse ?

3. Donnez un exemple d'activité pouvant stimuler la « conscience phonologique » chez les enfants d'âge préscolaire.

4. Lequel des énoncés suivants ne concorde pas avec les résultats des études effectuées sur l'évolution de la compétence en lecture ?

   a)  La majorité des enfants qui ont une faible compétence en lecture en maternelle sont encore sous la moyenne en troisième année.

   b)  Jusqu'en quatrième année, les filles ont de meilleurs résultats que les garçons en lecture.

   c)  Les enfants ne peuvent pas devenir moins compétents en lecture à l'école ; les acquis vont toujours en augmentant au fil des ans.

   d)  Les bons lecteurs lisent beaucoup plus en dehors de l'école que les lecteurs faibles.

5. *Vrai ou faux.* Sur le plan neurologique, le dessin et l'écriture sollicitent les mêmes régions cérébrales.

6. *Expliquez brièvement.* Les habiletés motrices d'écriture chez l'enfant peuvent interférer avec les processus supérieurs de composition d'un texte.

7. Donnez un exemple mettant en évidence le rôle des indices perceptifs dans l'évaluation des quantités chez l'enfant, avant qu'il ait atteint la maîtrise de la cardinalité (capacité de dénombrer).

8. De quelle notion s'agit-il: regard que l'enfant porte sur lui-même dans son fonctionnement à l'école?

9. Les parents d'enfants ayant des troubles d'apprentissage ont tendance à décrire négativement ceux-ci dans différentes sphères. Nommez et décrivez deux de ces sphères.

10. *Vrai ou faux*. Le milieu social réagit souvent plus vivement à la présence d'un trouble d'apprentissage chez une fille que chez un garçon.

11. Sur le plan de la communication interpersonnelle, en quoi les enfants ayant des problèmes d'apprentissage diffèrent-ils des enfants normaux? Indiquez un élément.

## Chapitre 8

# Le développement de la cognition sociale

Pierre Gosselin
Richard Cloutier

## 8.1 INTRODUCTION

### 8.1.1 La cognition sociale

Comment les enfants développent-ils une conception d'eux-mêmes et d'autrui? Que comprennent-ils des émotions, pensées, intentions ou des paroles des autres personnes? Comment comprennent-ils les relations sociales? La présente section est consacrée à ces questions. Ce domaine d'études est aussi appelé cognition sociale ou causalité psychologique.

La façon dont les enfants comprennent les autres peut avoir un effet sur leur comportement avec eux. Par exemple, dans ses rapports avec les autres enfants, l'enfant est constamment amené à s'interroger sur leurs intentions, leurs sentiments, etc., et il conforme sa conduite aux résultats de sa réflexion. Si l'enfant interprète mal les signes émis par les autres, ses actions ou ses réactions ne seront pas appropriées. Il pourra voir une invitation comme une menace ou ne pas s'apercevoir qu'un autre enfant ne veut pas de lui et s'exposer ainsi à un rejet. Les inférences que nous faisons pour comprendre notre monde social constituent des opérations mentales qui reposent sur l'appareil cognitif dont nous disposons. Or, comme nous l'avons vu au chapitre 5, l'appareil mental de l'enfant se développe considérablement au cours du premier âge, et sa compréhension du monde social évolue au même rythme. Il se peut cependant que la cognition sociale n'obéisse pas exactement aux mêmes lois que la cognition dirigée vers le monde physique (non social). En effet, outre la pensée comme telle, une bonne communication entre deux personnes suppose probablement des réponses viscérales, somatiques ou émotionnelles fournissant de l'information à l'autre ou à soi-même (Hoffman, 1981). L'affectivité joue un rôle plus important dans la cognition sociale que dans la cognition non sociale, ce qui explique, au moins en partie, la différence entre ces deux modes de pensée. À ce sujet, Flavell (1985) mentionne qu'il ne faut pas exagérer cette différence puisque c'est la même pensée qui s'exerce dans les deux cas; les processus cognitifs fondamentaux sont probablement aussi les mêmes, bien que l'objet sur lequel porte la pensée puisse influer sur celle-ci.

Nous allons maintenant décrire brièvement les objets et la nature de la cognition sociale et nous considérerons ensuite son évolution au cours de l'enfance.

## 8.2 LES OBJETS DE LA COGNITION SOCIALE

La cognition sociale concerne la façon dont les gens comprennent le monde social, c'est-à-dire eux-mêmes et autrui. Cela comprend aussi la perception de la compréhension sociale, c'est-à-dire comment les gens pensent qu'ils comprennent leur monde social ou encore leur pensée sur leur pensée sociale. Le tableau 8.1 énumère les objets sur lesquels porte la cognition sociale.

Ce tableau nous permet de constater que les éléments psychologiques susceptibles de faire l'objet d'inférences sociales sont nombreux et qu'ils peuvent concerner la personne elle-même, une autre personne ou plusieurs autres personnes. Par exemple, la façon dont l'enfant comprend les pouvoirs et les responsabilités des professeurs de son école fait partie de sa compréhension sociale, de la même manière que sa façon de comprendre pourquoi telle amie l'a invité à fêter son anniversaire. L'enfant peut songer à l'intérêt qu'il y a pour lui d'accepter cette invitation et à la probabilité qu'une autre de ses amies accepte la même invitation pour satisfaire ses intérêts à elle.

Évidemment, dans une situation de ce genre, un enfant de 4-5 ans ne réfléchira pas de la même façon qu'un enfant de 10-11 ans, mais les deux auront leur propre compréhension de la situation. Le même type de réflexion peut porter sur les affinités observées ou supposées entre deux groupes de personnes ou entre deux peuples. La cognition sociale va aussi loin que la pensée de l'enfant peut aller dans le monde social.

## 8.3 UN MODÈLE THÉORIQUE DE LA PENSÉE SOCIALE

Comment fonctionne la cognition sociale? Flavell (1974, 1985) propose un modèle fondé sur trois concepts constituant autant de préalables à toute pensée sociale:

1) la conscience de l'existence du phénomène social;
2) le besoin de réfléchir au phénomène social;
3) la qualité de l'inférence.

La conscience de l'existence d'un phénomène social est la première condition requise pour que ce dernier fasse l'objet d'une réflexion de la part de l'enfant. Si l'enfant ne réalise pas qu'une autre personne peut avoir un autre point de vue que le sien, il ne peut réfléchir au point de vue de l'autre dans une situation donnée.

**Tableau 8.1**    Les objets sur lesquels porte la cognition sociale

| Éléments psychologiques d'inférence | Cognition sociale |
|---|---|
| Intentions | avec soi-même |
| Attitudes | avec une autre personne |
| Pensées | avec des groupes de personnes |
| Émotions | |
| Buts | |
| Motivations | |
| Traits | |
| Perceptions (visuelles, auditives, etc.) | |
| Souvenirs | |

| Types de relations entre les personnes | Relations possibles |
|---|---|
| Amitié | Avec des personnes |
| Amour | Avec des groupes de personnes |
| Domination | |
| Influence | |
| Pouvoir | |
| Responsabilité | |

Ainsi, l'enfant de 3-4 ans (du stade préopératoire dans la théorie de Piaget) ne pourra se représenter votre perspective parce qu'il croit que vous voyez la même chose que lui ; il n'a pas conscience de l'existence d'une autre perspective que la sienne. Si l'enfant ne sait pas ce qu'est un mensonge, il ne peut ni voir qu'une autre personne ment, ni lui-même fabriquer un mensonge. Si une personne ne connaît pas l'existence de problèmes raciaux sur la terre, elle ne peut inférer que les Noirs subissent la domination des Blancs en Afrique du Sud. Il faut donc être conscient de l'existence d'un phénomène pour pouvoir y penser.

Il faut aussi ressentir le besoin de poser une inférence pour actualiser celle-ci. Une personne peut savoir quels sont les sentiments qu'une situation donnée peut susciter chez une autre personne, mais ne pas penser ou ne pas vouloir faire l'effort de poser une inférence à ce sujet. À Noël, au moment de la distribution des cadeaux, un enfant peut très bien savoir qu'un cadeau peut faire plus ou moins plaisir, mais, du fait qu'il a l'esprit absorbé par ce qui lui arrive, ne pas songer aux sentiments éprouvés par les personnes qui l'entourent. De même, au cinéma, il est possible de connaître les sentiments que peut susciter telle ou telle séquence du film (joie, tristesse, colère, etc.), mais ne pas sentir le besoin de songer aux sentiments des voisins.

Enfin, la qualité de l'inférence concerne la capacité d'actualiser avec succès une pensée sociale donnée, de s'interroger sur le phénomène dont on est conscient (existence) et que l'on veut déterminer (besoin). Un enfant peut connaître les sentiments actuels éprouvés par sa mère et s'efforcer de les caractériser, mais être incapable de les inférer convenablement sur la base des informations dont il dispose ou de sa capacité à interpréter correctement les sentiments de sa mère. Dans un autre contexte, je peux être conscient de l'effet d'un débat télévisé entre des chefs de partis politiques et désirer vivement poser une inférence au sujet d'un débat en particulier, mais je peux me tromper dans mon interprétation parce je ne parviens pas à bien apprécier les effets combinés de tous les facteurs susceptibles d'influer sur l'image projetée par chaque candidat. La capacité opératoire et la quantité d'information disponible constituent donc deux éléments centraux dans la qualité de l'inférence posée. Une inférence appropriée ne découle donc pas automatiquement de la présence de l'« existence » et du « besoin ».

Le modèle théorique de Flavell relatif à la pensée sociale nous permet de définir les grandes lignes du développement de la cognition sociale chez l'enfant. D'abord, l'enfant prend conscience du grand nombre d'objets socio-cognitifs sur lesquels la pensée peut porter (l'existence). Ensuite, il détermine en quoi il est nécessaire de faire une inférence sociale (le besoin). Enfin, il doit acquérir les habiletés cognitives nécessaires à la compréhension des comportements sociaux (inférence).

Certaines études menées auprès des enfants ont défini des stades de développement de la cognition sociale (voir Shantz, 1983, pour une revue exhaustive). Nous brosserons ici un tableau sommaire de ce développement.

## 8.4    LES PRÉALABLES COGNITIFS À L'ATTACHEMENT SOCIAL

À l'instar de plusieurs autres auteurs, Flavell (1985) affirme que le préalable fondamental à l'établissement de l'attachement est un lien solide d'affection entre le nourrisson et le parent ou son substitut. Cette affection se manifeste dans l'attitude du nourrisson qui s'efforce de maintenir un degré acceptable de proximité avec la personne à laquelle il est uni par un lien privilégié. Ainsi, selon l'âge, l'enfant pourra sucer, s'accrocher, ramper, sourire, pleurer ou appeler pour maintenir cette proximité.

Flavell (1985) mentionne que, au cours des premières semaines de la vie, l'enfant ne manifeste pas d'attachement véritable à l'égard de personnes ou d'objets. Vers l'âge de deux mois, l'enfant commence à sourire en présence d'une autre personne, mais de manière non sélective : il sourit à peu près de la même façon à une personne familière ou étrangère. Entre 3 et 6 mois, l'enfant sourit et gazouille de préférence lorsqu'il est en compagnie d'une personne familière. Vers 8-10 mois, il fait une nette distinction entre les personnes familières et les personnes étrangères. Au cours de l'enfance, la recherche de la proximité évoluera graduellement ; il y aura d'abord recherche d'un contact physique direct, puis d'un contact perceptif (voir, entendre sa mère, etc.), enfin d'un contact symbolique, avec le souvenir des marques d'affection que l'enfant d'âge scolaire conservera même en l'absence du parent, qui lui permet de maintenir un sentiment de sécurité, de confiance. Encore ici, nous pouvons constater que le développement se traduit par le passage du physique (concret) au symbolique (abstrait).

Il est difficile d'imaginer ce que serait le développement humain sans relations sociales : l'enfant est un être fondamentalement social, et son développement se nourrit constamment des stimulations qui proviennent de son milieu. Cependant, les relations sociales reposent sur les capacités intellectuelles de l'enfant, c'est-à-dire que ces relations sont perçues et interprétées à l'aide de ses habiletés cognitives. Si l'enfant ne peut se placer du point de vue d'un autre enfant, il lui sera fort difficile de comprendre qu'un jouet peut être partagé puisque le partage suppose la capacité de modifier son point de vue. Toutefois, la présence de la capacité cognitive ne garantit pas l'établissement de la conduite sociale comme telle : l'enfant peut être capable de comprendre qu'il a avantage à laisser l'autre enfant utiliser le jouet, mais ne pas vouloir le faire. L'habileté cognitive est donc une condition nécessaire à la conduite sociale, mais non suffisante en elle-même.

L'établissement d'une relation d'attachement suppose la capacité de distinguer la personne aimée. La recherche a montré que, très tôt dans la vie, et même à la naissance, le nourrisson pouvait se servir de plusieurs sens pour reconnaître le parent (ou la personne qui le remplace) auquel il est attaché :

- avec la vue pour reconnaître le visage ;
- avec l'ouïe pour reconnaître sa voix ;
- avec l'odorat pour reconnaître son odeur, etc.

Il semble en effet que l'être humain est particulièrement sensible à l'aspect du visage et à la voix (Gibson et Spelke, 1983 ; Tronick, 1989). En ce qui concerne l'attirance pour la voix humaine, une expérience de Butterfield et Siperstein (1972) a montré que des nouveau-nés suçaient, comme forme de renforcement, pour obtenir la répétition d'une chanson de folklore, mais non pour celle d'un bruit blanc de même intensité sonore.

Flavell (1985) affirme que même si les préalables sensoriels sont importants dans l'établissement d'un lien d'attachement, sur le plan conceptuel, c'est le concept de l'objet qui apparaît comme l'élément fondamental. Si, pour l'enfant, les objets qui l'entourent ne sont pas distincts de lui-même et qu'ils cessent d'exister lorsqu'il ne les voit pas, il ne peut donc ni espérer qu'ils apparaissent ni les rechercher lorsqu'ils ont disparu. La formation d'un lien d'attachement exige donc de la part de l'enfant qu'il ait, au moins partiellement, acquis le concept de la permanence de l'objet. En fait, il est possible que la mère soit le premier objet permanent pour l'enfant ; la constance ou la fréquence de l'apparition et de la disparition de la mère et l'excitation des sens qu'elle suscite chez lui pourraient bien faire de « l'objet-mère » le premier objet permanent au sens piagétien en même temps que le premier objet socio-cognitif. On voit donc que les dimensions cognitive, sociale et affective sont subordonnées les unes aux autres dans la réalité de l'enfant.

## 8.5 LA COMPRÉHENSION DE LA PENSÉE

La pensée est une faculté qui a plusieurs particularités. Elle se distingue d'abord par son caractère absolument privé. Ainsi, nous sommes les seuls à la connaître directement. Nous pouvons la communiquer aux autres personnes, mais celles-ci ne peuvent percevoir directement nos pensées ou nos sentiments. La pensée est en outre immatérielle. Un autre caractère distinctif de la pensée est qu'elle se rapporte à des objets, mais qu'elle est distincte d'eux : l'idée que l'on a d'une maison diffère de la maison elle-même. Enfin, la pensée est dynamique : elle est un flux continu d'idées qu'il est impossible d'interrompre. Nous pouvons nous demander ce que les enfants comprennent d'une telle faculté.

De façon assez surprenante, les jeunes enfants apprécient correctement plusieurs caractéristiques de la pensée. Une première indication nous provient du vocabulaire qu'ils utilisent dans la vie quotidienne. Les enfants emploient des mots désignant des activités de l'esprit, comme « aimer », « penser », « rêver », « se souvenir » et « savoir » dès leur troisième année (Flavell, Green et Flavell, 1995b ; Lyon et Flavell, 1993). Comme ils emploient habituellement ces mots à bon escient, nous sommes justifiés de penser qu'ils comprennent ce que signifient ces activités de l'esprit. Quand on leur demande s'il est possible de toucher les pensées, les jeunes enfants répondent que ce ne l'est pas. Ils comprennent donc le caractère immatériel de la pensée. Ils savent aussi que la pensée est dynamique et que son contenu change. Ils n'ont aucune peine à concevoir que les idées se succèdent. Enfin, les enfants de 3 et 4 ans ont une idée assez juste des êtres qui sont dotés de la faculté de penser. Interrogés à ce sujet, ils vont dire que les êtres humains pensent, mais que les roches ou les arbres ne pensent pas.

Les enfants mettent un certain temps pour comprendre d'autres attributs de la pensée. Ceux de 3 et 4 ans saisissent mal les limites de la pensée. Ils peuvent dire, par exemple, qu'une personne peut penser à plusieurs choses en même temps (Flavell, Green et Flavell, 1995a). Ce n'est que vers cinq ans qu'ils perçoivent les limites de la pensée. Au cours des quatre années qui suivent, les enfants acquerront l'idée que la pensée individuelle est privée et que le flux de la pensée ne peut être interrompu volontairement (Flavell et O'Donnell, 1999). De plus, ils pourront concevoir que les idées peuvent être liées entre elles ou qu'un souvenir peut éveiller un sentiment.

## 8.6   LA COMPRÉHENSION DE LA PERSPECTIVE PHYSIQUE

### 8.6.1   Ce que les autres perçoivent

C'est la perception visuelle qui a permis d'accroître notre compréhension de la perspective physique, car nos connaissances sur les autres sens sont très limitées (Flavell, 1985).

Les études portant sur l'origine des représentations de ce que les autres voient distinguent deux stades de développement. Dans le premier, l'enfant parvient à déterminer ce que les autres voient ou ne voient pas ; c'est le stade de la pensée sur ce qui est vu (ou non). Dans le second, l'enfant considère la façon dont les autres voient les choses ; c'est le stade de la pensée découvrant la diversité des points de vue.

Au cours du stade 1, qui s'étend de 2-3 ans à 4-5 ans, l'enfant acquiert progressivement l'idée que les autres ne voient pas nécessairement les objets de la même façon que lui. Par exemple, l'enfant s'aperçoit que si l'image qu'il tient est tournée vers lui, une personne placée face à lui ne pourra pas voir l'image. À ce stade, l'enfant peut donc globalement savoir si une autre personne voit ou ne voit pas la même chose que ce qu'il voit lui-même. Au cours du stade 2, qui va de l'âge de cinq ans environ jusqu'à l'adolescence, l'enfant devient progressivement capable de se représenter les points de vue, les perspectives que l'on peut avoir d'un même objet selon la position occupée dans l'espace. Piaget a d'ailleurs observé que la coordination parfaite des perspectives nécessitait la capacité d'opérer mentalement des rotations dans l'espace en gardant inchangée la relation entre les objets, ce qui implique au moins un début de pensée formelle.

En vue d'étudier le développement de la compréhension de ce que les autres voient, Lempers, Flavell et Flavell (1977) ont mis au point des tâches où :

– l'enfant doit faire voir à l'expérimentateur une chose qu'il dit ne pas voir. Par exemple, on étudie la manière dont l'enfant arrive à montrer l'objet ou à le désigner du doigt : « Montre-moi la balle. », « Où est la balle ? »

– l'enfant doit soustraire un objet à la vue de l'expérimentateur. On lui dit par exemple : « Cache bien la balle pour que personne ne la voie. »

– l'enfant doit découvrir ce que l'expérimentateur regarde : « Dis-moi ce que je regarde maintenant. »

L'évolution de la pensée concernant ce que les autres perçoivent visuellement comporte donc deux stades :

1) la pensée de l'enfant est orientée vers ce que les autres voient ou non (avant 4-5 ans) ;

**2)** l'attention porte sur le point de vue des autres (5 ans environ jusqu'à 11-12 ans).

Si vous demandez à un enfant de 2-3 ans de fermer les yeux et si vous posez ensuite la question: « Est-ce que je peux te voir, maintenant ? », il vous répondra non: vous ne pouvez pas voir l'enfant parce que ses yeux à lui sont fermés. Flavell, Shipstead et Croft (1980) ont ainsi testé des enfants de deux ans et demi à cinq ans. Ils ont observé en effet que plusieurs enfants de moins de cinq ans (et non pas à partir de cinq ans) disent qu'on ne les voit pas lorsque leurs propres yeux sont fermés. Toutefois, ces auteurs ont noté, en posant d'autres questions, que les enfants pensent qu'on peut voir leur torse, leurs bras et leurs jambes lorsqu'ils ont les yeux fermés. Cette observation suggère que les enfants ne comprennent pas bien la question. Ils pensent qu'on leur demande s'ils peuvent avoir un contact visuel réciproque avec une autre personne lorsque leurs yeux sont fermés.

## 8.7  LA COMPRÉHENSION DES ÉMOTIONS

Au cours de notre examen du développement perceptif (chapitre 4), nous avons dit que le nourrisson commence à distinguer les émotions que traduisent les expressions faciales à partir de quatre mois (Labarbera, Izard, Vietze et Parisi, 1976; Schwartz, Izard et Ansul, 1985) et qu'il différencie la plupart des expressions émotionnelles autour du huitième mois. Toutefois, le nourrisson peut distinguer les expressions du visage, mais il n'en connaît pas toujours la signification. En fait, nous disposons de très peu de données sur la signification que le nourrisson donne aux expressions faciales au cours des 11 premiers mois de sa vie.

### 8.7.1  Les premiers indices de compréhension

Les chercheurs ont établi que c'est seulement vers le douzième mois que le nourrisson commence à montrer des signes qu'il comprend les émotions humaines. Klinnert (1984) et Sorce, Emde, Campos et Klinnert (1985) ont observé que le nourrisson scrutait le visage de sa mère lorsqu'il était en proie à l'incertitude et qu'il modulait son comportement en fonction de l'expression faciale de celle-ci. Lorsqu'une personne étrangère approchait de lui, il acceptait le contact si sa mère lui souriait,

mais il le repoussait lorsqu'elle montrait de la colère ou de la peur. Mis en présence d'un jouet très différent de ses jouets habituels, il était plus porté à le prendre si sa mère lui adressait un large sourire. Enfin, le même type de comportement a été observé dans la situation de la falaise visuelle, un test utilisé pour étudier la perception de la profondeur. Le nourrisson traversait très rarement la falaise visuelle pour rejoindre sa mère lorsque celle-ci le regardait avec une expression de peur ou de colère. Par contre, il traversait un peu plus souvent la falaise lorsqu'elle lui souriait. Ce phénomène, connu sous le nom de *référence sociale*, suggère que l'enfant de un an distingue deux types d'émotions: les émotions positives et les émotions négatives (Harris, 1990; Russell, 1989). Il réagit aux premières en observant une conduite témoignant d'une solide confiance et en affichant aux secondes une conduite circonspecte empreinte de méfiance.

L'enfant commence à parler vers le début de la deuxième année. Il ne fait pas encore des phrases complètes, mais ses énoncés sont suffisamment complexes pour être porteurs de sens. Quelques termes affectifs font partie de son vocabulaire, comme « content » et « peine ». Un peu plus tard, les mots « fâché » et « surpris » ainsi que l'expression « avoir peur » s'ajoutent à son vocabulaire (Russell et Widen, 2002; Widen et Russell, 2003). L'enfant emploie les termes affectifs pour exprimer ses propres états internes et pour parler de ceux des personnes de son entourage. Il importe de mentionner qu'il utilise ces termes pour commenter non seulement les faits ou les événements présents, mais aussi ceux du passé et ceux qui sont susceptibles de se produire dans le futur (Wellman, Harris, Banerjee et Sinclair, 1995). Cela implique que ses paroles ne constituent pas seulement de simples réponses conditionnées adressées à son entourage et que les mots employés par l'enfant ont une véritable signification et qu'il pénètre plus avant dans le monde des émotions (Harris, 2000).

### 8.7.2  La connaissance des situations émotionnelles

Un autre aspect de la compréhension des émotions est la connaissance des situations susceptibles de provoquer des émotions. Lorsque l'on interroge de jeunes enfants sur ce sujet, ils sont capables de décrire des situations pertinentes dès l'âge de trois ans, quoiqu'ils ne puissent fournir beaucoup d'exemples (Borke, 1971; Gross et Ballif, 1991). Les situations émotionnelles semblent d'ailleurs être un élément important de la représentation des émotions chez le jeune enfant. Si on leur demande d'expliquer ce qu'est une émotion, les enfants âgés de moins de 10 ans ont fortement tendance à répondre en décrivant une situation concrète qu'ils ont vécue (Cartron-Guérin et Réveillaut, 1980; Harris, Olthof et Meerum Terwogt, 1981). Ainsi, pour expliquer l'expression « être content », ils mentionnent leur anniversaire, une de leurs occupations préférées ou des activités qu'ils ont faites lors de vacances récentes. Ils définissent la tristesse en rapportant des situations de solitude et de séparation ou un geste ou une parole d'adulte. Pour la colère, ils évoquent des situations qui ont causé de la frustration, comme le fait d'avoir été rudoyé par un autre enfant ou réprimandé par un adulte.

À partir de 10 ans, les enfants définissent l'émotion de façon plus abstraite. Pour eux, l'émotion est avant tout un état affectif, quelque chose qui est ressenti intérieurement (Harris et autres, 1981). Ils précisent que ce sont des faits ou des événements extérieurs qui provoquent le plus souvent les émotions, mais ils sont aussi capables de concevoir qu'une personne puisse être émue simplement en pensant à quelque chose. Leurs réponses font plus souvent référence aux processus mentaux, notamment à l'analyse qu'une personne fait des événements. Ils comprennent plus facilement que les enfants plus jeunes qu'un même événement peut susciter des émotions différentes chez deux personnes.

La méthode qui consiste à demander aux enfants de définir les émotions est certainement précieuse pour recueillir des informations, mais elle désavantage peut-être les plus jeunes qui ont plus de difficulté à exprimer leur pensée. Comme une bonne partie des études menées au cours des années 1980 employaient des méthodes faisant surtout appel aux habiletés verbales, il est possible que la compréhension réelle des jeunes enfants ait été sous-estimée. L'utilisation de questions ouvertes faisant référence à des événements du passé pose aussi problème. Par exemple, un jeune enfant pourrait connaître bon nombre de situations qui provoquent des émotions, mais être incapable de se les rappeler au moment où il est questionné. Dans les études réalisées au cours de la dernière décennie, on a utilisé des méthodes qui limitaient le rôle de ces facteurs. Comme nous allons le voir, ces études évaluent autrement le niveau d'abstraction et de complexité de la pensée du jeune enfant.

### 8.7.3   L'intégration des notions de désir et de croyance

Stein et Levine (1987) se sont demandé si les enfants sont capables de concevoir que les désirs ou les goûts d'une personne puissent influer sur l'émotion qu'elle éprouverait dans une variété de situations. Pour examiner cette question, ils ont lu de courtes histoires qui décrivaient les désirs de personnages fictifs. Tantôt les personnages obtenaient ce qu'ils désiraient, tantôt ils ne l'obtenaient pas. Les enfants devaient dire quelle émotion éprouvait un personnage dans chacune des histoires et ils devaient justifier leur réponse. Les auteurs rapportent que les enfants de trois ans définissaient l'émotion en fonction de la satisfaction ou de la non-satisfaction des désirs et qu'ils justifiaient leurs réponses en référant à la notion de désir. Dans une étude publiée peu après, Harris et ses collègues (1989) ont repris l'épreuve en faisant varier cette fois les désirs des personnages fictifs. Les désirs des personnages différaient entre eux et étaient satisfaits dans certaines histoires et insatisfaits dans d'autres. Comme Stein et Levine, ces auteurs ont constaté que les enfants se fondaient sur la satisfaction des désirs pour définir l'émotion des personnages.

Les observations faites dans les deux études précédentes ont ceci d'intéressant qu'elles montrent que l'enfant d'âge préscolaire a une compréhension des émotions qui fait appel à des processus mentaux non directement observables. Les réponses des enfants dans l'étude de Harris et ses collègues (1981) indiquent par ailleurs que les enfants font abstraction de leurs propres désirs (donc transcendent leur propre point de vue) quand ils définissent les émotions d'autres personnes. Comme ils sont capables de comprendre les désirs des autres personnes, ils peuvent décrire les émotions que celles-ci éprouvent.

Comme on l'aura noté, les deux études que nous venons de décrire ont employé une méthode assez différente de celle de l'étude de Cartron-Guérin et Réveillaut (1980). Au lieu de demander à l'enfant de décrire des situations ou de lui poser des questions portant sur une notion quelconque, les chercheurs ont utilisé de courtes histoires et ils ont posé des questions qui ne demandaient pas de longues réponses verbales. Nous constatons donc qu'avec une méthode appropriée, nous pouvons déceler même chez le jeune enfant une compréhension des émotions qui a trait à des états et processus mentaux. Nous pourrions aussi dire que l'enfant fait montre d'un niveau d'abstraction plus élevé que ce que nous pensions il y a une quinzaine d'années, sa compréhension ne se limitant pas à des associations entre des mots désignant des émotions et des situations.

La notion de désir n'est pas la seule que l'enfant prend en compte dans sa compréhension des émotions. Hadwin et Perner (1991) et Wellman et Banerjee (1991) rapportent que les enfants de trois ans peuvent apprécier le rôle que la perception subjective de la réalité (les croyances) joue dans la détermination des émotions. Ces auteurs ont créé des histoires dans lesquelles des événements se produisaient à l'insu d'un personnage, amenant ainsi une fausse croyance chez lui. Ainsi, dans une de ces histoires, on précise que le personnage principal aime bien telle boisson et qu'il en déteste une autre. Ce personnage rencontrait un de ses amis qui lui offrait justement sa boisson préférée. Mais, l'ami était un farceur; il avait remplacé à l'insu de l'autre la boisson préférée par la boisson détestée. Les chercheurs questionnaient ensuite les enfants sur l'émotion ressentie par le personnage principal au moment où l'ami lui tend la boisson et après qu'il l'a bue. Ils ont constaté que les enfants pouvaient se représenter la fausse croyance et donc prédire correctement l'émotion du personnage principal.

Ces études démontrent encore une fois que les jeunes enfants savent faire abstraction de leur propre point de vue pour prédire l'émotion d'une autre personne. Les enfants faisant l'objet de l'étude savaient ce qu'il y avait réellement dans le contenant, mais ils pouvaient imaginer que le personnage principal avait une autre perception de la réalité, et leur prédiction de l'émotion était basée sur cette perception. Les recherches des dernières années conduisent donc à penser que l'enfant d'âge préscolaire a mis au point une petite théorie des émotions humaines qui fait appel aux processus mentaux. Il définit les émotions en fonction de la correspondance existant entre les désirs et les croyances d'une personne, même lorsque les croyances de cette dernière ne sont pas conformes à la réalité.

### 8.7.4  La distinction entre émotions réelles et émotions apparentes

L'être humain exprime spontanément ses émotions dans plusieurs circonstances de la vie, mais il a aussi la capacité de les maîtriser. Ekman (1977, 1993) distingue à cet égard plusieurs manières de maîtriser les émotions. Nous pouvons empêcher leur expression, l'atténuer ou encore la masquer. Il semble que le sourire est le masque le plus souvent utilisé pour préserver l'harmonie des rapports sociaux (Ekman, 1985; Owren et Bachorowski, 2001). Les différents mécanismes que nous utilisons visent à rendre l'émotion que nous ressentons moins apparente aux yeux des autres. Dans d'autres circonstances, nous pouvons forcer notre expression, comme lorsque nous affichons un large sourire en recevant un cadeau, bien que nous soyons en fait modérément contents. Dans d'autres situations, nous pouvons aller jusqu'à feindre l'émotion. Un événement qui attriste une autre personne nous laisse indifférent, mais nous jugeons qu'il convient de paraître triste afin de montrer que nous comprenons son état. Plusieurs théoriciens (Denham, 1998; Saarni, 1999) considèrent d'ailleurs que la maîtrise des émotions est une nécessité dans les rapports sociaux et même qu'elle est une qualité, dans la mesure où elle s'exerce avec souplesse et où elle respecte les conventions sociales.

La maîtrise des expressions a pour effet de rendre la communication complexe. Pour juger des sentiments d'une autre personne, nous savons que nous ne pouvons trop nous fier aux apparences. Pour comprendre l'autre, nous devons aussi considérer la situation dans laquelle il se trouve. Nous pouvons aussi scruter son visage afin d'y découvrir des signes qui révèlent ses sentiments réels. Toute cette évaluation complexe qui peut prendre place dans le processus de communication repose sur notre connaissance du fait que l'expression peut être maîtrisée. En d'autres mots, nous faisons la distinction entre les émotions réelles et les émotions apparentes. À partir de quel moment cette connaissance se développe-t-elle? C'est à cette question que nous tenterons de répondre dans les paragraphes qui suivent.

Les premières études traitant du sujet ont conclu que la distinction entre les émotions réelles et apparentes commençait à se faire vers la dixième année (Gnepp,

1983; Harris et autres, 1981). Comme dans d'autres études décrites plus haut, les méthodes employées sollicitaient fortement les habiletés verbales et la mémoire des participants. Dans les études plus récentes, on a rectifié la méthode et on affirme maintenant que les enfants font déjà cette distinction entre la troisième et la quatrième année (Banerjee, 1997; Josephs, 1994). Les études faites auprès d'enfants de divers pays montrent une étonnante concordance quant au moment de l'apparition de cette distinction (Gardner, Harris, Ohmoto et Hamazaki, 1988; Sissons-Joshi et MacLean, 1994).

Comme dans l'étude des notions de désir et de croyance, la méthode utilisée consiste à raconter aux enfants de courtes histoires dans lesquelles un personnage éprouve des émotions. On demande aux enfants d'indiquer quelles sont ces dernières. Dans certaines histoires, il est précisé que le personnage montre aux autres personnages l'émotion qu'il ressent. Dans d'autres, on mentionne que le personnage ne veut pas montrer son émotion. Après la lecture de l'histoire, l'enfant doit identifier l'émotion réelle (celle qui est ressentie) du personnage principal et indiquer l'expression de son visage. Dans l'étude de Josephs (1994) ainsi que dans nos propres travaux (Gosselin, Warren et Diotte, 2002), les enfants utilisaient un thermomètre à émotions pour décrire l'émotion réelle. Le thermomètre se présentait sous la forme d'une suite de régions colorées, chaque région correspondant à une émotion. L'enfant devait désigner l'une des régions colorées pour indiquer l'émotion réelle. L'échelle utilisée pour l'émotion apparente était constituée d'une série de dessins ou de photographies montrant des expressions du visage ainsi que des visages sans expression (neutres). On estimait que l'enfant établissait une distinction entre les deux lorsqu'il fournissait de bonnes réponses à la fois pour l'émotion réelle et pour l'émotion apparente. Dans le cas de l'émotion apparente, il devait désigner le visage neutre ou une expression qui s'accordait mal avec l'émotion réelle.

Les enfants de 3 et 4 ans démontrent une compréhension qui est avant tout implicite. Leurs réponses montrent qu'ils savent faire la différence entre l'émotion réelle et l'émotion apparente, mais comme leur langage est rudimentaire, ils ne peuvent l'expliquer. Une étude réalisée par Banerjee (1997) indique qu'ils connaissent l'effet trompeur qui peut résulter de la maîtrise de l'émotion. Si on leur demande quelle peut être la perception des autres personnages, ils disent que ces derniers pensent que le personnage principal ressent l'émotion apparente.

Les données que nous venons de rapporter concordent avec ce que nous avons dit dans la section portant sur la compréhension de la pensée. Elles indiquent que les enfants ont une certaine conscience du caractère privé de la pensée, c'est-à-dire du fait que l'activité mentale n'est pas directement observable par autrui.

## 8.8  LE DÉCODAGE DES EXPRESSIONS ÉMOTIONNELLES

### 8.8.1  La reconnaissance de l'émotion

Les relations avec notre entourage ne dépendent pas seulement de la compréhension générale que nous avons des émotions. Pour pénétrer l'état affectif d'autrui, il nous faut discerner les signes extérieurs de l'émotion et appliquer ce que nous savons des émotions à la situation particulière dans laquelle nous nous trouvons. Le processus de déchiffrement des émotions implique donc à la fois une analyse de ce qui est perçu et le rappel d'un certain nombre de souvenirs qui associent des signes extérieurs (faciaux, vocaux, gestuels) et des notions désignant des émotions.

Au début, l'aptitude du jeune enfant à discerner les émotions est rudimentaire; elle se limite à la distinction entre les émotions positives et négatives. Comme nous l'avons déjà dit, dans les situations d'incertitude, le nourrisson de 12 mois regarde le visage de sa mère et module son comportement en fonction de l'émotion qu'il exprime. Selon les données dont nous disposons actuellement, il discerne grossièrement les expressions du visage.

L'enfant fait des distinctions plus nettes entre les expressions faciales des émotions dès qu'il commence à comprendre et à employer les termes désignant les émotions, c'est-à-dire entre la deuxième et la troisième année. Bullock et Russell (1985) rapportent que les enfants de deux ans parviennent à désigner correctement la bonne expression faciale lorsqu'ils ont à choisir entre deux expressions celle qui correspond à une émotion donnée. Toutefois, les capacités des enfants de cet âge sont modestes. Les émotions les plus facilement reconnues sont celles de la joie, suivies de celles de la tristesse et de la colère. Elles sont assez bien reconnues à trois ans (Boyatzis, Chazan et Ting, 1993; Stifter et Fox, 1986) et très bien reconnues à six ans (Camras et Allison, 1985; Kirouac, Doré et Gosselin, 1985). La reconnaissance des expressions de peur, de surprise et de dégoût est plus tardive. Les enfants commencent à les reconnaître entre 3 et 5 ans, et leur niveau de réussite continue d'augmenter jusqu'à la fin de l'enfance (Gosselin, 1995; Gosselin, Roberge et Lavallée, 1995).

Les erreurs dans la reconnaissance des expressions faciales ne se distribuent pas de manière uniforme. La peur et la surprise sont confondues entre elles beaucoup plus souvent qu'avec les autres émotions (Gosselin, 1995; Russell et Bullock, 1985), et il en va de même pour la colère et le dégoût (Camras, 1980; Gosselin et Pélissier, 1996). Une analyse serrée des résultats nous conduit à dégager deux explications. Gosselin et Simard (1999) notent d'abord que la tendance des enfants à confondre la peur avec la surprise est due à la ressemblance des expressions. Comme les expressions de peur et de surprise ont en commun certains signes, tels que le relèvement des sourcils et des paupières supérieures ainsi que l'ouverture de la bouche, il est plus difficile de les distinguer. Les auteurs proposent que la capacité accrue à reconnaître ces deux émotions reflète une amélioration du traitement visuel des expressions faciales. Widen et Russell (2003) suggèrent une autre interprétation qui est liée à la formation des concepts des différentes émotions. Selon eux, les confusions résultent d'une définition incomplète des concepts. Les concepts de peur et de surprise, par exemple, seraient moins distincts l'un de l'autre qu'ils ne le sont pour l'adulte et se différencieraient graduellement au cours de l'enfance.

### 8.8.2 Le jugement relatif à la sincérité de l'expression

L'enfant est capable de concevoir que l'expression des émotions peut être maîtrisée, mais est-il capable de juger correctement de la sincérité des émotions exprimées? Peut-il faire, par exemple, la distinction entre un sourire spontané et un sourire contraint ou affecté? Est-il capable de détecter un sentiment négatif tel que la colère lorsqu'il est dissimulé sous un sourire? Les données recueillies chez les adultes indiquent que ces derniers parviennent assez difficilement à juger de la sincérité des expressions (Ekman et Friesen, 1974; Ekman et O'Sullivan, 1991; Gosselin, Kirouac et Doré, 1995). Les niveaux de réussite se situent en moyenne autour de 55%, un chiffre à peine plus élevé que celui qui est dû au hasard (50%) lorsque le choix se fait entre deux entités (sincère ou non sincère).

**Figure 8.1** Exemples de sourires authentiques et faux

Les deux sourires faux se distinguent du sourire authentique (en haut) par l'asymétrie (sourire du centre) et par l'absence de relèvement des joues (sourire du bas).

**Figure 8.2**  Sourires utilisés dans l'étude relative à la détection de l'émotion dissimulée

Le sourire de droite diffère de celui de gauche par la présence d'un trait dénotant de la colère. Remarquez le serrement des lèvres.

Source : Gosselin, P., Beaupré, M. et Boissonneault, A. (2002), « Perception of genuine and masking smiles in children and adults : Sensitivity to traces of anger », *Journal of Genetic Psychology*, 163, p. 58 à 71.

Gosselin, Perron, Legault et Campanella (2002) se sont intéressés à la première des questions formulées plus haut. Ils ont présenté à des enfants et à des adultes des sourires dont les caractères variaient. Certains sourires avaient les caractères d'un sourire authentique et d'autres, ceux d'un sourire faux (esquissé ou légèrement crispé ; voir la figure 8.1). Les enfants devaient simplement dire si la personne qui souriait était vraiment contente ou si elle faisait semblant de l'être. Les enfants âgés de 6 et 7 ans furent incapables d'apprécier correctement les sourires. Par contre, ceux de 9 et 10 ans furent capables de les distinguer, sans toutefois atteindre le niveau de réussite des adultes.

Dans une autre étude (Gosselin, Beaupré et Boissonneault, 2002), on a examiné si les enfants pouvaient déceler les signes ténus de la colère lorsque celle-ci se dissimulait sous un sourire. La méthode utilisée était identique à celle qui a été décrite dans le paragraphe précédent à ceci près que les visages avaient d'autres expressions. Les enfants devaient évaluer des sourires authentiques ainsi que des sourires altérés par un mouvement facial de colère (voir la figure 8.2). Les résultats ont montré que les enfants pouvaient déceler les signes ténus de la colère entre la sixième et la septième année. Comme dans les autres études, le degré de justesse des appréciations augmentait jusqu'à la fin de l'enfance.

Aucune augmentation n'a cependant été relevée entre la fin de l'enfance et l'âge adulte.

Dans l'ensemble, les résultats des deux études confirment l'idée selon laquelle la juste appréciation des expressions faciales se développe lentement. Bien que les enfants d'âge préscolaire puissent se représenter le fait que l'expression des émotions est contrôlable, il leur faut plusieurs années pour construire une base de connaissance suffisante pour juger l'authenticité des expressions émotionnelles.

## 8.9  LA REPRÉSENTATION DE SOI

Notre étude du développement de la notion d'objet nous a permis de comprendre que la différenciation entre soi-même et l'objet est préalable à l'attribution d'une existence indépendante aux objets physiques. Pour avoir une représentation de soi, il faut pouvoir différencier ce qui est soi de ce qui ne l'est pas, de même que, pour avoir une représentation mentale d'un objet, il faut pouvoir le différencier des autres objets.

Dans une étude devenue classique, Gallup (1977) a cherché à savoir si des chimpanzés avaient une représentation d'eux-mêmes. Il plaça un groupe de chimpanzés dans un lieu où ils pouvaient voir leur corps dans un miroir. Il observa bientôt que les primates utilisaient le miroir pour regarder des parties de leur corps, pour enlever des particules de nourriture logées entre les dents, etc. Ce sont là des indications qu'ils reconnaissent leur image. Ensuite, il anesthésia les chimpanzés pour leur appliquer sur le bout du nez un colorant rouge non irritant et inodore. Il voulait vérifier si les primates se rendraient compte que l'on avait modifié leur image corporelle. Les données montraient qu'en effet les chimpanzés étaient intrigués par ce changement et se grattaient 25 fois plus souvent le nez qu'à l'habitude. Il faut préciser ici que c'est leur propre nez qu'ils touchaient et non pas l'image dans le miroir, ce qui indique qu'ils avaient conscience que le miroir leur renvoyait l'image de leur corps et non pas simplement l'image d'un singe. Gallup (1977) explique que le même type d'expérience pratiquée chez des babouins et des rhésus n'amenait pas de reconnaissance de soi dans le miroir, même après des milliers d'heures d'exposition devant celui-ci.

La même expérience a été conduite avec des enfants de 9 à 24 mois par Lewis et Brooks-Gunn (1979). Après avoir observé les enfants devant le miroir pendant un certain temps, les mères appliquèrent un colorant rouge sur le bout du nez de leur enfant, puis se remirent à les observer. Les résultats montrèrent qu'avant 15 mois les enfants n'avaient pas tendance à se toucher le nez mais qu'entre 15 et 24 mois le comportement indiquait clairement que le changement d'image avait été noté.

La capacité de pouvoir reconnaître son corps et de le différencier est à la base de la conscience de soi, mais elle ne suffit pas pour la formation du concept de soi. Flavell affirme :

> Le développement de la pensée et des connaissances relatives à soi se fait en parallèle avec celui de la pensée sur la pensée (métacognition) et de la pensée sur autrui. Si vous connaissez quelque chose sur le développement métacognitif, vous avez ipso facto une connaissance du développement du concept de soi, c'est-à-dire que l'acquisition de connaissances métacognitives concernant les personnes, les tâches et les stratégies et d'une conscience appropriée des expériences métacognitives intimes correspond, manifestement, à l'acquisition de connaissances significatives sur soi-même. (Flavell, 1985, p. 154.)

Perry et Bussey (1984) donnent une description sommaire des étapes du développement de la conscience de soi. Notons, dans ce qui suit, la grande correspondance avec les différents niveaux d'abstraction et de différenciation successivement atteints dans la représentation des pensées d'autrui.

– Étape 1 (avant 4-5 ans) : l'enfant prend conscience qu'il est une personne distincte des autres, qu'il occupe une place dans l'espace comme tous les autres objets visibles et qu'il est une personne vivante présentant des caractères qui lui sont propres (apparence physique, son de la voix, etc.).

– Étape 2 (de 5-6 ans jusqu'à 8-9 ans) : l'enfant a conscience d'avoir un point de vue particulier et que son identité personnelle demeure inchangée quels que soient les changements résultant de la croissance par exemple. La représentation de soi est plus matérielle que psychologique. (« J'ai sept ans. J'ai une sœur. J'aime colorier. J'ai beaucoup de jouets », dirait de lui-même un enfant de ce groupe d'âge.)

– Étape 3 (de 8-9 ans jusqu'à l'adolescence) : l'enfant distingue progressivement l'image qu'il se fait de lui-même de celle qu'il croit que les autres ont de lui. Il peut donc réfléchir à ce que les autres pensent de lui et, éventuellement, comparer leur perception avec la sienne. La conscience des rôles liés au sexe peut être plus ou moins claire ; des projections dans le futur apparaissent et donnent lieu à la formation d'idéaux personnels. L'enfant se rend progressivement compte de la différence entre ce qu'il est réellement (moi réel) et le moi idéal. Le moi psychologique émerge. Vers l'âge de 10 ans, l'enfant qui doit se décrire lui-même donnera des précisions non seulement sur son physique, mais aussi sur son caractère (qualités, défauts, préférences), etc.

– Étape 4 (de l'adolescence jusqu'à l'âge adulte) : la personne a une connaissance assez précise de ses traits de personnalité, de ses forces et de ses faiblesses intellectuelles, morales, etc. La représentation de soi se relativise. Fruit de la réflexion et de l'expérience, cette représentation plus « objective » de soi est vue comme s'inscrivant dans un cycle de vie. Cette étape n'est pas complètement franchie à l'âge adulte, même qu'elle ne l'est jamais tout à fait.

# Questions

1. *Complétez la phrase.* Les connaissances sociales constituent un domaine d'études qui est aussi appelé _____ ou _____.

2. Nommez quatre éléments psychologiques d'inférence sociale.

3. Rapportez les termes suivants à leur définition :

   I)   Existence
   II)  Besoin
   III) Inférence

   a) Exigence où l'enfant est d'avoir accès à la cognition sociale.

   b) Conscience du phénomène dans le monde social.

   c) Capacité de reconnaître un élément psychologique donné.

4. *Expliquez brièvement.* L'habileté cognitive est une condition nécessaire pour l'acquisition de la conduite sociale, mais non suffisante en elle-même.

5. *Expliquez brièvement.* La formation d'un lien d'attachement implique l'acquisition, au moins partielle, du concept de la permanence de l'objet.

6. À partir de quel âge environ les enfants découvrent-ils le caractère immatériel de la pensée humaine ?

   a) 3–4 ans
   b) 5–6 ans
   c) 7–8 ans
   d) 10–11 ans

7. Nommez deux qualités de la pensée qui ne sont pas correctement appréciées par les enfants d'âge préscolaire.

8. Quelles sont les deux étapes franchies par l'enfant dans la représentation de ce que les autres perçoivent visuellement ?

9. *Vrai ou faux.* Le fait que le nourrisson peut distinguer les expressions faciales des émotions n'implique pas nécessairement qu'il comprend leur signification.

10. *Commentez l'affirmation suivante.* Les enfants commencent à donner une signification aux expressions du visage seulement à partir du moment où ils intègrent des termes affectifs dans leur langage.

11. Lequel des termes affectifs suivants est compris le premier par les enfants ?

    a) surpris
    b) fâché
    c) content
    d) peur

12. Décrivez la méthode qui a permis de démontrer que les jeunes enfants conceptualisent les émotions en termes de valence.

13. Peut-on expliquer le développement du vocabulaire affectif de l'enfant uniquement par le conditionnement ?

14. En quoi la définition de l'émotion que donnent les enfants de 10 ans diffère-t-elle de celle qui est donnée par les enfants de six ans ?

15. *Vrai ou faux.* Les enfants d'âge préscolaire conceptualisent les émotions seulement en termes concrets.

16. Quelles sont les deux notions que les enfants d'âge préscolaire intègrent dans leur compréhension des émotions?

17. Indiquez deux facteurs qu'il faut prendre en compte lorsque l'on veut étudier la compréhension que les enfants ont des émotions.

18. Lequel des groupes d'expressions faciales suivants est reconnu le premier?

    *a)* dégoût et joie

    *b)* peur et surprise

    *c)* tristesse et colère

    *d)* joie et tristesse

19. *Complétez la phrase.* Les enfants ont tendance à confondre les expressions faciales de la peur avec celles de la _____, et celles du dégoût avec celles de la _____.

20. Que peut-on conclure des études portant sur la capacité des adultes à juger de la sincérité des expressions émotionnelles?

21. *Vrai ou faux.* Les sourires authentiques sont plus asymétriques que les sourires faux.

22. À quel âge les enfants peuvent-ils reconnaître une émotion négative (comme la colère) qui se dissimule sous un sourire?

    *a)* entre 6 et 7 ans

    *b)* entre 10 et 11 ans

    *c)* seulement à l'adolescence

    *d)* seulement à l'âge adulte

23. Quelle capacité les enfants manifestent-ils entre 15 et 24 mois relativement à la représentation de soi?

24. *Vrai ou faux.* La pensée et la conscience de soi se développent en même temps que la pensée sur la pensée et la pensée sur autrui.

25. Laquelle des propositions suivantes relatives au développement de la conscience de soi correspond au stade d'évolution le plus avancé?

    *a)* La personne a une connaissance assez précise de ses traits de personnalité, de ses forces et faiblesses intellectuelles et morales.

    *b)* La personne peut examiner ce que les autres pensent d'elle et peut comparer leur perception avec la sienne.

    *c)* La personne a conscience d'avoir un point de vue particulier.

    *d)* La personne prend conscience qu'elle est distincte des autres.

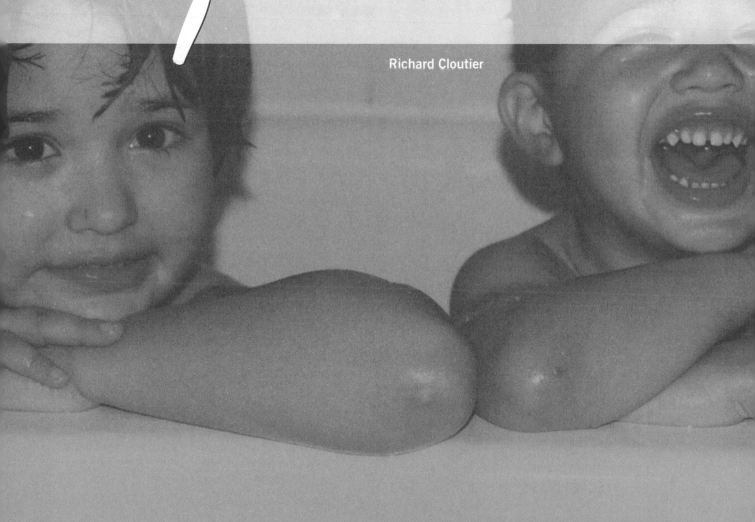

# Le développement de la personnalité

Chapitre 9

Richard Cloutier

## 9.1 INTRODUCTION

Le terme « personnalité » est largement répandu dans le langage populaire pour désigner l'image d'une personne, ce qui la distingue des autres, son style personnel, son caractère particulier. La personnalité d'un individu permet de le distinguer des autres, mais elle lui permet aussi de se reconnaître lui-même. En psychologie, la personnalité peut être définie comme *l'ensemble des caractéristiques intérieures de la personne qui contribuent à la cohérence et à la constance de ses comportements, de ses sentiments et de ses pensées.*

Or, pour que les éléments en question soient liés à la personne, il faut qu'ils lui appartiennent en propre et non pas qu'ils relèvent du fortuit ou de l'accidentel. Le premier caractère essentiel de la personnalité, c'est donc qu'elle est inhérente à l'individu. La cohérence, deuxième caractère essentiel de la personnalité, renvoie à l'équilibre dans l'organisation du profil personnel. Le rapport entre les composantes de la personnalité définit une configuration unique correspondant à une logique propre à l'individu.

Par ailleurs, pour que les éléments puissent être considérés comme appartenant en propre à un individu, il faut qu'ils soient relativement constants. Une réaction qui n'est observée qu'une fois ne peut être regardée comme caractéristique d'une personne ; cette réaction se rapporte à une situation déterminée et ne correspond pas à quelque chose de stable chez l'individu. Si une réaction donnée est présente constamment dans un certain type de situations, on peut en conclure qu'elle est typique de la personne, que c'est un trait de sa personnalité. La constance est donc le troisième caractère essentiel de la personnalité.

## 9.2 LA CONSTRUCTION DE LA PERSONNALITÉ SELON LES PÉRIODES DE L'ENFANCE

L'évolution de la personnalité est fonction de l'interaction entre le sujet et le milieu. Au cours de l'enfance, elle dépend d'une série de facteurs soit internes, soit externes. Les déterminants internes de la personnalité ont leur source dans le génétique qui régit les mécanismes biologiques (besoins physiologiques, émotions, processus de maturation, etc.) et psychologiques (tempérament). Ils définissent le pôle « sujet » dans l'interaction sujet-milieu. Les déterminants externes correspondent au milieu et sont constitués par les facteurs sociaux qui définissent l'environnement avec lequel l'enfant interagit et dans lequel il se développe.

L'enfance correspond aux 12 premières années de la vie ; elle est généralement divisée en quatre périodes : la petite enfance (0 à 1 an), la période du « trottineur » (1 à 2 ½ ans), la période préscolaire (2 ½ à 6 ans), la période scolaire (6 à 11 ans).

Au cours de chacune de ces périodes, l'enfant a des progrès à réaliser et des tâches à accomplir pour se développer. Chaque enfant vit différemment les expériences émotionnelles, cognitives et sociales qui sont propres à l'enfance. Voici des exemples d'acquis réalisés à chacune des quatre périodes et où le style personnel de l'enfant est susceptible de se manifester.

### 9.2.1 Personnalité et petite enfance

La petite enfance, c'est-à-dire la première année de la vie, est la période où le développement physique est le plus rapide de toute la vie. Le développement psychologique et social est aussi très intense. La personnalité de l'enfant s'éveille à mesure qu'il fait les acquisitions suivantes :

- évolution sensorielle et motrice très rapide (coordination vision-préhension, capacité de ramper et de marcher à quatre pattes) permettant des interactions nouvelles avec les objets physiques et les déplacements vers les personnes ;

- séparation de plus en plus nette des périodes de sommeil et augmentation des plages de temps de veille favorables aux interactions avec les proches ;

- amorce de la conscience de soi avec l'organisation des premières relations sociales où les autres sont perçus et reconnus comme distincts de soi ;

- apparition du langage ouvrant la voie aux références symboliques, à la communication verbale ;

- établissement des premières relations affectives avec les proches à travers les soins corporels (nutrition, hygiène, etc.) ;

- développement du sentiment de confiance de base reposant sur les premiers attachements, sentiment amenant chez l'enfant de l'assurance dans l'exploration du monde qui l'entoure ;

– apparition de la maîtrise des émotions.

Dans chacune de ces acquisitions, l'enfant a déjà son style ; il se distingue par le fait d'être en avance ou en retard, confiant ou craintif, anxieux ou serein. Puisqu'il dépend encore de l'interaction sujet-milieu, le style personnel de l'enfant est susceptible de changer. Toutefois, comme les apprentissages antérieurs servent de base aux suivants, l'utilisation des acquis a tendance à consolider ce style personnel.

### 9.2.2  La période du « trottineur »

Cette période est marquée par les acquisitions suivantes :

– L'apparition de la marche décuple la capacité de se déplacer ; les nouvelles possibilités d'exploration doivent être plus étroitement encadrées par les parents ; l'imposition de règles peut susciter de l'opposition chez l'enfant ;

– L'enfant fait progressivement l'apprentissage de la propreté (contrôle des sphincters) et de ce que cela entraîne en fait de réussites et d'échecs ;

– La capacité de communication s'accroît fortement du fait de la maîtrise progressive du langage, ce qui permet une foule d'initiatives dans le domaine social et une expression plus claire des besoins ;

– L'enfant différencie les personnes et les contextes sociaux et accepte mal la séparation ;

– L'enfant apprend à accepter la séparation d'avec ses parents ;

– L'enfant acquiert le sentiment d'être une personne distincte de ses parents et de différer d'eux par le contenu de son expérience (individuation) ;

– L'enfant éprouve de la curiosité ;

– L'enfant apprend à s'adapter à de nouveaux contextes sociaux (les services de garde, par exemple), ce qui suppose le développement de la maîtrise de soi (colère, joie, désir d'accaparer l'attention ou de posséder, etc.) et l'acceptation des règles sociales (attendre son tour, partager, ne pas toucher, garder le silence, etc.).

### 9.2.3  La période préscolaire

Cette période est marquée par les acquisitions suivantes :

– L'autonomie s'accroît rapidement dans les actes de la vie quotidienne (hygiène, habillement, etc.) ;

– Le plein développement des habiletés motrices (marcher, courir, grimper) donne à l'enfant une autonomie dans l'action et l'amène à pouvoir juger de ses capacités, ce qui a des répercussions sur sa perception de lui-même ;

– Le monde de l'enfant continue de prendre de l'expansion du fait du développement moteur ; l'enfant étend sa sphère d'action ;

– Du fait du développement de ses facultés cognitives, l'enfant découvre le jeu symbolique et accroît les ressources de son imagination ;

– Il devient également capable d'organiser son action et de résoudre des problèmes ;

– Les acquisitions dans le domaine du langage permettent une communication plus étendue tant avec les autres enfants qu'avec les adultes ;

– L'enfant assimile plus facilement les règles sociales du fait du développement de ses capacités cognitives et du langage ;

– La distinction entre comportements acceptables et comportements inacceptables marque le début de l'observation de préceptes moraux dans la conduite à l'égard d'autrui ;

– La coopération avec les autres devient possible du fait de la disparition progressive de l'égocentrisme et de l'établissement de certaines formes de réciprocité ;

– La conscience d'être une personne distincte grandit avec la différenciation des sexes et des rôles sociaux de genre ;

– La compréhension de ses propres émotions et de celles des autres s'aiguise peu à peu : l'enfant considère ses propres intentions, pense aux sentiments des autres, découvre la pudeur, etc. ;

– En fréquentant la maternelle, l'enfant apprend à s'affirmer et aussi à se soucier des autres.

### 9.2.4  L'âge scolaire

Cette période, la plus longue de l'enfance, est marquée par les acquisitions suivantes :

– Les relations avec les autres enfants prennent de plus en plus d'importance et l'enfant en tant qu'individu se distingue de plus en plus de ses parents et de sa famille;

– L'enfant établit et organise un réseau social où son style personnel trouve à s'affirmer pour le meilleur et pour le pire;

– L'entrée à l'école fait surgir le désir de réussir et de se mesurer aux autres: pour la première fois, l'enfant doit rendre des comptes. Il doit faire face au stress et à l'anxiété par les attentes des adultes et apprendre à maîtriser les émotions liées aux échecs et aux réussites. L'enfant apprend à être l'objet d'évaluations de la part des autres, à s'évaluer lui-même et à être réaliste vis-à-vis de ses capacités;

– Le jeu continue d'être le terrain d'élection de l'imagination, mais il se structure davantage sur le plan sensorimoteur avec de nouvelles exigences cognitives (stratégies de jeu) et l'observation ou l'établissement de règles plus complexes;

– L'enfant doit apprendre à refréner plusieurs désirs qui ne seraient pas conformes aux attentes de sa collectivité scolaire sous peine d'être rejeté ou ridiculisé par son groupe d'appartenance;

– L'accès à la lecture et à l'écriture permet à l'enfant de jouer un rôle plus actif sur le plan du traitement de l'information que celui qu'il joue en tant qu'auditeur devant la télé;

– L'étude de matières scolaires telles que le français, les mathématiques et l'histoire lui donne de nouveaux outils pour comprendre le monde, préciser ses champs d'intérêt et développer son sens critique;

– L'enfant développe son indépendance non seulement dans ses relations avec les autres, mais aussi dans ses travaux scolaires où il élabore ses propres méthodes de travail et où il devient de plus en plus autonome;

– La conformité aux exigences du monde adulte est généralement élevée et il n'y a pas encore de véritable remise en question de l'autorité, mais l'enfant prépare, par les acquisitions qu'il fait, la confrontation qui aura lieu à l'adolescence;

– La personnalité de l'enfant se dessine dans son travail comme dans ses rapports familiaux et sociaux; son style se distingue progressivement de celui des autres et l'image qu'il a de lui-même se précise de plus en plus.

## 9.3 DEUX GRANDES APPROCHES DE LA PERSONNALITÉ : LES TRAITS DE CARACTÈRE ET LA DYNAMIQUE

La notion de cohérence est au cœur de l'étude de la personnalité parce qu'elle permet de distinguer le style personnel de l'enfant de celui des autres et aussi de mesurer les variations observées chez lui sur le plan de la conduite d'un contexte à un autre.

Pour expliquer ce système de cohérence, on a élaboré différentes théories de la personnalité dont le classement se révèle particulièrement difficile. La méthode scientifique utilisée peut servir de critère de classement. Certaines théories utilisent des méthodes expérimentales, donc des méthodes reposant sur l'observation du comportement dans des situations contrôlées, d'autres sont fondées sur l'étude statistique des relations entre les variables mesurées par des tests psychologiques (méthodes corrélationnelles), et d'autres encore utilisent des analyses de cas pour définir les profils personnels. On peut aussi utiliser l'objet principal d'étude comme critère de classement des théories: certaines théories sont centrées sur la personne et la cohérence de sa conduite dans différentes situations (l'objet principal est la personne), tandis que d'autres concernent l'influence du contexte sur la conduite (l'objet central est la situation).

Essentiellement, les théories peuvent être classées en deux grandes catégories: a) les théories qui visent à définir la structure de la personnalité d'après les traits de comportement, c'est-à-dire les éléments qui demeurent constants à travers le temps; et b) les théories qui intéressent la dynamique de la personnalité, c'est-à-dire les mécanismes expliquant l'ajustement aux circonstances et le sentiment d'être soi-même à travers les rôles et les transitions de la vie. La plupart des théories de la personnalité participent des deux catégories (structure et dynamique), appartenant partiellement à l'une et partiellement à l'autre. Du coup, c'est leur dominante et non pas leur appartenance exclusive qui permet de les inscrire dans une catégorie plutôt que dans une autre.

### 9.3.1 L'approche structurale de la personnalité : traits de caractère et différences entre les individus

La personnalité, ce système assurant la cohérence du comportement individuel, renvoie donc aux caractéristiques internes qui se maintiennent dans le temps. Cette constance, jointe au fait que ces caractéristiques n'appartiennent pas à l'environnement mais à la personne, fait qu'il est possible de relever des traits du comportement chez un même individu à travers les contextes et à travers le temps. Ces traits peuvent se grouper pour former des ensembles, des types de personnalité, ce qui permet de parler de structure de la personnalité. La notion de structure de personnalité renvoie justement à l'organisation de différentes dispositions (traits de caractère, besoins, tendances, habitudes, motivations, etc.) dans des ensembles plus ou moins grands, organisés selon une hiérarchie de fonctions. Ainsi, la personnalité peut être envisagée du point de vue de sa structure, ce qui soulève alors la question de la détermination et de l'organisation de ses éléments constitutifs.

Selon Caprara et Cervone (2000), bon nombre de chercheurs s'entendent pour dire que la première étape dans l'étude de la personnalité consiste à préciser les différences entre les individus. Toutefois, pour pouvoir mesurer ces dernières, il faut d'abord avoir déterminé les points sur lesquels les individus peuvent être comparés.

Pour ce faire, une méthode typique consiste à évaluer plusieurs caractéristiques psychologiques d'un grand nombre de personnes, puis, à l'aide de l'analyse factorielle, à rechercher le plus petit nombre possible de facteurs expliquant la plus grande partie possible des variations observées d'un individu à l'autre. L'analyse factorielle est un outil statistique servant à repérer la convergence de la variance autour d'un nombre limité d'éléments appelés « facteurs » (Cattell, 1965 ; Guilford, 1959). Ces facteurs sont alors considérés comme les témoins de dispositions psychologiques communes à tous et sous-jacentes à l'expression des différences individuelles. Si, dans plusieurs études indépendantes, ces mêmes facteurs ressortent des analyses, ils peuvent alors être proposés comme facteurs communs à l'organisation de la personnalité de tous les êtres humains. La confirmation répétée du fait que ces facteurs expliquent une bonne partie des différences entre les individus autorise alors l'élaboration d'un modèle de la structure de la personnalité humaine fondée sur ces dimensions. La notion de trait de personnalité est assimilable à ces facteurs qui réunissent sur un axe comportemental plusieurs réponses plus spécifiques. Déjà en 1937, le psychologue américain Gordon Allport rendait compte, dans sa définition du trait de personnalité, de cette idée de réunification, sur

une dimension de plus haut niveau, d'une série de réponses spécifiques : « Le trait est une structure neuropsychique qui a la capacité de rendre plusieurs stimuli fonctionnellement équivalents et de faire naître puis de guider des formes équivalentes de comportements adaptatifs et expressifs. » (Allport, 1937, p. 347.)

### 9.3.2  Le modèle d'Eysenck

Le modèle de structure de personnalité conçu par le psychologue européen Hans Eysenck (1916-1997) correspond bien à cette approche structurelle de la personnalité et nous l'utiliserons maintenant comme témoin de la première catégorie. Dans ses travaux, ce psychologue expérimental a constamment tenté de lier la biologie et la personnalité, c'est-à-dire de déterminer les rapports qui unissent les réactions physiologiques les plus élémentaires d'une personne et la structure de sa personnalité (Eysenck, 1967, 1970, 1972, 1990). Au nombre des éléments faisant partie de sa méthode figurent la collecte de données sur le rythme cardiaque, la conduction palmaire (*galvanic skin response*), la pression sanguine (en vue de mesurer, selon la méthode expérimentale, la

Hans Eysenck

réactivité des individus face à différents stimuli), l'observation du comportement en situation et, bien sûr, la réponse à des tests standardisés de personnalité. Le tableau 9.1 présente un certain nombre de questions que l'on trouve dans l'inventaire de la personnalité d'Eysenck.

En tant que béhavioriste, Eysenck a toujours reconnu l'influence de l'apprentissage sur le comportement, mais il estimait que les différences individuelles s'expliquaient par l'héritage génétique, et il s'intéressait surtout à l'étude du tempérament, notion que nous examinerons en détail à la section 9.7. Selon lui, la personnalité repose sur trois grandes dimensions ou « supertraits » de personnalité : le psychotisme, l'extraversion et le névrotisme (PEN). Chaque « supertrait » de ce modèle PEN est un axe du tempérament qui met en jeu deux tendances contradictoires reposant sur une série de traits, eux-mêmes reposant sur des habitudes qui, elles-mêmes, relèvent de réponses comportementales plus spécifiques. La section B de la figure 9.1 illustre ce type d'organisation hiérarchique de la personnalité.

Le « psychotisme » a été ajouté plus tardivement au modèle afin d'augmenter sa capacité d'explication des traits de personnalité des individus atteints de psychopathologies. Il ne concerne pas seulement les personnes atteintes d'une psychose[1] : il sert aussi à déterminer le pourcentage de la population en général qui est exposée à connaître ce type de trouble, l'autre pôle de cet axe étant la socialisation. La dimension « psychotisme » repose sur des traits comme l'insensibilité sociale, la dureté de caractère, l'égocentrisme, le dogmatisme, etc. Au pôle

« socialisation » se rattachent des traits contraires (empathique, chaleureux, généreux, souple, etc.). Selon Eysenck, un niveau de testostérone élevé serait un élément physiologique déterminant dans l'apparition du psychotisme, ce qui désavantage évidemment les hommes.

Le « névrotisme » est lié à l'instabilité émotionnelle et à la réactivité du système nerveux sympathique. Il comporte des traits tels que l'anxiété, l'irritabilité, la culpabilité, le manque d'autonomie, la dépression, etc. L'autre pôle de cet axe est la stabilité, à laquelle sont associés des traits comme le calme, l'insouciance, la bonne humeur, la jovialité. Une personne normale peut présenter un indice élevé de névrotisme et, cependant, montrer beaucoup d'énergie et de motivation dans certaines situations ; mais le fait qu'elle est très sensible à la stimulation et au stress l'expose à connaître la névrose[2].

Il existe aussi un axe qui oppose les extravertis et les introvertis. Les variations individuelles sur cet axe seraient dues à des causes neurophysiologiques : il y aurait un niveau optimal d'activation du cortex cérébral et la performance individuelle diminuerait en proportion de l'écart par rapport à ce niveau. Le cortex des personnes extraverties aurait tendance à être sous-activé et ces dernières rechercheraient alors une stimulation externe qui leur permette d'atteindre un niveau optimal d'activation corticale. À l'inverse, les personnes introverties seraient constamment suractivées et elles auraient tendance à atteindre leur zone optimale d'activation en évitant la stimulation externe et en recherchant le calme (Eysenck, 1967 ; Pervin et John, 2001). Les traits dominants liés à cette dimension sont, entre

**Tableau 9.1**    Questions que l'on trouve dans l'inventaire de la personnalité d'Eysenck

| |
|---|
| Est-ce que vous aimez éprouver des émotions intenses ? |
| Est-ce que votre humeur connaît souvent des hauts et des bas ? |
| Êtes-vous facilement froissé dans vos relations avec les autres ? |
| Diriez-vous que vous êtes une personne pleine de vie ? |
| Aimez-vous faire des choses qui exigent beaucoup de minutie ? |
| Êtes-vous une personne nerveuse ? |
| Avez-vous souvent le sentiment d'être inférieur aux autres ? |
| Est-ce qu'il vous déplaît de travailler seul ? |

1    Maladie mentale qui affecte gravement le comportement et qui est caractérisée par une perte de contact avec la réalité qui n'est pas reconnue par la personne.

2    Trouble psychologique qui se caractérise par de l'angoisse, des phobies, des obsessions, et dont la personne est consciente mais qu'elle n'arrive pas à contrôler.

**Figure 9.1**    Relations entre les trois dimensions PEN du modèle de la personnalité d'Eysenck et traits
à la base de chaque dimension selon Eysenck (1990)

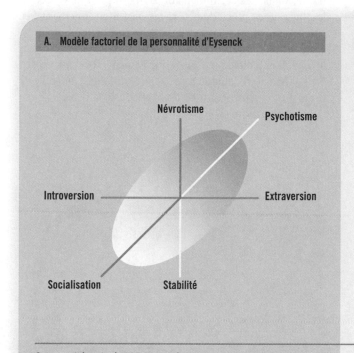

**A. Modèle factoriel de la personnalité d'Eysenck**

**B. Traits à la base de chaque dimension du modèle de la personnalité**

| Psychotisme/ Socialisation | Extraversion/ introversion | Névrotisme/ stabilité |
|---|---|---|
| Agressif | Sociable | Anxieux |
| Assuré-confiant | Irresponsable | Déprimé |
| Égocentrique | Dominant | Se sent coupable |
| Antipathique | Irréfléchi | Faible estime de soi |
| Manipulateur | Avide de sensations | Tendu |
| Performant | Impulsif | D'humeur changeante |
| Dogmatique | Prend des risques | Hypochondriaque |
| Masculin | Fait des gestes expressifs | Dépendant |
| Intransigeant | Actif | Obsessif |

Source: Adaptée de H.J. Eysenck (1990), Biological dimensions of personality, dans L.A. Peroin (dir.), *Handbook of Personality: Theory and Research*, New York, Guilford, p. 244 à 276.

autres, la sociabilité, la responsabilité, la réflexivité, l'expressivité et l'activité.

Dans son modèle PEN, Eysenck propose une structure fondée sur trois axes, mais il insiste sur le fait qu'il faut prendre en compte les relations entre les différentes dimensions, notamment entre les dimensions « extraversion/introversion » et « névrotisme/stabilité » (Eysenk, 1970).

Le modèle des cinq grands facteurs (*the big five*) décrit plus loin (voir le tableau 9.4 à la page 272) est un autre exemple probant de cette approche qui, à partir des traits partagés par tous, définit la structure de la personnalité.

La recherche d'une structure de traits fondée sur la biologie et valable pour tous les humains a été un des centres d'intérêt des théoriciens qui s'intéressaient à la personnalité au XXᵉ siècle et on continue aujourd'hui d'étudier cette question. Toutefois, il est loin d'être certain que l'on puisse entièrement comprendre l'être humain simplement en classant les différences interpersonnelles. Comme le comportement d'une personne peut varier, il est important de comprendre comment celle-ci arrive à s'ajuster et comment elle se développe dans le temps. Différents mécanismes psychologiques agissent simultanément et leurs relations réciproques varient suivant les contextes affectifs et sociaux dans lesquels la personne se trouve. La structure de la personnalité, même si elle revêt une grande importance, ne peut expliquer le comportement à elle seule. Elle doit être complétée par la connaissance de la dimension dynamique du système, celle qui concerne le fonctionnement de la personnalité et son développement.

### 9.3.3    L'approche dynamique de la personnalité : fonctionnement et développement

La personnalité n'est pas seulement une structure formée d'un ensemble de dimensions ; elle est aussi une entité dynamique pouvant être considérée en tant que processus. Deux axes se définissent alors : *a*) le fonctionnement de la personnalité ; et *b*) le développement de la personnalité. Dans son axe « fonctionnement », l'étude de la personnalité tente d'apporter une réponse aux questions suivantes : Comment la personnalité fonctionne-t-elle ? Quels sont les mécanismes qui régissent son fonctionnement ? Comment ses différentes composantes interagissent-elles pour influencer le comportement ? Bref, comme la personnalité joue un rôle dans la régulation du comportement, l'actualisation de ce rôle met en jeu différents mécanismes dont la recherche scientifique tente de comprendre le fonctionnement.

Par ailleurs, en tant qu'ensemble de caractères propres à une personne, la personnalité n'apparaît pas du jour au lendemain ; elle est plutôt le résultat d'une élaboration progressive qui se fait au contact du milieu. Le développement constitue ainsi un autre axe du « processus » de la personnalité et son étude donne lieu à des questions telles que celles-ci : Quelles sont les origines de la personnalité ? De quelle manière les caractères propres à un individu se modifient-ils au cours de la vie ? Comment distinguer ce qui est commun à tous de ce qui est propre à chacun ? En quoi l'environnement influe-t-il sur la construction de la personnalité ? En quoi l'individu lui-même peut-il orienter le développement de sa personnalité ?

Alors que la première catégorie d'approches théoriques de la personnalité s'intéresse à la structure, aux traits de personnalité et aux différences individuelles, la seconde catégorie regroupe les éléments qui mettent en évidence les mécanismes sous-jacents aux dispositions individuelles, les processus à la base du fonctionnement de la personnalité. Il s'agit non pas de conclure que l'étude des dispositions ou des traits importe peu, mais plutôt de faire plus que de dresser une nomenclature de traits plus ou moins universels (phénotypes) et d'examiner les processus affectifs, cognitifs et sociaux qui assurent l'adaptation de l'individu à la réalité.

### 9.3.4 Le développement de la personnalité selon Freud

La théorie la plus connue du fonctionnement et du développement de la personnalité est probablement celle qui a été édifiée par Freud (1856-1939), le père de la psychanalyse. Médecin psychiatre né en Moravie en 1856, il a conçu sa théorie en s'appuyant sur l'étude clinique de patients présentant des problèmes émotionnels. La psychanalyse intègre une dimension structurale de la personnalité, mais c'est la dimension dynamique qui y occupe la plus grande place dans ses volets « fonctionnement » et « développement », ce qui justifie l'appellation de théorie « psychodynamique » de la personnalité. C'est parce que le fonctionnement et le développement sont au centre de la théorie freudienne de la personnalité que celle-ci nous paraît représentative de la seconde catégorie d'approches théoriques.

Sigmund Freud

**La dynamique personnelle**

Pour Freud, c'est l'affectivité qui est le moteur de la vie mentale et c'est la biologie qui fournit l'énergie à ce moteur à travers les deux instincts de base. Le premier est l'instinct de vie, aussi appelé « éros », qui transmet des demandes relatives à la survie, à l'amour, à la sexualité, etc. L'énergie provenant de l'instinct de vie s'appelle la « libido ». Le deuxième instinct est l'instinct de mort,

« thanatos », qui commande les pulsions de haine, d'agression, de destruction.

Les besoins instinctuels du corps font surgir des désirs, des tensions que l'individu cherche naturellement à réduire en trouvant une satisfaction, laquelle procure du plaisir. L'adaptation individuelle est ainsi le résultat d'opérations de réduction de tensions et elle sera d'autant plus réussie que l'équilibre psychique sera maintenu par le mécanisme utilisé pour satisfaire les besoins. La tendance naturelle à satisfaire les diverses pulsions est nommée « principe du plaisir » dans la théorie freudienne. Cependant, puisque la satisfaction immédiate des besoins est rarement possible dans la réalité, l'enfant doit apprendre à accepter les délais, à vivre avec ses tensions, bref il doit apprendre à gérer les conflits entre ses désirs et les exigences sociales. Ce contrôle imposé par la société sur la satisfaction immédiate des désirs, Freud l'appelle « principe de réalité ». La dynamique de tension et de réduction de tension est au cœur de la conception freudienne de la vie psychique. Les mécanismes utilisés par l'individu pour résoudre les conflits entre les désirs et la réalité ou encore entre des désirs contradictoires issus de l'instinct de vie et de l'instinct de mort définissent un profil de personnalité propre à chacun. Les solutions utilisées pour faire face aux conflits entre les pulsions et les exigences du milieu se raffinent à mesure que la personnalité se développe et elles consistent à recourir à divers mécanismes de défenses en vue d'assurer tant bien que mal l'équilibre psychique.

Dans la théorie freudienne de la personnalité, chaque stade du développement psychique correspond à la zone corporelle contribuant le plus au plaisir psychosexuel. À mesure qu'il y a maturation sur le plan psychique, cette zone de plaisir se déplace de la bouche vers l'anus, puis vers les organes génitaux. Dans le premier stade, la bouche est la principale zone de satisfaction des besoins : c'est le stade oral. Le deuxième stade fait intervenir la zone anale, et la réduction de tension est alors assurée par le contrôle des sphincters. Le stade phallique constitue le troisième stade du développement psychique : la région génitale devient la principale zone de satisfaction des besoins.

Chaque stade de développement comporte l'association d'une zone pulsionnelle (la bouche, par exemple) et d'un objet privilégié de satisfaction (le sein). Chacun des stades met également en jeu des conflits liés aux tensions suscitées par les délais de satisfaction des pulsions dans la zone concernée. L'enjeu du stade est de trouver un équilibre entre des forces opposées : le stade est surmonté lorsqu'un équilibre satisfaisant est établi par l'enfant. À chaque stade, l'enfant développe donc des relations déterminées avec les objets désirés, tant en situation de tension que de réduction de tension. Ces relations donneront lieu à un équilibre relatif et constitueront la base d'une dynamique psychique durable.

Le passage au stade suivant ne peut se faire que si les conflits liés au stade en cours sont résolus par l'atteinte d'un équilibre qui apaise les tensions. Si, par exemple, la frustration à l'égard du sein domine et si les besoins oraux ne sont pas satisfaits, il y aura fixation de l'énergie libidinale sur la zone orale. De même, si le rapport avec le sein (la nutrition) est tel que l'enfant obtient sans délai le plaisir oral, il n'y aura pas d'équilibre entre tension et gratification, et l'énergie libidinale restera fixée au stade oral. La fixation à un stade a pour effet que le sentiment qui a dominé au cours du stade (frustration ou gratification excessive) se prolongera jusqu'à l'âge adulte.

Selon Freud, la dynamique de relation d'objets expérimentée à un stade donné ne disparaît pas au suivant, mais subsiste avec ses gains et ses nœuds de tension non résolus (fixations). C'est inconsciemment que les carences dans la satisfaction des besoins primaires de l'enfance, ou au contraire les surinvestissements à l'égard de certains objets de satisfaction, donneront lieu aux fixations, et c'est sur le plan symbolique que les déséquilibres vécus aux stades antérieurs continueront d'agir dans la personnalité. Ainsi, un enfant sevré brutalement peut éprouver de l'anxiété à la suite de la privation de sa principale source de satisfaction et avoir par la suite une préoccupation excessive à l'égard de l'oralité, c'est-à-dire une fixation orale. Symboliquement, ces fixations détermineront les capacités futures d'adaptation du fait qu'elles formeront des complexes non liquidés. À l'âge adulte, de telles fixations pourront influer sur les rapports que la personne a avec la nourriture ou l'argent, et ainsi maintenir une tension dans la personnalité.

Pour résoudre ces problèmes psychiques, Freud propose la psychanalyse, une méthode fondée sur un retour sur les expériences personnelles antérieures et sur l'exploration de l'inconscient par le moyen de l'analyse des rêves, de la libre association d'idées ou de l'hypnose.

### Les trois zones psychiques : le ça, le moi et le surmoi

Sur le plan structurel, cette dynamique de la personnalité s'inscrit dans un espace défini par trois zones psychiques qui se différencient progressivement au cours du développement : le ça, le moi et le surmoi. Au début, le ça, réservoir des pulsions instinctuelles, occupe toute la place. Alors que l'environnement s'oppose souvent aux demandes pulsionnelles et provoque des frustrations en imposant des délais dans la satisfaction, le moi émergera comme arbitre entre les pulsions du ça et les exigences du milieu. Le moi contrôle les pulsions en vue de répondre aux exigences du milieu et ramène les tensions à un niveau acceptable. Plus le moi est fort dans son rôle, plus la personnalité est équilibrée. Enfin, le surmoi correspond à une zone de l'espace psychique où sont progressivement intériorisés les exigences de la réalité, les interdits parentaux, les règles sociales. Le surmoi veille au respect des règles de conduite, des principes moraux. Au début, ces règles sont dictées par les parents et les autres agents de socialisation. Progressivement, l'enfant les intériorise, il les fait siennes par identification au milieu, ce qui amène le passage de l'hétéronomie à l'autonomie. Ces différentes instances de la structure psychique sont donc plus que des espaces puisqu'elles jouent un rôle important dans la dynamique mentale. Cependant, la personne n'est consciente que d'une partie seulement de son activité psychique, le reste étant enfoui dans l'inconscient.

### Les stades du développement psychosexuel

Le développement psychique de l'enfant passe donc par quatre stades. Le tableau 9.2 indique les âges où l'enfant franchit chacun des stades. Au cours du stade oral qui va

**Tableau 9.2** Les stades du développement psychique selon Freud

| Stade du développement psychique | Âges |
|---|---|
| Stade oral | De la naissance à 1 an |
| Stade anal | 1 an à 3 ans |
| Stade phallique Complexe d'Œdipe | 3 à 5 ans |
| Période de latence | 6 à 11 ans |
| Stade génital | 12 ans |

de la naissance à l'âge de un an environ, c'est la bouche, avec l'ensemble des stimulations orales (succion, déglutition, babillage, etc.), qui est la zone privilégiée de satisfaction des pulsions, la fonction nutritive étant alors le principal mode de contact avec le monde environnant. Le stade oral trouve sa conclusion avec le sevrage, étape où l'enfant doit supporter la privation du sein et de la chaleur qu'il procure. La capacité de supporter cette privation représente un gain important dans la structuration de la personnalité.

Avec le stade anal, entre 18 mois et 3 ans environ, la zone privilégiée de stimulation se déplace vers la région anale du corps et le contrôle des sphincters devient le principal objet de l'investissement libidinal. La tension à réduire concerne alors l'opposition entre le plaisir d'expulser les excréments sans délai et l'exigence de contrôle provenant du milieu. Seul l'enfant peut exercer ce contrôle et la maîtrise de la pulsion représente un acquis important pour lui. Le contrôle donne à l'enfant la possibilité de décider s'il retiendra ou laissera aller, acceptera ou refusera dans ses échanges avec les autres. La possibilité de se conformer ou de ne pas se conformer aux exigences de propreté représente un moyen de négociation avec les parents. Une trop grande permissivité pourra provoquer une fixation sur le plaisir d'expulser et amener le développement d'une personnalité désorganisée, insouciante et indifférente aux règles. À l'inverse, un milieu trop rigide provoquera une frustration à l'égard du plaisir de « laisser aller » et, par voie de conséquence, une valorisation excessive du plaisir de « retenir » les matières fécales, ce qui favorisera l'apparition de traits de caractère tels que le contrôle, l'obstination, la passion d'accumuler et la tendance à faire attendre. L'acquisition de la propreté, qui tient compte à la fois des besoins de gratification liés à l'expulsion anale et des exigences du milieu, assurera à l'enfant un équilibre libidinal qui lui permettra de passer au stade suivant sans fixation anale.

Le troisième stade, le stade phallique, s'étend de 3 à 5 ans environ. Les organes génitaux deviennent alors la principale source de satisfaction des pulsions libidinales. L'intérêt pour les organes génitaux s'accompagne de la découverte des différences entre les sexes et de l'apparition du désir inconscient de l'enfant de posséder le parent du sexe opposé et d'évincer le parent du même sexe. Ce désir incestueux est inacceptable pour le milieu et entraîne un conflit psychique que Freud a appelé « complexe d'Œdipe ».

L'attachement érotique que l'enfant a pour le parent du sexe opposé est lié à la satisfaction de pulsions relatives à la zone phallique. Le garçon veut posséder sa mère, mais son père fait obstacle, de sorte qu'une rivalité apparaît entre eux. Le garçon est écartelé entre son désir et la peur de la castration par le père. Le désir incestueux et l'évincement de son père n'étant pas acceptables, l'enfant devra surmonter son désir. L'identification au parent du même sexe apparaît alors comme le moyen de résoudre le conflit œdipien. Cette renonciation au désir incestueux est considérée comme une étape importante dans la construction du surmoi.

Une fixation au stade phallique par suite du non-respect des interdits peut provoquer du narcissisme dans la personnalité adulte, c'est-à-dire une vanité et une tendance excessive à satisfaire ses propres fantasmes sans égard à autrui. À l'opposé, l'absence de satisfaction des pulsions par le moyen de l'identification au parent du même sexe peut rendre plus tard l'enfant incapable d'établir des relations hétérosexuelles équilibrées ou favoriser l'homosexualité. La résolution de ces conflits permet à l'enfant de se construire une identité propre à son sexe, ce qui est déterminant pour le franchissement du stade suivant.

Entre 6 et 11 ans environ, il y a un temps d'arrêt dans le développement psychosexuel : c'est la « période de latence » durant laquelle les pulsions sexuelles sont mises en veilleuse. L'enfant concentre alors l'énergie psychique dont il dispose sur son apprentissage social et sur l'acquisition de diverses habiletés. L'enfant qui a trouvé un moyen acceptable de résoudre les tensions propres aux stades antérieurs manifeste une grande capacité d'apprendre et ses relations avec son milieu sont généralement satisfaisantes.

La puberté viendra cependant mettre fin à cette période de calme en plaçant de nouveau les organes génitaux au cœur de la recherche de la satisfaction libidinale. La maturation sexuelle et la transformation du corps provoquent alors des tensions très fortes entre les pulsions libidinales et les exigences du milieu. Il en résulte alors une série de conflits dont l'issue sera l'entrée plus ou moins réussie dans le monde adulte avec ce que cela comporte d'autonomie, de maîtrise de soi et de cohérence sur le plan de l'identité. Accepter les changements corporels qui se produisent, agrandir son territoire émotionnel, sexuel et social et, en même temps, répondre aux nouvelles exigences du milieu font partie des tâches imparties à l'adolescent. Pour traverser avec succès cette période de changements majeurs, ce que 85 % des jeunes arrivent à faire, l'enfant doit utiliser toute son énergie psychosexuelle. C'est à ce moment que les conflits antérieurs non résolus referont surface et empêcheront l'adaptation à la réalité.

La théorie élaborée par Freud a été reprise par bon nombre de psychologues qui s'intéressaient au développement de la personnalité. Les approches psychodynamiques postfreudiennes (telles que celles d'Erikson, Anna Freud, Hartman, Klein, Mahler) ont apporté des modifications au modèle initial, mais elles ont retenu l'explication dynamique du fonctionnement et du développement de la personnalité.

### Les mécanismes de défense

Dans la perspective freudienne, l'adaptation résulte de l'équilibre entre la satisfaction des pulsions libidinales et les exigences du milieu. C'est le moi qui est chargé de trouver cet équilibre entre les pulsions qui viennent du ça et les demandes du milieu reflétées par le surmoi. Dans la recherche de réduction de la tension, source de satisfaction libidinale, il n'est pas toujours possible au moi de trouver un objet qui puisse satisfaire la pulsion tout en respectant les contraintes du milieu. C'est alors que des moyens indirects de satisfaction peuvent être utilisés par le moi pour déguiser ou réduire l'anxiété liée à la tension pulsionnelle et ainsi protéger le sujet. Anna Freud (1936a, 1936b) identifie 10 mécanismes de défense, alors que les psychanalystes français Ionescu, Jacquet et Lhote (1997) en reconnaissent 29. Comme il n'y a pas lieu ici d'examiner en détail la dynamique de ces mécanismes, nous mentionnerons simplement que, bien avant l'âge de 12 ans, les enfants utilisent certains types de mécanismes assez frustes pour faire face aux situations difficiles et que l'utilisation qu'ils font des mécanismes de défense donne des indications sur leur manière d'affronter les obstacles. Le tableau 9.3 (page 266) décrit six mécanismes de défense auxquels l'enfant a recours : le refoulement, le retrait, la régression, le déni, le déplacement et la projection.

**Tableau 9.3** Mécanismes de défense décrits par Freud

| Mécanismes de défense | Description |
|---|---|
| Refoulement | Par le refoulement, l'enfant empêche des désirs, des pensées ou des souvenirs pénibles d'accéder à la conscience. Le sentiment peut rester conscient mais détaché des représentations qui en sont la cause. Par exemple, l'enfant ressent de la tristesse, mais il ne réalise pas qu'elle est due à la perte que représente la séparation d'avec ses parents. |
| Retrait | L'enfant évite de faire face à la situation aversive ou anxiogène. Par exemple, l'enfant intimidé par des cousines qui doivent venir chez lui ira se cacher pour ne pas les voir. |
| Régression | L'enfant présente des comportements se rattachant à des stades antérieurs de son développement. Par exemple, à la suite de la naissance d'un frère ou d'une sœur, l'enfant se remettra à sucer son pouce ou à faire pipi au lit. |
| Déni | L'enfant refuse d'admettre l'existence de la situation ou de l'événement qui le stresse ou il nie son affect par rapport à cette situation ou cet événement. Par exemple, il niera être vexé par le fait de ne pas être invité par son groupe à prendre part à une activité pour laquelle il a manifesté de l'intérêt. |
| Déplacement | L'enfant transfère sur un autre objet la pulsion liée à une représentation interdite, se détache d'elle et se tourne vers une représentation plus neutre et plus acceptable, reliée à la première par une chaîne associative. Ainsi, l'enfant aura un objet fétiche tel qu'un morceau de tissu (« doudou »), lequel remplace pour lui la mère absente. |
| Projection | L'enfant attribue à d'autres personnes des pensées, des émotions ou des désirs qu'il refuse d'admettre comme siens. Par exemple, l'enfant dira à son ami qu'il ne sait pas jouer aux billes plutôt que de s'avouer à lui-même qu'il a peur de perdre. |

Sources : S. Freud (1963), Au-delà du principe du plaisir, dans *Essais de psychanalyse,* Paris, Payot ; A. Freud (1936a), *Le Moi et les mécanismes de défense,* Paris, PUF ; S. Ionescu, M.-M. Jacquet et C. Lhote (1997), *Les mécanismes de défense, Théorie clinique,* Paris, Nathan.

## 9.4 LES FACTEURS INFLUANT SUR LE DÉVELOPPEMENT DE LA PERSONNALITÉ

Trois principaux facteurs interviennent dans le développement de la personnalité : l'hérédité, le milieu et la personne elle-même (Caprara et Cervone, 2000). L'hérédité détermine la formation et le fonctionnement du système neurologique de sorte que, au moment de la naissance, les bases individuelles des processus mentaux sont déjà en place. Dès le stade fœtal (à partir de la neuvième semaine de gestation), les organes biologiques entrent en relation avec le milieu utérin pour établir un répertoire comportemental structuré. L'enfant est alors pleinement actif ; il fait plus que de simplement réagir face aux stimulations (Mélen, 1999). Les expériences vécues au cours de l'enfance dans le milieu physique et social vont continuer d'influer sur le développement du cerveau et la vie mentale de l'enfant. Le bagage héréditaire en constituera toujours la base du développement, mais son expression sera influencée par le milieu physique et social ainsi que par l'activité de l'enfant lui-même. L'expression du bagage héréditaire dépend du contexte :

Des contextes sociaux différents amènent le développement de compétences et de croyances différentes. Ces processus psychologiques donnent progressivement naissance à des structures psychologiques stables, lesquelles, à leur tour, guident le déclenchement d'autres processus socio-cognitifs. L'étude de cette dynamique permet de voir que la personnalité est un système stable, constitué non pas seulement de tendances affectives ou comportementales, mais aussi de connaissances sur soi, assurant ainsi la cohérence et la continuité de l'expérience personnelle, malgré les changements de situations. (Caprara et Cervone, 2000, p. 125-126.)

### 9.4.1 L'hérédité

Il est maintenant établi que la génétique joue un rôle déterminant dans le développement de la personnalité, surtout en ce qui concerne les dispositions de base du tempérament telles que le niveau d'activité ou la timidité, et moins sur le plan des dispositions complexes comme les croyances, les valeurs morales, etc. En raison de leur apparition précoce et de leur persistance au cours de la vie, des traits de caractère tels que la timidité peuvent être considérés comme fortement déterminés par la génétique (Kagan, 1999). Le fait que certains caractères sont communs à tous les membres de l'espèce est un autre argument militant en faveur de l'origine génétique de la personnalité. Ainsi, les enfants de tous les pays éprouvent des émotions comme la joie, la tristesse, la colère (Gosselin et Simard, 1999). Le chapitre 2 du présent ouvrage étudie les fondements biologiques du comportement et la section 9.7, portant sur le tempérament, précise le rôle de l'hérédité dans les dispositions des individus.

### 9.4.2    Le milieu

À plusieurs reprises, dans le présent livre, nous avons eu l'occasion de souligner le rôle joué par l'expérience dans le devenir de la personne. La famille, au-delà de la filiation biologique, exerce une influence déterminante sur le développement psychologique en tant qu'elle est le lieu où s'établissent les premiers attachements et les premiers modèles relationnels et où se déroulent les expériences affectives qui conditionnent l'image que l'enfant a de lui-même et du monde qui l'entoure. Les pratiques éducatives des parents, la façon dont ces derniers assument leur rôle en tant que premiers agents de socialisation, ont des répercussions sur la personnalité de l'enfant. La famille détermine aussi la niche socio-économique occupée par l'enfant, sa culture, ses valeurs morales et spirituelles, autant de facteurs qui agissent sur sa personnalité. Les amis et l'école font vivre à l'enfant des expériences qui le distinguent et qui, avec le patrimoine héréditaire dont il hérite, contribuent à expliquer les différences de personnalité que l'on observe entre lui et ses frères et sœurs.

L'ajustement réciproque entre le profil personnel de l'enfant et les pratiques parentales dans la famille a fait l'objet d'un modèle appelé *goodness of fit* élaboré par Thomas et Chess (1977). Selon ces auteurs, l'ajustement réciproque entre la personnalité de l'enfant et les façons de faire des parents est nécessaire à la réussite du développement de l'enfant et au bien-être de la famille. La réalisation de cet ajustement exige des parents qu'ils tiennent compte des particularités de l'enfant. Cependant, cet ajustement suppose aussi que l'enfant fait des progrès pour répondre aux attentes de son milieu. Dans la plupart des cas, un bon degré de correspondance est atteint entre les pratiques parentales et le profil de l'enfant, ce qui amène de bonnes relations entre l'enfant et son milieu et un bon niveau de bien-être personnel de

l'enfant. Ainsi, les parents vont aménager la maison de façon à éviter que le jeune enfant casse des objets fragiles ou se fasse mal en heurtant des obstacles ou tombe à cause d'une dénivellation du plancher. Les parents d'une fillette réservée éviteront naturellement de la placer dans des situations où elle doit prendre des initiatives qu'elle est incapable d'assumer ; ils l'aideront en revanche à développer ses relations sociales en accueillant de bonne grâce ses amies et en suggérant à celles-ci des activités susceptibles de l'intéresser. En retour, la fillette respectera les règles établies et satisfera aux attentes que les adultes qui s'occupent d'elle entretiennent à son égard. Dans certains cas, il arrive que l'ajustement réciproque ne se fasse pas naturellement, soit parce que les particularités de l'enfant imposent de lourdes charges à son milieu, soit parce que les parents ont de la difficulté à comprendre la personnalité de leur enfant. L'association la plus problématique est celle d'un enfant difficile et de parents immatures. Par exemple, l'association d'un garçon irritable, instable émotionnellement et très turbulent avec des parents rigides, insensibles et ayant des attentes irréalistes comporte un risque très élevé d'inadaptation. Dans ce cas, non seulement le chemin à faire pour rejoindre l'autre est-il plus long, mais les nombreux échecs de part et d'autre provoquent chez les intéressés de la frustration et des sentiments négatifs qui ne font qu'augmenter la probabilité de voir le climat devenir intenable dans le futur. Le développement de l'enfant peut être sérieusement compromis par une telle incompatibilité mutuelle ; on observe en effet que bon nombre d'enfants présentant des problèmes de comportement sérieux ou d'autres troubles psychologiques subissent les effets de l'absence de *goodness of fit*. Pourtant, il existe des parents qui arrivent, avec patience, détermination et beaucoup d'amour, à apprivoiser un enfant très difficile et à l'amener à faire des progrès satisfaisants pendant l'enfance et l'adolescence. Il existe aussi des enfants très déterminés qui parviennent à maintenir une relation harmonieuse avec des parents névrotiques, rigides, sévères et peu compréhensifs (Kagan et Zentner, 1996 ; Rutter et Rutter, 1993).

### 9.4.3    Le rôle de l'enfant dans le développement de sa personnalité

Avant même qu'il naisse, l'enfant prend une part active dans ses relations avec le milieu. Dans le développement de sa personnalité, l'enfant est donc non pas un sujet passif subissant les influences de l'hérédité et du milieu, mais un agent actif de son propre développement. L'affirmation de Jean Piaget selon laquelle l'enfant est responsable de son développement cognitif a été appliquée dans le domaine du développement de la personnalité (Caprara et Cervone, 2000). Un enfant qui a tendance à être agité amènera généralement les adultes qui s'occupent de lui à intervenir pour le calmer tandis qu'au contraire, un enfant qui a tendance à être passif ou inhibé dans sa famille, à l'école ou ailleurs, conduira son entourage à stimuler son niveau d'activité (Wachs, 1999). Ainsi, l'enfant lui-même provoque des réactions variables de la part de ses proches, ces derniers prenant part à la recherche d'un équilibre relationnel, comme le suggère la notion de niveau optimal (*goodness of fit*). Évidemment, cette interaction entre les tendances comportementales de l'enfant et la réaction de son milieu social peut varier selon les contextes et les pesonnes. Un enfant de six ans qui se met à crier sa colère provoquera une réaction différente chez son enseignante selon que la scène se passe dans la cour de l'école ou dans la classe. De plus, si l'enseignante débute dans le métier, il est possible que sa réaction différera de celle de sa collègue qui compte 20 ans d'expérience dans cette école, l'expérience pouvant modifier l'interprétation de la situation. Par ailleurs, le même débordement émotionnel de ce même enfant sera perçu différemment par ses camarades de classe. Donc, si le milieu a tendance à s'ajuster au style de comportement de l'enfant, l'ajustement varie selon les personnes et aussi selon les contextes.

Suivant son profil de personnalité, l'enfant sera peut-être amené à vivre certaines expériences : ses goûts le porteront, par exemple, à fréquenter certains lieux et à éviter certaines situations. Un enfant timide a moins de chances de se retrouver dans un groupe de jeunes turbulents qu'un autre qui est extraverti et qui aime beaucoup les sensations fortes. À l'inverse, l'attitude de l'entourage à l'égard de l'enfant peut varier en fonction du profil de ce dernier : les enfants qui ont des problèmes de comportement ont beaucoup plus de mal que les autres à se faire des amis et à les garder. Enfin, la relation entre la personnalité de l'enfant et la probabilité qu'il vive telle ou telle expérience dépend elle-même de facteurs qui n'ont pas de rapport avec la personnalité : le sexe de l'enfant, le milieu dans lequel il grandit, etc.

Les choix opérés par l'enfant entrent aussi en ligne de compte dans cette dynamique. Sans soulever ici la question du libre arbitre, il nous faut reconnaître que l'enfant peut décider de ses activités et de la façon dont

il les accomplit, ce qui, en retour, entraîne un certain type de réponse de la part de son entourage. Le sentiment que l'enfant a de pouvoir contrôler son univers est lié à sa capacité d'agir : son sentiment de puissance, d'être son propre maître, dépend de l'exercice de sa liberté (Bandura, 1997, 1999 ; Bell et Harper, 1977).

## 9.5 PERSONNALITÉ ET AUTORÉGULATION

La capacité de se gouverner soi-même est non pas innée, mais acquise. La plupart des conceptions relatives à cette capacité font référence à un mouvement qui va de l'extérieur vers l'intérieur, du contrôle externe vers le contrôle interne, de l'hétéronomie vers l'autonomie. Ce mouvement dépend de facteurs internes tels que le tempérament et de facteurs externes comme les pratiques parentales. Il n'entre pas dans notre propos d'examiner toutes les conceptions relatives à ce processus complexe ; nous nous bornerons à décrire le modèle conçu par Wendy Grolnick et ses collègues de l'Université Clark au Maryland, lequel nous paraît très représentatif d'une certaine manière d'envisager la maîtrise des émotions (Grolnick, 2003 ; Grolnick, Gurland, Jacob et DeCourcey, 2002 ; Grolnick, Bridges et Connell, 1996 ; Grolnick, McMenamy et Kurowski, 1999). Selon Grolnick, l'être humain a par nature tendance à agir sur son environnement interne et son environnement externe afin de les maîtriser, de les organiser. Cette tendance innée est renforcée par la motivation de l'individu. C'est cette dernière qui pousse à rechercher la nouveauté, à accomplir des actions difficiles. Selon la conception de Grolnick, trois besoins psychologiques innés sont à la base de la motivation intérieure : *a*) le besoin d'autonomie lié au sentiment que l'action émane de soi ; *b*) le besoin de compétence, c'est-à-dire le besoin d'exercer son pouvoir sur son environnement interne et son environnement externe ; et *c*) le besoin d'appartenance sociale, c'est-à-dire le besoin de faire partie d'un groupe de personnes. Dans cette optique, l'enfant va chercher spontanément à devenir autonome, à acquérir des compétences et à établir des relations dans son milieu. Appliquée à la maîtrise des émotions, la thèse suggère que les enfants deviennent autonomes dans la mesure où ils sont capables de maîtriser leurs émotions. Cette autonomie ne s'obtient pas par un contrôle exercé de l'extérieur ; elle s'oppose à la tendance à se laisser submerger par ses émotions. Le succès dans la maîtrise des émotions contribue à satisfaire le besoin de compétence. À mesure qu'il acquiert la maîtrise de ses émotions, l'enfant est de plus en plus capable de répondre aux attentes du milieu relatives aux émotions et ainsi de pourvoir à son besoin d'appartenance en établissant des relations sociales satisfaisantes pour lui et pour les autres. Les sources de satisfaction des trois besoins (autonomie, compétence et appartenance) sont donc étroitement liées entre elles: l'enfant veut apprendre à maîtriser ses émotions, ses efforts satisfont son désir d'autonomie, ses réussites alimentent son sentiment de compétence et préservent la qualité de ses relations interpersonnelles, ce qui répond à son besoin d'appartenance. Grolnick, McMenamy et Kurowski (1999) font à cet égard la distinction entre autocontrôle et autorégulation. L'enfant qui a appris les règles de conduite et qui les applique même en l'absence de l'adulte responsable fait preuve d'autocontrôle, mais son comportement est rigide, car ce n'est pas lui qui a fixé les règles; il doit s'y conformer, sans égard au contexte. Dans l'autorégulation, la souplesse est plus grande parce que c'est l'enfant qui décide de la règle à appliquer dans tel ou tel contexte, ce qui lui permet d'ajuster son action et d'éprouver, ce faisant, un sentiment de compétence.

Selon Grolnick, Bridges et Connell (1996), l'autorégulation émotionnelle chez l'enfant repose sur deux éléments solidaires l'un de l'autre: la réactivité émotionnelle et les stratégies de régulation émotionnelle. La réactivité émotionnelle renvoie à la sensibilité aux stimuli telle que reflétée par l'intensité de l'expression émotionnelle face à la stimulation (composante externe) et par l'intensité de l'expérience interne face à la même stimulation (composante interne). Ces facettes externe et interne de la réactivité émotionnelle peuvent être décrites selon leur amplitude, leur délai de manifestation ou leur durée. Les stratégies d'autorégulation émotionnelle renvoient aux différents comportements pouvant être utilisés pour maîtriser ou modifier les réponses émotionnelles. Globalement, le développement s'accompagne d'une évolution à partir des modalités passives et réactives de contrôle émotionnel jusqu'à des modalités plus actives et proactives. Grolnick, McMenamy et Kurowski (1999) ont défini trois groupes de stratégies basés sur l'observation des enfants. Le premier groupe concerne les comportements utilisés pour détourner l'attention des stimuli excitants; ces comportements pouvant consister à recourir à des objets distrayants. Des études ont montré que la capacité de rediriger son attention est liée à des niveaux plus bas d'expression émotionnelle négative chez l'enfant. Le deuxième groupe de stratégies concerne des comportements destinés à apporter du réconfort face au stimulus excitant: sucer son pouce, rechercher le contact avec la mère, se parler à soi-même ou imiter un comportement quelconque de façon à diminuer la tension. Enfin, le troisième groupe de stratégies est lié aux conduites centrées sur l'objet manquant ou désiré (réclamer sans cesse sa mère absente, répéter le nom de l'objet désiré, etc.); les stratégies de ce type sont plutôt inefficaces, car elles ont pour effet d'augmenter le stress ou la détresse chez l'enfant.

Le tempérament de l'enfant et le comportement des parents sont considérés comme les deux principaux éléments influant sur le développement de la régulation émotionnelle. En ce qui concerne le tempérament, par exemple, on observe que, lorsqu'ils subissent un stress, les enfants anxieux ont tendance à adopter des stratégies passives de contrôle de leurs émotions telles que sucer leur pouce ou rechercher le contact avec la mère, alors que les enfants confiants mettent en œuvre des stratégies plus actives telles que se livrer à des jeux distrayants (Grolnick, McMenamy et Kurowski, 1999). Par ailleurs, pour que l'autorégulation puisse s'installer, les adultes responsables de l'enfant doivent lui fournir la structure, être attentifs à ses besoins et l'aider à devenir autonome. Par structure, on entend des cadres cohérents d'expérience dans lesquels l'enfant peut observer des modèles et apprendre à employer des stratégies de contrôle émotionnel en rapport avec ses capacités. Être attentif aux besoins de l'enfant, cela signifie qu'on l'encourage à demander de l'aide lorsqu'il éprouve des difficultés pour lui éviter de se laisser submerger par l'émotion et de subir un échec. Enfin, aider l'enfant à devenir autonome, c'est l'encourager à bâtir et à pratiquer lui-même des stratégies de contrôle émotionnel en le secondant dans ses efforts sans agir à sa place (Grolnick, McMenamy et Kurowski, 1999). Ces observations faites auprès de jeunes enfants de 3-4 ans et moins ne valent que pour ce groupe d'âge, mais elles permettent néanmoins de comprendre que, dès les premières années de la vie, des différences individuelles apparaissent dans la façon de gérer ses rapports avec son monde intérieur et son monde extérieur. Ces observations montrent aussi que les bases biologiques de la personnalité s'associent avec l'environnement social pour favoriser ou, au contraire, empêcher l'apparition de stratégies d'adaptation permettant à la personnalité de se constituer.

## 9.6  LES ATTENTES D'EFFICACITÉ PERSONNELLE

Dans notre examen du développement de la cognition sociale (chapitre 8), nous avons vu que l'enfant développe progressivement une représentation mentale du monde qui l'entoure, de la place qu'il occupe dans celui-ci et de sa pensée sur sa pensée (métacognition). Nous expliquerons en détail au chapitre 11 en quoi l'idée que l'on a de soi, de ses aptitudes, de ses capacités et de sa valeur propre influe sur le comportement et le sentiment de bien-être personnel.

À peu près toutes les acquisitions réalisées au cours de l'enfance contribuent à agrandir la capacité d'autorégulation. Dans les différents types de développement (moteur, affectif, cognitif ou social), les gains de capacité permettent à la personne de mieux s'ajuster à la réalité. Ici, en ce qui a trait à notre examen du développement de l'autorégulation chez l'enfant, la notion d'attentes d'efficacité personnelle proposée par Albert Bandura apparaît très utile (Bandura, 1977, 1986, 1997). Les attentes d'efficacité personnelle sont liées à l'opinion que l'individu a de sa capacité à réussir. Le sentiment d'être capable de soulever un objet, de sauter par-dessus un obstacle, de retrouver son chemin, de réussir à un examen ou de jouer dans l'équipe de soccer de l'école en sont autant d'exemples pour l'enfant. Bandura (1986, 1997) affirme que les attentes d'efficacité personnelle constituent un des éléments moteurs du comportement, et de nombreuses recherches empiriques lui ont donné raison. Si un individu est persuadé qu'il peut faire une chose, la probabilité qu'il y arrive est forte ; inversement, s'il ne croit pas avoir les capacités nécessaires, il est peu probable qu'il réussira dans son entreprise, quelles que soient par ailleurs les récompenses attachées à la réussite. La figure 9.2 illustre la manière dont les attentes d'efficacité personnelle s'insèrent dans le système comportemental. Ce qu'il faut comprendre, c'est que les attentes d'efficacité personnelle sont liées au sentiment de pouvoir accomplir une action et non pas au résultat escompté de l'action ; elles concernent la volonté de réussir et non pas le résultat effectif. Il s'agit de croyances concernant la capacité d'agir de la personne, la maîtrise de son propre comportement.

Ces attentes évoluent suivant les expériences vécues par l'enfant : dès le berceau, le bébé qui réalise qu'il peut se tourner ou se lever en s'aidant des barreaux va acquérir la croyance qu'il peut faire ces choses et les intégrer dans des chaînes de comportements plus complexes par la suite. Tous les jours, les enfants qui fréquentent une garderie accomplissent des actions (réciter un conte, mémoriser une chanson, exécuter un dessin, etc.) qui les confortent dans l'opinion qu'ils ont de leurs capacités. Chaque action réalisée dans le milieu social indique à l'enfant le degré de maîtrise du comportement qu'il a atteint, et l'opinion qu'il a concernant ce qu'il peut ou ne peut pas faire lui est très utile dans les décisions qu'il prend de s'engager ou non dans une voie. Le sentiment de maîtrise du comportement évolue avec les

Figure 9.2    Zone d'insertion des attentes d'efficacité personnelle et des attentes de résultats selon Bandura (1997)

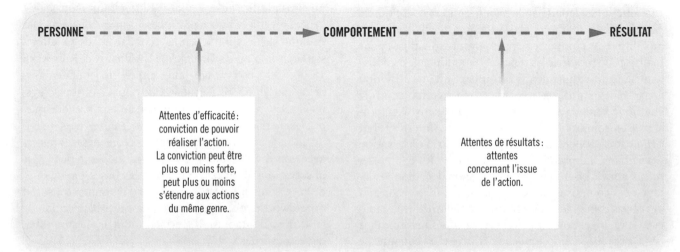

capacités cognitives: le jeune enfant ne peut évaluer les enjeux d'une situation complexe avec autant de précision que son frère plus vieux de cinq ans parce que, du fait que sa capacité à considérer plusieurs éléments à la fois est moins développée, il ne peut apprécier toutes les possibilités (Kaley, 1985; Kaley et Cloutier, 1984). Par ailleurs, il est évident que le sentiment de pouvoir maîtriser son comportement peut être renforcé ou amoindri par l'entourage de l'enfant: un milieu qui soutient les initiatives de l'enfant favorisera ce sentiment tandis qu'un milieu qui les décourage affaiblira celui-ci.

Les attentes d'efficacité personnelle se situent au centre des décisions que prend l'enfant d'accomplir une action. Elles conditionnent par conséquent l'exploration que l'enfant fait de son monde, ce qui en retour influe sur ses acquis développementaux. L'anxiété que l'enfant vit avant et pendant une action dépend de son degré de conviction de pouvoir exécuter celle-ci; un enfant confiant sera moins anxieux au cours de l'exécution de l'action qu'un enfant incertain de pouvoir réussir et dont l'anxiété augmentera le fardeau à porter en cours de tâche. Ces attentes influent aussi sur les objectifs que l'enfant se fixe lui-même; de faibles attentes entraînent de modestes objectifs. Or, comme l'exploitation du

Le sentiment de pouvoir ou de ne pas pouvoir atteindre un but est une base solide de prédiction du résultat du comportement.

plein potentiel de l'enfant dépend de la justesse des objectifs, le réalisme des attentes d'efficacité personnelle devient un atout précieux dans le contrôle de l'expérience (Caprara et Cervone, 2000).

En résumé, les attentes d'efficacité personnelle influent grandement sur la façon dont l'individu exerce le contrôle sur ses choix et sur ses stratégies d'action. Même les acquisitions les plus précieuses ne seront d'aucune utilité si la personne ne se croit pas capable d'en tirer parti. De nombreuses études ont montré que les attentes d'efficacité personnelle ont une valeur prédictive du comportement plus forte encore que les attentes de résultats, c'est-à-dire que la conviction de pouvoir faire une action est un déterminant plus puissant de ce comportement que les résultats escomptés de cette action (Bandura, 1997; Williams et Cervone, 1998). Le contrôle personnel que l'enfant exerce sur sa conduite dépend donc aussi de la perception qu'il a de son efficacité, perception qui est fonction non seulement de son tempérament, mais aussi des expériences que son milieu lui permet ou lui interdit de vivre.

## 9.7 LE TEMPÉRAMENT ET LES BASES BIOLOGIQUES DE LA PERSONNALITÉ

Le tempérament est le père de la personnalité en ce qu'il constitue l'ensemble des dispositions psychologiques déjà présentes à la naissance. Le tempérament découle de l'héritage génétique et il constitue le fondement de la personnalité. La différence entre le tempérament et la personnalité est d'abord une question de temps et de complexité, le premier n'ayant pas encore bénéficié de l'interaction de l'enfant avec son environnement, des apprentissages que provoque l'expérience de la vie. Le tempérament est donc la base constitutionnelle du comportement; c'est la personnalité avec les acquis de l'expérience en moins. Cela dit, il n'est pas toujours facile de distinguer ce qui appartient à l'un et à l'autre, le tempérament continuant de jouer un rôle structurant tout au long de la vie. Les dispositions «tempéramentales» ne sont pas présentes dans toutes les actions que l'on accomplit: une personne irritable peut très bien se comporter de façon indifférente lorsque l'environnement ne stimule pas cette disposition chez elle, c'est-à-dire dans les situations où aucune cause de frustration n'apparaît (Rothbart, Ahadi et Evans, 2000).

L'intérêt pour le tempérament remonte à l'époque de la Rome antique avec la notion de *temperamentum* où les humeurs corporelles étaient considérées comme la source de quatre grandes dimensions (Diamond, 1974). Les individus colériques étaient considérés comme ayant un surplus de bile jaune, les mélancoliques (anxieux et tristes), un surplus de bile noire, les sanguins, un surplus de sang qui les rendait sociables et entreprenants, et les flegmatiques, un surplus de flegme ou de lymphe responsable de leur calme et de leur passivité. Ces quatre types de *temperamentum* ont servi de référence pendant très longtemps, et Eysenck (1967) y faisait référence dans l'explication de sa structure de la personnalité fondée sur les traits biologiques.

Des travaux de grande envergure ont été consacrés au tempérament depuis les années 1960, certains ayant donné lieu à des suivis longitudinaux des mêmes personnes depuis leur enfance jusqu'à l'âge adulte (Allport, 1961; Digman, 1990; McCrea et Costa, 1999; McCrea et John, 1992; Rothbart et Derryberry, 1981; Rothbart, Ahadi et Evans, 2000; Thomas et autres, 1963; Thomas et Chess, 1977). Les situations expérimentales en laboratoire, les questionnaires aux parents, les observations à la maison et les comptes rendus des professeurs sont autant de méthodes utilisées pour recueillir des données sur la façon dont les nourrissons, les enfants, les adolescents ou les adultes se distinguent dans leurs réactions ou leurs actions. Les analyses statistiques complexes requises pour traiter les grandes quantités de données recueillies auprès de vastes échantillons ont grandement profité de l'arrivée de l'ordinateur. Des nombreux modèles structuraux du tempérament qui ont émergé de cet effort de recherche, cinq facteurs ont été reconnus par la communauté scientifique: l'extraversion, la rigueur, l'accommodement, l'ouverture à la nouveauté et la stabilité émotionnelle. Le tableau 9.4 définit ces dispositions de base du tempérament, chaque individu se situant à un point donné sur l'axe défini par les deux caractéristiques qui s'opposent.

### 9.7.1    L'évolution du tempérament

Sachant que le tempérament est un héritage biologique, peut-on dire qu'il évolue ou reste-t-il toujours le même? Comme nous l'avons vu, les différentes dimensions du tempérament sont définies à partir de la convergence d'une foule de comportements particuliers vers des facteurs ou des dispositions qui les rassemblent. Plusieurs études empiriques ont tenté de déterminer si la structure de traits ainsi définie demeurait stable jusqu'à l'âge adulte (Rothbart, Ahadi et Evans, 2000). Cependant, les profils de tempérament mesurés chez les enfants de moins de deux ans ont davantage tendance à changer, comme s'ils n'étaient pas encore fixés. En ce qui concerne la timidité par exemple, seuls les jeunes enfants très timides demeureraient stables, ceux qui obtiennent des scores intermédiaires pouvant évoluer. Ainsi, dans une étude longitudinale sur plusieurs centaines d'individus

**Tableau 9.4**    Les cinq grands facteurs du tempérament (*the big five*)

| **Extraverti** | **Introverti** |
|---|---|
| Tendance à être ouvert aux autres et à s'exprimer spontanément. | Tendance à être tourné vers le monde intérieur et à ne pas être expansif. |
| **Accommodant** | **Désagréable** |
| Tendance à être aimable, sympathique et sociable. | Tendance à être antipathique, rude avec les autres et peu serviable. |
| **Rigoureux** | **Insouciant** |
| Tendance à être ordonné, réfléchi, consciencieux, conformiste. | Tendance à être désorganisé, irréfléchi, indifférent aux règles. |
| **Stable émotionnellement** | **Névrotique** |
| Tendance à être d'humeur égale, calme. | Tendance à être tourmenté, d'humeur instable, anxieux. |
| **Ouvert à la nouveauté** | **Banal** |
| Tendance à être imaginatif, original, curieux et ouvert aux expériences nouvelles. | Tendance à être routinier, peu enclin à innover et à rechercher des expériences nouvelles. |

aux États-Unis, des chercheurs (Kagan, 1998; Kagan et Saudino, 2001) ont noté que 20 % des 450 nourrissons de plus de quatre mois qu'ils ont observés étaient facilement dérangés par les stimuli nouveaux (mouvements des membres, spasmes musculaires, pleurs, etc.) et que, à l'opposé, 35 % à 40 % des enfants du groupe acceptaient bien les stimuli nouveaux ou même s'y intéressaient positivement, les autres sujets de l'échantillon se situant entre ces deux catégories. Kagan a observé que les enfants ayant un niveau élevé de peur à quatre mois et à quatre ans sont plus à risque de développer de l'anxiété à sept ans et une forte peur de la critique, comme si la peur et l'anxiété entraînaient la culpabilité. Cependant, à quatre ans, environ le tiers seulement des enfants des deux groupes extrêmes initialement évalués à quatre mois répondaient encore de la même façon à la nouveauté, la réaction des autres étant devenue moins extrême (Kagan, 1998; Kagan et Saudino, 2001).

Berk (2002) explique cette variation initiale des traits de tempérament par le fait que certaines réponses des nourrissons ne sont pas encore différenciées. Au début de la vie, une bonne proportion des enfants pleurent facilement, sont capricieux et irritables alors qu'un an plus tard, leur attention et leurs émotions semblent s'être régularisées et leur humeur est devenue stable. Certaines inversions peuvent même être observées dans l'ajustement de l'enfant. Par exemple, certains nourrissons sont très actifs, bougent beaucoup et paraissent soucieux, comparativement à d'autres qui paraissent moins agités et plus attentifs. Quelques mois plus tard, lorsque les mêmes bébés commencent à manipuler des objets et à se déplacer en rampant, les premiers peuvent maintenant apparaître alertes et motivés dans l'exploration de leur environnement alors que ceux qui étaient moins actifs peuvent maintenant manifester de l'inhibition et du retrait dans leurs interactions avec le milieu. Sauf pour les dispositions les plus extrêmes, les traits ne semblent donc se fixer sur les mesures de tempérament qu'après un certain temps au début de la vie. À partir de deux ans, lorsque le style de réponse est bien établi, les mesures de tempérament permettent de faire des prédictions plus valables à long terme: les enfants ayant des scores élevés (ou bas) pour des traits de caractère comme la timidité, la capacité de maintenir son attention et l'irritabilité vont présenter le même profil plusieurs années après et même à l'âge adulte, bien que cette relation ne soit pas parfaite puisque l'expérience amène des changements.

Ainsi, la réaction de peur est présente chez tous les enfants, mais les objets qui la suscitent changent avec l'âge. Par exemple, les bébés de quelques mois peuvent distinguer les objets familiers des objets nouveaux, mais ils vont avoir la même attitude pour les deux. À partir de huit mois environ, les enfants vont devenir nettement plus hésitants face aux objets nouveaux. De même, la peur habituellement manifestée par les enfants de deux ans face à un adulte déguisé en sorcière ne s'observe que rarement chez les enfants de 5-6 ans, mais ces derniers peuvent en revanche craindre le jugement des autres ou le rejet, ce qui n'est évidemment pas le cas des nourrissons (Putnam, Ellis et Rothbart, 2001).

En Suède, Michael Lamb et ses collègues (Lamb et autres, 2002) ont suivi une cohorte de 102 enfants de 2,3 ans jusqu'à 15,2 ans afin de voir si le modèle des cinq grands facteurs du tempérament (extraverti, accommodant, rigoureux, stable émotionnellement, ouvert à la nouveauté) se maintenait pendant toute cette période du développement. Après avoir examiné les résultats de leurs cinq prises de données étalées sur 13 ans, les auteurs ont conclu à la validité du modèle, mais ils ont constaté que les sujets avaient tendance à devenir beaucoup plus introvertis, plus accommodants et plus rigoureux en grandissant. Le trait « stabilité émotionnelle » aurait tendance à s'atténuer au moment de l'entrée à l'école et à se maintenir par la suite alors que, de l'enfance à l'adolescence, le trait « ouverture à la nouveauté » serait moins stable que les quatre autres traits (Lamb et autres, 2002). Ces observations tendent à démontrer que le processus de socialisation de l'enfant s'accompagne d'une augmentation du contrôle personnel et de la réflexivité sur les traits de personnalité.

## 9.7.2  Physiologie et tempérament

La sérotonine est une substance biochimique jouant un rôle important dans l'activation du fonctionnement du système nerveux. Chaque être humain hérite de deux copies du gène responsable du transport de la sérotonine, une de chaque parent. Le gène sécrète une protéine qui a pour fonction de recycler la sérotonine dans les synapses des neurones. Ces gènes peuvent apparaître dans une version courte ou une version longue. La version courte sécrète moins de protéines, ce qui laisse plus de sérotonine dans les synapses et augmente la sensibilité des neurotransmetteurs. Hariri et Weinberger (2002) ont comparé la réaction d'individus dotés de la version courte du gène avec d'autres sujets lors d'une tâche de classement de visages exprimant des émotions de peur ou de colère. Les 28 sujets devaient relier des faces exprimant les mêmes émotions (peur ou colère) sur un écran d'ordinateur pendant que l'activité de leur cerveau était enregistrée par résonance magnétique. Cette tâche à connotation émotionnelle a pour effet d'activer le noyau amygdalien, une structure nerveuse impliquée dans la gestion de l'anxiété et de la peur. Les auteurs ont constaté que les sujets ayant hérité de la version courte du gène responsable du transport de la sérotonine affichaient un dégré d'activation du noyau amygdalien plus élevé, mais que cette différence était absente lorsqu'on demandait aux mêmes sujets d'exécuter une tâche sans aucune valeur émotionnelle. Cette expérience ne met en évidence qu'une petite partie du lien entre le cerveau et les réactions émotionnelles, mais elle a le mérite de montrer le lien existant entre l'hérédité et le tempérament.

Sans aller jusqu'à la résonance magnétique, différentes réactions physiologiques ont été utilisées comme témoins des rapports entre le fonctionnement de l'organisme de l'enfant et des stimulations environnementales contrôlées. En plus du rythme cardiaque, du rythme respiratoire et de la conduction palmaire mentionnés plus haut, d'autres indicateurs physiologiques ont été employés. Par exemple, Kagan et Snidman (1991) ont utilisé l'indice de concentration de cortisol dans la salive. Il s'agit d'une hormone qui est responsable de la régulation de la pression sanguine et qui joue un rôle dans la résistance au stress; la salive des enfants timides a un taux de cortisol plus élevé. En matière de réactivité sociale toujours, Kagan, Snidman, Zentner et Peterson (1999) ont observé que les enfants timides placés devant une situation nouvelle avaient des pupilles plus dilatées, une pression sanguine plus élevée et une température des doigts plus basse que celles des enfants sociables.

Depuis les débuts de la psychologie, la notion de personnalité a occupé une place centrale dans la connaissance du comportement humain. Comment expliquer qu'un enfant est comme il est? Comment son style personnel évoluera-t-il au cours de son développement? La personnalité de l'adulte résulte-t-elle du vécu de celui-ci durant l'enfance? Ces questions de base, qui intéressent la recherche depuis plus de 100 ans, sont encore sujettes à la controverse: est-ce l'hérédité ou le milieu qui façonne la personnalité? À la lumière du présent chapitre, on peut affirmer qu'une réponse sérieuse à de telles questions exige la prise en compte simultanée des facteurs biologiques et des facteurs environnementaux ainsi que de leur interaction au cours des différentes périodes du développement individuel. Pour la psychologie scientifique, il s'agit là d'un défi considérable sur le plan de l'intégration d'éléments complexes.

# Questions

1. Comment se définit la personnalité en psychologie ?

2. *Complétez les phrases.* Le premier caractère essentiel de la personnalité est qu'elle est inhérente à l'individu, qu'il s'agit d'une réalité _____ . La _____ , deuxième caractère essentiel de la personnalité, désigne l'équilibre dans l'organisation du profil personnel. Le troisième caractère essentiel de la personnalité est la _____ , c'est-à-dire que la personnalité demeure la même en toutes circonstances.

3. Rapportez chacun des énoncés suivants à la période qui lui correspond.

   **Énoncé 1:** La conscience d'être une personne distincte grandit avec la différenciation des sexes et des rôles sociaux de genre.

   **Énoncé 2:** C'est la période où le développement physique est le plus rapide de toute la vie.

   **Énoncé 3:** L'enfant apprend à accepter la séparation d'avec ses parents.

   *a)* la petite enfance _____

   *b)* la période préscolaire_____

   *c)* la période scolaire_____

4. *Complétez la phrase.* On peut distinguer deux grandes catégories d'approches théoriques de la personnalité : la première s'attache à définir la structure de la personnalité d'après les traits de comportement alors que la seconde s'intéresse surtout à la _____ de la personnalité.

5. Selon Eysenck, la personnalité repose sur trois grandes dimensions. Précisez lesquelles.

6. Quel est le pôle opposé au névrotisme dans le modèle d'Eysenck ?

7. *Expliquez brièvement.* Dans la théorie d'Eysenck, l'activation du cortex cérébral serait en cause chez les personnes introverties.

8. La personnalité peut être envisagée d'un point de vue dynamique en tant que processus. Nommez les deux axes qui se définissent dans cette perspective dynamique.

9. *Vrai ou faux.* C'est la dimension structurale de la personnalité qui occupe la plus grande place dans la théorie psychanalytique de Sigmund Freud.

10. *Complétez la phrase.* Dans la théorie psychanalytique, l'énergie provenant de l'instinct de vie s'appelle la _____ .

11. Comment nomme-t-on, dans l'approche psychanalytique, l'instinct qui fait surgir les pulsions de haine, d'agression et de destruction ?

12. Distinguez « principe de plaisir » et « principe de réalité ».

13. Nommez, par ordre chronologique, les quatre stades du développement psychosexuel de la personnalité selon Freud.

14. Donnez un exemple de fixation orale et décrivez des conséquences de cette fixation à l'âge adulte.

15. *Complétez la phrase.* L'analyse des rêves et l'association libre des idées sont des techniques qui permettent d'avoir accès à _____ .

16. Nommez la zone psychique associée à chaque énoncé.

a) Arbitre entre les pulsions instinctuelles et les exigences du milieu : _____ .

b) Réservoir des pulsions instinctuelles :

_____ .

c) Espace psychique où sont intériorisés les interdits parentaux et les règles sociales :

_____ .

**17.** Comment se nomme le conflit psychique lié au désir inconscient de posséder le parent du sexe opposé et d'évincer le parent du même sexe ?

**18.** Comment le conflit œdipien se résout-il ?

**19.** Comment se nomme le temps d'arrêt dans le développement psychosexuel de l'enfant entre 6 et 11 ans ?

**20.** Nommez le mécanisme de défense correspondant à l'énoncé.

a) L'enfant présente des comportements se rattachant à des stades antérieurs de son développement : _____ .

b) L'enfant attribue à d'autres personnes des pensées, des émotions ou des désirs qu'il refuse d'admettre comme siens : _____ .

c) L'enfant refuse d'admettre l'existence de la situation ou de l'événement qui le stresse ou il niera son affect par rapport à cette situation ou événement : _____ .

**21.** Donnez un argument en faveur d'une disposition génétique à l'origine de la personnalité.

**22.** *Complétez la phrase.* L'ajustement réciproque entre le profil personnel de l'enfant et les pratiques parentales dans la famille a fait l'objet d'un modèle appelé _____ .

**23.** Donnez un exemple montrant que le profil de personnalité d'un enfant influe sur la probabilité qu'il vive certaines expériences.

**24.** Lequel des besoins suivants ne fait pas partie des trois besoins psychologiques innés à la base de la motivation intrinsèque ?

a) besoin de compétence

b) besoin d'autonomie

c) besoin de visibilité

d) besoin d'appartenance

**25.** Distinguez « autocontrôle » et « autorégulation ».

**26.** Définissez brièvement la réactivité émotionnelle.

**27.** Donnez deux exemples de comportements permettant à l'enfant de trouver du réconfort face à un stimulus excitant.

**28.** *Vrai ou faux.* Le tempérament de l'enfant et le comportement des parents sont considérés comme les deux principales sources d'influence du développement de la régulation émotionnelle chez l'enfant.

**29.** Pour que l'autorégulation se développe favorablement chez l'enfant, les adultes responsables de l'enfant doivent fournir trois choses. Lesquelles ? Justifiez votre réponse.

**30.** Donnez un exemple illustrant la notion d'attentes d'efficacité personnelle.

**31.** *Vrai ou faux.* Les attentes d'efficacité personnelle sont liées au fait qu'un comportement va mener au résultat souhaité.

**32.** Distinguez « tempérament » et « personnalité ».

**33.** Complétez le tableau suivant en indiquant le facteur du tempérament correspondant à la description :

| Facteur du tempérament | Description |
|---|---|
| 1. _____ | Tendance à être ouvert aux autres et à s'exprimer spontanément. |
| 2. _____ | Tendance à être aimable, sympathique et serviable. |
| 3. _____ | Tendance à être ordonné, réfléchi, consciencieux, conformiste. |
| 4. _____ | Tendance à être d'humeur égale et calme. |
| 5. _____ | Tendance à être imaginatif, original, curieux et ouvert aux expériences nouvelles. |

**34.** *Vrai ou faux.* À partir de deux ans, les mesures de tempérament permettent de faire des prédictions relativement valables à long terme.

## Chapitre 10

# Enfance et identité sexuée

Pierre Tap

## 10.1 INTRODUCTION

Dans le langage courant, la notion d'identité fait immédiatement penser au contrôle social. Par exemple, nous devons montrer nos papiers d'identité aux représentants de l'autorité. Comme l'indique d'ailleurs la définition donnée dans l'*Encyclopædia Universalis*, l'identité implique la désignation exacte d'un individu, ce qui fait la particularité d'un individu ou d'un groupe.

Mais cette définition est incomplète. La notion d'identité a de multiples significations et comporte de multiples paradoxes. L'identité intervient surtout lorsqu'il est question de différences sociales et culturelles, et en particulier des groupes minoritaires ou « dominés ». Autrement dit, l'identité aurait une connotation fondamentalement collective, la notion d'identité personnelle se trouvant ainsi réduite à n'être que le résultat de l'imitation et de l'identification aux adultes, dans le cas de l'enfant, ou de l'attirance vers des groupes dominants dans le cas d'adultes cherchant à obtenir la reconnaissance de ces mêmes groupes, cette démarche incluant ou non le droit ou la demande d'affiliation. L'imitation et l'identification favoriseraient l'intériorisation et l'appropriation de données sociales et culturelles, lesquelles sont associées à la dynamique de la socialisation, de l'enculturation (appropriation de la culture d'appartenance) ou de l'acculturation (appropriation nécessaire de deux cultures), tout au long de la vie.

Cependant, le processus peut s'inverser, et les membres d'une minorité sociale ou culturelle peuvent vouloir défendre leur identité, conserver leurs croyances et leurs pratiques, au nom de l'histoire de leur peuple, en relation ou non avec les droits de l'homme, et en particulier au nom du respect des différences et de l'égalité. Dans ce cas, ils ne réclament pas l'affiliation intégrative, encore moins leur « assimilation ». Ils demandent au contraire que leur différence soit reconnue.

Ces phénomènes anthropologiques sont complexes et donnent souvent lieu à des prises de position irrationnelles. Cela explique sans doute que l'identité soit un sujet rarement traité dans les études de psychologie du développement. Elle est cependant étudiée dans quelques ouvrages, tels ceux de Goldhaber (1986, 1988) et de Lehalle et Mellier (2002), mais les auteurs sont pour le moins prudents, car l'identité suscite des débats idéologiques, comme nous allons le voir. On peut pour l'instant retenir l'hypothèse selon laquelle l'identité personnelle est associée à la conscience, à la connaissance, à l'évaluation et à l'intégration de soi et qu'elle est en relation constante avec les systèmes culturels de croyances et de valeurs, avec les systèmes de conduites et les styles de vie, et donc avec les multiples identités collectives et les diverses identifications à des groupes qui sont liées à ces systèmes et à ces styles.

Dans *Psychology and Anthropology: A Psychological Perspective*, Jahoda (1982, 1989) s'oppose aux tenants de la doctrine extrémiste dite de l'« unité psychique » qui considère que la psychologie est inutile dans le cadre de l'anthropologie. Il critique par exemple l'affirmation de Freilich selon laquelle « le comportement humain s'explique entièrement par la culture. L'homme apprend à penser, sentir, croire et lutter par et pour ce que sa culture juge bon » (1979, p. 1). Jahoda pense, au contraire, que l'on ne peut expliquer entièrement les conduites humaines à partir d'un seul déterminant, aussi complexe et important soit-il.

Déjà Murphy (1971) avait rejeté la doctrine de « l'unité psychologique » qui, se fondant sur l'universalité supposée des processus psychiques, voit dans la psychologie le résultat évident de processus collectifs. Attribuer une uniformité à la psychologie humaine, c'est ne lui attribuer en réalité rien du tout... À la base du rejet de la pertinence des processus psychologiques, il y a en effet le principe suivant : l'homme est infiniment malléable et plastique, si totalement façonné par son milieu social que l'on peut négliger son influence propre, tant individuelle que collective.

Bien entendu, il est tout aussi discutable de prétendre que l'identité s'explique seulement par la biologie ou la psychologie et de rejeter les effets des facteurs sociaux et culturels.

Avant d'analyser et de définir l'identité personnelle, il importe de voir quelle est la place réelle occupée par la notion d'identité dans les ouvrages de psychologie d'après leur index thématique. Dans *Self-Efficacy* de Albert Bandura, l'un des chefs de file de la psychologie socio-cognitive (1997, 2003), il n'y a aucune entrée distincte pour « identité » ; on trouve seulement un renvoi : « l'identité ethnique. Voir appartenance ethnique ». Si l'on se reporte à cette entrée, on lit : « Appartenance ethnique (voir stéréotypes relatifs à l') », et à l'entrée « stéréotypes » on précise que les stéréotypes sont relatifs à l'âge, au genre et à l'appartenance ethnique. Nous pouvons en effet constater que les travaux sur l'identité se rapportent aux âges de la vie, avec la question des liens et des conflits intergénérationnels (identité de l'enfant, de l'adolescent, de l'adulte, de la personne âgée), au genre et à la sexualité, avec le refus de la discrimination (filles et garçons, hommes et femmes, homosexuels, hétérosexuels, transsexuels, androgynes) et à l'identité culturelle (y compris l'identité ethnique). Il faut cependant ajouter à la liste l'identité corporelle (Wallon, 1931 ; Zazzo, 1948, 1981a ; Reinhardt, 1990), les identités sociales et professionnelles (Dubar, 1991, 2000), l'identité judiciaire, l'identité nationale ou régionale, etc. En fait, il n'est d'identité que de quelqu'un ou de quelque chose. L'identité personnelle est donc celle qui se rapporte à soi-même, mais en relation avec des préférences, des attitudes, des rôles socialement prescrits et culturellement légitimés.

Cela dit, comment peut-on articuler cette notion avec les concepts qui se réfèrent à l'enfant dans sa singularité propre ? Quelles relations peut-on établir entre l'identité, la personnalité, le soi (*self*) et tous ses dérivés : conscience et connaissance de soi, image, présentation et représentation de soi, concept de soi, autoévaluation et estime de soi, auto-efficacité, contrôle de soi ?

## 10.2   LES TROIS PARADOXES DE L'IDENTITÉ

Étant donné sa nature paradoxale, il faut, pour étudier l'identité, élaborer une théorisation s'appuyant sur des données pluridisciplinaires (biologie, anthropologie, sociologie, linguistique, psychologie) et combinant les différents processus du développement de l'enfant : les processus cognitifs, affectifs et conatifs (ces derniers consistant dans l'expression des tendances, des intentions et des désirs). C'est dire qu'il faudrait constamment renvoyer le lecteur à toutes les théories et à bon nombre de faits déjà exposés et discutés dans les chapitres précédents, et discuter avec lui à partir de ce que nous appellerons les trois paradoxes de l'identité.

### 10.2.1   Premier paradoxe : similitudes et différences

Le premier paradoxe consiste dans le fait que l'identité (personnelle ou collective) « se construit dans la confrontation de l'identique et de l'altérité, de la similitude et de la différence » (Tap, 1980b). Il faut immédiatement préciser que cette confrontation se fait à travers trois processus socio-cognitifs : la catégorisation, la signification et

la légitimation, qui facilitent à la fois le développement cognitif et la socialisation et qui permettent aussi d'articuler la différenciation des objets avec la différenciation-assimilation de soi et d'autrui, comme le précisent Codol (1979, 1980, 1984), Wallon (1976i, 1963b), Zazzo (1980) et Malrieu (1967b, 1980, 1996). Ces processus ne sont possibles que parce que l'homme vit dans un environnement physique et social relativement stable. C'est parce que les objets ont des qualités à peu près immuables qu'il est possible à l'être humain de les définir. La constance des objets renvoie à son tour à la cohérence du système de catégorisation des individus (Codol, 1980).

### 10.2.2   Deuxième paradoxe : centration sur soi et établissement de relations réciproques avec les autres

La construction de l'identité personnelle entraîne donc un second paradoxe : l'enfant ne peut acquérir sa propre identité (qui reste encore à préciser) qu'en cessant d'être centré sur lui-même et en établissant des relations réciproques avec les autres. La notion de décentration a été opposée par Piaget à celle d'égocentrisme ; pour lui, la décentration relève du cognitif, mais nous verrons dans le chapitre 11 qu'il ne nie pas l'importance de la dynamique des émotions et des sentiments, dynamique associée à l'évolution des systèmes de relations entre les individus et des valeurs culturelles.

### 10.2.3   Troisième paradoxe : rester le même et changer

Prise au sens de nature essentielle, l'identité personnelle (je suis je) est impensable ou purement tautologique : elle impliquerait un état intemporel, éternel et immuable. Or, le troisième paradoxe de l'identité réside dans le fait que le sujet change et a en même temps le sentiment de rester le même dans le temps.

En un sens restreint, l'identité personnelle repose en effet sur le « sentiment d'identité » (idem, mêmeté, être le même), c'est-à-dire sur le fait que l'individu se voit comme demeurant le même, a le sentiment de rester le même dans le temps.

En un sens large, on peut l'assimiler à un système de sentiments et de représentations par lequel le sujet se particularise (*is dem, ipséité,* être soi-même). L'identité personnelle, c'est donc ce qui fait que le sujet est semblable à lui-même et différent des autres; c'est ce par quoi il se sent exister aussi bien dans ses attributs (caractère, fonctions et rôles sociaux) que dans ses actes en tant que « personne » (significations, valeurs, orientations). Son identité, c'est ce par quoi il se définit et se connaît, ce par quoi il se sent reconnu et accepté comme tel par les autres et par les groupes d'appartenance dans la culture qui est la sienne. Les éléments collectifs de l'identité personnelle dépendent, en effet, dans une large mesure, des idéologies de la personne véhiculées dans une culture donnée (Ricœur, 1990; Tap, 1988, 1995).

## 10.3 L'IDENTITÉ : DÉFINITIONS ET DIMENSIONS

Selon Lehalle (1995), l'établissement de l'identité commande trois processus distincts: les processus descriptif (autodescription), évaluatif (autoévaluation, estime de soi) et intégratif (cohésion interne). L'auteur ramène l'aspect intégratif au concept de soi, ce qui peut être sujet à discussion.

Le même auteur précise d'ailleurs que l'identité a une double fonction intégrative: maintenir une cohérence et une continuité et, en même temps, disposer constamment de la capacité de construire de nouvelles formes (morphogenèse). Mais dans la formation de l'identité interviennent aussi deux processus intégratifs: l'intégration sociale (interpersonnelle et socio-culturelle), impliquant un mouvement centrifuge, et l'intégration psychique (intrapersonnelle), impliquant un mouvement centripète. L'association de ces deux processus permet à l'enfant de se socialiser et de se personnaliser (Malewska-Peyre et Tap, 1991; Tap, 1991).

### 10.3.1 Les quatre dimensions fondamentales de l'identité personnelle (unité, constance, mêmeté et positivité)

De son côté, Codol (1980) distingue trois éléments permettant de définir l'identité:

1) le soi comme objet relativement unifié (*unité*);

2) la *cohérence* (stabilité et permanence relative de la personne);

3) la *positivité* de soi (sentiment de pouvoir, autonomie, estime de soi).

Mais ces caractères résultent de l'assimilation par l'individu d'informations externes qui varient selon les appartenances sociales de ce dernier, selon l'image que les autres lui renvoient et selon la façon dont il assume le regard que l'on porte sur lui. En d'autres termes, l'identité personnelle n'est jamais close, jamais définitivement fixée, elle change, elle évolue, en particulier selon que le sujet se sent ou non reconnu dans sa singularité même. Cette recherche de la reconnaissance sociale est active, elle suppose que le sujet accentue les ressemblances avec les autres pour être accepté ou qu'au contraire il fasse valoir sa différence par affirmation et confrontation. Il reste à voir si ces deux voies correspondent à des styles identitaires différents, mais stables, ou si elles varient en fonction des interlocuteurs ou des exigences de la situation (effet caméléon); dans ce dernier cas, l'individu n'a plus une identité aussi cohérente, unifiée et positive. Il convient par ailleurs de distinguer la constance-continuité (dimension temporelle) de la cohérence-unité (dimension structurale).

André Green (1977), psychanalyste, dans une communication présentée à un séminaire organisé par Lévi-Strauss (1977), définit lui aussi trois caractères de l'identité: *constance, unité, reconnaissance du même*. L'identité implique selon lui:

1) la notion de permanence, de maintien de repères fixes, constants, échappant aux changements pouvant survenir par ailleurs chez le sujet ou l'objet au cours du temps;

2) la délimitation par état séparé, permettant de circonscrire l'unité, la cohésion totalisatrice indispensable pour être capable de faire des distinctions;

3) la ressemblance totale entre deux objets, le fait qu'ils sont reconnus comme identiques (mêmeté).

En recoupant les définitions données par ces auteurs, on peut considérer que les quatre caractères généraux qui ont été dégagés s'appliquent aux personnes, à la condition de préciser d'emblée qu'il s'agit de sentiments vécus par ces personnes et non de réalités objectives. Permanence ou constance, unité ou cohérence, positivité et « mêmeté » sont des valeurs intervenant dans l'auto-direction. Ces valeurs peuvent permettre au sujet de s'orienter dans la vie.

### 10.3.2 De l'identité à la personne : nouvelles dimensions

D'autres auteurs élargissent encore la définition de l'identité. Par exemple, Bariaud (1997) mentionne la consistance et son contraire, la difficulté, pour l'adolescent en particulier, à gérer un moi stable et congruent (instabilité, contradictions à l'intérieur de soi), l'accomplissement de soi, qui englobe la continuité, la gestion de perspectives temporelles et la valeur de soi, qui inclut l'estime de soi. Mais, de même qu'il est nécessaire de préciser l'interaction des dimensions cognitives (représentations) et affectives (émotions, sentiments et valeurs) de l'identité, de même il faut analyser les liens entre, d'une part, ces dimensions et, d'autre part, la conduite en général et l'action (dimension conative) en particulier (Reuchlin, 1990).

Mais, comme l'affirme Bandura (1997), c'est le sens que la personne accorde à ce qu'elle vit qui est déterminant. C'est en particulier la croyance en ses propres capacités et aptitudes qui oriente ses conduites et influe sur la représentation de sa propre identité et les sentiments de cohérence, d'unité, de continuité et de positivité qui l'accompagnent. Ainsi se développent le *sentiment d'auto-efficacité* et le niveau de persévérance (associé par cet auteur à la résilience), qui vont orienter les pratiques et les attitudes de l'enfant. Bandura émet dès lors l'hypothèse qu'il existe une causalité triadique réciproque (1986) issue d'une relation complexe entre trois facteurs : l'environnement (E), le comportement (C) et les facteurs personnels internes (P) se présentant sous la forme d'événements cognitifs, émotionnels et biologiques. La relation à l'environnement intègre les transactions multiples entre soi et la société, entre soi et les autres, dans les contextes ou les milieux les plus divers (Bandura, 1969, 1977, 1992 ; Bandura et Cervone, 1983, 1986 ; Bandura, Barbaranelli, Caprara et Pastorelli, 1996a, 1996b). Bandura fait clairement la différence entre le sentiment d'efficacité, d'une part, et le concept de soi et l'autovalorisation (estime de soi), d'autre part.

Dans le même sens, Tap (1988, 1991, 1995) ajoute plusieurs autres représentations et sentiments aux six sentiments déjà retenus (continuité, constance, unité, positivité, mêmeté, efficacité) : le sentiment d'unicité (à ne pas confondre avec l'unité), directement associé aux sentiments de singularité et d'originalité, et le sentiment d'être cause (satisfaction liée au sentiment d'être la cause d'une action ou le producteur d'une œuvre ; par exemple, l'enfant est fier de faire un « beau dessin » pour ses parents).

Codol et Tap (1988) décrivent huit dimensions : continuité (temporelle), cohérence et unité (structurale), originalité et unicité, différenciations externe (distance, autonomie) et interne (diversité, richesse, complexité) et tension de réalisation, proche de l'auto-efficacité de Bandura (1997) : croyance en la capacité de faire œuvre (dans un contexte théorique différent cependant).

Mais ces dimensions semblent constituer un système idéalisé, optimal, vécu par un sujet ayant acquis la maturité, maître de lui-même, de son temps et de son espace de vie (tant il est vrai que l'identité a besoin de se spatialiser). Ce sujet idéal pourrait aussi être un « monstre » doté d'un « ego totalitaire » (Greenwald, 1980), rigide (Gergen, 1979), égocentrique et peu sociable. Nous avons vu que les sentiments identitaires sont autant de réponses aux situations difficiles qu'il faut gérer et qu'ils sont aussi des réponses à nos difficultés, à nos propres contradictions et à nos divisions internes. Sainsaulieu (1977, 1980) montre que l'identité (l'individualité) n'est pas une base statique sur laquelle se construirait ensuite le monde social. Elle résulterait plutôt du jeu des relations vécues sur le mode expérienciel, où le sujet, en relation avec les autres, doit faire face à des sentiments et à des désirs multiples et conflictuels, positifs et négatifs, qui accompagnent l'action, la freinent ou la dirigent. Mais ce processus de personnalisation (Wallon, 1976c, 1976g ; Malrieu, 1967b, 1973, 1979, 1980 ; Malrieu et Malrieu, 1973 ; Zazzo, 1975), cette recherche de signification de soi, se heurte à la fois :

- au poids du passé, du fait des anciens attachements qui pèsent sur le sujet ou qui lui manquent, et des habitudes indéracinables ;

- aux difficultés liées aux décisions à prendre dans le présent, du fait de l'emprise des jugements de l'entourage, des obstacles nés de la conjoncture, des personnes qui veulent ou non, peuvent ou non, aider l'individu à résoudre ses problèmes ;

- au sentiment d'incapacité à gérer les possibles, à donner un sens à l'avenir et à le préparer (Tap, 1979a, 1979b, 1980c, 1988).

La quête de l'identité apparaît comme une dialectique de conversion-conservation, par la remise en question de l'identité actuelle qui apparaît comme insatisfaisante, clivée et qui crée de l'insatisfaction, par l'établissement de manières d'agir ou de nouvelles croyances et représentations (Malrieu, 1980).

Mais le sujet ne peut devenir lui-même, dans une dynamique de résolution de problèmes et de conflits, que s'il se sent reconnu par les autres.

## 10.4 IDENTITÉ SEXUÉE ET DÉVELOPPEMENT PERSONNEL

La question de l'identité n'intervient en fait que lorsqu'elle est objet de transactions et de négociations entre les personnes, leurs groupes d'appartenance et de référence, leur société et leur culture. C'est constamment le cas aujourd'hui pour les conflits relatifs à des positions sociales (De Gaulejac et Léonetti, 1994), et en particulier à la place des femmes dans la société (Sullerot, 1978 ; De Gaulejac et Aubert, 1990).

Les remarques précédentes concernant l'identité personnelle doivent maintenant être mises en rapport avec les emprises biologiques et socio-culturelles, à propos de l'identité liée au sexe. On a ainsi vu apparaître des termes différents pour préciser cette dernière : identité de genre, identité sexuelle, identité sexuée. Nous devons rechercher les causes de cette diversité. Bien entendu, l'identité personnelle ne se réduit pas à l'identité corporelle liée à l'identité sexuelle ni aux aspects qui définissent la position et les rôles des hommes et des femmes dans une société et une culture. Mais *toute identité personnelle est nécessairement sexuée*, aussi bien biologiquement que socio-culturellement (Zazzo, 1985 ; Hurtig et Pichevin, 1986 ; Bergonnier-Dupuis et Mosconi, 2000). L'enfant apprend à être garçon ou fille en même temps qu'il prend progressivement conscience du caractère sexué de son corps et du caractère socialement sexué des objets (par exemple, des jouets), des actions et des attitudes attendues de lui. Les aspirations à l'unité et à la continuité se heurtent aux irrégularités du fonctionnement personnel ou aux contradictions internes des systèmes relationnels, sociaux et culturels (De Gaulejac, 1987 ; Lahire, 1994 ; De Singly, 1996 ; Ehrenberg, 1995).

### 10.4.1 Le « saut de l'ange » et la question transsexuelle

Dans un ouvrage autobiographique, *Le Saut de l'ange*, Maud Marin (1994) raconte les difficultés personnelles causées par son identité transsexuelle. Lorsqu'il est né, Jean n'avait aucun sexe apparent (comme l'ange). Mais comme il avait un morceau de chair à la place du sexe et bien que ce ne fût pas un pénis, l'Administration trancha : à la naissance, on lui « assigna » le sexe masculin. Il reçut ensuite une éducation conforme à son état civil. Jeune adulte, il en vint même à se fiancer ; mais son identité corporelle, privée d'être (homme) et de pouvoir, l'amena à rompre tous ses liens (amoureux, familiaux, professionnels) et à entrer dans la galère de la prostitution, en quête d'une identité diffuse, jusqu'à ce que, après maints traitements et opérations, il devienne la femme qu'il avait le sentiment d'avoir toujours été. Jean est ainsi devenu Maud, aujourd'hui avocate.

De nombreuses recherches ont été menées sur la réassignation de sexe, c'est-à-dire sur l'intervention chirurgicale consistant, après examen des organes génitaux, à changer le sexe de l'enfant défini à la naissance (Money, 1976, Money et Ehrhardt, 1972, Money et Ogunro, 1974). Elles ont permis de voir qu'à partir du même substrat biologique on peut produire, par l'éducation, des différences très marquées entre la masculinité et la féminité. Le processus qui aboutit à ce résultat particulier consiste « à étiqueter l'enfant comme garçon ou fille » et à l'élever en conséquence (Luria, 1978). Mais des travaux plus récents montrent que ces changements sont voués à l'échec si l'opération ne se fait pas avant l'âge de deux ans (Chiland, 1995, 1997 ; Le Maner-Idrissi, 1997). Cela semblerait donc prouver que des mécanismes s'installent tôt dans la vie pour assurer l'appropriation du sexe (le fait de se percevoir garçon ou fille) durant la troisième année (Wallon, 1976b, 1976g ; Malrieu, 1967b, 1980 ; Zazzo, 1973a, 1973b, 1974a, 1975, 1980 ; Chiland, 1997, 2003a, 2003b, 2003c). Durant la première année, l'enfant a une « conscience protoplasmique », selon l'expression de Piaget (1964a), une conscience sans sujet. On pourrait donc opérer sans causer de dommages sérieux. Toutefois, certains de ces enfants devenus adultes ont pu se plaindre du choix qui a été fait ou du traitement subi durant leur enfance (Chiland, 2003a, 2003b).

À vrai dire, on discute encore le moment où apparaît la préoccupation concernant l'image de soi sexuée. Ainsi, décrivant les théories de l'« empreinte » et des « périodes sensibles » chez l'animal et chez l'homme, Lannoy (1995) mentionne l'opération chirurgicale des hermaphrodites et la décision d'assignation sexuée comme moyens de faire concorder leurs caractères sexuels morphologiques et leur identité sexuelle. L'auteur ajoute que cette opération ne peut se faire chez l'enfant au-delà de la quatrième année sans entraîner des troubles profonds de la personnalité. Les arguments plus haut font pencher pour la limite de deux ans. Mais, bien entendu, il vaut mieux opérer à quatre ans que plus tard.

Chez l'adulte non opéré, nous avons vu, dans le cas de Maud comme dans d'autres de même nature, que trois identités sont en conflit entre elles :

1) l'identité corporelle à la naissance (asexuée) ;

2) l'identité socio-culturelle (masculine, par éducation) ;

3) l'identité psychologique, fondée sur des sentiments ne trouvant jamais à s'exprimer, sauf en cachette, dans le travestissement (féminin).

### 10.4.2   Le sexe à identités multiples

Dans *L'Identité sexuée*, Le Maner-Idrissi (1997) distingue trois types d'identité :

1) l'identité sexuelle (conviction d'appartenir à l'un des sexes, adoption de comportements propres aux garçons ou aux filles, choix du partenaire sexuel) ;

2) l'identité de genre (sexe social et psychologique excluant la sexualité) ;

3) l'identité sexuée (qui associe le sexe d'assignation à la naissance et l'appropriation des caractères et des comportements liés à ce sexe).

Ces trois notions sont utilisées par de multiples auteurs, parfois par les mêmes. Mais on constate une certaine confusion puisque les caractères et les comportements censés être « propres à chaque sexe » se retrouvent dans les trois définitions.

Lehalle et Mellier (2002) rejettent ce découpage et proposent de retenir les dimensions biologique, sociale et personnelle. Nous pourrions plutôt concevoir l'identité personnelle comme une structure générale (c'est elle qui est « sexuée ») qui englobe l'identité sexuelle (ou identité sexuée, si on laisse de côté la sexualité), laquelle comprendrait les dimensions biologique (le corps), sociale (les appartenances et les rôles) et psychologique (le mental et le comportemental ; le lien entre les représentations, les sentiments et les actions), comme dans le cas de Maud. Ce qu'implique en outre la notion d'identité de genre, c'est le fondement de l'identité sur le langage. Mais elle renvoie le plus souvent au biologique. Ainsi

Green (1974) et Bem (1974, 1981) définissent l'identité de sexe à partir de trois éléments :

1) la préférence sexuelle pour les membres de l'autre sexe ;

2) l'identité de rôle de sexe, variant selon le sexe (style instrumental-masculin et expressif-féminin de Parsons et Bales, 1955 ; style agentique-masculin et communial-féminin de Bakan, 1966, etc) ;

3) l'identité de genre, c'est-à-dire le fait d'être intimement convaincu de sa propre « mâlité » (*maleness*) ou « femellité » (*femaleness*).

De même, les identités liées à l'âge, à l'ethnie, à la nation, etc., impliquent, elles aussi, les dimensions biologiques, sociales et psychologiques. On voit donc, par ce qui précède, qu'il conviendrait de mener une étude interdisciplinaire bio-psycho-sociale de l'identité (voir les travaux en psychologie de la santé évoquant cette triade : Lazarus et Folkman, 1984 ; Bruchon-Schweitzer et Dantzer, 1994 ; Fisher, 2002 ; Tap, Tarquinio et Sordes-Ader, 2002 ; Zani, 2002).

### 10.4.3   L'identité (biologique) sexuée

Dans les débats idéologiques concernant l'identité sexuée, le refus de la discrimination dont sont victimes les femmes peut conduire à sous-estimer le rôle des processus biologiques, en particulier génétiques, gonadiques et hormonaux, intervenant dans la différenciation des sexes. Nous avons vu, à propos de Maud, que la détermination du sexe par l'état civil comporte la vérification de l'état des organes génitaux externes. L'étude des anomalies génétiques et hormonales a permis de constater leurs effets sur les comportements (Money et Ehrhardt, 1972 ; Money et Ogunro, 1974). Par contre, ces anomalies n'ont aucun effet sur l'identité sexuée, alors que la difficulté à identifier les organes sexuels externes et leur non-concordance avec le sexe chromosomique (XX pour les filles, XY pour les garçons) peuvent avoir des effets sérieux si, comme nous l'avons vu, une solution n'intervient pas avant l'âge de deux ans. Au moment de la naissance, « l'ambiguïté n'est pas permise, l'enfant est garçon ou fille » (Le Maner-Idrissi, 1997).

De son côté, Money (1978) a présenté un schéma (figure 10.1, page 284) où il distingue l'identité et les rôles sexuels infantiles de l'identité et des rôles sexuels adultes tels qu'ils sont à la fin de la puberté. Cet auteur insiste sur l'importance de l'image corporelle telle que l'enfant peut la construire, mais il la met en relation avec la façon dont l'entourage la traite. L'apprentissage lié à l'identité sexuée se ferait à partir de deux processus de schématisation :

- l'identification, aboutissant à l'imitation d'un modèle de même sexe ;

- la complémentation, impliquant au contraire que le sujet attend une réponse de l'autre sexe pour agir.

Ces deux schémas seraient présents tout au long de la vie, à toutes les époques et dans toutes les cultures.

**Figure 10.1**    Facteurs intervenant dans la détermination de l'identité et des rôles sexuels

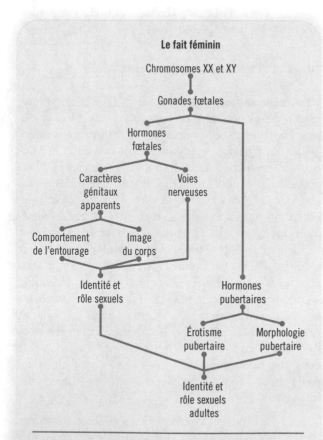

Source : Adaptée de J. Money, Le transsexualisme et les principes d'une féminologie, dans E. Sullerot (dir.), *Le fait féminin*, Paris, Fayard, p. 221 à 231.

### 10.4.4    L'identité (sociale) sexuée : stéréotypes, prototypes, schémas de soi et des autres

Selon Cook (1979), la première étape du processus de perception d'une personne, c'est l'inférence. Les jugements sur la personne isolée sont fondés soit sur l'apparence, soit sur les catégories auxquelles elle appartient : âge, sexe, profession, nationalité, race, pays d'origine, etc. Mais comment s'organisent ces jugements ? Les psychosociologues de l'« attribution », Heider, Jones et Davis, Kelley, etc. (voir Tap, 1985 ; Deschamps et Clémence, 1990), montrent d'abord que les résultats de l'action sont attribuables soit à l'acteur par ses dispositions et ses aptitudes, soit aux événements, à la situation. Lorsque l'action elle-même est inhabituelle, non conventionnelle, l'observateur se fonde sur les intentions qu'il prête à l'acteur (responsabilisation). Enfin intervient l'hypothèse d'attributions « stéréotypées ». Un stéréotype est une représentation erronée et déformante par généralisation abusive, par simplification idéologique caractérisée par sa rigidité, son aspect catégorique et catégoriel, sa stabilité relative et sa résistance au changement même lorsque la preuve de son caractère erroné est apportée (Kelly, 1955). Les stéréotypes sont généralement négatifs, mais ils peuvent aussi être positifs. Si les autres sont paresseux, avares ou laids, il faut bien supposer le stéréotype inverse selon lequel nous sommes actifs, généreux et beaux.

Sarbin, Taft et Bailey (1960) supposent quatre processus à l'œuvre dans les stéréotypes :

1) la généralisation abusive de comportements ou attitudes observés ;

2) l'intervention de mécanismes de défense, individuels ou collectifs, impliquant la projection d'attributions négatives, d'intentions malveillantes chez l'autre ;

3) la présomption de similitude par identification se traduisant par une généralisation analogique, entre soi et l'autre, entre plusieurs autres, entre une personne et sa catégorie ;

4) l'argument d'autorité : puisque mes parents le disent, ou le maître, ou mon psychanalyste, etc., c'est la vérité !

À partir des conceptions cognitives, de multiples auteurs ont supposé l'existence de schémas sociaux (Kuethe, 1962, 1964, 1975 ; Carlson et Price, 1966), de schémas de genre (Bem, 1981, 1982, 1983, 1985) et de schémas de soi (Markus, 1977, Markus et Sentis, 1982). Dans un autre contexte, la notion du modèle de soi ou d'autrui comme prototype est intéressante parce qu'elle permet de mieux comprendre les liens entre la structure cognitive de l'identité personnelle (le soi comme prototype ; voir Kuiper, 1981 ; Cantor et Mischel, 1979 ; Monteil, 1993) et les processus par lesquels d'autres personnes perçues comme prototypiques (parce que privilégiées) tendent à influencer plus ou moins profondément l'enfant (Cantor et Mischel, 1979 ; Reuchlin, 1990). La représentation par l'enfant de personnes prototypiques l'inciterait en effet à prendre ces personnes comme modèles de ses différents « moi possibles » (Markus et Nurius, 1986 ; Ruvolo et Markus, 1992). Les personnes prototypiques et les « moi possibles », tels que l'enfant les perçoit, vont être plus ou moins mis au premier plan (« saillance » : centralisation durable) et devenir des cibles susceptibles d'activer un processus motivationnel (Gurin et Markus, 1988). On retrouve ainsi l'importance simultanée de l'identification cognitive (capacité à reconnaître) et de l'identification affective réfléchie (tendance à s'identifier à un modèle) dans l'appropriation de l'identité personnelle sexuée. Mais ces processus d'identification projective dépendent eux-mêmes de la force de la croyance de l'individu en lui-même (Markus et Sentis, 1982 ; Boula, 2003), et en particulier de sa croyance dans sa propre efficacité dans l'action (Bandura, 1997, 2003).

On retiendra donc que

– l'identité n'est pas seulement liée à l'enregistrement de faits passés dans la mémoire : elle est orientée par la gestion du possible, d'éventuels changements qu'il faut provoquer, éviter ou prévoir ;

– l'identité comme processus de singularisation est à confronter ou à harmoniser avec les processus d'identification à des modèles, processus qui restent à préciser ;

– l'identité inclut le sentiment d'efficacité et un ensemble de croyances que le sujet construit à propos de lui-même, en relation avec le sentiment de sa propre valeur dans les interactions et les activités quotidiennes ou exceptionnelles (gestion des risques et du stress en situation).

## 10.5  LE GENRE, LA PENSÉE PAR COUPLE ET LA DISTINCTION ENTRE LE MOI ET L'AUTRE

La dichotomie masculin-féminin est fondée sur la pensée par couple, que Wallon a mis en évidence dans *Les*

*origines de la pensée chez l'enfant* (1945). Le couple est une structure élémentaire de la pensée, antérieure à l'unité. Les éléments qui le constituent ne peuvent exister que par opposition. Mais le couple tient nécessairement en puissance d'autres couples concurrents ou complémentaires, occasion de nouveaux contrastes ou de nouvelles oppositions. Ainsi fonctionne la pensée analogique ou symbolique. Wallon utilise l'image du couple pour expliquer l'émergence simultanée de soi et de l'autre dans la conscience de l'enfant. Dans la participation affective entre l'enfant et les parents, le moi et l'autre sont découplés, mais dans une conscience à double foyer (Wallon, 1976h). Une séparation est établie dans la conscience entre l'ego et l'alter intime, « ce fantôme d'autrui que chacun porte en soi », deux termes, deux foyers, qui ne pourraient exister l'un sans l'autre parce qu'ils sont à la fois antagonistes et complémentaires : l'ego est une affirmation d'identité avec soi-même et l'*alter ego* résume ce qu'il faut écarter de cette identité pour la conserver (Wallon, 1976d). Cet alter intérieur domestiqué est à la fois un partenaire perpétuel du moi dans la vie psychique et un étranger contre lequel il faut lutter pour renforcer le sentiment de sa propre unité. Wallon a formulé l'hypothèse que l'homme se développe entre deux inconscients : l'inconscient biologique (besoins, potentialités, désirs) et l'inconscient social (attentes et exigences sociales). C'est ce que l'on peut clairement voir en évoquant la question des stéréotypes de sexe chez l'enfant.

## 10.6  LES RÔLES DE SEXE, L'ÉTIQUETAGE ET LA PERSONNALISATION

Pour les raisons invoquées par Wallon, la dichotomisation des sexes tend à simplifier la réalité et oblige l'individu à choisir des camps, des positions, des alliés et des ennemis. La stigmatisation identitaire liée au sexe (sexisme) provoque, il est vrai, souffrance et sentiment d'aliénation. Mais on aurait tort de confondre l'aliénation due aux stéréotypes et à l'ego totalitaire avec la conformité et les identifications. L'enfant a besoin de se conformer et de s'identifier pour se confirmer (Tap, 1970, 1985 ; Tap et Zaouche-Gaudron, 1999). Il s'agit de savoir si la conformité de sexe favorise son développement personnel ou si elle lui nuit (Zaouche-Gaudron, 1995).

### 10.6.1 L'attribution des jouets en fonction du sexe

Prenons un exemple de stéréotypes classiques: l'attribution des jouets. Tap (1985) rend compte d'une première recherche auprès de 240 enfants âgés de 3 à 10 ans (15 filles et 15 garçons par année d'âge). Une enquête préalable auprès d'adultes a permis de définir des «standards» de jouets considérés comme masculins, féminins ou mixtes. Vingt jouets sont retenus (six masculins, six féminins et huit mixtes). On demande aux enfants d'indiquer si les jouets représentés sur les photographies en couleur sont pour les garçons, pour les filles ou pour les deux. Le même matériel est également présenté à 120 adultes de 20, 30, 40 et 50 ans (15 femmes et 15 hommes par année d'âge).

L'analyse factorielle opérée (AFCM) montre que le premier facteur est lié à l'âge: la conformité d'attribution progresse fortement avec l'âge (voir la figure 10.2), et les différences entre garçons et filles sont beaucoup plus faibles. À 3-4 ans, les enfants se conforment peu aux stéréotypes dont ils n'ont pas encore clairement conscience (conformité: une fois sur deux seulement avant cinq ans). Entre 5 et 7 ans, les conformités masculine et féminine progressent sensiblement,

les «erreurs» provenant des jouets mixtes, attribués tantôt aux garçons, tantôt aux filles. Après l'âge de huit ans, la conformité mixte augmente à son tour, atteignant 85% chez les enfants de 10 ans.

Notons toutefois que les filles ont toujours un taux de conformité supérieur à celui des garçons, tant pour la conformité générale (72% contre 67%), pour la conformité masculine (79,5% contre 76,5%) ou féminine (82% contre 75%) que pour la conformité mixte (59% contre 53,5%). Les adultes avaient 89% de conformité générale, 85% de conformité masculine, 91,5% de conformité féminine et 89,5% de conformité mixte.

Trois conclusions peuvent être tirées de ces résultats:

1. Les enfants ont appris à classer les jouets en masculins et en féminins selon le «standard adulte», la conformité masculine étant cependant moins forte que la conformité féminine. Les enfants répondent facilement à la consigne comme ils le font pour d'autres objets de «connaissance», comme s'il s'agissait d'évidences. Mais ils expriment parfois le caractère relatif des attributions. Par exemple, Philippe dit, à propos du camion: «Pour les garçons. Les filles

Dans le jeu, l'enfant apprend certes à se situer comme garçon ou fille, mais il manifeste aussi sa capacité à s'organiser, à créer, à collaborer avec les autres.

conduisent pas les camions. Y en a, mais rarement. » À propos du meccano : « Pour les garçons. Les filles travaillent pas dans les usines. Des fois, mais pas beaucoup, quand c'est pas très difficile. » Pierre refuse la conformité pour certains jouets, en se fondant sur ce qu'il a observé : « La dînette, c'est pour les deux : si la maman n'y est pas, c'est le papa qui fait à manger. »

2.  À mesure que l'apprentissage se fait, le taux de conformité augmente ; ainsi, la conformité générale passe de 45 % à 3 ou 4 ans à 85 % à 9-10 ans.

3.  Enfin, la conformité mixte, plus lente à « apprendre », ne rejoint les autres conformités qu'à 9-10 ans. Chez les plus jeunes, l'appropriation mixte semble s'apprendre par les échanges entre les sexes et la référence à la fratrie. Par exemple, Jean-Marc (6 ans et 2 mois) qui a une sœur de deux ans plus âgée que lui, attribue 80 % des jouets « aux deux » et justifie ses choix de la manière suivante. Il dit, à propos du téléphone : « La

fille se met à un bout et le garçon à l'autre. » À propos du meccano : « La fille dit ce qu'il faut faire et le garçon le fait. » Ces premiers résultats montrent que la notion de mixité introduit simultanément l'égalité d'attribution des objets et des activités, mais aussi le partage dans des activités communes.

### 10.6.2   L'appréciation des jouets par l'enfant

Dans le but de répéter la première expérience, mais en l'élargissant à d'autres paramètres, Tap (1985) propose à un groupe d'enfants constitué sur le même modèle (120 enfants de 3 à 10 ans, moitié garçons, moitié filles) de donner son opinion sur le même matériel (20 photos de jouets). Les enfants doivent d'abord dire s'ils aiment « beaucoup » (choix préférentiel), « un peu » (choix partiel) ou « pas du tout » (rejet total) les jouets présentés. On

**Figure 10.2**   Attributions conformes aux stéréotypes de sexe, chez les garçons et chez les filles : évolution selon l'âge

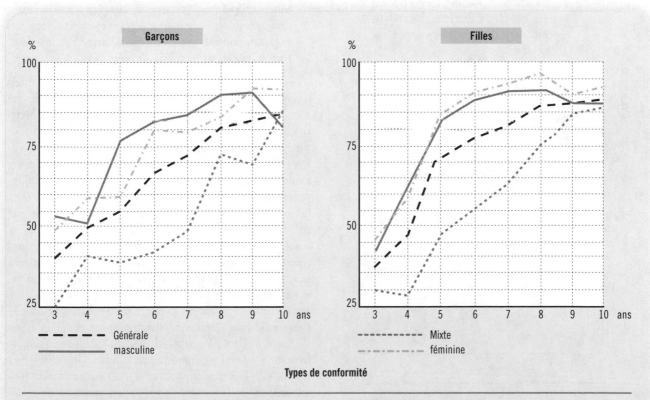

Source : Adaptée de P. Tap (1985), *Masculin et féminin chez l'enfant*, Toulouse, Privat, p. 71.

leur demande ensuite d'indiquer si les jouets sont des jouets de garçons, de filles, ou pour les deux sexes.

Une analyse factorielle (AFCM) a permis d'extraire deux facteurs.

Le premier facteur est en relation directe avec la conformité d'appréciation (voir la figure 10.3).

Le pôle positif, en haut sur la figure, concerne la conformité féminine d'appréciation caractérisée par le choix préférentiel (« beaucoup ») des jouets féminins, et le rejet total (« pas du tout ») des jouets masculins. Les jouets de type « peluche » (chien et ours) considérés comme mixtes, sont intégrés par les enfants dans la conformité d'appréciation féminine. Le pôle négatif (en bas sur la figure) concerne la conformité masculine d'appréciation (choix préférentiel des jouets masculins, rejet total des jouets féminins, mais rejet aussi du chien et de l'ours en peluche, mixtes dans le standard). Les réponses pour les jouets mixtes autres que les deux jouets indiqués

**Figure 10.3** Appréciation des jouets chez les filles et les garçons (AFCM. Facteur 1 : corrélations de conformité d'appréciation masculine et féminine)

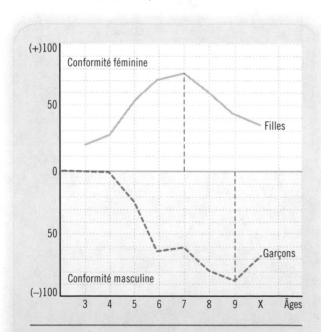

Source : Adaptée de P. Tap (1985), *Masculin et féminin chez l'enfant*, Toulouse, Privat, p. 76.

ne sont pas concernées par ce facteur. Les réponses de type « un peu » (choix partiels) pour tous les jouets ne le sont pas non plus.

La figure 10.3, construite à partir des corrélations au facteur 1 (conformité d'appréciation masculine et féminine) obtenues pour les 16 groupes différents à la fois par l'âge (huit groupes de 3 à 10 ans, etc.) et par le sexe (garçons et filles) permet de constater les faits suivants :

1. Les enfants de 3-4 ans ne se conforment guère aux standards des sexes. Les filles sont cependant plus conformes que les garçons.

2. La conformité d'appréciation augmente fortement entre 5 et 7 ans chez les filles, et entre 5 et 9 ans chez les garçons. Le maximum de conformité est donc atteint plus tôt chez les filles (sept ans) que chez les garçons (neuf ans).

3. Entre 7 et 10 ans, la conformité d'appréciation tend à diminuer fortement chez les filles, et ce pour deux raisons : la nécessité de faire le deuil des jouets de petite fille auxquels sont associés aussi les deux jouets en peluche (preuve de l'importance du statut de « grande »), la tendance à apprécier certains jouets regardés comme masculins et à compenser une frustration persistante en optant pour eux.

Le second facteur oppose les choix préférentiels (réponses « beaucoup ») aux choix partiels (« un peu ») et aux rejets totaux (« pas du tout »). Les choix sont massifs à 3-4 ans. Ils diminuent ensuite à mesure que la conformité apparaît. Les enfants de 3-4 ans disent souvent « pour moi », « à moi », réponses témoignant d'une forte avidité d'appropriation des jouets. Mais ce désir d'appropriation (au sens de prendre pour soi) va se heurter à de multiples obstacles. On apprend non seulement aux enfants à ne pas dire « je veux », à refréner leurs désirs, mais aussi à juger répréhensible le choix de jouets réservés à l'autre sexe. Certains enfants ont tendance à résoudre leur « dissonance » (affective et socio-cognitive) entre attribution et appréciation en proposant de « donner » le jouet qui fait problème à un frère ou à une sœur. Cette manière d'agir est plus fréquente chez les filles. Comme on l'a vu à propos du second paradoxe (centration sur soi / établissement de relations réciproques avec les autres), la capacité à gérer le don sur un mode plus altruiste est le résultat de processus plus complexes impliquant le dépassement de l'égocentrisme et du narcissisme (Tap et Zaouche-Gaudron, 1999).

### 10.6.3    L'étude comparée des deux types de conformité

L'analyse simultanée des conformités d'attribution et des conformités d'appréciation (figure 10.4) met en évidence le fait que, si les filles ont une conformité d'attribution plus élevée que les garçons entre 3 et 10 ans (81 % contre 76 %), les garçons, par contre, se conforment plus au standard adulte que les filles dans leurs appréciations (68 % contre 59 %). La distance ainsi constatée entre l'attribution et l'appréciation montre que si l'influence des représentations dichotomiques sur les attitudes est bien réelle, surtout à partir de 5-6 ans, elle n'est ni automatique ni homogène, et commence à se heurter à des conflits entre les désirs et les attentes conformistes, entre la gestion des possibles et leur limitation par l'application de règles. La dissonance apparaît plus forte chez les filles qui intériorisent plus tôt les standards différenciateurs et qui prennent aussi plus vite conscience des limites créées par ces standards dans le choix des activités. S'il est vrai que les modèles prescriptifs ne sont pas sans influence et

déterminent dans une large mesure le contexte de l'action et donc les ressources des acteurs (Crozier et Friedberg, 1977), on peut dire aussi que les attentes sociales sont contradictoires ou conflictuelles, ce qui permet à l'enfant de s'affranchir partiellement de ces attentes et de prendre conscience que personne n'est la source ni le maître absolu de la signification (Castoriadis, 1975). L'enfant aura toujours la possibilité d'expérimenter des comportements non congruents, non conformes, ou de les tenir pour désirables sans être immédiatement sanctionné pour sa déviance.

Les jouets ont souvent été pris comme exemples des pressions d'une enculturation passive, d'une intériorisation obligée des normes et des rôles adultes. Bien entendu, les jouets sont ici à considérer comme expérience limite de la conformité masculine-féminine. Mais nous avons vu, même dans ce cas, intervenir la notion de conformité mixte, de coopération, de don valorisant, etc. Les variations des réponses, le conflit entre l'avidité d'appropriation (3-4 ans), les références catégorielles de sexe (après cinq ans) et le désir d'être grand ou de le devenir (chez tous) ont au moins montré que la conformité n'est ni rigide ni indépendante, mais entre dans le jeu de la personnalisation en situation. C'est celle-ci qui peut permettre de comprendre les décalages constatés entre attributions et appréciations (entre représentations et attitudes), de donner une signification à la déformation des standards en fonction des désirs ou l'inverse. Il reste que l'identification plus forte du garçon à son groupe d'appartenance et aux attributs liés à ce groupe (signification des jouets) peut prendre une forme rigide et compulsive, tandis que la fille qui aperçoit l'écart qui existe entre ses connaissances et ses désirs peut être amenée, à travers la distribution des jouets en fonction du sexe, à prendre conscience des injustices dont les femmes sont victimes dans la division du travail.

**Figure 10.4**    Évolution comparée des conformités d'attribution et d'appréciation selon l'âge (en %)

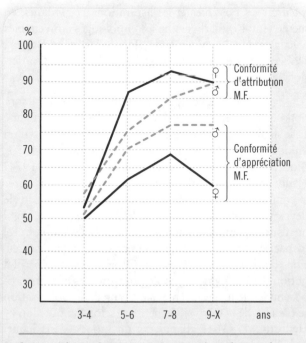

Source : Adaptée de P. Tap (1985), *Masculin et féminin chez l'enfant,* Toulouse, Privat, p. 83.

## 10.7    L'APPROCHE COGNITIVE : LE CONCEPT, LA CONSTANCE ET LE SCHÉMA DE GENRE

Partant des conceptions piagétiennes de la pensée et de la conservation, Kohlberg (1966) a décrit trois stades évolutifs pour expliquer comment l'enfant en vient à comprendre le genre et surtout sa constance. Avant deux ans, l'enfant ne sait pas que le genre est un attribut permanent (supposé tel) de l'individu. À deux ans, l'enfant acquiert l'identité de genre (*gender identity*) ; il est capable de différencier et de classer les individus en hommes et en femmes et de se ranger lui-même dans une catégorie sexuée. Mais cette différenciation est surtout fondée sur les différences physiques visibles. À 3-4 ans, l'enfant accède à la stabilité de genre (*gender stability*) liée à la représentation de sa propre évolution impliquant des changements identitaires : le garçon deviendra un homme, puis un père ; la fille deviendra une femme, puis une mère. À 5-7 ans enfin, l'enfant accède à la constance de genre (*gender constancy*). Il comprend que l'identité de genre est indépendante du temps et des situations. Mais, comme le montrent Marcus et Overton (1978) et Tap (1988), tout se passe comme si l'enfant se disait : « Je serai toujours une fille (un garçon), mais je peux faire des choses de garçon (de fille) et pourtant être moi, rester moi. Mais bien sûr, faire des choses de fille (de garçon) est plus acceptable. En les faisant, on m'approuvera et on m'aimera, etc. » Nous avons vu combien le conflit entre la constance de genre et la constance de soi peut aller beaucoup plus loin chez l'adulte, comme le montrent les exemples de transsexualisme (Marin, 1994 ; Money et Ehrhardt, 1972 ; Maccoby et Jacklin, 1974, 1986 ; Money, 1978 ; Sullerot, 1978 ; Chiland, 2003a, 2003b).

## 10.8 L'ANDROGYNIE ENVISAGÉE COMME SOLUTION AU CONFLIT SOCIO-PERSONNEL MASCULIN-FÉMININ

### 10.8.1 Les limites du modèle traditionnel de la féminité et de la masculinité

En 1970, Tap constatait déjà que les enfants, entre 3 et 6 ans, fournissent des réponses peu stéréotypées dans la mesure où ils ont tendance à attribuer le maximum de jouets à leur propre sexe, surtout les garçons. Nous avons vu qu'à ces âges il s'agit plutôt d'une autoattribution fondée sur une avidité d'appropriation. On notera ici encore un conflit, puisque le désir d'appropriation va à l'encontre des choix socialement acceptables (conformes ou congruents). Mais, dans le même article, l'auteur montrait aussi que, parmi les adultes, les hommes ont nettement plus tendance à « sexuer » les jouets, alors que les femmes sont enclines à oublier les stéréotypes d'attribution en accordant plus souvent les jouets aux deux sexes, simultanément. Ce constat vaut également pour l'ensemble des conduites sociales, des activités

professionnelles, des rôles domestiques et des caractéristiques personnelles. Les hommes accentuent les stéréotypes parce qu'ils les valorisent, alors que les femmes veulent plus d'égalité et de souplesse dans la répartition des rôles, parce que celle-ci, telle qu'elle est, les dévalorise.

Au début des années 1970, les théories et les recherches concernant la répartition stéréotypée des caractères et des rôles masculins et féminins attribués aux hommes et aux femmes considéraient l'intériorisation des attentes et la conformité des rôles à son propre sexe comme faisant partie du développement social normal de l'enfant. Il en allait de même des études portant sur la notion d'équilibre (Heider, 1958 ; Bezdek et Strodtbeck, 1970 ; Strodtbeck, Bezdek et Goldhamer, 1970 ; Bezdek, 1976), des travaux des néopiagétiens (Kohlberg, 1966 ; De Vries, 1969 ; Thompson et Bentler, 1973 ; Kohlberg et Ullian, 1974 ; Thompson, 1975 ; Sably et Frey, 1975 ; Marcus et Overton, 1978) et des recherches centrées sur le modelage par apprentissage social, qui mettaient en évidence l'inférorisation des filles et des femmes (Jacklin et Mischel, 1973 ; Crandall, 1978 ; Cordua, McGraw et Drabman, 1979 ; Courtney et Whipple, 1974). Mais, comme le rappelle Bandura (1997, 2003), des recherches conduites à la même époque ont montré que le modelage non stéréotypé tend à élargir les possibles et les aspirations des enfants, en même temps qu'il diversifie les choix jugés convenables à leur sexe et à eux-mêmes (Flerx, Fidler et Rogers, 1976 ; Ashby et Wittmaier, 1978 ; O'Bryant et Corder-Bolz, 1978).

À la même époque, de nombreux auteurs se sont opposés à l'idée classique selon laquelle la masculinité et la féminité représenteraient des pôles opposés d'un unique facteur (Carlson, 1971 ; Constantinople, 1973 ; Block, 1973 ; Bem, 1974 ; Heilbrun, 1973, 1974 ; Heilbrun, 1976). Ces auteurs proposent de considérer la conformité de rôles de sexe comme une phase dans le développement, donc susceptible d'être dépassée, aussi bien sur le plan individuel que sur le plan socio-culturel (capacité de transcender les rôles de sexe, selon l'expression de Hefner, Rebecca et Oleshansky, 1975). La notion d'androgynie psychologique que ces auteurs proposent serait un mouvement partant de la polarisation sexuelle et de la « prison du genre » (selon l'expression de Heilbrun, 1973) et allant vers un monde dans lequel les rôles des individus et les modes de comportement peuvent être librement choisis. L'androgynie cherche à libérer l'individu des frontières de l'attribué, du socialement approprié (du désirable et attendu par la société). Elle se fonde sur l'esprit de réconciliation entre les sexes. Ainsi toute personne, quel que soit son sexe, pourrait investir le vaste champ des traits de caractère humains et des rôles sociaux, en dépit des normes culturelles rendant certains traits ou rôles exclusivement masculins ou féminins.

Les défenseurs de la théorie de l'androgynie psychologique rejettent la conception de l'assimilation, du *melting pot*, où la personne doit faire le deuil d'une identité, et proposent un pluralisme culturel dans une société plus « souple », où les différences seraient encouragées et maintenues sur le plan des relations de face-à-face, mais avec intégration complète dans les secteurs publics. Ce point de vue a par exemple été développé en 1974 dans un numéro spécial de la revue féministe *Women's Studies*, en particulier par C. Heilbrun, Bazin et Freeman, Gelpi, Harris, Secor. Leurs détracteurs les accusent de vouloir instaurer une société unisexuée (Stoll, 1973, notamment).

### 10.8.2 Le féminin et le masculin, comme facteurs séparés et présents chez tout individu, et les modèles androgynes

Ces auteurs qui défendent l'androgynie émettent l'hypothèse selon laquelle les attributs dits masculins et féminins se développent de façon indépendante et peuvent caractériser la même personne, à des degrés divers. La même personne pourrait, en théorie, développer tout l'éventail des possibilités humaines, par-delà les attributions rigides masculines ou féminines. Ainsi Anne Constantinople (1973, 1986) et Sandra Bem (1974, 1986) remettent en question les multiples échelles masculin-féminin mises au point depuis Terman et Miles (1936), mais critiquent aussi la conception de Talcott Parsons qui distinguait deux fonctions parentales : l'instrumentale (associée à la sphère publique et à l'homme) et l'expressive (associée à la sphère privée et à la femme). Elles critiquent de la même façon les notions différentielles, agentiques et communiales exposées par Bakan (1966). Comme Lewin (1984, cité par Lorenzi-Cioldi, 1994), qui a montré la collusion entre l'instrumental et la dominance masculine et entre l'expressif et la subordination féminine, Bem (1974) conteste la binarité et construit une échelle d'androgynie. Se servant de cette échelle (le BSRI : Bem Sex-Role Inventory), elle définit 60 items, globalement positifs : 20 traits de caractère masculins (ambitieux, sûr de soi, indépendant, etc.),

20 traits de caractère féminins (affectueux, doux, compréhensif, etc.) et 20 traits de caractère neutres (franc, heureux, réservé, etc.). Les sujets doivent préciser (sur une échelle de Likert de sept points) les items qui les décrivent le mieux. La comparaison des scores masculins et féminins permet de classer les sujets en masculins, féminins ou androgynes (les scores masculins et féminins de ces derniers sont sensiblement égaux). Les sujets androgynes seraient supposés avoir une personnalité plus riche et des attitudes ou des comportements plus flexibles. Selon Sandra Bem, une personne pleinement efficace et saine aurait tendance à faire preuve de modération dans sa conduite, à équilibrer les caractéristiques masculines ou féminines. Cette personnalité représenterait ce que la masculinité et la féminité ont de meilleur (voir Bem, 1986, notamment la présentation du test en français).

### 10.8.3 Un modèle de développement de l'identité de genre fondé sur la transcendance (androgyne)

Hefner, Rebecca et Oleshansky (1975, 1986) et Rebecca, Hefner et Oleshansky (1976), ont élaboré un premier modèle en trois stades à partir des travaux de Pleck (1975) et en s'appuyant sur les quatre plans de développement de Riegel (1975) : *a*) interne-biologique ; *b*) individuel-psychologique ; *c*) culturel-sociologique ; et *d*) externe-physique. Ces auteurs s'inspirent aussi des idées de Simone de Beauvoir (1949) et, bien sûr, de celles de Heilbrun (1973), de Block (1973) et de Bem (1974). Ils défendent une conception dialectique du développement de l'identité de genre fondée sur la gestion progressive des conflits et des contradictions (entre les quatre plans évoqués) vécus par les individus. Ils décrivent un modèle en trois stades qui peut s'appliquer, selon eux, à d'autres formes de discrimination liées à des stéréotypes fondés sur une dichotomie.

#### Le stade I : indifférenciation

L'enfant a une représentation indifférenciée des rôles de sexe et des comportements typiques de chaque sexe. L'une des premières différenciations apprises par l'enfant est la polarité grand-petit. Erikson (1963) et Kohlberg (1966) pensent que c'est à partir de cette polarité que de nouvelles différenciations vont s'opérer, facilitant ainsi la hiérarchisation des valeurs. Hefner, Rebecca et Oleshansky (1975) se demandent si l'assimilation par l'enfant de la « mâlité », de la taille et de la force, n'est pas à la source de la « discrimination ultérieure ». De leur côté, Piaget (1923b) et Wallon (1945) ont aussi marqué l'importance des processus d'indifférenciation de la pensée. Ils évoquent l'un et l'autre l'émergence de la pensée syncrétique. Wallon (1945) a aussi montré que la pensée par couple est caractéristique des jeunes enfants et fonctionne par contrastes. Les contrastes clair-obscur, lourd-léger, grand-petit sont les structures élémentaires que suppose la différenciation perceptive. Ils mesurent un « pouvoir de discrimination » dont la référence est moins subjective que liée au repérage du milieu. Le progrès sera fait lorsque l'enfant passera des couples aux sériations (par exemple, les divers niveaux de gris au lieu du blanc et du noir, souvent confondus avec le masculin et le féminin dans la pensée analogique : yin et yang, etc.). Chez Wallon, le terme « discrimination » a le sens de « différenciation » ou de « reconnaissance », alors que chez Hefner et ses collègues il a celui de « stigmatisation » ou de « différenciation » fondée sur un jugement de valeur négatif. Le danger dans un tel contexte est que la différenciation, élément essentiel du développement, soit confondue avec la stigmatisation qui vient s'y greffer et qui implique le rejet ou la dépréciation de l'autre (sexisme, âgisme – rejet des jeunes ou des vieux – et surtout racisme).

Il reste que les analogies évaluatives par couple sont apprises par les enfants. Par exemple, Tap (1970) a demandé à des enfants de 3 à 6 ans de classer les jouets en jouets de grands, de petits ou de bébés. Ils ont eu tendance à attribuer plus souvent aux « grands » les jouets de garçons et aux « petits » ou aux « bébés » les jouets de filles (alors que le choix des jouets et leur nombre avaient été établis en fonction des deux variables âge et sexe). Mais les réponses « grands » étaient plus fréquentes chez les garçons, et les réponses « petits » et « bébés », plus fréquentes chez les filles. La différenciation s'accompagne donc bien d'une dépréciation de ce qui concerne les filles (y compris par elles-mêmes). Bien entendu, « grand » et « grandir » introduisent des questions de réalité physique (taille) mais aussi des dimensions socio-culturelles et développementales importantes (voir *Qu'est-ce que grandir ?* Dans R. Zazzo, 1969). Comme le précise B. Zazzo, à propos de la représentation du dynamisme évolutif (1969), l'évolution, le changement, le « grandir » correspondent à un savoir avant même que l'enfant parvienne à la notion d'identité personnelle, à une véritable perspective temporelle.

## Le stade II : polarisation

Au stade de la polarisation, l'enfant se conforme à l'assignation sociale des différences de sexe (mâle-femelle ; homme-femme ; garçons-filles). Il s'approprie de façon rigide, systématique, les caractères, rôles ou objets correspondant à son assignation et rejette ceux qui sont liés au sexe opposé. On peut ici encore étendre l'hypothèse à toutes les discriminations fondées sur l'ethnie, la religion, l'âge, la classe sociale, la culture. Mais les auteurs distinguent trois sous-stades dans le développement de la polarisation (Hefner, Rebecca, Oleshansky et Nordin, 1977) :

1. Stade IIA. L'enfant a dépassé l'indifférenciation, il sait qu'il existe deux sexes et deux genres, mais il n'a pas encore adopté les caractères « appropriés » à son sexe, et les adultes ne tentent pas encore d'infléchir ses choix, même lorsque ces derniers paraissent non souhaitables. On voit apparaître ici clairement l'écart entre la conformité d'attribution, qui est acquise, et la conformité d'appréciation.

2. Stade IIB. L'enfant a pleinement assimilé les schémas de genre, les valeurs, injonctions et conduites qui leur sont associées. Il rejoindrait ainsi le standard adulte d'assignation.

   Cette polarisation sert à organiser le monde, mais aux dépens de ceux dont on diffère. Pourtant, les garçons et les filles, les hommes et les femmes, accomplissent ensemble une multiplicité d'actions qui ne sont pas l'apanage d'un sexe en particulier. Le fait de les séparer implique que l'on réifie ces actions à partir des schémas de genre, ou de schémas religieux, culturels ou générationnels. Ces polarisations entre groupes sociaux vont avoir des répercussions sur l'ensemble des opinions, des jugements et des conduites et accentuer les mécanismes compulsifs et totalitaires (Greenwald, 1980). La polarisation a tendance à s'accentuer en situation de crise, mais elle peut aussi fonctionner sur le mode de la résignation à l'incontournable, de la conformité assumée et de l'emprise traditionnelle. Mais Hefner, Rebecca et Oleshansky (1975, 1986) pensent qu'il ne s'agit là, pour les enfants comme pour les adultes et pour les cultures, que d'un stade susceptible d'être dépassé.

3. Stade IIC. L'enfant fait l'expérience de conduites androgynes sans pour autant être dégagé des stéréotypes. Il a une certaine marge de liberté qui lui permet d'expérimenter des comportements, de s'appuyer sur des valeurs, d'adopter des conduites masculines et

féminines et d'apercevoir les nombreux choix possibles permettant, sans conflit majeur, une adéquation entre les situations et les aspirations individuelles.

### Le stade III : transcendance

Le stade III (hypothétique, au moins collectivement) impliquerait la transcendance des rôles de sexe. La personne pourrait s'adapter aux situations, réaliser ses projets sans véhiculer des stéréotypes de sexe. Elle pourrait ainsi adopter des styles de vie et des modes d'expression variés, sans inhibition et sans culpabilité. Cette transcendance se traduirait par une plus grande souplesse, par une meilleure qualité de vie, par l'accès à de multiples «possibles», en dehors d'une relation oppresseur-opprimé.

Le passage au stade III impliquerait des changements majeurs, sans doute associés à des crises, à des décalages entre les plans de développement (Riegel, 1975).

### 10.8.4  Les critiques formulées à l'égard de l'androgynie

De nombreuses critiques ont été formulées à propos de la notion d'androgynie ou concernant l'instrument proposé par Sandra Bem et la théorie qui l'accompagne, même s'ils ont fait l'objet de très nombreuses recherches et publications. Lorenzi-Cioldi (1994) a présenté et renforcé ces critiques. Par exemple, les items proposés dans l'échelle de Bem, en majorité positifs, sont parfois ambigus ou franchement négatifs. La désirabilité sociale de ces items est donc variable et peut fausser les résultats. De même que les «peluches» peuvent être ajoutées au stéréotype féminin des jouets parce que les filles les préfèrent, de même certains items «neutres» du BSRI peuvent, à un certain point de vue, correspondre à des stéréotypes; or l'analyse de ces items neutres et leur utilité ne sont pas suffisamment précises. Le fait d'ajouter une troisième catégorie, les androgynes, aux deux catégories, masculine et féminine, n'apporte pas de solution aux problèmes que la théorie cherchait à résoudre. L'androgyne (aschématique) reste quand même enfermé dans la case d'une typologie (FM ou MF) [F = féminin; M = masculin] et il est toujours comparé aux sujets nettement cadrés (les «schématiques») dans leur identité de genre (FF ou MM). On en

viendrait même à parler d'androgyne féminin et d'androgyne masculin. Les androgynes auraient des comportements plus flexibles, moins rigides; ils seraient plus équilibrés et auraient une meilleure estime de soi. Pour le reste, ils sont constamment décrits dans leur opposition aux personnes plus masculines ou plus féminines.

Selon Lorenzi-Cioldi (1994), l'androgynie revêt trois formes:

1) la co-présence (équilibre et alternance de la masculinité et de la féminité, avec flexibilité comportementale). L'androgyne correspondant utiliserait la stratégie du caméléon (dédoublement ou duplicité);

2) la fusion (mélange de masculinité et de féminité, avec émergence de comportements novateurs et originaux). La stratégie de l'androgyne serait symbiotique;

3) la transcendance (indifférence à l'égard des qualités sexuées; idéalisation et abstraction du développement personnel). La stratégie de l'androgyne serait angélique.

Enfin, de nombreuses recherches ont montré que l'androgynie profite beaucoup plus aux hommes, si l'on tient compte de l'utilité sociale des attitudes ou des comportements masculins et féminins. Les hommes auraient plus de facilité à adopter des conduites plus expressives, affectives et morales (loyaux, tendres, chaleureux) que les femmes en auraient à s'approprier des valeurs ambivalentes liées aux conduites instrumentales (ambitieuses, compétitives, dominatrices).

Enfin et surtout, la théorie de l'androgynie laisse supposer que le changement social et culturel passe par le mélange intrapersonnel et interpersonnel des deux styles identitaires de sexe. Mais les processus par lequel ce changement interviendrait ne sont guère analysés. Lorenzi-Cioldi replace le problème de l'androgynie dans le cadre de la théorie des représentations sociales et de leurs liens avec les rapports sociaux entre groupes dominants et groupes dominés. Les stéréotypes des groupes dominants et dominés ne sont pas le produit à chaque fois renouvelé des activités de comparaison sociale. Ils dépendent également des positions respectives des groupes dans la structure sociale et du type de groupe: groupe «collection», où l'originalité et la diversité sont valorisées ou groupe «agrégat», où l'indistinction et l'interchangeabilité sont de mise (Lorenzi-Cioldi, 1988, 2002). Comme le précise Lemaine (1988), selon

Lorenzi-Cioldi l'identité sociale ou personnelle ne peut renvoyer à un individu autonome et indépendant qui pourrait transcender le social ou se soustraire aux exigences des rôles sociaux, comme l'ont imaginé les théoriciens de l'androgynie psychologique.

Ce détour par la psychologie sociale montre une fois encore la nécessité d'analyser la dynamique des interactions entre les sujets, les groupes et les institutions. Il importe, en particulier, de comprendre la façon dont l'enfant construit sa propre identité, en communiquant avec les autres (Lipiansky, 1992), en acquérant et en gérant de multiples identifications : fusionnelles, successives ou transcendantes.

## 10.9   CONCLUSION

Dans l'articulation complexe entre l'enfance, le sexe et l'identité, nous avons volontairement limité le champ du présent chapitre à l'identité sexuée dans ses dimensions bio-psycho-sociales, mais en la dissociant de l'identité sexuelle dans ses rapports avec les fantasmes et les pratiques sexuelles. Lorsque l'on parle d'identité sexuelle, on se réfère certes à la représentation de soi en tant qu'être sexué, mais on introduit aussi la dynamique des désirs et des plaisirs liés au corps propre ou à celui d'autrui ; on suppose la présence de fantasmes et de perversions. Parler de l'évolution de l'identité sexuelle chez l'enfant suppose enfin la prise en compte des tendances, conscientes ou inconscientes, à partir desquelles l'enfant devenu adolescent, puis adulte, orientera ses choix « d'objet d'amour » et d'identifications. Mais nous avons vu que ces orientations dépendent pour une part d'aspects anatomophysiologiques, même si elles sont ensuite objet de transactions plus ou moins difficiles avec l'entourage social, avec les règles, les normes et les interdits, considérés comme spécifiques (variables selon les « espèces »), universels ou culturellement focalisés. C'est dire que l'anthropologie culturelle comme la psychanalyse peuvent apporter ici des éclairages importants sur les modalités d'articulations bio-psycho-sociales. Par exemple, Stoller, un psychanalyste américain, a beaucoup apporté à la compréhension des processus à l'œuvre dans la construction ou la gestion difficile de l'identité sexuelle, en particulier dans le cas de transsexualité (1978, 1989). Cet auteur évoque, lui aussi, l'existence d'un « noyau (primaire) d'identité de genre ». Il reproche justement à Freud de ne pas avoir pris en compte le développement

avant la constitution de ce noyau et conteste sa théorie de la castration trop centrée sur l'homme. Il faut noter par ailleurs que les transsexuels étudiés sont surtout des hommes ; le transsexualisme féminin existe pourtant, mais aurait une origine et une organisation différentes (Stoller, 1978, 1989 ; Kreisler, 1970 ; Millot, 1983, cité par Sesé-Léger, 1995. Voir aussi Chiland 2003c à propos des apports de Stoller). On ne doit, bien entendu, pas confondre le transsexualisme avec le travestissement et surtout avec le choix de l'orientation homosexuelle.

La dimension anthropologique doit elle aussi être prise en compte pour comprendre l'évolution et les conflits d'identité associés à la fois à l'apprentissage social et à la formation de soi chez l'enfant. L'exemple le plus significatif concerne les « mutilations rituelles » ou les « blessures symboliques » selon l'expression de Bettelheim (1977). Elles sont nombreuses et varient d'une culture à l'autre : la circoncision chez le garçon, c'est-à-dire l'excision totale ou partielle du prépuce, l'excision ou l'ablation du clitoris chez la fille, l'allongement inconsidéré du cou ou des lèvres, les cicatrices de scarifications, les perforations de l'oreille ou de la cloison nasale, les tatouages, la diminution des pieds des petites chinoises, l'ablation d'orteils en Nouvelle-Guinée. Elles sont souvent pratiquées durant l'enfance et associées à des rituels religieux, initiatiques ou communautaires. Elles sont un « marquage » culturel, une inscription de la loi collective sur le corps, comme une forme d'écriture fondant la reconnaissance identitaire. Les corps sont en quelque sorte « retravaillés » pour contrôler le « naturel », le mettre en concordance avec l'organisation symbolique du groupe social, pour imposer la dichotomie des sexes et le pouvoir social (masculin). Le plus souvent les rituels prescrits pour le garçon ont pour fonction de faire accéder ce dernier au statut d'homme par l'abandon simultané de l'enfance (impure) et du monde de la féminité (y compris sur son propre corps, le prépuce symbolisant cette part féminine) [Sindzingre, 1995].

Il ne s'agit ici que d'un exemple très visible de l'emprise de la société et des groupes d'appartenance sur l'enfant. Mais il faudrait aussi parler de la maltraitance, réelle ou symbolique, physique ou psychologique, souvent associée à des perversions sexuelles, et dont les enfants sont victimes. Nous entrons ainsi dans la pathologie relationnelle et sociale.

On peut alors se demander comment l'enfant peut se développer sainement et devenir une personne, lorsque l'on constate les effets problématiques de cette emprise. On peut chercher à la minimiser, considérer que la maltraitance ne concerne qu'un pourcentage réduit de cultures ou d'enfants. Nous pensons au contraire que la discussion sur les effets pervers du fonctionnement social doit faciliter la prise de conscience des droits de l'homme qui impliquent nécessairement les enfants et les adultes des deux sexes, quelle que soit leur culture.

# Questions

1. Établissez la liste de tous les concepts et processus que vous associez spontanément à l'identité de l'enfant et classez-les selon les liens dynamiques qui existent entre eux. Analysez ensuite ces liens.

2. L'identité permet-elle de définir les individus ou des catégories d'individus ?

3. Quelle différence peut-on faire entre les trois processus suivants : socialisation, enculturation et acculturation ?

4. En quoi ces trois processus sont-ils fondamentalement associés à l'identité, et en particulier à l'identité sexuée ?

5. Pourquoi dit-on que l'identité est « paradoxale » ?

6. Nommez quelques-uns des paradoxes liés à l'identité.

7. *Vrai ou faux.* C'est à Albert Bandura que l'on doit les plus importants travaux sur l'auto-efficacité.

8. Quel auteur a élaboré la notion de schémas sociaux ?

   a) Kuethe

   b) Bandura

   c) Markus

   d) Bem

   e) Reuchlin

   f) Cantor

9. Associez chacun des termes suivants avec la catégorie identitaire qui lui convient.

   1) structurale

   2) temporelle

   3) différentielle

   | | |
   |---|---|
   | a) singularité | h) stabilité |
   | b) permanence | i) congruence |
   | c) unité | j) similitude |
   | d) cohérence | k) originalité |
   | e) constance | l) intégration |
   | f) mêmeté | m) unicité |
   | g) continuité | |

10. Quelle différence faites-vous entre les trois identités suivantes : identité sexuelle, identité de genre et identité sexuée ?

11. Ce découpage vous paraît-il pertinent ? Justifiez votre réponse.

12. Qu'est-ce que l'assignation et la réassignation de sexe ?

13. Quelle différence fait-on entre l'hermaphrodisme et l'androgynie ?

14. Avant quel âge est-il nécessaire d'opérer l'enfant hermaphrodite pour lui épargner des troubles psychologiques ?

15. *Vrai ou faux.* Les stéréotypes sont des jugements négatifs portés sur les personnes ou les groupes.

16. Sarbin, Taft et Bailey (1960) proposent quatre caractéristiques des stéréotypes. Lesquelles ? Si vous ne connaissez pas cette référence, cherchez à définir par vous-même les caractéristiques essentielles des stéréotypes.

17. Quel auteur a proposé la théorie des schémas de soi ?

    a) Kuethe

    b) Bandura

    c) Markus

    d) Bem

    e) Reuchlin

    f) Cantor

18. Wallon a montré l'importance de la pensée par couple et de la conscience à double foyer chez l'enfant. Que signifient ces deux notions ?

19. En vous appuyant sur des exemples, précisez la différence entre l'attribution et l'appréciation, dans le jeu des identités et des rôles sociaux.

20. *Vrai ou faux.* La conformité d'attribution des jouets apparaît plus tôt et plus nettement chez les garçons que chez les filles.

21. *Expliquez brièvement.* Après sept ans, la conformité d'appréciation des jouets diminue chez les filles.

22. *Vrai ou faux.* La conformité d'appréciation est toujours plus forte chez les filles.

23. Kohlberg distingue trois stades évolutifs dans l'acquisition de la constance de genre (la constance de genre proprement dite, l'identité de genre et la stabilité de genre). Indiquez quel stade correspond à chacun des âges suivants.

    a) 2 ans

    b) 3-4 ans

    c) 5-7 ans

24. *Vrai ou faux.* Les hommes accentuent les stéréotypes de sexe parce que ces stéréotypes les valorisent.

25. Nommez au moins deux auteurs qui ont contesté la conception traditionnelle selon laquelle la masculinité et la féminité représentent les pôles opposés d'un unique facteur.

26. Qu'est-ce que l'androgynie psychologique ?

27. Hefner, Rebecca et Oleshansky ont élaboré un modèle de développement de l'identité de genre comprenant trois stades. Précisez les caractéristiques de chacun d'eux. Que pensez-vous du troisième stade, considéré comme « hypothétique » ?

28. Riegel (1975) a distingué quatre plans (ou dimensions) du développement. Distinguez-les parmi les huit plans mentionnés ci-dessous (les quatre autres sont décrits par Willem Doise [1993] dans *Logiques sociales dans le raisonnement*).

    a) Intra-individuel

    b) externe-physique

    c) culturel-sociologique

    d) interindividuel

    e) individuel-psychologique

    f) positionnel-statutaire

    g) interne-biologique

    h) culturel-idéologique

29. Lorenzi-Cioldi, dans sa critique des théories de l'androgynie, a montré que celle-ci revêt trois formes : la co-présence, la fusion et la transcendance. Il associe à chaque forme l'une des trois métaphores suivantes (dans le désordre) : angélique, symbiotique et « caméléonique ». Rappelez la signification des trois formes et associez-les avec les métaphores.

30. *Vrai ou faux.* Les féministes qui proposaient l'androgynie avaient raison : l'androgynie profite surtout aux femmes.

31. Parsons et Bales (1955) ont défini deux dimensions psychologiques opposées, l'une correspondant plus au père et l'autre, plus à la mère. De son côté, Bakan (1966) a aussi proposé deux dimensions, l'une plus masculine, l'autre plus féminine. Rapportez à chaque auteur deux dimensions correctes parmi les quatre

proposées ci-après: agentique, expressive, instrumentale, communiale.

**32.** Que pensez-vous de ces attributions?

**33.** Que signifie la présomption de similitude?

*a)* une généralisation abusive des ressemblances entre deux groupes ou deux personnes

*b)* le désir de ressembler à quelqu'un qui a du prestige

*c)* la tendance à vouloir imposer une similitude à une autre personne

**34.** *Vrai ou faux.* La notion de prototype s'applique aussi bien à soi-même qu'à d'autres personnes.

**35.** Quel auteur a formulé l'hypothèse des « moi possibles »?

*a)* Bem

*b)* Kelly

*c)* Gurin

*d)* Markus

*e)* Maccoby

*f)* Jacklin

**36.** Trois des auteurs suivants sont considérés comme des théoriciens de l'équilibre. Lesquels?

*a)* Heider      *f)* Strodtbeck

*b)* Marcus      *g)* Bezdek

*c)* Overton     *h)* Thompson

*d)* Bandura     *i)* Mischell

*e)* Ullian      *j)* Kohlberg

**37.** Parmi ces auteurs, nommez-en trois que l'on peut qualifier de néopiagétiens.

**38.** Quel auteur a élaboré la notion d'ego totalitaire?

*a)* Malrieu

*b)* Bandura

*c)* Green

*d)* Money

*e)* Greenwald

*f)* Bariaud

**39.** Définissez la stigmatisation et dites en quoi elle joue un rôle important dans les crises identitaires.

**40.** Quelle différence faites-vous entre les notions d'identité, de personnalité et de personne?

11

# La construction de l'identité personnelle chez l'enfant

Pierre Tap

## 11.1 INTRODUCTION

On confond souvent la notion d'identité personnelle avec le concept de soi, le soi ou la personnalité[1]. Dans le présent chapitre, nous montrerons que l'identité suppose certes la description et l'évaluation de soi et qu'elle participe de façon déterminante à la construction de l'enfant en tant que personne. Mais nous verrons aussi qu'on ne peut comprendre l'identité personnelle sans prendre en compte la façon dont le sujet se situe par rapport à son propre corps, sans considérer comment il entre en relation avec d'autres personnes, dans des contextes socio-culturels spécifiés, et sans faire intervenir des processus complexes d'identification à ces personnes et à ces contextes. Autrement dit, il faut prendre en compte ce qui permet à l'enfant de se sentir reconnu et aimé, mais aussi les processus et les procédures qui lui imposent des limites et qui lui proposent des normes qu'il doit apprendre à respecter. Bien entendu, les différences à faire entre l'identité, le soi (ou *self*), la personnalité ou la personne ne signifient nullement l'absence de liens entre ces notions. Analyser la construction de l'identité personnelle chez l'enfant suppose un effort d'articulation des processus intrapsychiques et comportementaux, en même temps que l'*interstructuration* de ces processus et les données psychosociales et anthropologiques, ainsi que la prise en compte de l'effet des interactions et des régulations. Il nous faudra donc revenir sur des thèmes évoqués ailleurs, mais dans le contexte intégratif de l'identité et de la personnalisation.

## 11.2 L'IDENTITÉ COMME ACQUISITION LOGICO-COGNITIVE

Prise en son sens littéral, celui de la logique, l'identité est d'abord liée au fait que des objets, personnes, groupes, notions ou processus sont perçus comme « identiques », ce qui nous renvoie à la similitude absolue, à l'*idem* des latins, à la « mêmeté » des philosophes (Jacques, 1982 ; Ricœur, 1990 ; Gil, 1995). Piaget et ses collaborateurs ont étudié l'identité des objets à partir de « ce qui est pareil »,

« mettre les mêmes avec les mêmes », « mettre ensemble ce qui va ensemble ». On l'a vu dans le chapitre 5 à propos des expériences de conservation, de constance et de permanence d'objets ou de mesures permettant la construction d'invariants et l'accès à la décentration, à la réversibilité opératoire (Inhelder et Piaget, 1959 ; Flavell, 1977 ; Lehalle et Mellier, 2002).

Piaget (1954) démontre que l'enfant apprend aussi à catégoriser les personnes et à se catégoriser lui-même en termes de ressemblances et de différences. Pour l'enfant, la personne d'autrui se constitue à la fois comme objet de connaissance et d'affection ou d'intérêt. Mais l'enfant apprend aussi à se connaître lui-même et à construire, difficilement, constance et cohérence, en particulier par l'émergence progressive de valeurs à conserver, à respecter ou à défendre, ce qui comporte l'apprentissage de la volonté. Mais cet apprentissage se fait par appropriation de sentiments interindividuels reposant sur l'émergence et le « traitement » d'affects intuitifs entre 2 et 7 ans (sentiments sociaux élémentaires, premiers sentiments moraux de reconnaissance, morale hétéronome, réalisme moral, respect unilatéral, obéissance), puis d'affects normatifs entre 7 et 11 ans (sentiments moraux autonomes, avec intervention de la volonté). Le juste et l'injuste ne dépendent plus de l'obéissance à une règle, mais du respect mutuel, de la réciprocité et de la coopération ainsi que de sentiments idéologiques à l'adolescence (sentiments interindividuels se doublant de sentiments ayant pour objectif des idéaux collectifs). Le tableau 11.1 montre que la dynamique des sentiments (de l'affectivité, que Piaget ne réduit pas aux émotions) est à la fois liée au processus de socialisation (dynamique interpersonnelle et normative) et au développement de l'intelligence.

L'assimilation entre la personnalité et « l'identité socio-personnelle » est objet de discussion, mais elle s'inscrit bien dans la problématique proposée par Piaget pour qui les processus cognitifs et les processus socio-affectifs et normatifs sont isomorphiques. À l'incapacité de décentration cognitive qui caractérise l'égocentrisme de l'enfant semble correspondre une incapacité de décentration affective (à comparer avec le narcissisme).

---

1  Le *concept de soi* ne sera pas utilisé ici comme thème majeur, mais compte tenu de son immense popularité en Amérique, on peut renvoyer le lecteur aux excellents ouvrages et travaux de René L'Écuyer (1975a, 1975b, 1978, 1981) qui, non seulement a fait connaître les recherches anglo-saxonnes aux lecteurs francophones, mais a lui-même étudié ce concept et ses rapports avec la notion d'identité chez les enfants, adolescents et adultes de tous âges. Le concept de soi (rapproché ou différencié, selon les auteurs, de la *perception* ou de la *représentation de soi* dans les théorisations européennes) est défini comme la généralisation de diverses représentations de soi. L'Écuyer parle de concept de soi multidimensionnel et hiérarchisé, comprenant par exemple le soi corporel, le soi social, le soi adaptatif, etc. On peut dire que cette théorisation est surtout descriptive et catégorisante (définition par structures et sous-structures). Le terme de *soi* ou *self* est considéré à la fois comme l'objet global qui est représenté (concept *de soi*) ou comme l'une ou l'autre des dimensions du concept de soi.

**Tableau 11.1** L'isomorphisme des fonctions cognitives et affectives

| Intelligence et affectivité | | | | |
|---|---|---|---|---|
| **A** | **Intelligence sensorimotrice** | | | **Sentiments intra-individuels** (accompagnant l'action du sujet quelle qu'elle soit) |
| A1 | Montages héréditaires : <br> – ensemble des réflexes <br> – instincts | | **RYTHMES** | Montages héréditaires : <br> – tendances instinctives <br> – émotions |
| A2 <br> stades II, III | Premières acquisitions en fonction de l'expérience devant l'intelligence sensorimotrice proprement dite : <br> – premières habitudes <br> – perceptions différenciées | | | Affects perceptifs <br> – plaisirs et douleurs liés aux perceptions <br> – sentiments de ce qui est agréable et désagréable |
| A3 <br> stades IV, V, VI | Intelligence sensorimotrice (de 6 à 8 mois, jusqu'à l'acquisition du langage – deuxième année) | | | Régulations élémentaires (au sens de Janet), activation, freinage, réactions de terminaison, avec sentiments d'échec ou succès) |
| **B** | **Intelligence verbale** (conceptuelle : socialisée) | | | **Sentiments interindividuels** (échanges affectifs entre personnes) |
| B1 | Représentations préopératoires <br> Intériorisation de l'action en une pensée non encore réversible (2 à 7 ans), réalisme intellectuel <br><br> ÉGOCENTRISME | | **RÉGULATIONS** | Affects intuitifs <br> Sentiments sociaux élémentaires <br> Premiers sentiments moraux (reconnaissance). Morale hétéronome, réalisme moral, respect unilatéral. <br> OBÉISSANCE |
| B2 | Opérations concrètes <br> de 7-8 ans à 10-11 ans <br> opérations élémentaires de classes et de relations : pensée non formelle <br> RÉVERSIBILITÉ | | | Affects normatifs <br> Apparition de sentiments moraux *autonomes,* avec intervention de la *volonté* (le juste et l'injuste ne dépendant plus de l'obéissance à une règle) <br> RESPECT MUTUEL / RÉCIPROCITÉ / COOPÉRATION |
| B3 | Opérations formelles <br> 11-12 ans avec réalisation effective à 14-15 ans <br> Logique des propositions libérée des contenus | | **GROUPEMENTS** | *Sentiments « idéologiques »* <br> – les sentiments interindividuels se doublent de sentiments ayant pour objectifs des idéaux collectifs <br> – élaboration parallèle de la Personnalité : l'individu s'assigne un rôle et des buts dans la vie sociale. |

Source : Adapté de P. Tap (1983), Affectivité et socialisation chez l'enfant selon Piaget, dans L. Not (dir.), *Perspectives piagétiennes,* Toulouse, Privat, p. 47 à 64 ; d'après J. Piaget (1954).

Toutefois, Piaget et Inhelder (1955) proposent de différencier le moi et la personnalité. Selon eux, le moi représente l'activité propre centrée sur elle-même, tandis que la personnalité serait le moi décentré de l'individu qui s'insère dans un groupe social, se soumet à la discipline collective, incarne une idée, adhère à une œuvre et à une échelle de valeurs, à un programme de vie, adopte un rôle social. Par la décentration, le sujet en vient à faire siens les « nous » collectifs (pairs, partenaires sportifs, etc.) en même temps qu'il est amené à accentuer les différences entre ces « nous » et les non-nous que sont les autres.

Il y aurait par contre décentration affective lorsque les valeurs d'intérêt, caractérisées par la valorisation et l'enrichissement de l'action propre, tendent à céder le pas à des valeurs d'échange dans la relation avec autrui, valeurs caractérisées par la coordination mutuelle des attitudes, la valorisation réciproque et l'enrichissement mutuel. Cependant, un tel progrès sous-entend justement la conservation des sentiments et des valeurs à travers la mémoire personnelle. Cette conservation n'est plus limitée au seul point de vue propre ; elle suppose la prise en compte du point de vue des autres. La morale du respect mutuel et de la réciprocité s'appuie sur la volonté, qui ne serait pas autre chose que le pouvoir de conservation des valeurs. La volonté apparaît comme une régulation affective au second degré, une régulation des régulations. Il s'agit bien d'une régulation et non d'un évitement. Selon Piaget (1954), ce n'est pas faire preuve de volonté que d'éviter les conflits, mais c'est une preuve de volonté que de disposer de valeurs suffisamment permanentes pour atténuer la gravité des conflits. On peut percevoir et discuter ici le poids de la morale dans le processus de construction de l'enfant en tant que personne, mais on connaît la formule de Piaget selon laquelle « la morale est une logique de l'action comme la logique est une morale de la pensée » (*ibid.*, p. 133). Selon lui, la morale, comme la logique, serait un système maximum d'équilibration virtuelle. Piaget affirme ailleurs que les états les mieux équilibrés (physiquement, psychologiquement ou socialement) correspondent au maximum d'activités et au maximum de liaisons engendrées et d'ouverture dans les échanges (Piaget, 1950). Mais, au cours d'un colloque sur *Structure et genèse*, il faisait aussi remarquer que « la logique est une morale que nous respectons et que nous appliquons peu » (De Gandillac, Goldman et Piaget, 1965). Cette remarque montre clairement le caractère idéalisé des modèles de référence avec des limites du type « maximum » ou « optimum » vers lesquelles tendraient les individus, sans les atteindre.

Certes, l'ouverture vers les autres peut se faire, pour une part, sur le mode de la réciprocité et de la coopération, mais les besoins de s'affirmer, de s'opposer aux autres, d'entrer en compétition avec eux, s'expriment aussi et obligent la personne à mettre en œuvre des régulations susceptibles de résoudre les conflits.

Le caractère très général et par trop idéalisé du modèle piagétien a parfois été critiqué, mais il a l'avantage de la clarté et de la cohérence. On retiendra par exemple que sa définition de la constance perceptive (des objets) peut s'appliquer à la constance socio-affective telle que Piaget la décrit. Selon lui, en effet, la constance perceptive se reconnaît à partir de trois caractères :

1. Le sujet conserve une propriété (de l'objet), malgré la transformation d'autres propriétés du même objet ;

2. Le sujet est capable de percevoir à la fois les propriétés conservées et les propriétés transformées (« dédoublement phénoménal ») ;

3. Le sujet effectue une compensation permettant d'assurer la constance d'ensemble de l'objet (Piaget, 1961, 1964b).

Ces caractères pourraient être valablement appliqués à la représentation de soi. Ils permettraient de montrer que l'identité n'est pas un objet mental situable et passif, mais qu'elle est le résultat dynamique d'interactions intrapersonnelles (articulations et régulations entre les processus cognitifs, affectifs et relationnels, etc.) et interpersonnelles (nature et style des transactions avec autrui dans les différentes situations d'apprentissage ou de convivialité, etc.).

## 11.3 L'IDENTITÉ COMME SYSTÈME DE REPRÉSENTATIONS ET DE SENTIMENTS

Il faut noter au passage qu'en considérant l'identité comme un système de représentations et de sentiments, on ouvre un débat contradictoire sur sa nature. Il ne faudrait pas confondre l'identité avec le concept de soi (Rogers, 1959 ; Wylie, 1974 ; L'Écuyer, 1975a, 1975b, 1978, 1980a, 1980b) ; elle ne serait pas seulement une dimension cognitive de la personnalité. Elle comporte en effet une référence sociale à travers des mécanismes de comparaison, de confrontation, d'affirmation individuelle ou de participation à une quête collective de reconnaissance sociale. Elle s'inscrit de ce fait aussi dans une dynamique affective, par l'intrusion d'émotions et de sentiments multiples et leur régulation : le sentiment d'identité (rester le même dans le temps) n'est que l'un de ces sentiments. On peut lui associer l'importance des processus d'autovalorisation (sentiments de supériorité et d'infériorité), mais ces sentiments émergent en même temps que la dynamique de la valorisation interindividuelle, qui fonde le sentiment de sympathie tout autant que celui de l'antipathie, en même temps aussi que se renforce progressivement la capacité de jugement sur soi-même (Piaget, 1954). C'est que pour Piaget, la valeur est un caractère affectif de l'objet, c'est-à-dire un ensemble de sentiments projetés sur l'objet. Elle constitue donc bien une liaison entre l'objet et le sujet, mais une liaison affective. Dans l'interaction fonctionnelle entre le cognitif et l'affectif, Piaget en vient à considérer l'affectivité comme l'aspect énergétique des conduites, tandis que les structures relèveraient des fonctions cognitives. Les sentiments, sans être par eux-mêmes structurés, s'organisent structuralement en s'intellectualisant. Sur ce point, il y a accord entre Piaget et Wallon. Pour ce dernier, les premières prises de contact entre le sujet et son environnement sont d'ordre affectif : ce sont les émotions.

Celles-ci « chevillent le social au corps ». Tout au long de la vie, les acquis dans le domaine de la connaissance s'intègrent au développement de l'affectivité et ils en permettent la complexification. Mais dès l'instant où la personne agit, observe, réfléchit ou même imagine, elle abolit en elle le trouble émotionnel, qui peut, à vrai dire, l'envahir à nouveau plus tard (Wallon, 1976g).

## 11.4    LES INTERACTIONS ENTRE LES DÉVELOPPEMENTS COGNITIF ET AFFECTIF

La façon dont Piaget envisage les liens entre cognition et affectivité a fait l'objet de bien des critiques. Le fait de considérer l'affectivité comme le moteur de la conduite, et d'attribuer ensuite aux sentiments une structure, quoique isomorphe aux structures intellectuelles, ne les empêche pas d'être distincts et différents. Piaget tend à subordonner l'évolution affective à l'évolution intellectuelle, et à considérer l'identité comme le produit stabilisé de la conservation des valeurs, elle-même associée aux mécanismes cognitifs généraux de la conservation (Tran-Thong, 1970).

Piaget a plusieurs fois discuté des différences entre le modèle psychanalytique du fonctionnement psychique et celui qu'il propose (Piaget 1932, 1933, 1964c, 1954). On constate que ses remarques portent d'abord sur le développement précoce. L'égocentrisme radical du bébé (que Piaget compare à l'autisme [1923a], à tort selon Wallon [1928]), peut être comparé à la théorie du narcissisme primaire de Freud. Piaget admet cette notion à la condition d'y voir un narcissisme sans Narcisse, c'est-à-dire sans conscience du moi (1964a). Il critique aussi la conception freudienne de la mémoire et de l'amnésie infantile. Le bébé n'est pas en mesure d'utiliser la mémoire d'évocation, or celle-ci est nécessaire à la construction d'images mentales. On ne peut donc parler de construction de fantasmes ou d'hallucinations au début de la vie. Par ailleurs, selon lui, l'inconscient n'est pas un magasin de souvenirs passés (Piaget, 1954). L'inconscient existe bien, mais il comporte simultanément des aspects cognitifs et affectifs et il est utile, actif, fonctionnel. De même, le refoulement intervient effectivement, mais comme régulation automatique ou spontanée résultant de schèmes affectifs dont les racines échappent à la prise de conscience. Piaget discute également la notion de surmoi, qu'il considère comme un schème et non pas simplement comme

un mécanisme d'identification à un ensemble de souvenirs affectifs qui seraient conservés statiquement dans l'inconscient (imagos parentales[2], etc.). Ce qui se conserve, ce ne sont pas des images, des sentiments ou des pulsions, mais des schèmes de conduite, d'actions ou de réactions susceptibles, comme les schèmes cognitifs, de se reproduire et d'être généralisés activement (Piaget, 1954).

Les psychanalystes ont, eux aussi, procédé à l'analyse des deux théories. Par exemple, Saussure (1933) montre que la comparaison concerne surtout la notion de surmoi chez Freud et la théorie du développement moral chez Piaget. À l'identification primaire proposée par la psychanalyse correspondent l'indifférenciation et la participation du jeune enfant chez Piaget. Il est possible de comparer l'identification secondaire par crainte à la morale de la contrainte (respect unilatéral et réalisme moral). Enfin, l'identification tertiaire par neutralisation de l'agressivité serait liée à la morale de la coopération et de l'échange égalitaire. Odié (1947, 1950) a cherché à mettre en place une méthode « génético-analytique » combinant les deux théories, sans grand succès. Par la suite, les positions se sont durcies. Pour Kestemberg et Kestemberg (1965), par exemple, la théorie de Piaget serait une vraie construction doctrinale décrivant le développement de façon abstraite, éliminant les contingences individuelles et, ce faisant, éliminant la singularité de ce développement et son caractère dramatique.

L'interaction entre l'affectivité, la connaissance et l'interaction sociale permet à l'enfant de développer une conscience subjective, d'instaurer une intériorité, fondement des activités psychiques, tout au long de sa vie. Selon Wallon, l'émotion est perçue le plus souvent comme désadaptatrice. Elle a pourtant un caractère organisé et spectaculaire (avec effet sur autrui) et, associée à un défi, elle peut être organisatrice de représentations et de conduites sociales (Wallon, 1938, 1963b, 1976i, 1976g ; Malrieu, 1967b, 1989 ; Vandenplas-Holper, 1979 ; Balleyguier, 1996).

On comprend dès lors que l'identité personnelle n'est pas un concept coupé des affects ou des représentations et des pratiques sociales. Elle est certes la façon

---

2    Imagos paternelle et maternelle sont des concepts psychanalytiques proposés par Jung. L'imago est définie comme le « prototype inconscient de personnages qui oriente électivement la façon dont le sujet appréhende autrui : il est élaboré à partir des premières relations intersubjectives réelles et fantasmatiques avec l'entourage familial » (Laplanche et Pontalis, 1968, p. 196).

dont l'enfant se perçoit et pourrait se décrire, en particulier à travers la question du « qui suis-je ? ». Mais elle suppose que l'enfant est capable de porter un jugement sur lui-même, sur les autres, sur la façon dont les autres le perçoivent ou dont il perçoit les autres. L'identité personnelle implique enfin la capacité de percevoir et d'évaluer les jugements portés par les autres sur soi-même (Rodriguez-Tomé, 1972). Les perceptions, les relations interpersonnelles et les émotions influent donc sur l'identité personnelle (Wallon, 1954b ; Malrieu, 1967b ; Gordon et Gergen, 1968 ; Rodriguez-Tomé, 1972 ; Rodriguez-Tomé et Bariaud, 1987 ; Zazzo, 1980 ; Gergen, 1977, 1979 ; Cook, 1979 ; Tap, 1988 ; Deleau, 1990 ; Malrieu, 1996).

## 11.5    L'IDENTITÉ PERSONNELLE ET L'IDENTITÉ DU MOI

Il revient à Erik Erikson d'avoir introduit dans les sciences humaines une réflexion systématique sur l'identité personnelle et sociale (1950, 1968). Elle concernait surtout l'adolescence, et elle a été opérationnalisée diversement, en particulier autour des quatre statuts identitaires (identités diffuse, forclose, en moratoire et réalisée), par Marcia (1980, 1989, 1996) et Marcia et autres (1993). Les travaux d'Erikson ont été présentés et discutés à plusieurs reprises dans le présent ouvrage, mais nous devons y revenir pour mieux cerner la notion d'identité. Dans le prologue de *Identity, Youth and Crisis* (1968), Erikson présente notamment le contenu d'une conférence de Freud dans une association juive. Alors qu'il n'a jamais employé le terme d'identité dans son œuvre, au sens où nous l'entendons ici, Freud (1926) explique que ce n'était ni la foi, ni l'orgueil national qui l'avait lié au judaïsme (et il s'en excuse), mais quantité d'autres choses qui ne pouvaient se dire, alors qu'elles constituaient pour lui la conscience claire d'une identité intérieure, intimité bien abritée d'une structure psychique commune lui permettant d'utiliser au mieux son intelligence et de manifester ses oppositions, sans pactiser avec la majorité compacte. Freud manifeste ici un sentiment d'identité positif qui, selon Erikson, se trouve à la fois situé au cœur de l'individu et au cœur de la culture et de la communauté à l'égard desquelles il confirme son appartenance et sa libre affiliation. Bien des auteurs ont supposé l'existence d'un « noyau » des représentations, ou d'une « personnalité de base ».

La notion de noyau est fréquemment utilisée, d'abord en référence à la structure du corps et à son fonctionnement. Par exemple, Damasio (1999) évoque la notion de conscience-noyau représentée comme un mécanisme facilitant le passage du proto-soi (ensemble non conscient de représentations des différentes dimensions de l'état actuel du corps) au soi-central (référence transitoire, mais consciente, à l'organisme individuel au sein duquel des événements se produisent). Au niveau le plus élevé se situe la conscience-étendue liée au soi-autobiographique.

Mais cette « centralité » liée à la notion structurale de « cœur » ou de « noyau » est à discuter, surtout lorsque la quête de centralité de conscience est associée à la notion de *numen* (noyau interne associé à une toute-puissance). On pourrait ici lui opposer une autre image à partir de la métaphore de l'oignon. L'oignon, comme l'identité (à la fois une et multiple), est formé de plusieurs « peaux » que l'on peut retirer successivement (les « masques », les « faux *self* » selon l'expression de Winnicott, 1958, 1969a, 1975, etc.), que l'on peut chercher à enlever pour trouver le « cœur » (l'identité profonde et authentique derrière les masques, le vrai *self*). Mais l'oignon n'a pas de noyau. Il a, par contre, un germe actif lui permettant de se reproduire.

Cette métaphore permettrait de remplacer les « noyaux » par les « schèmes », au sens de Piaget, ou par les « schémas » des socio-cognitivistes. Notons ici que, selon Piaget, la notion de *pattern* ne suffit pas à traduire celle de schème. Celui-ci est plus actif, il a « en plus » le pouvoir de généralisation et d'assimilation (reproductive, symbolique, etc.) : le germe en quelque sorte (Piaget, 1954) !

Par ailleurs, Erikson (1968) fait remarquer que le recours à l'expression « sentiment de », à propos de soi, amène à proposer trois niveaux où vient s'ancrer le processus identitaire :

1) une expérience de claire conscience fondée sur un jugement ;

2) une manière de se situer, de s'exprimer par rapport aux autres, à conscience diffuse ;

3) mais aussi un état interne inconscient.

Il propose également de distinguer l'identité personnelle et l'identité du moi. La première se limiterait à deux caractéristiques : la perception de similitude avec soi-même (*self sameness*), de continuité existentielle, et la perception que les autres reconnaissent cette similitude et cette continuité. En revanche, l'identité du moi serait plutôt liée à la qualité existentielle propre à un moi donné (*the ego quality of this existence*). L'articulation entre ces deux identités constituerait le style d'individualité de la personne qui, par ses caractéristiques propres, en viendrait à établir des relations authentiques et significatives avec d'autres personnes. La quête d'identité suppose donc de donner sens à la vie, aux relations avec les autres, à l'histoire et aux aspirations personnelles. Selon Erikson, le lien entre l'identité de groupe et l'identité du moi met un grand potentiel d'énergie à la disposition aussi bien de l'individu que du groupe, lorsque trois processus s'articulent dans l'action, motrice ou symbolique : le biologique, le social et le psychique. Nous reviendrons plus loin sur la notion de style pour définir l'identité du moi ; continuons ici notre effort de description de l'identité.

## 11.6   LE STYLE IDENTITAIRE COMME INSTRUMENT DE CATÉGORISATION INTÉGRATIVE ET SINGULARISANTE

Dès que l'on considère l'identité comme un système de représentations et de sentiments (voir le chapitre 10), on doit clairement différencier l'identité de la personnalité et de la personne. On peut définir la personnalité comme un système de régulation de multiples systèmes moins complexes, ou comme le système de *contrôle des conduites*, c'est-à-dire l'articulation entre les activités comportementales et les activités mentales. La notion de personne se rapporte, elle aussi, à un ensemble de systèmes, mais de nature symbolique cette fois :

- un système de signification, qui donne *sens* à la vie, à l'intention et à l'action ;

- un système d'orientation, qui gouverne ce qui motive, ce vers quoi l'on tend (intentions, projets), ceux vers qui l'on va (choix d'appartenances raisonnées) ;

- un système de valorisation, à la fois axiologique et éthique, qui permet d'articuler les effets de sens à des valeurs (citoyenneté, droits de l'homme, spiritualité, religion, arts et sciences, cultures) ;

- et enfin un système de légitimation, fondé sur une autorité externe (être autorisé à) ou interne (s'autoriser à ou s'interdire de).

On peut définir les systèmes de personnalité à partir des traits qu'ils comportent ou à partir de familles de traits (facteurs ou types, abstraitement définis). On peut aussi chercher à définir ce qui singularise l'individu en termes de styles et de stratégies. Mais ces systèmes ne prennent sens, direction et valeur que dans un temps de vie (période, stade, phase), à partir d'expériences existentielles.

La notion de style est largement utilisée en psychologie, mais elle est diversement associée à des caractéristiques personnelles, selon les orientations épistémologiques et théoriques des auteurs. Dans le présent chapitre, nous comparerons les deux notions d'identité et de style. Nous avons vu comment Erikson les associait : le style d'individualité de la personne comme résultat de l'articulation entre l'identité personnelle et l'identité du moi (1950, 1968).

### 11.6.1   Les styles comme individualisation et diversification des conduites

On constate l'émergence de nombreuses notions liées à celles de style :

- Les styles cognitifs, parfois opposés aux styles affectifs (Kogan, 1976 ; Witkin et Goodenough, 1981 ; Huteau, 1981, 1985, 1987).

- Les styles de conduite. Reuchlin (1990) propose d'appeler ainsi l'ensemble des modes de fonctionnement observables articulant des aspects cognitifs et « conatifs » (activités finalisées et organisées).

- Les styles d'apprentissage (Kolb, 1984 ; Messick, 1985 ; Honey et Mumford, 1992 ; Chevrier et autres, 2000). Selon Olry-Louis et Huteau (2000), la notion de style d'apprentissage permet de répondre aux besoins de la pratique pédagogique et à la nécessité d'individualiser la formation.

- Les styles de *coping* (Cohen et Lazarus, 1973 ; Lazarus et Folkman, 1984 ; Carver, Scheier et Weintraub, 1989), comme ensemble de traits ou de dispositions, ont été critiqués du fait de leur faible prédictibilité des comportements d'une personne stressée en situation difficile. On évoque de plus en plus la notion de stratégies de *coping* (Tap, Esparbès et Sordes-Ader, 1995, 1998 ; Esparbès, Sordes-Ader et Tap, 1996 ; Sordes, Esparbès et Tap, 1994).

- Les styles de vie (Erikson, 1968 ; Vandenplas-Holper, 1998) ont été surtout utilisés à propos des jeunes qui veulent vivre en marge du fonctionnement social normal et normé (les toxico-dépendants, les marginaux, par exemple), ou à propos des personnes âgées. Le terme style de vie, associé à l'hygiène et à la diététique, s'emploie aussi dans le cadre de la prévention des troubles de santé, et sous-entend la nécessité d'accepter des limitations (Bandura, 1997).

– Les styles éducatifs ou parentaux sont souvent associés au style d'autorité des parents. Ils supposent, en réaction, des styles de conduites des enfants (Baumrind, 1971, 1978; Maccoby, 1980; Cloutier, 1981; Maccoby et Martin, 1983; Bretherton et Waters, 1985; Cloutier et Renaud, 1990; Prêteur et Léonardis, 1995; Tap et Vinay, 2000).

– Les styles d'attachement induisent eux aussi des interactions entre les styles des parents et ceux des enfants, mais en rapport avec la sécurité émotionnelle et avec les mécanismes de contrôle et d'exploration (Bowlby, 1969; Ainsworth, 1973, 1989; Main, Caplan et Cassidy, 1985; Pierrehumbert, Iannotti et Cummings, 1985; Pierrehumbert et autres, 1996; Mikulincer et Nachshon, 1991; MacKinnon et Marcia, 1996; Moore, 1998; Goossens, Marcoen, Van Hees et Van de Woestijne, 1998; Vinay, 2001; Vinay, Esparbès-Pistre et Tap, 2000).

– Les styles motivationnels (Apter, 1989, 2001; Apter, Kerr et Cowles, 1988) sont introduits dans le cadre de la théorie du renversement (*reversal theory*), qui s'oppose radicalement aux théories traditionnelles de la continuité, de l'équilibre et de la régulation homéostatique. Cette théorie du renversement met en avant l'hypothèse de variations des conduites en termes de fluidité, de flexibilité et de « bi-stabilité ». Des renversements de stratégies peuvent intervenir à des moments différents dans la vie quotidienne. Par exemple, les stratégies fondées sur les buts « stratégies téliques » obligent le sujet à contrôler massivement ses comportements, ses attitudes et ses sentiments, à se focaliser pour atteindre l'objectif. Inversement, les « stratégies paratéliques » sont fondées sur le primat de l'action immédiate, du plaisir, de la passion, du présent. On peut certes mettre en évidence des styles personnels plus téliques ou plus paratéliques, mais l'analyse des conduites personnelles d'enfants, d'adolescents ou d'adultes montre que la plupart des personnes « naviguent » entre ces deux pôles, selon les situations, les contextes et les contraintes. C'est ce qui explique cette notion de bi-stabilité: les stratégies sont stables en chacune des phases, mais la conduite du sujet a changé, elle s'est inversée, sans que la stabilité personnelle s'en ressente vraiment. Apter a montré que ce processus de renversement fonctionne sur plusieurs registres que l'on peut présenter à partir de caractéristiques souvent opposées: pouvoir-sympathie, conformité-résistance, individualisme-altruisme, etc. Dans la vie réelle, ces oppositions se réduisent et fonctionnent selon le processus gestaltiste des variations figure × fond[3], permettant au sujet d'alterner diverses conduites contradictoires, sans vivre pour autant cette alternance de manière conflictuelle (Apter et autres, 1988; Apter, 1989).

On trouve aussi un équivalent des styles motivationnels dans la théorie du flux (*flow*) proposée par Csikszentmihalyi (1991, 2004) et Csikszentmihalyi et Csikszentmihalyi (1988), qui montre la présence et l'importance dans les conduites d'un processus de focalisation autotélique, à des moments privilégiés de création, vécus comme des expériences optimales de concentration de soi. Cette théorie s'appuie sur l'hypothèse de la présence active de motivations internes, ou intrinsèques (Vandenplas-Holper, 1998).

– Les styles ou stratégies identitaires (Camilleri et autres, 1990; Lipiansky, 1992, 1998; Tap, 1979a, 1979b, 1988, 1991; Tap et Vinay, 2000), qu'Erikson avait appelés « styles d'individuation de la personne ».

Cependant, la notion même de style, souvent opposée aux traits, aux facteurs, aux types ou aux stratégies, ou confondue ou articulée avec eux, en particulier lorsqu'il s'agit de la personnalité, a rarement fait l'objet d'une analyse systématique. Messick (1985) propose cependant l'hypothèse selon laquelle le style sert de médiateur entre la structure et le processus. En d'autres termes, le style a les caractéristiques de la structure, avec la capacité de consistance, de cohérence et de continuité, mais le sujet qui le possède a aussi la capacité d'évoluer en fonction des contextes et des temporalités, de s'approprier ou de se différencier d'autres styles.

---

3    Les illusions perceptives sont souvent provoquées par le fait que la figure peut devenir fond et le fond devenir figure. Ce va-et-vient peut se reproduire sans rupture de la perception. De la même façon les deux conduites bi-stables peuvent se substituer l'une à l'autre sans rupture ni conflit, malgré leurs caractéristiques apparemment opposées.

### 11.6.2  Les styles et les identités collectives comme catégorisations et prescriptions

Le style, en termes artistiques, est un système institué de codes, de procédures permettant de recenser et de catégoriser les œuvres, de les classer dans le genre (famille, espèce) dont on suppose qu'elles font partie. N'en est-il pas de même des identités collectives: identités de genre (masculin–féminin), identités familiales, professionnelles, ethniques, nationales, etc.? À partir des identités ainsi codées, les individus peuvent se décrire, être classés et intégrés dans les catégories ou groupes dont ils font partie. Ils en viendraient ainsi à calquer leurs conduites sur des «modes» (mode de vie, mode vestimentaire, etc.) et à s'approprier des manières d'être. Les identités, comme les styles, seraient dès lors des moyens, des modes ou des manières que les institutions et les groupes socio-culturels mettraient en place *a priori* pour situer les individus en eux-mêmes et les uns par rapport aux autres (positions, attentes, normes et codes, etc.).

On peut associer ce type d'hypothèse à la notion d'habitus proposée par Bourdieu. Conditionnées par leurs modes d'existence et leurs appartenances de classe, les personnes produisent des habitus, c'est-à-dire des systèmes de dispositions durables et transposables, principes générateurs et organisateurs de pratiques. Bourdieu propose la notion de style de vie, qu'il définit comme un champ de pratiques et un univers de possibles résultant de la chaîne causale suivante: arbitraire culturel → habitus de classe → reproduction par inculcation et incorporation → goût, sens pratique → style de vie (Bourdieu, 1980).

Dans sa théorie générale de l'action, Parsons (1951, 1964) accorde une place importante à l'identité. Il l'associe à la culture, aux engagements dans les réseaux de socialisation et à la légitimation des conduites par les valeurs. Selon lui, l'identité facilite le maintien des modèles (*patterns maintenance*) par stabilisation normative ou latence. Elle fournit les modes d'expression et les jugements nécessaires à la canalisation de l'énergie, à la création de la motivation à agir; elle gère les éléments qui gouvernent le système et qui sont de l'ordre des finalités. Celles-ci sont souvent latentes, implicites, non traduites en objectifs ou en buts opérationnels. On pourrait parler ici de potentialisation, plutôt que de maintien des modèles (Tap, 1989b). La latence constitue en tous cas, selon Parsons, l'une des quatre dimensions fonctionnelles fondamentales de tout système d'action (les trois autres étant l'adaptation, la poursuite des buts et l'intégration). L'identité serait le sous-système de la personnalité lié à la latence, alors que le *ça* serait lié à l'adaptation, le *moi*, à la poursuite des buts et le *surmoi*, à l'intégration (Parsons, 1966, 1968).

Peut-on parler de changement dans de tels modèles? Ce sont en effet les «modes», les styles identitaires collectifs et les représentations qui les orientent qui devraient changer pour que les individus s'approprient ou inventent à leur tour de nouveaux modèles et de nouvelles manières d'être et de faire. Mais pour que les styles collectifs changent, il faut bien que les individus prennent sur eux de transgresser les styles existants (donc leurs propres identités) au nom de nouvelles valeurs, et de les changer, pour défendre l'image qu'ils se font d'eux-mêmes et qui ne peut entrer dans le moule identitaire collectif.

### 11.6.3  L'identité collective et l'identité personnelle: leur interstructuration

À titre d'exemple métaphorique, dans le domaine de la peinture, le style dit «impressionniste» est une façon de catégoriser un ensemble d'œuvres et de peintres. Mais

L'identité personnelle se construit à partir de différences et de ressemblances liées à l'âge, au corps et à la culture.

lorsqu'on parle du «style Van Gogh», c'est par contre une façon de préciser les manières de peindre propres à Van Gogh. Celui-ci devient une catégorie à lui seul. Il s'agit alors d'une singularisation catégorielle : Van Gogh est unique et seul de sa catégorie, ce qui ne l'empêche pas d'être situé ou de se situer dans le courant impressionniste. Van Gogh pouvait d'ailleurs réagir de façons diverses à cette appartenance, la majorer, la minimiser ou la refuser (Tap, 1987c). L'individualisation du style n'implique pas nécessairement un refus des règles imposées au groupe d'appartenance, mais sans doute un degré suffisant de liberté dans la façon de gérer le style collectif (comme l'identité collective). On parlera de souplesse, de flexibilité, dans la façon de gérer le style collectif que l'on s'approprie. Par exemple, un artisan peut produire des meubles neufs, mais «style Louis XV». Cet artisan, aussi respectueux qu'il soit du style qu'il reproduit, parce que la matière lui résiste et l'oblige à résoudre des problèmes, peut faire œuvre créatrice, être un véritable artiste ; il peut ainsi conjuguer tradition et invention, sinon apprentissage et révolte, et imprimer sa marque à son œuvre (Dufrenne, 1995). De même, l'appropriation par l'enfant, ou par l'adolescent, d'identités et de styles collectifs sous-entend un travail progressif (continu ou discontinu) de transformation de ses modes d'intervention, par retouches, ajouts ou abandons, par régulations sectorielles, sans pour autant remettre en question les caractéristiques structurales de ce style. L'individu en viendrait à développer l'image d'un authentique «être soi-même» (*ipse* → *ipséité*, à différencier du *idem* → «être le même») et à poser des actes, engager des conduites qui porteraient la marque d'un style véritablement singulier, malgré son origine ou sa catégorisation collectives. Le changement personnel serait le résultat d'un développement par extension structurale, impliquant une transgression des codes sociaux ou des attentes. Mais cette transgression ne serait rendue possible que par l'existence simultanée d'une pluralité de codes et d'attentes, en même temps que de «traits libres» échappant aux codifications sociales manifestes, s'organisant en sous-codes implicites et favorisant le jeu créateur de nouvelles connotations et l'émergence d'une marge de sens (Dufrenne, 1995). Bien entendu, les changements personnels ne sont pas indépendants de l'évolution des conduites collectives, de la sociogenèse (Piaget, 1965, 1967b ; Malrieu, 1989 ; Tap, 1988, 1989a).

Appliquée à l'identité, cette hypothèse apparaît riche d'apports. Les conduites égocentrées et l'image de soi qui, à un moment donné, leur est associée, ne

changent que si interviennent à la fois une rupture énergétique, une transgression des valeurs et des codes jusque-là suivis, assumés et intériorisés, et un excès de traits et valeurs «libres», liés par simple connotation au système antérieur, mais susceptibles maintenant d'être directement activés, dans une mobilisation restructurante, accompagnés d'émotions et de sentiments divers, d'autovalorisation ou d'autoscepticisme, de doute sur soi, de réussite ou d'échec, d'avidité ou d'écœurement, de solitude ou de trop-plein relationnel. Par cette mutation, active, cognitive et affective tout à la fois, le sujet affirme sa différence et sa singularité, mais il renforce aussi ses réelles capacités adaptatives. Par là, il pourra transformer ses comportements et ses représentations, instaurant ce qui pourra être considéré par la suite comme un nouveau style.

## 11.7 LES FONCTIONS DE L'IDENTIFICATION

Karl Lorenz (1976) disait que sans le phénomène d'identification à un transmetteur de traditions, l'homme ne pourrait avoir de véritable sentiment de son identité. Ainsi, la personnalité de l'enfant se construirait selon un processus d'acculturation par imprégnation progressive fondée sur un modelage, un conditionnement imitatif, et grâce à un mécanisme d'identification à des modèles extérieurs lui permettant d'intérioriser les attentes, les normes et les valeurs sociales. Mais l'ambivalence est constitutive de la personnalisation, de la prise de conscience de soi et de l'émergence de l'identité personnelle. C'est à elle qu'il faut faire appel pour comprendre l'apparition de l'identification. Celle-ci est en effet une des réactions à l'ambivalence d'autrui, provoquant chez l'enfant une ambivalence en retour. Par l'identification, il cherche à résoudre une contradiction, un conflit (Malrieu, 1967a, 2000). On ne saurait donc l'assimiler à l'imprégnation par copie, ni au confusionnisme, ni à la participation ou contagion émotionnelle (Wallon, 1976h). Or, des rapports étroits unissent l'angoisse à toute situation ou expérience subjective où l'intégrité du moi est en jeu (Rodriguez-Tomé et Zlotowicz, 1972). L'identification peut dès lors être présentée comme un processus par lequel l'individu cherche à échapper à l'angoisse d'identité, en résolvant, au moins temporairement, le conflit responsable de cette angoisse. L'identification est un processus imaginaire vécu comme une passion et mis en place par le moi pour se défendre contre l'angoisse instaurée, en particulier du fait du regard des autres porté sur soi. Comme le remarque Laing (1959, 1970), dans un monde plein de dangers, être un objet potentiellement visible, c'est être constamment exposé. La conscience de soi, dès lors, peut être la conscience inquiète d'un sujet se sentant virtuellement exposé au danger que représente le regard des autres. Être quelqu'un d'autre que soi-même, être comme tout le monde, jouer un rôle, être anonyme, n'être personne, sont autant de stratégies normales ou pathologiques. En fait, la personne vit un conflit entre le besoin d'être vue, reconnue (besoin qui lui permet de conserver le sentiment de réalité et d'identité) et le sentiment que l'autre menace cette même réalité et cette même identité. L'identification est, pour l'enfant, une repersonnalisation à partir d'un attachement passionné à celui qui le domine. Les jeux de fictions permettent de multiplier les perspectives organisatrices de l'action et les possibilités d'expérimenter de telles identifications (Malrieu et Malrieu, 1973). Mais l'identification et les mises en scène fictives deviennent aussi un moyen de resocialisation, à travers la jubilation intense d'être quelqu'un d'autre que soi, plus compétent, plus efficace ou plus aimant.

En s'identifiant à autrui, l'enfant cherche à éviter la perte d'amour (angoisse d'abandon et de séparation) [Winnicott, 1958, 1975; Spitz, 1950, 1962, 1974; Bowlby, 1969, 1978a, 1973, 1978b; Zlotowicz, 1974, 1978; Zazzo, 1974a; Tap, 1974, 1979b], ou tente de liquider une angoisse d'agression physique ou psychique (angoisse de castration, de morcellement, craintes conscientes de mutilation et de destruction mettant en cause l'intégrité corporelle et l'identité personnelle) [Zlotowicz, 1974]. En fait, l'angoisse s'instaure chaque fois que la sécurité, l'identité, l'unité ou la valeur de soi sont en danger du fait d'attitudes ou de conduites contradictoires d'autrui en relation avec un conflit interne résultant de l'impossibilité de satisfaire simultanément des besoins essentiels contradictoires, par exemple des besoins de sécurité et d'amour opposés aux besoins d'autonomie, de singularité, d'accomplissement (Tap, 1979b, 1980c).

L'identification a, en fait, deux fonctions:

1. Une fonction défensive, par laquelle se déclenche le processus permettant au sujet de résoudre un conflit, de liquider une anxiété, de dépasser une impuissance ou une dévalorisation, et de maintenir l'unité et l'identité de soi (A. Freud, 1964; Adler, 1956, 1977);

2. Une fonction constructive, par les conséquences qu'instaure l'identification dans l'organisation de la personnalité et des conduites. L'identification aboutit, en effet, à l'intériorisation de la puissance d'autrui, de sa compétence instrumentale, de ses capacités de protection-affection (Kagan et Lemkin, 1960). Par l'identification, l'enfant construit un système complexe d'attitudes et de représentations sociales.

Mais l'identification pourrait être un assujettissement à autrui (Malrieu, 1976). Nous avons vu, en particulier, que l'identification à l'adulte peut enfermer l'enfant dans son image sociale définie par la dépendance et la conformité aux stéréotypes sociaux, y compris sexués, et aux attentes des adultes. Mais tel est le paradoxe de l'identification: en devenant cet autre qu'il n'est pas, l'enfant devient lui-même. L'enfant épouse les façons de son entourage pour y opposer ensuite son propre moi, prenant ainsi conscience de lui-même à travers autrui. C'est en se voulant semblable au modèle qu'il s'oppose à la personne et qu'il doit bien finir par se distinguer du modèle (Wallon, 1942). Ainsi se trouve posée l'hypothèse d'une dialectique développementale entre l'identité et l'identification, moyen d'éviter, en les intégrant, les trois processus évoqués par Lorenzi-Cioldi (1994): la fusion, le caméléon et l'ange (voir le chapitre 10).

Comme l'a montré Leyens (1969), trois conditions sociales et relationnelles facilitent l'identification:

1. Une condition affective. L'identification est en relation avec la sympathie perçue et éprouvée par l'enfant dans sa relation avec le modèle; on retrouve ici la dimension expressive de Parsons et Bales (1955) et la dimension communiale de Bakan (1966), deux dimensions perçues comme plus féminines.

2. Une condition de similitude. L'identification ne peut se produire que si existent, et sont perçus, des éléments communs entre l'enfant et le modèle. Cette condition apparaît aussi bien chez les psychanalystes, avec la notion d'identification au tiers (Freud, S., 1920; Freud, A., 1964), que chez les socio-cognitivistes et les théoriciens de la comparaison sociale, avec la notion d'apprentissage par observation et celle d'efficacité par similitude de performances ou de caractéristiques (Festinger, 1954; Bandura, 1997, 2003; Brown et Inouye, 1978; Suls et Miller, 1977; Suls et Mullen, 1982; Wood, 1989) et que chez les psychosociologues, avec la présomption de similitude (Maisonneuve, 1973; De Montmollin, 1977).

3. Une condition de puissance. L'identification est facilitée si le modèle est puissant, prestigieux ou compétent, ou les deux. On voit évoquée cette condition chez de nombreux auteurs, depuis Kelman (1958) et Kagan (1958). On retrouve donc ici la dimension instrumentale de Parsons et Bales, ou la dimension agentique de Bakan (1966), deux dimensions perçues comme plus masculines. C'est dire qu'une bonne identification s'appuie sur des dimensions androgynes !

Selon Leyens, l'identification dépend en fait non de l'importance séparée de chacune de ces conditions, mais de leurs interactions réciproques. Elle serait optimale lorsque le sujet se trouve à une distance psychologique adaptée, ni trop près, ni trop loin, sous-entendant un équilibre entre le besoin de sécurité (conditions 1 + 2) et le besoin de gratification (conditions 2 + 3). Si la distance est trop faible entre le sujet et son modèle (primat de 1 + 2, faiblesse de 3), la sécurité est assurée, mais la gratification, insuffisante : l'identification ne se produit pas. Si la distance est trop grande (primat de 3, faiblesse de 1 et 2), la gratification pourrait être importante, mais l'identification ne se produit pas non plus du fait du risque perçu lié à une trop grande insécurité.

Nous verrons pourtant que les deux déséquilibres évoqués peuvent fort bien provoquer une identification fusionnelle (trop de proximité, forte sécurité, mais aussi forte dépendance) dans le premier cas, et une identification à l'agresseur (trop de distance augmentant le sentiment de menace) dans le second.

## 11.8 LES FORMES DE L'IDENTIFICATION ET LA GENÈSE DE L'IDENTITÉ

Les rapports entre l'identité et l'identification varient selon la forme de l'identification mise en jeu, selon la situation dans laquelle s'instaurent ces rapports, et selon la période de vie au cours de laquelle ils s'organisent ou se dénouent.

À partir des multiples recherches psychosociales, psychanalytiques et développementales, Tap (1988) a proposé six formes d'identification susceptibles de faciliter des relances identitaires et apparaissant à des moments différents du développement socio-affectif et cognitif de l'enfant et de l'adolescent, mais dont il est possible de reconnaître les effets tout au long de la vie (voir le tableau 11.2).

Tableau 11.2 Phases de l'identité et formes d'identification

| | Modalité de l'identification | Modèle | Valeurs | Type d'angoisse |
|---|---|---|---|---|
| 1. Identité dans l'AUTRE | DÉPENDANCE | AUTRE PROTECTEUR, AFFECTUEUX | Sécurité, assurance, confiance | Abandon, séparation |
| 2. Identité contre l'AUTRE | AGRESSIVITÉ | AUTRE FRUSTRATEUR, INTERDICTEUR, PUNISSEUR | Autonomie, affirmation de soi par la négation et le refus | Intégrité, agression, impuissance devant autrui |
| 3. Identité par le FAIRE | MAÎTRISE ACTION | AUTRE CONSTRUCTEUR, INTERLOCUTEUR | Création, réussite Maîtrise des situations | Impuissance dans l'action en général |
| 4. Identité par le DÉDOUBLEMENT ET/OU LE PARAÎTRE | DOUBLE, MIROIR | AUTRE comme ALTER EGO | Ressemblance (similitude), fraternisation narcissique | Étrangeté, nouveauté, morcellement |
| 5. Identité par le « Nous », l'ADHÉSION | CATÉGORIES | AUTRE GÉNÉRALISÉ ; les « PAIRS » | Appartenance, solidarité, égalité et différenciation | Rejet, déviance, non-reconnaissance |
| 6. Identité par le DEVENIR | PROJET | IDÉAL DU MOI IDÉAL D'HOMME IDÉAL DE SOCIÉTÉ | Changement, dépassement, unicité Perfection Action militante | Incomplétude, mort |

Source : Adapté de P. Tap (1988), *La société Pygmalion ? Intégration sociale et réalisation de la personne*, Paris, Dunod, p. 153.

### 11.8.1 L'identification de dépendance ou l'identification fusionnelle

L'identification de dépendance ou l'identification fusionnelle est liée au processus par lequel l'enfant tend à se perdre dans la toute-puissance affectueuse de l'autre et ne peut vivre que dans une grande dépendance à l'égard de cet autre qui satisfait ses besoins et lui apporte sécurité et tendresse. On retrouve ici les recherches sur l'attachement (Ainsworth, 1967, 1973, 1989; Ainsworth et Witting, 1969) et celles liées à la psychanalyse (S. Freud et A. Freud, Erikson, etc.). La relation établie entre le bébé et sa mère est à la fois fusionnelle (confusion entre le moi et l'autre) et dissymétrique. Mais, dans la première année, on ne peut parler ni d'identité, ni d'identification véritables, dans la mesure où l'une et l'autre supposent une conscience plus ou moins claire de dédoublement (Malrieu, 1967a, 1967b) et, par conséquent, de différenciation. L'identité et l'identification seraient dans ce cas tardives et contemporaines de l'émergence de la représentation, de l'imitation différée (Piaget, 1964a), du langage (Wallon, 1942, 1945) et du processus d'individuation-séparation (Mahler, 1963, 1968). Mais la relation à l'autre, selon la conception de Winnicott (1969b, 1975) se maintient longtemps dans un entre-deux, dans un espace potentiel, une aire intermédiaire d'expérience incluant les phénomènes et les objets transitionnels, et demeure située entre la réalité psychique interne et le monde extérieur tel qu'il est perçu par les deux personnes. Le soi se situerait dans cet espace imaginaire, dans ce terrain de jeu (du jeu au je). Comme le précise Pontalis (1975), le soi n'est pas le centre (pensez au cœur et à l'oignon évoqués plus haut), il n'est pas non plus l'inaccessible enfoui quelque part dans les replis de l'être. Il se trouve dans l'entre-deux du dehors et du dedans, du moi et du non-moi, de l'enfant et de la mère, de soi et de l'autre.

### 11.8.2 L'identification à l'agresseur

L'identification à l'agresseur est liée au processus par lequel l'enfant tend à s'approprier la toute-puissance de refus, d'interdiction et de menace de l'autre, en réaction à l'ambivalence de cet autre et pour préserver le besoin naissant d'autonomie et d'affirmation de soi (se reporter à la théorie des mécanismes de défense, A. Freud, etc.). Dans ce contexte, le sujet s'institue dans la discontinuité, l'autre étant vécu comme un obstacle à l'épanouissement et à l'autonomie. On retrouve ici la conception hégélienne selon laquelle la reconnaissance de soi s'institue dans la confrontation des désirs et la lutte contre le pouvoir et la toute-puissance de l'autre (Hegel, 1939). Mais l'identité qui s'affirme par opposition, si elle est fondamentale pour comprendre la crise de l'adolescence (Erikson, 1968, 1972), ou celle de trois ans (Wallon, 1954b, 1976b, 1976e, 1976f, 1976g, 1976h), s'institue plus précocement, vers l'âge de 15-18 mois (Spitz, 1974), à une époque où l'enfant se conduit de façon capricieuse et contradictoire (Malrieu, 1967b; Balleyguier, 1996; Tap, 2001). Affection, dépendance et imitation y alternent avec des réactions de jalousie, de possessivité et d'opposition. L'identité se constitue dans et par le désir de maintenir une distance optimale, dans et par le conflit entre l'angoisse de séparation et l'angoisse de dépendance, entre la sécurité et l'exploration, entre l'engloutissement dans l'autre et le désir de maintenir une territorialité de l'identité (Erikson, 1972; Levi-Strauss, 1977). Pour réduire ces ambivalences, l'enfant réagit en s'identifiant à la mère frustratrice, qui refuse (d'un signe de la tête) ou qui dit non (Spitz, 1962). Par cette identification, l'enfant s'approprie le pouvoir de refus et d'interdiction de la mère. Mais si la mère interprète cette identification comme une désobéissance ou un caprice, s'instaure alors un chantage affectif réciproque. L'enfant vit donc intensément et dramatiquement les premières tentatives d'autonomisation-affirmation. Il s'agit pourtant d'un moment crucial d'accession à l'identité, au cours duquel l'enfant apprend à contrôler ses émotions, à assumer l'existence de règles et à gérer les interactions avec les autres.

### 11.8.3 L'identification imitative de maîtrise

L'identification imitative de maîtrise est liée au processus par lequel l'individu tend à s'approprier la toute-puissance active de l'autre et à prendre en compte les moyens d'accès à l'autonomie et la mise en œuvre d'aptitudes instrumentales et expressives. Cette identification permet à l'enfant de renforcer son sentiment d'auto-efficacité, de faire l'expérience de la réussite et de l'échec par le truchement d'imitations sectorielles. Elle permet de réduire l'ambivalence entre le sentiment d'impuissance et le désir de maîtriser les mouvements, les objets, les situations. Elle facilite aussi le pouvoir d'agir sur autrui.

Conjointement aux identifications affectives, éventuellement vécues sur le mode dramatique (amour-haine; dépendance-contre-dépendance), s'instaurent des processus complexes de maîtrise des objets, de l'espace, du temps, des communications, d'entrée progressive dans la culture, des systèmes de significations et de valeurs. L'identification à l'agresseur comme réaction à l'angoisse et affirmation du désir d'autonomie est contemporaine d'une identification au puissant et au constructeur, fondée sur l'intérêt, sur la joie de faire et de réussir, sur le désir d'actualiser des capacités. Dans la plupart des cas, l'identification à l'agresseur se manifeste de façon transitoire ou cyclique, et en étroite interaction avec l'identification de maîtrise et d'accomplissement. C'est dans ce contexte que les trois conditions proposées par Leyens (1969) peuvent permettre la gestion optimale du processus d'identification au puissant-sympathique proximal.

Il convient de préciser que pour les psychanalystes, l'identification à l'agresseur intervient à deux reprises dans le développement de l'enfant. La première se produit vers 15-18 mois dans la relation duelle mère-enfant (Spitz, 1950, 1962, 1974; Lagache, 1958) et elle est contemporaine du passage de la passivité à l'activité (Freud. S., 1920; Freud, A., 1946). La seconde intervient ensuite entre 3 et 6 ans, dans la relation triangulaire œdipienne, et particulièrement chez le garçon qui s'identifie au père répressif pour se défendre contre l'angoisse de castration (Freud. S., 1934; Freud. A., 1964). Or, la première identification aboutit à une agressivité réelle de l'enfant, sous forme de caprices et de refus, par renversement de rôles et récupération temporaire de la toute-puissance ambivalente de l'adulte, alors que la deuxième identification (œdipienne) aboutit à l'inhibition de l'agressivité à l'égard d'autrui, avec instauration de l'autocritique et de la culpabilité. Bien entendu, l'identification catégorielle de sexe que l'enfant doit apprendre va d'abord se heurter aux désirs et aux identifications primaires (Green, 1977). Notons enfin que l'identification à l'agresseur ne peut véritablement jouer un rôle dans l'instauration de l'identité et l'émergence de la différence (non stigmatisée) que dans la mesure où l'autre est perçu et vécu comme ambivalent. La mère ou le père ne sont pas avant tout perçus comme des agresseurs, mais comme des modèles positifs, sécurisants et aimants. L'identification à un autre qui ne serait qu'agresseur ne peut être qu'une défense pathologique se produisant dans des situations extrêmes, insoutenables, où la survie, le maintien de l'identité ou de la santé mentale de l'individu sont en jeu (Bettelheim, 1943, 1972).

### 11.8.4 L'identification spéculaire et gémellaire

L'identification spéculaire et gémellaire est contemporaine de l'instauration du dédoublement mental par lequel l'enfant tend à s'identifier à sa propre image (reflet spéculaire, miroir) ou à l'autre en tant qu'alter ego (reflet gémellaire, l'autre jumeau, réel, ou symbolique), par la mise en évidence passionnelle des similitudes (entre soi et le reflet gémellaire, entre soi et l'autre, identique ou non).

Entre 18 et 30 mois, l'enfant fait une triple conquête sur le plan identitaire : la reconnaissance de l'image de soi dans le miroir, la capacité de se nommer et l'aptitude à opérer des substitutions et des transferts symboliques dans les activités ludiques. Contrairement à ce qu'affirme Lacan à propos du stade du miroir (1966), l'enfant n'est pas en mesure de se reconnaître dans un miroir à six mois, et lorsqu'il est en mesure de le faire, il ne manifeste pas de jubilation, au contraire (Amsterdam, 1968, 1972; Amsterdam et Greenberg, 1977; Amsterdan et Levitt, 1980; Balleyguier, 1996). Selon Amsterdam, entre 18 et 24 mois, on constate une conduite ostensible d'évitement chez la quasi-totalité des enfants observés. Pour la petite histoire, Zazzo s'étonne de l'affirmation de Lacan selon laquelle Baldwin (1895) aurait écrit que l'enfant se reconnaît dans le miroir « depuis l'âge de 6 mois ». Or, Baldwin n'a rien écrit sur ce sujet; c'est Darwin (1877, cité par Zazzo, 1975) qui évoque le fait qu'à neuf mois, son fils associait son nom avec l'image spéculaire, mais sans préciser que l'enfant se reconnaissait. L'observation est pour le moins ambiguë (Zazzo, 1975) [en tout cas, double lapsus de Lacan : Baldwin-Darwin et 9 mois-6 mois!].

Il est vrai que les avis sont partagés. D'autres auteurs proposent l'âge de neuf mois comme moment de la reconnaissance, en particulier Lewis et Brooks-Gunn (1979, traduction française dans Mounoud et Vinter, 1984).

Les observations minutieuses des psychologues de l'enfance (Wallon, 1931, 1954b; Zazzo, 1948, 1975; Amsterdam, 1968; Amsterdam et Greenberg, 1977; Amsterdam et Levitt, 1980; Boulanger-Balleyguier, 1964, 1967, 1975, 1981; Balleyguier, 1996; Molina, 1989, 1995) montrent pourtant le caractère relativement plus tardif de la reconnaissance spéculaire (18-30 mois). Ceci dit, Wallon suppose l'existence d'un stade du miroir (1931), mais il fait une différence majeure entre la reconnaissance (entre autres moyens par le miroir) et l'appropriation de l'image corporelle. Pour se construire, l'identité corporelle a besoin tout à la fois du processus kinesthésique (appropriation du corps grâce à l'articulation des sensibilités extéroceptive, intéroceptive et proprioceptive) et du processus visuel incluant le fait de se voir dans un miroir, sur une photo ou sur un film. Zazzo (1975) précise à ce propos que l'enfant reconnaît l'image spéculaire plus tôt que l'image photographiée ou filmée, tandis que les autres images sont acceptées sans hésitation dès l'instant où elles sont identifiées. Les vrais débuts de la conscience de soi sont contemporains de la prise de conscience par l'enfant de la solidarité dynamique existant entre ses propres mouvements et les mouvements de son image spéculaire (Zazzo, 1981a, 1981b).

Lorsque l'enfant se reconnaît dans le miroir, loin de jubiler (comme le supposait Lacan), il se fige devant son image, il n'ose plus bouger. La jubilation constatée antérieurement à 18 mois semble liée à des réactions de sociabilité, l'image spéculaire étant sans doute perçue comme un autre enfant. Zazzo (1948) précise d'ailleurs que la reconnaissance spéculaire reste longtemps affectée d'incertitude et d'inquiétude. Selon lui, le désarroi est l'amorce du dédoublement. La reconnaissance devient explicite lorsque l'enfant montre son image et la désigne par son prénom. Zazzo (1975) indique en effet qu'elle coïncide (temporellement) avec l'emploi par l'enfant de son prénom et de son nom, et avec l'apparition du vocable « deux ».

Les expériences de Zazzo et de ses collaborateurs à propos de l'enfant devant le miroir, depuis 1972-1973, et rapportées par Zazzo (1975, 1980, 1988), ont fait l'objet de plusieurs films de synthèse (Zazzo, 1973a, 1976, 1981a, 1981b, 1982). Par ailleurs, des jumeaux monozygotes ou dizygotes sont placés chacun soit devant un miroir sans tain, soit devant une vitre derrière laquelle se trouve leur jumeau ou leur jumelle. Enfin étaient ajoutés deux indicateurs de reconnaissance : l'épreuve de la tache sur le nez[4] et l'épreuve du clignotant (pour expérimenter la conduite dite du « retournement »). Les résultats confirment le caractère tardif de la reconnaissance et de l'appropriation. Ils confirment aussi les remarques de Wallon à propos de l'instabilité

de l'appropriation spéculaire et de l'importance des conduites actives. À la même période, en effet, l'enfant se perçoit comme source d'action sur les objets et de pouvoir sur les autres. Il va ainsi déployer l'intentionnalité et l'expression, articuler ses désirs avec les moyens pour les satisfaire, en s'appuyant sur autrui. Bien entendu, l'image en miroir, la transformation des images corporelles (miroirs déformants) et les variations filmées vont concerner les enfants bien après 2 ou 3 ans (Mounoud et Vinter, 1984 ; Reinhardt, 1990).

### 11.8.5    L'identification catégorielle

L'identification catégorielle est contemporaine de l'instauration des identités sociales. Elle est fondée sur le processus par lequel l'enfant tend à s'identifier à des catégories ou à des groupes (d'appartenance ou de référence), et à adhérer aux valeurs, aux normes et aux règles de ces catégories ou de ces groupes. Cette identification s'instaure dans un réseau complexe de similarisation (accentuer les ressemblances) et de différenciation (identités sexuée, ethnique, culturelle, générationnelle, nationale, professionnelle, associative, sportive, etc.). Nous retrouvons ici l'exemple et la question de l'identité sexuée largement analysée dans le chapitre précédent.

L'enfant construit sa propre identité par le jeu complexe des identifications entre les membres des générations successives.

### 11.8.6  L'identification au projet

L'identification au projet, enfin, implique le dédoublement temporel d'un soi non spéculaire (selon Saint-Exupéry, ne pas se regarder l'un l'autre, mais regarder ensemble dans la même direction), orienté par le désir de devenir autre, de changer soi-même ou de vouloir changer la société. Ces changements sont forgés dans des anticipations plus ou moins construites (différences entre désirs et projets). L'identité que l'on suppose surtout liée au passé, par la mémoire de soi, la continuité, l'enracinement, ne peut perdurer sans s'articuler à des motivations, à des désirs à réaliser, à des projets à construire (Boutinet, 1990; Tap, 1992; Tap et Oubrayrie, 1993). Bien entendu, la transcendance androgyne (voir le chapitre 10) correspond à une utopie. Celle-ci suppose, de façon implicite ou explicite, l'espérance de changements sociaux, culturels et relationnels pour sortir de l'aliénation, du blocage, de la « prison du genre ». Mais il manque à cette utopie la discussion sur les moyens d'atteindre un tel changement, sans minimiser l'importance des relations intergroupes et interculturelles (Lorenzi-Cioldi, 1988, 1994, 2002). On peut cependant regretter que ce dernier auteur traduise les aspirations transcendantales en termes d'angélisme, comme bien des auteurs l'ont fait à l'égard des théories et hypothèses de Carl Rogers au sujet du développement de la personne et de la thérapie centrée sur la personne (Rogers, 1961, 1966; voir à ce propos Pagès, 1965; Peretti, 1997; Tap et Oubrayrie-Roussel, 1999).

## 11.9  LES STADES DE DÉVELOPPEMENT DE LA PERSONNE CHEZ L'ENFANT

Comme l'indiquait Zazzo (1985), la notion de personne est nécessairement associée à deux valeurs que toutes les civilisations n'ont pas découvertes ou cultivées: la personne est universalité (c'est le semblable parmi les semblables) et singularité (chaque personne est unique). Mais ces deux valeurs sont contradictoires. Il ajoutait que l'identité et l'identisation (le processus qui permet à l'identité de se développer) sont susceptibles d'être plus facilement étudiées, car il s'agit de faits psychobiologiques et psychosociaux, non pas de valeurs que l'histoire des hommes a affirmées; même si l'identité se fait personne un jour. Mais avec Meyerson (1948, 1973, 1987), Wallon (1976i), Zazzo (1960, 1973b, 1974a, 1974b, 1975),

Malrieu (1967b, 1973, 1979, 1989), Tap (1980a, 1980b, 1988) Tap et Oubrayrie-Roussel (1999), Tap et Zaouche-Gaudron (1999) et Tap et Vinay (2000) proposent de réintroduire dans la recherche psychologique la personne, les opinions, les valeurs, les orientations, les significations et les reconnaissances de toutes natures qui vont permettre à l'enfant de devenir une personne. Or, ces processus sont déjà à l'œuvre dans la dynamique identitaire. En effet, nous avons vu plus haut que les travaux sur l'identité sexuée introduisent inévitablement des prises de position idéologiques, au nom de l'égalité, de la liberté et de la fraternité (ou de la sororité); autrement dit, au nom des valeurs et des droits de la personne. Bien entendu, la notion de personne a une histoire collective, à travers l'évolution des cultures et des sociétés (Meyerson, 1948, 1973; Poitou, 1987; Tap, 1987a). Le statut de l'individu s'est progressivement transformé en fonction de l'évolution des conditions d'existence et en liaison constante avec les croyances, les mythes, les pratiques politiques, religieuses et sociales. Mais cette évolution n'est ni générale ni homogène; on le voit aujourd'hui, en particulier à propos du statut de la femme et de l'enfant. Il existe de multiples idéologies de la personne et de l'éducation, elles-mêmes fragiles et susceptibles de régressions dramatiques, régressions souvent provoquées au nom d'identités collectives. Mais revenons au développement de l'enfant, aujourd'hui et dans notre société.

Dans les discussions concernant les systèmes de stades (Osterrieth et autres, 1956), on a différencié des stades spécifiques (les stades de l'intelligence de Piaget et les stades de l'affectivité de Freud) et des stades généraux, parce qu'ils prennent en compte la totalité des conduites et des processus du développement de l'enfant. Il en est ainsi des stades de Gesell (Gesell et Ilg, 1943, 1946; Gesell, Ilg et Ames, 1956) et de ceux de Wallon.

Dans son modèle de stades du développement de l'enfance à l'adolescence, Wallon (1925, 1938, 1957, 1976g) décrit cinq grands stades:

1) le stade impulsif et émotionnel (0-1 an);
2) le stade sensorimoteur et projectif (1-3 ans);
3) le stade du personnalisme (3-6 ans);
4) le stade catégoriel (6-12 ans);
5) l'adolescence (12-18 ans).

### 11.9.1  Le stade impulsif et émotionnel (première année)

À propos du bébé dans sa première année, Wallon met surtout l'accent sur l'opposition entre les automatismes conditionnels et les processus émotionnels. L'émotion lui apparaît à la fois comme une première forme de la sociabilité (Zazzo, 1962) et comme un moyen de réduire l'hypertonus, l'impulsivité. L'enfant, après la symbiose organique de la période fœtale, se met à vivre en « symbiose (ou participation ou fusion) affective », dans un « subjectivisme (ou un syncrétisme) radical » (sans sujet). On peut parler ici d'une affirmation fusionnelle, retrouvant ainsi le narcissisme sans Narcisse évoqué par Piaget. Mais l'expression émotionnelle partagée transforme progressivement cette subjectivité de non-conscience en sociabilité. De multiples travaux, dans le cadre des neurosciences, mettent aujourd'hui l'accent sur l'importance des émotions et leur transformation progressive en sentiments, non seulement au cours de la première année, mais tout au long de la vie. Parmi ces travaux, il faut citer ceux de Damasio (1995, 1999, 2003), selon lequel la transformation des émotions en sentiments est un processus majeur, le signe même de l'émergence de la conscience et de la construction d'un espace psychique chez l'enfant.

### 11.9.2  Le stade sensorimoteur et projectif (1-3 ans)

L'enfant se tourne vers le monde, les objets et les personnes au cours d'une triple conquête : a) la manipulation ; b) la locomotion, la marche, qui facilitent l'investigation, l'exploration et l'orientation ; et c) la dénomination. Mais Wallon attache une grande importance à l'émergence de la conscience de soi durant cette période. Pour être acquise, cette conscience de soi suppose l'articulation entre la conscience corporelle et la conscience sociale. La conscience corporelle ne se limite pas au corps perçu visuellement (connaissance spéculaire) ; elle comporte une intégration, lente et progressive du corps visuel et du corps kinesthésique. Autrement dit, l'identité corporelle n'est acquise que lorsque les trois sensibilités (intéroceptive, proprioceptive et extéroceptive) se différencient et s'articulent entre elles (entre 18 et 30 mois). Wallon montre que la reconnaissance spéculaire ne s'acquiert pas d'un seul coup. L'enfant peut régresser et l'instabilité d'appropriation visuo-kinesthésique de l'identité (ou individualité) corporelle peut durer plusieurs mois. Jusqu'à deux ans, les parties du corps, pourtant reconnues

et individualisées, ne sont pas encore intégrées dans l'unité corporelle. Mais, il ne peut y avoir d'identification du corps propre sans identification simultanée des objets extérieurs. Les activités sensorimotrices favoriseront donc l'identisation corporelle et mentale. À 18 mois, en phase « projective », l'enfant s'exprime autant par des gestes que par des mots, comme s'il voulait mimer sa pensée, la projeter au-dehors comme pour lui conférer une présence (Wallon, 1976a). Pendant cette période, grâce à la marche, l'enfant s'approprie l'espace, qui s'ouvre librement à son activité. Grâce au langage, il est en mesure de différencier et d'individualiser les objets. Mais par le langage, l'enfant peut substituer au présent l'anticipation, la combinaison, le calcul ou seulement l'imagination et le rêve. Avant d'y parvenir, c'est-à-dire avant de devenir expression de la représentation, le langage inaugure avec la marche un type d'activité que Wallon appelle l'activité projective : la nécessité de présentifier le pensé. Pour dépasser cette phase et accéder à la représentation (des objets, du soi corporel ou mental, ou d'autrui), l'enfant doit sortir de l'ornière du geste, de l'emprise du présent et de l'accaparement de l'immédiat (Tran-Thong, 1970). Cette activité mimique se concrétise positivement dans le simulacre, un acte sans objet réel, mais à l'image d'un acte vrai (l'enfant qui fait semblant de dormir sur un oreiller absent) [sur l'importance des simulacres dans l'imaginaire et l'invention, voir Malrieu, 1967a, 2000]. L'imitation s'installe, mais elle a une fonction ambivalente qui peut aliéner l'enfant (si elle devient automatique) ou, au contraire, le libérer, si elle lui permet d'inventer des solutions face aux antagonismes auxquels il est confronté. C'est la raison pour laquelle l'enfant n'imite que des personnes dont il subit profondément l'attrait ou que des actions qui l'ont captivé (Wallon, 1957).

### 11.9.3  Le stade du personnalisme (3-6 ans)

Ce stade, particulièrement important pour la construction de l'identité et de la personne chez l'enfant, se décompose en trois phases : a) la crise des trois ans, ou stade d'opposition ; b) l'âge de grâce (quatre ans), ou de la parade et de la séduction ; et c) le stade des personnalités interchangeables ou multiples (5-6 ans).

Le stade du personnalisme se caractérise surtout par l'apprentissage de la distance entre le moi et autrui, par le dépassement de la sociabilité fusionnelle.

Entre 18 mois et 3 ans, l'affirmation oppositionnelle remplace l'affirmation fusionnelle. Le surgissement du moi prend alors un caractère conflictuel. Le moi se pose en s'opposant, surgit en s'insurgeant (Fronty, 1986). L'enfant apprend à dire « non » (Spitz, 1962); il veut éprouver seul ses forces et ses possibilités. Il accède au « moi, je ». Mais la crise signifie aussi des réactions d'inhibition, de timidité, accompagnées de maladresses et de honte. L'enfant peut être jaloux, méfiant, reconnaissant, etc. Mais les raisons de ses attitudes sont mieux déterminées, plus consistantes, plus durables.

Comme le rappelle Malrieu (1967a, 1967b), l'affirmation de soi et le processus d'objectivation qui l'accompagne n'attendent pas la crise des trois ans pour se manifester. Bien avant cette période, l'enfant conquiert une première forme de conscience de soi, la conscience d'une initiative ayant valeur sociale, valeur de dépassement et qui, à ce titre, est signifiée à autrui. L'enfant vit en fait un conflit entre deux attitudes, l'une de dépassement des infériorités, l'autre d'inquiétude sur ses propres capacités. Cette opposition constitue la structure fondamentale de la conscience de soi, comme de la dynamique identitaire.

Vers quatre ans, l'enfant semble entrer dans une phase de personnalisme plus positif, dans une « période de grâce », selon l'expression de Homburger (cité par Wallon 1976e, p. 338), dans une phase narcissique certes, mais à la condition de supposer un narcissisme de parade fondé sur le besoin d'être admiré, sur l'extériorisation et l'exubérance, mais avec prestance et séduction, l'œil étant rivé sur le « public » dont on attend l'approbation et les applaudissements. Toutefois, il se peut que l'enfant en vienne à oublier le public et à se focaliser sur ses propres virevoltes. Il fait alors l'expérience de la réalisation esthétique de sa propre personne. Ainsi s'installent diverses formes personnelles de souci de soi (dont Foucault [1984] a étudié l'histoire collective). C'est le souci de paraître, de se faire valoir, de se faire admirer pour pouvoir s'admirer en retour et obtenir une satisfaction narcissique. Mais Wallon (1957) remarque que cette ferveur pour soi-même ne va pas sans inquiétudes, déceptions ou conflits.

On voit donc que se sont succédées ici, pour tous les enfants, garçons et filles, des phases plus instrumentales-agentiques (crise d'autonomie à trois ans) ou expressives-communiales (âge de grâce).

D'ailleurs, dans la troisième phase personnaliste, dite des personnalités multiples et interchangeables,

l'enfant va devoir faire l'expérience conflictuelle de nouveaux apprentissages imitatifs. L'imitation n'est plus une copie de gestes, comme dans le stade précédent: elle devient copie de rôles et de personnages, réels ou imaginaires, vécus intensément dans les jeux de fiction. Les progrès identitaires accomplis durant les phases précédentes d'affirmation et de séduction, qui renforçaient l'estime de soi de l'enfant (Bolognini et Prêteur, 1998), sont précaires, partiels et inachevés. C'est que les processus d'opposition systématique sont une soumission retournée (une contre-dépendance), et la parade séductrice est aussi une soumission à l'empreinte étrangère, aux attentes du public. Mais en jouant une multiplicité de rôles, l'enfant fait l'expérience de la diversité des personnages sociaux, de la multiplicité des normes et des règles qui interviennent dans les échanges sociaux. Des simulacres primitifs l'enfant passe aux fictions. À cinq ans, les enfants élaborent des jeux de rôles à plusieurs. La plupart de ces jeux comportent un conflit à surmonter: le voleur veut échapper au gendarme, l'élève se révolte contre le maître, etc. Cela signifie bien sûr que ce qui se joue là dépasse l'apprentissage socio-technique des rôles. Dans l'interstice des répliques « sur mesure », il s'introduit nécessairement des projections liées à la problématique personnelle de l'enfant, problématique qui a des dimensions inconscientes, préconscientes ou conscientes (Malrieu, 1967a, 1967b, 2000). L'imaginaire ludique permet de multiples substitutions, de multiples identifications, pour gérer un affect complexe, désir ou rejet, qui n'arrive pas à s'exprimer, qui reste « fixé ». L'identification est une réponse de l'enfant à l'ambiguïté de la situation ou à l'ambivalence de son entourage. L'enfant qui s'identifie à son agresseur ne le ressent plus comme un étranger, par exemple. L'identification n'est pas une imitation, une copie. Elle est une tentative de réponse à un conflit affectif ou cognitif, à un conflit de décision (*krisis* signifie décision, en grec). Les jeux de fictions sont aussi des sources de progrès cognitifs. Ils supposent la gestion d'interactions sociales et l'appropriation du sens de la règle, essentielles à l'activité intellectuelle. Par les correspondances qu'ils permettent à l'enfant, celui-ci pourra déployer ses capacités de catégorisation et de classification des valeurs, des rôles, des intérêts, etc. Pour l'enfant, l'appartenance à des groupes ou à des catégories se charge de significations émotionnelles et évaluatives qui entrent en conflit les unes avec les autres. Le processus œdipien en est un exemple privilégié, mais non exclusif, qui oppose les catégories liées à la filiation (géniteurs-enfant) à celles liées au sexe (amour de l'autre sexe, ressemblances avec les personnes de même sexe) [Green, 1977]. On peut bien sûr, une fois encore, discuter de l'avenir du complexe d'Œdipe dans une société androgyne, comme on a discuté de son universalité.

### 11.9.4  Le stade catégoriel (6-12 ans)

Pour être perçues, les relations sociales supposent la capacité de définir et de différencier les individus selon un processus de catégorisation sociale qui permettra à l'enfant de systématiser et d'ordonner l'environnement social, d'orienter son action et d'actualiser des valeurs (Tajfel, 1972). Ce processus jouera un rôle capital tout au long de la vie, mais avant neuf ans, l'activité catégorielle est dominée par le contenu concret des images ou des situations évoquées, tandis qu'à 10 ans il semble que s'annonce une nouvelle étape où commence à s'instaurer la fonction catégorielle de l'esprit, fonction à la fois cognitive et sociale (Wallon, 1963b). Pour Piaget, la fonction catégorielle se construit progressivement entre 3 et 7-8 ans (où elle prend définitivement le pas sur l'égocentrisme). Les progrès de la pensée catégorielle amènent l'enfant à construire les identités sociales et à s'engager par rapport à elles, en les comparant (Festinger, 1954, 1971). L'enfant en vient alors à se reconnaître comme membre de catégories ou groupes socialement définis (Berger, 1966), en accentuant les différences perçues entre ces catégories ou groupes, tout en privilégiant les ressemblances entre les membres du même groupe ou de la même catégorie (Doise, 1978, 1998; Deschamps, 1977; Lorenzi-Cioldi, 2002). La comparaison sociale pousse l'enfant non seulement à se rapprocher de ceux qui lui ressemblent, mais aussi à s'opposer à ceux qui diffèrent de lui, sur le plan de l'appartenance. En se conformant aux normes du groupe, en s'identifiant à des catégories sociales, l'enfant cherche à éviter l'isolement ou les tensions liées au désaccord avec autrui (Montmollin, 1977); mais à long terme, la conformité s'avère être un facteur d'instabilité et de conflit (Moscovici et Ricateau, 1972). L'innovation devient dès lors une nécessité individuelle et collective. L'identification catégorielle et la conformité au groupe d'appartenance risquent en effet de réduire le sujet à ses identités, de l'enfermer dans ses rôles et de l'aliéner aux attentes sociales. Si la conformité favorise la consistance interindividuelle, elle peut mettre en question la consistance intra-individuelle, et par elle l'identité même du sujet. En fait,

l'enfant a appris à gérer positivement ou négativement aussi bien les ressemblances que les différences (complémentarité, curiosité, liens affectifs entre enfants différents).

### 11.9.5  Le stade de l'adolescence (12-18 ans)

On sait que la question de l'identité est essentielle au stade de l'adolescence (voir la théorie du moratoire de l'identité, Erikson, Marcia). Les transformations biologiques, psychologiques et sociales auxquelles l'adolescent doit faire face provoquent une véritable mutation de ses systèmes de signification, d'orientation et de valeurs, c'est-à-dire une mutation au sein du processus de personnalisation. L'identisation, comme construction progressive de l'identité, s'inscrit dans le processus plus large de la personnalisation. L'une et l'autre ont été préparées tout au long de l'enfance. Comme l'ont constamment montré Wallon et Zazzo, la socialisation et l'individuation trouvent leur origine dans l'organique et dans la relation à autrui, simultanément et indissolublement.

L'identité émerge comme objet de conscience chaque fois qu'elle est en danger, du fait d'enfermements, de morcellements, d'angoisses d'intégrité, d'agressions externes ou de dénis internes. Dans le fonctionnement ordinaire, les normes et les règles permettent à l'enfant, comme à l'adolescent et à l'adulte, d'être « en prise » avec son milieu, avec les autres et avec les situations, c'est-à-dire adapté, en concordance avec le contexte écologique. Mais l'environnement peut être vécu comme une « emprise » (Baubion-Broye, Malrieu et Tap, 1987a).

L'identité s'appuie sans cesse sur des identifications qui créent à la fois la surprise et la méprise, et qui peuvent être positives ou négatives; identifications nécessaires ou aliénantes, à des personnes, à des groupes, à des idées (ou à des idéologies) sur soi, sur les autres et sur le monde. L'identisation est l'histoire de la cavalcade des identifications que l'on doit perdre (comme autant d'illusions) pour continuer, mais qui toujours sont remplacées par d'autres, dont il faudra aussi se défaire pour se faire (Tap, 1995).

Lorsque interviennent certains événements, ou du fait de sa propre évolution, l'adolescent ne se sent plus en phase avec son entourage; son sentiment d'efficacité peut se trouver amoindri et son estime de soi mise à mal. Il se sent en rupture, en « déprise ». Il va alors développer des réactions (adaptatives ou non), gérer son stress, mettre en place des stratégies de *coping*, faire appel au soutien social pour tenir le coup et se relancer (résilience) [Vinay et autres, 2000]. Cette « reprise » ne se réalise que si la personne retrouve sens et valeur à la vie, à ses activités scolaires ou professionnelles, à ses amitiés ou à ses amours. Tout au long de ce processus de crise (dont les effets peuvent être plus ou moins visibles), la personne peut redevenir agentique et instrumentale, dans ses entreprises nécessairement liées à des processus expressifs et communiaux, à de nouveaux « tricotages de liens sociaux », selon l'expression de Cyrulnik, qui a fait connaître l'importance de la résilience et développé une dynamique d'espérance à propos des personnes en mal-être, et en particulier des enfants maltraités par la vie (1999, 2001). L'adolescence peut être un moment-clé permettant aux enfants marqués par leur passé de rebondir, de prendre conscience de leurs potentialités et des obstacles qui jusque-là en barraient l'émergence.

## 11.10 CONCLUSION

On peut résumer la construction de l'identité et de la personne chez l'enfant à partir de trois progrès fondamentaux (Tap, 1988) :

1. La maîtrise et l'objectivation du corps propre dans et par des conduites instrumentales et expressives, en relation avec les objets et les personnes ;

2. Le dépassement de l'impuissance par les conduites imitatives et les identifications imaginaires ;

3. Le dépassement des identifications par les conduites cognitives de différenciation critique, par les projets, individuels et collectifs, et par les conduites relationnelles de coopération réalisatrice.

L'identisation est une quête continuelle et illusoire, en même temps que nécessaire et vitale. Quête continuelle et illusoire, en effet, dans la mesure où les buts recherchés, l'unité, la cohérence, la valorisation, l'originalité, la création, se dérobent à l'instant même où ils semblent atteints. Tel est le quatrième paradoxe de l'identité : le « je » ne peut être et ne peut être valorisé que par la médiation du souhait de devenir « autre », en vue de combler un manque, ou un manque à gagner. Et cet autre, idéal du moi à son tour rejoint (transcendance) se projettera dans un autre projet, et ce, dans un renvoi sans fin durant l'empan de vie (*life span*), en tout cas. Entre le moi et le projet identificatoire, l'écart doit toujours être préservé si le sujet veut éviter la dépression *post-partum*

(preuve que la référence à la maternité intervient dans l'imaginaire du projet). Quête nécessaire et vitale, dans la mesure où l'identité personnelle n'est pas un avoir, même lorsqu'elle s'installe dans des territoires (corps, rôles, réussites, réseaux relationnels) qui tous l'ont aidée à émerger et à se construire. Elle est mouvement, elle est acte. Elle ne se saisit et ne se maintient que par la « prise » (prise en charge, prise de position, prise de rôle ou de parole, prise de pouvoir, avoir prise, etc.) et par la « mise » (mise en forme, mise en conformité, mise en garde, mise en jeu, mise en confiance, etc.). Notons au passage que les deux verbes « mettre » et « prendre » ont une connotation sexuelle masculine et féminine, selon Erikson (qui emploie en fait *catching* et *making*) [1968, 1972]. Faire un lien entre la sexualité et d'autres champs de l'action ou de la connaissance, et s'en servir pour « discriminer » homme et femme, est significatif de la pensée analogique et métaphorique, fondée sur l'extrême plasticité du langage, mais aussi sur la nécessité de dire par les images ce qu'il est difficile de dire autrement. Il faut donc abandonner l'androgynie et développer une théorie du développement de la personne (y compris sexuée), tendue vers sa réalisation, dans des groupes d'appartenance et des institutions, dans lesquels elle doit trouver son espace de vie, défendre ses droits, coopérer, etc.

La conformité aux attentes parentales et l'intériorisation des règles socio-culturelles par le jeu d'identifications multiples, et plus particulièrement d'identification catégorielle de sexe, peuvent, dans un premier temps, favoriser la personnalisation dans la mesure où elles permettent une affirmation identitaire, une réaction à un état antérieur d'infériorité, de sujétion, d'aliénation par impuissance et insignifiance de soi. En cherchant à être « comme les autres », à valoriser les similitudes et le consensus intersubjectif, le sujet renforce son estime de lui-même et sa cohésion interne. Voici un exemple :

> Marine a 5 ans. Alors qu'on lui propose de relever la vitre de la voiture pour lui éviter d'avoir du vent, elle répond « c'est pas un problème, j'ai le goût de tout le monde ». Quelques jours plus tard, elle questionne sa mère (psychologue) : « Maman, tu préfères être toi-même ou comme tout le monde ? », sa mère, étonnée de la question : « je préfère être moi-même », Marine : « Parce que tu sais, maman, des fois je préfère être moi-même et des fois je préfère être comme tout le monde ! » (Tap, 1998, p. 30.)

Ainsi « être soi-même » (expression qu'elle a dû entendre dans les dialogues familiaux) prend pour Marine la connotation de l'unicité, de la différence qui sépare et qui peut lui poser des problèmes dans les relations avec les autres, avec les pairs en particulier.

La « fusion océanique » (selon l'expression de Freud), la fusion-identification avec la nature et avec le monde, mais aussi la fusion dans les groupes et les catégories d'appartenance et de référence, supposent une dépendance aux attentes, aux jugements et au regard de l'autre. Toutes ces fusions permettent à la personne de trouver (ou de retrouver) bien-être, sérénité, sécurité, sens de soi et de la vie. Mais elles peuvent devenir à leur tour aliénantes, si ne s'opère pas une différenciation critique, une objectivation des identifications divergentes, une double tentative de dépassement : de l'égocentrisme et du sociocentrisme (ethnocentrisme, sexocentrisme, etc.) d'une part, de la contrainte et de l'obéissance à l'autorité d'autre part. Ce dépassement ne peut être obtenu que par une double ouverture temporelle et sociale ; par le projet et le programme de vie, le sujet se libère des sujétions, cherche à développer ses potentialités par l'élargissement du champ et la hiérarchisation des possibles.

Tout projet, appuyé sur des identifications plus ou moins passionnelles, aussi narcissiquement investi qu'il soit, est un projet socialement défini dans un réseau d'interactions et d'institutions multiples. Les projets ne se réduisent ni à des désirs ni à des identifications inconscientes. Grâce à l'émergence de la pensée opératoire, puis formelle, s'opèrent des choix raisonnés entre des possibles et des adhésions manifestes à des valeurs collectives, où les attentes et les satisfactions narcissiques ne seront plus isolées mais trouveront à s'employer dans des processus complexes d'affirmation et de libération collectives. C'est dire que les valeurs, liées à la personne, aux groupes et à la société, doivent avoir une place centrale dans la définition du « qui je suis » (Baubion-Broye, Malrieu et Tap, 1987a, 1987b).

On pourrait reprocher à la théorie de la personnalisation ainsi résumée d'être utopique, idéaliste et trop optimiste. Elle ne serait valable que pour une fraction de la population et méconnaîtrait tout autant les conduites routinières ou inadaptées que les références à

des identités négatives associées aux maladies mentales, aux conduites de retrait, de marginalité ou à la délinquance. La violence déjà constatée chez les enfants, en crèche, en maternelle ou plus tard durant l'enfance (Cloutier et Dionne, 1981 ; Thollon-Behar, 2001) et que l'on retrouve à l'adolescence, mais aussi dans tous les champs de la vie sociale, a de quoi questionner les psychologues, quel que soit leur domaine. Mais la théorie de la personnalisation suppose justement la prise en compte des causes et des conditions du processus de dépersonnalisation, dans ses rapports éventuels avec les conduites antisociales ou pathologiques. Il existe un « quart-monde de l'identité », celui des marginaux et des exclus, forcés ou volontaires, celui des enfants maltraités, victimes de guerre et de déplacements, celui des sous-alimentés de la reconnaissance sociale et individuelle, et qui n'ont souvent à leur disposition, face à l'humiliation qu'ils subissent, que le langage de la violence pour exprimer leur désir de se voir reconnus dans leur dignité et leur identité propres. Il est vrai que la violence et l'agression correspondent concrètement à des états d'identités instables ou insuffisamment stables, chez l'enfant comme chez l'adulte (Guillaumin, 1980 ; Bergeret, 1993).

Les effets du sexe et de l'âge, de l'origine sociale ou ethnique, le jeu des similitudes et des différences, des identifications et des différenciations critiques, de l'affirmation de soi et de son « incomparabilité », interfèrent nécessairement dans tout processus de personnalisation/socialisation et de lutte contre tout ce qui aliène. Comme on l'a vu, l'identité n'est pas (seulement) un reflet surajouté à la personne concrète, une étiquette permettant de situer la personne dans la catégorisation sociale. Elle est aussi quête de sécurité dans la dépendance, réaction agressive comme défense ultime d'une identité instable, tentative de maîtrise instrumentale des situations, fascination spéculaire et narcissique, quête d'alter ego, fixation ou contestation des caractéristiques catégorielles, idéalisation du moi ou du nous, construction d'un projet ou d'une œuvre, ou difficile gestion du temps et de la réalisation, individuelle et/ou collective.

# Questions

1. Quelle différence peut-on faire entre l'identité et le concept de soi?

   a) En fait, ces deux concepts évoquent la même chose.
   Ils sont interchangeables. Oui – Non

   b) L'identité n'est pas que cognitive (comme le concept de soi): elle inclut des aspects affectifs et conatifs. Oui – Non

   c) L'identité suppose nécessairement une comparaison avec d'autres personnes ou groupes.
   Oui – Non

2. Que signifie le terme «conatif» évoqué dans la question précédente?

   a) Est conatif tout ce qui se rapporte à l'action, à l'effort et aux tendances (motivations, etc.).
   Oui – Non

   b) Les aspects conatifs se réfèrent aux caractères spécifiques de la personnalité de l'enfant.
   Oui – Non

   c) Le conatif définit les aspects relationnels, interpersonnels des conduites. Oui – Non

3. Qu'apporte Jean Piaget à la compréhension de la nature et de la construction de l'identité chez l'enfant?

4. Qu'est-ce qui donne au sujet le pouvoir de conservation des valeurs (selon Piaget)?

5. Précisez le type de sentiments (ou affects) qui caractérisent, d'après Piaget, les trois phases de la socialisation: a) 2-7 ans; b) 7-11 ans; et c) adolescence.

6. Quelle différence Piaget et Inhelder font-ils entre le moi et la personnalité?

7. Quel auteur a proposé une théorie du flux (*flow*) à propos des expériences créatrices optimales de concentration de soi?

   a) Vandenplas
   b) Holper
   c) Kohlberg
   d) Wallon
   e) Apter
   f) Csikszentmihalyi
   g) Flavell?

8. Que faut-il entendre par interstructuration des identités individuelles et collectives?

9. Selon vous, identité personnelle et changement de soi sont-ils conciliables?

10. L'identité a un rapport étroit avec le narcissisme selon les psychanalystes, et avec l'égocentrisme selon les piagétiens. Cela signifierait-il, selon vous, que l'identité précoce devrait être «dépassée»?

11. Peut-on établir un lien entre l'aptitude à percevoir la constance des objets et celle qui facilite la constance de soi?

12. Pourquoi l'observation des jumeaux est-elle importante pour comprendre les processus identitaires?

13. Donnez des exemples portant sur la fonction des émotions et des sentiments dans la construction de l'identité.

14. *Vrai ou faux*. L'identité corporelle ne se construit pas seulement à partir de la perception visuelle

(miroir), mais grâce à l'articulation entre les processus kinesthésiques et visuels.

15. Qui a dit: «Les émotions chevillent le social au corps»?
    a) Erikson
    b) Piaget
    c) Bandura
    d) Wallon
    e) Kohlberg
    f) Freud

16. Piaget associait l'égocentrisme radical du bébé avec l'autisme. Qui a manifesté son désaccord sur cette association?
    a) Kohlberg
    b) Wallon
    c) Freud
    d) Zazzo
    e) Bruner
    f) Erikson

17. Erikson propose de différencier l'identité personnelle de l'identité du moi. D'autres psychanalystes parlent de différences entre l'*ego* et le *self*. Précisez le sens de ces distinctions.

18. À quel âge l'enfant a-t-il acquis une représentation unitaire de son corps?

19. Quel auteur a utilisé la tache sur le nez et le clignotant dans l'observation des singes devant le miroir?
    a) Zazzo
    b) Molina
    c) Gallup
    d) Gesell
    e) Mounoud
    f) Vinter

20. À quel âge émerge chacun des processus suivants: l'affirmation fusionnelle de soi et l'affirmation oppositionnelle de soi?

21. Quel auteur évoque le processus d'individuation-séparation?
    a) Winnicott
    b) Erikson
    c) Ainsworth
    d) Wallon
    e) Leyens
    f) Mahler

22. À votre avis, pourquoi la notion de style, en particulier le style identitaire, apparaît-elle si souvent dans les travaux actuels?

23. Quelles différences peut-on faire entre les styles et les stratégies?

24. Quel auteur a proposé la théorie du renversement?
    a) Csikszentmihalyi
    b) Marcia
    c) Apter
    d) Flavell
    e) Parsons
    f) Money

25. *Vrai ou faux*. L'identification aux autres provoque la perte de l'identité personnelle.

26. Quelles sont les deux fonctions de l'identification? Sont-elles opposées à l'évolution de l'identité de l'enfant ou complémentaires? Justifiez votre réponse.

27. Leyens a montré que trois conditions sociales et relationnelles facilitent l'identification: affective, de similitude et de puissance. Que voulait-il signifier? Quelles sont les deux conditions qui répondent au besoin de sécurité de l'enfant et les deux qui répondent à son besoin de gratification?

28. En relation avec le rôle de l'identification dans la construction de l'identité, Tap (1988) a proposé six identifications intervenant au cours du développement de l'enfant. Classez les 18 termes suivants en associant trois d'entre eux à chacune des identifications: affirmation, agressivité, appartenance, autonomie, catégories, confiance, création, dédoublement, dépassement, dépendance, idéaux, maîtrise, miroir, ressemblance, réussite, sécurité, solidarité, unicité.

29. Qu'est-ce qui caractérise l'identification spéculaire et gémellaire?

30. Qu'est-ce qui caractérise la crise de 18 mois à 3 ans?

31. *Vrai ou faux*. Dans la psychanalyse, l'identification à l'agresseur intervient de deux façons

opposées. La première, vers 15-18 mois, aboutit à l'agressivité. La seconde, de 3 à 6 ans, aboutit à l'inhibition de l'agressivité.

32. *Vrai ou faux*. L'enfant ne se reconnaît dans le miroir qu'après 18 mois.

33. Quel auteur a évoqué les aspects pathologiques de l'identification à l'agresseur ?

    a) Spitz

    b) Bowlby

    c) Erikson

    d) Bettelheim

    e) Green

    f) A. Freud

34. Quelles différences fait-on entre les stades généraux et les stades spécifiques du développement ?

35. Parmi les auteurs suivants, indiquez les deux qui ont proposé des stades généraux du développement (les deux autres ayant proposé des stades spécifiques).

    a) Freud

    b) Gesell

    c) Piaget

    d) Wallon

36. Quels sont les stades du développement de l'enfant d'après Wallon ?

37. À quel âge intervient chacun des événements suivants selon Wallon ?

    a) une crise d'opposition

    b) une phase de séduction

    c) un processus d'appropriation de personnalités multiples

38. Que faut-il entendre par identisation ?

39. Selon Tap, quels sont les trois progrès fondamentaux nécessaires à la construction de l'identité chez l'enfant ?

40. À quel autre processus (négatif) s'oppose la personnalisation (positive) ? Précisez les dimensions de ces deux processus.

# Chapitre 12

# Psychopathologie de l'enfant

Richard Cloutier

## 12.1 INTRODUCTION

La psychopathologie de l'enfant constitue un domaine de la psychologie du développement. Elle étudie les désordres psychologiques émergeant au cours de l'enfance, elle cherche à en connaître la nature, l'évolution, les causes, et propose des méthodes de traitement.

Les facteurs qui influent sur le développement humain sont si nombreux qu'il est pratiquement impossible d'observer le même résultat chez deux individus différents, et ce, même chez les jumeaux homozygotes qui partagent pourtant le même bagage héréditaire. Le caractère unique de chaque enfant résulte de l'interaction subtile et permanente entre l'appareil biologique et l'environnement, le produit de cette interaction se déroulant dans des espaces et des temps propres à chaque personne. Dans ce monde où l'individualité est la norme, comment reconnaître les troubles affectant le développement ? Comment distinguer les particularités courantes des écarts sérieux dans l'évolution de l'enfant ? Comment différencier l'état normal de l'état pathologique[1] ? Voilà le défi de taille que doit relever la « psychopathologie de l'enfance ». Le diagnostic repose sur la définition du problème et sur les critères qui permettent d'en établir l'existence. De plus, c'est sur ces critères que s'appuient les statistiques portant sur l'importance du problème dans la population.

Ainsi, le changement, cette constante du développement, se trouve encore une fois au cœur du champ de la psychopathologie de l'enfant. Cette dimension évolutive des problèmes différencie le mieux la psychopathologie de l'enfant de celle de l'adulte. Cela ne signifie pas que les pathologies adultes ne se transforment pas. Mais, comme les enfants se développent plus rapidement et plus intensément que les adultes, les psychopathologies dont ils souffrent sont plus changeantes encore ; elles se développent avec le sujet et contribuent elles-mêmes à orienter le développement dans des directions inattendues. Les progrès scientifiques accomplis récemment en génétique et en neuroscience comportementale permettent d'établir des liens de plus en plus plausibles entre les prédispositions génétiques et les expériences précoces de l'enfant dans l'apparition de certaines psychopathologies (Skuse, 2000a). Il n'est pas encore possible de cerner toute la subtilité de l'interaction entre le rôle des prédispositions génétiques et celui de l'expérience dans l'établissement d'un trouble chez l'enfant. Cependant, nous savons que plusieurs psychopathologies mettent en jeu des marqueurs génétiques, et que ceux-ci doivent être « évoqués » par l'expérience pour que le trouble se manifeste. Par ailleurs, cette interaction entre les prédispositions génétiques et l'environnement serait elle-même modulée par le stade de développement de l'enfant puisque la sensibilité neurologique à l'expérience peut varier d'un âge à l'autre, la période de gestation et la petite enfance étant des périodes cruciales (Dawson, Ashman et Carver, 2000 ; Dawson et autres, 2002 ; Owen et Cardno, 1999 ; Rutter, Dunn, Plomin et Simonoff, 1997).

L'éventail des pathologies décrites dans le présent chapitre est loin d'épuiser tout le répertoire des psychopathologies de l'enfance. Il s'agit plutôt d'une présentation sommaire des psychopathologies les plus courantes de l'enfance, abordées principalement sous l'angle du DSM-IV (*Manuel diagnostique et statistique des troubles mentaux*), qui constitue désormais une référence internationale en la matière (American Psychiatric Association [APA], 1994, 1996). Ce chapitre brosse un tableau sommaire des troubles les plus courants rencontrés chez l'enfant. Les uns imposent une contrainte extrêmement lourde à l'enfant et à sa famille, alors que d'autres ont des répercussions moins graves et sont marqués d'un pronostic généralement positif à plus long terme. Nous décrirons chaque trouble selon les critères diagnostiques, nous en préciserons la prévalence et nous en présenterons les causes. Toutefois, sauf exception, nous n'étudierons pas les méthodes de traitement, car on ne pourrait les décrire correctement sans aborder des détails qui dépassent la portée de cet ouvrage.

## 12.2 LES CRITÈRES DIAGNOSTIQUES

La valeur du diagnostic d'un problème chez un enfant repose sur la validité des critères utilisés et sur la qualité de leur application clinique. Ce n'est qu'à partir des années 1950 que l'on a commencé à partager sur une base internationale des propositions structurées de systèmes diagnostiques des désordres mentaux. En 1952, l'American Psychiatric Association a publié son premier *Manuel diagnostique et statistique des troubles mentaux* (APA, 1952). Ce manuel proposait une description et une

---

1   Le terme « pathologique » renvoie à un écart significatif par rapport à un état de santé normal.

classification des maladies psychiatriques des adultes sans accorder une place significative aux problèmes des enfants. Ce n'est qu'en 1980, dans la troisième édition de cet ouvrage, le DSM-III, que l'on a accordé une véritable attention aux désordres mentaux survenant au cours de l'enfance ou de l'adolescence (APA, 1980). Traduit en plusieurs langues, ce système de classification américain fait l'objet de mises à jour régulières et il est actuellement largement utilisé dans le monde entier (DSM-IV, 1994, 1996).

Parallèlement, l'Organisation mondiale de la Santé a élaboré la *Classification internationale des troubles mentaux et des troubles du comportement* (CIM) afin de répondre aux besoins de cohérence diagnostique en psychopathologie dans le monde. Il s'agit d'une autre référence diagnostique internationale constamment mise à jour selon les connaissances disponibles, et elle en est maintenant à sa 10e édition (Organisation mondiale de la santé [OMS], 1993). La préparation des dernières éditions de ces deux systèmes de classification, le DSM-IV et la CIM-10, a bénéficié d'un effort d'harmonisation de la part des concepteurs dans le but de soutenir de façon plus cohérente la pratique clinique et la recherche en psychopathologie sur une base internationale. Même si ces deux systèmes de classification présentent des équivalences de plus en plus explicites, notre examen des différents problèmes mentaux et comportementaux se manifestant au cours de l'enfance ne sera basé que sur le DSM-IV (APA, 1994) de façon à ne pas alourdir la démarche par la considération simultanée de ces deux nosologies.

Attribuer un problème mental ou comportemental à un enfant qui n'en souffre pas est une erreur aussi grave que de ne pas déceler le problème chez celui qui en est atteint. D'une part, l'erreur provoque un étiquetage erroné de l'enfant, ce qui influe évidemment sur l'image qu'il se fait de lui-même et sur l'attitude de son milieu à son égard, sans parler des traitements inappropriés auxquels il pourrait être soumis. D'autre part, si l'on ne détecte pas le problème, l'enfant reste avec des besoins inassouvis, ce qui risque de compromettre sérieusement son développement. Les risques d'erreurs diagnostiques chez l'enfant sont d'autant plus grands que le profil d'un problème donné peut varier et présenter des symptômes différents selon la période de développement concernée. Le problème évolue avec l'enfant, ses manifestations se transforment avec le temps, rendant ainsi le défi du diagnostic encore plus grand.

Une autre difficulté inhérente à l'application d'un système diagnostique de type médical comme le DSM-IV réside dans un traitement dichotomique de réalités qui s'inscrivent plutôt au sein d'un continuum. En effet, dans une perspective médicale, il s'agit de déterminer si une maladie est présente ou absente: autrement dit, la question est de savoir si la personne souffre de la maladie ou non. Or, dans la réalité, les problèmes émotionnels, cognitifs ou comportementaux ne répondent généralement pas à cette logique du « tout ou rien »; ils se manifestent plutôt de façon relative, à des degrés variables sur un continuum d'occurrence. On peut comprendre que, dans le contexte de l'intervention clinique, il faille décider s'il y a présence ou absence du problème afin d'appliquer ou non les mesures pertinentes. Cette décision exige qu'un point de coupure soit déterminé sur le continuum de manifestations à partir duquel il est convenu de déclarer la maladie présente, puis d'agir en conséquence.

Ce sont les critères diagnostiques qui définissent ce point de coupure. S'ils sont flous et prêtent à différentes interprétations, ils risquent de conduire à des erreurs de diagnostic par suite d'un manque de validité du système. Un système de mesure valide est celui qui traduit une image conforme à la réalité effective du phénomène. En revanche, des critères diagnostiques non valides entraînent l'attribution d'une pathologie à un enfant qui n'en souffre pas en réalité ou, inversement, empêchent de déceler cette pathologie alors qu'elle est effectivement présente. Il faut donc atteindre un niveau élevé de clarté et de précision dans la spécification des critères, puis il faut les appliquer ensuite avec compétence et rigueur.

À quel moment, sur quels critères, décide-t-on, par exemple, qu'un enfant est hyperactif? Sachant que son niveau d'activité varie d'une situation à une autre, qu'il change en fonction des personnes avec lesquelles l'enfant interagit, qu'il évolue selon le moment de la journée ou de la semaine, doit-on prendre en compte le niveau maximal possible de son agitation ou son niveau minimal? Doit-on faire une moyenne de l'ensemble ou juger du problème en fonction de ses manifestations extrêmes? Ces questions ne se posent pas seulement pour l'hyperactivité, mais bien pour tous les désordres de l'enfance. Qui doit alors statuer sur les pratiques, et sur quelles bases doit-on le faire? Si les bases diagnostiques varient d'un clinicien à l'autre, d'une profession à l'autre, d'un établissement de soins à l'autre ou d'une ville à l'autre, on imagine facilement les problèmes que cela risque de poser pour la cohérence de l'intervention et de la recherche auprès de la population. Aussi l'adoption d'une convention, même imparfaite, est-elle garante d'une validité accrue en raison de la standardisation des pratiques qu'elle assure. Or, même les critères les plus fins peuvent comporter une dose d'arbitraire pour établir la présence ou l'absence d'un phénomène donné.

Ces seuils de décision peuvent connaître des modifications sous l'effet des nouvelles connaissances, ce qui contribue justement à augmenter la validité. L'histoire des sciences cliniques est marquée d'une foule d'exemples de tels revirements dans les critères diagnostiques. Ainsi, à partir des années 1970, la prévalence de l'hyperactivité chez l'enfant en Amérique du Nord a connu une hausse importante, puisque près de 1 enfant sur 20 prend aujourd'hui des médicaments pour contrôler ce problème (Brown et Sammons, 2002 ; Gadow, 1999). Où étaient donc ces enfants hyperactifs auparavant ? Comment expliquer qu'en Europe la prévalence de ce trouble n'ait pas augmenté de la même façon ? Dans ce cas, il est clair que l'approche diagnostique de l'hyperactivité a varié et continue de varier puisque l'on ne peut présumer que les enfants canadiens ou américains soient différents des enfants anglais ou français. Autrefois, les enfants agités étaient qualifiés de « malcommodes » et recevaient souvent des corrections, mais on ne les tenait pas pour des enfants souffrant d'une psychopathologie. Cette évolution a-t-elle été saine pour les enfants ? Est-on allé trop loin dans l'abaissement des critères d'inclusion ? Ce débat a toujours cours, et les critères diagnostiques sont certes en cause.

## 12.3    LES DONNÉES ÉPIDÉMIOLOGIQUES

Cet exemple de la variation des taux d'hyperactivité selon les pays nous amène à comprendre que les données de prévalence des maladies dépendent des critères diagnostiques. La notion de prévalence renvoie à la proportion de personnes touchées par un problème donné dans la population concernée, laquelle est exprimée par un « taux de prévalence », c'est-à-dire, par exemple, le nombre de cas déclarés de la maladie par 1000 habitants. La notion d'incidence, quant à elle, renvoie au nombre de nouveaux cas recensés au cours d'une période donnée. Un taux de prévalence de 40 par 1000 indique qu'il y a

40 cas de la maladie par tranche de 1000 personnes dans la population considérée. Un taux d'incidence de 40 par 1000 indique que l'on a enregistré 40 nouveaux cas au cours de la période considérée dans la population visée. La prévalence concerne donc l'ensemble des cas, anciens et nouveaux, dans la population concernée, tandis que l'incidence concerne les nouveaux cas relevés au cours d'une période donnée.

Évidemment, si le Québec déclare un taux de prévalence de l'hyperactivité de 40 par 1000 personnes âgées de 0 à 17 ans, cet indice de prévalence n'est comparable avec celui de l'Ontario que si les deux provinces utilisent les mêmes critères diagnostiques et les appliquent de la même façon. C'est également vrai pour l'incidence. La comparabilité des taux de prévalence ou d'incidence constitue un problème central en épidémiologie, et les critères diagnostiques en usage sont au cœur de ce problème. Il ne s'agit pas là d'une question théorique n'intéressant que les experts, mais d'une question bien pratique déterminant notre capacité à soutenir la santé de la population. C'est en s'appuyant sur ces taux, et sur leur évolution, qu'un gouvernement s'attaquera prioritairement ou non à un problème de santé, selon la gravité perçue de la situation. S'agit-il d'une épidémie ou d'une variation normale des taux d'incidence ? Doit-on prendre des mesures spéciales ou la situation s'arrangera-t-elle d'elle-même, avec le temps ? Le débat actuel sur l'augmentation rapide de l'autisme renvoie directement à cette question de validité des taux et aux critères diagnostiques utilisés pour les calculer. L'étude du changement en psychopathologie de l'enfant est entièrement tributaire de ces pratiques. De plus, comme nous en ferons état plus loin, il existe toujours d'importantes variations dans les estimations de la prévalence de psychopathologies pourtant bien connues.

### 12.3.1    La continuité dans la discontinuité

Une forte proportion des maladies mentales adultes prennent leurs racines dans l'enfance, mais les manifestations du problème au cours de l'enfance n'affichent pas nécessairement le même profil qu'à l'âge adulte. À l'inverse, les problèmes de l'enfance ne donneront pas nécessairement lieu à une pathologie chez l'adulte, le désordre disparaissant parfois avec le temps. Le développement des psychopathologies est donc à la fois marqué par la continuité et la discontinuité : certaines affections évoluent davantage de façon continue et d'autres, de façon intermittente, toutes étant néanmoins sujettes à cette interrogation sur ce qui change et ce qui ne change pas dans le problème. Le patron de changement, c'est-à-dire la trajectoire d'évolution du problème, constitue un important objet d'intérêt du champ de la psychopathologie de l'enfant. Non seulement la connaissance de ces patrons de changement permet de reconnaître le désordre dans sa diversité de manifestations, mais elle aide aussi à comprendre les racines de la pathologie adulte dans l'enfance.

Pour vraiment comprendre le problème d'un enfant, il faut dépasser la description immédiate et statique de son désordre, en mesurer la variation ou la persistance d'un contexte à un autre, en évaluer l'évolution et reconnaître les formes différentes sous lesquelles il peut se manifester.

## 12.4  L'ÉTIOLOGIE DES PSYCHOPATHOLOGIES DE L'ENFANT

L'étiologie, c'est-à-dire l'étude des causes des maladies, a donné lieu à plusieurs modèles de référence en psychopathologie infantile. Nous ne présentons pas ici le détail des différents courants conceptuels de l'origine des psychopathologies de l'enfance ; nous distinguons plus simplement la grande catégorie des approches dites « biologiques » des autres, que nous qualifions d'« environnementales ».

Les approches biologiques considèrent les psychopathologies de l'enfance comme des maladies physiques et en recherchent les causes du côté des fonctions biologiques du corps, soit sur les plans génétique, biochimique, physiologique, hormonal, neurologique, etc. Le niveau d'analyse et l'unité de mesure peuvent varier considérablement d'une étude à l'autre, mais le dérèglement est avant tout représenté comme une dysfonction de l'un ou l'autre des systèmes du corps humain, ou comme une dysfonction de leur interaction. Si l'on accepte que toute idée, si abstraite soit-elle, possède son engramme au niveau d'une cellule ou d'une enzyme particulière de notre cerveau, il est clair que les comportements ou les problèmes de comportement ont une base biologique quelconque. Les progrès de la génétique, de la biologie et de la neurologie permettent en effet d'imaginer que l'on réussira un jour à repérer les traces physiques des maladies mentales, tout comme on vient d'inventorier le génome humain dans son ensemble, ce qui était encore une utopie il y a 50 ans. On peut anticiper le jour où l'on découvrira l'origine biologique de l'autisme ou de l'hyperactivité. Cependant, la reconnaissance des bases biochimiques et neurologiques de l'autisme ne permettra pas nécessairement de considérer cette affection comme une pathologie d'origine exclusivement biologique.

Depuis plusieurs années déjà, nous savons que le fait de vivre un événement stressant se répercute sur plusieurs fonctions du corps, tels la digestion, l'immunité et sommeil. Or, on ne doit pas confondre l'impact biologique du stress avec la cause du stress. Le jour où l'on pourra isoler les traces chimiques d'une idée dans le cerveau, on ne pourra toujours pas affirmer que cette idée est d'origine biologique. En revanche, quand on pourra isoler les bases biochimiques de la schizophrénie infantile par exemple, nous serons bien placés pour trouver un médicament capable de lutter contre les effets de cette affection. Sans prétendre que les médicaments qui influent sur l'équilibre chimique des neurotransmetteurs constituent la seule voie thérapeutique, ou encore que l'on en connaît vraiment tous les effets, il faut avouer qu'ils représentent un moyen d'intervention dont le domaine de la santé mentale ne peut plus se passer, même chez les enfants. Les approches biologiques de la psychopathologie figurent certainement parmi les sources de contributions les plus significatives en matière de compréhension et de traitement des psychopathologies de l'enfance.

Selon d'autres approches, il faut rechercher les causes des psychopathologies dans le milieu de vie de l'enfant ou dans son interaction avec le milieu. Plusieurs approches étiologiques mettent l'accent sur l'influence du milieu ou sur le rapport sujet/milieu dans le développement d'une psychopathologie. On peut considérer que les modèles de l'apprentissage, cognitivo-comportemental, psychodynamique ou écologique, constituent des exemples d'approches partageant cette vision de la prépondérance de l'environnement dans l'étiologie des troubles émotionnels et psychologiques.

Ainsi, dans la foulée des travaux de Sigmund Freud, les tenants de l'approche psychodynamique considèrent que les conflits psychiques, les peurs, les angoisses d'abandon, etc., émanent de l'expérience individuelle et sont à l'origine des psychopathologies, de sorte que la réinterprétation de cette expérience peut dénouer les conflits psychiques.

Quant à l'approche de l'apprentissage, elle propose que les contingences environnementales auxquelles l'enfant est soumis déterminent ses propres acquisitions et habitudes. Les modèles que l'enfant observera, les récompenses ou les punitions qu'il recevra façonneront ses comportements. Dans cette optique, les désordres de la conduite, par exemple, sont appris et peuvent être « désappris » si l'enfant est placé dans l'environnement approprié.

## 12.4.1   Les facteurs de risque, les facteurs de protection et la résilience

Pourquoi certains enfants développent-ils un problème, et d'autres pas ? Comment expliquer qu'un enfant exposé à des relations toxiques dans sa famille soit atteint d'une psychopathologie, alors que sa sœur, exposée aux mêmes facteurs de risque, se développe normalement ? Qu'est-ce qui protège cette dernière ? En psychopathologie de l'enfant, on s'intéresse aux facteurs qui augmentent la probabilité de l'apparition d'un problème durant le développement, c'est-à-dire aux facteurs de risque. Toutefois, on se penche aussi sur les facteurs de protection, c'est-à-dire ceux qui favorisent un développement normal de l'enfant et le maintiennent en bonne santé mentale.

On sait depuis longtemps que certaines personnes résistent mieux que d'autres aux influences négatives, surmontent mieux les obstacles de la vie. Cependant, on ne comprend pas vraiment ce qui se passe exactement chez ces « graciés » ou ces « forces de la nature » qui ont la « chance » de s'en sortir, contrairement aux autres qui sont touchés de plein fouet. En recherche, ce n'est que récemment qu'on s'est systématiquement appliqué à comprendre comment certains facteurs diminuent les risques qu'un problème se manifeste. La compréhension des défenses immunitaires de certaines personnes très exposées au SIDA, mais qui résistent à l'infection, a permis de franchir des pas considérables dans le combat contre cette maladie. Cependant, en psychologie du développement, la liste des facteurs de protection reconnus à ce jour ressemble encore beaucoup à la liste des contraires des facteurs de risque : autrement dit, un déficit intellectuel est un facteur de risque, alors qu'une intelligence supérieure est un facteur de protection ; une forte impulsivité représente un risque, tandis qu'une grande capacité de réflexion protège l'individu ; une grande pauvreté familiale constitue un risque, mais l'abondance de ressources est un facteur de protection, etc.

Au-delà de cette interdépendance des notions de risque et de protection, il n'en reste pas moins que, conceptuellement, le fait de distinguer les facteurs de risque des facteurs de protection a permis l'émergence d'une vision plus intégrée de la trajectoire de développement et l'ouverture à une perspective écologique du développement des jeunes. Non seulement cette distinction permet-elle de cerner plus complètement les sources d'influence du développement, mais elle aide à mesurer l'interaction entre les risques et les éléments protecteurs. L'application de la notion de résilience au développement humain découle de cette intégration du rapport risque/protection. En science physique, la résilience désigne la résistance au choc. En psychologie, elle renvoie à la capacité de se développer normalement malgré l'influence de conditions adverses susceptibles de nuire à l'adaptation. Certains enfants connaissent des difficultés graves, mais ils semblent rebondir par la suite en tirant profit de leur malheur pour reprendre leur route. L'étude des facteurs de résilience permet de comprendre que ce n'est pas tant un trait magique et permanent qui explique cette capacité de rebondir, mais plutôt une combinaison de facteurs pouvant relever du profil génétique, du tempérament, des premiers attachements vécus par l'enfant dans sa famille, du moment de sa vie où survient le risque, de l'existence d'un contexte sécurisant (par exemple une garderie de qualité) ou d'une relation chaleureuse avec un adulte significatif (Cyrulnik, 1999, 2003 ; Katz, 1997 ; Werner, 1995). L'intérêt marqué de la recherche pour la résilience s'explique par le fait que la

---

### RÉSILIENCE*

En sciences physiques, la résilience désigne la capacité de résister au choc. C'est la propriété des matériaux de reprendre leur forme ou leur position originale après avoir subi un stress.

Introduit dans les années 1980 en psychologie du développement, le concept de résilience est lié à la capacité durable de l'enfant de s'adapter de façon compétente et de se développer positivement, malgré les facteurs de risque, les stress et les obstacles auxquels il doit faire face.

---

* Voir à ce sujet Cyrulnik (2003), Garmezy (1993), Garmezy et Masten (1991) et Garmezy, Masten et Tellegen (1984).

compréhension de ce phénomène est porteuse de progrès potentiellement importants en matière de promotion de la santé mentale et de prévention de la psychopathologie de l'enfant (Dawson, Ashman et Carver, 2000; Wolkow et Ferguson, 2001).

Le tableau 12.1 présente des facteurs de risque et des facteurs de protection dans le développement de l'enfant.

## 12.5    LE RETARD MENTAL

Certains enfants se développent plus lentement. Ils s'adaptent difficilement à certains environnements, n'arrivent pas à acquérir certaines habiletés, et leur évolution vers l'autonomie est beaucoup plus lente que celle de leurs congénères: ils affichent un retard mental. La notion de retard mental renvoie à un fonctionnement intellectuel général significativement inférieur à la moyenne (un quotient intellectuel de 70 et moins), qui se manifeste avant l'âge de 18 ans et qui s'accompagne de déficits de l'adaptation dans différents secteurs de la vie (APA, 1994).

Pour poser un diagnostic de retard mental, il faut que les trois conditions suivantes soient réunies:

1) un déficit intellectuel marqué;

2) l'incapacité de répondre par soi-même aux besoins de la vie courante;

3) l'apparition du problème avant l'âge adulte.

Le tableau 12.2 (page 330) décrit les quatre degrés de déficience mentale au regard du QI et des comportements adaptatifs devant présenter une carence pour que soit reconnue la déficience mentale.

La figure 12.1 (page 330) donne une représentation graphique de cette classification.

Les conséquences du retard mental dépendent fortement du degré de sévérité du handicap. Malgré leur déficit, les enfants présentant un retard mental léger réussissent généralement à maîtriser le langage d'usage courant. Ils arrivent aussi à acquérir une autonomie fonctionnelle sur les plans de l'alimentation, de l'hygiène personnelle, du décompte simple de la monnaie, des déplacements (transports en commun) ou des conventions sociales, même si, pour ce faire, il faudra leur accorder plus de soutien et plus de temps que la plupart des autres enfants. Lorsqu'il n'y a pas de psychopathologie concurrente, il s'agit de la catégorie de retard mental dont le pronostic est le plus favorable en ce qui a trait à

Tableau 12.1  Exemples de facteurs de risque et de facteurs de protection

| Facteurs de risque | | |
| --- | --- | --- |
| **Facteurs de risque liés à la santé physique** | **Facteurs de risque liés au milieu familial** | **Facteurs de risque liés à un événement stressant** |
| — Enfant prématuré (moins de 35 semaines de gestation) | — Pauvreté familiale | — Décès d'un parent |
| — Petit poids à la naissance (moins de 1500 grammes) | — Mère adolescente et chef de famille mono-parentale | — Séparation des parents ou recomposition familiale |
| — Complications à l'accouchement (p. ex.: anoxie, c'est-à-dire manque d'oxygène) | — Parents présentant un problème de santé mentale ou de dépendance (alcool, drogue) | — Placement en milieu substitutif (protection de la jeunesse) |
| — Présence d'un handicap sensoriel ou moteur | — Relations familiales conflictuelles | — Déménagements fréquents de la famille |
| — Hospitalisation prolongée ou répétée de l'enfant | — Négligence ou maltraitance de la part des parents | — Traumatisme (p. ex.: accident grave, viol, témoin de violence) |
| | — Mode de vie chaotique des parents | |
| **Facteurs de protection** | | |
| — Enfant au tempérament facile | — Réseau de soutien familial disponible et actif | |
| — Intelligence supérieure de l'enfant | — Présence d'amis fiables | |
| — Attachement de type sécurisé de l'enfant à ses parents | — Très bonne réussite scolaire | |
| — Ressources matérielles suffisantes dans la famille | — Supervision parentale active et chaleureuse | |
| — Climat relationnel positif dans la famille | | |

Tableau 12.2  Classification des retards mentaux selon le degré de sévérité

| Degré de retard | Quotient intellectuel |
|---|---|
| Léger | 50-55 à 70 environ |
| Modéré | 35-40 à 50-55 environ |
| Sévère | 20-25 à 35-40 environ |
| Profond | 20-25 et moins |

| Comportements adaptatifs touchés par le retard mental | |
|---|---|
| L'individu n'est pas en mesure de se comporter selon les attentes correspondant à son âge ou à sa culture au regard d'au moins deux des habiletés suivantes, et ce, avant l'âge de 18 ans : | |
| 1. Habiletés de communication ; | 6. Capacité d'assumer ses responsabilités individuelles ; |
| 2. Capacité d'assumer les soins personnels (hygiène, nutrition, élimination, etc.) ; | 7. Aptitudes scolaires ; |
| 3. Habiletés associées à la vie domestique ; | 8. Capacité de travailler ; |
| 4. Habiletés sociales et interpersonnelles ; | 9. Capacité d'occuper ses temps libres ; |
| 5. Capacité d'utiliser les ressources de la communauté (transport, soins, etc.) ; | 10. Capacité de prendre soin de sa santé et de sa sécurité. |

Source : Adapté de American Psychiatric Association (1996), *DSM-IV : Manuel diagnostique et statistique des troubles mentaux*, 4ᵉ éd., Paris, Masson.

la capacité de mener une vie autonome une fois adulte (American Association on Mental Retardation, 1992).

Le retard mental modéré se traduit par une capacité plus limitée à communiquer verbalement, et l'entourage doit souvent compenser ou compléter le langage limité. La maîtrise des sphincters ainsi que la capacité de s'habiller et de manger par soi-même sont des objectifs accessibles, quoiqu'elles exigent généralement une supervision. La participation à des ateliers protégés de production fait partie des possibilités d'emploi offertes aux personnes présentant ce type de retard, à condition toutefois que le fonctionnement y soit répétitif et hautement structuré. Dans ce cas, il s'agit d'une solution souvent considérée comme bénéfique pour la personne déficiente.

Le retard mental sévère affecte gravement la fonction symbolique. Les capacités de communiquer par des mots, de retenir des procédés, de retrouver son chemin ou de résoudre des problèmes quotidiens sont très limitées, et la personne a constamment besoin de soutien. Les activités ergothérapeutiques qu'il est possible de proposer sont d'autant plus limitées que la motricité fine fait souvent défaut.

Enfin, le retard mental profond, généralement associé à un problème organique perceptible dès la

Figure 12.1  Répartition des quotients intellectuels

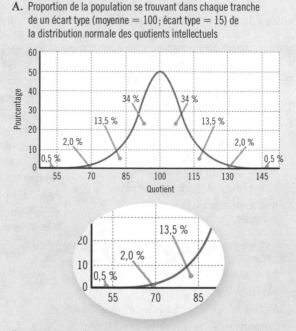

A. Proportion de la population se trouvant dans chaque tranche d'un écart type (moyenne = 100 ; écart type = 15) de la distribution normale des quotients intellectuels

B. Degré de retard mental

naissance, entraîne une grande dépendance par rapport aux autres en ce qui a trait aux fonctions courantes de la vie comme le contrôle des sphincters, au fait de s'habiller par soi-même ou de manger sans aide, ou encore d'exprimer ses besoins (APA, 1994). Comme les besoins de ces enfants en matière de soins dépassent généralement ce qu'une famille peut offrir, la vie en institution continue d'être offerte à ceux qui présentent une déficience profonde, bien que l'on observe une forte tendance à la désinstitutionnalisation depuis les 20 dernières années.

### 12.5.1  La prévalence du retard mental

On évalue qu'entre 1 % et 2 % de la population souffrirait de déficience mentale, c'est-à-dire qu'elle aurait un QI inférieur à 70 accompagné d'une limitation significative de l'autonomie fonctionnelle (Dumas, 2002; Hodapp et Dykens, 1996; McLaren et Bryson, 1987). Théoriquement, cette prévalence devrait être stable d'un pays à l'autre. Toutefois, on observe en pratique des variations causées par plusieurs facteurs: la méthode d'évaluation utilisée, l'âge des sujets sur lesquels portent les enquêtes, et le critère diagnostique utilisé. Les méthodes d'évaluation seraient moins fiables chez les petits et plus fiables chez les enfants âgés entre 5 et 15 ans, car ce n'est souvent qu'au moment de l'entrée à l'école que l'ensemble de la population peut faire l'objet de dépistages systématiques. De plus, c'est dans la catégorie «déficience légère» que les variations sur le plan de la prévalence sont plus fréquentes d'un pays à l'autre. En effet, les retards mentaux dans cette catégorie sont plus susceptibles d'être attribuables à des facteurs psychosociaux comme l'extrême pauvreté, l'isolement culturel de certaines communautés, ou la fréquence plus élevée de malformations congénitales dans certaines régions marquées par la consanguinité (Misès, Perron et Salbreux, 1994).

Plus de 60 % des cas de retard mental touchent les garçons: le ratio masculin/féminin est d'environ 1,6/1. Cette prévalence plus forte s'expliquerait par les anomalies génétiques, comme une fragilité du chromosome X ou la trisomie 21, ou encore par des anomalies congénitales, tel le spina-bifida, plus fréquentes chez les garçons et souvent accompagnées d'un retard mental (Bukatko et Daehler, 2001; Drews, Yeargin-Allsopp, Decoufle et Murphy, 1995; Dumas, 2002; Lary et Edmonds, 1996; Nagy, Loveland, Orvos et Molnar, 2001). Le tableau 12.3 présente les différents critères diagnostiques du retard mental.

### 12.5.2  Les causes du retard mental

Toute condition nuisible au développement du cerveau survenant avant ou pendant la naissance et durant l'enfance peut entraîner un retard mental. Les causes spécifiques possibles sont innombrables. Le syndrome du chromosome X fragile, la trisomie 21 (mongolisme) et la forme sévère de la maladie de Huntington sont des exemples d'anomalies génétiques entraînant un retard mental (Bukatko et Daehler, 2001; Hagerman, 1996; Scriver, Beaudet, Sly et Valle, 1995). Chez la mère, plusieurs anomalies associées à la grossesse peuvent être en cause, par exemple la malnutrition, les désordres glandulaires, le diabète et l'alcoolisme responsable du syndrome d'alcoolisme fœtal. Chez l'enfant, l'anoxie (manque d'oxygène à la naissance), une grande prématurité, une maladie infectieuse mal traitée avec des complications neurologiques (coqueluche, varicelle, rougeole), une carence nutritionnelle sévère pendant l'enfance, une

**Tableau 12.3**  Critères diagnostiques du retard mental

**A.** Fonctionnement intellectuel général significativement inférieur à la moyenne: niveau de QI d'environ 70 ou au-dessous, mesuré par un test de QI passé de façon individuelle (pour les enfants très jeunes, on se fonde sur un jugement clinique de fonctionnement intellectuel significativement inférieur à la moyenne).

**B.** Déficits concomitants ou altérations du fonctionnement adaptatif actuel (c'est-à-dire de la capacité du sujet à se conformer aux normes escomptées à son âge dans son milieu culturel) concernant au moins deux des secteurs suivants: communication, autonomie, vie domestique, aptitudes sociales et interpersonnelles, mise à profit des ressources de l'environnement, responsabilité individuelle, utilisation des acquis scolaires, travail, loisirs, santé et sécurité.

**C.** Début avant l'âge de 18 ans.

Source: American Psychiatric Association (1996), *DSM-IV: Manuel diagnostique et statistique des troubles mentaux*, 4ᵉ éd., Paris, Masson.

intoxication au plomb ou au mercure, ou encore un traumatisme crânien pendant l'enfance peuvent aussi provoquer des retards mentaux (Alexander, 1998 ; Biasini, Grupe, Huffman et Bray, 1999).

Les causes du retard mental sont donc nombreuses, mais il est souvent impossible d'établir une relation causale directe ; dans plus de la moitié des cas, on n'arrive pas à déterminer l'origine de ce retard (Dumas, 2002). Lorsqu'une cause biologique est clairement établie, la déficience est dite « organique » ; si l'on invoque un ensemble de facteurs environnementaux, la déficience est considérée comme d'origine « culturelle-familiale ». Selon Zigler et Hodapp (1986), plus de la moitié de tous les cas de retard mental ont une origine « culturelle-familiale », une catégorie réunissant principalement les cas de déficience légère (QI de 50 à 70) ou moyenne (QI de 35 à 50). En revanche, les déficiences sévères et profondes relèvent de facteurs biologiques dans 75 % des cas et sont plus souvent d'origine prénatale (Dumas, 2002 ; Hodapp et Dykens, 1996 ; Misès et autres, 1994 ; Scott et Carran, 1987 ; Zigler et Hodapp, 1986).

Mais il ne suffit pas de distinguer les déficiences selon leur origine biologique (endogène) ou culturelle-familiale (exogène) pour en connaître l'étiologie. Les scientifiques cherchent à dépasser les limites fixées par ces deux grandes catégories de causes que nous venons d'évoquer. Ils sont en effet convaincus que l'existence d'interactions entre les facteurs exogènes et endogènes est à l'origine de toute une série de profils de déficience et qu'on ne peut intervenir efficacement auprès des enfants atteints sans comprendre ces interactions.

### 12.5.3   Les troubles associés au retard mental

En plus de leur déficience, les personnes atteintes de retard mental souffrent souvent de psychopathologies concomitantes. D'après Dumas (2002), le risque de manifester d'autres troubles mentaux est trois à quatre fois plus élevé chez les personnes souffrant d'un retard mental, comparativement à la moyenne de la population. Toutefois, cette estimation de la comorbidité est imprécise, car les méthodes et les échantillons sur lesquels elle est fondée varient d'une étude à l'autre. Selon Reiss (1990), les études qui estiment la prévalence d'autres psychopathologies chez les déficients mentaux confirment un double diagnostic dans 10 % à 40 % des cas.

Mais lorsque l'on considère tous les problèmes associés à la déficience, et non seulement ceux qui correspondent aux critères diagnostiques du DSM-IV, on constate que les enfants atteints de déficience mentale sont beaucoup plus à risque. Comparativement aux enfants normaux, ils souffrent plus souvent de problèmes sensoriels (vision, audition), d'épilepsie, de difficultés de coordination motrice, de problèmes de langage ou de problèmes de comportement. De plus, ce risque augmente avec la sévérité du retard mental (Biasini et autres, 1999).

L'intelligence est probablement l'outil le plus précieux de l'adaptation humaine. Dès le début de la vie, la déficience mentale influe sur la compréhension qu'a l'enfant de son environnement et rend plus difficile l'établissement des relations nécessaires au dégagement de la signification des choses ou des personnes. Le sens de l'expérience n'est pas aussi clair. Ainsi, par suite de la persistance de modes de pensée plus primitifs (pensée magique, préconcepts, etc.), l'enfant atteint d'un retard mental saisit plus difficilement les liens de cause à effet entre certains événements et sa frustration ou son plaisir. C'est aussi pourquoi il n'accède qu'à une compréhension partielle des motifs à la base du comportement d'autrui (compréhension sociale).

## 12.6   LES TROUBLES D'APPRENTISSAGE

La notion de trouble d'apprentissage renvoie à une limitation importante de l'habileté à lire, à écrire ou à compter alors que le niveau d'intelligence (QI) permettrait un rendement significativement meilleur dans ces tâches, compte tenu de l'âge de l'enfant et de son niveau de scolarité. On diagnostique un « trouble d'apprentissage » lorsque le rendement de l'enfant à des tests individuels standardisés en lecture, en français écrit ou en mathématiques est nettement inférieur au niveau attendu compte tenu de l'âge, de la scolarité et du QI. L'écart doit habituellement atteindre deux écarts types en deçà du niveau normalement associé au QI de l'enfant.

Il importe de s'assurer que l'écart observé n'est pas l'effet de l'appartenance à une ethnie ou à une culture différente, ou ne procède pas de conditions de mesure influant négativement sur le rendement de l'enfant. On doit aussi éviter de confondre les effets d'un problème d'audition ou de vision avec le trouble d'apprentissage.

Les troubles d'apprentissage peuvent être causés par d'innombrables facteurs, tels une prédisposition génétique, un trouble neurologique, le syndrome d'alcoolisme fœtal ou une stimulation cognitive inappropriée au cours de la petite enfance. Environ 5 % des élèves souffrent d'un trouble d'apprentissage (APA, 1994), et les garçons sont au moins deux fois plus souvent atteints que les filles (Dumas, 2002).

Cette psychopathologie a de graves répercussions sur la vie de l'enfant et sur son estime de lui-même, puisque celui-ci s'en trouve handicapé dans l'ensemble des activités courantes qui exigent de savoir lire, écrire ou compter. Comme l'adaptation scolaire dépend directement de ces habiletés, les enfants souffrant des troubles d'apprentissage affichent souvent une faible motivation, un comportement turbulent en classe, et présentent un risque élevé d'abandon scolaire. La présence concurrente d'autres psychopathologies est aussi importante : selon le DSM-IV, entre 10 % et 25 % des individus démontrant de l'hyperactivité avec des troubles attentionnels, des troubles de conduite, de la dépression clinique ou des troubles oppositionnels souffrent aussi de troubles d'apprentissage (APA, 1994). Les troubles de l'apprentissage comprennent les troubles spécifiques de la lecture, les troubles de l'expression écrite et ceux du calcul mathématique. La plus grande prévalence des troubles de lecture justifie l'attention particulière que nous y accordons ici.

### 12.6.1 Les troubles spécifiques de la lecture

Le diagnostic de « troubles spécifiques de la lecture » repose sur l'observation d'un déficit des habiletés en lecture évalué au moyen d'instruments standardisés de mesure. La performance de l'enfant doit se situer nettement en dessous du niveau attendu en fonction de l'âge, de l'intelligence (QI) et de l'éducation (APA, 1994). Pour être diagnostiqué, ce problème (aussi nommé dyslexie) doit interférer de façon marquée avec le rendement scolaire et les activités de la vie courante. Que l'enfant lise à voix haute ou en silence, le trouble se manifeste par des distorsions, des substitutions ou des inversions de lettres et de syllabes, ce qui provoque une lenteur marquée de progression dans le texte et des erreurs dans sa compréhension. On a souvent parlé de la tendance des enfants dyslexiques à confondre les lettres de formes voisines, telles que le « d », le « b », le « p » et le « q » (voir la figure 12.2).

Les troubles de la lecture se manifestent par des difficultés à différencier correctement les lettres (décodage des symboles écrits), à les associer aux sons qu'on leur attribue (phonèmes) et à leur filiation pour construire les mots, ce qui influe évidemment sur la compréhension du sens (sémantique) de l'écrit (Ehri, 1998 ; Giasson, 1995 ; Snowling, Defty et Goulandris, 1996). C'est toute la chaîne du décodage de l'écrit, depuis la lettre jusqu'à la compréhension de la phrase en passant par le phonème puis le mot, qui peut être touchée. Cependant, le trouble vient généralement des premières étapes de cette chaîne complexe, celles qui relèvent de la phonologie et qui ne sont pas correctement automatisées.

À ce moment, la charge mentale qu'impose le décodage des unités « lettres-syllabes-mots » est telle que l'enfant est incapable de porter attention au sens et à la filiation des mots. Chez le lecteur normal, l'automatisation de ce décodage libère l'esprit qui peut se consacrer à la compréhension du sens des phrases, contrairement à l'enfant dyslexique qui semble bloqué aux premiers stades de l'apprentissage de la lecture. Les spécialistes reconnaissent plusieurs formes de dyslexie, mais l'on s'entend généralement pour affirmer que la quantité d'erreurs courantes de décodage caractérise ce trouble

**Figure 12.2**    Lettres de formes voisines

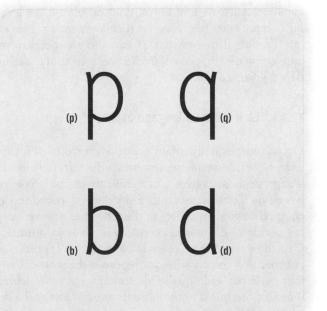

plutôt que l'exclusivité de certaines erreurs typiques (Van Hout et Estienne, 1994).

On estime qu'environ 4 % ou 5 % des enfants d'âge scolaire présentent un trouble de la lecture, ce qui rassemble environ 80 % de l'ensemble des troubles d'apprentissage. Sept fois sur dix, ces troubles concernent les garçons, ce qui a parfois été associé aux méthodes d'évaluation de type scolaire, un domaine où les garçons sont plus souvent vulnérables que les filles (APA, 1994). La vulnérabilité plus grande des garçons aux anomalies génétiques serait aussi en cause (Overfield, 1995).

## 12.7 LES TROUBLES SPÉCIFIQUES DE LA COMMUNICATION

Les troubles spécifiques de la communication concernent des déficits dans l'acquisition du langage. Le DSM-IV les classe en trois catégories :

1) les troubles du langage expressif ;

2) les troubles du langage mixte « réceptif/expressif » ;

3) les troubles phonologiques (APA, 1994).

Comme nous avons pu le constater dans notre examen des autres psychopathologies infantiles, les retards dans l'acquisition du langage résultent souvent des effets d'autres psychopathologies ; c'est le cas notamment du retard mental et de l'autisme. Cependant, les troubles de communication ne font l'objet d'un diagnostic que lorsqu'ils représentent les zones particulièrement atteintes et que l'enfant démontre par ailleurs un fonctionnement ainsi qu'un développement intellectuel comparable à celui de son groupe d'âge.

### 12.7.1 Le trouble du langage expressif

On considère qu'un enfant présente un trouble du langage expressif lorsque ses résultats à des tests individuels d'expression langagière sont significativement inférieurs à ceux qu'il obtient aux tests individuels standardisés de compréhension langagière et d'intelligence non verbale, ces derniers se situant généralement dans la normale. C'est donc sur l'écart entre la capacité à s'exprimer et la capacité à comprendre que repose le diagnostic. L'enfant parle peu et la qualité de son langage est touchée : il ne dispose que d'un nombre limité de mots et il a de la difficulté à acquérir des mots nouveaux. Il peut aussi ne pas trouver ses mots, faire des erreurs de vocabulaire et de conjugaison. Parfois, ses phrases sont incomplètes ou pauvres au regard de son âge (APA, 1994). Comme ce type de retard et d'erreurs survient fréquemment en bas âge (10 % à 15 % avant trois ans et entre 3 % et 7 % à l'entrée à l'école, selon le DSM-IV), il faut s'entourer de précautions particulières afin de ne pas confondre le trouble de langage expressif avec des lacunes qui font partie du développement normal de l'enfant. Encore ici, la qualité des mesures détermine la valeur du diagnostic. Par ailleurs, la précocité du diagnostic représente un atout pour la mise en œuvre du traitement : en effet, plus l'intervention est précoce, meilleurs sont les gains en rééducation orthophonique.

### 12.7.2 Le trouble du langage mixte expressif/réceptif

Le trouble du langage mixte expressif/réceptif n'affecte pas seulement la capacité de s'exprimer : il atteint aussi la capacité de comprendre le langage. Le diagnostic repose sur le constat d'un écart significatif entre les scores obtenus par l'enfant à des tests standardisés d'expression et de réception langagière, d'une part, et les scores qu'il obtient à des mesures d'intelligence non verbale, d'autre part. En plus des symptômes associés au trouble du langage expressif, l'enfant a de la difficulté à comprendre des mots, certaines phrases ou certaines catégories de contenus relatifs aux nombres, à la position des objets dans l'espace (devant, derrière) ou à la taille (plus grand que, plus petit que). La prévalence du trouble mixte est inférieure à celle du trouble expressif, mais jusqu'à 3 % des enfants d'âge scolaire en présenteraient les symptômes (APA, 1994). À l'école, où tant les contenus enseignés que les consignes aux élèves reposent sur la capacité de comprendre le langage, ce trouble mixte peut constituer un sérieux handicap pour la participation de l'enfant.

### 12.7.3 Le trouble phonologique

L'enfant atteint du trouble phonologique est incapable d'utiliser les phonèmes qu'il devrait normalement maîtriser à son âge. Les phonèmes sont les unités de son de la langue sur lesquelles repose la signification des mots (« a », « ch », « é », « en », « gue », « on » et « ye » en sont des exemples en français). L'enfant fait des erreurs dans la production, l'utilisation et l'organisation de ces phonèmes, c'est-à-dire qu'il fait des erreurs dans l'utilisation des sons à l'origine des mots. Par exemple, « zam » pour jambe; « balo » pour bateau; « palo » pour plateau; « kelfon » pour téléphone; etc. Sa prononciation et son utilisation des sons sont souvent tronquées ou erronées. Il dira donc « ga » au lieu de « regarde »; « yien » pour viens ou pour chien, « co » pour court, etc., de sorte que les interlocuteurs doivent constamment interpréter le sens des sons émis par l'enfant en fonction du contexte environnant, comme c'est normalement le cas avec les bébés. À l'entrée à l'école, vers 6 ou 7 ans, 2 % des enfants présenteraient ce trouble phonologique, et la prévalence diminuerait à 0,5 % à 17 ans (APA, 1994).

Puisque tout l'édifice du langage repose sur l'utilisation appropriée des phonèmes, le trouble phonologique ne renvoie pas seulement à un défaut de prononciation chez l'enfant; il touche aux fondements mêmes du parlé et de l'écrit.

### 12.7.4  Le bégaiement

Le bégaiement est un trouble de la communication caractérisé par des interruptions involontaires du rythme de la parole marquées de répétitions ou de prolongations de sons ou de syllabes (APA, 1994). Il arrive aussi que des interjections ponctuent le débit de la parole, des sons inutiles s'intercalant entre les mots ou dans les mots eux-mêmes (par exemple « mé quc », « cébin », « pi là », etc.). Ce problème de mécanique de la parole s'accompagne parfois de spasmes respiratoires, de crispations des lèvres et de la mâchoire, ainsi que de contractions musculaires du visage, du cou ou d'autres régions du corps. Pour poser un diagnostic de bégaiement chez un enfant, ces manifestations doivent être nettement plus marquées que celles que l'on observe normalement chez les enfants du même âge. De plus, elles doivent perturber le fonctionnement scolaire de l'enfant.

Le manque particulier d'enchaînement et de souplesse dans le débit verbal rend le bégaiement assez facile à différencier des zézaiements, des répétitions et des hésitations couramment observés chez les enfants non bègues. Ce trouble apparaît généralement entre 2 et 5 ans; il touche de 4 % à 6 % des enfants et atteint les garçons quatre fois plus souvent que les filles (Ordre des orthophonistes et audiologistes du Québec [OOAQ], 1998). Chez l'adulte, la prévalence est de l'ordre de 1 %, le problème se résorbant souvent avec l'âge. Au fil des ans, différentes méthodes de traitement du bégaiement ont été mises au point. Elles donnent généralement de bons résultats, surtout lorsque l'intervention est suffisamment précoce et intense (Abel, 2000; Gagnon, Lachance, Ferland et Ladouceur, 1996; Onslow et Packman, 1999; Onslow, Packman et Harrison, 2003).

Les causes précises de ce problème de coordination motrice de la parole n'ont pas encore été cernées, quoiqu'une prédisposition biologique soit généralement admise par suite de l'importante surreprésentation des garçons. Cependant, le bégaiement est très sensible aux contextes dans lesquels se déroule la communication. Le stress, la fatigue et l'excitation font habituellement augmenter le bégaiement, tandis qu'il peut disparaître momentanément quand l'enfant s'exprime en chantant, parle une autre langue, récite un texte en groupe ou joue un personnage.

### 12.8  LE TROUBLE D'HYPERACTIVITÉ AVEC DÉFICIT DE L'ATTENTION

Le trouble d'hyperactivité avec déficit de l'attention (THADA) réunit une série de symptômes liés au contrôle de l'attention, à l'impulsivité et à un niveau excessif d'activité chez l'enfant. En raison de la multitude de facettes associées à ce trouble, plusieurs profils comportementaux différents sont regroupés sous la même appellation, ce qui pose des problèmes de validité diagnostique. Le déficit d'attention semble constituer le facteur commun du trouble, alors que l'importance de l'impulsivité et de l'hyperactivité est variable, ces deux dernières manifestations étant fortement interreliées.

La notion de « déficit de l'attention » renvoie à la difficulté de se concentrer de façon soutenue sur une tâche donnée. L'enfant est facilement distrait par les stimuli environnants. Sa motivation à la tâche s'épuisant rapidement, il a tendance à abandonner ce qu'il est train de faire pour passer à autre chose après quelques minutes seulement. Il a donc du mal à contrôler les stimuli provenant de l'extérieur.

La notion d'« impulsivité » met en jeu la difficulté de contrôler les actions et les réactions. L'enfant ne réfléchit pas avant d'agir ou de réagir et il lui est très difficile d'attendre son tour en groupe ou de patienter quand il veut obtenir quelque chose. Dans ce cas, il s'agit donc d'un déficit du contrôle des stimuli provenant de l'intérieur.

Enfin, comme son nom l'indique, la notion « d'hyperactivité » renvoie à un niveau d'activité vraiment au-dessus de la normale, compte tenu de l'âge et du contexte propres à l'enfant. Demeurer assis à sa place, en classe ou à table, écouter une explication jusqu'à la fin sans bouger ni faire de bruit, ne pas toucher à des objets intéressants exposés devant lui, constituent des défis pour l'enfant hyperactif qui n'arrive pas à maîtriser son propre comportement. Ce manque de contrôle représente la partie la plus visible du trouble.

### 12.8.1 Les critères diagnostiques du trouble d'hyperactivité avec déficit de l'attention

Toutefois, comme on observe fréquemment certaines de ces caractéristiques chez des enfants normaux ou chez des enfants souffrant d'autres troubles, tels que les problèmes d'apprentissage ou les troubles des conduites, on doit reconnaître qu'elles ne sont pas exclusives aux enfants souffrant du THADA. Voilà pourquoi le diagnostic du THADA requiert une application stricte des critères quantitatifs, en plus de la reconnaissance qualitative des symptômes dans le comportement de l'enfant. Le tableau 12.4 présente la liste des symptômes du THADA qui doivent se manifester avant d'en poser le diagnostic chez un enfant.

En présence de tels symptômes, on comprend facilement le défi que pose un fonctionnement adapté à l'environnement familial, scolaire ou communautaire. Comment atteindre le niveau de réflexivité requis par les tâches scolaires si l'on a du mal à rester assis sur une chaise, à anticiper ce qui va se produire et à organiser son action en conséquence, à apprendre en tirant les leçons de ce qui vient d'arriver ? Comment se faire des amis et les garder si l'on présente de telles perturbations du comportement ? Comment les parents peuvent-ils envisager sereinement l'avenir de leur enfant ?

Selon le DSM-IV (APA, 1994), le taux de prévalence du trouble d'hyperactivité avec déficit de l'attention (THADA) est de 3 % à 5 % chez les enfants, et il touche trois fois plus de garçons que de filles. Les manifestations du THADA sont souvent perceptibles dès l'âge de 3 ou 4 ans, mais c'est à l'entrée à l'école que le comportement problématique de l'enfant se trouve vraiment confronté aux exigences du milieu et au niveau moyen des pairs (Ministère de l'Éducation [MEQ] et Ministère de la Santé et des Services sociaux [MSSS], 2003 ; Thomas et Willems, 1997). Les séquelles de ce trouble seraient encore présentes chez 65 % des adultes qui en ont souffert durant leur enfance (Agency for Health Care Policy and Research [AHCPR], 1999).

Le trouble d'hyperactivité avec déficit de l'attention fait partie des psychopathologies les plus médiatisées non seulement en raison de sa grande visibilité et de son impact sur les environnements familial et scolaire, mais aussi à cause de la polémique qui entoure son traitement pharmacologique, polémique nourrie par les différences importantes de prévalence d'un pays à un autre. Ainsi, des études de prévalence au Canada, aux États-Unis, au Royaume-Uni, en Allemagne et en Nouvelle-Zélande indiquent des taux variant de 1,7 % à 16,1 % (AHCPR, 1999 ; MEQ et MSSS, 2003). De telles variations témoignent certainement de problèmes méthodologiques, mais aussi d'un traitement variable du trouble selon la culture. On invoque souvent quatre facteurs pour expliquer ces différences :

1) la variation possible, d'une étude à l'autre, des symptômes retenus pour établir le diagnostic ;

2) les méthodes servant à recueillir l'information sur la prévalence ;

3) les sources utilisées (parents, enfants, intervenants, banques de données sur la santé, etc.) ;

4) les critères d'inclusion (acceptation ou rejet des cas de comorbidité avec d'autres troubles, durée de la présence des symptômes, etc.).

Nous savons que la proportion d'enfants prenant des médicaments pour traiter un THADA est beaucoup plus grande au Canada et aux États-Unis qu'en France ou en Angleterre par exemple, et que ces écarts reflètent plus une approche différente du problème qu'une différence constitutionnelle des enfants. Après avoir connu les effets très appréciables des médicaments (notamment le méthylphénidate, aussi connu sous le nom de Ritalin®) sur le comportement des jeunes hyperactifs, les milieux familiaux et scolaires auraient du mal à s'en passer dans l'exercice de leurs fonctions auprès des jeunes. Une enquête menée en 1999 auprès de 600 médecins canadiens a révélé que l'augmentation significative de la proportion d'enfants médicamentés pour hyperactivité depuis 1990 était liée aux facteurs suivants : une plus importante prise de conscience de la part du public à l'égard du THADA et de ses traitements ; de fortes pressions exercées par les parents et les enseignants pour recourir aux médicaments afin de traiter le THADA; une meilleure acceptation par le public de traiter le THADA avec des médicaments; le peu de ressources existantes pour d'autres modalités de traitement de ce problème très dérangeant (Santé Canada, 1999). Il demeure que l'augmentation de la proportion d'enfants prenant des médicaments pour traiter ce trouble nous interpelle, certains auteurs y voyant même un substitut aux réformes scolaires appropriées (Gadow, 1999). Au Québec, Cohen et ses collègues (1999) ont mené une étude auprès d'élèves de différentes régions sur l'utilisation de stimulants du système nerveux central. Les résultats témoignent d'une consommation chez 4,6 % des enfants du primaire, avec un ratio de 3,7 garçons pour 1,0 fille (Cohen et autres, 1999; MEQ et MSSS, 2003).

On a proposé toute une série de causes pour expliquer l'origine du THADA (voir Dumas, 2002, pour une discussion détaillée des causes possibles). Or, malgré le caractère hétérogène des profils comportementaux regroupés sous ce diagnostic et les nombreuses questions encore sans réponse sur son étiologie, il semble que des dysfonctions neurologiques seraient en cause et que leur interaction avec le contexte psychosocial de l'enfant en modulerait les manifestations chez l'enfant.

**Tableau 12.4**  Critères diagnostiques du trouble de déficit de l'attention/hyperactivité

**A.** Présence soit de (1), soit de (2):

(1) Six des symptômes suivants d'**inattention** (ou plus) ont persisté pendant au moins 6 mois, à un degré qui est inadapté et ne correspond pas au niveau de développement de l'enfant:

*Inattention*
(a) Souvent, ne parvient pas à prêter attention aux détails, ou fait des fautes d'étourderie dans les devoirs scolaires, le travail ou d'autres activités;
(b) A souvent du mal à soutenir son attention au travail ou dans les jeux;
(c) Semble souvent ne pas écouter quand on lui parle personnellement;
(d) Souvent, ne se conforme pas aux consignes et ne parvient pas à mener à terme ses devoirs scolaires, ses tâches domestiques ou ses obligations professionnelles (cela n'est pas dû à un comportement d'opposition, ni à une incapacité à comprendre les consignes);
(e) A souvent du mal à organiser ses travaux ou ses activités;
(f) Souvent, évite, a en aversion, ou fait à contrecœur les tâches qui nécessitent un effort mental soutenu (comme le travail scolaire ou les devoirs à la maison);
(g) Perd souvent les objets nécessaires à son travail ou à ses activités (p. ex., jouets, cahiers de devoirs, crayons, livres ou outils);
(h) Souvent, se laisse facilement distraire par des stimulus externes;
(i) A des oublis fréquents dans la vie quotidienne.

(2) Six des symptômes suivants d'**hyperactivité-impulsivité** (ou plus) ont persisté pendant au moins 6 mois, à un degré qui est inadapté et ne correspond pas au niveau de développement de l'enfant:

*Hyperactivité*
(a) Remue souvent les mains ou les pieds, ou se tortille sur son siège;
(b) Se lève souvent en classe ou dans d'autres situations où il est supposé rester assis;
(c) Souvent, court ou grimpe partout, dans des situations où cela est inapproprié (chez les adolescents ou les adultes, ce symptôme peut se limiter à un sentiment subjectif d'impatience motrice);
(d) A souvent du mal à se tenir tranquille dans les jeux ou les activités de loisir;
(e) Est souvent « sur la brèche » ou agit souvent comme s'il était « monté sur ressorts »;
(f) Parle souvent trop.

*Impulsivité*
(g) Laisse souvent échapper la réponse à une question qui n'est pas encore entièrement posée;
(h) A souvent du mal à attendre son tour;
(i) Interrompt souvent les autres ou impose sa présence (p. ex., fait irruption dans les conversations ou dans les jeux).

**B.** Certains des symptômes d'hyperactivité-impulsivité ou d'inattention ayant provoqué une gêne fonctionnelle étaient présents avant l'âge de 7 ans.

**C.** Présence d'un certain degré de gêne fonctionnelle liée aux symptômes dans deux, ou plus de deux types d'environnement différents (p. ex., à l'école – ou au travail – et à la maison).

**D.** On doit mettre clairement en évidence une altération cliniquement significative du fonctionnement social, scolaire ou professionnel.

**E.** Les symptômes ne surviennent pas exclusivement au cours d'un Trouble envahissant du développement, d'une Schizophrénie ou d'un autre Trouble psychotique, et ils ne sont pas mieux expliqués par un autre trouble mental (p. ex., Trouble thymique, Trouble anxieux, Trouble dissociatif ou Trouble de la personnalité).

Source: American Psychiatric Association (1996), *DSM-IV: Manuel diagnostique et statistique des troubles mentaux*, 4e éd., Paris, Masson.

## 12.9 LE TROUBLE DES CONDUITES

Le trouble des conduites renvoie à un patron de comportement du jeune[2] où les droits des autres et les règles sociales appropriées à l'âge sont violés de façon répétée et persistante. Le DSM-IV classe ce trouble en quatre grandes catégories :

1) les comportements agressifs qui causent ou peuvent causer des blessures physiques à des personnes ou à des animaux ;

2) les comportements destructeurs qui causent des pertes matérielles ou des dommages à la propriété ;

3) les vols et les fraudes ;

4) les transgressions sérieuses des règles en vigueur dans le milieu du jeune.

Pour diagnostiquer le trouble des conduites, il faut qu'au moins trois comportements caractéristiques se soient manifestés au cours des 12 derniers mois (et au moins une fois dans les derniers six mois). De plus, ce trouble doit affecter sérieusement le fonctionnement social et scolaire du jeune (APA, 1994). Ces critères s'appliquent à l'individu et ils n'indiquent pas si les comportements perturbateurs sont produits seuls ou en groupe. Le tableau 12.5 présente les critères diagnostiques du trouble des conduites selon le DSM-IV.

Le trouble des conduites se subdivise en deux sous-catégories selon la nature des problèmes de conduite et l'âge d'apparition. La première sous-catégorie est nommée « trouble des conduites apparaissant au cours de l'enfance ». Elle suppose que l'un des critères du trouble des conduites se manifeste clairement avant l'âge de 10 ans. Il s'agit le plus souvent de garçons affichant de l'agressivité ouverte et entretenant des relations difficiles avec leurs pairs. Ces enfants présentent fréquemment toutes les caractéristiques du trouble avant même d'atteindre la puberté. Il est fréquent d'observer en même temps chez eux de l'hyperactivité avec déficit de l'attention. Il s'agit de la forme la plus sévère du trouble, et elle persistera probablement jusqu'à l'âge adulte.

Les jeunes de la deuxième sous-catégorie, nommée « trouble des conduites apparaissant à l'adolescence », présentent un profil moins sévère ; leur pronostic est plus favorable, comparativement à celui des jeunes de la première sous-catégorie. Ils présentent moins souvent des conduites ouvertement agressives et ils sont mieux intégrés parmi leurs pairs.

Le trouble des conduites impose un fardeau particulièrement pénible à la communauté dans laquelle vit le jeune, compte tenu de la nature des manifestations qui l'accompagnent :

– comportements agressifs vis-à-vis des pairs et de l'autorité (bagarres, menaces, intimidation, chantage, etc., à la maison, à l'école ou dans la rue) ;

– vols, taxage et extorsions ; dommages intentionnels causés à la propriété d'autrui (casser des vitres, mettre le feu, endommager des voitures, etc.) ;

– transgressions sérieuses de règles familiales, scolaires ou sociales (sorties la nuit, abus d'alcool et de drogues, sexualité précoce et non protégée, fugues répétées, absentéisme scolaire fréquent et sans motif, etc).

Les dommages de toutes sortes causés à l'entourage, ajoutés à ses mensonges prémédités, à son manque d'empathie à l'égard des autres, à sa faible tolérance à la frustration et à sa difficulté à reconnaître ses responsabilités, provoquent le rejet social plus ou moins prononcé du jeune affichant un trouble des conduites.

À court terme, l'enfant agressif peut tirer des avantages de ses agressions mais à plus long terme, le coût social de ses écarts de conduite est énorme pour lui.

---

2    Le terme « jeune » est employé dans cette section parce que le trouble des conduites apparaît au cours de l'enfance pour se manifester plus fortement à l'adolescence.

**Tableau 12.5**   Critères diagnostiques du trouble des conduites

**A.** Ensemble de conduites, répétitives et persistantes, dans lequel sont bafoués les droits fondamentaux d'autrui ou les normes et règles sociales correspondant à l'âge du sujet, comme en témoigne la présence de trois des critères suivants (ou plus) au cours des 12 derniers mois, et d'au moins un de ces critères au cours des 6 derniers mois :

**Agressions envers des personnes ou des animaux**

(1) Brutalise, menace ou intimide souvent d'autres personnes ;

(2) Commence souvent les bagarres ;

(3) A utilisé une arme pouvant blesser sérieusement autrui (p. ex., un bâton, une brique, une bouteille cassée, un couteau, une arme à feu) ;

(4) A fait preuve de cruauté physique envers des personnes ;

(5) A fait preuve de cruauté physique envers des animaux ;

(6) A commis un vol en affrontant la victime (p. ex., agression, vol de sac à main, extorsion d'argent, vol à main armée) ;

(7) A contraint quelqu'un à avoir des relations sexuelles.

**Destruction de biens matériels**

(8) A délibérément mis le feu avec l'intention de provoquer des dégâts importants ;

(9) A délibérément détruit le bien d'autrui (autrement qu'en y mettant le feu).

**Fraude ou vol**

(10) A pénétré par effraction dans une maison, un bâtiment ou une voiture appartenant à autrui ;

(11) Ment souvent pour obtenir des biens ou des faveurs ou pour échapper à des obligations (p. ex., « arnaque » les autres) ;

(12) A volé des objets d'une certaine valeur sans affronter la victime (p. ex. vol à l'étalage sans destruction ou effraction ; contrefaçon).

**Violations graves de règles établies**

(13) Reste dehors tard la nuit en dépit des interdictions de ses parents, et cela a commencé avant l'âge de 13 ans ;

(14) A fugué et passé la nuit dehors au moins à deux reprises alors qu'il vivait avec ses parents ou en placement familial (ou a fugué une seule fois sans rentrer à la maison pendant une longue période) ;

(15) Fait souvent l'école buissonnière, et cela a commencé avant l'âge de 13 ans.

**B.** La perturbation du comportement entraîne une altération cliniquement significative du fonctionnement social, scolaire ou professionnel.

**C.** Si le sujet est âgé de 18 ans ou plus, le trouble ne répond pas aux critères de la Personnalité antisociale.

*Spécifier* le type, selon l'âge de début :

**Type à début pendant l'enfance :** présence d'au moins un critère caractéristique du Trouble des conduites avant l'âge de 10 ans.

**Type à début pendant l'adolescence :** absence de tout critère caractéristique du Trouble des conduites avant l'âge de 10 ans.

*Spécifier*, selon la sévérité :

**Léger :** il n'existe que peu ou pas de problèmes de conduite dépassant en nombre ceux requis pour le diagnostic ; **de plus,** les problèmes de conduite n'occasionnent que peu de mal à autrui.

**Moyen :** le nombre de problèmes de conduite ainsi que leurs effets sur autrui sont intermédiaires entre « léger » et « sévère ».

**Sévère :** il existe de nombreux problèmes de conduite dépassant en nombre ceux requis pour le diagnostic ; **ou bien,** les problèmes de conduite occasionnent un dommage considérable à autrui.

Source : American Psychiatric Association (1996), *DSM-IV : Manuel diagnostique et statistique des troubles mentaux*, 4ᵉ éd., Paris, Masson.

D'après l'APA (1994), le trouble des conduites représente l'une des psychopathologies les plus fréquemment diagnostiquées chez les mineurs, les garçons en étant nettement plus souvent atteints que les filles. Malheureusement, la prévalence est imprécise, car les taux varient de 1 % à 10 % de la population des 0-17 ans selon les études (APA, 1994). Cette variation considérable soulève évidemment la question de la validité du diagnostic, d'autant plus qu'il existe dans les sociétés occidentales plusieurs façons d'approcher les problèmes de comportement chez les jeunes. En effet, l'approche psychopathologique n'est pas le seul mode de traitement social des troubles de comportement : les lois sur les jeunes contrevenants, les mesures de protection de la jeunesse ou encore les cheminements scolaires particuliers pour jeunes mésadaptés constituent d'autres dispositifs susceptibles d'accueillir des clientèles affichant un trouble des conduites.

L'adoption de comportements inacceptables représente souvent une réaction de l'enfant ou une stratégie d'adaptation à des difficultés sérieuses vécues antérieurement dans son milieu (négligence familiale, abus physique ou sexuel, abandon parental). Or, la voie psychiatrique n'accorde peut-être pas à l'environnement toute la place qu'il devrait occuper dans les mesures à prendre, comparativement aux systèmes de protection de la jeunesse qui mettent plus souvent en cause les personnes significatives autour de l'enfant dans les mesures d'aide proposées (Faugeras, Moisan et Laquerre, 2000 ; Kokko et Pulkkinen, 2000 ; Lacharité,

1999; Saint-Jacques, Drapeau et Cloutier, 2000). Le trouble des conduites est-il un problème intrapsychique? L'enfant est-il le seul en cause? Quelle place doit-on donner aux parents et aux autres acteurs signifiants dans la construction et la persistance du problème? Voilà des questions fort pertinentes encore aujourd'hui.

## 12.10  LA DÉPRESSION MAJEURE CHEZ L'ENFANT

Dans le langage populaire, la «dépression» est probablement la psychopathologie la plus couramment évoquée chez l'adulte pour nommer un trouble mental, probablement parce qu'il s'agit d'un problème qui paraît moins menaçant, moins morbide. Décrite chez l'adulte depuis l'Antiquité, la dépression n'a été systématiquement étudiée chez l'enfant qu'au XXᵉ siècle, notamment sous l'impulsion de l'approche psychanalytique (Abraham, 1966; Golse et Messerschmitt, 1983; Klein, 1932; Petot, 1999; Spitz, 1946). Il existe plusieurs sortes de dépression, tant chez l'adulte que chez l'enfant; nous ne considérons ici que la dépression majeure, laissant de côté la dysthymie (trouble dépressif moins sévère, mais plus chronique), le trouble bipolaire et les autres troubles de l'humeur.

Dans le DSM-IV, les critères diagnostiques de la dépression chez l'enfant sont identiques à ceux de l'adulte. Toutefois, il arrive que le trouble soit plus difficile à reconnaître chez les jeunes parce que les symptômes sont souvent perçus comme des sautes d'humeur normales. De plus, ils varient selon la période du développement et l'enfant a souvent de la difficulté à verbaliser avec précision ce qui lui arrive.

Pour que le diagnostic de trouble de dépression majeure soit posé, la personne doit manifester une humeur déprimée ou montrer une perte notable d'intérêt à l'égard de ses activités sur une période continue minimale de deux semaines. Cette manifestation doit représenter un changement par rapport à l'humeur normale de la personne et affecter notablement son fonctionnement social, scolaire ou professionnel. Le changement d'humeur ne doit pas être lié à la consommation d'un médicament ou d'une autre substance. Il ne doit pas non plus résulter d'un autre problème de santé ou d'un deuil. Le tableau 12.6 présente les critères diagnostiques d'un épisode dépressif majeur selon le DSM-IV (ces critères s'appliquant aussi bien aux enfants qu'aux adultes).

Environ 2% des enfants et 5% des adolescents souffriraient de dépression (NIMH, 2000; Schaffer, 1996). La dépression est deux fois plus fréquente chez les adolescents que chez les enfants (Petot, 1999). Avant l'âge de 12 ans, le risque de dépression est le même pour les deux sexes jusqu'à la puberté. Après, il est deux fois plus grand chez les filles que chez les garçons (APA, 1994; National Institute of Mental Health [NIMH], 2000; Papillon, 2000). Certains chercheurs ont observé que la dépression apparaissait plus tôt chez les jeunes d'aujourd'hui qu'au cours des décennies antérieures. La dépression majeure chez l'enfant s'accompagne fréquemment de rechutes dans les cinq ans suivant l'épisode (Petot, 1999) et elle persiste souvent jusque dans la vie adulte (Harrington, Fudge, Rutter et Hill, 1990; NIMH, 2000).

### 12.10.1  La dépression et le risque de conduite suicidaire

Les troubles anxieux (angoisse de séparation et phobies, notamment), le trouble des conduites ou certaines maladies physiques comme le diabète accompagnent souvent la dépression majeure (Kovacs, 1997; Petot, 1999). Cependant, les conduites suicidaires associées à la dépression majeure attirent le plus l'attention clinique en raison du danger afférent. En effet, deux enfants déprimés sur trois (66%) auraient des idées suicidaires, comparativement à 39% chez les enfants affichant d'autres troubles sans dépression (Kovacs, Goldston et Gatsonis, 1993; Petot, 1999). Ce risque de suicide serait le plus élevé chez l'adolescent masculin lorsque la dépression majeure est accompagnée chez lui de consommation d'alcool et de drogue. Aux États-Unis, des travaux ont démontré que, chez les adolescents souffrant de dépression majeure, le décès par suicide pouvait atteindre un taux de 7% (NIMH, 2000).

Une série d'indices dans le comportement du jeune permettent d'évaluer le risque suicidaire. En voici des exemples:

- sentiment que la vie ne vaut pas la peine d'être vécue;
- idées suicidaires fréquentes;
- recherche de moyens pratiques pour s'enlever la vie;
- allusions faites au suicide comme une solution aux problèmes;
- consommation d'alcool et de drogue;

– histoire de suicide chez un proche;

– disponibilité d'armes à feu dans le milieu (Pronovost et Leclerc, 2000).

## 12.10.2 Les causes de la dépression

L'étude des causes de la dépression a conduit à une série de modèles explicatifs qui s'inscrivent dans diverses traditions théoriques: psychanalytique, cognitive ou biologique (voir Petot, 1999, et Dumas, 2002, pour un examen plus approfondi). Dans la perspective cognitive, par exemple, Beck (1976) a associé la dépression à un pessimisme généralisé issu de croyances erronées qui biaisent le jugement: l'individu interprète à tort sa réalité de façon négative, cette réalité n'étant pas plus négative que celle des autres. Ces schèmes négatifs de pensée portent sur l'image que la personne se fait d'elle-même («je ne vaux rien»), sur son environnement («le monde est mauvais») et sur son avenir («ça ira de mal en pis»). La question est de savoir si ces cognitions négatives précèdent la dépression ou si elles en sont les conséquences. Sans nécessairement trancher cette question, l'approche de Beck veut qu'une intervention destinée à éliminer ces attributions négatives constitue un traitement efficace contre la dépression. De son côté, Marvin Seligman, un autre cognitiviste, a élaboré un modèle selon lequel la dépression correspond à de «l'impuissance apprise»: les expériences antérieures amènent l'individu à se convaincre que son comportement n'a pas d'effet sur ce qui lui arrive. Puisque agir ou ne pas agir ne change rien, il vaut donc mieux ne pas agir (Seligman, 1975). C'est tout le processus d'appropriation (*empowerment*) qui est en cause, c'est-à-dire le développement du sentiment de contrôle sur ce qui nous arrive. Dans cette optique, un milieu de vie sain doit amener l'enfant à apprendre qu'il exerce une influence sur ce qui lui arrive et que ses initiatives et ses efforts ont une valeur réelle. L'enfant doit savoir que ses échecs ne signifient pas qu'il est nul: ceux-ci sont temporaires, et sa persévérance peut mener au succès (Seligman, 1995).

**Tableau 12.6**  Critères diagnostiques d'un épisode dépressif majeur

**A.** Au moins cinq des symptômes suivants doivent avoir été présents pendant une même période d'une durée de deux semaines et avoir représenté un changement par rapport au fonctionnement antérieur: au moins un des symptômes est soit (1) une humeur dépressive, soit (2) une perte d'intérêt ou de plaisir.

**N.B.:** Ne pas inclure des symptômes qui sont manifestement imputables à une affection médicale générale, à des idées délirantes ou à des hallucinations non congruentes à l'humeur.

(1) Humeur dépressive présente pratiquement toute la journée, presque tous les jours, signalée par le sujet (p. ex., se sent triste ou vide) ou observée par les autres (p. ex., pleure). **N.B.:** Éventuellement irritabilité chez l'enfant et l'adolescent;

(2) Diminution marquée de l'intérêt ou du plaisir pour toutes ou presque toutes les activités pratiquement toute la journée, presque tous les jours (signalée par le sujet ou observée par les autres);

(3) Perte ou gain de poids significatif en l'absence de régime (p. ex., modification du poids corporel en un mois excédant 5%), ou diminution ou augmentation de l'appétit presque tous les jours.
**N.B.:** Chez l'enfant, prendre en compte l'absence de l'augmentation de poids attendue.

(4) Insomnie ou hypersomnie presque tous les jours;

(5) Agitation ou ralentissement psychomoteur presque tous les jours (constaté par les autres, non limité à un sentiment subjectif de fébrilité ou de ralentissement intérieur);

(6) Fatigue ou perte d'énergie presque tous les jours;

(7) Sentiment de dévalorisation ou de culpabilité excessive ou inappropriée (qui peut être délirante) presque tous les jours (pas seulement se faire grief ou se sentir coupable d'être malade);

(8) Diminution de l'aptitude à penser ou à se concentrer ou indécision presque tous les jours (signalée par le sujet ou observée par les autres);

(9) Pensées de mort récurrentes (pas seulement une peur de mourir), idées suicidaires récurrentes sans plan précis ou tentative de suicide ou plan précis pour se suicider.

**B.** Les symptômes ne répondent pas aux critères d'Épisode mixte.

**C.** Les symptômes induisent une souffrance cliniquement significative ou une altération du fonctionnement social, professionnel ou dans d'autres domaines importants.

**D.** Les symptômes ne sont pas imputables aux effets physiologiques directs d'une substance (p. ex., une substance donnant lieu à un abus, un médicament) ou d'une affection médicale générale (p. ex., hypothyroïdie).

**E.** Les symptômes ne sont pas mieux expliqués par un *Deuil*, c'est-à-dire après la mort d'un être cher, les symptômes persistent pendant plus de deux mois ou s'accompagnent d'une altération marquée du fonctionnement, de préoccupations morbides de dévalorisation, d'idées suicidaires, de symptômes psychotiques ou d'un ralentissement psychomoteur.

Source: American Psychiatric Association (1996), *DSM-IV: Manuel diagnostique et statistique des troubles mentaux*, 4e éd., Paris, Masson.

Par ailleurs, l'abondante documentation sur le lien entre le risque de dépression et une histoire de dépression dans la parenté immédiate soutient l'hypothèse d'une base héréditaire à ce risque. Ainsi, chez les jumeaux identiques (monozygotes), le taux de concordance est quatre fois plus élevé que chez les jumeaux fraternels (dizygotes). De plus, la probabilité que l'enfant vive une dépression majeure est significativement plus grande lorsqu'un membre de sa famille biologique en a déjà souffert (Dumas, 2002; Petot, 1999). Au-delà de cette probable prédisposition biologique, le fonctionnement familial a très souvent été mis en relation avec la dépression chez l'enfant et l'adolescent. Au nombre des facteurs familiaux, mentionnons les mauvais traitements subis par l'enfant (abus, négligence, abandon), les niveaux élevés de conflit entre les parents, la toxicomanie parentale, les problèmes de santé mentale chez un des parents, le stress familial persistant, etc. (Dugas, 1997; Dumas, 2002). Là encore, il est impossible de définir avec précision l'importance relative des facteurs biologiques, cognitifs ou environnementaux, les interactions entre ces différentes sources étant hautement probables.

## 12.11 L'AUTISME

Pour poser un diagnostic d'autisme, l'enfant doit présenter des symptômes dans les trois domaines suivants:

1) communication;

2) interaction sociale;

3) répertoire restreint de comportements et d'intérêts assortis d'actions répétitives et stéréotypées (APA, 1994).

L'autisme est parfois considéré comme le trouble comportemental le plus grave de l'enfance. Il figure parmi les troubles envahissants du développement et il apparaît nécessairement avant l'âge de trois ans. Les séquelles de l'autisme sont très variables : certains enfants deviennent des adultes complètement dépendants, tandis que d'autres réussissent à occuper un emploi.

L'autisme est une psychopathologie relativement rare puisqu'elle touche 1 enfant sur 2000. On s'accorde généralement aujourd'hui pour attribuer une cause biologique (génétique ou prénatale) à cette psychopathologie, qui ne donne pourtant pas lieu à une apparence physique particulière chez l'enfant. Les garçons représentent 80 % des cas d'autisme; la plus grande vulnérabilité masculine aux anomalies génétiques et prénatales serait en cause dans cet important effet de sexe dans la prévalence de l'autisme (Overfield, 1995; Skuse, 2000b). En Californie, aux États-Unis, on a enregistré récemment une nette augmentation du nombre de cas d'autisme. Cette recrudescence a déclenché une polémique quant à la possibilité d'une relation entre l'autisme et la vaccination des bébés à partir de vaccins contenant du mercure (California Health and Human Services [CHHS], 1999; Fombonne, 2001). Or, ce lien n'a pas été prouvé.

L'enfant autiste affiche une sorte d'indifférence sociale globale et, à moins de désirer quelque chose, il se comporte avec les autres personnes comme si elles étaient des objets inanimés. L'autiste n'arrive pas à comprendre la pensée des autres, et cette «cécité mentale» affecte directement sa capacité d'interaction et de communication sociales. Dès l'âge préscolaire, les enfants normaux élaborent progressivement leur propre «théorie de l'esprit», c'est-à-dire leur conception de ce que les autres pensent, voient, ressentent, désirent, etc. (Frith, 1993; Frith et Happé, 1999). Fondée sur la capacité de dépasser son propre point de vue pour se mettre à la place des autres, la pensée sociale est au cœur de la synchronisation interpersonnelle indispensable à une interaction adaptée. Lorsque cette sensibilité sociale fait défaut, comme c'est manifestement le cas chez les enfants autistes, tout le processus de socialisation se trouve compromis.

Très tôt dans leur vie, les enfants autistes présenteraient un déficit des bases de la communication et de l'interaction sociale. Ils ne sont pas portés à regarder les autres dans les yeux, à exprimer des émotions par mimique faciale, ou à faire des gestes pour attirer l'attention ou communiquer. Ainsi, dès l'âge de deux ans, ils montreraient un retard dans la capacité à porter conjointement attention à un objet avec une autre personne et à désigner un objet ou une personne en les pointant du doigt; ils auraient de la difficulté à imiter un nouveau comportement mimé par un adulte (Berk, 2002; Leekam, Lopez et Moore, 2000). Comparativement aux jeunes du même âge, les enfants autistes s'engagent beaucoup moins souvent dans des jeux de faire semblant. Ils ont tendance à fuir l'interaction sociale et ne partagent pas leurs plaisirs ou leurs intérêts avec les autres. Ils ne semblent pas être conscients des besoins ou des soucis des autres, ni intéressés par ceux-ci. On peut comprendre, dans ce contexte, que les enfants autistes ne vivent que très peu ou pas du tout de relations amicales.

Sur le plan de la communication verbale, les enfants autistes affichent un retard généralement marqué dans l'utilisation du langage et ne font pas d'effort pour compenser cette déficience par la communication non verbale. Lorsqu'ils maîtrisent la langue, ils semblent incapables d'initier et de soutenir activement une conversation ; ils ont plutôt tendance à répéter les mêmes choses, à répéter ce qui vient d'être dit par quelqu'un d'autre ou à dire des choses sans rapport avec le contexte. Leurs intonations apparaissent souvent bizarres aux interlocuteurs : ton monocorde, rythme saccadé ou tonalité interrogative hors contexte, etc. La structure grammaticale des phrases est souvent primitive, et le langage prend parfois une forme télégraphique marquée de nombreux clichés répétitifs. Du côté de la compréhension du langage, l'autisme semble aussi limiter sérieusement l'enfant qui a du mal à intégrer des consignes, à répondre à des questions simples, etc. C'est toute la pragmatique du langage qui se trouve handicapée, plaçant l'enfant en constant décalage contextuel par rapport à la participation sociale qu'on attend de lui. Ainsi, l'humour, les jeux de mots, l'ironie ou autres subtilités de la communication verbale sont à peu près absents de son répertoire.

En plus de ce développement anormal de l'interaction sociale et de la communication, l'enfant autiste affiche un répertoire extrêmement restreint d'intérêts et d'activités. Un puissant besoin de constance dans l'environnement serait à l'origine de l'immuabilité des rites comportementaux qui se manifestent par la répétition compulsive des mêmes gestes d'autostimulation (agitation des doigts devant les yeux, claquement des mains, balancement du corps de gauche à droite ou d'avant à arrière, etc.). Dans leurs formes extrêmes, ces conduites d'autostimulation iront jusqu'à la mutilation : se frapper continuellement la tête sur un mur, se gratter jusqu'au sang, se mordre la main ou le bras, se donner des séries de coups de poing au visage, etc.

L'enfant autiste adopte parfois certaines postures atypiques, comme le fait de marcher sur le bout des pieds ou de maintenir une position du corps inusitée. On observe aussi une fascination pour le mouvement d'objets particuliers : une roue de tricycle en train de tourner, une pale de ventilateur, l'ouverture et la fermeture d'une porte d'armoire, etc. L'enfant autiste peut manifester une résistance obstinée au changement dans les façons de faire au quotidien (localisation des objets dans la maison, chemin emprunté pour se rendre à des endroits familiers, etc.). Il peut également exprimer une très profonde frustration si l'on modifie ses routines. Une sursélectivité des stimuli serait en cause dans l'attention extraordinaire accordée à des objets particuliers ou à certaines parties d'objets (pièces de monnaie, boutons, pointes de crayon, parties du corps, etc.), renforçant ainsi l'idée d'une « pensée en tunnel » qui se traduit chez l'autiste par une grande difficulté à intégrer différents éléments dans un ensemble cohérent (Edelson, 1995). Quoique certains enfants autistes aient une capacité exceptionnelle pour mémoriser des séries de dates, des numéros de téléphone ou des adresses, la plupart d'entre eux présentent souvent un déficit de mémoire des liens logiques entre les éléments, une capacité généralement indispensable pour résoudre des problèmes. Ce morcellement cognitif interfère avec une compréhension du monde social où les mises en rapport sont essentielles, et il contribue à la cécité sociale des enfants atteints (Berk, 2002 ; Jarrold, Butler, Cottington et Jimenez, 2000).

## 12.12  LA SCHIZOPHRÉNIE INFANTILE

La schizophrénie est une psychopathologie grave qui touche 1 % de la population adulte. Au Canada, elle représente la cause la plus importante d'hospitalisation après les maladies cardiovasculaires (un lit d'hôpital sur deux est occupé par un patient schizophrène). Cette maladie touche les hommes et les femmes en proportions égales, mais elle survient plus tôt chez les hommes (Santé Canada, 2002b). Il s'agit d'une psychopathologie lourde et très éprouvante pour la victime et ses proches.

La schizophrénie infantile est beaucoup plus rare, puisqu'elle ne touche qu'environ 1 enfant sur 40 000 (Nicolson et Rapoport, 1999). Chez l'enfant, le diagnostic de cette pathologie repose sur les mêmes symptômes que ceux de la schizophrénie adulte. Toutefois, ces symptômes doivent apparaître avant l'âge de 12 ans, alors qu'en moyenne cette maladie survient vers 18 ans chez les hommes et 25 ans chez les femmes (NIMH, 2001). Le DSM-IV distingue des symptômes positifs et des symptômes négatifs de cette pathologie. Les symptômes dits « positifs » sont marqués par des manifestations actives, alors que les symptômes « négatifs » sont passifs ou inactifs. Les symptômes positifs de la schizophrénie incluent des hallucinations, du délire, un discours incohérent et désorganisé, ainsi que du retrait social. Du côté des symptômes négatifs, les jeunes schizophrènes expriment très peu d'émotions (faible contact visuel ou expression faciale d'émotions); ils parlent peu et affichent une perte de volonté (par exemple, ils n'arrivent pas à commencer un travail ou à l'achever). Les enfants schizophrènes n'ont pas d'intérêt pour les amis, ou très peu, et leurs habiletés sociales sont faibles. Ils se comportent parfois de façon inappropriée, comme le fait de rire lors d'événements tristes. Ces symptômes envahissent toute la vie de l'enfant et ne sont pas limités à certaines situations particulières comme l'école (APA, 1994).

Pour établir ce grave diagnostic, ces types de comportements doivent persister. Il arrive parfois qu'un enfant normal entende des voix ou se parle à lui-même. Il ne faut pas confondre ce problème avec celui du jeune schizophrène qui entend fréquemment des voix auxquelles il répond ou qui est assailli par des hallucinations.

Chez les enfants, la schizophrénie émerge graduellement et peut être précédée de retards de développement moteur ou de langage, ainsi que d'un développement social pauvre (Done, Crowe, Johnstone et Sacker, 1994). Elle se distingue de l'autisme, notamment par le fait qu'elle survient plus tardivement, souvent vers l'âge de sept ans, comparativement à trois ans pour l'autisme, et par la présence d'hallucinations et de délires persistants sur une période d'au moins six mois (APA, 1994).

Les recherches sur les causes de la schizophrénie infantile indiquent une possible prédisposition génétique et une éventuelle interaction avec un problème prénatal ou périnatal (infection virale chez la mère, déficit alimentaire pendant la grossesse, anoxie à la naissance) et avec des événements stressants. Sur le plan génétique, on a observé que le risque passe de moins de 1% lorsqu'il n'y a pas de cas de schizophrénie dans la famille à 10% lorsqu'un parent du premier degré en est victime. Par ailleurs, ce risque atteint 50% chez les jumeaux identiques. La schizophrénie apparaissant pendant l'enfance est associée à un développement anormal du cerveau que révèlent les images obtenues par résonance magnétique (NIMH, 2001; Rapoport et autres, 1999).

La schizophrénie infantile est une pathologie en continuité avec la schizophrénie adulte (ce ne sont pas deux problèmes cliniques différents), et son apparition plus précoce dépendrait d'une plus grande vulnérabilité génétique (Nicolson et autres, 2000). Le pronostic demeure souvent sombre à l'égard de cette grave maladie. Toutefois, son traitement s'est perfectionné au cours des dernières années dans la foulée des progrès pharmaceutiques qui permettent maintenant de lutter contre les hallucinations et les délires. La psychothérapie, les programmes de développement des habiletés sociales, l'éducation spécialisée et le soutien social peuvent aussi être bénéfiques pour l'enfant ou l'adolescent schyzophrène et pour les membres de sa famille (Dulmus et Smyth, 2000; NIMH, 2001).

## 12.13 LE TROUBLE DE L'ALIMENTATION DE L'ENFANCE

Le trouble de l'alimentation de l'enfance se traduit par une incapacité persistante de s'alimenter adéquatement chez le bébé, l'empêchant de prendre du poids ou causant une perte significative de poids pendant au moins un mois, sans qu'un problème gastro-intestinal ou un autre problème médical ou psychopathologique en soit la cause. Le trouble apparaît généralement au cours des premières années, parfois à 2 ou 3 ans, mais nécessairement avant l'âge de 6 ans (APA, 1994) et fait partie de l'ensemble des troubles staturopondéraux. Le DSM-IV rapporte que les déficits staturopondéraux (*failure to thrive*, ou FTT en anglais) représentent entre 1% et 5% des hospitalisations en pédiatrie et que la moitié de ces cas correspondraient au trouble alimentaire de l'enfance. La distinction entre le trouble alimentaire de l'enfance et l'ensemble des déficits staturopondéraux manque malheureusement de précision. Dans la communauté, la prévalence des déficits staturopondéraux se situe aux alentours de 3%. Ainsi, si l'on applique la règle de la moitié observée chez les enfants hospitalisés en pédiatrie, environ 1,5% d'entre eux manifesteraient le trouble alimentaire de la petite enfance comme tel (APA, 1994).

Les enfants souffrant de ce trouble sont souvent plus irritables, se fatiguent plus facilement et sont plus difficiles à consoler pendant qu'ils s'alimentent, caractéristiques que le déficit nutritionnel peut lui-même exacerber en retour. Les enfants atteints peuvent sembler apathiques et retirés, et affichent parfois des retards de développement. Certains auteurs ont associé ce trouble à une forme d'anorexie mentale du nourrisson, où l'enfant se replie sur lui-même faute de ressentir la chaleur émotionnelle nécessaire à son apprivoisement au monde (Kreisler, 1985).

Encore mal connues, les causes du trouble alimentaire de l'enfance seraient d'ordre organique ou environnemental. Sur le plan organique, il se peut que des problèmes de développement prénatal ou de la prématurité soient associés à ce trouble de l'alimentation. Toutefois, la majorité des cas auraient une origine environnementale et relèveraient de différents facteurs psychosociaux. Mentionnons les difficultés sérieuses d'attachement mère-enfant, les problèmes émotionnels graves, la surprotection du bébé ou, au contraire, la privation de soins associée à la négligence ou au rejet parental, la présence d'une psychopathologie parentale (dépression ou autre), d'une toxicomanie parentale, de graves problèmes économiques dans la famille, etc. (Kessler et Dawson, 1999).

L'importance des séquelles varie selon la gravité et la durée du trouble de l'alimentation. Encore ici, précocité et intensité du traitement sont les clés du succès de l'intervention. La première année de la vie étant déterminante pour le développement neurologique, une carence grave et prolongée peut laisser des traces irréversibles. La majorité des enfants finissent par surmonter ce problème. Lorsque le trouble est traité rapidement, le bébé peut retrouver sa courbe normale de croissance; toutefois, si le problème se prolonge, le retard de croissance ne se rattrape pas, et le poids ainsi que la taille de l'individu demeureront inférieurs à son potentiel.

## 12.14  L'ÉNURÉSIE ET L'ENCOPRÉSIE

À la fin de la troisième année, ou à cinq ans au plus tard, les enfants sont « propres », c'est-à-dire qu'ils ont acquis le contrôle de leurs sphincters. Ce contrôle représente un acquis très important pour l'enfant et son entourage, puisqu'il est associé à la fin de l'inconfort et des tâches entourant les couches souillées. Malgré les variations significatives de la valeur accordée à cet acquis d'une culture à l'autre, la capacité d'utiliser les toilettes « comme un grand » est généralement l'objet d'une valorisation notable de l'enfant dans sa famille ou dans son milieu de garde. En revanche, un retard dans l'acquisition de cette capacité peut susciter des préoccupations chez les parents et stresser l'enfant. Le niveau de maturation de l'enfant, ses habiletés intellectuelles, les pratiques culturelles ainsi que la dynamique relationnelle entre parents et enfant sont autant de facteurs influant sur l'acquisition du contrôle des sphincters.

### 12.14.1  L'énurésie

Selon le DSM-IV, l'énurésie est le fait d'uriner de façon répétée pendant la nuit ou le jour, dans son lit ou ses vêtements. Le plus souvent, cette miction est involontaire de la part de l'enfant, mais il arrive qu'elle soit intentionnelle. Pour être considérée comme de l'énurésie, la miction doit survenir au moins deux fois par semaine, pendant au moins trois mois. On parle également d'énurésie si la miction est la cause d'une souffrance clinique importante ou si elle handicape de façon notable le fonctionnement social ou scolaire ou les activités courantes. L'enfant doit avoir au moins cinq ans ou un niveau de développement équivalent, et l'incontinence ne doit pas être causée par une médication ou un problème médical comme le diabète, l'épilepsie ou le spina bifida (APA, 1994).

L'énurésie de type « nocturne » est la plus fréquente. Dans ce cas, l'écoulement urinaire a plus souvent lieu dans le premier tiers de la nuit. Occasionnellement, la miction se produit au moment du sommeil profond (la période de mouvements rapides des yeux associée aux rêves). L'énurésie diurne est moins fréquente et elle a typiquement lieu en après-midi, les jours de classe. Elle se présente soit sous la forme d'un besoin subit et urgent d'uriner qui n'est pas contrôlé, soit comme la conséquence du report volontaire de l'action d'aller aux toilettes par un enfant qui est anxieux socialement ou qui attend au point de ne plus être en mesure de se retenir parce qu'il est préoccupé par son jeu ou son activité scolaire.

La majorité des cas d'énurésie nocturne est le fait des garçons, tandis que l'énurésie diurne se rencontre plus souvent chez les filles. La prévalence du trouble varie selon l'âge: environ 5 % à 10 % à 5 ans, 3 % à 5 % à 10 ans et 1 % chez les 15 ans et plus. Après l'âge de cinq ans, le taux de rémission spontanée est de l'ordre de 5 % à 10 % par an (APA, 1994). La prévalence de l'énurésie serait plus élevée dans les milieux défavorisés et chez les enfants placés en institutions. Un facteur génétique serait en cause dans l'énurésie, puisque trois enfants énurétiques sur quatre ont un proche biologique qui a été touché par ce trouble. Le risque d'énurésie est de cinq à sept fois plus grand chez les enfants qui ont un parent qui a été lui-même énurétique (APA, 1994). Chez les jumeaux identiques, la concordance du trouble est de 68 %; chez les jumeaux fraternels, elle est de 36 % (Miller, Atkin et Moody, 1992).

On connaît deux types évolutifs d'énurésie:

1) l'énurésie primaire, qui caractérise les enfants qui n'ont jamais été propres pendant six mois d'affilée;

2) l'énurésie secondaire, marquée par une rechute chez des enfants ayant déjà été propres. Dans 80 % des cas, l'énurésie est de type primaire (Dumas, 2002).

L'estime de soi et les activités de l'enfant sont plus ou moins affectées par l'énurésie. Parmi les facteurs susceptibles de le perturber, mentionnons l'attitude des parents (reproche, punition, rejet), la réaction des pairs (moqueries, exclusion), ainsi que plusieurs contextes de vie touchés par le problème (garde partagée, séjours chez des amis, voyages, camps de vacances, etc.).

### 12.14.2 L'encoprésie

L'encoprésie consiste à déféquer dans ses vêtements, sur le plancher ou dans un autre endroit inapproprié. L'enfant doit avoir au moins quatre ans ou un niveau équivalent de développement, et l'événement doit s'être produit au moins une fois par mois pendant trois mois avant de pouvoir établir un diagnostic d'encoprésie. La plupart du temps, il s'agit d'un comportement involontaire, sauf dans certains cas où il peut être intentionnel. L'encoprésie ne doit pas être causée par des médicaments ou résulter d'un problème digestif autre que la constipation (APA, 1994).

Neuf fois sur dix, l'encoprésie est associée directement à la constipation de l'enfant qui évite d'aller à la selle. Il s'ensuit une accumulation de matières fécales qui durcissent dans le côlon. Il se forme une masse solide qui étire les tissus, réduit le tonus musculaire du sphincter et modifie la sensation anale normale. Les matières fécales nouvellement produites, plus liquides, contournent cette masse accumulée, traversent le rectum et débordent dans les vêtements sans que l'enfant puisse le ressentir et le contrôler. Les effets sociaux de l'odeur sont directs (InteliHealth, 2001). L'anxiété associée à l'utilisation de toilettes dans des endroits peu familiers (camps de vacances, école, hôtels, etc.) de même que des comportements anxieux ou oppositionnels peuvent amener l'enfant à éviter d'aller aux toilettes pour faire ses besoins normalement. Selon le DSM-IV, 1 % des enfants de cinq ans souffriraient d'incontinence fécale. De plus, comme dans le cas de l'énurésie, l'encoprésie touche plus souvent les garçons que les filles (Sprague-McRae, Lamb et Homer, 1993). Dans environ 40 % des cas, l'énurésie et l'encoprésie surviennent en même temps. La valorisation explicite des journées « sans problème » et des selles réussies, une alimentation à forte teneur en fibres ainsi que l'établissement d'un horaire sanitaire régulier constituent des mesures qui contribuent à prévenir l'encoprésie (InteliHealth, 2001). Le pronostic médical est généralement bon avec les soins appropriés, mais le trouble peut réapparaître de façon intermittente pendant des années (APA, 1994).

## 12.15 LES TROUBLES ANXIEUX

Les peurs associées à différentes situations ou à divers objets sont fréquentes chez les enfants. Elles évoluent en fonction de l'âge, apparaissant et disparaissant d'elles-mêmes (Marks, 1987; Muris, Merckelbach, de Jong et Ollendick, 2002). Chez certains enfants cependant, elles persistent et s'aggravent au point d'handicaper sérieusement le fonctionnement général. Dans ces cas, il peut s'agir de troubles anxieux, c'est-à-dire de troubles caractérisés par l'extrême inquiétude ressentie par l'enfant relativement à des objets, des situations ou des idées qui, normalement, n'entraînent pas une telle réaction. Parmi les différents troubles anxieux proposés par le DSM-IV, seule l'anxiété de séparation est liée à des critères propres à l'enfance ou à l'adolescence, les autres troubles étant diagnostiqués chez l'enfant à l'aide des mêmes critères que chez l'adulte. On estime que 10 % des enfants et des adolescents sont touchés par l'un ou l'autre des nombreux troubles anxieux existants, et les filles en seraient environ deux fois plus souvent victimes que les garçons (Association canadienne de santé mentale [ACSM], 2000; Dumas, 2002; Velting et Albano, 2001). Nous ne présentons en détails que le trouble anxieux de séparation, avant de traiter brièvement des phobies en raison de leur prévalence relativement forte chez les jeunes.

### 12.15.1 L'anxiété de séparation

Le trouble anxieux de séparation se manifeste par une peur excessive de l'enfant d'être séparé de la maison ou des personnes auxquelles il est attaché, habituellement ses parents. Pour être considérée comme un trouble, cette anxiété de séparation doit être plus grande que celle qui se manifeste normalement à cette étape du développement. Elle doit apparaître avant l'âge de 18 ans, durer au moins quatre semaines et gêner significativement le fonctionnement social ou scolaire ou les activités usuelles de l'enfant (APA, 1994).

Les jeunes souffrant de ce problème deviennent très préoccupés dès qu'ils sont séparés de leurs figures d'attachement. Ils ont besoin de connaître le détail de leur emploi du temps et veulent rester constamment en contact (téléphone). Quand ils sont eux-mêmes loin de la maison, ils s'ennuient profondément. Pendant la séparation, ils ont peur qu'un accident arrive à leurs parents, ou craignent d'en être victimes eux-mêmes, et qu'il vienne mettre un terme à leur lien d'attachement mutuel. Ces enfants ont souvent peur de se perdre et de ne plus jamais retrouver leurs parents. Ils se sentent malheureux lorsqu'ils doivent s'éloigner de la maison et ils ont peur de prendre l'initiative de se déplacer. Ces enfants hésitent parfois à aller à l'école, ou refusent carrément d'y aller; ils peuvent aussi ne pas vouloir dormir chez des amis, aller en camp de vacances ou faire une commission. L'enfant a parfois du mal à rester seul à la maison, ou dans une pièce, et veut constamment se coller à ses parents en les suivant pas à pas.

L'anxiété de séparation entraîne parfois des problèmes au moment du coucher, si l'enfant refuse d'être laissé seul ou veut se rendre dans le lit de ses parents ou d'un autre membre de la famille. Il arrive même qu'il dorme devant la porte de la chambre de ses parents si elle est fermée à clé. L'enfant peut faire des cauchemars dont le thème coïncide avec ses peurs de séparation: incendie de la maison, meurtre ou autre catastrophe provoquant la perte du lien d'attachement. Au moment où il se sépare, ou lorsqu'il anticipe une séparation, l'enfant peut se plaindre de différents malaises physiques, tels des maux de tête ou de ventre, des nausées ou des vomissements (APA, 1994).

Le trouble anxieux de séparation survient plus souvent chez les enfants de familles dont les membres entretiennent des liens étroits. Lors des épisodes de séparation, l'enfant a tendance à se retirer, à être apathique et triste ou à avoir du mal à se concentrer sur un travail ou un jeu. Selon l'âge de l'enfant, diverses peurs peuvent se manifester: peur des animaux, des monstres, de l'obscurité, des bandits, des accidents d'auto ou d'autres situations susceptibles de menacer un parent ou une autre figure d'attachement, ou qui pourraient le menacer personnellement. La peur de la mort est fréquente. Parfois, les enfants atteints de ce trouble anxieux manifestent leur opposition à la séparation en faisant des colères au moment de la transition ou en frappant les personnes qu'ils croient responsables de la séparation. Cette résistance cause à l'occasion de la frustration et des conflits familiaux. L'anxiété évolue parfois vers d'autres formes de troubles anxieux tels que le trouble de panique avec agoraphobie. Selon le DSM-IV, environ 4 % des enfants et des jeunes adolescents souffrent de ce problème, la prévalence diminuant à mesure que l'enfant vieillit (APA, 1994). Le trouble est plus fréquent chez des enfants de mères victimes du trouble de panique. Il peut survenir à la suite d'un événement stressant comme un décès dans la famille, une immigration, une séparation parentale, un changement d'école, etc.

### 12.15.2  Les phobies

Sur le plan psychologique, la peur est une réaction instinctive, qui contribue à l'adaptation en signalant les dangers et en provoquant

L'enfant anxieux vit une souffrance pouvant laisser des séquelles durables qui nuiront à son adaptation.

une réaction de retrait ou de défense chez l'individu, de la même façon que la douleur signale les malaises du corps. La réaction de peur est utile, car elle permet à l'individu de se protéger, et une personne qui en serait privée serait en danger. Cependant, la peur devient pathologique et renvoie à la notion de phobie lorsqu'elle devient incontrôlable, gouverne toute l'activité de l'individu, lequel se met à poser des gestes excessifs pour éviter un objet ou une situation qui n'a rien d'exceptionnel.

La phobie se définit comme une peur extrême et persistante, sans motif raisonnable, vis-à-vis de certains objets et animaux ou à l'égard de certaines situations. Il existe plusieurs types de phobies selon l'objet ou la situation concernée. Parmi les objets et les animaux pouvant être matière à phobie, on trouve notamment les microbes, le tonnerre, les aiguilles, le sang, les araignées, les souris, les chiens, etc. Du côté des situations à l'origine de phobies, mentionnons la crainte de prendre l'avion ou l'ascenseur, d'être enfermé dans un espace clos, de se trouver dans l'obscurité ou dans les hauteurs, etc.

### Phobie spécifique

La phobie spécifique se caractérise par une peur extrême et persistante à l'égard d'un objet particulier. La peur est disproportionnée par rapport au danger réel que peut poser l'objet ou la situation. La réaction de détresse psychologique est extrême et involontaire ; l'individu est incapable de se contrôler et ne peut être rassuré par des paroles ou des gestes sécurisants. Dans ce contexte, l'individu est prêt à prendre toutes les mesures pour éviter l'objet ou la situation qui le terrorise. Cet évitement l'empêche de fonctionner normalement sur le plan social, scolaire ou perturbe ses activités. Les symptômes doivent se manifester pendant au moins six mois pour que le diagnostic puisse être posé (APA, 1994).

### Phobie sociale

La phobie sociale concerne la peur intense et persistante à l'égard d'une ou de plusieurs situations sociales ou d'une performance qui expose le sujet à une observation attentive de la part de personnes non familières. Pour que la phobie puisse être déclarée chez l'enfant, celui-ci doit déjà être capable d'interagir normalement avec des personnes familières. De plus, sa crainte excessive doit se manifester aussi avec d'autres enfants, non pas seulement avec des adultes. Les symptômes doivent se manifester pendant au moins six mois. La phobie sociale mettrait en cause la crainte d'être jugé par les autres, ou la peur de se comporter de façon inappropriée et embarrassante. La détresse ressentie amène l'enfant à éviter les contextes où il doit montrer certaines habiletés comme répondre à des questions, parler ou jouer avec d'autres personnes. Les épisodes phobiques sont souvent accompagnés de malaises physiques (palpitations, maux de tête ou de ventre, transpiration excessive, etc.). L'exposition continue au contexte anxiogène peut aller jusqu'à provoquer une attaque de panique, qui se manifeste par la sensation de perdre connaissance, de suffoquer ou d'être sur le point de mourir (APA, 1994).

Les phobies spécifiques et sociales se traitent, généralement avec succès, au moyen de la thérapie cognitivo-comportementale fondée notamment sur la désensibilisation systématique. Cette approche amène la personne à franchir sans paniquer, très graduellement et avec répétitions, les différentes étapes qui la conduisent à la maîtrise complète de la situation anxiogène.

### 12.15.3 L'étiologie des troubles anxieux

Les causes des troubles anxieux chez l'enfant ont fait l'objet de nombreuses discussions, notamment en ce qui a trait à leur caractère acquis ou inné. Selon Muris et ses collègues (2002), plusieurs facteurs entrent en jeu et il existe une continuité entre le développement normal (et utile) des peurs et celui des phobies ; il s'agit de réactions similaires, mais variant en intensité. Des prédispositions biologiques donneraient à certains enfants une sensibilité particulière à l'égard de certains objets ou de certaines situations. Chez ces enfants, la vulnérabilité génétique se manifesterait par certains patrons de comportement tels que de l'inhibition ou de la timidité marquée, une tendance à être très dédaigneux, influençables ou très sensibles à la nouveauté ou aux détails. Cette hypersensibilité interagirait alors avec certaines expériences de vie qui feraient naître des phobies. Le mécanisme ferait intervenir un conditionnement (expérience traumatisante d'enfermement dans l'obscurité, égarement prolongé dans une ville étrangère ou en forêt, etc.), un modelage (mère phobique, conflits parentaux persistants, observation d'une quasi-noyade d'un frère, etc.) ou la transmission négative d'information (télévision, grand frère qui fait des peurs, etc.)

[Muris et autres, 2001]. Encore ici, de nombreuses questions restent sans réponse. Toutefois, on a établi la nécessité d'une interaction particulière entre, d'une part, des risques innés et, d'autre part, des apprentissages particuliers pour qu'apparaisse le trouble, qui ne peut être induit par la présence d'un seul de ces facteurs.

# Questions

1. Quelle dimension distingue le mieux la psychopathologie de l'enfant de la psychopathologie adulte ?

2. *Complétez la phrase*. Plusieurs psychopathologies reposent sur des marqueurs _____, mais ceux-ci doivent être « évoqués » par _____ pour que le trouble se manifeste.

3. Nommez un élément sur lequel repose la valeur du diagnostic d'un problème chez un enfant.

4. *Vrai ou faux*. Déjà à partir des années 1950, l'American Psychiatric Association accordait une attention marquée aux désordres mentaux de l'enfance dans son premier *Manuel diagnostique et statistique des troubles mentaux*.

5. *Expliquez cette affirmation*. Attribuer un problème mental ou comportemental à un enfant qui n'en souffre pas constitue une erreur aussi grave que de ne pas déceler le problème chez celui qui en est atteint.

6. Le fait de considérer les désordres mentaux selon un mode dichotomique (présence ou absence) constitue une difficulté inhérente à l'application d'un système diagnostique de type médical, tel le DSM-IV. Expliquez en quoi ce traitement dichotomique s'éloigne parfois de la réalité.

7. Distinguez les notions de prévalence et d'incidence.

8. *Vrai ou faux*. Les problèmes de l'enfance donneront nécessairement lieu à une pathologie à l'âge adulte.

9. Définissez le concept d'étiologie, puis nommez deux grandes catégories d'approches étiologiques en psychopathologie infantile.

10. Expliquez comment les approches « biologiques » et « environnementales » situent, respectivement, l'origine des psychopathologies de l'enfance.

11. Qu'est-ce qu'un facteur de risque ?

12. Qu'est-ce qu'un facteur de protection ?

13. *Vrai ou faux*. En psychologie du développement, la liste des facteurs de protection reconnus à ce jour ressemble beaucoup à la liste des contraires des facteurs de risque.

14. En science physique, la notion de résilience correspond à la résistance au choc. À quoi cette notion correspond-elle en psychologie?

15. Donnez trois exemples de facteurs de risque liés au milieu familial et trois exemples de facteurs de protection dans le développement de l'enfant.

16. La notion de retard mental renvoie à un fonctionnement intellectuel général significativement inférieur à la moyenne. De quel quotient intellectuel s'agit-il?

    a) 70 et moins

    b) 80 et moins

    c) 90 et moins

    d) 100 et moins

17. Nommez les trois conditions qui doivent être présentes pour pouvoir poser un diagnostic de retard mental.

18. Nommez trois comportements adaptatifs susceptibles d'être touchés par le retard mental.

19. *Complétez la phrase.* Le retard mental _____ est généralement associé à un problème organique perceptible dès la naissance ainsi qu'à une grande dépendance pour les fonctions courantes de la vie.

20. *Vrai ou faux.* La prévalence de retard mental est plus élevée chez les filles que chez les garçons.

21. *Expliquez cette affirmation.* « L'intelligence est probablement l'outil le plus précieux pour l'adaptation humaine. »

22. La notion de trouble d'apprentissage renvoie à une limitation importante de trois habiletés. Précisez lesquelles.

23. Nommez deux facteurs susceptibles d'intervenir dans les troubles d'apprentissage.

24. Comment peut-on expliquer le fait que les enfants présentant des troubles d'apprentissage affichent souvent une faible motivation et un comportement turbulent en classe, et que la probabilité d'abandon scolaire est plus élevée chez eux?

25. Par quelle autre expression peut-on désigner les «troubles spécifiques de la lecture»?

26. *Vrai ou faux.* Parmi les enfants d'âge scolaire qui souffrent d'un trouble de la lecture, il y a davantage de filles que de garçons.

27. Qu'est-ce qu'un phonème?

28. L'enfant fait des erreurs dans la production, l'utilisation et l'organisation des sons à la base des mots. De quel trouble s'agit-il?

    a) trouble du langage expressif

    b) trouble phonologique

    c) trouble dyslexique

    d) trouble du langage mixte réceptif/expressif

29. *Expliquez brièvement.* Le bégaiement est fortement influencé par les contextes dans lesquels se tient la communication.

30. Qu'est-ce qu'un déficit de l'attention?

31. Chez un enfant, à quelle pathologie peut-on associer la difficulté à demeurer assis à sa place, à écouter une consigne jusqu'au bout et à maîtriser son propre comportement?

32. À quel moment important de la vie le comportement problématique de l'enfant aux prises avec un THADA entre-t-il vraiment en conflit avec les exigences du milieu et le niveau moyen des pairs?

33. Nommez deux facteurs pouvant expliquer l'augmentation significative, depuis les années 1990, de la proportion d'enfants prenant des médicaments pour traiter une hyperactivité.

34. Le trouble des conduites renvoie à un patron de comportement du jeune marqué par une violation répétée et persistante des droits d'autrui et des règles sociales appropriées à l'âge. Nommez deux des quatre grandes catégories de comportements problématiques relatifs à ce trouble proposées par le DSM-IV.

35. *Vrai ou faux.* Le pronostic d'un trouble des conduites est plus favorable s'il est diagnostiqué avant l'âge de 10 ans que s'il apparaît à l'adolescence.

36. *Vrai ou faux.* Dans le DSM-IV, les critères diagnostiques de la dépression chez l'enfant sont les mêmes que chez l'adulte.

37. Nommez trois des neuf symptômes de la dépression majeure chez l'enfant.

38. *Vrai ou faux.* Un enfant déprimé sur trois aurait des idées suicidaires.

39. *Expliquez brièvement.* Un pessimisme généralisé issu de croyances erronées peut être lié à la dépression.

40. Qu'est-ce que l'impuissance apprise ?

41. Quels sont les trois domaines dans lesquels l'enfant doit présenter des symptômes pour que le diagnostic d'autisme soit posé ?

42. *Vrai ou faux.* La prévalence des cas d'autisme n'a cessé d'augmenter au cours des dernières années si bien qu'environ 1 enfant sur 200 en est maintenant atteint.

43. Chez les enfants autistes, quel besoin particulier serait à l'origine de leur maintien rigide de rites comportementaux ?

44. Comment se manifeste la « pensée en tunnel » chez l'autiste ?

45. En ce qui concerne la schizophrénie infantile, qu'entend-on par « symptômes positifs » et « symptômes négatifs » ?

46. Nommez deux éléments permettant de distinguer l'autisme de la schizophrénie infantile.

47. *Vrai ou faux.* La schizophrénie infantile et la schizophrénie adulte sont en continuité et ne constituent pas deux problèmes cliniques différents.

48. Nommez trois facteurs psychosociaux mis en cause dans le trouble de l'alimentation de l'enfance.

49. Quel type d'énurésie est le plus fréquent ?

    a) l'énurésie diurne

    b) l'énurésie spontanée

    c) l'énurésie secondaire

    d) l'énurésie nocturne

50. *Complétez la phrase.* La plupart des cas d'énurésie diurne impliquent des _____, alors que l'énurésie nocturne se rencontre plus souvent chez les _____.

51. Distinguez l'énurésie primaire de l'énurésie secondaire.

52. Neuf fois sur dix, à quoi est directement liée l'encoprésie ?

    a) la nervosité excessive

    b) la constipation de l'enfant qui évite d'aller à la selle

    c) une malformation du côlon

    d) une alimentation très riche en fibres

53. *Vrai ou faux.* L'anxiété de séparation survient surtout chez les enfants provenant de familles dont les membres entretiennent des liens froids et distants.

54. Expliquez comment une réaction de peur peut être utile pour l'individu.

55. Qu'est-ce qu'une phobie ?

56. Les phobies sont souvent traitées au moyen d'une technique issue de la thérapie cognitivo-comportementale. Nommez et décrivez brièvement cette technique.

# Le développement social de l'enfant

Pierre Gosselin
Richard Cloutier

## 13.1 INTRODUCTION

Le bébé humain est très vulnérable. Contrairement aux petits de plusieurs espèces animales, capables de survivre par leurs propres moyens quelques heures après la naissance, le nourrisson dépend complètement de son entourage social pour satisfaire ses besoins fondamentaux. Cette vulnérabilité à la naissance semble être la contrepartie des prodigieuses capacités d'apprentissage et d'adaptation qui sont la marque de l'espèce humaine. On l'observe également chez de nombreuses espèces animales caractérisées par la flexibilité de leur comportement, c'est-à-dire par leur aptitude à résoudre les problèmes qu'elles rencontrent dans leur environnement en modifiant leur comportement. La survie de notre espèce est donc intimement liée à notre vie sociale et, notamment, à notre capacité d'échanger de l'information et de coopérer avec nos congénères (Tattersall, 2002). Les soins et l'éducation donnés aux enfants représentent des volets très importants des activités de coopération et d'échange d'information caractéristiques de notre espèce (Mayr, 2001).

Malgré sa vulnérabilité, le nouveau-né présente certaines aptitudes sociales. Ainsi, quelques jours seulement après la naissance, il est capable d'imiter certains mouvements faciaux que fait l'adulte. Comme nous l'avons mentionné dans le chapitre 4, Meltzoff et Moore (1983)

Les bases de la communication émotionnelle s'établissent très tôt dans la vie de l'enfant.

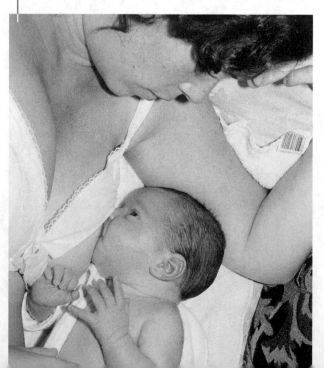

ont observé qu'un enfant produit plus souvent des mouvements faciaux simples, comme sourire, ouvrir la bouche ou avancer les lèvres, lorsqu'il voit un adulte faire de tels mouvements. Il est bien peu probable que l'enfant accomplisse intentionnellement de tels mouvements. Les chercheurs croient plutôt que l'imitation néonatale correspond à un automatisme déterminé biologiquement qui contribuerait à renforcer les liens entre le nouveau-né et les adultes qui en prennent soin.

Dans les sections qui suivent, nous examinerons d'abord les fondements de la communication émotionnelle et nous prêterons une attention particulière à l'établissement des premiers attachements. Nous aborderons ensuite le développement de la moralité, du contrôle des conduites et des relations avec les pairs. Nous terminerons par une synthèse des travaux traitant de l'agressivité chez l'enfant.

## 13.2 LES PREMIERS LIENS

### 13.2.1 La communication émotionnelle

La communication émotionnelle est un autre domaine qui illustre bien les premières compétences sociales de l'enfant. Dès la naissance, l'enfant manifeste ses besoins en produisant des expressions faciales de détresse et en pleurant (Izard, 1991). Ces manifestations constituent de puissants signaux qui indiquent à l'adulte l'état d'inconfort de l'enfant et l'incitent à lui donner les soins requis. Certaines substances gustatives et des odeurs particulières provoquent des expressions émotionnelles dès la naissance (Crook, 1987 ; Steiner, 1979). L'enfant réagit aux saveurs amères, acides et salées par des expressions faciales de dégoût et en détournant la tête. Au contraire, le contact des substances sucrées déclenche des mouvements de succion, parfois un sourire. Les expressions d'intérêt s'observent quelques heures après la naissance (Izard, 1991) et se produisent surtout à la vue des objets mobiles ou qui présentent un fort niveau de contraste visuel. Le visage humain devient d'ailleurs très tôt l'un des objets à l'égard duquel le nourrisson manifeste le plus d'intérêt.

On observe des sourires quelques heures après la naissance, particulièrement durant certaines phases du sommeil (Emde, Gaensbauer et Harmon, 1976 ; Sroufe et Waters, 1976). Ils deviennent une réponse sociale à partir de la sixième semaine. Le nourrisson manifeste alors une forte tendance à sourire à la vue des personnes, particulièrement lorsqu'elles sont proches de lui et qu'elles lui sourient. Les échanges de sourires qui s'établissent à partir de cette période correspondent aux premières formes de dialogue entre le nourrisson et son entourage et jouent un rôle important dans la consolidation du lien social (Sroufe, 1995).

D'autres expressions émotionnelles n'apparaissent que quelques mois après la naissance. Les premiers signaux de colère apparaissent autour du deuxième mois (Lewis, Alessandri et Sullivan 1990), mais ils ne deviennent intenses que vers le septième mois (Stenberg, Campos et Emde, 1983). Les situations qui provoquent habituellement la colère sont celles où l'enfant est interrompu dans ses activités et celles où on lui refuse un objet désiré. Quant aux expressions de peur, on les observe à partir du septième mois. La peur se manifeste d'abord à l'égard de la hauteur (Campos et autres, 1978), puis, vers le huitième mois, vis-à-vis des personnes étrangères (Spitz, 1959). Cette dernière réaction marque d'ailleurs un changement de comportement du nourrisson à l'égard de l'environnement social. Alors qu'il réagit normalement de façon positive face aux personnes étrangères au cours des premiers mois, le nourrisson commence à manifester des comportements plus ambivalents à partir du sixième mois (Schaffer, 1966). Le nourrisson s'intéresse encore aux personnes étrangères, mais il leur porte aussi une certaine méfiance. Cette tendance s'affirme au cours des mois suivants et donne lieu à de fortes réactions de peur autour du huitième mois, notamment si une personne étrangère approche rapidement de l'enfant et tente de le prendre dans ses bras.

Les bases de la communication émotionnelle s'établissent donc très tôt dans la vie de l'enfant. La plupart des émotions fondamentales émergent au cours de la première année et constituent une forme de réponse, encore rudimentaire, à l'environnement physique et social. En revanche, certaines émotions présentent un profil de développement beaucoup plus tardif. C'est le cas de la fierté, de la honte et de la culpabilité, qui apparaissent entre deux et trois ans (Lewis, 2000). Ces émotions ont en commun le fait d'exiger une certaine expérience sociale et de ne pouvoir se manifester avant de pouvoir évaluer son comportement en fonction de normes particulières. La honte est une émotion que ressent une

personne incapable de répondre à certaines normes de performance. Naturellement, ces normes dépendent du contexte culturel et du niveau de développement de l'individu. Pour un jeune enfant, une norme de performance correspond à des gestes simples qu'il devrait être en mesure d'accomplir, comme le fait de marcher, de courir, de sauter, de manipuler des objets ou de s'adonner à un jeu. L'enfant peut ressentir de la honte lorsqu'il n'exécute pas convenablement une action qu'il a l'habitude de réussir et que d'autres personnes sont témoins de son échec. Au contraire, il ressent de la fierté lorsqu'il parvient à effectuer de nouvelles actions, surtout si elles présentent un certain niveau de difficulté et que l'entourage social les valorise.

La culpabilité suppose la transgression d'une norme sociale. L'enfant peut ressentir de la culpabilité lorsqu'il pose un acte que son entourage social interdit. Ce sentiment suppose donc que l'enfant ait une certaine connaissance des normes sociales et qu'il puisse évaluer son comportement en fonction de cette norme. Au début, l'enfant ressent de la culpabilité lorsque son entourage social lui reproche son acte. Cependant, avec le temps, l'enfant intériorise de plus en plus la norme sociale et il peut se sentir coupable même s'il estime que les autres ignorent ce qu'il a fait. Le tableau 13.1 (page 356) rappelle la progression de l'expression des émotions au cours des trois premières années.

La honte, la fierté et la culpabilité sont des émotions qui illustrent bien le développement social du jeune enfant. D'une certaine manière, ces émotions traduisent l'influence du milieu social sur le monde intérieur de l'enfant. Ce dernier intériorise graduellement les valeurs de son milieu et il s'évalue en fonction de ces normes, ce qui ajoute une nouvelle dimension à sa vie émotionnelle. La fierté, la honte et la culpabilité jouent aussi un rôle important dans la régulation du comportement. Selon Izard (1991), elles constituent de puissantes motivations qui incitent l'enfant à se conformer aux normes en vigueur dans son milieu et contribuent à faire de lui un être de plus en plus social. Enfin, il faut savoir que ces trois émotions requièrent la conscience de soi. En effet, elles n'émergent pas avant que les enfants sachent se reconnaître dans un miroir, ce qui se produit généralement vers le 22e mois (Lewis, 2000).

**Tableau 13.1** L'expression des émotions au cours des trois premières années

| | |
|---|---|
| **Naissance** | L'enfant sourit pendant son sommeil. Il montre des signes de dégoût en réaction à certaines substances gustatives et olfactives. Il manifeste des signes de détresse en réponse à l'inconfort et à la douleur. Un bruit soudain le fait sursauter. |
| **1 mois** | L'enfant sourit parfois lorsqu'il entend une personne parler ou qu'il voit cette personne. Il manifeste des signes d'intérêt pour les objets qui bougent ou qui présentent des zones fortement contrastées. |
| **2 mois** | L'enfant exprime de la colère, mais ces épisodes sont rares et peu intenses. Il répond aux sourires qu'on lui adresse. Si une personne le regarde avec une expression faciale manifestant de la colère, il peut exprimer lui aussi de la colère. Le visage humain et la nouveauté suscitent un intérêt particulier. |
| **4 mois** | L'enfant commence à rire lorsqu'il est chatouillé. Les signes de colère deviennent plus nombreux et plus évidents, surtout quand il ne parvient pas à atteindre certains objets ou à les manipuler. |
| **6 mois** | L'enfant sourit davantage aux personnes familières et exprime parfois de la méfiance à l'égard des personnes étrangères. Certains sons le font rire. |
| **7 mois** | L'enfant manifeste les premiers signes de peur à l'égard de la hauteur. Un événement inhabituel entraîne une réaction de surprise. |
| **8 mois** | L'enfant exprime une réaction de peur à l'égard des personnes étrangères, particulièrement lorsqu'elles s'approchent rapidement et qu'elles établissent un contact physique. Certains jeux avec l'adulte commencent à le faire rire. |
| **9 mois** | L'enfant montre des signes de peur et de détresse lorsqu'il est séparé de ses parents. |
| **12 mois** | L'enfant rit lorsqu'il voit l'adulte agir de façon bouffonne. Le rire par anticipation fait son apparition dans les jeux qui comportent une série d'actions répétitives. |
| **18 mois** | L'enfant exprime de la honte lorsqu'il échoue devant les autres. |
| **24 mois** | Des gestes agressifs peuvent accompagner l'expression de la colère. |
| **36 mois** | L'enfant montre des signes de culpabilité lorsque l'adulte lui fait remarquer qu'il a enfreint une règle. Il manifeste de la fierté en réponse à ses réalisations. |

## 13.2.2 L'attachement

### Profil de développement

L'attachement désigne le lien émotionnel fort et durable qui s'établit entre l'enfant et certaines personnes de son entourage social (Schaffer, 1996; Sroufe, 1995). Naturellement, les parents figurent au premier rang des personnes auxquelles l'enfant est susceptible de s'attacher, mais il peut aussi s'attacher à plusieurs personnes qui interagissent fréquemment avec lui et lui prodiguent des soins, comme un autre membre de la famille ou une personne qui en a la garde.

Le processus d'attachement s'enclenche dans les premières semaines qui suivent la naissance, mais il ne devient apparent qu'autour du sixième mois. Ce lien se manifeste d'abord par une préférence à l'égard des personnes familières. Autour du sixième mois, alors que l'enfant accepte toujours avec enthousiasme les contacts avec les personnes qu'il connaît bien, il devient plus réservé, voire méfiant, à l'égard des personnes étrangères.

Cette réaction gagne en intensité au cours des mois suivants; vers le huitième mois, elle se transforme en mélange de peur et de détresse (Schaffer et Emerson, 1964). Il convient toutefois de noter que cette peur des personnes étrangères n'est pas systématique. Elle se manifeste lorsque l'adulte étranger prend l'initiative du contact et s'approche rapidement de l'enfant. Elle est encore plus vive si l'adulte établit un contact physique. Lorsque le contact est établi graduellement et que l'adulte module son approche de façon plus sensible, l'enfant est moins susceptible de réagir négativement.

L'attachement se manifeste aussi par la réaction que suscite la séparation d'avec les parents. Au cours des premiers mois, les parents peuvent s'absenter de la pièce où se trouve leur enfant sans qu'il ne réagisse fortement. La situation change vers le sixième ou le septième mois, la séparation provoquant alors de la détresse (Tennes et Lampl, 1964). Cette réaction s'intensifie au cours des mois suivants pour culminer vers le neuvième mois. Un autre signe de l'attachement est la réaction de l'enfant au retour des parents, qui met fin à la détresse exprimée au moment de la séparation et qui se manifeste par une recherche active du contact avec ses parents.

Plusieurs théoriciens (Ainsworth, 1969 ; Bowlby, 1969 ; Sroufe, 1995) conçoivent l'attachement comme une relation qui fournit à l'enfant la sécurité nécessaire à son développement. On notera à ce propos que les activités exploratoires de l'enfant s'organisent autour des figures d'attachement, c'est-à-dire des personnes à qui l'enfant est attaché. Le jeune enfant devient rapidement un être actif qui aime se déplacer, regarder les objets et les manipuler. Au cours de ses activités exploratoires, l'enfant s'éloigne de ses parents, mais jusqu'à un certain point et pour un certain temps. Il est porté à regarder en direction de ses parents après s'en être éloigné et à revenir vers eux quelques instants après. En effet, bien qu'attrayante, l'exploration de l'environnement suscite aussi une certaine insécurité. En revenant périodiquement auprès de ses parents, l'enfant vient chercher la sécurité dont il a besoin.

Entre 12 et 36 mois, l'enfant devient progressivement plus autonome et supporte mieux les moments de séparation. Ce gain en autonomie ne signifie nullement que l'attachement s'atténue avec les années. Il persiste toujours, mais ses manifestations se font plus subtiles. Lorsque l'enfant se blesse ou éprouve des difficultés, c'est en priorité auprès des figures d'attachement qu'il cherche le réconfort. Ces personnes de référence auront d'ailleurs plus de succès à soulager l'enfant que les autres personnes. C'est aussi vers ces figures d'attachement que l'enfant se tournera pour confier les événements importants de sa vie, ses succès ou ses échecs, par exemple.

## Différences individuelles

Nous avons dit plus haut que l'attachement constitue un lien émotionnel durable résultant d'interactions régulières et fréquentes entre l'enfant et certaines personnes. Comme les interactions entre l'enfant et l'adulte varient, en ce sens qu'elles peuvent être plus ou moins faciles ou plus ou moins positives, il est permis de supposer que la qualité de l'attachement varie selon les individus. Par exemple, on peut imaginer qu'un enfant ne s'attachera pas de la même manière à une personne selon que cette dernière est réceptive à ses besoins ou non.

Au cours des années, les chercheurs ont mis au point plusieurs méthodes pour évaluer la qualité de l'attachement. L'une des méthodes les plus utilisées avec les jeunes enfants (12 à 20 mois) est la situation étrange, élaborée par Ainsworth, Blehar, Waters et Wall (1978). Cette méthode consiste à observer plusieurs épisodes au cours desquels l'enfant et le parent sont séparés, puis réunis pendant de courtes périodes. L'évaluation se déroule habituellement dans un centre institutionnel et s'effectue en huit épisodes (voir le tableau 13.2) au cours desquels on observe la détresse que manifeste l'enfant lorsque le parent quitte la pièce et la réaction de l'enfant quand il revient. À cet instant, on s'intéresse tout particulièrement à l'aptitude du parent à réconforter son enfant et à la reprise des activités exploratoires de l'enfant. Les épisodes successifs permettent de créer une tension grandissante chez l'enfant, sans

Tableau 13.2  Les huit épisodes de la situation étrange et leur durée (min)

| Durée | Événement |
| --- | --- |
| 0,5 | Une personne conduit la mère et l'enfant dans un local où se trouvent quelques jouets, puis quitte le local. |
| 3 | La mère observe l'enfant. Elle stimule le jeu de l'enfant si ce dernier n'a pas commencé à jouer après deux minutes. |
| 3 | Une nouvelle personne (une personne étrangère) arrive, parle avec la mère, puis tente d'interagir avec l'enfant. La mère quitte le local. |
| 3 | La personne étrangère reste avec l'enfant et tente d'interagir avec lui. S'il exprime de la détresse, elle essaie de le consoler. |
| 3 | La mère revient et la personne étrangère quitte le local. La mère réconforte l'enfant s'il exprime de la détresse. Elle tente de le stimuler pour le faire jouer s'il n'a pas recommencé à le faire. Puis, elle quitte de nouveau le local. |
| 3 | L'enfant est laissé seul. |
| 3 | La personne étrangère revient. Elle tente d'interagir avec l'enfant et de le consoler s'il exprime de la détresse. |
| 3 | La mère revient et la personne étrangère quitte le local. La mère réconforte l'enfant s'il exprime de la détresse. Elle tente de stimuler le jeu de son enfant s'il n'a pas recommencé à jouer. |

toutefois engendrer une détresse extrême. Dans ce cas, on interrompt la procédure et tout est mis en œuvre pour réconforter l'enfant.

Cette méthode permet de distinguer quatre profils de comportements, chacun correspondant à un style d'attachement caractérisé par la confiance, l'évitement, l'ambivalence et la résistance, ou la désorganisation. Dans le contexte nord-américain, la majorité des enfants (entre 60 % et 65 %) ont un style d'attachement sécurisant. Ils ont tendance à examiner les jouets mis à leur disposition et à les manipuler. Au cours de leur jeu, ils regardent occasionnellement en direction du parent et tentent d'attirer son attention pour lui montrer les jouets. Lors des épisodes de séparation, ils expriment une détresse d'intensité faible ou moyenne et le retour du parent les réconforte rapidement. Ils ont tendance à sourire au parent à son retour, initient eux-mêmes le rapprochement et acceptent volontiers le réconfort que celui-ci leur accorde. Ils reprennent leur jeu ou leurs activités exploratoires peu de temps après avoir été réconfortés. Une personne étrangère peut consoler les enfants, mais pas au même degré que le parent. Les enfants qui présentent ce style d'attachement manifestent qu'ils préfèrent leur parent à la personne étrangère.

Pour 20 % des enfants, la relation d'attachement se caractérise par de l'évitement. Ces enfants sont aussi portés à manipuler les jouets mis à leur disposition, mais ils ne manifestent pas de détresse durant les épisodes de séparation; de plus, ils acceptent généralement le contact amorcé par la personne étrangère. Au retour du parent, ils ne cherchent pas à engager le contact et ils sont peu portés à regarder le parent ou à attirer son attention. Ils acceptent le rapprochement initié par le parent, mais sans y répondre avec empressement. Dans la situation étrange, ces enfants ne donnent pas de signes évidents de préférence à l'égard du parent.

Entre 10 % et 15 % des enfants manifestent une réaction teintée d'ambivalence et de résistance. Ils ont tendance à demeurer à proximité du parent et sont moins enclins à manipuler les jouets. Les épisodes de séparation provoquent généralement une détresse assez forte. Ces enfants acceptent difficilement le contact avec la personne étrangère. Quand le parent revient, ils recherchent activement le contact, mais deviennent passifs ou expriment de la colère lorsque celui-ci interagit avec eux. Leur détresse est plus longue, et ils sont moins enclins à reprendre leur jeu après avoir été consolés. Ces enfants indiquent donc leur préférence à l'égard du parent, mais ils ne répondent pas positivement à ses tentatives de réconfort.

Enfin, la situation étrange permet de constater que certains enfants (entre 5 % et 15 %) affichent un comportement désorganisé (Main et Solomon, 1986). Ils hésitent entre une recherche de proximité excessive et un évitement intense, ou ils manifestent simultanément ces deux comportements quand leur parent revient dans la pièce. Par exemple, ces enfants peuvent exprimer une grande détresse, tout en s'éloignant du parent au lieu de s'en rapprocher, ou en le regardant avec une expression de peur. Ils peuvent aussi passer d'une émotion à une autre rapidement et plusieurs fois de suite, ou encore adopter une expression figée.

La situation étrange permet aussi d'évaluer la qualité de l'attachement chez les enfants plus vieux, mais les critères de classification diffèrent légèrement, car ces enfants sont plus autonomes et plus compétents sur le plan de la communication et de la régulation des émotions (Cassidy et Marvin, 1987; Crittenden, 1992).

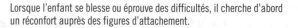

Lorsque l'enfant se blesse ou éprouve des difficultés, il cherche d'abord un réconfort auprès des figures d'attachement.

Certains outils d'évaluation comportent des périodes de séparation plus longues (Moss et autres, 1996) ou comprennent une activité de collaboration entre la mère et l'enfant, en plus des épisodes de séparation et de réunion (Main et Cassidy, 1988). Enfin, d'autres mesures nécessitent l'observation des interactions entre la mère et l'enfant à la maison (Waters et Deane, 1985). Chez les adolescents et les adultes, on évalue la qualité de l'attachement à l'aide de questionnaires (Armsden et Greenberg, 1987) ou d'entrevues structurées (George, Kaplan et Main, 1984).

Ces différents outils d'évaluation ont permis d'examiner la continuité de l'attachement au cours des différentes étapes de la vie. Dans un contexte familial stable, c'est-à-dire en l'absence d'événements stressants qui perturbent la vie familiale, le style d'attachement tend à demeurer identique au cours des premières années. Selon Waters (1978), entre 12 et 18 mois, 96 % des enfants conservent le même style d'attachement. Pour une période encore plus longue, s'étendant entre un et six ans, il en était de même pour 80 % des enfants étudiés par Main et Cassidy (1988). Lorsque la famille fait face à des situations stressantes et imprévisibles, le taux de stabilité chute à 53 % (Thompson, Lamb et Estes, 1982). Nous pouvons ici penser que les conditions stressantes que vivent les parents influent sur leur sensibilité à l'égard de l'enfant et la constance des soins.

L'observation la plus surprenante concerne la relation entre l'enfance et le début de l'âge adulte. Dans le cadre d'une étude longitudinale, Hamilton (2000) a comparé le style d'attachement d'enfants à l'âge de 18 mois puis à la fin de leur adolescence. Chez les adolescents, l'attachement était évalué à l'aide d'une entrevue structurée. Le chercheur a constaté que 72 % des personnes conservaient le même niveau de sécurité dans leur attachement (sécurité contre insécurité). Ces résultats renforcent l'idée que les premiers attachements peuvent influer durablement sur les attentes que nous manifestons à l'égard des relations humaines ainsi que sur nos aptitudes à vivre des relations intimes.

### Les facteurs influant sur la qualité de l'attachement

Le style d'attachement entre l'enfant et une personne donnée traduit leur passé relationnel et, dans une certaine mesure, leurs caractéristiques individuelles.

Dès les premiers mois de vie, on peut noter des différences marquées entre les enfants quant à leur physiologie (régularité du sommeil, de l'alimentation, de la digestion), leur niveau d'activité motrice, leur réactivité à la nouveauté, leur irritabilité ou leur sociabilité (Thomas et Chess, 1977). Lorsqu'un enfant présente plusieurs caractéristiques négatives, il est plus difficile pour les parents d'interpréter ses signaux et de lui donner les soins requis. La relation qui s'installe risque plus de se teinter de négativité.

Plusieurs travaux ont établi une relation entre le tempérament de l'enfant et la qualité de l'attachement (Goldsmith et Alanski, 1987 ; van den Boom, 1990). La proportion d'attachement non sécurisant (évitement, ambivalence et désorganisation) est plus forte chez les enfants au tempérament difficile. L'effet du tempérament sur la relation d'attachement n'est cependant pas aussi systématique que certains chercheurs l'avaient cru. Certains parents s'accommodent mieux que d'autres d'un enfant de tempérament difficile (Thompson, 1998), ils sont plus disposés à faire les efforts supplémentaires qu'exige la situation et ils s'adaptent davantage aux particularités de leur enfant. L'effet du tempérament interagit avec la personnalité des parents ainsi qu'avec les ressources dont ils disposent (Crockenberg, 1981). L'effet du tempérament se fait plus fortement sentir lorsque les parents sont déjà aux prises avec certaines difficultés (des problèmes de santé mentale ou une situation financière précaire, par exemple) et qu'ils ne disposent pas d'un réseau social susceptible de leur fournir de l'aide au moment voulu.

Comme les enfants dépendent énormément de leurs parents pour satisfaire leurs besoins fondamentaux, on peut facilement imaginer que la personnalité des parents risque d'influer sur la qualité de l'attachement. La sensibilité de la mère aux besoins de l'enfant a fait notamment l'objet de plusieurs études. On entend par sensibilité la capacité d'interpréter correctement les signaux de l'enfant et de pouvoir y répondre adéquatement et régulièrement (Ainsworth, 1969 ; Bowlby, 1969). Une mère sensible doit pouvoir encadrer son enfant, tout en respectant ses rythmes et ses capacités. Les jeunes enfants ont des capacités relationnelles limitées. Ils apprécient les interactions, mais ils ont de la difficulté à demeurer attentifs sur de longues périodes et à répondre de façon coordonnée aux stimulations auxquelles on les soumet. Une mère sensible doit pouvoir ajuster le niveau de stimulation qu'elle procure à son enfant en fonction de la réponse de ce dernier.

La sensibilité aux besoins de l'enfant peut s'exprimer de diverses manières et dépend des contextes où se déroulent les interactions. Pour les pères qui prennent une part moins active aux soins de base des enfants, les interactions ont souvent lieu durant les jeux ou au cours d'activités récréatives. Dans ces contextes, la sensibilité s'exprimera par la capacité du père à doser le degré de stimulation dans le jeu en fonction de la réponse de l'enfant.

Dans l'ensemble, les travaux de recherche confirment l'importance de la sensibilité maternelle dans l'établissement d'un attachement sécurisant. Les mères qui manifestent les différentes qualités que nous venons d'évoquer ont plus souvent des enfants ayant un style d'attachement sécurisant que les autres mères (Ainsworth, Blehar, Waters et Wall, 1978; Cox, Owen, Henderson et Margand, 1992; Isabella, 1993; Pederson et Moran, 1996). Plus précisément, la sécurité de l'attachement est corrélée avec la promptitude de la mère à répondre à la détresse (Crockenberg, 1981), à un niveau modéré de stimulation de l'enfant (Belsky, Rovine et Taylor, 1984), avec sa capacité de répondre chaleureusement (Bates, Maslin et Frankel, 1985) et avec sa capacité de synchroniser ses actions aux réponses de l'enfant (Isabella et Belsky, 1991).

On a également mis en évidence certaines différences dans la sensibilité maternelle entre les attachements non sécurisants. En effet, plusieurs études rapportent que les enfants dont l'attachement se caractérise par de l'évitement ont plus souvent des mères peu attentives à leurs signaux et qui manifestent du rejet face à leurs initiatives. Par ailleurs, les enfants qui présentent un attachement de type ambivalent ont des mères dont le mode de réponse est inconstant (Ainsworth, Blehar, Waters et Wall, 1978; Cassidy et Berlin, 1994). Pour leur part, les enfants négligés ou abusés par leur mère ont plus souvent tendance à adopter un style d'attachement désorganisé (Carlson, Cicchetti, Barnett et Braunwald, 1989). Les études ne sont toutefois pas unanimes quant à ce qui distingue les différents attachements empreints d'insécurité (Belsky, 1999a). Il semble que la personnalité de la mère ne constitue pas le seul facteur intervenant dans l'établissement d'un attachement non sécurisant. D'autres facteurs, tels le niveau de participation du père aux soins

donnés à l'enfant et la présence de soutien de la part du milieu, viennent moduler l'effet d'un éventuel manque de sensibilité maternelle.

On connaît moins bien l'effet de la sensibilité des pères sur la relation d'attachement. Les données disponibles actuellement ne montrent pas de fortes relations entre le comportement du père dans la situation étrange et la sécurité de l'attachement. Toutefois, Cox, Owen, Henderson et Margand (1992) rapportent que les enfants exprimant un attachement sécurisant ont plus souvent des pères qui font preuve de réciprocité dans le jeu et qui appuient de façon sensible les activités exploratoires de leurs enfants.

La sensibilité des parents s'exprime entre autres par leur capacité à doser le degré de stimulation dans le jeu en fonction de la réponse de l'enfant.

## Les conséquences de la qualité de l'attachement

Comme les enfants ne s'attachent pas tous d'une façon identique à leurs parents, nous pouvons nous interroger sur les conséquences de la qualité de l'attachement. La sécurité de l'attachement influe-t-elle sur le développement ultérieur de l'enfant, par exemple ses relations sociales ou son développement intellectuel? Les différents styles d'attachement non sécurisants ont-ils des effets particuliers ou exercent-ils les mêmes effets?

Il n'est pas facile de répondre à ces questions parce que les enfants s'attachent à différentes personnes et que la qualité des attachements peut donc varier selon les personnes qu'ils côtoient. L'influence parentale est importante, mais il est clair qu'elle ne représente qu'un facteur parmi d'autres. Nous avons déjà mentionné que le contexte social dans lequel vivent les parents (réseau social, situation financière ou professionnelle) influe sur les relations qu'ils entretiennent avec leurs enfants. Il faut aussi tenir compte du fait que le groupe de pairs (les enfants du même groupe d'âge) prend une importance grandissante dès la fin de la période préscolaire. Enfin, rappelons que l'enfant est un être actif qui participe à son propre développement. Avec les années, il intervient beaucoup plus directement dans la sélection de ses milieux de vie. Par exemple, il choisit ses amis, ses activités récréatives et les groupes auxquels il veut appartenir. Compte tenu de ces multiples sources d'influence, il serait étonnant d'observer un effet très marqué de la relation d'attachement sur le développement ultérieur de l'enfant, surtout si l'on considère uniquement l'attachement à l'égard de la mère.

Pour des raisons qu'il est facile de deviner, la recherche s'est principalement concentrée sur les conséquences de la qualité de l'attachement à l'égard de la mère. Dans l'ensemble, les travaux de recherche indiquent que les enfants qui manifestaient un attachement sécurisant à l'égard de leur mère quand ils avaient entre 12 et 20 mois présentaient plus souvent que les autres certaines caractéristiques désirables plusieurs années plus tard. Comme l'indique le tableau 13.3, la plupart des effets positifs d'une relation d'attachement sécurisante relèvent du domaine social.

Intéressé par le développement de l'autonomie, Sroufe (1983) a observé que les enfants ayant un attachement non sécurisant font plus de demandes d'attention intempestives lorsqu'ils sont à la maternelle ou en classe. Leurs demandes interfèrent davantage avec les activités du groupe ou avec les interactions déjà en cours à l'intérieur du groupe. Par ailleurs, un certain nombre d'études indiquent une corrélation positive entre la sécurité de l'attachement à la mère et la persévérance dans la résolution de problèmes (Matas, Arend et Sroufe, 1978), l'empathie (Waters, Wippman et Sroufe, 1979), l'aptitude à se faire des amis (Elicker, Englund et Sroufe, 1992) et l'acceptation par les pairs (Kestenbaum, Faber et Sroufe, 1989). Les enfants d'âge préscolaire dont l'attachement à l'égard de la mère n'est pas sécurisant montrent davantage de comportements colériques ou agressifs (Sroufe, 1983). Il est à noter que les effets de la qualité de l'attachement ne sont pas systématiques. Malgré les tendances que nous venons d'évoquer, il arrive que les enfants qui expriment un attachement sécurisant connaissent des problèmes plus tard dans leur vie, alors que plusieurs enfants n'ayant pas un attachement sécurisant se développent de façon harmonieuse.

Les effets de la qualité de l'attachement à l'égard du père sont moins bien documentés. D'une part, on les a moins étudiés et, d'autre part, ils semblent plus difficiles à mettre en évidence en raison de la variabilité du niveau d'intervention des pères dans les soins qu'ils donnent directement aux enfants. Quand on a détecté des effets, ils étaient généralement brefs. Ainsi, il existe une corrélation positive entre la sécurité de l'attachement à l'égard du père entre 12 et 20 mois et la sociabilité avec une personne étrangère et l'aptitude à résoudre des problèmes à l'âge de trois ans, mais pas plus tard (Easterbrooks et Goldberg, 1987; Main et Weston, 1981).

**Tableau 13.3  Les effets probables d'un attachement sécurisant**

- Meilleure sociabilité avec les pairs et avec les adultes
- Meilleure estime de soi
- Plus grande indépendance
- Moins de comportements agressifs
- Plus d'empathie
- Moins de problèmes de comportements
- Meilleure persévérance dans la résolution de problèmes ou dans l'exécution d'une tâche
- Meilleure acceptation par les pairs

### Les similarités et les différences culturelles

La perspective évolutionniste a largement influencé les idées des théoriciens de l'attachement (Ainsworth, 1969; Belsky, 1999b; Bowlby, 1969). Cette influence tient au fait que l'on a observé des comportements d'attachement entre les petits et les parents chez de nombreuses espèces animales, en particulier lorsque leur progéniture est très vulnérable au cours des premiers mois de la vie. En général, les petits de plusieurs espèces animales demeurent auprès de leurs parents et organisent leurs activités exploratoires à proximité. Tout comme chez l'humain, les parents constituent un pôle de sécurité et le comportement des petits semble constitué d'une alternance de périodes d'activités exploratoires et de recherche de proximité. L'approche évolutionniste considère que l'attachement est une stratégie adaptative qui consolide les liens à l'intérieur du groupe social et qui fournit à la progéniture la protection et les soins dont elle a besoin (Mayr, 2001). La fonction ultime de cette stratégie est de favoriser le succès reproducteur des membres de l'espèce (Belsky, 1999b). Pour les tenants de l'approche évolutionniste, l'attachement est donc un phénomène universel que l'on devrait pouvoir observer dans tous les groupes humains.

La théorie est moins claire en ce qui concerne les différents styles d'attachement. L'attachement sécurisant devrait-il être nécessairement le plus fréquent dans toutes les communautés humaines? La distribution des différents styles devrait-elle être uniforme parmi les cultures? Une réponse affirmative à la première question nous semble plausible. Cependant, il se peut aussi que les attachements empreints d'insécurité soient en fait des stratégies adaptatives déployées par l'enfant dans des circonstances de vie moins favorables (Belsky, 1999b). Ainsi, on pourrait considérer que le style évitant constitue la meilleure stratégie lorsque les parents sont peu disponibles. Le style ambivalent, avec les signaux intenses de détresse et de colère qui le caractérisent, pourrait être la meilleure solution lorsque les parents font preuve d'attention et de soins inconstants. Dans cette optique, le style sécurisant ne devrait pas nécessairement être le plus fréquent dans toutes les cultures. De plus, il ne serait absolument pas nécessaire que la distribution des styles d'attachement soit uniforme d'une culture à l'autre.

Dans leur analyse des travaux de recherche consacrés à ces questions, van Ijzendoorn et Sagi (1999) notent en premier lieu que l'attachement à l'égard des parents (ou de leurs substituts) existe dans tous les groupes culturels examinés. L'absence d'attachement est une situation exceptionnelle, qui n'est observée que lorsque les enfants ne sont pas en mesure d'interagir avec les mêmes adultes de façon régulière. Ils notent en second lieu que l'attachement sécurisant est le plus fréquent dans toutes les cultures considérées, tant en Chine, au Japon, en Israël, aux États-Unis, qu'en Europe et en Afrique. Les pourcentages d'enfants manifestant un attachement sécurisant varient entre 56% et 80%, selon le groupe culturel; cette variation n'est pas énorme, compte tenu des différences entre les pays quant au mode de vie et à l'organisation sociale.

La distribution des attachements non sécurisants se caractérise par une plus grande variabilité entre les groupes culturels. Ainsi, Takahashi (1986) n'a relevé aucun attachement caractérisé par l'évitement dans une communauté japonaise, alors que ce style représentait près de 16% des attachements dans l'échantillon chinois examiné par Hu et Meng (1996). Les attachements caractérisés par l'ambivalence ne représentent que 8% des différentes formes d'attachements chez les enfants malais (True, 1994), mais ils correspondent à 32% et 37% des attachements chez les enfants japonais et israéliens, respectivement (Takahashi, 1986; Sagi et autres, 1985).

## 13.3 LA MORALITÉ ET LA SOCIALISATION DES CONDUITES

### 13.3.1 Le raisonnement moral

Rest (1983) affirme qu'un comportement ne peut être appelé «moral» que si les processus intérieurs qui l'ont suscité sont connus en même temps que le comportement lui-même. Vu de l'extérieur, un comportement peut être conforme à une règle, mais si l'on ne sait pas ce qui le motive chez l'individu, il est difficile de considérer ce comportement comme «moral». Ainsi, un enfant peut prêter souvent ses jouets à ses camarades parce qu'il aime bien leur faire plaisir, mais il peut aussi le faire parce qu'il n'arrive pas à affirmer un refus devant leur sollicitation.

Piaget (1932) et Kohlberg (1969) sont les deux auteurs les plus fréquemment associés à l'étude du développement du raisonnement moral chez l'enfant. Ils ont tous deux proposé un modèle décrivant l'évolution de la pensée morale à travers des stades dont la séquence est invariante, comme c'est le cas pour les stades du développement cognitif dans la théorie de Piaget.

### Les deux stades de Piaget

Dans son livre *Le jugement chez l'enfant*, Piaget (1932) proposait deux stades du développement moral, stades qu'il a décrits à partir de l'observation de l'activité spontanée d'enfants en train de jouer et de mises en situation proposées dans le contexte d'interrogations. Voici un exemple du type de scène utilisé par Piaget pour sonder le raisonnement moral :

> Un jour, la mère de Pierrot s'était absentée pour aller faire des courses à l'épicerie. Pour rendre service, Pierrot décida de mettre la table pour le repas. En prenant la vaisselle dans l'armoire, il fit un faux mouvement et cassa cinq assiettes sur le plancher.

> De son côté, son frère Luc profita de l'absence de sa mère pour se servir une collation et cassa un verre en se versant du jus. Les deux enfants sont-ils également fautifs ou l'un des deux est-il plus coupable que l'autre ? Pourquoi ?

Chez Piaget, trois dimensions du raisonnement moral font l'objet d'une attention particulière :

1. Dans quelle mesure la justice est-elle immanente, c'est-à-dire automatiquement conséquente aux actes ?

2. Dans quelle mesure les actes sont-ils jugés en fonction de leurs conséquences objectives sans considération de l'intention de l'auteur ?

3. Dans quelle mesure les règles sont-elles modifiables démocratiquement ou immuables et imposées d'autorité ?

Le premier stade (sept ans et moins) définit une morale de contrainte où l'enfant se comporte en fonction de règles imposées d'autorité. Pour le jeune enfant du premier stade, le bien est ce qui se conforme aux ordres de l'autorité et le mal est le contraire. Les méchants sont punis par les conséquences négatives des gestes qu'ils ont posés, tandis que les bons sont récompensés par les bienfaits qui résultent de leurs actes. C'est la justice immanente : ceux qui agissent mal sont punis et ceux qui agissent bien sont récompensés, de sorte que si quelqu'un obtient une récompense, c'est parce qu'il a bien agi et vice versa.

Au cours du premier stade, les actes sont jugés en fonction de leurs conséquences objectives, et le raisonnement de l'enfant ne prend pas en considération l'intention de l'auteur. Dans la situation décrite précédemment, Pierrot serait considéré comme le plus fautif, car il a cassé cinq assiettes alors que Luc n'a brisé qu'un seul verre. Pour l'enfant du stade 1, c'est mal de casser des assiettes et plus on en casse, plus on est fautif. Piaget parle alors d'une morale de contrainte parce que l'enfant est guidé par des obligations qu'il n'a pas lui-même définies avec d'autres. Les règles existent de façon immanente ; elles proviennent du monde puissant des adultes qui suscite chez l'enfant un mélange d'affection, de crainte et d'admiration (Rest, 1983). Le premier stade se caractérise donc par des rapports d'autorité.

À partir de 8 ou 9 ans, la morale de contrainte laisse place à une morale d'hétéronomie. L'enfant de cet âge accède à la pensée opératoire réversible qui lui permet de considérer mentalement plus d'un point de vue. Il est maintenant possible de prendre en considération l'intention dans l'évaluation d'une responsabilité. Dans l'exemple des deux garçons, Luc serait considéré comme le plus fautif puisqu'il n'agissait pas dans le but d'aider sa mère mais qu'il profitait plutôt de son absence pour manger quelque chose.

L'autorité ne représente plus la source de décisions finales, mais un partenaire avec qui il est possible de discuter des règles. Dans ses rapports avec les autres, avec ses pairs notamment, la jeune personne se rend compte que l'on peut changer des règles pour mieux les adapter aux rapports interpersonnels ; les règles deviennent des outils sociaux, des conventions utiles pour coordonner les activités. De tels rapports de coopération ne reposent plus sur le respect unilatéral envers une autorité immuable, mais sur le respect mutuel entre partenaires adhérant aux mêmes conventions. Selon Piaget (1932), l'interaction avec les pairs est un puissant stimulant du passage vers le deuxième stade parce que l'enfant peut participer aux décisions, proposer des règles, émettre son point de vue en le comparant avec celui des autres, etc. Il s'agit là d'un contexte propice à l'apprentissage des conventions sociales et du respect mutuel, par opposition à la soumission incontestée à une règle imposée d'autorité. Le deuxième stade de Piaget définit donc ces rapports de coopération entre les personnes.

Certains analystes de la contribution de Piaget à l'étude du jugement moral s'accordent pour concevoir ces deux stades comme des pôles plutôt que des paliers définis par une structure qui leur est propre, un même raisonnement d'enfant pouvant présenter différentes combinaisons des éléments de chaque pôle (Perry et Bussey, 1984; Rest, 1983). Aussi, le seuil de transition (autour de huit ans) a été remis en question à plusieurs reprises.

### Les six stades de Kohlberg

Kohlberg (1969) a prolongé la perspective du développement de Piaget en proposant six stades de développement répartis en trois niveaux. Cette contribution respecte l'idée piagétienne voulant que le raisonnement moral évolue selon une séquence invariante de structures cognitives, chacune définissant un stade qualitativement différent des autres. Kohlberg endosse aussi l'idée que le développement s'accompagne d'un passage des critères extérieurs de conduite vers des critères intérieurs. Comme le souligne Rest (1983), la valeur centrale du système de Kohlberg (comme celui de Piaget d'ailleurs) repose sur la justice sociale, c'est-à-dire sur l'établissement progressif d'un meilleur équilibre social entre les individus plutôt que, par exemple, sur l'amour de l'humanité, l'équilibre écologique du monde ou sur le sens sacré du devoir.

La méthode privilégiée par Kohlberg pour recueillir ses données auprès d'enfants et d'adolescents américains fut de proposer des dilemmes moraux plaçant les intérêts personnels d'un protagoniste ou de l'un de ses proches (sa femme, son frère, etc.) en conflit avec les lois sociales; dans ces situations, il s'agit de choisir entre les intérêts personnels et le respect des lois. Les répondants sont d'abord invités à se prononcer sur ce que le personnage aurait dû faire dans le contexte et ensuite à donner les raisons de leur choix. L'évaluation du niveau de raisonnement moral est basée sur les arguments apportés par les répondants et non pas sur leur solution au dilemme. Voici l'exemple classique du dilemme moral proposé par Kohlberg (1969):

En Europe, une femme atteinte d'un cancer était condamnée à mourir. Les médecins croyaient qu'il n'y avait qu'un seul médicament qui pouvait la sauver; c'était une sorte de radium découvert récemment par un pharmacien de la même ville. Le pharmacien réclamait 2000$ pour une dose du médicament alors qu'il lui en coûtait 200$ pour le fabriquer. Henri, le mari de la femme malade, se présenta chez tous ceux qu'il connaissait pour emprunter de l'argent, mais ne put réunir que la moitié de la somme requise.

Il expliqua au pharmacien que sa femme allait mourir et lui demanda de vendre son médicament moins cher ou de lui faire crédit. Mais le pharmacien refusa. Henri se découragea et la nuit suivante, il alla voler le médicament chez le pharmacien pour sauver sa femme.

Henri a-t-il bien fait en agissant ainsi? Pourquoi?

Le tableau 13.4 fournit un résumé des stades du développement moral selon Kohlberg. On y constate que les trois niveaux de développement définissent une évolution, de l'enfance à l'âge adulte, allant de raisonnements qui sont, au départ, plus primitifs que la loi ou la convention sociale (c'est le niveau prémoral), puis qui correspondent aux normes sociales (conformisme aux règles sociales: niveau conventionnel) et enfin qui transcendent les conventions pour s'appuyer sur des principes intériorisés qui ne dépendent pas des autorités ou de l'engagement personnel dans les situations, mais d'une justice plus universelle (niveau postconventionnel). Les âges d'accession à chacun de ces niveaux peuvent varier considérablement, mais à titre indicatif, on peut concevoir qu'à la fin de l'enfance (12 ans environ), la personne entre dans le niveau conventionnel et que ce n'est qu'aux abords de l'âge adulte qu'elle accède au troisième niveau.

Selon Piaget et Kohlberg, le développement du raisonnement moral donne donc lieu à une intériorisation progressive de normes initialement imposées de l'extérieur: au début, l'enfant agit en fonction des demandes et des interdits qui lui viennent de l'autorité; peu à peu il apprend à connaître et à adhérer aux conventions sociales pour, éventuellement à l'âge adulte, acquérir une certaine indépendance relativement aux conventions et guider sa conduite selon des principes personnels.

Quant au lien qui existe entre la pensée morale et le comportement comme tel, l'examen du tableau 13.4 permet de constater qu'un même type de raisonnement peut donner lieu à deux actions contraires; c'est probablement ce qui explique la faible relation que l'on a obtenue entre le raisonnement et le comportement: il y a peu

**Tableau 13.4** Six stades de développement du raisonnement moral selon Kohlberg

### NIVEAU I : MORALE PRÉCONVENTIONNELLE

**Stade 1 : Orientation de la punition et de l'obéissance simple**

Le raisonnement moral est fondé sur l'idée qu'il faut obéir aux règles pour éviter les punitions. On doit respecter l'autorité, source de décision. Les actes sont jugés en fonction de leurs conséquences.

*Il ne devrait pas voler parce que s'il est pris, il ira en prison.*

*S'il laisse mourir sa femme, il risque d'avoir des problèmes.*

**Stade 2 : Orientation du relativisme utilitariste**

L'obéissance aux règles est motivée par les avantages qu'elle peut apporter, par les intérêts personnels qu'elle peut servir dans un monde où l'on pense que les autres agissent aussi en fonction de leurs propres intérêts. On rend service aux autres pour obtenir leurs faveurs en retour. Il ne s'agit plus d'un respect unidirectionnel, comme dans le cas du stade précédent, mais d'une réciprocité qui est fondée sur un donnant-donnant où les conséquences directes des actes sont encore bien présentes

*S'il tient à ce que sa femme continue de vivre auprès de lui, Henri devrait voler le médicament*

*Cela vaut-il la peine de voler, car s'il va en prison, il se peut que sa femme meure avant qu'il soit libéré.*

### NIVEAU II : MORALE CONVENTIONNELLE

**Stade 3 : Orientation de la bonne concordance interpersonnelle**

La bonne action est motivée ici par la volonté de maintenir de bonnes relations avec l'entourage (famille, amis, collègues, etc.) et d'éviter sa désapprobation.

*Il devrait voler le médicament : les gens pourraient le blâmer de ne pas aimer suffisamment sa femme pour tenter de la sauver.*

*Il ne devrait pas voler, car s'il est pris, son geste brisera sa réputation et celle de sa famille.*

**Stade 4 : La loi et l'ordre**

Le conformisme dépasse les standards fixés par l'entourage de l'individu pour s'étendre à l'ensemble de la société. Il existe des lois ; les gens ont des responsabilités, des devoirs et des droits qui balisent la conduite à tenir. C'est dans ce cadre que se définit la bonne action, et l'autorité légale punit la déviance. L'ordre social doit être maintenu.

*Même si Henri souhaite vivement sauver sa femme, il reste que c'est illégal de voler.*

### NIVEAU III : MORALE POSTCONVENTIONNELLE

**Stade 5 : Le contrat social**

La personne se place comme un observateur impartial jugeant selon des principes orientés vers le bien commun. Les règles émanent du groupe ou de la société à laquelle on appartient ; les peuples n'ont pas tous les mêmes lois, il y a des conventions qui servent mieux les peuples que d'autres. La personne s'engage personnellement à promouvoir les lois qui visent le plus grand bien du plus grand nombre. La démocratie peut ainsi être perçue comme le meilleur système politique, le meilleur contrat social.

*Tout le monde ne peut pas se mettre à voler en cas d'urgence ; la fin ne justifie pas les moyens.*

*Les lois ne sont pas bien faites pour de telles situations ; Henri aurait de bons arguments en Cour s'il volait le médicament pour sauver la vie de sa femme.*

**Stade 6 : Orientation des principes éthiques universels**

La personne agit selon sa morale personnelle qui repose sur des principes intériorisés universels, tel le respect de la dignité humaine, de la vie, de la liberté. C'est de l'intérieur que l'on adhère à ces principes auxquels on tient, et on les défend dans toutes les sociétés, même si la majorité y adopte des lois qui leur sont contraires. C'est par conscience personnelle qu'il faut se conformer à cette éthique pour éviter de se condamner soi-même, pour être capable de vivre en paix intérieurement.

*La vie d'une personne est plus importante que le profit que recherche le marchand sans trop se soucier de la moralité de son attitude.*

*S'il ne volait pas le médicament, il aurait beaucoup de mal par la suite à croire qu'il a été à la hauteur de ses principes, en toute conscience.*

Sources : Adapté de R. Cloutier (1982), *Psychologie de l'adolescence*, Chicoutimi, Gaëtan Morin Éditeur ; L. Kohlberg (1976), Moral stages and moralization: The cognitive-developmental approach, dans T. Lickong (dir.), *Moral Development and Behavior*, New York, Holt, Reinhart and Winston ; J.R. Rest (1983), Morality, dans P.H. Mussen (dir.), *Handbook of Child Psychology*, 4e éd., vol. 3, New York, Wiley.

d'indications voulant qu'un raisonnement plus avancé dans l'échelle conduise à un comportement plus altruiste, moins agressif, etc. (Perry et Bussey, 1984). On observe dans plusieurs domaines une telle faiblesse du lien entre raisonnement et comportement, par exemple entre les habitudes de consommation et les connaissances sur la santé (cigarette, alcool, aliments gras ou salés, exercice physique, etc.); le chemin est long entre le « savoir » et le « faire ». On a cependant du mal à concevoir comment une personne autonome peut, à long terme, afficher une qualité élevée de conduite morale sans disposer du niveau de raisonnement correspondant.

### 13.3.2  Le comportement moral

#### Le développement de l'autoévaluation (la composante émotionnelle)

L'acquisition d'un répertoire de conduites socialement adaptées requiert sans doute la capacité de raisonner sur le comportement approprié à adopter, mais elle suppose aussi une capacité d'autoévaluation. Apprendre à se réserver des récompenses pour les situations où on les mérite et à se sentir embarrassé lorsqu'on a agi de façon répréhensible constitue un acquis utile socialement. À cet égard, il est possible de reconnaître deux pôles de conduite. À l'un des pôles, on trouve le psychopathe qui s'approprie impulsivement toutes les gratifications dont il est capable de s'accaparer, sans égard à la qualité de sa conduite, et que ses excès ne dérangent absolument pas; à l'autre pôle se situe la personne obsessive qui n'est jamais satisfaite d'elle-même, exigeant toujours plus, ou la personne dépressive qui s'attribue tous les échecs et ne se reconnaît aucun succès.

Dans la perspective freudienne, c'est le surmoi qui est responsable de ces jugements sur soi: au contact de ses parents auxquels il s'identifie, l'enfant intériorise leurs normes, il apprend à s'autodiscipliner par retrait d'amour ou punition comme ses parents l'ont fait lorsque sa conduite déviait des normes.

Dans la perspective de l'apprentissage social sur le jugement moral, Bandura (1986) endosse aussi l'idée que les guides de la conduite viennent d'abord de l'extérieur: c'est physiquement qu'il faut contrôler l'espace des bébés afin qu'ils ne tombent pas dans les escaliers ou ne se blessent pas avec des objets dangereux, etc. Ensuite,

avec l'acquisition de la capacité de communiquer verbalement, le contrôle verbal suffit généralement, et les explications appropriées permettent alors à l'enfant d'apprendre les avantages ou les inconvénients sociaux de ses actions. Il s'agit donc d'un processus de substitution graduelle de standards représentés mentalement aux demandes et aux sanctions extérieures initiales. Une fois adoptés, les standards personnels de conduite constituent les guides principaux de l'autoévaluation, du respect ou du blâme personnel.

Leon (1984) remarque que les parents qui évaluent la conduite de leur enfant utilisent des arguments de plus en plus abstraits à mesure qu'il vieillit; ils ajustent la complexité de leurs explications aux capacités de compréhension de l'enfant, ce qui permet à celui-ci d'accéder à des standards plus subtils d'évaluation de sa conduite. Bandura (1986) reconnaît qu'en matière de standards personnels de conduite, il existe une tendance du développement régie par la maturation cognitive de l'enfant mais, selon lui, les modèles et les contextes sociaux jouent un rôle de premier plan dans cette acquisition. D'après cet auteur, c'est ce qui explique qu'une même personne puisse avoir des normes très variables d'autoévaluation d'un domaine d'activité à un autre, ou d'un contexte social à un autre. Par exemple, un enfant peut se sentir extrêmement coupable d'avoir volé une tablette de chocolat dans un magasin, tandis qu'en classe il pourra être fier de lui s'il a réussi à ne pas se faire prendre pendant qu'il trichait.

#### Le développement de l'autocontrôle (la composante comportementale)

Quel est le rapport entre le raisonnement moral, l'autoévaluation et le comportement comme tel? Nous savons que le même niveau de raisonnement peut comporter des arguments qui appuient des conduites opposées l'une à l'autre. Toutefois, peu de recherches apportent un éclairage empirique sur cette question, et les études existantes offrent des messages contradictoires (Bandura, 1986). Par exemple, la base sur laquelle une conduite doit être évaluée ne fait pas l'unanimité: doit-on se fonder sur le comportement tel qu'il est observé ou sur l'intention de son auteur? Ne tenir compte que du comportement n'équivaut-il pas à ne juger que par les conséquences, à la manière des enfants du stade 1 de Kohlberg? Le fait de ne tenir compte que des intentions nous amène-t-il à juger que le vol d'un voleur bien intentionné devient un acte moralement louable?

En psychologie de l'enfant, c'est à travers la résistance à la tentation que l'on a le plus souvent approché le volet comportemental de la moralité. Cette approche consiste habituellement à évaluer la capacité de l'enfant à respecter une règle en l'absence d'une surveillance extérieure. Par exemple dans ce type d'expérience, un adulte pourrait demander à l'enfant de recopier une figure géométrique simple autant de fois que possible contre la promesse d'une récompense. Dans la même pièce, une télévision présenterait un dessin animé captivant susceptible de distraire l'enfant de sa tâche. Il s'agit de voir dans quelle mesure l'enfant persiste dans son travail en l'absence de l'expérimentateur. C'est une mesure intéressante de l'autocontrôle qui évite le problème soulevé précédemment quant au critère d'évaluation (intention contre conduite observée). On considère la capacité de résister à la tentation comme un indice privilégié du processus d'intériorisation des règles, ce qui renvoie à un objectif central du processus de socialisation: l'adhésion aux règles sociales de façon autonome, c'est-à-dire indépendamment des pressions extérieures.

Quels sont les facteurs responsables d'une plus ou moins grande capacité d'autocontrôle? Perry et Bussey (1984) établissent quatre sources d'influence:

1) le style d'autorité parentale dans la famille;

2) les modèles offerts à l'enfant;

3) les pensées de l'enfant en situation;

4) les caractéristiques du contexte.

Perry et ses collègues. (1980) ont obtenu des résultats confirmant la notion selon laquelle l'idée que se font les enfants d'eux-mêmes influe sur les standards qu'ils utilisent pour s'autoévaluer, comme le montre l'expérience suivante. Un expérimentateur commence par dire à certains enfants d'école primaire qu'ils sont exceptionnellement consciencieux et obéissants, puis il les paye à l'avance de 30 jetons échangeables contre des prix pour effectuer une tâche ennuyeuse dans un certain laps de temps. Il demande à des enfants d'un autre groupe du même âge d'achever la même tâche et leur donne les 30 jetons à l'avance, mais sans leur dire qu'ils sont consciencieux et obéissants. Les enfants sont laissés seuls dans un local où un poste de télévision présente un dessin animé intéressant. Au bout d'un certain temps, un adulte entre dans la pièce et fait constater aux enfants

qu'ils n'ont pas fini le travail demandé. Il leur demande de rembourser des jetons, selon leur appréciation, parce qu'ils n'avaient pas réussi à accomplir la tâche fixée. On observe alors que les enfants du premier groupe, à qui l'on avait dit qu'ils étaient exceptionnels, se punissaient beaucoup plus durement que les autres en remboursant des jetons.

Plusieurs auteurs ont noté que les parents qui se montrent vigilants à l'égard de la conduite de leur enfant, c'est-à-dire constants dans les exigences qu'ils posent, qui expliquent les motifs de leurs demandes et qui affichent une attitude chaleureuse et juste envers leur enfant, sont les plus susceptibles de favoriser le développement de l'autocontrôle chez ce dernier. Au contraire, les parents peu exigeants et inconstants dans leurs interventions ont des enfants qui se situent au bas des échelles évaluant l'intériorisation des normes sociales.

Les enfants sont sensibles aux modèles qu'ils observent, c'est-à-dire qu'ils ont tendance à imiter les comportements des autres, surtout si ces derniers sont importants ou puissants à leurs yeux. Par exemple, l'enfant qui voit ses deux parents transgresser une règle fera probablement peu d'efforts pour respecter cette même règle. Au contraire, si l'enfant observe ses parents (ou d'autres modèles adultes importants) refuser de transgresser une règle, il aura plus de chances de les imiter lorsqu'il sera laissé à lui-même, surtout si ces modèles ont verbalisé leurs motifs et expliqué comment ils résisteront à cette tentation.

Bandura (1986) a observé que lorsque les enfants ont intériorisé un standard de comportement, ils ont tendance à anticiper des autoévaluations à son égard: ils se disent en eux-mêmes qu'ils seront contents d'atteindre ce but ou qu'ils seront déçus s'ils ne l'atteignent pas. Donc, le fait d'adopter une règle leur donne un objectif personnel dont l'atteinte est satisfaisante. Sur le même sujet, Perry et Bussey (1984) citent des études montrant que les enfants plus exigeants envers eux-mêmes, qui retardent volontairement le moment de s'accorder une récompense pour atteindre le niveau de performance qu'ils se sont fixé, font plus d'efforts pour réussir que les enfants moins exigeants.

Clairement, donc, les parents avisés sont ceux qui essaient d'aider leurs enfants à se fixer leurs propres standards, qui favorisent chez eux l'anticipation d'autoévaluations négatives en cas de mauvaise conduite (par exemple en discutant avec eux, en les incitant à se mettre à la place des autres et en les sensibilisant au fait qu'ils peuvent faire du mal aux autres) et qui les renseignent sur la nature des situations qui incitent au désengagement en regard des règles personnelles de conduite. (Perry et Bussey, 1984, p. 190.)

Nous pouvons ajouter qu'en revanche, des anticipations d'autoévaluations positives doivent surgir à l'idée de la réussite. Donc, la façon dont l'enfant apprend à réfléchir sur la dynamique de son contrôle personnel semble jouer un rôle significatif sur sa capacité de s'autogérer.

Enfin, l'humeur personnelle de l'enfant influe sur son autocontrôle à l'égard de la tentation. Les enfants déprimés, en colère, perturbés émotionnellement sont plus vulnérables à la tentation, plus facilement dépendants des effets à court terme et supportent plus difficilement le délai de gratification que suppose l'effort maintenu. Par ailleurs, il est évident que l'enfant aura d'autant plus de difficulté à résister ou à s'en sortir que le plaisir associé au comportement défendu est grand.

Le taux de production de comportements socialement désirables dépendrait donc, à travers le processus d'intériorisation, de l'éducation familiale et des modèles auxquels accède l'enfant, mais aussi des stratégies cognitives qu'il développe pour résister dans l'effort, et du contexte dans lequel il se trouve quant à son humeur personnelle et enjeux associés aux comportements à contrôler.

### 13.3.3    La socialisation des émotions

Le comportement moral ne représente pas l'intégralité du comportement social d'un individu. La socialisation des conduites comprend aussi le domaine des conventions sociales, lesquelles ne sont pas nécessairement associées aux notions de bien ou de mal ou de justice sociale. Les conventions sociales touchent à de nombreux aspects du comportement d'un individu, qui vont de l'habillement, à la politesse, aux habitudes à table et même à l'expression des émotions. C'est justement ce dernier aspect qui retiendra notre attention.

Toutes les cultures étudiées jusqu'à présent par les anthropologues, les sociologues et les psychologues comportent des normes concernant l'expression des émotions (Mesquita et Frijda, 1992). Ces normes fixent les émotions que l'on peut exprimer ou non en société et la façon de les modifier. Ainsi, dans de nombreuses cultures, il est de bon ton d'exprimer de la gratitude quand on reçoit un cadeau, et ce, même lorsque le cadeau ne fait pas particulièrement plaisir. Chez certains groupes, comme les Esquimaux Utku, les individus ne se mettent pratiquement jamais en colère en présence des autres. Toutefois, ils peuvent rudoyer un animal domestique peu de temps après avoir vécu une frustration (Briggs, 1970). Cette observation suggère qu'ils ressentent de la colère, mais que les conventions adoptées par le groupe social répriment l'expression de cette émotion en public.

Les normes sociales comportent aussi une certaine spécificité, en ce sens qu'elles ne s'appliquent pas nécessairement à tous les individus du groupe avec la même rigueur. Par exemple, elles concernent rarement les très jeunes enfants, probablement parce qu'il est évident qu'ils n'ont pas la capacité de contrôler leurs émotions. Elles touchent parfois plus un genre que l'autre. Ainsi, Casey, Fuller et Johll (1993) rapportent que les parents s'attendent à ce que leurs garçons inhibent davantage que leurs filles l'expression de la peur et de la tristesse, et à ce que les filles répriment davantage que les garçons l'expression de la colère. Dans une certaine mesure, les enfants eux-mêmes confirment cette perception. Selon Fuchs et Thelen (1988), les garçons d'âge scolaire ne s'attendent pas à recevoir de leurs parents autant de soutien que les filles s'ils expriment de la tristesse. Une étude de Meerum, Terwogt et Olthof (1989) indique que les garçons se disent moins enclins que les filles à exprimer la peur, car ils craignent d'être perçus négativement par leurs pairs.

Nous avons vu que l'enfant exprime des émotions dès la naissance et qu'à la fin de la première année, son répertoire est déjà assez vaste. La plupart des sociétés humaines sont peu exigeantes envers le contrôle de l'expression émotionnelle des jeunes enfants. Toutefois, ces attentes commencent à se faire sentir entre la première et la deuxième année. Malatesta et Haviland (1985) observent à ce propos que les expressions d'émotions négatives (tristesse, colère, peur) connaissent, en terme de fréquence, un déclin plus marqué que les manifestations d'émotions positives. Ce changement s'explique notamment par le fait que l'enfant acquiert progressivement un meilleur contrôle de ses émotions, mais il traduit aussi les pressions sociales qui commencent à s'exercer sur l'expression des émotions.

Les connaissances sur la capacité de l'enfant à se conformer aux règles d'expression des émotions sont, encore aujourd'hui, embryonnaires. Cette lacune tient essentiellement à deux difficultés. Premièrement, pour étudier un tel phénomène, il faut observer des enfants au moment où ils éprouvent des émotions particulières. Or, il est rare qu'une même situation provoque une seule et même émotion chez différentes personnes, ce qui pose un problème de manipulation expérimentale (Polivy, 1981). Deuxièmement, il ne saurait être question, pour des raisons éthiques évidentes, de provoquer des émotions fortes à valence négative chez les enfants à la seule fin d'étudier leur comportement.

La méthode la plus utilisée pour étudier la socialisation de l'expression émotionnelle est celle du cadeau décevant (Cole, 1986; Josephs, 1994; Saarni, 1984). Elle consiste à faire exécuter aux enfants de petites tâches et à les récompenser à l'aide de cadeaux qui sont tantôt attrayants, tantôt décevants. Par exemple, dans l'étude de Josephs (1994), le jouet attrayant était un bilboquet et le jouet décevant, un crayon endommagé. Certains enfants étaient seuls lorsqu'ils déballaient le cadeau (situation non sociale), alors que d'autres enfants ouvraient leur cadeau en présence d'un adulte (situation sociale). Josephs a observé que les enfants allemands d'âge préscolaire (4 et 5 ans), tant les garçons que les filles, souriaient davantage à la vue du cadeau décevant dans la situation sociale que dans la situation non sociale, montrant ainsi qu'ils masquaient leur déception à l'aide du sourire. La même technique utilisée par Saarni (1984) et par Cole (1986) avec des enfants américains a conduit à des résultats différents. Cole rapporte que les filles d'âge préscolaire souriaient davantage à la vue du cadeau décevant dans la situation sociale que dans la situation non sociale, mais non les garçons. Dans l'étude de Saarni, les garçons de 10 ans masquaient leur déception, mais non ceux de 6 ans. D'après l'ensemble des données disponibles, les enfants sont donc en mesure d'appliquer des règles de politesse exigeant de masquer une émotion négative dès qu'ils ont 3 ou 4 ans. Ces résultats confirment aussi l'existence de particularités culturelles et de différences dans la socialisation de l'expression émotionnelle.

## 13.4  LES RELATIONS AVEC LES PAIRS

Si la famille joue un rôle prépondérant dans la socialisation de l'enfant, elle n'en est pas le seul agent. Les pairs, souvent même en bas âge, peuvent constituer une source d'influence sociale non négligeable. Les pairs sont les amis, les groupes spontanés, ainsi que les groupes scolaires. Ainsi, la garderie et l'école, qui constituent des agents de socialisation plus ou moins proches de la famille, représentent aussi des sources d'influence importante pour l'enfant.

En raison des changements que connaît la famille moderne, qui compte moins de membres, et où les deux parents travaillent souvent en dehors de la maison, l'enfant évolue de plus en plus tôt dans un milieu extrafamilial. Par ailleurs, l'enfant d'âge scolaire est amené à séjourner plus longtemps à l'école, en service de garde scolaire après les heures de classe, car il doit attendre que ses parents reviennent du travail. Dans ces milieux, l'enfant entre en relation avec ses pairs de diverses manières, et ces interactions influent sur le processus de socialisation. Mais comment les pairs influent-ils sur la socialisation de l'enfant? C'est l'objet de cette section.

Si nous savons que l'influence sociale des parents est déterminante dans le processus de socialisation de l'enfant, il est plus difficile de situer précisément le rôle des pairs dans cette évolution. Certaines recherches effectuées chez les primates éclairent cependant l'influence de pairs. Dans les travaux qu'il a menés auprès des singes rhésus, Harlow (1969) s'est rendu compte que la privation de contact avec les pairs entraînait d'importantes répercussions sur le comportement social adulte: même lorsqu'ils entretiennent une relation normale avec leur mère, les rhésus devenus adultes affichent de l'immaturité dans leurs jeux, de l'agressivité, des craintes excessives et coopèrent difficilement avec les autres membres du groupe. Selon l'auteur, ces difficultés proviendraient du fait que les jeunes animaux n'ont pas eu l'occasion d'apprendre les rôles sociaux dans les contextes de jeu, de conflits, de communication avec des pairs des deux sexes, etc. Partant du fait que les animaux, comme les humains d'ailleurs, qui sont privés en bas âge d'une relation d'attachement parent-enfant risquent davantage d'afficher des problèmes sociaux ultérieurement, ces recherches animales semblent démontrer l'existence d'une complémentarité dans les rôles que jouent les parents et les pairs dans la socialisation.

Selon Perry et Bussey (1984), trois importants courants théoriques affirment que les pairs exercent les uns sur les autres une influence que les adultes n'ont pas sur les jeunes. En effet, les approches éthologique, cognitivo-développementale et d'apprentissage social prétendent que c'est seulement à travers l'interaction sociale avec les pairs que les enfants expérimentent des rôles de dominance, de réciprocité, de coopération, qu'ils apprennent à assumer des responsabilités, à évaluer leurs forces et leurs faiblesses de façon réaliste, etc. Considérons brièvement les points essentiels de ces trois courants de pensée.

### 13.4.1    Trois conceptions théoriques du rôle social des pairs

#### La perspective éthologique

Les éthologistes estiment que les animaux et les êtres humains présentent certains comportements sociaux parce qu'ils possèdent une valeur pour la survie de l'espèce. Ainsi, sans liens d'attachement aux parents, les jeunes seraient incapables de satisfaire leurs besoins fondamentaux (nutrition, abri, etc.), d'apprendre à communiquer avec les autres et d'explorer leur environnement sans

En interagissant avec ses pairs, l'enfant expérimente la dominance, la réciprocité et la coopération.

crainte des dangers. Pour les éthologues, l'interaction avec les pairs permet de développer et de perfectionner la plupart des comportements adultes chez les singes (Suomi et Harlow, 1978). Par exemple, ces auteurs ont observé que l'agressivité dans les jeux (menacer, mordre, lutter, poursuivre, etc.) apparaissait rapidement une fois le contact établi avec les pairs, mais que ces agressions n'entraînaient des blessures que très rarement, ce qui serait adaptatif pour l'espèce ; les agressions sérieuses se limiteraient aux étrangers, ce qui conviendrait aussi à l'adaptation.

Chez les enfants humains, les tenants de l'approche éthologique ont aussi souligné que les rapports avec les pairs auraient une fonction socialisante. Déjà en garderie, les interactions suivraient des règles hiérarchiques. Il existerait des enfants dominants par rapport à d'autres et les affrontements seraient moins fréquents lorsque la hiérarchie est connue de tous. Quand chacun connaît sa place dans la hiérarchie et qu'un conflit survient, l'enfant qui occupe un rang plus élevé dans la hiérarchie peut signifier à l'autre, verbalement ou par des expressions faciales et gestuelles, qui serait vraisemblablement le vainqueur s'ils en venaient aux coups. L'autre enfant le reconnaîtra vraisemblablement et agira de façon à éviter que le conflit dégénère en une bagarre fâcheuse. Par ses interactions avec des plus grands et des plus petits que lui, l'enfant apprendrait différentes facettes des rapports humains qui contribuent à son adaptation sociale ultérieure (Hartup, 1980 ; Perry et Bussey, 1984). La conception éthologique propose donc, chez les pairs, l'existence de schèmes d'interaction de nature biologique et soutient que de tels schèmes se perpétuent chez l'espèce humaine en raison de leur utilité pour la survie de l'espèce et de leur efficacité en tant qu'outils d'adaptation sociale à l'âge adulte.

#### La perspective cognitivo-développementale

Selon Piaget (1957, 1970), l'interaction avec les pairs constitue une puissante source de stimulation cognitive. Certains travaux ont en effet démontré que des gains conceptuels significatifs et durables pouvaient être provoqués chez l'enfant par des interactions structurées avec les pairs (Cloutier et Goldschmid, 1973).

Sur le plan de la pensée sociale, les tenants de l'approche cognitivo-développementale considèrent que déjà chez le jeune enfant, l'interaction avec les pairs stimule le raisonnement, l'échange d'opinions, et favorise les rapports basés sur la réciprocité, ce que les interactions avec les figures d'autorité adulte ne permettent pas. En effet, les relations avec les adultes sont davantage placées sous le signe de la soumission et de l'obéissance que de la remise en question et de la participation directe aux décisions autonomes.

De son côté, Kohlberg (1969) croit que les interactions avec les adultes ne favorisent pas seulement la soumission à l'autorité adulte, comme pouvait le laisser penser Piaget. Ces interactions donnent aussi aux enfants la possibilité d'exercer différents rôles sociaux et de participer à des décisions. De plus, pour Kohlberg, les rapports avec les pairs permettent à l'enfant d'explorer diverses réalités sociales, d'acquérir des concepts utiles à sa compréhension du monde social souvent complexe auquel il aura à s'adapter.

### L'apprentissage social

La théorie de l'apprentissage social soutient que l'observation du comportement des autres joue un rôle déterminant dans notre développement; l'observation des modèles qui nous entourent, c'est-à-dire le modelage, représenterait une source d'information sociale considérable. Pour les tenants de cette théorie, les attentes d'efficacité que nous ressentons à l'égard de notre comportement, c'est-à-dire ce que nous croyons personnellement pouvoir réussir, représentent le meilleur prédicteur de notre comportement (Bandura, 1986; Kaley et Cloutier, 1984). Par exemple, si après avoir effectué plusieurs courses de 100 mètres, un athlète croit sincèrement pouvoir parcourir cette distance en moins de 12 secondes, il est probable que son opinion soit le meilleur prédicteur de son rendement. Ou encore, si une personne est persuadée qu'elle ne peut arriver à cesser de fumer, le fait de participer à un programme pour cesser de fumer ne sera probablement pas très efficace, du moins tant qu'elle ressentira cette attente négative d'efficacité personnelle.

Le jugement que l'on porte sur nos capacités personnelles dépendrait de comparaisons que nous établissons avec les personnes de notre entourage. Par exemple, si je fais partie d'un groupe dans lequel la plupart des personnes réussissent à courir le 100 mètres en moins de 11 secondes, ma performance de 12 secondes ne servira pas à rehausser mon estime de moi-même dans ce domaine.

Les travaux de l'équipe de Bandura ont montré que les jugements que nous portons sur notre valeur variaient substantiellement selon les personnes avec qui l'on comparait notre performance. Si l'on ne peut se comparer qu'avec des personnes systématiquement plus fortes, il sera difficile de tenir notre performance en haute estime. De la même façon, se comparer à des modèles invariablement plus faibles que soi ne pourra soutenir une valorisation personnelle. Par ailleurs, se mesurer à des personnes de même force ou de force légèrement supérieure à la nôtre suscitera probablement une appréciation plus positive de nos capacités. En effet, cette concurrence offre des défis réalistes, donne certaines chances d'atteindre le succès et constitue un élément de motivation pour améliorer la performance (Bandura, 1986). L'appréciation de nos capacités influera évidemment sur nos choix d'activités: il va de soi que le sentiment d'un échec probable dans un domaine ne peut constituer une source d'attrait.

Ces observations permettent de comprendre qu'un enfant qui n'a pas de société de pairs et qui n'interagit qu'avec des adultes a plus de difficulté à trouver des défis à sa mesure. Au contraire, le groupe de pairs, avec des plus forts et des moins forts, présente à l'enfant une société à sa portée avec des défis qu'il peut relever et dans laquelle il peut réussir à se faire valoir et à développer ses compétences. Dans le contexte familial contemporain, où la fratrie est souvent réduite à sa plus simple expression, on comprend bien le rôle significatif que peuvent jouer les interactions avec les pairs dans le processus de socialisation de l'enfant.

### 13.4.2  Les mécanismes sous-jacents à l'influence des pairs

À l'instar de plusieurs autres auteurs, Perry et Bussey (1984) identifient trois mécanismes sous-jacents à l'influence des pairs, qui constituent:

1) une source de récompense et de punition;

2) des modèles;

3) un processus actif de comparaison.

Dès l'âge préscolaire, les enfants tendent à répéter les comportements approuvés par leurs pairs et à inhiber ceux qui sont désapprouvés. En fait, un enfant qui n'agirait pas ainsi connaîtrait assez rapidement des problèmes d'acceptation sociale. Furman et Masters

(1980) ont observé que les sourires, les approches de jeu, les manifestations d'intérêt à l'égard des activités des autres, les félicitations, le partage, représentent des comportements prosociaux qui sont généralement accueillis positivement, c'est-à-dire renforcés par les pairs. Au contraire, l'agressivité, le refus de partager ou de considérer la demande d'un autre, la recherche d'attention pour soi, constituent des exemples de conduites que les pairs peuvent sanctionner négativement par le retrait d'attention (ignorer), la moquerie, le refus d'intégrer, la dénonciation à l'adulte responsable, etc.

Les pairs servent aussi de modèles, car l'observation des autres permet aux enfants d'acquérir plusieurs comportements nouveaux. De plus, les enfants observent aussi les contextes dans lesquels les pairs manifestent leurs comportements et les conséquences qui en résultent. Il semble que les modèles les plus puissants soient les pairs que l'enfant perçoit comme semblables à lui, donc relativement du même âge et du même sexe, et des pairs qui sont plutôt dominants dans le groupe que de faible statut social (Perry et Bussey, 1984). Supposons, par exemple, qu'un enfant observe un ami de son âge et de son sexe, et détenant un statut élevé dans le groupe, afficher une conduite agressive qui est renforcée (par exemple arracher le jouet d'un autre et réussir par la suite à jouer impunément avec). L'enfant qui observe cette scène aura plus de chance d'imiter ultérieurement ce comportement indésirable que s'il l'observe chez un pair d'âge et de sexe différents, de statut social faible et qui ne réussit pas à atteindre son but.

Les pairs constituent des points de référence permanents pour l'enfant. Pour une bonne part, celui-ci élabore son image de lui-même en se comparant aux autres. En comparant ce qu'il réussit avec ce que les autres réussissent, il se crée une représentation de ses capacités. Ce processus d'autoévaluation s'élaborera tout au cours de l'enfance pour devenir un outil puissant de compréhension sociale.

### 13.4.3 L'évolution des relations avec les pairs au cours de l'enfance

La prolifération des recherches sur les interactions sociales entre les enfants et les non-parents s'explique par les changements survenus dans la famille contemporaine qui compte moins d'enfants et plus de parents travaillant à l'extérieur du foyer, ce qui a entraîné une augmentation du recours aux services de garde. De plus, les garderies et les écoles constituent des milieux privilégiés d'observation pour les chercheurs (Cloutier et Tessier, 1981 ; Lamb et Bornstein, 1987).

### L'interaction au cours de la petite enfance

Certaines études portent sur l'interaction entre les bébés. On y a observé que dès six mois, les bébés échangeaient des signaux sociaux, par exemple en vocalisant à tour de rôle. Au début, les séquences sont très courtes puisqu'un bébé émet un son, l'autre y répond, puis cela s'arrête. Avec le temps cependant, les cycles d'interaction se prolongent et deviennent plus complexes : vers un an, les enfants peuvent se mimer l'un l'autre, s'amuser à tour de rôle avec un jouet, synchroniser des mouvements, jouer à se poursuivre, etc. (Holmberg, 1980 ; Lamb et Bornstein, 1987 ; Vandell, Wilson et Buchanan, 1980). Cette activité sociale est dominée par le « tour à tour » ; de la même façon que dans une réaction circulaire secondaire de la période sensorimotrice, telle qu'elle est décrite par Piaget, la fin du bruit émanant du hochet entraîne un nouveau mouvement vers ce dernier, les pairs alternent entre action et réaction.

Vandell et ses collègues (1980) estiment que dès six mois, les bébés entrent en contact entre eux, de façon limitée mais harmonieuse. Au cours de la deuxième année, les enfants apprennent à changer de rôle, c'est-à-dire non plus seulement à réagir l'un à l'autre. Par exemple, l'un joue à poursuivre l'autre, puis change de rôle pour être poursuivi à son tour. Ces mêmes auteurs ont observé que dans un environnement calme réunissant des enfants accompagnés de leur mère, les bébés préféraient interagir avec leurs pairs plutôt qu'avec leur mère. Cependant, ces deux types d'interaction seraient différents : les bébés interagissent surtout par le regard et les vocalisations avec un pair et davantage par le toucher avec leur mère. À mesure que le bébé avance en âge, cette préférence pour l'interaction avec les pairs grandit (Perry et Bussey 1984). L'arrivée d'un pair inconnu risque de susciter une certaine appréhension, mais elle ne sera probablement pas aussi intense et longue que la réaction manifestée vis-à-vis d'un adulte étranger.

Les jeunes enfants affichent donc généralement un intérêt positif envers leurs pairs, même si au départ, il peut y avoir certaines hésitations mutuelles, et que la complexité de leur interaction est limitée. Selon

Brownell (1986), ces limitations proviendraient du fait qu'une véritable mutualité interactive exige une compréhension des règles de communication humaine que l'enfant d'âge préverbal ne maîtrise pas encore. Toutefois, des travaux ont montré que les bébés habitués à une interaction active, chaleureuse et sensible avec des adultes, tendaient à avoir des échanges plus actifs avec les autres bébés (Vandell et Wilson, 1987), tendance qui se poursuivrait au cours des années préscolaires (Sroufe, 1983).

### L'interaction sociale à l'âge préscolaire

Le développement de la pensée symbolique et du langage constitue un appui privilégié pour l'interaction sociale. L'avènement de la pensée symbolique permet des activités ludiques beaucoup plus complexes : la possibilité de penser à l'aide de symboles (plutôt que d'en être réduit à l'action motrice) ouvre la porte au monde illimité de la fantaisie. Si l'on ajoute à cette capacité la possibilité d'échanger verbalement, on comprend pourquoi la période de 2 à 5 ans transforme l'enfant sur le plan social. Les jeux parallèles où les enfants s'occupent à une activité les uns à côté des autres sans interaction mutuelle laissent progressivement la place à des jeux coopératifs marqués par des échanges réciproques et le partage des différents rôles.

Entre 2 et 5 ans, les interactions sociales deviennent plus fréquentes et changent de nature, passant d'initiatives à sens unique à des interactions réciproques mieux coordonnées. Au début, la communication verbale est encore limitée, les signaux non verbaux (cris, pleurs, gestes, etc.) demeurent d'importants moyens d'échange d'information. Petit à petit cependant, le répertoire des conduites s'élargit et la communication se raffine : à cinq ans, les échanges verbaux sont plus longs, les enfants se sourient, s'échangent plus souvent des jouets, etc. La communication interpersonnelle est devenue plus efficace.

Déjà à cet âge préscolaire, il est assez facile d'observer des différences individuelles dans le style d'interaction sociale des enfants. Certains sont beaucoup plus portés vers le groupe, alors que d'autres semblent préférer les activités solitaires et sont moins poussés à prendre des initiatives prosociales. Doit-on s'inquiéter de cet intérêt envers les activités non sociales ? Dans la mesure où il ne s'agit pas d'une situation où l'enfant est vraiment renfermé sur lui-même, répétant des gestes sans but apparent ni fonction instrumentale précise, il ne

convient pas plus de s'inquiéter de la conduite d'un tel enfant que de celle de l'enfant presque incapable de s'occuper seul et à qui il faut sans cesse de l'interaction sociale. Il s'agit de deux tendances que l'on trouve dans la population normale des enfants. Selon Bissonnette, Cloutier et Ingels (1984), les enfants en garderie ont besoin d'un minimum d'intimité, et, au-delà d'un certain seuil d'activités structurées en groupe, les enfants « décrochent » et ne participent plus à l'activité.

L'observation des enfants de 2 à 5 ans en garderie indique donc, d'une part, que chaque enfant développe son propre profil social et qu'il est tout à fait normal que des différences surgissent entre les enfants. Le contraire serait plutôt inquiétant. D'autre part, cette même observation des enfants permet de constater que le mode d'organisation du milieu dans lequel baigne l'enfant influe largement sur son comportement social (Cloutier et Tessier, 1981).

À la maison, les attitudes sociales des parents constituent aussi une source importante d'influence de la conduite sociale de l'enfant. Des parents socialement actifs, qui entretiennent des contacts avec un réseau social étendu et varié, en tant que modèles significatifs pour l'enfant, contribuent à créer des attitudes prosociales chez leur enfant parce qu'ils constituent des modèles importants. Aussi, comme les enfants d'âge préscolaire sont encore très dépendants du voisinage pour l'établissement de contacts avec les pairs, les parents exercent une influence déterminante en soutenant leur enfant dans ses efforts pour se faire des amis et pour les conserver. Dans une certaine mesure, les parents peuvent exercer un rôle d'intermédiaire entre l'enfant et ses amis potentiels.

### Les relations avec les pairs à l'âge scolaire (6-11 ans)

Différents éléments permettent de considérer l'époque de l'entrée à l'école comme un point tournant de la vie sociale des enfants. Sur le plan cognitif, l'accès à la pensée opératoire, entre 6 et 7 ans, permet d'accéder à une pensée sociale mieux articulée, moins centrée sur sa propre perspective. La pensée réversible rend plus apte à saisir le point de vue des autres, à exprimer sa pensée de façon plus cohérente, à anticiper les conséquences de ses gestes, à comprendre les règles des jeux et leurs fonctions, etc. L'enfant d'âge scolaire accède donc à une pensée sociale plus différenciée. Par ailleurs, l'école offre une société plus grande encore que celle qu'offrait auparavant la garderie ou le voisinage. À l'école il y a beaucoup d'enfants, de différents âges et provenant de différents milieux.

C'est au cours de cette période que l'enfant découvre graduellement les normes qui régissent le groupe. La pression sociale, la compétition, la coopération, la popularité et le rejet social, l'altruisme, etc., sont autant de réalités auxquelles il apprend à s'adapter graduellement. Ce processus complexe se poursuit jusqu'à l'âge adulte. La fréquence des interactions sociales avec l'adulte diminue graduellement, comparativement à celle des interactions avec les pairs, qui augmente au cours de cette période.

Harter (1983) affirme qu'entre 6 et 11 ans, l'image que l'enfant se fait de lui-même est fortement influencée par la façon dont il est perçu par ses pairs. Un processus constant de comparaison de soi avec les autres se met en place et contribue, chez le jeune, à façonner une image de soi de plus en plus différenciée. L'enfant se rend compte que certains de ses pairs sont plus doués en mathématiques, d'autres plus faibles en français, d'autres plus forts au gymnase, ou que certains proviennent d'une famille moins fortunée, etc. À cette époque, l'enfant réussit à différencier les caractéristiques personnelles de ses pairs et réalise que des règles différentes régissent les divers contextes sociaux (classe, gymnase, groupe de jeu spontané, etc.).

Des groupes de pairs se forment durant la pratique de certaines activités, mais on assiste aussi à la formation de dyades d'amis. De telles dyades sont susceptibles de changer d'une année à l'autre. Au cours de cette période, plus encore peut-être que pendant l'âge préscolaire, les filles et les garçons ont tendance à interagir plus spontanément avec des pairs de leur sexe.

### 13.4.4 Les relations d'amitié

Dans le langage courant des adultes, le terme de pair est souvent synonyme d'ami, de copain, etc. Ainsi, en garderie, l'éducatrice désignera les pairs par l'expression « les amis ». De leur côté cependant, les enfants font la différence, les amis ne constituant qu'une partie des pairs. En se basant sur une analyse des données disponibles, Oden (1988) propose deux grandes catégories de liens avec les pairs : l'amitié et le « partenariat ».

L'auteure souligne que dans ces deux catégories il faut comprendre qu'il existe une vaste gamme d'engagements relationnels qui vont de la simple connaissance au rapport intime. Le tableau 13.5 montre que la présence ou l'absence d'amitié ou de « partenariat » peuvent se combiner pour définir quatre types de relations avec les pairs : 1) les amis intimes ; 2) les amis sociaux ; 3) les partenaires d'activité ; 4) les connaissances.

Oden (1988) cite plusieurs travaux appuyant empiriquement l'hypothèse selon laquelle les enfants, dès qu'ils entrent à l'école, différencient de façon cohérente les caractéristiques relationnelles suivantes : « meilleurs amis », « amis » et « pas amis ». Elle indique qu'au deuxième cycle de l'élémentaire (4e, 5e et 6e), environ la moitié des pairs seraient classés « amis », l'autre moitié se partageant entre « meilleurs amis » (± 25 %) et « pas amis » (± 25 %). Ces proportions varieraient aux abords de l'adolescence, avec moins de pairs perçus comme amis intimes et plus de pairs considérés comme neutres. Cette tendance témoignerait d'une sélectivité croissante de la part des adolescents.

Smollar et Youniss (1982) ont mené des entrevues auprès d'enfants de divers âges afin de connaître l'évolution de la conception du meilleur ami. Entre 6 et 7 ans, le « meilleur ami » se caractérise par un attrait mutuel élevé, une interaction positive, le partage d'activités et une réciprocité des rapports. Pour le jeune de 12 ans, le meilleur ami est en plus celui dont on découvre la personnalité, avec qui on partage des points communs (similitudes), et la relation avec lui est égalitaire (elle ne s'inscrit pas dans une relation de dominance). Il faut noter que le sexe de l'enfant peut influer significativement sur les liens entre pairs, et que ces grandes catégories ne tiennent pas compte des nuances individuelles. Il faut donc les considérer à titre d'indicateurs de grandes tendances générales.

### 13.4.5 Acceptation et rejet social

Même si les enfants choisissent pour amis des pairs avec qui ils ont des points communs, le choix d'amis ne se fait pas de la même façon tout au long de l'enfance : les enfants d'âge préscolaire choisissent des copains accessibles et renforçants pour partager leurs jeux. Centrées sur le jeu satisfaisant, ces amitiés peuvent se transférer assez facilement à un autre pair capable d'assumer le rôle de partenaire de jeu avec succès ; c'est l'activité qui prime. Durant la période s'étalant de 6-7 ans à 11-12 ans, on note l'apparition d'un souci plus marqué de se faire accepter de l'autre en tant que personne (généralement un pair du même sexe), de respecter les normes du groupe et d'éviter de provoquer le rejet des autres. La cognition sociale devient donc beaucoup plus présente dans le processus de sélection des personnes et des comportements. Selon Gottman (1983), au cours de cette période, les commentaires négatifs sur les autres font leur apparition et deviennent parfois l'objet d'une activité solidaire entre amis à l'égard d'autres pairs. Les jeunes se disent ou s'écrivent des remarques dévalorisantes envers d'autres pairs de leur entourage. Ce type d'activité servirait à établir des normes de conduite dans le groupe ou encore à canaliser des sentiments agressifs à l'égard de certains pairs afin de bâtir des liens de solidarité entre ceux qui les partagent.

Tout au cours de l'enfance, il semble que la familiarité, c'est-à-dire le fait de se connaître et d'avoir partagé des expériences, constituerait une base importante à l'établissement de relations d'amitié. Berk (1989) fait état d'une série de travaux montrant que, dans des conditions comparables, les échanges réciproques, le jeu spontané, la coopération dans la résolution de problèmes sont autant de comportements qui apparaissent beaucoup plus fréquemment entre des enfants qui se connaissent qu'entre pairs qui ne se connaissent pas. Les enfants qui se connaissent déjà ajusteraient plus facilement leur interaction à leur spécificité mutuelle, seraient plus confiants dans leur exploration sociale (moins timides ou maladroits). Les données de Ladd et Price (1987) confirment cette tendance en indiquant que les enfants entrant en première année du primaire en même temps qu'un groupe de pairs qu'ils ont bien connus à la maternelle aiment mieux l'école et s'y comportent avec moins d'anxiété que leurs pairs qui ne connaissent pas beaucoup d'élèves. L'acceptation par les pairs et la popularité constituent certainement des déterminants importants dans l'établissement de liens d'amitié. La section suivante aborde cet aspect de la question.

## La popularité

Si le nombre et la complexité des interactions sociales augmentent avec l'âge, tous les enfants ne présentent pas le même niveau d'activité avec les pairs. Le degré

---

**Tableau 13.5** Quatre types de relations entre les pairs et les échanges auxquels ils donnent lieu

| | PARTENARIAT | PAS DE « PARTENARIAT » |
|---|---|---|
| **Présence d'amitié** | **Les amis intimes**<br>Degré d'attrait mutuel élevé<br>– Valorisation réciproque de caractéristiques personnelles particulières<br>– Échange d'information personnelle et de secrets<br>– Échange d'aide, partage des problèmes et des activités<br>– Possibilité d'avoir ensemble des projets communs | **Les amis sociaux**<br>– Degré d'attrait mutuel variable (de minimal à élevé)<br>– Présence de plaisir à partager des activités sociales<br>– Échange d'information personnelle et de secrets<br>– Échange d'aide, partage de problèmes et d'activités<br>– Contribution avec d'autres aux mêmes projets |
| **Pas d'amitié** | **Les partenaires d'activité**<br>– Degré d'attrait mutuel variable (de minimal à élevé)<br>– Partage d'activités, de matériel, d'information et d'aide dans le contexte de tâches ou de jeux<br>– Valorisation de caractéristiques personnelles dans la mesure où elles sont pertinentes à l'activité partagée<br>– Faible fréquence des échanges d'information personnelle<br>– Participation à l'activité commune | **Les connaissances**<br>– Pas d'attrait mutuel ou attrait variable (minimal à élevé)<br>– Rapports amicaux variables (inexistants à élevés)<br>– Rencontres à l'intérieur d'un contexte particulier : école, camp de vacances, terrain de jeu, association, voisinage, etc.<br>– Peu ou pas d'attention portée aux caractéristiques individuelles particulières<br>– Peu ou pas d'intérêt vis-à-vis des activités ou projets communs |

Source : Adapté de S. Oden (1988), Alternative perspectives on children's peer relationships, dans T.D. Yawkey et J.E. Johnson (dir.), *Integrative Process and Socialization: Early to Middle Childhood*, Hillsdale (N.J.), Erlbaum.

selon lequel un enfant est recherché par ses pairs renvoie à la notion de popularité.

On évalue généralement la popularité des enfants d'âge scolaire à l'aide de techniques sociométriques qui consistent à demander aux enfants d'identifier des pairs qu'ils aiment ou n'aiment pas (Hymel, 1983). Par exemple, on présente à l'enfant la photo de tous ses compagnons de classe et on lui demande d'indiquer deux personnes avec qui il aimerait jouer, avec qui il n'aimerait pas jouer, avec qui il aimerait travailler ou avec qui il n'aimerait pas travailler. On peut aussi demander à l'enfant d'attribuer une cote à chaque pair de sa classe allant de « aime beaucoup » à « aime très peu ». Des enfants de quatre ans arrivent à répondre à ce type de questionnaire (Hymel, 1983).

Ce type de mesure sociométrique permet de distinguer quatre catégories d'enfants :

1) les enfants populaires, qui reçoivent plusieurs votes positifs dans leur groupe ;

2) les enfants rejetés, qui reçoivent plusieurs votes négatifs de la part de leurs pairs ;

3) les enfants controversés, qui reçoivent plusieurs votes positifs mais aussi plusieurs négatifs ;

4) les enfants négligés, que les pairs ne choisissent ni ne rejettent.

Les études sur les enfants ont montré que ces catégories sociométriques sont relativement stables sur une période de cinq ans, la catégorie la plus stable étant celle des enfants rejetés (Boivin, 1986 ; Core et Dodge, 1983 ; Ladd et Price 1987). Cette dernière catégorie a suscité beaucoup d'intérêt de la part des psychologues, car, en plus de présenter une moins grande mobilité vers d'autres statuts sociométriques, les enfants concernés affichent souvent des difficultés socio-affectives (Achenback et Edelbrock, 1981) et risquent, plus tard, de connaître des difficultés psychosociales, tels l'abandon scolaire, la délinquance ou certains troubles psychologiques (Parker et Asher, 1987).

La popularité de l'enfant dépend parfois de son apparence physique, mais son comportement en est le principal facteur. L'observation des comportements montre que les enfants populaires sont plus coopératifs, amicaux, plus efficaces à résoudre des problèmes et manifestent plus de sensibilité dans leur communication avec les autres. Inversement, les enfants rejetés affichent plus de comportements antisociaux : conflits, agression, impulsivité, immaturité, difficultés à communiquer avec les pairs, etc.

De leur côté, les enfants controversés présentent à la fois des comportements perturbateurs, comme les enfants du groupe des rejetés, et des comportements pro-sociaux, à l'instar des enfants populaires. Ce sont donc des figures susceptibles d'assumer un certain leadership, même si une partie du groupe ne les aime pas.

Enfin, l'observation des enfants négligés indique qu'ils ont peu de comportements sociaux. Souvent perçus comme timides, ils choisissent parfois d'eux-mêmes de jouer seuls. Même si, dans certains cas extrêmes, il y a risque d'inadaptation psychosociale chez de tels enfants, la plupart d'entre eux sont socialement compétents et bien adaptés, mais ils préfèrent la solitude à l'intensité de la vie de groupe (Berk, 1989).

Compte tenu de la stabilité et de l'importance potentielle du statut de rejeté par rapport à l'adaptation psychosociale future, un bon nombre de programmes d'interventions préventives ont été mis au point afin d'intervenir auprès de ces jeunes à risques. Ces interventions sont du même type que celles qui sont utilisées avec les enfants agressifs. Nous en faisons une description dans la section 13.5.

### 13.4.6 Fonctions et évolution du jeu

La plupart des interactions sociales spontanées au cours de l'enfance se déroulent dans un contexte de jeu et elles comportent souvent en elles-mêmes un aspect ludique. Selon Rubin, Fein et Vandenberg (1983), le jeu se distingue des autres activités de l'enfant au moins de trois façons :

1) il répond à une motivation intrinsèque plutôt qu'à des récompenses extrinsèques ou à des exigences du milieu ;

2) il est orienté vers les moyens et non pas nécessairement vers les buts, c'est-à-dire que l'exercice de l'activité en elle-même prime sur l'atteinte d'un objectif déterminé ;

3) il n'est pas sérieux, c'est-à-dire que ses conséquences ne sont pas inscrites dans la « vraie » réalité, bien que l'enfant puisse y trouver des défis très stimulants.

Le jeu exerce plusieurs fonctions dans le développement psychologique de l'enfant. Ainsi, Konrad Lorenz (1976, cité dans Johnson, 1984, p. XI) mentionne :

> Quiconque a vu ses propres activités évoluer lentement depuis les jeux curieux de son enfance vers un travail de recherche scientifique ne pourra jamais mettre en doute la similitude fondamentale du jeu et de la recherche.

Cette observation sur la similitude entre le jeu et l'activité de recherche scientifique est intéressante, car elle permet de saisir facilement l'hypothèse généralement formulée quant au rôle du jeu. En effet, selon cette hypothèse, le jeu permet d'explorer et de tester des comportements pour observer et connaître leurs effets, afin de mieux les maîtriser. Cette exploration se produit habituellement, non pas dans le cadre des contraintes de la réalité, mais dans des conditions inoffensives où l'échec, au lieu de punir, permet plutôt de mieux organiser la prochaine tentative. Le jeu est un laboratoire servant à explorer des conduites qui, un jour peut-être, trouveront leur utilité dans la réalité adulte (Petersen, Garrigues et De Roquefeuil, 1984). Selon cette hypothèse, le jeu constitue donc une forme privilégiée de recherche, d'exploration. Quels sont les bénéfices du développement de cette exploration ?

C'est peut-être à l'activité physique que le jeu a été le plus couramment associé. Dès la petite enfance, jeu et mouvement sont intimement reliés. Tout au cours de l'enfance, les jeux font intervenir des déplacements, des gestes, des mouvements (grimper, courir, sauter, glisser, etc.), même s'ils mettent progressivement plus à profit la fonction symbolique. Les sports de l'enfance, de l'adolescence et de l'âge adulte ne sont-ils pas aussi fortement associés à l'activité sensorimotrice ? Le jeu représente un lieu privilégié de consolidation et de développement des schèmes d'action physique. Il permet la libération des surplus d'énergie physique, l'expression de soi dans l'activité corporelle en même temps que le maintien de la forme physique.

Sur le plan cognitif, Piaget a amplement démontré que la mise en œuvre des schèmes cognitifs intervenant dans le jeu participait largement à la consolidation des acquis. Pour Piaget, si le jeu contribue significativement au développement cognitif, il en est aussi un témoin fidèle puisque la manifestation directe : le jeu représente l'effort de l'enfant pour comprendre les choses et leur donner un sens. Bruner (1972) souligne la contribution du jeu à la créativité. Comme dans l'activité

ludique les moyens sont plus importants que les buts, l'enfant n'est pas préoccupé par la poursuite du but à atteindre, ce qui lui donne la possibilité d'imaginer des stratégies originales.

Sur le plan langagier, le jeu contribue à enrichir le vocabulaire, permet d'explorer de nouvelles formes d'expression d'idées, de sentiments, etc., et de comprendre le sens de nouveaux univers de contenus. Athey (1984) propose quatre fonctions cognitives du jeu :

1) accès à de nouvelles sources d'information ;
2) consolidation de la maîtrise des habiletés et des concepts ;
3) stimulation et maintien d'un fonctionnement efficace de l'intelligence en raison des diverses activités mentales qu'il exige ;
4) épanouissement de la créativité puisqu'il laisse libre cours à l'usage des habiletés et des concepts dans un contexte de valorisation de l'imaginaire.

Sur le plan social, le jeu est un lieu privilégié d'exploration des rôles que l'enfant sera appelé à jouer plus tard. Par exemple, il peut y apprendre à adapter ses interactions aux demandes des autres ou à y résister ; il peut jouer le rôle d'un personnage dominant et constater l'effet qu'il exerce alors sur ceux qui lui sont symboliquement soumis. Dans ce contexte, les partenaires de jeu constituent une source de rétroaction particulièrement riche pour apprendre à distinguer des phénomènes comme l'agressivité et l'affirmation de soi, le partage et l'égocentrisme, la dépendance et l'indépendance, etc.

Sur le plan affectif, le jeu permet de résoudre des conflits émotionnels, de se mesurer à l'anxiété et à la peur, d'exprimer les affects, etc. Il s'agit alors d'un théâtre où l'enfant peut mettre en scène les sujets qui le préoccupent, apprendre à les exprimer (notamment à les objectiver) et à les apprivoiser. La psychanalyse a bien documenté le rôle cathartique du jeu sur le plan affectif : en plus de permettre l'expression de sentiments et de fantasmes, il laisse aussi à l'enfant la possibilité de réinterpréter ses expériences négatives en les remettant en scène dans une activité ludique qu'il est en mesure de contrôler, ce qui n'est pas nécessairement le cas dans « sa vraie vie ». Parce qu'il fait souvent appel aux valeurs d'ouverture, d'honnêteté, de réciprocité, de soutien mutuel, le jeu de groupe représente un lieu privilégié d'établissement de relations interpersonnelles significatives. Les amis que l'enfant se fera au jeu et les expériences personnelles qu'il y vivra pourront contribuer largement à son développement émotionnel.

Différents auteurs se sont intéressés à l'évolution du jeu au cours de l'enfance. Le tableau 13.6 illustre la séquence des types de jeux qui prédominent à différents âges au cours de l'enfance. Notons que la prédominance d'un type de jeu à un âge donné ne présume en rien de la disparition complète des autres types de jeux dans le répertoire des conduites de l'enfant.

Selon Smilansky (1968), les quatre types de jeux présentés au tableau 13.6 comportent des fonctions cognitives différentes et suivent une progression du développement en forme de courbe normale. Autrement dit, leur fréquence est d'abord basse, augmente et culmine à un âge donné; ce sommet est suivi d'une diminution progressive de l'activité.

L'évolution du jeu au cours de l'enfance traduit bien sa fonction d'intégration des acquis du développement. Les changements observés dans le type d'action, de langage, de symbolique, de jeu de rôles, de stratégie, etc., permettent d'affirmer que si le jeu est un puissant stimulant du développement, il est aussi un reflet fidèle de l'évolution de la personne.

## 13.5    L'AGRESSIVITÉ CHEZ L'ENFANT

### 13.5.1    L'incidence de l'agressivité chez l'enfant

Le comportement agressif de l'enfant est souvent considéré comme l'opposé du comportement prosocial. Pourtant, combien de parents accepteraient de poursuivre un objectif « zéro » pour leur enfant en matière d'agressivité? Est-il souhaitable que l'enfant n'exprime aucune agressivité? Théoriquement certes, mais pratiquement, des questions nous viennent spontanément à l'esprit : l'enfant dépourvu d'agressivité ne risque-t-il pas d'être la proie des autres? Ne faut-il pas apprendre à se battre pour réussir dans la vie? Comment concilier force et détermination sans dynamisme intérieur?

Sans vouloir répondre à ces questions, précisons tout de suite que l'agressivité dont il est question ici ne renvoie pas au dynamisme intérieur, au goût de s'affirmer, voire d'entrer en compétition. Il s'agit plutôt des conduites antisociales qui consistent à agresser les autres physiquement ou verbalement. Pourquoi certains enfants ont-ils des problèmes d'agressivité et d'autres pas?

Patterson, DeBaryshe et Ramsey (1989) citent une série de recherches démontrant que la stabilité des conduites antisociales chez l'enfant rivalise avec celle du QI. Les recherches longitudinales portant sur les enfants

**Tableau 13.6** Types de jeux observés au cours de l'enfance

| Type de jeu | Description | Exemples | Âge où le jeu est le plus fréquent |
|---|---|---|---|
| Jeu fonctionnel | Mouvements simples et répétés, avec ou sans objet | − Courir dans une pièce<br>− Pousser un landau<br>− Sauter sur un tapis | 1-2 ans |
| Jeu de construction | Production d'un objet | − Jeu de blocs à assembler<br>− Casse-tête<br>− Dessin | 3-6 ans |
| Jeu à faire semblant | Jeu de rôles avec ou sans matériel | − Jouer à l'école ou au docteur<br>− Théâtre de marionnettes<br>− Déguisements | 3-7 ans |
| Jeu avec règles | Activité requérant la compréhension et le respect de règles | − Hockey<br>− Ballon<br>− Cartes<br>− Scrabble<br>− Marelle | 6-11 ans |

Sources : Adapté de L.E. Berk (1989), *Child Development*, Boston, Allyn and Bacon ; J. Bissonnette, N. Ingels et R. Cloutier (1984), « L'effet du ratio enfant-éducatrice sur le comportement en garderie », *Apprentissage et sociologie*, 7 (2) ; S. Smilansky (1968), *The Effects of Sociodramatic Play on Disadvantaged Children: Preschool Children*, New York, Wiley.

antisociaux démontrent qu'à l'âge adulte, ils éprouvent de nombreuses difficultés, et ce, à un taux bien supérieur à la moyenne: alcoolisme, accidents, chômage chronique, divorce, maladies physiques et mentales, ou demande d'aide sociale. Or, c'est dans l'enfance que se trouvent les racines de ce problème social.

Selon Gagnon (1989), entre 4% et 10% des enfants du début du primaire, selon qu'il s'agit de garçons ou de filles, ou que ce soit la mère à la maison ou l'enseignante à l'école qui en juge, manifestent fréquemment des comportements agressifs: destruction de leurs affaires (les leurs ou celles des autres), bagarres, coups, intimidation, dénigrement, etc. En revanche, au début de la fréquentation scolaire, on estime qu'entre 50% et 60% des enfants n'afficheraient pas ces comportements et que 20% à 30% des enfants présenteraient occasionnellement des comportements agressifs. La fréquence élevée de comportements agressifs serait stable dans le temps chez les sujets les plus agressifs qui présenteraient par ailleurs d'autres indices de mésadaptation psychosociale tels que le rejet par les pairs et un faible rendement scolaire.

D'après Cloutier et Dionne (1981), la fréquence des échanges agressifs entre les petits culmine vers deux ans pour diminuer graduellement jusqu'à l'âge de cinq ans. En fait, l'acquisition du langage permettrait de mettre en place des substituts au règlement physique des conflits, ce qui expliquerait l'augmentation de la fréquence des échanges agressifs verbaux chez les 2 à 4 ans, alors que la répression des conduites agressives par le milieu fait son effet. Au cours des quatre premières années de l'enfance, on observe habituellement une diminution du nombre de décharges d'énergie agressive non dirigées (crises de colère). Ces accès déclinent brusquement autour de quatre ans, tandis que les réponses de revanche augmentent au cours de cette période, l'accroissement le plus net se produisant après trois ans (Cloutier et Dionne, 1981). Cette évolution du type de conduite agressive à l'âge préscolaire va de pair avec la différenciation accrue des conduites interactives: avec le temps, l'enfant apprend à mieux lire les autres et se fait aussi mieux comprendre d'eux.

> À mesure que l'enfant apprend à verbaliser ses émotions il remplace graduellement ses expressions physiques d'agressivité par des contenus verbaux. Plus subtils et mieux appropriés à la communication, les échanges verbaux deviennent le mode privilégié d'expression. Cette évolution des manifestations agressives avec l'âge dépend donc de l'aptitude des enfants à exprimer verbalement leurs désirs, leurs émotions ou leurs sentiments. La manifestation physique de l'agressivité, même si elle diminue en fréquence, ne disparaît pas complètement. Elle devient plus extrême dans la hiérarchie des manifestations agressives. Une querelle physique d'enfants de 6 ans possède donc une signification différente de celle d'enfants de 3 ans. Pour ces derniers, la bousculade arrive plus vite, va souvent moins loin, cesse plus rapidement et, surtout, laisse des blessures moins profondes d'amour-propre. (Cloutier et Dionne, 1981, p. 27.)

Deux catégories d'influence seraient à l'origine de l'agressivité:

1) les prédispositions biologiques;
2) l'influence du milieu, surtout de la famille.

### 13.5.2 Les prédispositions biologiques à l'agressivité

Pour Olweus (1980, 1982), les garçons qui présentent un taux de testostérone supérieur sont plus impatients, plus irritables et se perçoivent eux-mêmes comme plus sujets à répondre agressivement aux provocations des pairs. Certains individus auraient donc des prédispositions biologiques à l'agressivité, prédispositions qui, au contact d'un environnement favorisant les conflits, produiraient ce que l'on appelle des enfants agressifs. Cette observation est en accord avec les études qui associent chez l'enfant un tempérament difficile et des difficultés relationnelles persistantes (Maziade, Boutin, Côté et Thivierge, 1986, 1987). Mais l'argument le plus évident en faveur de l'hypothèse de déterminants biologiques de l'agressivité est encore la nette surreprésentation des garçons par rapport aux filles dans l'ensemble du domaine de la violence en psychologie. Certes, il serait trop simple d'invoquer uniquement la testostérone; pour éclore, les prédispositions doivent trouver un terrain propice. Néanmoins, on ne peut nier le fait que, dans l'ensemble, les textes portant sur l'agression et l'agressivité humaine visent essentiellement les garçons. Dès l'époque de la garderie, les manifestations d'agressivité physique chez les garçons sont beaucoup plus fréquentes que chez les filles (Cloutier et Dionne, 1981). Au début de l'âge scolaire, Gagnon (1989) rapporte que la fréquence de l'agressivité verbale chez les garçons et les filles ne diffère pas beaucoup («blâme les autres»), mais que les garçons se battent trois fois plus que les filles. Nous n'étudierons pas plus en détail cette question de l'influence respective de la biologie et de l'éducation dans l'agressivité. Il est certain, toutefois, qu'il est plus facile d'envisager la prévention et le contrôle de l'agressivité chez l'enfant au sein des milieux de vie qui lui sont offerts que du côté de ses prédispositions biologiques.

### 13.5.3   L'influence du milieu sur le développement de l'agressivité

La famille dans laquelle se développe l'enfant agressif a été constamment désignée comme le premier centre d'entraînement aux conduites antisociales. Généralement, la famille de ces enfants antisociaux manifeste les trois comportements suivants :

1) une discipline rude et incohérente ;

2) un engagement parental déficient auprès des enfants ;

3) une faible supervision des activités des enfants (Cloutier, 1985 ; Fréchette et Leblanc, 1987 ; Patterson et autres, 1989).

Ces comportements témoigneraient d'un faible attachement parent-enfant, lequel perturberait à son tour le processus d'identification vis-à-vis des parents et d'intériorisation des valeurs parentales et sociales. Il en résulterait un manque de contrôle interne. Certains auteurs estiment que la famille de l'enfant antisocial ne présente pas seulement des carences relationnelles : elle constitue un véritable centre actif d'apprentissage à l'égard des comportements antisociaux (Patterson, 1982 ; Wahler et Dumas, 1987). L'inconsistance dans la distribution des récompenses et des punitions dans ces familles ferait que chaque jour plusieurs interactions coercitives de l'enfant sont renforcées ou non réprimées.

> Alors que certains renforcements sont positifs (attention, rire, approbation), l'ensemble de contingences le plus important consiste en des contingences d'évitement-conditionnement. Dans ces dernières, l'enfant utilise des comportements aversifs pour mettre fin à des intrusions aversives d'autres membres de la famille. Dans ces familles, les comportements coercitifs sont fonctionnels. Ils permettent de survivre dans un système social hautement aversif. (Patterson et autres, 1989, p. 330.)

À mesure que s'installe le processus, on observe aussi une escalade dans la hiérarchie des comportements coercitifs qui peuvent aller jusqu'aux coups.

L'enfant apprend à exercer un contrôle sur les autres par des moyens coercitifs.

Parallèlement à cet apprentissage actif de conduites coercitives qui trouvent leur utilité, la famille typique de l'enfant antisocial se caractérise par un faible taux de conduites prosociales (manifestations d'empathie, offre d'aide, reconnaissance, etc.). Comme les tentatives spontanées de l'enfant sont souvent ignorées et que les modèles adultes ne manifestent que très peu de conduites prosociales, l'enfant ne peut acquérir d'habiletés sociales positives.

Lorsque l'enfant sort de son milieu familial pour entrer à l'école, un tel profil d'acquisition débouche généralement sur le rejet par les pairs, mais souvent aussi sur l'échec scolaire, car ce type d'enfant est incapable de se contrôler suffisamment pour effectuer efficacement les tâches d'apprentissage. Au contraire, il excelle dans la résistance aux tentatives de contrôle des enseignants. Quant au rejet des pairs, Patterson et autres (1989), en s'appuyant sur plusieurs recherches, affirment que ce sont les comportements agressifs qui mènent au rejet et non pas l'inverse (c'est-à-dire le rejet qui amène l'agressivité), d'autant plus que les déficits sur le plan prosocial rendent l'enfant agressif malhabile quand il s'agit de se présenter aux autres, de comprendre les règles du groupe ou de décoder les intentions des autres.

Éventuellement, aux abords de l'adolescence, un tel profil favorisera l'affiliation à un groupe de pairs déviants, prolongeant ainsi l'influence familiale vers la délinquance, un processus que la supervision parentale déficiente ne parviendra pas à contrer. La figure 13.1 présente un modèle qui résume les étapes de développement du comportement antisocial.

### 13.5.4   La prévention de l'agressivité chez l'enfant

Chez l'enfant, l'agressivité est liée aux habiletés de ce dernier à se comporter de façon adéquate en société, mais elle dépend aussi des pratiques en cours dans le milieu familial où il continue de grandir. Aussi, le processus d'acquisition des habitudes coercitives commence tôt, dès les premières interactions sociales ; en conséquence, le pronostic de traitement variera selon l'âge de l'enfant. Ici, les méthodes de prévention de l'agressivité chez l'enfant sont aussi considérées comme préventives du rejet par les pairs dont nous avons traité précédemment.

**Figure 13.1    Les étapes de l'évolution vers le comportement antisocial selon Patterson**

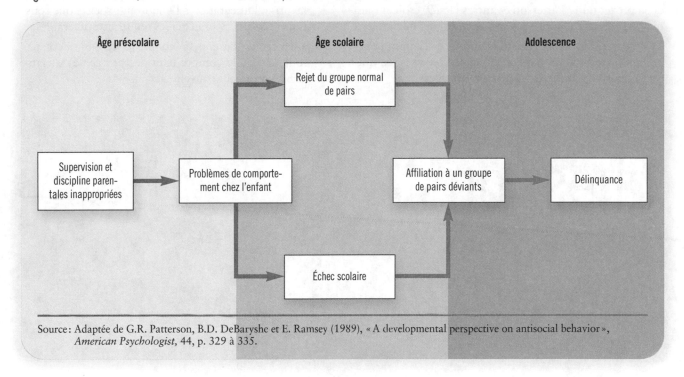

Source : Adaptée de G.R. Patterson, B.D. DeBaryshe et E. Ramsey (1989), « A developmental perspective on antisocial behavior », *American Psychologist*, 44, p. 329 à 335.

Kazdin (1987), qui s'appuie sur une revue des textes portant sur les tentatives de traitement d'adolescents délinquants, constate que dans les meilleurs cas, les gains sont temporaires et s'estompent avec le temps. L'auteur observe que le succès est plus tangible lorsque l'intervention s'effectue avant l'adolescence et qu'elle concerne le jeune ainsi que ses parents. L'intervention sociale auprès des délinquants est très complexe, comme le font remarquer Tremblay, Favard et Jost (1985) : les conceptions de la délinquance varient d'un pays à un autre et d'une époque à une autre, les ressources humaines et matérielles changent aussi, de sorte que le tableau est en constant mouvement. Pourtant, la communauté internationale des chercheurs s'entend pour reconnaître que l'échec de socialisation des enfants représente l'un des problèmes sociaux les plus importants et les plus durables, qui alimentent toute une série d'inadaptations psychosociales, en plus d'être à l'origine de la violence et de la criminalité.

L'importance de la participation des parents dans l'apprentissage social de l'enfant est confirmée par la réussite des traitements auxquels ils participent (Dumas, 1988 ; Kazdin, 1987). Cependant, il n'est pas toujours facile d'obtenir l'aide des parents dans une démarche destinée à prévenir ou à traiter leur enfant. Les comportements antisociaux d'un des parents, ou des deux, constitueraient l'un des facteurs de risques les mieux connus du comportement antisocial de l'enfant : il existerait une forte transmission intergénérationnelle de ce type de conduite (Cloutier, 1985 ; Elder, Caspi et Downey, 1983 ; Robin et Earls, 1985). Les pères qui font état de pratiques disciplinaires rudes de la part de leur propre père sont plus irritables avec leurs enfants, auxquels ils imposent à leur tour des pratiques disciplinaires rudes (Elder et autres, 1983 ; Patterson et Dishion, 1988). Il y a plus de risque de trouver des enfants présentant des problèmes d'agressivité dans les familles provenant de milieux défavorisés : les parents, moins scolarisés, ont tendance à utiliser une discipline coercitive et stimulent moins leurs enfants sur le plan cognitif. Ces familles vivent aussi des stress qui contribuent à augmenter les conduites parentales coercitives (Bouchard et Desfossés, 1989).

Dans un tel contexte, est-il possible de faire de la prévention ? Patterson et autres (1989) croient que oui, si l'on tient compte des trois conditions suivantes :

1) intervenir le plus tôt possible auprès de l'enfant pour qu'il acquière les habiletés sociales requises, ce qui suppose des outils de dépistage efficaces ;

2) intervenir aussi sur le plan des apprentissages pour favoriser l'intégration à l'importante société que constitue l'école et pour éviter les retards irrécupérables ;

3) amener les parents à coopérer, ce qui n'est pas toujours facile compte tenu des problèmes sociaux qu'ils éprouvent souvent eux-mêmes.

# Questions

1. Quelle est la contrepartie des importantes capacités d'apprentissage qui caractérisent l'espèce humaine ?

2. Mentionnez un des facteurs qui contribuent à la survie des êtres humains selon Tattersall (2002).

3. Quelle est la fonction des expressions de détresse émises par le nourrisson selon Izard (1991) ?

4. À quel âge les expressions d'intérêt sont-elles produites par l'enfant ?

   a) quelques heures après la naissance

   b) quelques jours après la naissance

   c) vers le troisième mois

   d) vers le huitième mois

5. *Vrai ou faux*. Selon Sroufe (1995), les échanges de sourires entre le nourrisson et les personnes de son entourage social ne jouent qu'un rôle mineur dans la consolidation des liens sociaux.

6. Parmi les émotions suivantes, lesquelles émergent le plus tardivement ?

   a) la peur et le dégoût

   b) la joie et la colère

   c) la honte et la fierté

   d) la peur et la colère

7. À quelles conditions l'enfant peut-il ressentir de la culpabilité ?

8. Quelle est l'une des premières manifestations de la formation de la relation d'attachement ?

9. *Vrai ou faux*. Une fois apparue, la peur de la personne étrangère se manifeste systématiquement dans toutes les circonstances.

10. La peur de la personne étrangère est l'une des manifestations de la formation du lien d'attachement. Nommez une autre manifestation de la formation de ce lien.

11. Sur quels comportements porte essentiellement l'évaluation de l'attachement à l'aide de la situation étrange mise au point par Ainsworth, Blehar, Waters et Wall (1978) ?

12. Quel style d'attachement se caractérise par l'absence de détresse lors des épisodes de séparation et par une faible tendance à initier le contact avec le parent lors des épisodes de réunion ?

*a)* l'attachement sécurisant

*b)* l'attachement désorganisé

*c)* l'attachement caractérisé par l'évitement

*d)* l'attachement caractérisé par l'ambivalence

13. *Vrai ou faux.* Le style d'attachement a une forte tendance à demeurer le même au cours des six premières années de vie lorsque le contexte familial est stable.

14. Un certain nombre de recherches indiquent qu'un attachement sécurisant à l'égard de la mère dépendrait de la sensibilité que celle-ci porte à son enfant. Comment cette sensibilité peut-elle se manifester ?

15. *Commentez l'affirmation suivante.* La relation d'attachement en bas âge prédit de façon précise le développement ultérieur de l'enfant, même à la toute fin de l'enfance.

16. Quel est le style d'attachement le plus fréquent dans les différentes cultures étudiées à ce jour ?

17. Nommez les trois composantes de la moralité.

18. Combien de stades du développement moral Piaget (1932) proposait-il dans son livre *Le jugement moral chez l'enfant* ?

*a)* deux

*b)* trois

*c)* quatre

*d)* cinq

19. *Vrai au faux.* Au cours du premier stade du développement moral (Piaget), les actes sont jugés en fonction de leurs conséquences objectives, et l'intention de l'auteur n'est pas prise en considération dans le raisonnement de l'enfant.

20. À partir de quel âge environ la morale d'hétéronomie apparaît-elle ?

*a)* 5–6 ans

*b)* 8–9 ans

*c)* 11–12 ans

*d)* 13–15 ans

21. Décrivez la méthode privilégiée par Kohlberg pour recueillir les données servant à l'étude du développement moral.

22. En respectant l'ordre dans lequel elles sont mentionnées, associez chacune des affirmations suivantes au stade auquel elle correspond.

1) La bonne action est motivée par la volonté de maintenir de bonnes relations avec l'entourage et d'éviter sa désapprobation.

2) Le raisonnement moral est fondé sur le principe qu'il faut obéir aux règles pour éviter les punitions.

3) La personne se place comme un observateur impartial jugeant selon des principes orientés vers le bien commun.

4) L'obéissance aux règles est motivée par les avantages qu'elle peut apporter, par les intérêts qu'elle peut servir dans un monde où les autres sont perçus comme agissant aussi en fonction de leurs propres intérêts.

*a)* l'orientation de la punition et de l'obéissance simple

*b)* l'orientation du relativisme utilitariste

*c)* l'orientation de la bonne concordance interpersonnelle

*d)* le contrat social

23. *Vrai ou faux.* Dans la perspective de l'apprentissage social sur le jugement moral, Bandura (1986) endosse aussi l'idée que les guides de la conduite viennent d'abord de l'extérieur.

24. *Vrai ou faux.* Une même personne peut avoir des normes d'autoévaluation très variables d'une situation à l'autre.

25. Nommez deux facteurs responsables d'une plus ou moins grande capacité d'autocontrôle selon Perry et Bussey (1984).

26. *Vrai ou faux.* Les parents qui sont peu exigeants, inconstants dans leurs règlements et injustes dans leurs interventions ont des enfants qui se situent au bas des échelles évaluant l'intériorisation des normes sociales.

27. Dans la société nord-américaine, les parents ont-ils exactement les mêmes attentes envers leurs garçons qu'envers leurs filles quant au contrôle des émotions ?

28. Selon l'approche éthologique, quel est le principal facteur qui explique le maintien de certains comportements sociaux ?

29. Nommez deux catégories de besoins dont la satisfaction serait liée à l'attachement à l'égard des parents selon l'approche éthologiste.

30. Quelle fonction du développement Piaget attribue-t-il à l'interaction avec les pairs?

31. Nommez deux des trois mécanismes sous-jacents à l'influence des pairs selon Perry et Bussey (1984).

32. Nommez trois comportements prosociaux généralement bien accueillis par les pairs.

33. *Vrai ou faux.* L'arrivée d'un pair inconnu peut susciter, chez l'enfant, une certaine appréhension comparable en intensité et en durée à la réaction vis-à-vis d'un adulte étranger.

34. Indiquez deux avantages liés à l'accès à la pensée réversible chez l'enfant dans ses interactions sociales.

35. *Vrai ou faux.* De 6 à 11 ans environ, la fréquence des interactions sociales incluant un adulte augmente graduellement, comparativement à celle des interactions comprenant un pair, qui diminue au cours de cette période.

36. Nommez trois des quatre types de relations possibles entre les pairs.

37. Selon Oden (1988), quelle proportion des pairs seraient classés « meilleurs amis » en 4e, en 5e et en 6e année?

   a) ± 50 %

   b) ± 10 %

   c) ± 25 %

   d) ± 45 %

38. Nommez trois des quatre catégories d'enfants que les échelles sociométriques permettent typiquement d'identifier.

39. Nommez deux des trois distinctions entre le jeu et les autres activités de l'enfant.

40. *Vrai ou faux.* Selon Piaget, le jeu représente l'effort de l'enfant pour comprendre les choses et leur donner un sens.

41. Quel est le rôle principal du jeu sur le plan social?

42. *Vrai ou faux.* D'après l'approche humaniste psychanalytique, le jeu remplit un rôle cathartique du point de vue affectif : il permet l'expression des sentiments, de fantasmes, tout en permettant à l'enfant de réinterpréter ses expériences négatives.

43. Quel est le pourcentage d'enfants du début du primaire qui manifestent fréquemment des comportements agressifs (selon Gagnon, 1989)?

   a) de 1 % à 3 %

   b) de 4 % à 10 %

   c) de 12 % à 17 %

   d) 18 % et plus

44. Quelle acquisition chez l'enfant permet de développer des substituts au règlement physique des conflits?

45. Quelle hormone présente en quantité supérieure chez le garçon associe-t-on à une plus grande impatience, à l'irritabilité et à la tendance à l'agressivité?

46. *Vrai ou faux.* On observe des prédispositions biologiques à l'agressivité chez certains individus.

47. Nommez deux caractéristiques familiales typiques des enfants antisociaux.

48. *Vrai ou faux.* Selon Patterson et autres (1989), les comportements agressifs mènent au rejet de la part des pairs mais non l'inverse (c'est-à-dire le rejet qui amène l'agressivité).

49. *Vrai ou faux.* Il est relativement facile d'obtenir la participation des parents dans le traitement de leur enfant délinquant.

50. Nommez deux des trois conditions pour la prévention de la délinquance établies par Patterson et autres (1989).

## Chapitre 14

# La famille, la garderie et l'école

Richard Cloutier

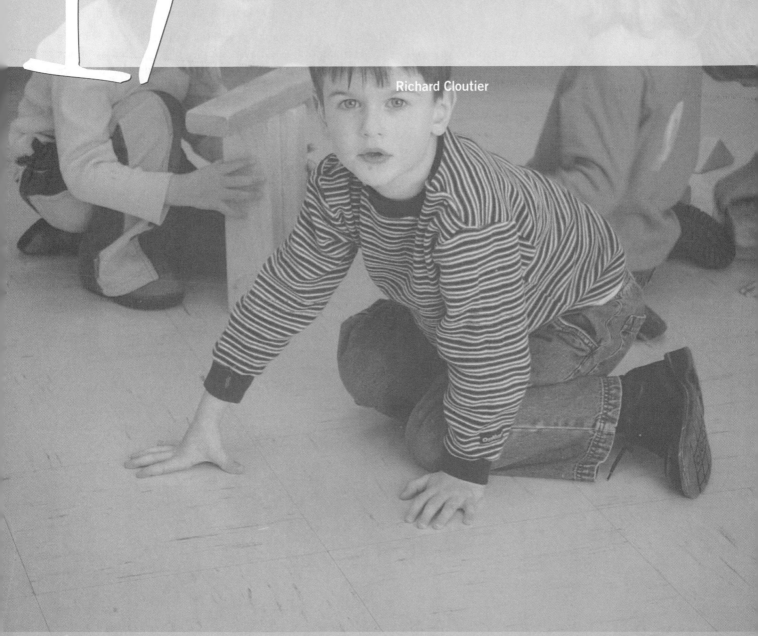

## 14.1   INTRODUCTION

Le présent chapitre porte sur les agents de socialisation que constituent pour l'enfant la famille, la garderie et l'école. Toutefois, nous traitons de ces trois thèmes de façon fort différente puisque la famille occupe beaucoup plus de place que la garderie et l'école, ce qui se justifie par son influence nettement plus grande sur l'enfant.

## 14.2   LA FAMILLE

Qu'est-ce qu'une famille ? Les démographes, les sociologues, les anthropologues, les psychologues, définissent la famille selon des critères distincts, et même à l'intérieur de chacune de ces disciplines, les conceptions de la famille divergent. Dans une optique sociologique recherchant la structure sociale qui relie la personne et la société, on peut considérer la famille comme un groupe domestique, c'est-à-dire un ensemble de personnes qui partagent le même espace de vie. Il est aussi possible d'employer le concept de ménage pour décrire l'entité sociale composée d'un couple uni par alliance avec ses enfants éventuels. Ainsi, un groupe domestique peut réunir plusieurs ménages d'une même génération ou de générations différentes, comme dans la famille élargie où cohabitent grands-parents, parents et enfants (Segalen, 1988). Dans une perspective démographique, on peut s'appuyer sur la notion d'unité de logement pour dénombrer le nombre de foyers dans une zone géographique donnée.

Au-delà du concept de famille, la notion importante de parenté particularise les liens sociaux entretenus entre personnes de même sang, ou réunies par alliance ou par adoption. Mère, père, sœur, frère, tante, oncle, cousine, belle-mère, beau-père, etc., sont autant de référents sociaux basés sur les liens de parenté. Si l'on valorise la famille nombreuse offrant à l'enfant des contacts soutenus avec ses parents et grands-parents, qui assurent la continuité dans les valeurs familiales, alors la famille contemporaine est décevante, elle qui, rétrécie, ne compte plus que quelques membres, avec des parents qui travaillent à l'extérieur du foyer et confient très tôt leur enfant à des étrangers, en garderie.

En revanche, si l'on estime que la famille contemporaine est plus souple, plus généreuse, moins autocratique, moins contraignante que l'autre, dite « traditionnelle », et qu'elle sert mieux l'épanouissement des personnes, alors ne regrettons pas l'époque de nos grands-parents. Mais ce débat intéressant ne peut retenir notre attention, et la définition de la famille que nous adopterons est directement centrée sur notre premier sujet d'intérêt : l'enfant.

Dans ce contexte, la relation fonctionnelle entre un parent et un enfant constitue le fondement de la famille. Pour nous, une famille est une unité durable de vie comportant au moins un parent (ou son substitut) et au moins un enfant. La famille peut compter deux parents, comme c'est le cas pour la famille dite « nucléaire », mais dès qu'il existe une relation fonctionnelle durable entre un adulte agissant comme parent et un enfant, nous parlons d'une famille. Ici, le qualificatif « durable » n'est pas synonyme de permanent ; il exclut les relations irrégulières et occasionnelles qu'un parent et son enfant pourraient entretenir. La relation entre l'adolescente de 17 ans vivant avec son enfant de six mois

Même si toutes les familles ne comptaient pas douze enfants à l'époque de nos grands-parents, elles offraient un milieu de vie très différent de celui que constitue la famille d'aujourd'hui.

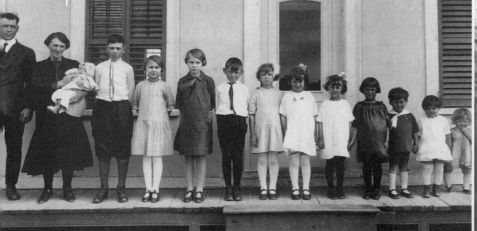

définit la famille de ce dernier, mais la relation entre un homme et une femme sans enfant définit un couple et non pas une famille; le lien qu'entretient un adulte de 45 ans avec sa mère de 80 ans définirait aussi une famille, tandis que celui de deux sœurs de 30 et 35 ans vivant ensemble ne le ferait pas. Bref, la famille existe si un parent et un enfant vivent ensemble.

## 14.2.1  Les fonctions de la famille auprès de l'enfant

> Pour le meilleur et pour le pire, chacun de nous transporte en soi sa famille originelle, en tant qu'ingrédient, en tant que constituant de son organisation comportementale propre, tantôt comme un poids et une source de limitations, tantôt au contraire comme une force et une richesse. (Osterrieth, 1970, p. 152.)

La famille exerce des fonctions bio-psycho-sociales auprès de l'enfant, c'est-à-dire qu'elle exerce sur lui une influence biologique, psychologique et sociale, ces zones d'influence pouvant aussi interagir entre elles. Le plus souvent, la famille met en présence une femme, un homme et un enfant. Le lien entre la femme et l'homme a un caractère social, fondé sur une alliance plus ou moins claire, plus ou moins durable, tandis que le lien qui unit chacun des géniteurs à l'enfant en est un d'engendrement, de transmission génétique qui définit l'enfant physiquement. Ce lien du géniteur avec son enfant est permanent (on est parent pour la vie), même si sur les plans psychologique et social, un parent adoptif peut assumer les rôles parentaux.

Ainsi, parce que le corps constitue le fondement de l'identité personnelle, la première contribution de la famille est de définir l'identité physique de l'enfant. L'apparence extérieure du corps n'en est pas la seule composante puisque l'identité physique englobe aussi les propriétés physiologiques et neurologiques, lesquelles déterminent la façon dont la « machine corporelle » exécute ses fonctions vitales (respiration, alimentation, sommeil, élimination, sensorimotricité, etc.), ainsi que ce qu'il est convenu d'appeler le tempérament (réactivité générale, sensibilité émotionnelle, etc.). Cette identité physique, définie en bonne partie par le bagage héréditaire, donne un cadre à l'identité psychologique qui s'épanouira avec le processus de socialisation.

La famille assure aussi la satisfaction des besoins vitaux de l'enfant: nourriture, hygiène et protection (vêtements, habitation, sécurité, etc.). Donc, sur le plan biologique, la famille engendre l'enfant, elle détermine ses caractéristiques physiques (apparence et physiologie) et assure la satisfaction de ses besoins fondamentaux.

Sur le plan psychologique, la famille représente le principal contexte affectif et cognitif de développement pour l'enfant. En tant que milieu de vie, elle offre à l'intelligence du jeune des stimulations qui influent directement sur son éveil cognitif. C'est aussi dans la famille que se créent les premiers liens d'attachement, les premières relations émotionnelles, celles qui servent de prototypes à toutes celles qui vont suivre. Les caractéristiques de la composition familiale (le nombre de membres, leur âge, leur sexe, etc.) définissent la position de l'enfant dans la fratrie et les rôles qu'il sera appelé à jouer dans la dynamique de l'ensemble. Les habitudes de santé (hygiène, nutrition, langage, etc.), les attitudes et les valeurs humaines, les règles morales, sont d'autres exemples de dimensions psychologiques sous l'influence de la famille. Stimulation intellectuelle, établissement des premières relations affectives, inculcation des attitudes et de valeurs humaines, figurent donc parmi les fonctions psychologiques que la famille exerce auprès de l'enfant.

Socialement enfin, la famille est un système en évolution qui repose sur la dynamique des relations conjugale, parentale, fraternelle qu'il renferme. Chacune de ces relations influe sur les autres: le climat qui prévaut entre les conjoints (relation conjugale) influe sur les rapports entre les parents et les enfants (relation parentale), et les interactions entre les enfants sont aussi modulées par celles qui existent avec et entre les parents. Selon sa structure parentale, la qualité de ses liens et de ses rôles, les modèles sociaux qu'elle présente à l'enfant, son réseau de relations extérieures, chaque famille offre au jeune un environnement unique. Les ressources économiques dont elle dispose pour supporter le développement du jeune peuvent influer sur la future position sociale de ce dernier. La famille conditionne directement l'inscription sociale de l'enfant. En effet, les ressources humaines et matérielles de soutien que la famille met à la disposition de l'enfant, notamment en matière de scolarisation et de patrimoine hérité, conditionnent son statut socio-économique ultérieur. Fournir des modèles sociaux, inscrire l'enfant dans un réseau de relations sociales, soutenir matériellement son développement social (école, amis, loisirs, etc.) figurent donc parmi les fonctions sociales que la famille assure auprès de l'enfant.

En résumé, la famille est appelée à remplir des fonctions bio-psycho-sociales auprès de l'enfant, en même temps qu'elle remplit des fonctions qui contribuent à la survie de la société dont elle représente la cellule de base. La façon dont la cellule familiale s'est acquittée de ces tâches a varié au cours de l'histoire récente. La section qui suit décrit sommairement cette évolution de la famille depuis un demi-siècle.

### 14.2.2 L'histoire récente de la famille

Cette section porte sur l'évolution de la famille depuis une cinquantaine d'années. C'est le manque d'espace et non pas l'intérêt du sujet qui nous amène à laisser de côté l'histoire plus ancienne de la famille à laquelle l'histoire de l'enfance est si étroitement liée. Burguière, Klapisch-Zuber, Segalen et Zonabend (1986) ont rassemblé des renseignements considérables sur l'histoire lointaine et récente de la famille. Le lecteur désireux d'approfondir ce sujet se reportera à cet ouvrage maintenant traduit dans plusieurs langues (*Histoire de la famille*). À ce sujet, il est intéressant de constater que, souvent, les perceptions du public quant aux caractéristiques de la famille ne correspondent pas aux données historiques. Par exemple, on a souvent l'impression qu'au fil des ans, la famille typique des générations qui nous précèdent a toujours compté un nombre élevé d'enfants et que le nombre moyen d'enfants par famille ne s'est mis à baisser que depuis une génération ou deux. Or, cette perception ne correspond pas à l'évolution démographique réelle de la famille occidentale depuis deux siècles. Les données démographiques de la France indiquent que le taux de fécondité (c'est-à-dire le nombre moyen de naissances vivantes par femme) n'a cessé de baisser depuis 1800 dans ce pays, passant de 3,4 à 1,9 avant 1900 pour remonter graduellement à 2,9 en 1964 et redescendre à 1,8 aujourd'hui. Des pays comme l'Angleterre, l'Italie, l'Espagne et la Suède ont connu une évolution identique, c'est-à-dire une baisse graduelle pendant plusieurs générations, une hausse vers les années 1945 à 1960, puis une forte baisse jusqu'à aujourd'hui (CFE, 2002; Segalen, 2002). Au Québec, l'indice synthétique de fécondité était de 3,6 en 1950 pour atteindre 1,47 en 2001, nettement sous le seuil de 2,1 requis pour le remplacement de la population. Par ailleurs, les femmes sont plus nombreuses à ne pas avoir d'enfant et elles ont leur premier enfant de plus en plus tard: l'âge moyen est passé de 27,3 ans en 1990 à 28,25 ans récemment (ISQ, 2002).

Au début de la Nouvelle-France, le nombre moyen d'enfants par famille ayant émigré de France avant 1680 était de 7,3, ce qui représentait certainement un taux de natalité élevé, mais 37 % des enfants mouraient avant d'atteindre l'âge de la majorité, ce qui porte la moyenne à environ 4,6. L'âge moyen au premier mariage était alors de 28 ans pour les hommes et de 21 ans pour les femmes (Landry et Légaré, 1987). Ainsi, même pour le contexte colonial du XVIIe siècle où la contribution économique des enfants était très valorisée, ces données ne correspondent pas à l'idée populaire voulant qu'aux premiers temps du Québec, les jeunes se mariaient bien avant 20 ans et avaient généralement plus de 10 enfants. La forte montée du taux de fécondité au Canada après la Seconde Guerre mondiale – le *baby boom* – et la prégnance de l'image des grandes familles rurales du début du siècle dans le souvenir populaire contribuent probablement à entretenir ces préjugés sur la famille des générations antérieures. L'évolution du taux de fécondité au cours du temps n'est pas seulement une donnée démographique intéressante pour l'histoire de l'enfant dans sa famille. En effet, ce type de facteurs revêt une signification psychosociale importante puisqu'il détermine plusieurs caractéristiques bien concrètes de l'environnement dans lequel l'enfant se développe, par exemple le nombre de membres de la fratrie, le partage des ressources humaines et matérielles disponibles, etc.

En Amérique du Nord et en Europe occidentale, il est clair que la famille de l'an 2000 n'est plus celle de 1950. Premièrement, elle compte moins de membres en raison de la dénatalité importante qu'elle a connue. Deuxièmement, les rapports hommes-femmes ont été marqués par de profonds changements au sein de la famille:

1. En majorité, les mères occupent un emploi à l'extérieur du foyer. Le nombre de mères de 20-44 ans (ensemble des femmes ayant au moins un enfant de moins de 16 ans à la maison) présentes sur le marché du travail est passé de 36,8 % à 69,9 % entre 1976 et 2000 (CFE, 2002; Gauthier et autres, 1998).

2. Une proportion significative de familles sont fondées sur une union libre entre les conjoints plutôt que sur un mariage civil ou religieux. Le recul du mariage s'est traduit par une augmentation proportionnelle des couples vivant en union libre. En 1996, ceux-ci représentaient 23 % de l'ensemble des unions, avec une poussée à plus de 70 % dans le

groupe des 20-24 ans (CFE, 2002). La majorité des nouveaux parents vivent en union libre, ce qui explique que 58,5 % des enfants sont nés hors mariage en 2001 (ISQ, 2002). Or, comme la probabilité que les couples en union libre se séparent est deux fois plus élevée que chez les couples mariés, les enfants issus de ce type de couple risquent nettement plus que les autres de vivre des transitions familiales.

3. Environ 30 % des familles ont connu une séparation parentale (ISQ, 2001b). De ce fait, la nouvelle famille se caractérise par une mobilité structurelle vers la monoparentalité ou la recomposition qui contraste vivement avec la stabilité familiale des années 1950.

Ainsi, la dénatalité, l'emploi des mères, la diminution du nombre des mariages et la séparation parentale ont transformé la famille. Pour l'enfant, ces transformations exercent une influence considérable sur son environnement religieux, juridique, culturel mais aussi sur son environnement psychologique. Quelles peuvent être les conséquences psychologiques d'une enfance passée principalement au contact d'adultes, sans frères ni sœurs dans la famille ? Quel effet la garderie exerce-t-elle sur le développement psychologique de l'enfant ? Comment la séparation des parents influe-t-elle sur le développement de l'enfant ? Les différentes sections de ce chapitre nous permettront de faire la lumière sur ces questions que soulève l'évolution récente de la famille.

### 14.2.3  Le cycle de la vie familiale

Au cours de son existence, la famille évolue ; elle traverse des stades, comme une personne. Cependant, même si l'on peut considérer toute famille comme un système en évolution dans le temps, il est impossible de prétendre que les stades dits « normaux » de développement familial s'appliquent dans tous les cas. L'incidence de la séparation et de la recomposition des familles et la carrière des mères au regard de l'âge auquel elles ont leurs enfants expliquent qu'une proportion croissante de familles dérogent à la norme traditionnelle. Néanmoins, le temps passe pour tout le monde et les étapes qu'il apporte continuent de structurer les trajectoires des personnes. C'est pourquoi les modèles par stades du cycle de la vie familiale demeurent des repères utiles, même si l'on ne peut les appliquer à tous les cas. Carter et McGoldrick (1988, 1999) proposent six stades du cycle de la vie familiale en s'inspirant des modèles

couramment adoptés au cours des dernières décennies (Duvall, 1957, 1977 ; Hill, 1964 ; Hill et Rodgers, 1964 ; Olson et autres, 1983).

Le tableau 14.1 (page 390) décrit sommairement ces six stades que traverse généralement une famille nucléaire dans le cycle de sa vie. On notera que le développement des enfants joue un rôle central dans la définition des stades, cette évolution amenant les liens et les rôles à se transformer dans la cellule familiale. Il est possible d'aborder chaque stade selon trois axes de changement :

1) les changements concernant l'enfant quant aux attentes que ce dernier doit satisfaire à cette période de sa vie ;

2) les changements concernant les parents dans les rôles qu'ils doivent assumer à ce stade ;

3) les changements concernant la famille dans les fonctions qu'elle doit jouer à l'égard de ses membres et de sa communauté selon les attentes de la culture qui prévaut.

Dans ce cycle en six stades de la vie d'une famille nucléaire, la période de parentalité concerne principalement les stades 3 et 4 puisqu'ils correspondent aux périodes durant lesquelles les membres du couple ont des enfants à la maison et sont engagés dans leur éducation en tant que parents. Selon le nombre d'enfants, la longueur de la période de parentalité varie : elle peut s'étaler entre 20 et 25 ans environ dans le cas d'un enfant unique, pour atteindre 30 à 35 ans dans une famille de cinq enfants. De même, le nombre d'enfants est à l'origine d'un chevauchement plus ou moins grand des rôles parentaux d'un stade à un autre. Cette juxtaposition des rôles couvre parfois plusieurs stades différents si la période de parentalité s'étale sur une longue période. On peut concevoir, en effet, qu'un parent d'une famille comptant six enfants soit à la fois préoccupé par l'adaptation de la petite dernière à la garderie (3 ans) et par l'entrée de son fils aîné (18 ans) en première année d'université. Mais avec le nombre moyen d'enfants de la famille contemporaine, un tel chevauchement des stades familiaux devient de plus en plus rare. La dénatalité a pour effet de raccourcir la période de parentalité dans le cycle de vie familiale.

Le modèle de l'évolution de la famille nucléaire présenté au tableau 14.1 est sans doute commode pour dépasser l'étude de l'épanouissement des membres individuels de la famille et aborder celle-ci comme un système mouvant, mais il néglige deux dimensions importantes de la réalité familiale :

1) le statut du développement des parents en tant qu'individus ;

2) la cohorte historique dans laquelle la famille s'inscrit.

Le statut du développement individuel des parents est une dimension importante, car il influe directement sur les acquis dont ils disposent pour assumer leur rôle dans la famille. Par exemple, une adolescente célibataire de 17 ans qui vient de donner naissance à son premier

**Tableau 14.1** Les stades du cycle de vie d'une famille nucléaire selon Carter et McGoldrick

### Stade 1 : le jeune adulte

La façon dont le jeune adulte se distancie de sa famille d'origine influe profondément sur son insertion dans le cycle de sa propre famille : le jeune adulte vivra-t-il une union conjugale ? Avec qui ? Quand ? De quelle manière ? La réponse à ces questions importantes dépend de la transition vers l'indépendance adulte. Pour certains, cette transition prend plusieurs années, pour d'autres, elle est précoce et rapide, mais dans chaque cas, le cycle familial ultérieur en est affecté.

### Stade 2 : le couple ou la réunification de deux familles

Le couple en est encore à la « préfamille » puisque la cellule ne compte pas encore d'enfant. La réussite de la conjugalité représente le principal défi associé à ce stade. Carter et McGoldrick (1988, 1999) soulignent que la formation d'une union conjugale ne réunit pas seulement deux individus, mais deux cultures familiales qui serviront d'assise à la nouvelle famille. La distance relative de ces deux cultures d'origine sur le plan des valeurs, des attentes à l'égard des rôles, des habitudes de vie, etc., représente le défi que les deux conjoints devront relever pour fonder leur propre cellule familiale.

### Stade 3 : la famille avec de jeunes enfants

Les adultes entrent dans la zone parentale avec les rôles associés aux soins des enfants, le partage des responsabilités domestiques, la conciliation famille-travail, etc. En raison des multiples stress inhérents au fardeau parental, notamment dans le contexte des fortes contraintes relatives aux emplois occupés par les deux parents, le stade 3 est très exigeant, ce qui explique les risques de séparation qu'on y observe. Dans ce contexte, les enfants exercent une influence importante sur la famille, tant par leurs forces que par leurs vulnérabilités, ce à quoi les parents doivent s'adapter. La famille est alors centrée sur les besoins des enfants et pour ces derniers, les parents occupent la plus grande partie de la place relationnelle. Toutefois, la fréquentation des services de garde et de l'école marque l'arrivée dans la vie des petits de nouveaux partenaires d'interaction et le contact avec de nouveaux modèles adultes. À plusieurs égards, la transition vers le rôle parental comporte des défis plus importants que ceux qui accompagnent les rôles professionnels ou de conjoints (voir l'encadré *Devenir parent*).

### Stade 4 : la famille avec un ou des adolescents

La transition de l'enfant vers l'adolescence provoque une redéfinition des territoires mutuels dans la famille et la confrontation de nouveaux besoins jusque-là inconnus des parents : besoin accru de latitude au regard de la liberté d'exploration géographique, sociale ou sexuelle, nouvelles exigences financières associées à de nouvelles formes de consommation, participation décisionnelle plus grande, etc. Les parents doivent alors modifier leur façon d'exercer l'autorité et partager celle-ci avec l'adolescent. Ce dernier doit accepter le caractère progressif de cette passation des pouvoirs et tolérer la présence des « superviseurs » dans un monde qu'il voudrait souvent contrôler seul. Pour les enfants, cette période amène une évolution d'une extraordinaire intensité sur tous les plans (physique, sexuel, émotionnel, cognitif, social, etc.), mais les parents eux-mêmes y vivent souvent les questionnements personnels du mitan de leur vie.

### Stade 5 : le départ des enfants

Les enfants commencent à quitter la maison pour s'établir dans leur propre logis et vivre leur vie ; le rôle de supervision des parents évolue vers un rôle de coopération avec leurs enfants pour qu'ils réussissent à s'établir de façon autonome. La réussite d'une distanciation mutuelle sans rupture est alors importante pour les relations futures et pour l'accueil éventuel des nouveaux membres que sont les conjoints des enfants.

### Stade 6 : la retraite et l'âge mûr des parents

Les parents sont encore actifs socialement, mais ils sont davantage préoccupés par leurs besoins de couple et, éventuellement, par le maintien d'une bonne santé. Ils fournissent à leurs enfants une aide occasionnelle, à laquelle s'ajoute un rôle de grands-parents, qui gagne en importance. Éventuellement, les parents laissent de côté leurs fonctions sociales formelles, tout en maintenant des activités de leur choix et des relations avec leurs enfants et petits-enfants qui grandissent déjà. À ce stade, la famille demeure extrêmement importante pour les parents dont les rapports de coopération avec les enfants évolueront éventuellement vers des rapports de dépendance quand ils commenceront à perdre leur autonomie.

Sources : Adapté de B. Carter et M. McGoldrick (1988), *The Changing Family Life Cycle : A Framework for Family Therapy*, 2e éd., New York, Gardner Press ; B. Carter et M. McGoldrick (1999), *The Expanded Family Life Cycle : Individual, Family and Social Perspectives*, 3e éd., Boston, Allyn & Bacon ; R. Cloutier (1986), Le cycle de la relation parent-enfant, dans G. De Grâce et P. Joshi (dir.), *Les crises de la vie adulte*, Montréal, Décarie.

enfant après une grossesse non planifiée, c'est-à-dire qui aborde le stade 3 du tableau 14.1 sans vraiment avoir vécu le stade 1 ni le stade 2, possède sans doute des acquis qui sont différents de ceux d'une jeune femme de 25 ans abordant le même stade 3 après une grossesse planifiée et vivant une union stable avec un conjoint.

### DEVENIR PARENT

Dans la vie des jeunes adultes d'aujourd'hui, le projet d'enfant reste intense, mais une forte pression sociale les pousse à assurer d'abord leur autonomie économique. C'est ce qui explique, au moins en partie, l'âge plus tardif où l'on devient parent, comparativement aux générations antérieures.

La plupart des nouvelles mères et des nouveaux pères deviennent parents sans avoir d'expérience antérieure dans les soins aux enfants. L'arrivée bien concrète d'un nouveau-né dans leur vie représente une grande joie, mais elle est aussi source de désillusions parce que l'on sous-estime souvent le fardeau que les soins représentent. Passer brutalement d'une vie de jeune couple à celle de parents responsables, 24 heures sur 24, d'un bébé dépendant et fragile, représente un tournant existentiel important. Dans ce contexte, le soutien que la famille élargie et la communauté peuvent fournir aux nouveaux parents est souvent très précieux.

Devenir parent implique des ajustements relationnels majeurs dans le couple. Le centre de l'attention se déplace vers le bébé; chaque conjoint reçoit beaucoup moins d'attention de la part de l'autre et il faut renégocier le surcroît de travail qu'occasionnent les nouvelles tâches. Sans une attention particulière, bon nombre de jeunes mères au travail peuvent voir leurs attentes déçues face à l'engagement du père et à la double tâche qui les confronte.

Qu'est-ce qu'un bon parent aujourd'hui? Les jeunes parents manquent souvent de repères fiables pour guider leurs pratiques éducatives. Inondés d'informations et de messages contradictoires, les parents doutent souvent de ce qu'il faut faire ou ne pas faire pour leurs enfants. Comment assurer une discipline adéquate sans être violent ou autocratique? Comment être à l'écoute des besoins du petit sans en faire un enfant gâté? Comment assurer présence et cohérence parentales tout en partageant avec plusieurs autres adultes les responsabilités de la garde et de l'éducation? Paradoxalement, même si le nombre d'enfants a beaucoup diminué dans notre société, le rôle de parent semble y être plus complexe que jamais (Riedmann, Lamanna et Nelson, 2003).

Quant à la notion de «cohorte historique», elle renvoie à l'époque de l'histoire où se déroule le cycle de vie familiale: le contexte de vie d'une famille de stade 4 au Québec en 1940 est certainement différent de celui d'une famille du même stade en l'an 2010. Les valeurs, les rôles familiaux, les ressources matérielles, la culture en général dans laquelle s'inscrit la vie familiale, dépendent de l'époque où se déroulent ses stades.

Ainsi, dans notre représentation du développement adulte, il faut prendre en compte trois âges de la vie: l'âge chronologique, l'âge social, défini par les rôles assumés par la personne, et l'âge historique dans lequel s'inscrit le développement (Elder, 1998; Levinson, 1986). La figure 14.1 illustre l'application de ce principe des trois âges de la vie. C'est donc parce que l'âge chronologique interagit avec les rôles sociaux et avec les caractéristiques de l'époque concernée qu'il est important de situer le cycle de vie selon les trois âges de la vie.

**Figure 14.1     Illustration des trois âges de la vie**

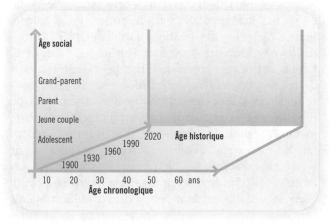

### 14.2.4 Les ressources familiales et la socialisation de l'enfant

Les ressources dont dispose la famille en tant que milieu de vie influent significativement sur le processus de socialisation de l'enfant. Nous examinerons sommairement ici l'influence de trois catégories de ressources familiales:

1) le niveau socio-économique de la famille, qui détermine les ressources matérielles disponibles;

2) la richesse éducative de l'environnement familial offert à l'enfant;

3) les compétences parentales.

### Le niveau socio-économique de la famille

Le revenu dont dispose la famille conditionne l'ensemble des biens matériels qu'elle peut s'offrir: logement, vêtements, nourriture, équipement de loisirs, services éducatifs, services de santé, etc. Même si « l'argent ne fait pas le bonheur » et que l'on ne peut certainement pas dire que plus on a d'argent, plus on est heureux, la santé physique et la santé mentale des membres de la famille risquent d'être affectées sérieusement par un manque de ressources matérielles. La pauvreté vient en tête de liste des facteurs de risque en santé physique et mentale. La personne pauvre ne souffre pas seulement de ne pas avoir d'argent à la banque; elle court plus de risques de connaître toute une série de séquelles consécutives à son faible pouvoir d'achat. En plus de s'exposer à vivre dans un logement de mauvaise qualité (mal entretenu, mal chauffé, mal insonorisé, etc.), elle risque de ne pas manger à sa faim, de porter des vêtements usagés, de vivre des relations familiales plus conflictuelles en raison des stress auxquels les membres de sa famille se trouvent confrontés. Il se peut que les parents de ces familles pauvres soient moins scolarisés, éprouvent des problèmes de consommation d'alcool ou de drogue, ou encore connaissent des problèmes de santé mentale, comme la dépression. Il arrive aussi que ces familles souffrent d'isolement social, qu'elles soient incapables d'accéder à un réseau de soutien aidant, et qu'elles habitent dans un quartier moins sécuritaire pour les enfants et dont les services communautaires sont de moindre qualité, etc. On le voit, un milieu familial économiquement pauvre est généralement moins en mesure d'offrir à l'enfant un soutien constant dans la poursuite d'objectifs de scolarisation à long terme, et ce milieu familial s'inscrit souvent dans un réseau de ressources éducatives moins adéquates. Les enfants issus de familles défavorisées affichent plus souvent une faible estime de soi, un rendement intellectuel inférieur, des rapports conflictuels avec leurs parents, des compétences sociales moindres, de la délinquance, des problèmes émotionnels et un manque de persévérance dans la poursuite d'objectifs scolaires (décrochage) et professionnels (Brooks-Gunn et Duncan, 1997; Cloutier, 1985; Duncan et Brooks-Gunn, 2000; Garbarino, Kostelny et Barry, 1997; Riedmann, Lamanna et Nelson, 2003; Ross et Roberts, 1999). Loin d'être complète, cette liste de difficultés et de problèmes illustre bien le fait que la pauvreté de la famille n'a pas seulement un impact matériel, mais qu'elle s'accompagne aussi de risques psychologiques et sociaux pour l'enfant.

Sur le plan des pratiques éducatives parentales, Parke et Buriel (1998) rapportent plusieurs différences en fonction du revenu familial. Ainsi, dans les familles à faible niveau socio-économique, les parents ont tendance à être plus autoritaires et coercitifs avec leurs enfants, les mères sont plus contrôlantes, restrictives et portées à blâmer leurs enfants. Elles leur parlent moins et s'intéressent moins à leur production verbale. Ces derniers ont d'ailleurs une production langagière moins importante, comparativement à celle que l'on observe dans les familles à niveau socio-économique élevé (Parke et Buriel, 1998).

### La richesse éducative de l'environnement familial

La capacité de la famille à se procurer du matériel et des services propices à la stimulation intellectuelle et socio-affective de ses enfants (livres, ordinateurs, etc.) est certainement liée à son niveau socio-économique, mais pas entièrement, toutefois, puisqu'à richesse égale, certaines familles offrent une stimulation plus riche à l'enfant. Les compétences parentales et les valeurs culturelles de la famille y sont certainement pour quelque chose.

Plusieurs recherches ont montré que cinq variables familiales jouaient un rôle significatif dans la qualité environnementale offerte à l'enfant:

1) le climat émotionnel dans la famille (notamment le niveau de conflit);

2) la qualité de la communication entre les membres;

3) la disponibilité d'adultes auprès de l'enfant pour favoriser la réussite de ses apprentissages;

4) la qualité de l'organisation pratique, c'est-à-dire un fonctionnement pratique bien structuré dans l'espace et dans le temps permettant à l'enfant de prévoir ce qui lui arrive;

5) des expériences de vie riches et variées donnant à l'enfant l'occasion d'explorer ses mondes physique, psychologique et social dans la mesure de ses capacités (Cloutier, 1985; Elardo, Bradley et Caldwell, 1977; Riedmann et autres, 2003).

**LES EFFETS DE LA PAUVRETÉ FAMILIALE SUR L'ENFANT**

Les données fournies par l'*Enquête longitudinale nationale sur les enfants et les jeunes* (ELNEJ) confirment l'importance du revenu familial sur le développement des enfants. Selon les conclusions de l'étude intitulée *Le bien-être de l'enfant et le revenu familial : Un nouveau regard au débat sur la pauvreté* (Ross et Roberts, 1999), il apparaît notamment que les enfants de familles à faible revenu sont beaucoup plus vulnérables que les enfants de familles à revenu moyen et que ce sont les enfants de familles à revenu élevé qui courent le moins de risques.

On a constaté que :

- les enfants de familles à faible revenu courent deux fois plus de risques de vivre dans un environnement familial dysfonctionnel que les enfants de familles à revenu élevé ;

- plus du quart des enfants de familles à faible revenu vivent dans un environnement à risque — usage de drogues, consommation abusive d'alcool, malaise des jeunes —, comparativement à un dixième des enfants de familles à revenu élevé ;

- les enfants de familles à faible revenu courent deux fois plus de risques de se situer dans la tranche des 10 % d'enfants présentant le plus de comportements délinquants que les enfants de familles à revenu moyen et que, chez les enfants de familles à faible revenu, le taux de délinquance est susceptible d'être près de trois fois supérieur à celui des enfants de familles à revenu élevé ;

- les enfants de familles à faible revenu courent deux fois et demie plus de risques d'avoir des problèmes de vision, d'audition, de langage, de motricité, etc., que les enfants de familles à revenu élevé ;

- plus du tiers des enfants de familles à faible revenu manifestent un retard en matière de développement du vocabulaire, comparativement à seulement 8 % des enfants de familles à revenu élevé ;

- environ les trois quarts des enfants de familles à faible revenu ne participent que rarement à des activités sportives, comparativement à un quart des enfants de familles à revenu élevé ;

- dans les familles à faible revenu, 1 adolescent sur 6 (de 16 à 19 ans) est sans travail ou ne fréquente pas l'école, comparativement à seulement 1 sur 25 dans les familles à revenu moyen ou à revenu élevé.

Source : D. Ross, P. Roberts et K. Scott (2000), « Le bien-être de l'enfant et le revenu familial », *Revue canadienne de recherche sur les politiques* (ISUMA), automne, p. 45.

La richesse de cette stimulation dépend des ressources matérielles dont dispose la famille mais aussi de son fonctionnement global. Sur ce dernier plan, la compétence des parents dans leur rôle de leaders du système de socialisation est certainement cruciale.

## Les compétences parentales

Nous savons que les parents ne sont pas les seuls à exercer une influence sur le système familial : à leur façon, les enfants aussi exercent un pouvoir. Cependant, en tant que chefs de la cellule, les parents, de par leurs caractéristiques, influent de façon déterminante sur le style de vie familiale. Les parents constituent des modèles puissants pour leur progéniture qui les observe et s'identifie à eux. Les parents possèdent aussi leur théorie de la réussite, c'est-à-dire que, consciemment ou non, ils se comportent selon certaines valeurs, soutiennent certains projets et en ignorent d'autres chez leurs enfants.

La socialisation de l'enfant correspond en grande partie à son apprentissage de la vie en société. Puisque la famille constitue la première société de l'enfant, la façon dont les personnes s'y comportent entre elles représente une source d'informations déterminante. L'enfant observe comment les autres membres interagissent, communiquent, réagissent et s'imposent, et il assimile ces éléments dans son propre répertoire de conduite sociale pour ensuite les expérimenter lui-même et en observer les effets sur autrui. Dans ce contexte, les parents se conduisent comme des meneurs parce qu'ils sont généralement responsables des règles et de leur application. Ils différencient ce qui se fait de ce qui ne se fait pas et, par leur propre comportement, ils constituent des modèles puissants pour l'enfant qui les observe.

On sait par exemple que les parents jouent un rôle de premier plan dans l'apprentissage de la langue. Non seulement l'enfant emploie-t-il les mots qu'utilisent ses parents, mais il les prononce de la même façon. Par ailleurs, l'enfant n'apprend pas seulement de ses parents à partir de ce qu'ils lui disent ; il apprend aussi en observant leur comportement. Si le parent transgresse des règles qu'il prône, l'enfant décodera rapidement la distorsion entre ce que dit le modèle et ce qu'il fait. En grandissant, l'enfant sera en mesure de percevoir des différences de plus en plus subtiles entre les paroles et les actes de ses parents, entre les demandes qu'ils lui adressent et leurs propres exigences, eux qui représentent l'autorité dans le système familial. Si cette autorité se caractérise par de constants écarts entre la règle qu'elle veut imposer aux autres et celle qu'elle se donne, l'enfant intériorise le modèle tel qu'il se présente à lui avec le contraste qu'il affiche : le « fais ce que je dis et non pas ce que je fais » devient partie intégrante de sa représentation de l'autorité. L'enfant apprend que l'autorité impose des règles qu'elle bafoue. Dans la famille donc, autant la position privilégiée des parents en tant que modèles peut amener l'enfant à acquérir des comportements sociaux appropriés, autant elle peut l'inciter à adopter des conduites inappropriées socialement.

### 14.2.5 Les conduites parentales et l'éducation de l'enfant

En psychologie contemporaine, on ne conçoit plus la famille comme un système dans lequel l'influence est unidirectionnelle, des parents vers les enfants. Elle est bidirectionnelle, car parents et enfants s'influencent mutuellement (Ambert, 2000 ; Bell et Harper, 1977). Dans le processus d'éducation des enfants, les comportements des parents n'en constituent pas moins un moule qui établit les limites de cette influence mutuelle.

Selon plusieurs auteurs (Baumrind, 1967, 1971, 1975, 1991, 1996 ; Maccoby, 1992 ; Maccoby et Martin, 1983 ; Parke et Buriel, 1998), la sensibilité parentale et le contrôle parental constitueraient deux déterminants majeurs des effets des conduites parentales sur le développement de l'enfant. La sensibilité parentale à l'égard de l'enfant renvoie à l'aptitude du parent à saisir et à interpréter correctement les signaux émis par l'enfant. La dimension de contrôle correspond aux demandes et aux exigences que posent les parents envers l'enfant en tant qu'autorités familiales et superviseurs de son développement.

#### La théorie de la réussite des parents et la pression éducative exercée sur l'enfant

Il est très rare qu'un enfant, spontanément et de lui-même, devienne un virtuose du piano, du ballet, du hockey ou se transforme en un petit génie de la réussite scolaire. Le soutien que les parents accordent aux projets de leur enfant, surtout lorsqu'il s'agit de projets à long terme, constitue un facteur indispensable à leur réalisation. Les talents les plus manifestes ne peuvent se développer sans appui dans le milieu. Les valeurs des parents interviennent au premier chef dans l'épanouissement des talents des jeunes parce que leur adhésion au projet de l'enfant est nécessaire pour débloquer les énergies requises pour sa réalisation.

C'est ici que la théorie de la réussite des parents entre en scène. La théorie de la réussite parentale se rapporte au système de valeurs, de croyances ou d'attitudes à partir duquel un parent fait un choix de vie (Ogbu, 1981, 1988 ; Ogbu et Simons, 1998). Pour tel père qui est entré sur le marché du travail à 15 ans et qui, à 35 ans, est fier de sa réussite, une longue scolarisation pourrait constituer une valeur secondaire par rapport au travail comme tel. Pour ce père, on réussit dans la vie en travaillant fort le plus tôt possible et non en s'acharnant à passer de longues années sur les bancs de l'école. Au contraire, pour un père qui a dû abandonner ses études avant d'entrer au cégep en raison des besoins financiers de sa famille, la volonté de pousser ses enfants à terminer un cours universitaire pourrait se situer en tête de liste des priorités, son expérience personnelle l'ayant convaincu qu'on réussit mieux dans la vie avec un diplôme. Par ailleurs, telle mère qui a suivi des leçons de piano pendant 10 ans depuis l'âge de cinq ans ne pourra concevoir qu'une éducation complète de son enfant fasse abstraction d'une solide formation musicale. De la même façon, une autre mère passionnée de ski alpin « depuis toujours » fera des efforts surhumains pour offrir à ses enfants les meilleures conditions de pratique et de compétition dans ce sport.

Il n'est pas nécessaire que les parents aient vécu personnellement une expérience dans leur propre développement pour qu'elle fasse partie de leur théorie de la réussite. En effet, il peut y avoir interaction entre les goûts et les aptitudes de leur enfant et leur évaluation personnelle des chances de réussite. Par exemple, on rencontre parfois des parents qui font des efforts considérables pour soutenir leur fille en compétition de patinage artistique sans jamais avoir pratiqué cette discipline eux-mêmes ; ils le font simplement parce qu'ils sont convaincus que faire partie d'une élite est en soi une réalisation de vie magnifique. L'appui familial dans la réalisation de certains objectifs élitistes est à ce point indispensable que, dans certains cas, il peut être difficile d'identifier la part des parents et celle de l'enfant dans les projets qu'il nourrit. Certains parents ont parfois tendance à utiliser leurs enfants pour réaliser des projets qu'ils auraient bien voulu réaliser eux-mêmes. La question est alors de savoir à quel moment la pression parentale exercée sur l'enfant commence à être néfaste pour son développement. Sans nier l'extraordinaire quantité d'efforts qu'il faut déployer pour faire partie de l'élite de la société d'aujourd'hui, on peut s'interroger sur la place véritable de l'enfant en tant que personne dans certaines trajectoires de l'élite athlétique ou artistique des jeunes d'aujourd'hui. Est-ce le projet de l'enfant ou celui de ses parents ?

Si l'absence de soutien familial à l'égard de projets relatifs à l'épanouissement de l'enfant peut lui être néfaste, l'excès de pression éducative peut être tout aussi nuisible à l'équilibre de sa croissance personnelle : le surinvestissement d'une zone de compétences nuit parfois aux acquisitions dans d'autres domaines. Le manque de soutien est infiniment plus fréquent que l'excès de pression éducative, mais ce dernier problème n'en soulève pas moins une question d'éthique familiale importante dans notre société où les perdants ne font pas le poids face aux gagnants.

La pression éducative est nécessaire pour que l'enfant puisse exprimer son potentiel, mais le maintien d'un équilibre dans les demandes faites à l'enfant constitue une facette importante des compétences parentales. Les parents doivent comprendre que l'enfance est une vraie période de la vie et qu'elle n'est pas consacrée strictement à l'avenir : le présent de l'enfant est aussi important que le présent de l'adulte. Mais comment atteindre et maintenir un équilibre dans la pression éducative exercée sur l'enfant sans prendre l'enfant en otage par des demandes qui ne laissent pas de place à ses propres besoins spontanés ? La capacité des parents d'être à l'écoute de leur enfant et de remettre leur point de vue en question est certainement en cause ici.

### Les parents efficaces

Nous avons vu que la sensibilité du parent constitue une dimension importante pour l'attachement, dès le début de l'interaction avec le bébé, sensibilité qui permet l'établissement d'un rapport de contingence entre le comportement des deux membres de la dyade. Or, l'importance de cette sensibilité parentale se maintient tout au long de l'enfance.

Thomas Gordon (1996, 1999), dans sa méthode *Parents efficaces,* a proposé une approche de communication parent-enfant basée sur l'écoute active et sur la résolution de problèmes sans gagnant ni perdant. Dans l'écoute active, le parent s'emploie à s'ouvrir sur les pensées et les sentiments de l'enfant dont il favorise l'expression. Il l'aide à saisir la vraie nature du problème en lui reflétant ses émotions. Face à un conflit concernant l'enfant, le parent se demande « que veut-il vraiment ? », « quels sentiments éprouve-t-il au fond de lui-même ? », « comment puis-je l'aider à comprendre le problème par lui-même, sans lui imposer un point de vue ? ».

La méthode *Parents efficaces* se veut sans gagnant ni perdant parce qu'elle est fondée sur une relation de coopération dans la recherche d'une solution, et non sur un rapport d'autorité. Ni l'enfant ni le parent ne joue un rôle de gagnant ou de perdant. Il s'agit donc d'aborder la situation, non pas comme un combat, mais comme une recherche honnête des différentes solutions possibles, puis d'en choisir une qui soit satisfaisante pour les deux parties. Dans l'échange, Gordon propose l'emploi du message « je » plutôt que de messages « tu ». Par exemple, le parent dira « je trouve intéressante ton idée de… » plutôt que « tu devrais faire… », ou encore « je deviens impatient lorsque tu ne viens pas manger à l'heure convenue… » plutôt que « tu es toujours en retard pour les repas ». Le message « je » exprime donc le sentiment ou l'idée du locuteur plutôt que l'attribution d'une caractéristique à l'interlocuteur. Selon Gordon (1996), les parents qui règlent un conflit ou un problème en suivant les six étapes décrites au tableau 14.2 (page 396) réussiront probablement à trouver avec leur enfant une solution satisfaisante.

Même si bon nombre de travaux ont montré que l'application du type de technique de résolution de problèmes proposé par Gordon avait un effet positif sur l'atmosphère relationnelle dans la famille, cette approche présenterait certains dangers par suite d'une mauvaise utilisation :

1. Les parents peuvent en venir à se prendre pour les thérapeutes de leur enfant, ce qui est à éviter.

2. Il est possible que certains parents croient qu'il suffit simplement d'appliquer la technique, sans trop s'occuper des attitudes de fond, pour régler les problèmes, ce qui constitue une erreur.

3. L'application mécanique de ce type de technique peut rendre encore plus rigides les interactions, ce qui aurait pour effet de miner la crédibilité du parent qui a perdu sa spontanéité auprès de son enfant.

**4.** Le fait que le leadership soit placé entre les mains du parent peut créer chez l'enfant le sentiment d'être manipulé, ou créer chez le parent le sentiment d'être entièrement responsable de la façon dont l'enfant se comporte et de ne pouvoir trouver une solution satisfaisante.

Le succès de l'approche de Gordon repose davantage sur la compréhension de ses fondements (pas de gagnant ni de perdant ; écoute active de l'enfant ; utilisation des messages « je ») que sur l'application rigide de la technique par étape.

### La sensibilité parentale

Dès que le bébé voit le jour, la qualité de la communication parent-enfant influe sur l'ajustement de leur interaction

**Tableau 14.2** Les six étapes de résolution de problèmes dans la méthode sans perdant de *Parents efficaces* de Gordon

**Étape 1 : déterminer le problème**

Au départ, il s'agit de bien cerner la situation. Les chances d'y arriver seront meilleures si :

a) on choisit un moment où l'enfant et le parent ont le temps de parler plutôt qu'un moment où l'un et l'autre sont pressés ou occupés à autre chose ;

b) l'enfant est clairement mis au courant (sans détour facétieux) qu'il y a un problème à régler ;

c) le parent explique directement, en utilisant les messages « je » comment il se sent, lui, face au problème en question ;

d) le parent évite de blâmer l'enfant : « Tu laisses tout traîner dans la maison… Tu agis comme un bébé de deux ans, comme si j'étais à ton service 24 heures par jour… » ;

e) le parent dit explicitement qu'il veut trouver une solution acceptable pour tous, sans gagnant ni perdant.

**Étape 2 : trouver les solutions possibles**

À cette étape, il s'agit de trouver diverses solutions possibles et non d'évaluer leur valeur relative : « Qu'est-ce que l'on pourrait faire ? » Si possible, le parent tente de faire ressortir les solutions de l'enfant d'abord et ajoute les siennes ensuite. L'idée est d'éviter de laisser entendre que les solutions de l'enfant ne sont pas bonnes ; il faut continuer de chercher jusqu'à ce qu'il n'y ait plus d'autres possibilités qui ressortent.

**Étape 3 : évaluer les différentes solutions trouvées**

« Maintenant, parmi ces idées, y en a-t-il qui nous semblent meilleures ? Voyons quelle solution nous semble la meilleure ; quelle est celle que nous voulons… » Au cours de l'échange, le parent maintient son attitude franche et l'emploi de messages « je » : « Je ne crois pas que cette solution serait juste pour moi… Cette solution ferait mieux mon affaire que l'autre… »

**Étape 4 : adopter la meilleure solution**

À cette étape, il faut arrêter le choix sur la solution qui répond le mieux aux besoins mutuels. Il est important de bien vérifier l'accord de l'enfant à cette étape : il doit comprendre que le choix est autant le sien que celui du parent : « Quant à moi, j'accepterais cette façon de faire ; toi, de ton côté, serais-tu d'accord pour faire cela ? » Si la solution comporte plusieurs points, il peut être utile de noter ses différentes facettes. Il s'agit de l'adoption d'une sorte d'entente, de convention satisfaisante pour le parent et pour l'enfant.

**Étape 5 : mettre en œuvre la solution choisie**

À cette étape, il s'agit de préciser comment, en pratique, la solution convenue sera appliquée et quels sont les rôles de chacun dans cette façon de procéder : « Quand commençons-nous ? Qui sera responsable de… ? À quelle fréquence… ? » Il est important que cette étape ne soit amorcée que lorsque la précédente est bien terminée, quitte à ce que l'échange soit ajourné pendant la quatrième étape pour laisser du temps de réflexion.

**Étape 6 : faire le suivi de la solution**

Il s'agit finalement de déterminer comment on vérifiera la valeur réelle de la solution. Cette dernière peut s'avérer ne pas être aussi bonne que prévu et faire que l'enfant ou le parent se sente perdant à la longue. Le suivi permet d'évaluer le degré d'atteinte des objectifs de chacun et d'apporter les correctifs appropriés.

Source : Adapté de T. Gordon (1978), *Parent-efficacy Training in Action*, New York, Bantam Books ; et de T. Gordon (1996), *Parents efficaces : une autre écoute de l'enfant*, Paris, Marabout.

mutuelle. Si l'enfant émet des signaux que le parent n'arrive pas à saisir, ce dernier ne pourra pas orienter efficacement ses interventions destinées à satisfaire les besoins du bébé. Par exemple, si le bébé pleure parce qu'il a faim et que le parent le change de position dans son berceau croyant qu'il ressent une douleur quelconque, l'apaisement du bébé sera de courte durée. Plus tard, le parent qui réussit à comprendre le message que lui adresse son aîné, lequel manifeste des comportements régressifs depuis la naissance récente du benjamin, saura ajuster ses conduites sur les vrais besoins d'attention du plus vieux et non pas sur ses soi-disant besoins d'être puni. La contingence entre l'action de l'enfant et la réaction du parent, et vice versa, est donc un élément essentiel de la réussite de l'interaction parent-enfant; la sensibilité du parent à l'égard de l'enfant est au cœur du synchronisme des rôles. Cette sensibilité parentale est en bonne partie fonction de la vigilance du parent à l'égard du vécu de son enfant, c'est-à-dire de l'énergie personnelle qu'il consacre pour se maintenir à l'écoute de son enfant.

### Le contrôle parental

Au cours de l'enfance, la plupart des interventions éducatives des parents auprès de l'enfant correspondent à des demandes, car une bonne partie de la socialisation repose sur une intériorisation progressive de normes et de règles imposées par le milieu social. Les exigences des parents envers l'enfant contribuent largement à orienter sa conduite, ses réussites et ses acquis en général. La façon dont les parents exercent leur pouvoir de contrôle est un déterminant puissant du contexte familial qui entoure l'interaction mutuelle. L'affirmation de l'autorité parentale est un facteur essentiel dans la construction sociale de l'enfant. Trop souvent peut-être, les parents d'aujourd'hui confondent ce rôle d'affirmer des limites, d'imposer des règles et des interdits, avec l'autoritarisme qu'ils dénonçaient chez leurs propres parents. Aujourd'hui, un trop grand nombre d'interventions psychologiques auprès des enfants et des familles découlent de problèmes de contrôle du comportement de l'enfant inhérents à ce manque d'affirmation parentale. L'enfant n'intériorise pas les règles qu'on ne lui impose pas et, plus tard, on le blâme pour sa mauvaise conduite (Cloutier, 2004).

### Les styles d'autorité parentale

On reconnaît quatre styles d'autorité parentale: démocratique, permissif, autocratique et désengagé.

La figure 14.2 (page 398) illustre les quatre styles parentaux obtenus à partir du niveau élevé ou faible de « sensibilité » et de « contrôle » qu'un parent manifeste à l'égard d'un enfant.

Le style démocratique combine une sensibilité élevée à l'égard de l'enfant avec une supervision active. Les parents de ce type s'occupent activement de ce qui arrive à l'enfant, tout en restant à son écoute et sensibles à ses besoins. Sur le plan du contrôle, les parents démocratiques ont donc des attentes élevées à l'égard de leur enfant; ils établissent des limites claires entre le permis et l'interdit, ils sont consistants et cohérents dans l'utilisation des récompenses et des punitions. De plus, ils encouragent l'enfant à exprimer son point de vue, ils prennent le temps de l'écouter et ils respectent son opinion dans les prises de décisions qui le concernent.

Les études portant sur des enfants élevés dans ce type d'atmosphère familiale (démocratique) ont permis d'établir qu'ils manifestaient plus souvent que les autres les caractéristiques suivantes:

- confiance en eux-mêmes;
- sentiment de pouvoir contrôler ce qui leur arrive;
- capacité de maintenir par eux-mêmes un effort dans la poursuite d'un objectif;
- compétences sociales qui font de ces enfants des collaborateurs recherchés par les pairs;
- rendement académique supérieur (Baumrind, 1967, 1996; Dornbusch et autres, 1987).

Sans doute le plus souhaitable des quatre styles, le style démocratique permet à l'enfant d'apprendre l'autocontrôle dans un contexte de respect mutuel où il est possible de discuter, à l'abri de l'arbitraire, les exigences clairement établies.

Le style permissif caractérise les parents qui accordent beaucoup d'attention aux besoins de leur enfant, mais qui ne lui imposent pas activement de contrôle. Le contact peut être ouvert et chaleureux, mais l'enfant peut faire à peu près ce qu'il veut dans un contexte de grande tolérance. La conséquence de ce « laxisme sympathique » est que le potentiel de l'enfant n'est pas

Figure 14.2    Classement des styles parentaux selon les dimensions de « sensibilité » et de « contrôle » des parents

| | | SENSIBILITÉ | |
| --- | --- | --- | --- |
| | | Parents sensibles à l'enfant | Parents peu sensibles, centrés sur eux-mêmes |
| **CONTRÔLE** | Contrôle actif exercé par les parents sur les enfants | **Style démocratique** | **Style autocratique** |
| | Faible contrôle parental | **Style permissif** | **Style désengagé** |

Source: Adaptée de E.E. Maccoby et J.A. Martin (1983), Socialization in the context of the family: Parent-child interaction, dans E.M. Hetherington (dir.) et P.H. Mussen (dir. général), *Handbook of Child Psychology*, vol. 4: *Socialization, Personality and Social Development*, 4e éd., New York, Wiley.

vraiment stimulé. L'enfant n'apprend pas à faire des efforts ou à respecter des règles, ce qui favorise l'impulsivité, la dépendance à l'égard des adultes et le manque de constance dans la motivation scolaire, surtout chez les garçons. Sur le plan social enfin, ces caractéristiques personnelles peuvent difficilement favoriser la popularité du jeune, qui est plutôt centré sur ses propres besoins et moins soucieux de ceux des autres.

Les parents autocratiques sont centrés sur leurs propres besoins plutôt que sur ceux de leur enfant, même s'ils maintiennent des exigences élevées. L'enfant doit respecter les règles de la maison, mais ses parents n'accordent pas beaucoup de place à ses besoins et à ses opinions; ils dictent les consignes et s'attendent à ce qu'elles soient respectées sans discussion, sous peine de sanctions. La communication parent-enfant est plutôt froide, unidirectionnelle, allant du parent vers l'enfant. Selon, Baumrind (1967, 1991), ce contexte familial produirait des enfants inhibés, retirés, conformistes et peu sûrs d'eux. Ces enfants, n'ayant pas la possibilité d'apprendre à décider par eux-mêmes dans un tel contexte, présentent des acquis d'autocontrôle plus

faibles. C'est pourquoi, quand ils sont laissés à eux-mêmes, en l'absence de la supervision de l'autorité, ces enfants ont tendance à moins respecter les règles (Hoffman, 1988; Maccoby et Martin, 1983). Dans une étude longitudinale, Baumrind (1991) a observé que le style parental autocratique avait plus d'effets négatifs à long terme sur les garçons que sur les filles, ceux-ci affichant une compétence cognitive et sociale moindre que leurs pairs: rendement académique plus faible, moins d'initiative et de leadership avec les pairs et un réseau d'amis plus restreint.

Le parent désengagé ne s'engage pas auprès de son enfant; il est davantage centré sur ses propres besoins, tient son enfant à distance et n'impose pas d'exigences. Peu présent à l'enfant, le parent de ce style se rencontre souvent dans les familles où les parents sont préoccupés par leurs activités sociales et professionnelles et n'entretiennent pas de relations chaleureuses dans leur famille. Ils semblent essayer de tout faire pour rester distants et jouer leur rôle de parent le plus rapidement possible et avec le moins d'énergie possible. À la limite, le désengagement parental se transforme en négligence parentale, ce qui constitue une forme de carence justifiant une intervention de la protection de la jeunesse. Compte tenu de l'importance de la supervision parentale au regard des risques d'inadaptation psychosociale pendant l'enfance et de délinquance antisociale ou sexuelle à l'adolescence, il n'est pas étonnant de constater que les enfants de parents désengagés risquent de vivre de tels problèmes.

Les enfants ont besoin de parents présents, chaleureux et forts comme modèles ainsi que dans leur affirmation des règles. Le style démocratique est sans contredit celui qui se rapproche le plus de ce « parent idéal ».

## 14.3    L'ENFANT ET LA SÉPARATION PARENTALE

Aujourd'hui, plus de 3 enfants sur 10 ont vécu la séparation de leurs parents (ISQ, 2001b). Parce que cette séparation parentale peut exercer une influence déterminante sur la trajectoire de l'enfant, la recherche a consacré des efforts importants pour en saisir les enjeux et pour identifier des mécanismes susceptibles de protéger les membres de la famille en transition.

### 14.3.1    La transition familiale associée à la séparation des parents : un phénomène complexe

Quel est l'effet d'une séparation parentale sur l'enfant ? En cherchant une réponse à cette question, on a constaté que cette transition familiale entraînait toute une série d'effets particuliers sur le développement de l'enfant. La majorité des études portant sur cette question ont, explicitement ou implicitement, entretenu l'hypothèse d'un déficit associé à la séparation. Autrement dit, elles ont tenté de déterminer ce que perdent les enfants issus de familles réorganisées, comparativement aux enfants de familles intactes. La plupart des effets spécifiques ainsi découverts décrivent des déficits. Il est clair maintenant que, sauf exceptions, la séparation des parents constitue une crise pour la famille et s'accompagne pour l'enfant d'une série de pertes. Or, comme les ruptures conjugales semblent représenter une tendance sociale durable et que la famille réorganisée n'est plus un phénomène marginal, les chercheurs se penchent progressivement sur une autre question de fond. Ils s'interrogent maintenant sur les caractéristiques des familles réorganisées qui arrivent à s'ajuster correctement aux transitions suivant la séparation parentale. Autrement dit, au

lieu de continuer d'allonger la liste des problèmes associés à la séparation, la recherche se tourne désormais vers l'exploration des facteurs de protection dans le contexte des transitions en cause.

Par ailleurs, la recherche dans ce domaine se heurte à un défi méthodologique qu'elle n'a pas encore réussi à surmonter, celui de la multidimensionnalité. Ce problème découle du nombre considérable de variables dont il faut tenir compte pour respecter les sources possibles d'influences significatives.

Parmi les variables susceptibles d'influer sur l'enfant au moment de la séparation parentale, mentionnons les 10 facteurs ci-dessous :

1) l'âge de l'enfant ;
2) son sexe ;
3) la formule de garde adoptée après la séparation ;
4) le degré de conflit entourant le processus de séparation ;
5) les ressources matérielles de la famille ;
6) le niveau de scolarité des parents ;
7) la composition de la fratrie de l'enfant (nombre, sexe, âge) ;
8) les changements survenus dans le réseau social de la famille (déménagement modifiant les amis et le voisinage, changement d'école, de quartier, etc.) ;
9) la recomposition parentale (nouvelle union parentale et nouvelle fratrie) ;
10) le temps écoulé depuis la séparation.

À ces facteurs associés aux familles elles-mêmes s'ajoutent les facteurs inhérents à la collecte des données auprès des sujets (méthode transversale ou longitudinale, type d'instruments utilisés, méthode de recrutement des sujets, informations obtenues d'un parent seulement ou des enfants et des parents, etc.). Jusqu'ici, aucune étude ne peut prétendre contrôler l'effet de tous ces facteurs sur les résultats obtenus. Le tableau 14.3 (page 400) fournit la répartition des familles selon la structure parentale au Québec en 1998.

### 14.3.2    Les conséquences de la séparation des parents pour l'enfant

La famille est le contexte fondamental de développement de l'enfant et les parents sont ses premiers agents de

Tableau 14.3  Répartition des familles selon la structure parentale au Québec en 1998

| Type de famille | % | Nombre moyen d'enfants |
|---|---|---|
| **Biparentales intactes** | **69,4** | 1,78 |
| **Monoparentales** | **20,3** | 1,47 |
| Parent féminin | 16,8 | |
| Parent masculin | 3,5 | |
| **Recomposées** | **10,4** | 1,85 |
| Sans enfants communs | 7,8 | |
| Avec enfants communs | 2,6 | |
| **Total** | **100** | 1,72 |

Source : ISQ (2001), *Portrait social du Québec : données et analyses,* Québec, Institut de la statistique du Québec. Familles avec enfants de moins de 18 ans selon la structure. Tableau 3.1, p. 93.

socialisation. La séparation des parents remet en question l'ensemble de l'équilibre familial ; une crise en résulte et tous les membres de la famille doivent trouver un nouveau paradigme de fonctionnement. Les nombreuses études portant sur les conséquences de la séparation indiquent une augmentation des problèmes d'adaptation chez les enfants et les adolescents (Amato, 2001 ; Amato et Keith, 1991 ; Bray, 1999 ; Cloutier, 1999 ; Cloutier, Filion et Timmermans, 2001 ; Hetherington, Bridges et Insabella, 1998 ; Kurdek, Fine et Sinclair, 1994 ; DeGarmo et Forgatch, 1999). On estime que les enfants issus de familles séparées courent deux fois plus de risques d'inadaptation psychosociale que les enfants de familles intactes. Donc, si la probabilité est de 15 % pour les enfants de familles intactes de vivre des difficultés suffisamment sérieuses pour que la famille ait besoin d'aide pour y répondre, elle est de 30 % pour les enfants de familles séparées (McLanahan et Sandefur, 1994 ; Hetherington et autres, 1998). En même temps, ces données nous permettent de souligner que 70 % des enfants issus de familles séparées ne connaissent pas de problèmes sérieux d'adaptation.

La principale conséquence de la séparation des parents pour l'enfant est l'appauvrissement matériel, psychologique et social de son milieu de vie. Appauvrissement matériel, bien sûr, puisque la cellule se divise en deux systèmes indépendants, sans pour autant disposer de ressources supplémentaires, et ce, sans parler des coûts associés à la séparation elle-même. Dans ce contexte, il y a moins d'argent pour subvenir aux besoins de l'enfant.

Appauvrissement psychologique aussi en raison du stress induit par la crise associée à la séparation et les conflits entourant généralement la réorganisation de la famille. Les problèmes de santé mentale (la dépression notamment) sont plus fréquents dans ces familles (Cloutier, Drolet et Dubé, 1992 ; Dunn et autres, 1998). La distanciation de l'une des personnes les plus significatives pour l'enfant, c'est-à-dire l'un de ses parents, représente une perte affective et identitaire importante.

Appauvrissement social enfin, puisque le parent qui s'en va emporte avec lui (ou avec elle) une part importante du réseau social de l'enfant (famille élargie, amis, liens associés au travail du parent non gardien, etc.). Il découle donc de cette importante transition des conditions de vie moins favorables et il se peut que les effets de cet appauvrissement, quoique d'importance variable d'un cas à l'autre, influent à long terme sur le développement de l'enfant.

L'appauvrissement de la famille explique donc largement le constat que rapportent la plupart des travaux sur les effets du divorce : les jeunes issus de familles séparées courent plus de risque de vivre des problèmes affectifs et comportementaux que leurs pairs de familles intactes (Amato, 2001, Bray, 1999 ; Hetherington et autres, 1998 ; Saint-Jacques, Drapeau et Cloutier, 2000 ; Saint-Jacques et autres, 2001).

La séparation est une solution que les parents adoptent en réponse à leurs problèmes conjugaux et familiaux. Pourtant, sauf quand le climat familial est empoisonné par des conflits et de l'hostilité extrême, et que la séparation est bénéfique pour le développement de l'enfant, il est maintenant bien établi que, pour ce dernier, la séparation entraîne généralement une augmentation des risques d'inadaptation et une diminution de ses chances de développement futur. Mais tout en faisant cette affirmation, il importe de souligner que la confusion des variables dans les comparaisons constitue un problème récurrent qui embrouille le tableau des comparaisons entre familles séparées et familles intactes.

En effet, les études comparant l'adaptation des enfants en fonction de la structure de leur famille confondent fréquemment les variables. Lorsque, par exemple, on compare des enfants de familles séparées, on regroupe souvent les familles monoparentales et les familles recomposées. Même si l'on distingue ces deux structures parentales (monoparentale et recomposée), il est impossible de distinguer les familles qui ont vécu une seule séparation de celles qui en ont vécu plusieurs : une famille peut être monoparentale maintenant mais avoir été recomposée et monoparentale à plusieurs reprises dans le passé (Saint-Jacques et autres, 2001). Le nombre de transitions familiales vécues par l'enfant serait un facteur plus important que la structure parentale actuelle de sa famille, mais ce nombre de transitions est généralement inconnu des chercheurs qui incluent dans les mêmes catégories des répondants dont les trajectoires familiales sont pourtant très différentes (Deleury-Beaudoin, 2002; Demo, Fine et Ganong, 2000). Un autre exemple important de confusion de variables vient du fait que lorsque l'on compare l'ajustement d'un groupe de familles séparées avec un groupe de familles intactes, on suppose que les deux groupes ne se distinguent que par leur structure parentale, ce qui est souvent erroné. Nous savons en effet que le risque de se séparer n'est pas le même pour tous les parents, puisque certains parents de familles séparées affichaient avant de se séparer des caractéristiques porteuses de risques : personnalité instable, problèmes de consommation, comportements antisociaux, etc. (DeGarmo et Forgatch, 1999; Deleury-Beaudoin, 2002; Hetherington et autres, 1998; Simons, 1996). Il est donc plausible de croire que certains déficits affichés par les sujets issus de familles séparées ne relèvent pas nécessairement de cette transition et que la séparation a parfois le dos large. Pour Cherlin et ses collègues (1991), qui ont étudié le comportement de plusieurs milliers d'enfants avant et après le divorce de leurs parents, des problèmes préalables à la transition expliqueraient près de la moitié des effets de la séparation. Lorsque la comparaison tient compte de l'effet du revenu familial, plusieurs différences comportementales s'estompent entre les enfants des familles séparées (Piérard, Cloutier, Jacques et Drapeau, 1994). Autrement dit, une bonne part des différences entre les enfants de familles séparées et intactes s'estompent lorsque les variables préalables sont prises en compte (moins de confusion de variables), même si l'écart négatif demeure tout de même perceptible chez ceux dont la famille est séparée (Parke et Buriel, 1998).

Sur le plan relationnel, la rupture parentale provoque une réorganisation de l'ensemble des liens et des rôles dans la cellule familiale. À court terme, le stress que vivent les parents diminue leur capacité d'exercer les rôles parentaux. Ils sont moins disponibles à l'enfant, et leur témoignent moins d'affection. Ils tendent aussi à être plus impulsifs et se montrent moins cohérents dans l'exercice de l'autorité parentale auprès de l'enfant (Avenevoli, Sessa et Steinberg, 1999; Hetherington et Clingempeel, 1992; Lemieux et Cloutier, 1994). Après quelques années, la relation parent-enfant s'améliore généralement, mais les filles semblent mieux s'ajuster à la transition que les garçons (Parke et Buriel, 1998).

Bon nombre de travaux indiquent que les garçons seraient plus sensibles à la séparation parentale que les filles (voir Demo et Acock, 1988; Furstenberg, 1988; Hetherington, Stanley-Hagan et Anderson, 1989; et Parke et Buriel, 1998, pour une revue des faits). Après une rupture, les garçons éprouveraient plus de problèmes de comportement et de difficultés scolaires que les filles. Généralement, ils présenteraient des réactions de type extériorisé, qui se manifestent par des problèmes de contrôle personnel entraînant des difficultés à se concentrer, de l'impulsivité, de l'agressivité et des conduites antisociales. Au contraire, les filles présenteraient des réactions de type intériorisé, mais moins intenses. Elles afficheraient de l'inhibition, une faible estime d'elles-mêmes ou montreraient des indices de dépression. Comme la plupart du temps la mère assume seule la garde des enfants, il est possible que les difficultés d'ajustement plus grandes des garçons découlent de l'absence du père dans leur famille. Le rôle du père sur le plan de l'identification à la figure masculine ainsi que sur le plan du contrôle comportemental serait en cause ici. La plus grande difficulté des filles à s'ajuster à la recomposition familiale, qui suppose le plus souvent pour elles le partage de leur mère avec un nouveau parent, irait aussi dans ce sens de l'effet du parent de même sexe (Hetherington, 1993). Encore ici cependant, il est difficile de mettre tous les garçons et toutes les filles dans le même sac, certaines caractéristiques personnelles pouvant être nettement plus importantes que le sexe dans la façon dont l'enfant vivra la transition (Parke et Buriel, 1998).

Les enfants plus jeunes sont-ils plus perturbés par la séparation de leurs parents que les plus vieux? Cette question a donné lieu à différentes hypothèses contradictoires. D'un côté, on peut prétendre que les tout-petits ne se rendent pas compte de ce qui se passe exactement et que leur représentation de la famille unie n'a pas eu le temps de se consolider, de sorte qu'ils passent à la famille séparée sans trop de remous. De l'autre côté, certains travaux indiquent que la séparation précoce appauvrit plus tôt la cellule familiale, ce qui prive très rapidement l'enfant des ressources que sa famille biparentale aurait pu lui offrir (Marcil-Gratton, LeBourdais et Lapierre-Adamcyk, 2000; Marcil-Gratton et LeBourdais, 1999). On remarque que les enfants d'âge préscolaire tendent à se blâmer de la séparation de leurs parents («c'est de ma faute, parce que j'ai été trop malcommode...»). Parce qu'ils ne disposent pas des outils conceptuels pour bien comprendre, ces enfants vivent également beaucoup de confusion et d'incertitude quant à ce qui va arriver, ce qui provoque des peurs d'abandon et des fantasmes durables de réconciliation de leurs parents (Cloutier, Filion et Timmermans, 2001; Hetherington, Stanley-Hagan et Anderson, 1989). Les enfants d'âge scolaire comprennent mieux, mais l'avenir continue de les préoccuper («Où vais-je habiter? Qui s'occupera de moi? Si mes parents se sont quittés, vont-ils me quitter aussi?» Etc.). Ils sont également préoccupés par le désir que leurs parents se réconcilient et par la loyauté qu'ils doivent manifester à l'égard de leur père et de leur mère maintenant en conflit. Les adolescents seraient plus en mesure que les plus jeunes de bien départager les responsabilités et les rôles, et d'éviter les conflits de loyauté. Toutefois, dans le contexte d'une supervision parentale moins active, ils présenteraient plus de risques de désinvestissement familial pour rechercher des affiliations ailleurs, auprès du groupe d'amis, à l'école et dans la communauté, ce qui peut parfois être positif mais parfois négatif aussi (groupe déviant, consommation, activités sexuelles non protégées, etc.) [Parke et Buriel, 1998]. Bref, selon leur âge, les enfants vivent différemment les transitions de leur famille, mais les données disponibles ne permettent pas de dire qu'il y a un âge plus propice à l'expérience de la séparation chez l'enfant.

En résumé, la séparation parentale appauvrit la cellule familiale, ce qui a pour effet d'augmenter le risque que l'enfant connaisse des difficultés psychosociales. Cependant, il est possible d'atténuer les effets négatifs de la séparation lorsque les conjoints réussissent à mettre fin à leur lien conjugal sans détruire le lien parent-enfant et sans contaminer le climat relationnel par des conflits (Emery et Forehand, 1994). Dans la mesure du possible, le maintien de la coparentalité, c'est-à-dire l'engagement des deux parents auprès de l'enfant, semble être le moyen le plus efficace de lutter contre l'appauvrissement des ressources affectives et matérielles mises à la disposition de l'enfant. Avec le partage de responsabilités qu'elle sous-entend, la coparentalité apparaît comme un objectif prioritaire dans le processus de réorganisation familiale. En effet, outre qu'elle conserve les ressources matérielles et humaines dont dispose la famille de l'enfant, la coparentalité permet de combler un besoin important pour l'enfant: elle lui permet de conserver un lien avec ses deux parents. Toutefois, il est déjà acquis qu'on ne peut atteindre cet objectif si la séparation conjugale s'effectue dans un contexte d'hostilité, si des conflits ouverts persistent entre les parents de l'enfant ou si les parents n'acceptent pas spontanément le partage fixé par la Cour (Cloutier et autres, 2001; Hetherington et Stanley-Hagan, 1999; Kelly, 1988).

### 14.3.3 Le point de vue des enfants sur la séparation parentale

La plupart du temps, les enfants ne désirent pas la séparation de leurs parents. Il s'agit d'une décision parentale où la place de l'enfant est souvent secondaire, même dans les décisions qui concernent directement son avenir (Barry, Cloutier, Fillion et Gosselin, 1985). L'enfant a besoin d'être informé adéquatement et de pouvoir exprimer son point de vue sur les décisions qui le touchent dans la réorganisation de la vie familiale. Le fait pour lui de pouvoir, dans la mesure de ses moyens, se représenter adéquatement ce qui se passe, d'exprimer ses sentiments et ses inquiétudes, et de pouvoir anticiper ce que lui réserve l'avenir constitue la base de l'ajustement psychologique qu'il a à réaliser (Cloutier et autres, 2001; Pedro-Carroll et Cowen, 1985).

Il est nécessaire que l'enfant puisse comprendre ce qui lui arrive et exprimer ce qu'il pense et ressent. Malheureusement, trop de parents, voire un trop grand nombre d'intervenants professionnels, estiment que la séparation parentale, «c'est l'affaire des adultes» et que les enfants ne sont pas partie prenante au problème. Selon Barry (1987) et Cloutier et Barry (1989), les parents risquent de se trouver en conflit d'intérêt lorsqu'ils sont aux prises avec leur propre rupture conjugale et qu'ils veulent en même temps conserver l'exclusivité de la représentation des intérêts de leur enfant. En effet, il est bien possible que les intérêts des parents en ce moment de crise ne correspondent pas à ceux de l'enfant, quand ils n'y sont pas carrément opposés.

Plusieurs années après la transition familiale, les enfants espèrent encore que leurs parents se réconcilieront. Même si la plupart des enfants et des parents s'adaptent à leur nouvelle organisation familiale, après avoir traversé deux ou trois années de stress transitionnel (Hetherington et autres, 1989; Parke et Buriel, 1998), les enfants devenus adultes conservent plus souvent l'impression que la séparation de leurs parents biologiques a nui à leur développement personnel. En revanche, les parents estiment que la crise fut difficile pour eux-mêmes, mais qu'ils s'en sont sortis positivement (Wallerstein et Kelly, 1994; Wallerstein, Lewis et Blakeslee, 2000).

### 14.3.4   La formule de garde adoptée pour l'enfant

Traditionnellement, au Canada, comme aux États-Unis ou en France, les tribunaux ont de préférence confié la garde de l'enfant à la mère. D'autant plus importante lorsque l'enfant est d'âge préscolaire, cette tendance a été associée à «l'hypothèse de l'âge tendre» voulant que la mère soit le parent le plus en mesure d'apporter une réponse adéquate aux besoins de l'enfant, particulièrement avant son entrée à l'école. C'est ce qui explique qu'au Canada, avant 1980, la garde de plus de 85% des enfants était confiée à leur mère (McKie, Prentice et Reed, 1983). C'est la formule de garde appelée «garde exclusive à la mère», un arrangement qui prévoit généralement un droit de visite accordé au père selon un horaire plus ou moins précis.

Lorsque les enfants sont confiés au père, on parle de «garde exclusive au père». Cloutier et ses collègues (1989) ont observé que dans 58% des cas, la garde au père était une formule de remplacement de la garde à la mère, c'est-à-dire que les enfants étaient allés vivre avec leur père après que la mère avait cessé de pouvoir assumer la garde pour diverses raisons. Ce qui signifie que les enfants vivant avec leur père ne le font pas nécessairement par choix.

La «garde partagée» constitue une formule de garde de plus en plus populaire et qui consiste, pour chacun des parents, à assumer une partie de la garde de l'enfant (Goubau, 2003). Il y a garde partagée quand, de façon régulière et prévisible, chacun des parents assume au moins 30% du temps de garde (Cloutier, 1987; Kelly, 1988). Ainsi, quand l'enfant vit chez son père la fin de semaine (du vendredi soir au dimanche soir) et chez sa mère pendant les autres jours de la semaine, il s'agit d'une garde partagée. Cloutier (1987) fait d'ailleurs la distinction entre la durée de la garde et la qualité du temps de contact. En effet, pour le parent qui assure la garde chaque fin de semaine, voyant ainsi ses jours de loisirs constamment occupés par cette responsabilité, la garde peut être d'une durée inférieure par rapport à celle qu'assume l'autre parent qui prend soin de l'enfant pendant les jours de classe la semaine mais, sur le plan qualitatif, elle peut représenter plus de 30% du fardeau et avoir une signification comparable à celle que prend la garde durant le reste de la semaine quant à l'engagement personnel du parent auprès de l'enfant. En effet, s'occuper principalement de l'enfant lorsqu'il est en congé suppose des rôles différents de ceux du parent qui a la responsabilité de l'enfant les jours où il va à la garderie ou à l'école.

Selon Careau et Cloutier (1990), les enfants qui expérimentent la garde partagée perçoivent plus d'avantages et moins d'inconvénients à l'égard de leur formule de garde que ceux qui vivent une garde exclusive (assumée par la mère ou par le père). Careau et ses collègues (1989) ont observé que les enfants et les adolescents en garde partagée se disent nettement plus satisfaits du fonctionnement familial chez leur père que ceux qui vivent une garde exclusive. Le maintien de la participation des deux parents signifie aussi des ressources matérielles et humaines plus abondantes pour le milieu de vie de l'enfant. De plus, les parents qui ont réussi à s'entendre à l'amiable, plutôt que de confier à des tiers la décision finale (juge), se trouveraient par la suite mieux placés pour trouver des solutions à propos des besoins nouveaux qui surviennent avec le temps, comparativement aux familles réorganisées à l'issue d'un jugement et qui reviendraient plus souvent en Cour pour trouver des arrangements (Benjamin et Irving, 1995; Turcotte, Beaudoin, Champoux et Saint-Amand, 2002).

La médiation familiale est une procédure qui consiste à demander à un spécialiste neutre et convenant aux deux conjoints d'intervenir auprès de la famille pour élaborer avec elle une entente de réorganisation acceptable pour tous ses membres. Des études indiquent que la médiation familiale contribue à maintenir beaucoup plus souvent le lien de l'enfant avec ses deux parents que ne le permet la procédure judiciaire (Kelly, 1996 ; Jones et Bodtker, 1999). La structure même de la médiation familiale diffère de la procédure judiciaire de séparation par le fait qu'elle place les conjoints en recherche d'une solution commune (à laquelle les enfants peuvent participer), tandis que la procédure judiciaire est contradictoire, c'est-à-dire qu'elle oppose les représentants (avocats) de chaque conjoint qui cherchent à obtenir le maximum de l'autre. Dans un tel contexte, les parties demandent souvent un peu plus pour avoir un peu moins, et les enfants sont souvent pris « entre deux feux ». Sachant que les conflits qui accompagnent le processus de séparation risquent de persister pendant plusieurs années et devenir en eux-mêmes plus dommageables, à long terme, que la rupture proprement dite, la gestion non contradictoire de la séparation offre des avantages évidents pour tous les membres de la famille.

### 14.3.5   Le cycle des réorganisations familiales

Lorsque l'enfant apprend que ses parents vont se séparer, il ne s'apprête pas à vivre un événement isolé, mais tout un cycle de transitions plus ou moins probables. La figure 14.3 illustre le schéma du cycle des réorganisations familiales.

Si l'on prend la famille nucléaire comme point de départ, ce qui n'est pas toujours le cas puisqu'un certain nombre d'enfants naissent dans une famille monoparentale (8,7 % au Canada en 1995, selon Marcil-Gratton, LeBourdais et Lapierre-Adamcyk, 2000), on estime à 35 % la probabilité qu'un enfant né aujourd'hui connaisse une séparation parentale avant d'avoir 18 ans. À ce moment, chaque membre de la famille, à sa façon, traversera une période de stress plus ou moins intense. Nous avons vu plus haut que l'hostilité est un agent particulièrement destructeur durant la phase de séparation, tandis que le respect des perspectives mutuelles et la communication constituent des agents d'ajustement tant au regard des enfants que des parents.

Une fois séparés, les parents s'achemineront éventuellement, mais pas nécessairement, vers une confirmation légale de leur rupture, sous forme d'une séparation légale ou d'un divorce. Au Québec, en 1995, 43 % des enfants étaient nés de parents cohabitant en union libre ; d'une part, les risques de séparation de ces parents sont plus élevés que s'ils s'étaient mariés, et, d'autre part, ces derniers n'officialisent généralement pas leur séparation par une procédure judiciaire (Marcil-Gratton et autres, 2000). Ensuite, on s'adapte à la vie en famille monoparentale, une étape qui dure environ cinq ans aux États-Unis (Glick et Lin, 1987). Après cette période d'ajustement souvent marquée par une importante diminution du niveau socio-économique de la famille, il y aura éventuellement une nouvelle union parentale. Deux à trois ans après la séparation, 45 % des enfants voient leurs parents former une nouvelle union et cette proportion passe à 85 % dix ans après la séparation initiale (Saint-Jacques, Lépine et Parent, 2002 ; Marcil-Gratton, 2000).

L'adaptation à la famille recomposée représente un nouveau défi pour l'enfant et ses parents ; on estime que cette famille recomposée mettra de quatre à sept ans avant de vraiment se consolider (Saint-Jacques et autres, 2002). Il semble que les filles s'ajustent plus difficilement que les garçons à la venue de nouveaux membres dans la

**Figure 14.3**   Le cycle des réorganisations familiales

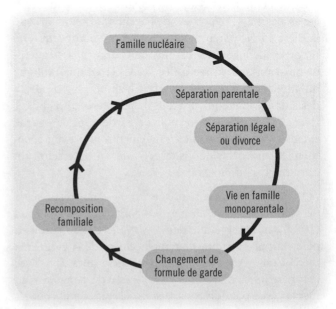

famille. Toutefois, pour les deux sexes, surtout à l'adolescence, il y a risque de résurgence de problèmes de comportement et de difficultés relationnelles avec la venue d'un nouveau conjoint dont on ne connaît pas vraiment le rôle et qui peut constituer une menace pour les jeunes (Hetherington et autres, 1989 ; Parke et Buriel, 1998). Plusieurs études indiquent que l'intégration du nouveau conjoint représente un défi considérable d'ajustement familial, mais que l'adaptation est plus facile lorsque ce nouveau parent prend le temps d'établir une relation de confiance avec les enfants, tout en situant clairement sa position, plutôt que de tenter de jouer le rôle du père traditionnel qui décide et qui contrôle les enfants (Saint-Jacques et autres, 2002). En fait, le nouveau parent ne sera jamais le parent biologique et ne s'intégrera pas dans un rôle familial autre que celui de « conjoint de la mère » tant que l'enfant ne l'aura pas adopté comme parent.

Enfin, le cycle des réorganisations familiales peut se poursuivre par une nouvelle séparation parentale. En effet, la probabilité que la famille recomposée se sépare est encore plus élevée. Selon Parke et Buriel (1998), le taux de divorce des familles recomposées aux États-Unis est de 10 % plus élevé que celui des familles d'origine, et c'est au cours des cinq premières années de l'union que le risque de rupture est le plus élevé, au moment où la nouvelle cellule familiale cherche à trouver son équilibre. Pour sa part, Furstenberg (1988) mentionne que plus de 1 enfant sur 10 vivra deux séparations conjugales ou plus dans sa famille avant d'atteindre l'âge de 16 ans.

Il ne fait pas de doute que pour l'enfant, un changement de formule de garde ou une recomposition familiale constitue une réorganisation de vie aussi importante que la séparation initiale. Aussi est-il important de concevoir la séparation parentale non pas comme un événement ponctuel isolé, mais comme le début d'un cycle dont les différentes étapes possibles ont un effet potentiellement important sur le vécu de l'enfant. Dans notre contexte social actuel, les familles réorganisées ne constituent plus un phénomène marginal ; les réactions des enfants aux transitions de leur famille sont variées et certains enfants s'y adaptent bien. La recherche se tourne maintenant vers la détermination des facteurs d'adaptation, car les connaissances dans ce secteur ont grand besoin d'être développées.

### 14.3.6  L'intervention auprès des enfants vivant une séparation parentale

Comment aider l'enfant à mieux traverser la crise familiale qu'entraîne généralement la séparation de ses parents ? Un certain nombre de programmes d'aide aux enfants dont les parents se séparent ont vu le jour au cours des dernières années. Généralement, ces programmes s'appliquent en milieu scolaire ou en services communautaires (Drapeau, Mireault, Fafard et Cloutier, 1993). De tels programmes prennent souvent la forme d'un groupe de soutien offert à l'enfant. L'objectif général de ces interventions est de prévenir les problèmes affectifs, comportementaux et scolaires souvent associés à la crise qui entoure la rupture des parents. Afin de se faire une idée de la nature de ce type d'intervention, examinons maintenant les grandes lignes du programme de Pedro-Carroll, dont l'efficacité a été démontrée (Pedro-Carroll et Cowen, 1985 ; Pedro-Carroll, Cowen, Hightower et Guare, 1986).

Le programmme CODIP de Pedro-Carroll (*Children of Divorce Intervention Program*) poursuit deux buts spécifiques. Premièrement, il s'agit de réduire le stress de la séparation parentale en fournissant à l'enfant un lieu d'échange avec des pairs qui vivent la même expérience que lui. L'enfant est admis dans un groupe animé par un spécialiste compétent et réunissant de six à huit pairs (nombre approximativement égal de garçons et de filles du même groupe d'âge) aux prises avec la même situation familiale. Dans ce groupe, il est invité à définir et à partager ses sentiments à l'égard de la séparation ; il peut se défaire de certaines idées erronées et briser son isolement relativement à sa transition familiale. Le premier objectif est donc de réduire le stress lié à la transition familiale en fournissant un lieu d'échange à l'enfant.

Deuxièmement, il s'agit de permettre à l'enfant d'acquérir des habiletés pertinentes à l'adaptation post-séparation, notamment les trois habiletés suivantes :

1) l'expression appropriée des sentiments comme la colère, la crainte, la tristesse, etc. ;

2) la résolution de problèmes couramment rencontrés dans les familles réorganisées ;

3) l'exploration des diverses possibilités d'arrangements que l'on peut rencontrer dans les familles séparées.

Le tableau 14.4 décrit les principes de base de l'animation du groupe, les tâches d'ajustement à plus long terme que le programme peut aider à réaliser et le thème de chacune des 12 rencontres hebdomadaires d'environ une heure prévues par le programme. Dans ce programme type, il est intéressant de noter l'importance de la place accordée au travail sur les représentations de l'enfant face aux événements survenus dans sa famille, ce qui lui permet de :

1) « dédramatiser » sa situation en constatant que d'autres vivent le même problème que lui ;

2) comprendre les différentes facettes de la séparation ;

3) pouvoir se situer personnellement dans ce contexte et se tourner vers l'avenir en conservant une image positive de soi.

## 14.4    L'ENFANT MALTRAITÉ DANS SA FAMILLE

La société ne peut que soutenir l'extraordinaire puissance de l'influence de la famille, lorsqu'elle est canalisée vers

**Tableau 14.4** Description de la structure du programme d'intervention auprès des enfants de familles réorganisées

**Principes de base de l'animation du groupe**

— Mettre l'accent sur le soutien affectif de l'enfant tout au long du programme en favorisant l'expression libre des sentiments, le partage ouvert des expériences communes et l'exploration de différentes perspectives dans l'interprétation des situations familiales.

— Fournir l'occasion à l'enfant de résoudre par lui-même des problèmes interpersonnels et d'accroître ses compétences à exprimer son agressivité de façon adaptée.

— Favoriser la réussite de l'enfant en encourageant sa participation au groupe afin d'améliorer son estime de soi.

**Tâches d'ajustement à plus long terme que l'enfant doit réaliser au regard de la séparation et que le programme peut favoriser**

— Accepter la réalité de la séparation de ses parents.

— Se désengager du conflit conjugal et prendre en charge son propre développement.

— Assumer les multiples pertes que la séparation impose.

— Surmonter sa colère et se départir de sa culpabilité vis-à-vis de la séparation.

— Accepter la permanence de la séparation.

— Conserver des espoirs réalistes pour ses propres relations interpersonnelles futures.

**Thèmes des 12 rencontres de groupe prévues par le programme**

1. Apprendre à se connaître.
2. Comprendre les changements qui surviennent dans la famille.
3. S'adapter au changement.
4. S'initier à la résolution des problèmes interpersonnels.
5. Apprendre à résoudre des problèmes interpersonnels (jeux de rôle), 1re séance.
6. Apprendre à résoudre des problèmes interpersonnels (jeux de rôle), 2e séance.
7. Simuler une table ronde d'experts sur la séparation où les rôles sont tenus par les enfants.
8. Comprendre la colère et s'y ajuster (identification et exploration).
9. Comprendre la colère et s'y ajuster (expression par différentes méthodes).
10. Connaître les différents types de famille (exploration des structures possibles).
11. Identifier des activités intéressantes faites lors des rencontres antérieures et échanger des rétroactions positives avec les membres du groupe.
12. Réussir à bien terminer cette expérience de groupe : vivre la fin du groupe comme la fin d'une relation avec expression des sentiments, évaluation de l'expérience et regard vers le futur.

Source : Adapté de J.L. Pedro-Carroll (1985), *The Children of Divorce Intervention Program. Procedures Manual,* Center for Community Study, University of Rochester, Rochester, New York, 14620 ; et de S. Drapeau, G. Mireault, A. Fafard et R. Cloutier (1993), « Évaluation d'un programme d'intervention offert aux enfants de parents séparés : le programme "Entramis" », *Apprentissage et socialisation*, 16, p. 65 à 77.

l'atteinte d'objectifs sains. Mais il arrive aussi que la famille perturbe gravement l'épanouissement de l'enfant. C'est le cas des familles qui négligent de répondre aux besoins fondamentaux de l'enfant ou qui en abusent physiquement, sexuellement ou psychologiquement. La présente section porte sur les mauvais traitements que subissent les enfants dans certaines familles; elle vise à déterminer la nature de ces problèmes et les moyens disponibles pour contrer leurs effets néfastes sur l'enfant.

### 14.4.1 Types de mauvais traitements envers les enfants

La plupart des travaux sur la maltraitance reconnaissent cinq grandes catégories de mauvais traitements à l'égard des enfants :

1) l'abus physique, c'est-à-dire une agression physique pratiquée sur l'enfant avec pour conséquences possibles, outre la douleur infligée, des séquelles visibles sur le corps (ecchymoses, coupures, brûlures, fractures, etc.);

2) l'abus sexuel qui consiste en attouchements sexuels, coït ou exploitation de l'enfant à des fins sexuelles;

3) la négligence physique, définie comme le défaut d'offrir à l'enfant des conditions matérielles de vie suffisantes pour répondre à ses besoins fondamentaux (nourriture, hygiène, soins de santé, vêtements, logement, protection physique);

4) la négligence émotionnelle, marquée par le défaut de donner à l'enfant le soutien émotionnel et l'affection minimale qu'exige son équilibre affectif;

5) l'abus psychologique, qui se caractérise par des pratiques qui perturbent le fonctionnement cognitif, émotionnel ou social de l'enfant (rejeter, humilier, ridiculiser, effrayer l'enfant, etc.).

Comment distinguer ce qui constitue un acte violent dans la famille de ce qui n'en est pas un? Cinq facteurs peuvent entrer en ligne de compte dans l'évaluation d'un problème de violence familiale :

1) la nature de l'acte (son caractère, sa fréquence et son intensité);

2) l'effet de l'acte violent sur la victime;

3) l'intention de l'auteur;

4) l'influence du contexte dans lequel se produit l'acte;

5) les normes culturelles locales définissant les conduites appropriées ou pas (Emery, 1989).

À une période donnée ou dans une culture donnée, certains comportements parentaux peuvent être considérés comme abusifs envers un conjoint ou envers un enfant, mais ils ne le seront pas nécessairement dans une autre culture ou à une autre époque. Par exemple, l'utilisation de la fessée dans la discipline des enfants est maintenant fortement remise en question comme pratique parentale, alors qu'il s'agissait d'une façon de faire normale et courante il y a 30 ans. Dès 1979, la Suède a adopté une loi interdisant l'utilisation des châtiments corporels ou les traitements humiliants de la part des parents et des personnes investies du droit de garde de l'enfant. Le Canada et la France n'en sont toujours pas rendus à cette étape, mais il est clair que la situation évolue puisque l'on dénonce les châtiments corporels et les abus psychologiques comme moyens d'éduquer les enfants. Nous savons aussi que certains contextes de stress extrême (guerre, situation de survie, etc.) modifient parfois les normes qui régissent les rapports entre les personnes. Au-delà de la difficulté d'établir avec précision ce qui constitue un acte abusif et ce qui ne l'est pas, il demeure que certaines conduites sont reconnues localement comme clairement inacceptables. Ces comportements constituent les conduites dites « abusives ».

Si le mauvais traitement ne fait pas de doute, par commission (abus) ou omission (négligence), les citoyens de la plupart des pays occidentaux doivent signaler la situation aux autorités responsables de la protection de la jeunesse. Si les faits rapportés s'avèrent fondés et que la sécurité ou le développement de l'enfant sont compromis, la démarche des services de protection peut entraîner une intervention légale auprès de la famille, c'est-à-dire une intervention d'autorité, qui peut aller jusqu'au retrait de l'enfant de sa famille et à son placement en milieu d'accueil. Au Québec, la *Loi sur la protection de la jeunesse* détermine cinq grandes catégories d'abus et de problèmes susceptibles de justifier une intervention de protection de l'enfant : quatre relèvent de la maltraitance; la cinquième est destinée à protéger le jeune contre lui-même quand les troubles sérieux de comportement dont il souffre menacent sa sécurité ou son développement. Le tableau 14.5 (page 408) en fournit la description ainsi que l'importance relative dans l'ensemble des interventions de

**Tableau 14.5** Ensemble des problématiques et alinéas de la *Loi sur la protection de la jeunesse* (LPJ) qui s'y rattachent

| Problématiques | Articles | Alinéas associés selon la LPJ |
|---|---|---|
| **Abandon** | 38 A | Absence des parents ou défaut de ceux-ci de répondre aux besoins de soins, d'entretien ou d'éducation de l'enfant. |
| | 38.1 C | Même que 38 A, mais dans le cas d'un enfant confié à un établissement ou à une famille d'accueil depuis un an. |
| **Négligence** | 38 B | Absence de soins appropriés, isolement ou rejet affectif grave et continu de la part des parents, qui risquent de compromettre le développement mental ou affectif de l'enfant. |
| | 38 C | Santé physique menacée par l'absence de soins appropriés. |
| | 38 D | Défaut de fournir des conditions matérielles d'existence répondant aux besoins de l'enfant. |
| | 38 E | Comportement ou mode de vie des parents pouvant entraîner pour l'enfant un danger physique ou moral. |
| | 38 F | Exploitation du mineur par un adulte qui abuse de sa vulnérabilité. |
| **Abus physiques** | 38 GP | Mauvais traitements physiques et autres gestes susceptibles de provoquer des sévices corporels ou des traumatismes et d'avoir des conséquences sérieuses sur la santé, le développement ou la vie de l'enfant. |
| **Abus sexuels** | 38 GS | Geste posé par une personne donnant ou recherchant une stimulation sexuelle non appropriée à l'âge et au niveau de développement de l'enfant. |
| **Mauvais traitements psychologiques** | | Aucun alinéa de la LPJ ne se rapporte spécifiquement à cette problématique. |
| **Troubles de comportement** | 38 H | Parents incapables de prendre les moyens appropriés pour faire cesser les troubles de comportements sérieux dont souffre leur enfant. |
| | 38.1 A | Fugue |
| | 38.1 B | Absentéisme scolaire |

| Distribution des cas où la sécurité et le développement sont compromis en fonction des problématiques (N = 2278) | |
|---|---|
| Négligence (alinéas B, C, D, E et F) | 51,0 % |
| Troubles de comportement (alinéas H, 1A et 1B) | 34,4 % |
| Abus physiques (alinéas GP) | 8,0 % |
| Abus sexuels (alinéas GS) | 4,6 % |
| Abandon (alinéas A) | 2,1 % |

Source : Adapté de M. Tourigny et autres (2002), *Étude sur l'incidence et les caractéristiques des situations d'abus, de négligence, d'abandon et de troubles de comportement sérieux signalées à la Direction de la protection de la jeunesse au Québec,* Montréal, Centre de liaison sur l'intervention et la prévention psychosociale (CLIPP).

protection. Il faut y noter que l'abus psychologique ne fait pas partie de ces motifs, car il relève généralement d'une autre problématique.

### 14.4.2  La fréquence des mauvais traitements

Au Québec, chacune des 16 régions administratives est dotée d'un centre jeunesse dont la mission est d'assurer la protection des enfants et des jeunes en vertu de la *Loi sur la protection de la jeunesse*. Chaque année, les centres jeunesse reçoivent plus de 50 000 signalements. La moitié est retenue pour une évaluation afin

de déterminer si la sécurité et le développement sont compromis. Dans environ la moitié des cas évalués, on constate que les faits rapportés sont fondés et que la sécurité de l'enfant ou son développement sont menacés. À ce moment, le directeur de la protection de la jeunesse doit prendre des mesures pour protéger l'enfant. Environ 50 % des cas avérés font l'objet de services apportés dans le milieu naturel de l'enfant; les autres se déroulent en milieu substitut, c'est-à-dire en famille d'accueil (trois placements sur quatre) ou en centre de réadaptation. Le tableau 14.5 indique la fréquence des différentes problématiques rapportée dans l'étude d'incidence québécoise de 1998 (Tourigny et autres, 2002).

Au cours des dernières décennies, l'intérêt social à l'égard des mauvais traitements infligés aux enfants s'est considérablement accru. On a vu apparaître divers programmes destinés à prévenir la violence familiale, à aider les parents abusifs, à sensibiliser les enfants à leur droit de faire respecter leur corps; on a aussi construit des maisons d'accueil pour femmes violentées et leurs enfants, pour prévenir le suicide des jeunes, etc. En soi, ces mesures ne sont probablement pas nouvelles, mais la sensibilité sociale à l'égard des mauvais traitements s'est accrue parallèlement à la reconnaissance des droits des enfants en tant que citoyens à part entière. Aujourd'hui, la *Loi sur la protection de la jeunesse* demande aux citoyens de signaler les abus sérieux qu'ils pourraient constater dans leur entourage. Si le signalement est fondé, des mesures sont prises, qui peuvent aller jusqu'à la prise en charge de l'enfant à protéger. Mais après plusieurs années de pratique, il semble que l'État a bien du mal à remplacer la famille auprès de l'enfant. Le système social de prise en charge est coûteux et rapidement débordé par les urgences. En fait, le placement de l'enfant en famille d'accueil ou en institution est souvent accompagné de problèmes qui non seulement ne pansent pas les blessures des jeunes abusés, mais s'ajoutent aux problèmes existants.

### 14.4.3  L'origine de l'abus des enfants dans leur famille

Les premières recherches portant sur l'origine des conduites parentales abusives reposaient sur l'hypothèse que les abus étaient le fait de parents atteints de psychopathologies (Kempe et autres, 1962). Il est apparu par la suite que seulement 10 % des parents abusifs souffraient effectivement de troubles mentaux (Messier et Zeller, 1987). Selon les conceptions contemporaines, les conduites abusives résulteraient d'une interaction entre les caractéristiques personnelles des parents, celles des enfants et le contexte familial.

Du côté parental, mentionnons les facteurs de risque suivants fréquemment mis en cause:

1) une histoire personnelle d'abus ou de négligence dans la famille d'origine;

2) des problèmes de consommation d'alcool ou de drogue;

3) des stratégies de résolution de problèmes inadéquates et des attentes irréalistes à l'égard de ce que l'enfant peut faire, compte tenu de son âge, par des parents généralement sous-scolarisés, qui manquent de connaissances en matière d'éducation;

4) une faible tolérance à la frustration occasionnée par des situations courantes telles que les pleurs de l'enfant, sa désobéissance, etc.;

5) un mauvais contrôle de ses pulsions agressives (Bouchard et Desfossés, 1989; Bugental et Johnston, 2000; Locke et Newcomb, 2003; Mayer et Tourigny, 2000).

Ces caractéristiques ne sont pas sans lien les unes avec les autres. D'abord, les parents qui ont eux-mêmes été l'objet d'abus dans leur enfance ont appris que ce mode relationnel entre parent et enfant était possible, sinon acceptable. Ensuite, ces parents abusés, frustrés émotionnellement durant leur propre enfance, sont souvent préoccupés par leurs propres besoins. Disposant de peu de ressources et d'informations, ils peuvent rechercher la satisfaction de ces besoins auprès de leurs propres enfants et devenir abuseurs si ces derniers sont incapables de combler des attentes parentales irréalistes.

Plusieurs caractéristiques de l'enfant semblent aussi constituer des facteurs de risque d'abus. Ces caractéristiques concernent généralement des enfants qui demandent plus de soins ou d'attention aux parents, alourdissant ainsi considérablement leur tâche. Mentionnons, par exemple, les bébés de petit poids à la naissance (bébés prématurés ou présentant un retard du développement), qui font mal leurs nuits et qui sont plus irritables, les enfants au tempérament difficile, ou souffrant d'un handicap physique ou mental (Ayoub et Jacewitz, 1982; Nelson, Laurendeau et Chamberland, 2001; Locke et Newcomb, 2003).

Du côté des caractéristiques situationnelles, des travaux récents adoptant une perspective écologiste ont établi que les éléments suivants constituaient des facteurs de risque d'abus ou de négligence:

1) les conflits conjugaux;

2) des problèmes financiers et de chômage des parents;

3) l'isolement social de la famille se caractérisant par un réseau restreint de contacts;

4) certaines valeurs de l'environnement culturel, comme la tolérance à la violence, à la négligence ou à l'abus

(Bouchard et Desfossés, 1989 ; Mayer et Tourigny, 2000).

La transmission entre générations de la violence envers les enfants a retenu l'attention de façon particulière en tant que facteur de risque (Belsky, 1993 ; Capaldi et Clark, 1998). De leur côté, Freedman (1975) et Herrenkohl, Herrenkohl et Toedter (1983) ont mené des études qui ont permis de retracer la présence d'abus d'enfants dans quatre générations successives. Si tous les enfants abusés ne deviennent pas eux-mêmes des parents abuseurs, il semble que plus de 30 % d'entre eux pourraient le devenir, selon Kaufman et Zigler (1987), renforçant ainsi la thèse selon laquelle l'expérience vécue par l'enfant dans sa propre famille d'origine influe significativement sur ses pratiques parentales futures.

### 14.4.4 L'abus sexuel des enfants dans leur famille

Dans plus de 75 % des cas, l'inceste impliquerait un père et sa fille ; il débuterait au moment où celle-ci est âgée entre 6 et 11 ans, mais il peut aussi se produire beaucoup plus tôt ou plus tard (Gupta et Cox, 1988). Souvent, les victimes ont de la difficulté à situer le moment où l'abus sexuel a effectivement commencé, parce qu'il s'est installé graduellement, depuis des comportements socialement acceptables (baisers, caresses, etc.) évoluant progressivement vers des activités clairement sexuelles (masturbation, contacts oraux-génitaux, etc.). C'est pourquoi, au moment où l'enfant réalise ce qui lui arrive, il ressent parfois de la honte à l'égard des actes auxquels il a participé, et de l'humiliation, deux sentiments qui risquent de l'empêcher de dévoiler l'abus. L'inceste peut cependant prendre différentes formes, s'inscrivant dans une évolution subtile et graduelle décrite plus haut ou commis au cours d'une violente agression perpétrée par un parent sous l'effet de la drogue ou de l'alcool. L'isolement social de la famille, l'absence de communication ouverte entre les membres de la famille, la passivité de la mère devant l'autoritarisme du père font souvent partie du tableau familial. Howes et ses collègues (2000) rapportent aussi que les familles où surviennent des abus sexuels gèrent plus difficilement les conflits et la colère, et qu'elles entretiennent des relations interpersonnelles rigides.

Le dévoilement de l'inceste, c'est-à-dire sa dénonciation en dehors du cercle familial, est considéré comme une arme très puissante pour lutter contre ce genre d'abus. À partir du moment où la situation est connue, il est impossible de la camoufler, et la loi et le sens commun imposent de prendre des mesures. Toutefois, la crainte des conséquences redoutables de ce dévoilement (effondrement de la famille, réputation souillée à jamais, haine des membres de la famille se retournant contre la victime) exerce une sorte de chantage puissant contre la divulgation de l'inceste par l'enfant, par sa mère ou par les autres membres de la famille qui sont au courant.

Au cours des dernières années, on a eu recours à différents programmes préventifs destinés à apprendre à l'enfant comment se protéger lui-même. On peut alors parler de programmes d'autodéfense. Appliqué en milieu scolaire, dans les services communautaires ou diffusé à la télévision, ce type de programme est tenu pour efficace, car il permet de désamorcer le processus d'abus sexuel par son dévoilement précoce. Avant que l'abus ne s'installe effectivement, l'enfant peut le dénoncer parce qu'il est en mesure de distinguer ce qui est acceptable de ce qui ne l'est pas, et qu'il sait que son point de vue est légitime, même si son père est en cause. Pourtant, malgré l'effet potentiel considérable de « l'autodéfense », l'enfant exposé à la violence ou l'enfant en très bas âge reste sans défense face à l'agresseur sexuel. Il appartient donc à l'environnement social d'être vigilant et d'intervenir pour protéger la jeune victime.

Gupta et Cox (1988) fournissent certains indicateurs susceptibles de traduire la présence d'abus sexuel chez l'enfant dans la famille :

> la présence à la maison de pornographie mettant en jeu des enfants ; des blessures physiques inexpliquées ou des problèmes anaux ou génitaux chez l'enfant ; des périodes soudaines de retrait et d'inhibition chez un enfant habituellement extériorisé ; des absences scolaires imprévues et répétées ; une fugue de la maison ; des changements radicaux dans les habitudes d'hygiène et de propreté (toilette) chez le jeune enfant. Dans tout cas soupçonné d'inceste, un examen médical complet devrait être la première étape. Une entrevue devrait aussi être menée auprès de l'enfant. Est-ce que la famille a vécu une épreuve récemment ? Y a-t-il eu mariage ou remariage ? L'enfant se sent-il responsable des problèmes familiaux ? Est-ce qu'il y a abus de drogue ou d'alcool dans la famille ? Y a-t-il des indices de violence familiale ? L'enfant se montre-t-il particulièrement défensif à l'égard d'un de ses parents ? La famille est-elle isolée socialement ? Y a-t-il des précédents d'abus sexuel dans la famille ? Ce type de questions peut certainement dévoiler autre

chose que de l'inceste, mais leur recoupement peut aider le praticien à évaluer la vraisemblance de l'inceste. (Gupta et Cox, 1988, p. 310.)

L'évaluation du bien-fondé des allégations d'abus sexuels est une affaire extrêmement délicate en raison des risques importants associés à une éventuelle erreur : accuser faussement une personne de commettre un abus sexuel cause un tort considérable aux acteurs en cause, mais ignorer un abus réel signifie laisser les victimes dans leur souffrance (Haesevoets, 2000 ; Morency, 1997 ; VanGijseghem, 1995).

Les séquelles des abus sexuels sont aussi variables que les formes, les contextes et la durée de ces abus. Selon les chercheurs qui se sont penchés sur la question, les enfants abusés présentent plus de symptômes que ceux qui ne l'ont pas été, mais on est encore à la recherche d'un symptôme fiable qui permettrait de confirmer l'abus et d'en déterminer les séquelles psychologiques caractéristiques chez l'enfant qui en est victime. Certains enfants ne semblent pas présenter de difficultés de nature comportementale, tandis que d'autres présentent tous les critères d'un diagnostic psychiatrique, tels le syndrome de stress post-traumatique, une dépression majeure ou des troubles anxieux sévères sur le plan clinique (Kernberg et Normandin, 2002 ; Saywitz, Mannarino, Berliner et Cohen, 2000). L'observation de l'enfant dans ses activités de jeu est une approche souvent privilégiée pour comprendre l'impact psychologique de l'abus (Normandin, 2002). Quant aux traitements, le tableau n'est pas simple non plus. Finkelhor et Berliner (1995), de même que Saywitz et ses collègues (2000) complètent leur examen des études portant sur les effets des traitements en affirmant que la plupart des travaux concluent à l'amélioration de la situation psychologique de l'enfant à l'issue des thérapies. Il reste toutefois difficile de départager l'effet réel du traitement au regard du passage du temps ou d'autres facteurs relevant du contexte de vie de l'enfant.

## 14.5    LA GARDERIE

La fréquentation de la garderie est devenue un phénomène courant dans la vie des enfants d'âge préscolaire. Les besoins de services de garde ne cessent de croître depuis que les deux parents travaillent à l'extérieur du foyer. D'une part, comme nous l'avons vu plus haut, la majorité des mères canadiennes d'enfants d'âge préscolaire occupent un emploi à l'extérieur du foyer ; d'autre part, une majorité d'enfants n'ont pas de frères et de sœurs dans leur famille par suite de la chute de la natalité, de sorte que les parents peuvent trouver une réponse aux besoins sociaux de leurs petits dans la société de pairs que constitue la garderie. En conséquence, la fréquentation de la garderie n'est plus un phénomène marginal, et elle ne sert plus seulement les parents ; les enfants aussi y trouvent leur compte.

### 14.5.1    Les services de garde disponibles

#### Les services de garde en milieu scolaire

Les services de garde en milieu scolaire constituent une ressource d'appoint axée sur l'encadrement des enfants après ou avant l'école (le midi, par exemple) qui seraient autrement livrés à eux-mêmes, à des moments où leurs parents ne peuvent s'en occuper. Ces services de garde ont pour objectif d'assurer à l'enfant un accès à un milieu sécuritaire, où il peut effectuer ses travaux scolaires, et de lui offrir un programme d'activités satisfaisantes pour lui et pertinentes pour son développement. Au Québec, en 2003, environ trois élèves sur quatre profitaient des services de garde de leur école, régulièrement ou sporadiquement.

#### Les « enfants à la clé »

Il faut donc fournir à une proportion importante d'enfants d'âge scolaire des services de garde après ou avant les heures de classe et l'offre de tels services fait maintenant partie du rôle courant de l'école. Toutefois, certains enfants n'utilisent pas ce service de garde et rentrent chez eux en l'absence de supervision adulte. Ce sont les « enfants à la clé », une expression qui évoque ces enfants avec la clé de la maison autour du cou. La prise de conscience de ce phénomène a soulevé des craintes quant aux éventuels risques associés à cette absence d'encadrement.

De nombreux facteurs influent sur la capacité des enfants à passer du temps seuls à la maison, notamment l'âge, la maturité personnelle et le contexte dans lequel ils se trouvent. Que fera l'enfant en cas de situation inhabituelle (personne étrangère, accident, etc.) ou si le parent ne rentre pas à l'heure dite ? On avance souvent qu'à partir de 12 ans, un enfant peut rester seul, sans la garde d'un adulte. Mais cette règle s'applique-t-elle à tous les enfants ? Et combien de temps des enfants peuvent-ils rester seuls ? Dans quel contexte, au juste ? Et avec quelles ressources d'aide en cas de besoin ? À partir d'une étude réalisée auprès de 60 000 foyers américains, Cain et Hofferth (1989) indiquent que la majorité des 5-13 ans qui restent seuls à la maison ne proviennent pas de familles pauvres qui ne peuvent payer pour un service de garde. Ces enfants proviennent plutôt de foyers de classe sociale moyenne ou élevée, résidant en banlieue, et se gardent eux-mêmes deux heures par jour en moyenne, leurs parents les considérant probablement comme responsables et matures. Seule une minorité de ces enfants présenteraient un profil à risque et pourraient avoir des problèmes en raison de leur plus jeune âge (5-7 ans) ou parce qu'ils passent plus de trois heures par jour sans la supervision d'un adulte. Par ailleurs, la recherche sur cette question a presque totalement passé sous silence l'effet positif de ce contexte sur l'autonomie de l'enfant capable de s'autoréguler. Bref, c'est la reconnaissance de la nécessité d'une supervision pour les enfants après ou avant l'école qui a provoqué l'apparition rapide des services de garde en milieu scolaire, même si l'on connaît encore mal les risques que courent les enfants à la clé (Lamb, 1998).

### 14.5.2    Les services de garde préscolaires au Québec

La reconnaissance des besoins en service de garde et la nécessité d'assurer à l'enfant des milieux de garde répondant à des normes minimales de qualité ont entraîné ces dernières années un essor rapide des services de garde préscolaires. Au Québec, avec la création des Centres de la petite enfance, les places en milieu familial font désormais partie d'un système officiellement reconnu, en plus des places disponibles en installations de garde de groupe. En 2002, les Centres de la petite enfance disposaient d'un total de 146 000 places, soit une augmentation de plus de 50 % durant les cinq dernières années (MESSF, 2003). Si l'on estime qu'il y avait environ 450 000 enfants âgés de zéro à cinq ans en 2002, ce réseau offre environ une place pour trois enfants de ce groupe d'âge. Il s'agit d'une progression spectaculaire sur le plan quantitatif, mais la question relative à la qualité des services offerts demeure entière, notamment en ce qui a trait aux places en milieu familial où la notion

de programme éducatif d'activités est encore embryonnaire. Or, c'est dans ce milieu que le réseau des services de garde se développe le plus rapidement. Le tableau 14.6 indique la répartition des places en fonction du type de service et de l'âge de l'enfant.

### 14.5.3    Les effets de la garderie préscolaire sur l'enfant

Comment la fréquentation soutenue d'un service de garde influe-t-elle sur le développement de l'enfant ? Cette question est au cœur des recherches en matière de services de garde et elle soulève toujours de vifs débats. Répondre de façon pertinente à cette question exige de prendre en compte de nombreuses considérations et de faire bien des distinctions. L'enfant est un être unique et complexe, et le milieu dans lequel il est gardé l'est tout autant. Pour isoler les sources d'influence, il faut disposer d'outils extrêmement précis et de méthodes pouvant tenir compte simultanément de nombreuses variables, et suivre leur interaction au fil du temps. Parmi les facteurs incontournables dans la recherche d'une réponse fiable, mentionnons les caractéristiques de l'enfant, de sa famille, le milieu de garde, la durée de la fréquentation et l'âge où elle a débuté, les événements qui surviennent par ailleurs dans la vie de l'enfant et les indicateurs employés pour la recherche. Malheureusement, il est généralement impossible de les prendre en compte simultanément. Voilà pourquoi il n'y a pas encore de réponse claire malgré les innombrables travaux traitant des effets de la garderie sur l'enfant.

Au lieu de se demander si la garderie est bonne ou mauvaise pour l'enfant, ne devrait-on pas accepter qu'il n'y aura jamais de réponse générale à une telle question et se demander plutôt s'il ne vaudrait pas mieux tenter de comprendre par quels mécanismes la garderie influe sur l'enfant ? Après avoir passé minutieusement en revue les données disponibles sur la garde non parentale de l'enfant, Lamb (1998) a formulé les observations suivantes :

1. L'expérience de l'enfant dans les services de garde ne nuit pas nécessairement à son développement et aux relations avec sa famille, même s'il arrive parfois que cette expérience soit négative. La majorité des enfants usagers des services de garde restent attachés à leurs parents et continuent de préférer leurs parents aux

éducatrices, même s'ils nouent avec elles des relations significatives.

2. Il est clair que la fréquentation précoce des services de garde favorise l'affirmation, l'agressivité et la désobéissance chez certains enfants, sans que l'on connaisse les raisons exactes de cette tendance. D'après certaines données, il y aurait un lien entre l'augmentation de l'agressivité et une relation difficile entre l'enfant et les éducateurs; les enfants fréquentant des services de bonne qualité et encadrés par un personnel stable ne sont pas plus agressifs que leurs pairs gardés par leurs parents.

3. La recherche ne confirme pas la croyance selon laquelle les enfants gardés par d'autres adultes développent un attachement de type insécurisé avec leurs parents. On observe le même éventail de styles d'attachement, que les enfants soient gardés par leurs parents ou non.

4. La qualité des services offerts à l'enfant constitue le facteur qui influe de façon déterminante sur les effets de la garde, sans égard à la formule de garde proprement dite (à la maison avec une gardienne, en milieu familial ou en établissement). Même si les enfants réagissent différemment selon leur personnalité, on observe que des services de piètre qualité exercent généralement un effet négatif sur le développement de l'enfant. En revanche, on note que des services de garde de haute qualité entraînent des effets bénéfiques mesurables (quoique faibles parfois) sur la plupart des enfants, même chez les plus avancés. Il n'y aurait donc pas de seuil de développement au-delà duquel la qualité n'a plus d'effet.

5. Les parents ne comprennent pas toujours que leurs enfants tirent plus d'avantages des services de garde de bonne qualité que des services de piètre qualité et ne semblent pas tenir compte de cette réalité dans leur évaluation des coûts et bénéfices. Sur ce plan, la recherche se doit de trouver des arguments plus convaincants.

6. L'appréciation de la qualité des services de garde au moyen d'indices généraux pourrait ouvrir la voie à des recherches plus élaborées qui permettraient de comprendre les effets distincts des différentes pratiques éducatives. Par exemple, on s'explique mal qu'un milieu de qualité entraîne des bénéfices socio-émotionnels pour tous les enfants, sans égard à leur provenance socio-culturelle, alors que les effets que ce milieu exerce sur le développement cognitif varient d'un groupe socio-culturel à l'autre.

**Tableau 14.6** Répartition des enfants fréquentant les services de garde selon leur âge[1], au Québec en date du 31 mars 2001

| Âge[1] | CPE[2] installations et garderies | | CPE[2] milieu familial | | Total services de garde | |
|---|---|---|---|---|---|---|
| | Nombre | % | Nombre | % | Nombre | % |
| − de 1 an | 5100 | 6,2 | 7560 | 12,5 | 12 660 | 8,9 |
| 1 | 9790 | 11,9 | 10 280 | 17,1 | 20 070 | 14,1 |
| 2 | 16 970 | 20,6 | 12 640 | 21,0 | 29 610 | 20,7 |
| 3 | 23 180 | 28,1 | 14 660 | 24,3 | 37 840 | 26,4 |
| 4 | 25 680 | 32,3 | 12 540 | 20,8 | 39 220 | 27,5 |
| 5 ans et + | 850 | 1,0 | 2590 | 4,3 | 3440 | 2,4 |
| **Total** | **82 570** | **100,0** | **60 270** | **100,0** | **142 840** | **100,0** |

1. Âge au 30 septembre 2000.
2. Centre de la petite enfance.
Note : Les données ont été pondérées à partir des pourcentages des réponses reçues des services de garde.

Source : Québec, ministère de l'Emploi, de la Solidarité sociale et de la Famille (2002), Rapport d'activités 2000-2001 complété par les services de garde.
Sur Internet : http://www.mfe.gouv.qc.ca/serv_garde/statistiques/index.asp

### 14.5.4  Les indices de qualité d'un service de garde en établissement

Il apparaît aujourd'hui que les effets de la garderie sur l'enfant résultent d'une interaction entre ses caractéristiques personnelles, celles de sa famille et celles de la garderie qu'il fréquente (Lamb, 1998). Sur quelles bases peut-on évaluer la qualité d'une garderie préscolaire? L'évaluation des services de garde en établissement porte généralement sur les trois dimensions suivantes: la qualité des lieux, les ressources humaines et les ressources éducatives (Harms et Clifford, 1980, 1989; Harms, Cryer et Clifford, 1990; Arnett, 1989; Abbott-Shim et Sibley, 1987).

1.  La qualité des lieux:
    - l'espace intérieur disponible par enfant: par exemple, un minimum de 4 m² par enfant pour les moins de 18 mois et de 2,75 m² pour les 18 mois et plus;
    - l'espace extérieur disponible par enfant: par exemple, un minimum de 4 m² dans un espace clôturé pouvant accueillir au moins le tiers des enfants fréquentant la garderie;
    - l'organisation des zones intérieures de service, c'est-à-dire l'espace d'accueil, le vestiaire, les toilettes, les lavabos, la salle de lavage, les salles de repos et de repas, les salles réservées aux activités spécialisées, la cuisine, etc.;
    - le système de ventilation, un élément très important pour la qualité de l'air et pour contrer la contagion virale entre les enfants;
    - les fenêtres et l'éclairage naturel des lieux intérieurs, ainsi que l'ensoleillement des espaces extérieurs;
    - l'insonorisation intérieure et le niveau sonore à l'extérieur.

2.  Les ressources humaines:
    - le nombre total d'enfants fréquentant la garderie: une capacité d'accueil de plus de 60 enfants place la garderie au rang des grosses garderies, ce qui peut comporter certains désavantages, notamment au regard de la personnalisation des rapports humains;
    - le rapport enfants-éducatrice: chez les moins de 18 mois, une éducatrice ne doit pas avoir plus de cinq enfants à sa charge; en revanche, chez les plus de 18 mois elle peut s'occuper d'un groupe de huit enfants;
    - la formation et la constance du personnel: quelles sont les qualifications des éducatrices? Quel est le roulement du personnel?
    - la structure administrative du service de garde: s'agit-il d'une garderie à but lucratif? Qui fait partie du conseil d'administration, le cas échéant? Comment les parents sont-ils représentés dans les instances décisionnelles?
    - les éducatrices sont-elles secondées par une coordonnatrice, une réceptionniste, une cuisinière, du personnel d'entretien ménager, ou par des parents bénévoles?
    - les mécanismes de communication entre la garderie et la famille: existe-t-il un journal de garderie? Quels sont les objectifs d'intégration éducative famille-garderie? À quelle fréquence les parents sont-ils informés de l'évolution de l'enfant dans son milieu? Existe-t-il un programme de rencontres de l'éducatrice avec les parents au sujet de chaque enfant? Et pour les parents entre eux?
    - les politiques relatives à la résolution de divers problèmes, telles les urgences de santé, l'agressivité en garderie, les difficultés de transition famille-garderie, etc.

3.  Les ressources éducatives:
    - le programme d'activités offertes aux enfants: que font les enfants pendant la journée? Quels buts éducatifs la garderie poursuit-elle et quelles activités réalise-t-elle pour les atteindre? Comment le développement de l'enfant est-il évalué?
    - les activités spéciales thématiques: combien prévoit-on de sorties extérieures par année (visites, excursions, etc.)? Invite-t-on parfois des personnes-ressources? Certains thèmes regroupent-ils des activités particulières?
    - le matériel éducatif et les jeux adaptés aux différents groupes d'âge;
    - les mécanismes de suivi des progrès de l'enfant: développement d'habiletés motrices, verbales, sociales, etc.

Les parents désireux de confier leur enfant à un service de garde devraient pouvoir recevoir des réponses à chacune de ces questions de la part de la garderie. Il appartient à la famille d'être vigilante sur la qualité des services et d'accorder au moins autant de soin au choix de sa garderie qu'à celui de sa voiture… Il importe en effet de ne pas fonder son choix uniquement sur la simple proximité physique de la garderie et de la résidence familiale.

La garderie est un milieu social intense où l'enfant passe plus de 90 % de son temps en présence d'une autre personne. Cependant, on conçoit aisément que cette omniprésence sociale, si elle n'est pas bien canalisée, risque d'altérer la qualité de la vie en éliminant l'intimité personnelle des tout-petits. Il s'agit d'un milieu potentiellement très riche et en même temps fragile.

## 14.6    L'ÉCOLE

*Le peuple qui a les meilleures écoles est le premier peuple. S'il ne l'est pas aujourd'hui, il le sera demain.*
(PÉRIER, 1888.)

### 14.6.1    L'école en tant que milieu social

Intuitivement, nous savons que l'école joue un rôle important dans le processus de socialisation de l'enfant: nous sommes majoritairement convaincus que nos longues années d'école nous ont marqués. L'apprentissage de la lecture, de l'écriture, mais aussi de l'histoire, de l'anglais, de la géographie, constitue notre héritage scolaire typique. Soit, nous avons acquis à l'école une bonne partie de nos connaissances de base, mais les souvenirs spontanés que nous gardons de l'école portent davantage sur la société scolaire que sur le programme scolaire proprement dit. Par exemple, nous nous souvenons probablement plus facilement des personnes qui nous entouraient en 3e ou 5e année de l'élémentaire que des éléments du programme scolaire de ces années. Nous conservons donc généralement un meilleur souvenir de l'environnement scolaire lui-même que des caractéristiques des programmes scolaires, même si nous nous rappelons les connaissances acquises alors. Dans la section qui suit, c'est à la dimension sociale de l'école que nous nous intéresserons, en tant que reflet de la culture et agent significatif de socialisation de l'enfant.

L'école est le foyer d'acquisition d'un grand nombre de compétences en marge des contenus des programmes. L'enfant y apprend à entrer en rapport avec des modèles adultes marqués par leur propre style de gestion de leur autorité; il y apprend aussi à se faire une place parmi un groupe de pairs, à se faire des amis, à régler des problèmes interpersonnels, à tenir compte des pressions du groupe, à s'adapter aux règles, à gagner et à perdre, à parler en groupe, à assumer des responsabilités communautaires, etc. Sans faire officiellement partie du programme, ces habiletés façonnent l'identité que l'enfant acquiert au fil des ans.

### 14.6.2    Les rapports sociaux à l'école sont inscrits dans l'espace

C'est par le rapport entre les personnes bien plus qu'au contact des contenus scolaires que l'école joue son rôle

L'école est un milieu social qui offre bien plus qu'une classe à l'enfant.

d'agent de socialisation. La façon dont ces rapports sont gérés s'inscrit dans l'espace même de l'école.

Des travaux ont montré que lorsque la densité de la population scolaire était grande (moins de 1,65 m² par élève) dans un contexte de ressources matérielles limitées, l'agressivité avait tendance à croître entre les enfants, par suite de l'augmentation de la compétition pour l'espace et le matériel (Minuchin et Shapiro, 1983). Le nombre d'élèves dans la classe est un élément important de l'environnement d'apprentissage; augmenter le nombre d'enfants par classe permet peut-être de réaliser des économies d'échelles pour l'organisation, mais cette décision risque aussi d'influer sur la qualité de l'enseignement. Aux États-Unis, une étude longitudinale a suivi 6000 enfants de la maternelle jusqu'à la neuvième année afin d'évaluer l'effet de la taille de la classe au cours des trois premières années sur le rendement scolaire à plus long terme (Mosteller, 1995; Nye, Hedges et Konstantopoulos, 2001). Dans les 79 écoles participantes, on a constitué deux catégories de classes dans lesquelles les élèves furent distribués de façon aléatoire, pendant les quatre premières années scolaires (de la maternelle à la troisième année). Il y avait entre 13 et 17 élèves dans les « petites classes », tandis que les « classes régulières » en comptaient entre 22 et 25. Chaque année, les élèves des classes moins nombreuses ont obtenu de meilleurs résultats en lecture et en arithmétique. À la fin des quatre années, les élèves de petites classes sont retournés dans des classes régulières, mais ils ont maintenu leur avance sur les autres, et ce, jusqu'en neuvième année (Nye et autres, 2001). On explique ces résultats par le fait que les enseignants qui ont moins d'élèves passent moins de temps à faire la discipline, peuvent consacrer plus de temps à chaque élève. De plus, le climat de la petite classe est meilleur, notamment parce que les élèves ont plus d'occasions de participer aux échanges et sont plus satisfaits de leur expérience scolaire (Berk, 2003). Plus généralement, il semble qu'une petite école (environ 500 enfants) favoriserait la participation des élèves aux activités parascolaires et susciterait moins de comportements déviants qu'une plus grosse école de 1000 enfants et plus (Minuchin et Shapiro, 1983).

Plusieurs recherches ont montré que, dans la classe traditionnelle du primaire, la majorité des interactions élèves-professeur engageait les enfants dont le pupitre était placé sur la première rangée en avant ou sur la colonne centrale de pupitres de l'avant vers l'arrière de la classe (Minuchin et Shapiro, 1983). Par ailleurs, il est connu qu'un arrangement des pupitres en cercle, qui permet aux élèves de se voir, est beaucoup plus propice à leur participation et au maintien de leur attention que l'alignement traditionnel des rangées de pupitres tournés vers l'avant.

### 14.6.3 La relation professeur-élève

Au début des années 1970, on a observé que le professeur était plus souvent attaché aux élèves qui réussissent bien, qui participent et se conforment aux règles de la classe tout en faisant peu de demandes (Silberman, 1971). Les enseignants s'intéresseraient plus aux élèves qui, sans être parmi les plus forts, font des demandes pertinentes à l'activité scolaire, et ils auraient tendance à être indifférents à l'égard des enfants réservés et silencieux (les élèves « invisibles ») avec lesquels ils n'ont que peu d'interactions. Le plus souvent, les élèves rejetés du professeur seraient ceux qui font beaucoup de demandes déplacées et dont le comportement en classe est problématique. Bouchard, Cloutier et Gravel (document non publié), dans une étude portant sur 19 classes de maternelle, rapportent que dès le début de la scolarisation, les jardinières perçoivent les filles comme plus prosociales, c'est-à-dire altruistes et mieux inscrites dans leurs rapports sociaux, que les garçons. Selon ces chercheurs, cette observation est liée aux comportements extériorisés des enfants: ceux qui affichent plus de comportements extériorisés sont perçus comme moins prosociaux, ce qui est plus souvent le cas chez les garçons.

Avec leur étude intitulée *Pygmalion in the Classroom,* Rosenthal et Jacobson (1968) ont soulevé un intérêt durable à l'égard de l'influence potentielle des attentes du professeur sur le rendement des élèves. Ces auteurs avaient dit, en début d'année, à des professeurs de classes du primaire que certains de leurs élèves avaient un potentiel intellectuel exceptionnel. En fait, les élèves en question avaient simplement été choisis au hasard. L'objectif était de mesurer l'effet d'une attente créée artificiellement sur le rendement réel des enfants. En première et en deuxième année, les auteurs obtinrent des données montrant qu'en effet, les enfants désignés comme brillants avaient fait des gains significativement supérieurs aux autres dans leurs résultats aux tests d'intelligence. Par la suite, plusieurs autres chercheurs n'ont pas réussi à refaire cette étude. La méthodologie du travail de Rosenthal et Jacobson (1968) a souvent été critiquée, mais d'autres travaux menés ultérieurement ont pu vérifier, peut-être de façon moins spectaculaire, que les attentes du professeur à l'égard de l'élève influaient sur sa conduite à l'égard du jeune, ce qui en retour pouvait influer sur le rendement scolaire (Rosenthal et Rubin, 1978; Rosenthal, 1994). Nous savons maintenant que si l'attitude du professeur ne peut pas changer le QI de l'enfant en une seule année, elle peut jouer sur sa performance scolaire, et nous savons également que les attentes influent sur l'interaction des gens dans d'innombrables domaines (McNatt, 2000). De leur côté, Alvidrez et Weinstein (1999), après avoir suivi des élèves durant plusieurs années, ont observé que les jugements portés par les enseignants sur les habiletés cognitives des enfants en classe de maternelle permettaient de prédire avec un bon degré de certitude la réussite scolaire 14 ans plus tard. On ne peut considérer que ces prédictions sont à l'origine de l'évolution de l'élève, mais elles peuvent avoir une influence sur les comportements réciproques en contexte scolaire. Ces résultats témoignent certainement aussi de la grande sensibilité relationnelle qui prévaut entre l'enseignant et l'élève dès le début de la scolarisation.

La relation professeur-élève est sensible à toutes sortes de variables personnelles et contextuelles et, de ce fait, elle peut s'avérer fragile; elle demeure néanmoins au cœur de la mobilisation de l'élève dans le travail de la classe. De par son rôle même, l'enseignant exerce un leadership sur son groupe-classe et la façon dont il remplit ce rôle peut faire la différence entre l'engagement ou le désengagement de l'élève dans son projet scolaire. Reeve, Bolt et Cai (1999) observent que le style de gestion de la classe des enseignants est relativement constant au cours d'une année, allant soit dans le sens du soutien à l'autonomie ou dans le sens du contrôle des élèves. À l'instar de nombreux autres travaux, ces chercheurs remarquent que le style déployé influe sur la motivation scolaire des élèves, leurs émotions et leur performance. Comparativement au style contrôlant, le style de soutien à l'autonomie favorise nettement la persévérance scolaire, le sentiment de compétence, la créativité, les attitudes positives, une plus grande motivation intrinsèque et de meilleures notes chez les élèves. Contrairement aux enseignants contrôlants, ceux qui soutiennent l'autonomie écoutent davantage, questionnent au lieu de dire comment faire et accordent plus de temps pour le travail individuel. Ils laissent également les élèves faire leur travail à leur façon, sans pour autant être passifs

puisque, comme les premiers, ils donnent des consignes et de la rétroaction, ils invitent à la persistance et évaluent les élèves.

### 14.6.4 Quelles sont les caractéristiques d'un bon professeur?

Il n'y a probablement pas de réponse unique à cette question. Un certain nombre de caractéristiques ont cependant été associées au professeur dont les élèves réussissaient mieux et aimaient leur travail. De façon générale, le professeur qui réussit à engager activement ses élèves dans leur travail scolaire les conduit aussi à un meilleur rendement. Mais comment arriver à cet engagement actif?

Les qualités de gestionnaire du professeur entrent en jeu ici:

– Dans une classe bien menée, les activités proposées s'enchaînent les unes aux autres, sans perte de temps lors des transitions;

– Il y a peu de problèmes de discipline parce que le professeur les anticipe et intervient très tôt avant qu'ils éclosent;

– Cela suppose que l'attention de l'enseignant se porte sur tous les élèves, dans tous les coins de la classe et non pas sur quelques élèves seulement;

– Le professeur intervient calmement mais efficacement pour régler les problèmes et clarifier les confusions (Brophy et Good, 1986; Chalvin, 1986, 1994).

Le résultat de ces qualités de bon gestionnaire est que l'activité de la classe tourne rondement, dans le calme, sans être perturbée par des «crises» ponctuelles; les pertes d'énergie et de temps étant minimales, les membres de la classe peuvent explorer les contenus de façon plus spontanée, plus détendue, sans constamment être pressés par l'horloge.

### 14.6.5 La relation famille-école

En tant que milieu social, l'école possède ses règles, ses valeurs et ses interdits. Tous les enfants n'entrent pas à l'école avec les même capacités d'adaptation à ce nouveau milieu; l'adéquation des acquis préscolaires de l'enfant, principalement développés dans la famille, peut être grande face aux exigences de l'école, mais elle peut aussi être faible. Un des problèmes les plus importants que vivent les enfants de milieux défavorisés vis-à-vis de l'école provient justement du fait qu'ils vivent dans une famille qui ne valorise pas l'école et qui supervise mal l'enfant dans son projet éducatif. De par leur histoire personnelle fréquemment marquée par les échecs, les parents ne participent pas facilement à la vie scolaire de leurs enfants; ils ont tendance à les laisser se débrouiller seuls. Lorsque l'enfant réussit effectivement à atteindre les objectifs, cette absence de soutien parental n'est pas tragique, mais lorsque l'enfant éprouve des difficultés, à elle seule l'école n'arrive pas à compenser les retards et l'enfant risque alors de s'enliser durablement dans l'échec.

Voici une citation qui fait bien comprendre les racines de cette distance famille-école si nuisible à la réussite scolaire de l'enfant:

> Lieu de frustrations, d'expériences pénibles et parfois aliénantes, l'école représente souvent pour ces parents un endroit où ils sont des étrangers. Ils n'entreront pas spontanément dans l'école pour voir ce qui s'y passe et dialoguer avec les enseignants. Si l'on ajoute à cette résistance psychologique une méfiance souvent observée face à l'ensemble des institutions sociales qui représentent pour ces parents les assises d'une société bien établie où ils sont les laissés-pour-compte, on comprendra mieux l'importance des résistances que ces parents ont à vaincre avant d'entrer de plain-pied dans l'école de leur enfant et d'avoir le goût de s'y engager. Ces parents ont souvent un sentiment profond d'impuissance, parce qu'ils pensent qu'ils ne peuvent rien changer à la société et que les jeux sont faits. (Ministère de l'Éducation du Québec [MEQ], 1980, p. 70.)

Dans ce contexte, le rôle de l'école est d'apprivoiser la famille afin d'en faire le partenaire éducatif essentiel à la réussite de l'enfant. En tant que premier agent de socialisation, la famille doit réussir à communiquer avec l'école pour comprendre le rôle crucial qu'elle joue dans l'accompagnement de l'enfant dans son vécu scolaire. Au cours des années de notre scolarisation, combien de fois aurions-nous simplement abandonné l'école si nos parents n'avaient pas été là pour soutenir notre cheminement? Les professeurs changent, les écoles se transforment mais, pour l'enfant, la famille est toujours présente. Si la famille est incapable de soutenir l'enfant, il a beaucoup moins de chances de réussir. C'est en cela que le rôle de socialisation de l'école doit se synchroniser avec celui de la famille (Deslandes et Cloutier, 2000; Deslandes, Potvin et Leclerc, 1999). La participation des parents à la vie de l'école n'est cependant pas chose facile à susciter, mais il existe tout de même des stratégies promotionnelles qui ont fait leurs preuves. À ce sujet, Berk (2003) énumère les cinq pistes suivantes pour rapprocher les parents de l'école:

1. Mettre en place un programme de communication active entre les parents et les enseignants;

2. Donner aux parents des stratégies de soutien scolaire de leur enfant à la maison;

3. Construire des ponts entre les cultures familiales minoritaires (plus à risque de distanciation) et la vie à l'école;

4. Recourir à des devoirs qui donnent un rôle actif aux parents, comme par exemple des recherches sur l'histoire familiale, leurs expériences de travail, etc.;

5. Consulter les parents dans la planification et la gestion de l'école afin de favoriser leur engagement dans le projet éducatif de l'école.

### 14.6.6   La relation entre l'école et la culture d'origine

La qualité de l'interaction entre les parents et l'école dépend du synchronisme entre la culture de la famille et celle que veut transmettre l'école. Si les acquis de l'enfant dans la famille entrent en contradiction avec ceux que l'école veut transmettre, il est très probable que l'influence de la famille prédominera. La divergence famille-école que vivent souvent les enfants issus de groupes ethniques minoritaires illustre bien ce phénomène. Ogbu (1988) donne l'exemple suivant basé sur l'observation d'enfants amérindiens de l'Oregon en classe traditionnelle, exemple que nous pourrions probablement transposer chez les Montagnais du Québec:

> La structure de participation de la classe implique que l'enseignant interagisse avec les élèves comme un groupe unique, en petits groupes ou individuellement, qu'il maîtrise le sujet de discussion, qu'il dirige les activités comme la lecture et qu'il attribue le droit de parole à tour de rôle. Cette structure de participation demande aussi que chaque élève participe, les réponses individuelles étant utilisées pour évaluer les connaissances de chacun. Au contraire, la structure de participation des communautés amérindiennes n'exige rien de cela; elle ne demande pas à une personne de diriger les activités verbalement. Les activités sont menées par le groupe et l'action du groupe sert de guide aux individus qui choisissent jusqu'à quel point ils participeront. Les enfants qui ont grandi dans cette structure de participation sont

devenus habitués à se diriger eux-mêmes avec très peu de tentatives de contrôle de la part des plus vieux, et ce, beaucoup plus tôt que les élèves blancs de classe moyenne. Ainsi, lors de leur entrée à l'école, les enfants amérindiens observés ne s'attendaient pas à ce que leurs activités soient contrôlées ou dirigées par des adultes ou des pairs. Ayant été socialisés dans cette sorte de conception et de cadre de conduite, les élèves amérindiens font face à une structure de participation fort différente à l'école. Plus spécifiquement, la structure de participation de la classe leur demandait parfois d'assumer un rôle de leadership que les amérindiens n'aiment pas assumer. L'enseignant les interpellait pour qu'ils répondent individuellement à des questions, ce que les amérindiens considéraient comme mauvais parce que cela place l'enfant dans une position contraire à ce que veut la structure de participation de leur communauté d'origine. Dans l'ensemble, les enfants amérindiens étaient plus réticents à adopter les idées de leurs professeurs que les non indiens ainsi que les règles d'interaction sociale et d'usage du langage; ils semblaient ne pas vouloir apprendre: ils oubliaient de lever leur main, ils se promenaient dans la classe et parlaient à leurs amis pendant que le professeur parlait. (Ogbu, 1988, p. 259.)

Comment résoudre ce manque de synchronisme entre la culture familiale et la culture de l'école? La stratégie a souvent consisté à forcer l'assimilation des minorités culturelles, à défaut de pouvoir remettre en question la structure scolaire. Les difficultés massives rencontrées dans la scolarisation des minorités, avec pour conséquence le maintien intergénérationnel de l'échec et de l'abandon scolaire, permettent de comprendre jusqu'à quel point une école qui ne participe pas à la culture d'origine n'a que peu d'emprise sur les enfants parce qu'elle ne représente pas un agent de socialisation valable.

La communauté culturelle d'appartenance ne lègue pas seulement un héritage biologique à l'enfant; elle façonne aussi son identité psychologique et sociale.

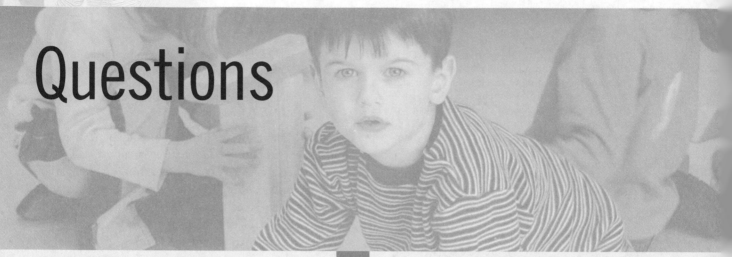

# Questions

**1.** Indiquez à quel concept particulier chacune des entités suivantes correspond le mieux.

   I) regroupement où grands-parents, parents et enfants cohabitent : ........................

   II) ensemble de personnes partageant le même espace de vie : ........................

   III) entité sociale formée d'un couple uni par alliance avec ses enfants éventuels :

   ........................

   *a)* ménage

   *b)* famille élargie

   *c)* unité domestique

**2.** *Complétez la phrase.* Mère, père, sœur, frère, tante, oncle, cousine, belle-mère, beau-père, etc., sont autant de référents sociaux basés sur les liens de ........................ .

**3.** Sur quelle relation la notion de famille repose-t-elle ?

**4.** La famille exerce des fonctions bio-psycho-sociales auprès de l'enfant. Énumérez deux fonctions biologiques de la famille auprès de l'enfant.

**5.** La famille exerce des fonctions bio-psycho-sociales auprès de l'enfant. Énumérez deux fonctions psychologiques de la famille auprès de l'enfant.

**6.** La famille exerce des fonctions bio-psycho-sociales auprès de l'enfant. Énumérez deux fonctions sociales de la famille auprès de l'enfant.

**7.** *Vrai ou faux.* La famille occidentale typique des générations qui nous précèdent comptait un nombre élevé d'enfants, et ce n'est que depuis une génération ou deux que le nombre moyen d'enfants par famille a commencé à baisser.

**8.** À quoi renvoie la notion de *baby boom* apparue après la Seconde Guerre mondiale ?

**9.** Nommez deux éléments dans les rapports hommes-femmes qui ont changé depuis les années 1950.

**10.** Nommez deux axes de changement sous lesquels il est possible d'aborder les stades du cycle de vie familale.

**11.** Qu'est-ce que la période de parentalité dans le cycle de vie familiale ?

**12.** Quel est l'effet de la dénatalité sur la période de parentalité dans le cycle de vie familiale ?

**13.** Nommez deux dimensions importantes de la réalité familiale que néglige le modèle en six stades (cycle de vie d'une famille nucléaire).

**14.** À quoi la notion de « cohorte historique » dans laquelle la famille s'inscrit renvoie-t-elle ?

**15.** Nommez les trois âges utilisés pour situer la personne dans son cycle de vie.

**16.** *Vrai ou faux.* Les enfants issus de familles défavorisées sont plus sujets à afficher une faible estime de soi, un rendement intellectuel plus faible, des conflits avec les parents, des compétences sociales moindres, de la délinquance et un manque de persévérance dans la poursuite d'objectifs scolaires et professionnels.

**17.** Nommez trois variables familiales jouant un rôle significatif dans la qualité environnementale offerte à l'enfant.

18. Les parents sont des modèles puissants pour l'enfant. Comment l'identification de l'enfant sera-t-elle influencée par le parent qui ne respecte pas lui-même les règles qu'il impose à l'enfant ?

19. Qu'est-ce que la « théorie de la réussite des parents » ?

20. Donnez un exemple d'effet négatif associé à un excès de pression éducative des parents sur l'enfant.

21. Qu'est-ce que « l'écoute active » dans la méthode *Parents efficaces* de Gordon ?

22. Qu'est-ce qu'un message « je » dans l'approche *Parents efficaces* de Gordon ?

23. Gordon propose six étapes de résolution de problèmes dans la méthode sans gagnant ni perdant de *Parents efficaces*. Nommez-en trois en respectant leur ordre d'application.

24. Nommez deux dangers possibles que l'on a associés à une mauvaise utilisation de l'approche de Gordon.

25. Quelles sont les deux grandes dimensions qui constitueraient des déterminants majeurs des effets des conduites parentales sur le développement de l'enfant ?

26. Qu'entend-on par « sensibilité parentale à l'égard de l'enfant » ?

27. En respectant l'ordre de mention, associez chacun des styles suivants à la description qui lui convient selon les axes « sensibilité » et « contrôle ».

    I) démocratique : _____

    II) autocratique : _____

    III) permissif : _____

    IV) désengagé : _____

    a) faible sensibilité et faible contrôle

    b) sensibilité élevée et contrôle actif

    c) faible sensibilité et contrôle actif

    d) sensibilité élevée et faible contrôle

28. *Complétez la phrase.* Sans doute le plus désirable des quatre styles d'autorité parentale, le style _____ permet à l'enfant d'apprendre l'autocontrôle dans un contexte de respect mutuel où les exigences sont claires mais peuvent être discutées ouvertement, à l'abri de l'arbitraire.

29. Quel style d'autorité parentale risque le plus d'évoluer vers la négligence parentale ?

30. *Choisissez la bonne réponse.* Aujourd'hui, plus de _____ enfants sur 10 ont vécu la séparation de leurs parents.

    a) 3

    b) 4

    c) 5

31. Nommez quatre variables reconnues pour avoir une influence potentielle sur les effets de la séparation parentale pour l'enfant.

32. *Vrai ou faux.* Soixante-dix pour cent des enfants issus de familles séparées n'éprouvent pas de problèmes sérieux d'adaptation.

33. Pour l'enfant, la principale conséquence de la séparation des parents est l'appauvrissement de son milieu de vie. Nommez trois domaines que la séparation parentale appauvrit.

34. Donnez un exemple de confusion des variables dans les comparaisons faites entre familles séparées et familles intactes.

35. *Vrai ou faux.* Les filles seraient plus sensibles à la séparation parentale que les garçons.

36. Nommez deux manifestations comportementales associées à une réaction de type extériorisé de l'enfant à l'égard de la séparation de ses parents.

37. Nommez deux manifestations comportementales associées à une réaction de type intériorisé de l'enfant à l'égard de la séparation de ses parents.

38. Décrivez brièvement les réactions que l'on observe chez certains enfants d'âge préscolaire vis-à-vis de la séparation de leurs parents.

39. Quel est le besoin important pour l'enfant que rejoint le maintien de la coparentalité après la séparation parentale ?

40. *Expliquez brièvement.* Souvent, plusieurs années après la séparation parentale, les enfants et les parents ne conservent pas la même impression quant à l'effet de cette transition.

41. En matière d'attribution de la garde de l'enfant après la séparation parentale, à quoi renvoie « l'hypothèse de l'âge tendre » ?

42. À partir de quel pourcentage minimal de partage du temps considère-t-on habituellement qu'il y a garde partagée entre les parents?

   a) partage du temps à 50%-50% entre le père et la mère

   b) chaque parent assume au moins 30% du temps de garde

   c) chaque parent assume au moins 10% du temps de garde

43. *Complétez la phrase.* La _____ _____ est une procédure où un spécialiste neutre et acceptable aux deux conjoints intervient auprès de la famille pour construire avec elle une entente de réorganisation qui soit acceptable pour tous.

44. Qu'entend-on par procédure contradictoire de règlement lors d'une séparation parentale?

45. Nommez trois étapes du cycle des réorganisations familiales que peut traverser une famille.

46. Chez le nouveau conjoint, nommez une façon de faire avec les nouveaux enfants qui facilite son intégration dans la famille recomposée.

47. *Vrai ou faux.* La famille reconstituée a moins de chance de vivre une nouvelle séparation que la famille d'origine.

48. Quels sont les deux buts que le programme préventif de Pedro-Carroll poursuit auprès des enfants dont les parents sont séparés?

49. Nommez trois catégories de mauvais traitements envers les enfants.

50. Nommez trois facteurs pouvant entrer en ligne de compte dans l'évaluation d'un problème de violence familiale.

51. Au Québec, la *Loi sur la protection de la jeunesse* énumère cinq grandes problématiques susceptibles de justifier une intervention de protection de l'enfant. Quelle problématique ne fait pas partie de la maltraitance?

52. Parmi les cas où la sécurité et le développement de l'enfant sont compromis, quelle problématique se trouve en tête de liste?

53. *Vrai ou faux.* Plus de 40% des parents abusifs souffriraient de troubles mentaux.

54. Mentionnez deux caractéristiques parentales couramment retenues comme facteurs de risque de mauvais traitements ou de négligence envers les enfants.

55. Nommez deux caractéristiques de l'enfant qui constitueraient des facteurs de risque d'abus.

56. Nommez deux caractéristiques situationnelles connues pour être des facteurs de risque d'abus ou de négligence.

57. *Vrai ou faux.* Dans plus de 75% des cas, l'inceste concernerait un père et sa fille.

58. Indiquez deux caractéristiques familiales souvent rencontrées dans les familles où se vit l'inceste.

59. Nommez un phénomène qui représente une arme très puissante contre l'inceste.

60. Qu'entend-on par programme d'autodéfense pour enfants en matière d'abus sexuels?

61. *Expliquez brièvement.* L'évaluation du fondement des allégations d'abus sexuels est une mission extrêmement délicate en raison des risques importants associés à l'erreur.

62. Que signifie l'expression « enfants à la clé »?

63. Parmi les enfants à la clé, quels sont ceux qui risquent le plus d'éprouver des problèmes?

64. *Vrai ou faux.* La recherche a démontré de façon claire que la fréquentation précoce des services de garde diminue l'affirmation, l'agressivité et la désobéissance.

65. *Complétez la phrase.* La _____ des services offerts à l'enfant ressort comme l'élément le plus important quant aux effets de la garde, sans égard à la formule proprement dite.

66. Parmi les facteurs de qualité d'une garderie publique, nommez trois éléments relatifs aux ressources éducatives disponibles.

67. Nommez trois zones de compétences développées par l'enfant à l'école, en dehors du programme scolaire officiel.

68. Idiquez une façon de placer les pupitres dans la classe qui favorise davantage la participation et le maintien de l'attention des élèves que l'alignement traditionnel en rangées de l'avant vers l'arrière.

69. Comment se comportent souvent les élèves rejetés par le professeur?

**70.** Quel était l'objectif de l'étude *Pygmalion in the Classroom* ?

**71.** Quel style de gestion de la classe favorise le plus la persévérance scolaire, le sentiment de compétence, la créativité, les attitudes positives, une plus grande motivation intrinsèque et de meilleures notes chez les élèves ?

**72.** Nommez deux indicateurs témoignant de la bonne qualité de la gestion qu'un professeur fait de sa classe.

**73.** *Expliquez brièvement.* La famille défavorisée se sent souvent plus distante de l'école que les autres familles.

**74.** Nommez trois moyens pouvant aider à rapprocher les parents de l'école.

**75.** Si les acquis de l'enfant dans la famille entrent en contradiction ou ne se juxtaposent pas avec la culture de l'école, quelle influence prédominera auprès de l'enfant ?

# Langage
# et culture

Richard Cloutier

## 15.1    INTRODUCTION

Ce chapitre porte sur l'acquisition du langage chez l'enfant. La nature du langage, les éléments de la langue et les étapes franchies dans son apprentissage font partie des aspects à considérer. Nous nous attarderons surtout à l'évolution du langage de la naissance à cinq ans, mais, étant donné la dimension culturelle du langage, il nous faut étendre notre étude à toute l'enfance, et tenir compte notamment du bilinguisme et de la relation entre le langage et l'identité culturelle.

Tout au long de notre examen du processus de socialisation et du rôle de ses principaux agents que sont la famille et l'école, nous avons vu que la communication interpersonnelle constitue la base des rapports entre l'enfant et le monde. Le langage est souvent considéré comme le propre de l'être humain, ce qui le distingue des animaux. Les oiseaux, les abeilles, les loups, les singes ou les dauphins peuvent communiquer entre eux, mais leur système de communication est beaucoup plus limité et fortement dépendant des situations dans lesquelles il est employé. L'être humain a, quant à lui, la capacité de générer un nombre infini de phrases nouvelles, jamais entendues auparavant, pour communiquer de nouveaux contenus.

Le langage humain est étonnant parce qu'il renferme plusieurs paradoxes. Ainsi, le langage est universel et particulier à la fois; il est universel parce que la plupart des enfants du monde franchissent les mêmes étapes d'acquisition selon la même séquence et à peu près au même rythme: ils commencent à dire des mots vers l'âge de un an, puis, vers deux ans, ils forment de courtes phrases. En même temps, il n'y a pas deux personnes qui parlent exactement de la même façon, le langage étant aussi une réalité très personnelle. En outre, le langage apparaît à la fois comme quelque chose de très simple et de très complexe. Il peut être considéré comme simple parce que, dans toutes les cultures, il est acquis naturellement sans que l'enfant ait à recevoir un enseignement véritable. La langue « s'apprend toute seule », mais c'est une entité des plus complexes dont la science est loin d'avoir percé tous les mystères.

---

1  *Le Nouveau Petit Robert* (1994), Paris, Dictionnaires Robert. Le lexique du français contient plusieurs centaines de milliers de mots tandis que le vocabulaire du citoyen moyen renferme quelques dizaines de milliers de mots (Rondal et Esperet, 1999).

## 15.2    LES QUATRE ÉLÉMENTS DU LANGAGE

Tout système de signes employé pour communiquer constitue un langage. Chez l'humain, le système de communication intègre un réseau de quatre grandes composantes: les sons, les mots, les phrases et la communication.

### 15.2.1    Les sons

Il y a 36 unités sonores dans la langue française parlée. Ce sont les phonèmes dont voici quelques exemples: *a, an, ch, é, è, eu, i, in, l, m, n, o, ou, u, un, v, z*. Le phonème est l'unité distinctive minimale qui sert à créer les mots. Par exemple, la combinaison du phonème *eu* avec d'autres phonèmes produira une foule de mots possibles comme feu, peu, dieu, lieu, heureux, etc. Le nombre de phonèmes varie d'une langue à l'autre: certains sons ne sont employés que dans certaines langues. Ainsi, le phonème *eu* n'existe pas en anglais tandis que le français n'a pas le son correspondant au *th* anglais présent dans *think* ou *thank*. L'espagnol, l'arabe ou le mandarin (Chine) ont aussi leurs sons particuliers. La maîtrise de la langue orale exige donc de l'enfant la production des phonèmes que comporte sa langue. De plus, dans chaque langue, il existe des variantes dans la production des phonèmes comme le « r » roulé en français, qui, malgré sa sonorité différente, ne change pas le sens du mot.

### 15.2.2    Les mots

La sémantique de la langue parlée se rapporte à la signification des mots résultant de la combinaison des phonèmes. Une infinité de combinaisons de phonèmes sont possibles, mais seulement une partie d'entre elles comporte un sens. Ainsi, le *Petit Robert* compte environ 60 000 mots, ce qui n'est qu'une partie des mots possibles en français, mais qui dépasse nettement le vocabulaire du citoyen moyen[1]. Les mots servent à désigner des personnes, des animaux ou des choses. Ils agissent comme « signifiants » des objets « signifiés » dans le système de la langue. L'enfant étend rapidement son vocabulaire: alors qu'il dispose de seulement quelques mots à l'âge de un an, il peut en utiliser 14 000 environ vers l'âge de six ans. Non seulement par l'apprentissage des mots (« signifiants »), l'enfant acquiert-il des notions (« signifiés »), mais il apprend aussi à distinguer les espèces de mots : certains d'entre eux désignent des choses alors que d'autres représentent des actions ou des relations.

### 15.2.3 La phrase (la grammaire : la syntaxe et la morphologie)

La *grammaire,* c'est-à-dire l'ensemble des règles de la langue, traite les mots selon leur statut dans la phrase : verbe, nom, pronom, adjectif, adverbe, article, etc. L'enfant apprend que chaque mot porte un sens et que la combinaison de plusieurs mots ajoute encore beaucoup de sens, mais que cette combinaison doit se faire selon un certain ordre pour qu'il y ait sens. La *syntaxe* concerne les règles qui président à l'ordre des mots et à l'organisation de la phrase. Au début, les énoncés de l'enfant ne comportent qu'un seul mot. On parle alors de « mot-phrase ». Aussitôt que l'énoncé en inclut plusieurs, l'ordre dans lequel ces mots apparaissent détermine le sens de l'énoncé : « mange tintin » n'a pas le même sens que « tintin mange ». Selon le sens que l'on veut donner aux mots, on fera varier leur ordre et leur combinaison. La *morphologie* s'intéresse aux variations de forme des mots dans la phrase (gentil/gentille, vient/viennent, etc.) et à l'usage des marqueurs grammaticaux indiquant le nombre, le genre, le temps, la forme active ou passive, etc. Les articles (la, le, ma, ses, etc.), les pronoms (je, tu, il, ceux, celles, etc.), les prépositions (à, dans, avec, par, entre, chez, etc.) et les adverbes (beaucoup, ici, là, lentement, etc.) sont des marqueurs.

### 15.2.4 La communication (la pragmatique)

Il ne suffit pas à l'enfant de pouvoir construire des phrases pour communiquer convenablement : il lui faut émettre ses énoncés dans des contextes appropriés, dans des moments opportuns. Il lui faut donc observer des conventions sociales qui varient selon les objectifs poursuivis, les interlocuteurs, l'information non verbale, etc. La pragmatique concerne l'utilisation des signes du langage dans leur contexte d'utilisation. Il convient de souhaiter le bonjour à une personne au moment de la prise de contact, mais non au bout 10 minutes de conversation. Ainsi, la phrase peut être correcte sur le plan grammatical mais incorrecte sur le plan pragmatique. Un robot capable d'émettre des phrases grammaticalement correctes ne serait un interlocuteur véritable que s'il était capable de les placer dans un contexte. La pragmatique associe l'emploi du langage et la conduite à tenir en société : il y a une façon de saluer quelqu'un, de parler à un autre enfant ou à un adulte étranger, etc. La capacité de s'adapter aux contextes représente un élément essentiel de la communication interpersonnelle. Ainsi que notre examen des psychopathologies de l'enfance nous l'a montré, une pragmatique déficiente accompagne souvent les problèmes sérieux d'adaptation. La pragmatique est une composante du langage dont l'apprentissage est continuel. Dès la période préverbale, l'enfant fait, par exemple, une acquisition pragmatique lorsqu'il babille en compagnie de sa mère, lorsque chacun émet, à tour de rôle, des sons que l'autre répète. Ce schème pragmatique d'interaction sert de base à la communication interpersonnelle.

## 15.3 LE CONTRÔLE DES SONS

Diverses acquisitions dans le domaine du langage ont précédé l'apparition des premiers mots vers l'âge de un an. L'univers des sons est probablement celui dans lequel l'évolution est la plus rapide pendant cette période initiale : l'écoute, en tant que première étape de l'apprentissage de la langue, fait alors des progrès marqués. Pendant les premiers mois qui suivent sa naissance, le nourrisson est capable de distinguer des sons qu'il n'a jamais entendus auparavant et qui ne sont pas simplement des phonèmes étrangers à sa langue maternelle. Cette phase de « non-spécialisation monolinguale » montre que l'enfant normal possède les capacités sensorielles nécessaires pour apprendre n'importe quelle langue, que ce soit le russe, l'arabe ou le japonais. L'enfant naîtrait donc avec des dispositions à décoder le langage verbal. Les aptitudes langagières suivantes se rapportent à des dispositions naturelles :

- l'attention sélective, qui permet à l'enfant de trier les sources de stimulation sonore ;
- la discrimination fine de la voix humaine, qui lui permet de reconnaître les personnes par le son de leur voix ;
- la distinction des éléments phonétiques du langage tels que *pa, ma, ta, ou, on, un*, etc.

On fait appel à des méthodes expérimentales complexes pour mesurer les capacités linguistiques des nourrissons. Par exemple, pour déterminer si l'enfant est en mesure de distinguer deux sons, on branche une tétine à un magnétophone de telle manière que lorsqu'il suce cette dernière, l'enfant entend le son produit (bé, be, bè, etc.). Dès l'âge de un mois, les nourrissons établissent une relation entre la succion et l'apparition du son. Ils sucent rapidement pour entendre le son, puis, après quelques minutes, ils se lassent et sucent beaucoup plus lentement. Il y a donc un phénomène d'habituation, le stimulus ayant perdu de son attrait. Si, par contre, on change le son, l'enfant se remet à sucer rapidement, ce qui montre qu'il distingue le nouveau son du précédent. Dès l'âge de huit mois cependant, les apprentissages que l'enfant fait dans sa langue maternelle lui font perdre cette capacité et, vers un an, le spectre de discrimination et de production phonétique est plus de trois fois moins étendu qu'il ne l'était dans les premiers mois (Aslin, Jusczyk et Pisoni, 1998 ; Juscyk, 1995 ; Kail, 2001 ; Rondal et Esperet, 1999). C'est ce qui expliquerait par exemple la difficulté qu'éprouvent les Japonais à distinguer *rah* et *lah,* la différence entre ces sons n'étant pas pertinente dans leur langue. Il en va de même pour les anglophones, qui ont de la difficulté à prononcer correctement le *u* dans *tu, rue* ou *lu,* ce son étant absent de leur langue. Le fait que l'activité phonétique se concentre sur un seul langage représente donc une perte, mais il en résulte une économie d'énergie pour l'enfant, qui a autre chose à faire que de différencier des phonèmes pour arriver à parler. Voyant dans le mot une sorte de modèle sonore, l'enfant doit reconnaître celui-ci et le placer dans son contexte pour arriver à le décoder. Déjà à un an, l'enfant est capable d'associer correctement « maman » à sa mère et « papa » à son père en regardant la personne intéressée lorsqu'il entend le mot (Tincoff et Jusczyk, 1999). Pour reconnaître les séries de phonèmes qui constituent les mots, le nourrisson peut s'appuyer sur les inflexions qui séparent les syllabes et donnent au mot une forme sonore. On parle de la *prosodie* du langage pour désigner la combinaison des inflexions, du ton et du rythme dans la parole qui confère de la musicalité à la phrase. Ainsi, la forme interrogative sera marquée par une élévation du ton de la voix à la fin de la phrase alors que la forme affirmative pourra être marquée d'une baisse du ton au même endroit. Le ton et le rythme particuliers que les adultes ont tendance à adopter lorsqu'ils s'adressent à un nourrisson contribuent à développer cette capacité de reconnaissance ; c'est le « langage bébé » ou « langage maternel », dans lequel le ton de la voix est plus aigu et où la prosodie est exagérée dans le but d'attirer l'attention et de faciliter le décodage.

> ## LE « LANGAGE MATERNEL »
>
> La tendance presque naturelle que les adultes ont de modifier leur façon de parler lorsqu'ils s'adressent à un jeune enfant peut être appelée le « langage maternel » parce que le phénomène s'observe surtout entre la mère et son enfant. L'observation de mères appartenant à diverses cultures conduit à considérer les caractéristiques suivantes comme typiques du langage maternel :
>
> - les phrases sont courtes ;
> - elles sont complètes du point de vue grammatical ;
> - les mots sont prononcés plus lentement et avec des variations de ton exagérées ;
> - le ton de la voix est généralement plus élevé que d'habitude ;
> - le discours porte sur la situation immédiate dans laquelle l'adulte et l'enfant se trouvent.
>
> Les bébés semblent particulièrement réceptifs à ce genre de langage. L'emploi de celui-ci favorise l'acquisition du langage chez l'enfant, notamment parce qu'il contribue à faire évoluer l'enfant vers le rôle du récepteur « qui comprend » et qu'il lui permet d'assimiler plus facilement certains éléments du langage (Berk, 2002).

Une autre façon de reconnaître les modèles sonores que représentent les mots consiste à évaluer la probabilité d'association des phonèmes : statistiquement, certaines syllabes se combinent plus souvent ensemble, et le bébé arrive progressivement à reconnaître les séries qui ont tendance à aller ensemble, c'est-à-dire à être en cooccurrence. Par exemple, Aslin, Saffran et Newport (1998) ont conduit une expérience auprès d'enfants de huit mois consistant à leur faire entendre quatre segments de trois syllabes présentés en série dans un ordre aléatoire : *pabiku golatu daropi tibudo golatu tibudo pakibu daropi* et ainsi de suite. Il n'y avait pas de pause entre les segments de syllabes, seulement une bande continue de trois minutes. Plus tard, lorsqu'on présentait de nouveau ces segments de syllabes aux enfants parmi d'autres composés avec les mêmes sons, mais ordonnés différemment (par exemple : *bilaku, butipa,* etc.), les enfants écoutaient moins attentivement les segments déjà entendus que les nouveaux, ce qui témoignait de leur habituation aux premiers.

Avant même qu'il atteigne l'âge de un an, l'enfant fait donc des progrès substantiels dans sa perception de la forme globale du langage; la prosodie et la probabilité de cooccurrence des syllabes représentent alors deux bases de reconnaissance de cette forme. Cette évolution a pour effet d'amener le bébé à se concentrer sur le répertoire propre à sa langue maternelle et à laisser de côté les plages de sons qui n'y apparaissent pas. Les bébés se spécialisent dans les caractéristiques distinctives du langage qu'ils entendent le plus souvent, ce qui expliquerait le déclin observé chez eux vers 10 mois dans la capacité de discrimination sonore comparativement aux premiers mois de la vie (Mattys et Jusczyk, 2001; Oller, 2000).

## 15.4  LE BABILLAGE

Entre 3 et 6 mois, le langage verbal de l'enfant passe du simple cri à l'émission de syllabes qui sont encore dépourvues de sens, mais qui jouent un rôle dans le contrôle de l'appareil phonatoire. C'est la période dite du babillage qui durera jusque vers 18 mois. Vers 6 ou 7 mois, on entend généralement le premier babillage proprement dit, c'est-à-dire la production de séquences consonne-voyelle comme *ma, ba, pa*, qui peuvent parfois faire partie de séries de répétitions par lesquelles l'enfant s'exerce à développer son contrôle phonatoire (*dadada, dadada, dadada… mapa, mapa, mapa*, etc.).

Pour faciliter l'acquisition du langage, rien ne remplace les échanges verbaux entre l'enfant et une personne significative.

Cette production de syllabes sans signification s'observe dans toutes les cultures, et le répertoire sonore est le même partout. Même les enfants qui ont un handicap auditif babillent, mais ils n'évoluent pas au même rythme vers l'émission de sons de plus en plus proches des syllabes propres à leur langue parlée. Chez les enfants totalement sourds, ces syllabes propres à la langue maternelle n'apparaissent pas du tout (Oller, 2000). La présence du babillage chez les enfants auditivement handicapés appuie l'idée du caractère inné de cette action, mais l'évolution particulière de la production sonore de ces enfants indique que la rétroaction auditive du milieu est un élément capital dans l'acquisition du contrôle de l'appareil phonatoire.

L'évolution du babillage va du non spécifique au spécifique, le bébé passant d'un babillage indifférencié à la production de sons propres à la langue utilisée dans son milieu. Le profil universel de l'évolution du babillage comporterait trois étapes:

1) au début, vers deux mois par exemple, les nourrissons aiment produire des sons dominés par une voyelle comme « aaahhh », « ooohhh », « eeehhh »;

2) après l'âge de six mois, contrôlant mieux la phonation, l'enfant produit des sons qui ressemblent à des syllabes: il y a combinaison de consonnes et de voyelles (« bo », « ma », « de », « lu », etc.);

3) vers l'âge de 10 mois, les enchaînements de ces unités « consonnes/voyelles » s'accompagnent d'une modulation de l'intonation et du rythme (prosodie); c'est le babillage proprement dit, le fondement du langage parlé.

Dans l'acquisition du langage parlé, la continuité entre le babillage et la production des premiers mots a été mise en évidence par l'observation de similarités structurales entre les séquences de babillage et les premiers mots comme tels. Après l'apparition des premiers mots vers 12 mois, le babillage continuera encore pendant quelques mois d'être un mode de production courant (Blake et De Boysson-Bardies, 1992; Rondal et Esperet, 1999). Les premiers mots sont d'ailleurs souvent des extensions du babillage (« mama », « papa », « bébé », etc.).

## 15.5  L'APPARITION DES MOTS

Le moment d'apparition des premiers mots peut varier d'un enfant à l'autre, mais, en général, au moment de son premier anniversaire, l'enfant a déjà commencé à dire des mots reconnaissables. La capacité de compréhension des mots et des phrases précède la capacité de production, de sorte que les jeunes enfants peuvent comprendre certains mots qui ne sont pas encore intégrés dans leur vocabulaire et qu'ils peuvent saisir le sens de phrases beaucoup plus complexes que celles qu'ils énoncent eux-mêmes.

À partir de l'âge de un an, l'enfant fait l'acquisition de deux ou trois nouveaux mots par semaine, et son vocabulaire comprend entre 50 et 100 mots vers 18 mois. Le rythme d'acquisition des mots s'accélère par la suite pour passer d'environ 500 mots à l'âge de deux ans à environ 2000 mots à trois ans (DeHart, Sroufe et Cooper, 2000; Fenson et autres, 1994; Rondal et Esperet, 1999). En ce qui concerne la réception, les enfants apprennent de cinq à six nouveaux mots par jour entre un an et six ans et, vers la fin de la cinquième année du primaire, ils comprennent environ 40 000 mots (Anglin, 1993). Le rythme de l'acquisition varie toutefois en fonction d'une foule de facteurs, et en particulier: *a)* de la motricité articulatoire de l'enfant; *b)* de sa compréhension de la valeur pragmatique des mots; *c)* de sa capacité de lier mentalement les symboles à ce qu'ils signifient; et surtout, *d)* de la qualité de la stimulation langagière exercée par le milieu.

La quantité de mots que l'enfant est susceptible d'entendre constitue un facteur essentiel dans le rythme d'acquisition des mots: Huttenlocher et ses collègues (1991) ont observé que le meilleur prédicteur du rythme de développement du vocabulaire était le degré de stimulation exercée par la mère, degré dont le calcul se base sur le nombre de mots dits à l'enfant par unité de temps. Weizman et Snow (2001) ont montré que deux facteurs expliquent à eux seuls la moitié de la variance observée dans le vocabulaire des enfants de la deuxième année de l'élémentaire (environ huit ans): *a)* la quantité de mots non usuels entendus par l'enfant à la maison à l'âge de cinq ans; et *b)* la fréquence à laquelle ces mots nouveaux ont été entendus dans des situations qui aident l'enfant à les comprendre (explication directe ou indirecte du sens du mot, exemple d'emploi, etc.). Ces résultats tiennent compte de la scolarité de la mère, du QI non verbal de l'enfant ainsi que de la quantité de production verbale de l'enfant dans des contextes sociaux à l'âge de cinq ans. Les auteurs concluent que la relation qui existe entre le vocabulaire de l'enfant et la stimulation langagière dont il bénéficie suppose la présence de trois éléments: la quantité de mots, leur degré de nouveauté pour l'enfant et l'aide apportée à l'enfant pour comprendre ces nouveaux mots (Weizman et Snow, 2001).

> L'implication la plus claire de cette étude est que, pour l'amélioration du vocabulaire de l'enfant, rien ne remplace la stimulation exercée par des conversations riches en vocabulaire se déroulant naturellement dans le milieu de vie de l'enfant. Les repas et les périodes de jeu sont des situations dans lesquelles des conversations stimulantes peuvent amener une expansion du vocabulaire. (Weizman et Snow, 2001, p. 277.)

Montrer quelque chose du doigt, c'est déjà une interaction sociale.

### 15.5.1 Les mots-phrases

Les premiers mots prononcés par l'enfant peuvent désigner des réalités différentes, vouloir dire plusieurs choses. Un même signifiant peut comporter plusieurs signifiés, et c'est le contexte qui permet de décider du sens à donner aux mots. Ainsi, si l'enfant dit « toto » sur un ton interrogatif lorsqu'une auto apparaît, les gens comprendront que l'enfant veut dire: « C'est une auto, n'est-ce pas? »; s'il dit « toto » affirmativement lorsqu'il se tient debout près de la portière de la voiture, on pourra comprendre qu'il veut qu'on lui ouvre la portière pour monter en voiture. C'est la même chose pour « lolo »: l'enfant assis sur sa chaise dans la cuisine,

qui dit « lolo », peut vouloir dire qu'il a soif. S'il vient de renverser son verre de lait, on conclura qu'il veut signaler le fait. Le mot-phrase véhicule de l'information parce qu'il réfère au contexte dans lequel il est prononcé et au ton sur lequel il est dit.

Les premiers mots de l'enfant se rapportent à ce qui l'entoure immédiatement et à ce qui est souvent désigné autour de lui: les personnes qui l'entourent (maman, papa, etc.), la nourriture (lolo, lala, etc.), les jouets (poupée, ballon, etc.), les meubles et ustensiles. Même si les termes désignant les actions (partir, tomber, courir, se faire bobo, etc.), les affirmations-négations (oui, non), les salutations (au revoir, allo, etc.) et les situations dans l'espace (haut, bas, ici, etc.) occupent

---

LE CERVEAU ET LE LANGAGE

Chez la plupart des êtres humains, les fonctions du langage sont principalement localisées dans l'hémisphère gauche du cerveau. C'est au chirurgien français Paul Broca (1824-1880) que l'on doit la découverte du lien entre le langage et l'hémisphère gauche. Dans sa pratique, Broca observa en 1860 que les patients ayant des troubles graves du langage présentaient une lésion des neurones dans la troisième circonvolution cérébrale gauche. En Allemagne, quelques années plus tard, le psychiatre Carl Wernicke découvrit que la compréhension verbale relève de la première circonvolution temporale du cerveau. La figure 15.1 situe ces zones de l'hémisphère gauche. L'aire de Broca est responsable de la coordination des mouvements nécessaires à l'émission de la parole tandis que l'aire de Wernicke se charge de la perception du sens des mots et de leur mémorisation. Lorsqu'un enfant entend une phrase, les sons sont transmis par l'oreille interne au cortex auditif primaire localisé près de la scissure de Sylvius dans la région temporale du cortex (à gauche comme à droite du cerveau). L'information verbale gagne ensuite l'aire de Wernicke où les mots et le sens de la phrase sont décodés. À ce moment, si l'enfant répète ce qu'il a entendu, l'information aboutira dans l'aire de Broca où sera élaborée la programmation pour la production de la phrase en direction des centres nerveux moteurs connectés à l'appareil locutoire (respiration, larynx, bouche, etc.).

**Figure 15.1    Le cerveau et le langage: zones de l'hémisphère gauche du cerveau responsables du langage**

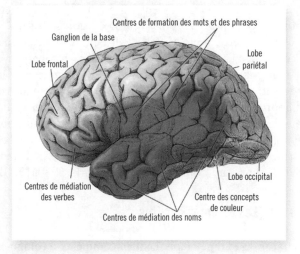

Les centres cérébraux du langage, dans l'hémisphère gauche, comportent des structures qui traitent les mots et les phrases, ainsi que des structures qui assurent la médiation entre les éléments du lexique et la grammaire. Les structures neuronales qui représentent les concepts sont réparties entre les hémisphères droit et gauche, dans de nombreuses régions sensorielles et motrices.

Source: A. Damasio et H. Damasio (1992), « Le cerveau et le langage », *Pour la Science*, 181, nov. 1992, p. 84. Document disponible sur le site Internet suivant: http://pages.globetrotter.net/francoiselabelle/psyling/damasioah.htm

moins de place dans son vocabulaire que ceux désignant des objets, ils apparaissent tout de même rapidement dans le vocabulaire de l'enfant et témoignent de sa maîtrise des différentes catégories de mots et de leur relation, ce qui le prépare à combiner des mots en phrases. Les mots désignant des objets représentent de 50 % à 70 % des 100 premiers mots acquis par les enfants dans à peu près toutes les langues (Gentner, 1982). Cette prédominance des noms d'objets semble s'expliquer par le fait que ces concepts sont plus accessibles aux jeunes enfants : les objets ont une image perceptible et sont facilement reconnaissables, d'autant que les premiers noms concernent des objets présents dans l'environnement immédiat et non pas n'importe quel objet. Quant aux mots d'action, ils représenteraient entre 10 % et 30 % des premiers mots acquis. La moindre importance relative des mots représentant des actions, pour un enfant au stade sensorimoteur qui vit surtout dans l'action, s'explique par le fait que ces mots sont plus abstraits. Enfin, les mots désignant des états sont les troisièmes en importance et, la plupart du temps, ils sont en relation avec l'activité immédiate de l'enfant, comme les mots d'action eux-mêmes d'ailleurs. L'enfant dira des objets qui l'entourent qu'ils sont « beaux », « doux », « sales », « chauds », etc., pour désigner leur état. Vers deux ans, l'enfant fera l'apprentissage des possessifs (« ma maman », « mon papa ») et des mots désignant la grandeur et la couleur des objets. *Grosso modo*, l'enfant maîtrise d'abord les mots qui désignent des réalités proches de lui ou de son action, qui frappent ses sens et qui sont simples. Progressivement, le vocabulaire s'enrichira des termes désignant des réalités non immédiates. C'est la tendance « proximo-distale » décrite par Clark (1980, 1983).

### 15.5.2 Les énoncés binaires

À partir de 18 ou 20 mois, l'enfant commence à combiner des mots-phrases pour produire ce que l'on appelle des énoncés binaires : « pati papa » pour « papa est parti » ; « maman bulo » pour « maman est au bureau » ; « pas dodo » pour « je ne veux pas me coucher », etc. Ce sont là les premiers assemblages de mots et les premières « expressions combinatoires ». Cette combinaison des mots deux par deux, sorte de langage télégraphique, accroît considérablement les possibilités de communiquer. Par exemple, en associant l'ordre des mots, le ton sur lequel ils sont prononcés et le contexte dans lequel ils sont produits, les énoncés binaires comportent déjà tout un éventail de signes que l'entourage peut comprendre. Le tableau 15.1 illustre quelques-unes des possibilités expressives de l'énoncé binaire.

**Tableau 15.1** Formes expressives que peut prendre un énoncé binaire

| | |
|---|---|
| **Affirmation ou constatation** | L'enfant dit : « minou couché » pour indiquer que le chat est couché. |
| **Ordre, demande** | L'enfant dit : « couché, minou » pour demander au chat de se coucher. |
| **Négation** | L'enfant dit : « pas couché minou » pour indiquer que le chat n'est pas couché. |
| **Interrogation** | L'enfant dit : « couché, minou ? » pour demander si le chat est couché. |

## 15.6   LA SÉMANTIQUE

Les enfants commencent à prononcer des mots sans nécessairement connaître leur sens. Au début, le sens des mots est pour eux très associé au contexte immédiat sans que leur portée généralisable et les différentes catégories qu'ils peuvent exprimer soient saisies. Mais à partir du moment où l'enfant réalise que tout a un nom, il se met activement à la recherche de mots pour dire les choses, pour faire la connexion sémantique. Le mot sert de représentant à un concept de sorte que, pour apprendre le mot, il faut aussi disposer du concept qu'il représente ; le mot seul n'a pas de sens. C'est pourquoi, dans la fonction symbolique décrite par Jean Piaget (voir le chapitre 5), le mot est appelé « signifiant » et le concept qu'il représente, « signifié ». Le développement sémantique correspond donc à l'acquisition progressive du sens des mots, laquelle ne peut se faire que si le mot est mis en relation avec un concept. Si l'on vous dit que le mot « lototan » veut dire « mot bripal », et si vous ignorez ce que « bripal » signifie, vous n'avez pas fait de progrès sémantique.

Les enfants font des progrès impressionnants sans qu'on ait à leur enseigner tous les mots ; ils apprennent les sens des mots à mesure qu'ils les entendent dans leur milieu, et les sens peuvent s'élargir au fil de l'expérience. Ils ont une habileté particulière à former un « schéma rapide » de concepts nouveaux, ce qui explique les grands progrès réalisés sur le plan sémantique à l'âge préscolaire :

> Ils ont une compréhension rapide et partielle du sens d'un mot, ce qui entraîne un réaménagement de leur espace-mémoire et une restructuration du domaine conceptuel. Ils peuvent faire cette opération sur la base d'une seule rencontre avec un nouveau mot lorsque le contexte est approprié. (Rice, 1989, p. 152.)

Pratiquement, l'enfant établit une relation entre le nouveau mot et le contexte précis où il s'applique. Cette mise en relation ne peut être que partielle au début puisqu'elle ne permet d'avoir accès qu'à une partie de la richesse informative du concept. Par exemple, l'enfant qui apprend que l'objet qui se trouve devant lui se nomme « lampe » ne peut trouver immédiatement tous les cas où le mot lampe s'applique. Le caractère partiel se trouve aussi dans la capacité combinatoire du concept représenté : l'enfant peut comprendre que l'on peut acheter des fruits à l'épicerie, mais il ne peut conclure tout de suite que l'on peut acheter aussi une maison, des actions en bourse, les services d'un psychologue, etc. La capacité combinatoire est d'autant plus grande qu'un concept peut être mis en relation avec un grand nombre d'autres concepts déjà appris. La richesse de l'information et la capacité de faire des combinaisons évolueront pendant toute la vie, mais l'évolution semble très rapide au cours de la période préscolaire. La très grande avidité de connaître de l'enfant constitue un élément moteur de son développement linguistique, et elle est considérée comme une base importante pour l'apprentissage de la lecture.

## LE LANGAGE ANIMAL

Les êtres humains sont-ils les seuls à avoir un langage ? La réponse à cette question dépend beaucoup de ce que l'on entend par « langage ». Le biologiste autrichien Karl von Frisch (1886-1982) reçut le prix Nobel de médecine en 1973 pour ses travaux sur la signification de la danse des abeilles. Ce chercheur a réussi à démontrer que les abeilles qui reviennent à la ruche peuvent indiquer aux autres l'existence, la position géographique, la distance et l'abondance des fleurs d'où elles reviennent en exécutant une danse de type « circulaire » ou une danse en huit dite « frétillante » parce que l'abeille y fait des mouvements de l'abdomen d'intensité variable en même temps qu'elle décrit une figure en forme de huit. L'information sur la source de pollen repose sur le type de danse, l'orientation de la danse effectuée par rapport au soleil et à la paroi de la ruche, le nombre de figures exécutées devant les autres abeilles et le rythme d'exécution. La danse circulaire sert à désigner les sites proches (moins de 100 mètres de distance) tandis que la danse en huit avec frétillement est utilisée pour indiquer les sites plus éloignés (jusqu'à plusieurs kilomètres de la ruche). Par ailleurs, comme les abeilles sont dans l'obscurité dans la ruche et qu'elles sont sourdes, les autres abeilles perçoivent les sons émis par les ailes à partir de cellules sensorielles situées sur leurs pattes ; ce n'est donc pas de communication visuelle ou auditive qu'il s'agit, mais plutôt de communication tactile (von Frisch, 1956, 1993). Les abeilles retournant à la ruche ne dansent pas à tous les coups, seulement dans environ 10 % des cas, et la réponse dépend des besoins de la ruche.

Nous savons que les oiseaux qui nous entourent possèdent un riche répertoire sonore et gestuel pour communiquer avec les autres et exprimer ce qu'ils ressentent. Sans aller jusqu'à dire que les imitations très habiles du perroquet témoignent d'une capacité d'inventer de nouveaux mots, il faut reconnaître que certains oiseaux ont l'équipement requis pour encoder des messages relativement complexes.

Les chiens qui vivent près de nous communiquent couramment entre eux avec le son de leurs aboiements et de leurs grognements dont les intonations varient en fonction du message à exprimer. Les chiens communiquent aussi par le mouvement en affichant des expressions faciales, des mouvements de leurs pattes, de leurs oreilles, de leur queue, etc., expressions qui varient selon le contexte et le sentiment exprimé (colère, peur, joie, etc.).

Les vertébrés sont donc généralement équipés pour partager de l'information avec leur entourage, information codée de différentes manières. Cependant, c'est probablement auprès des singes que les travaux les plus importants sur le langage animal ont été menés, notamment parce que les singes sont les animaux les plus proches de l'homme dans l'échelle phylogénétique. Entre 1947 et 1954, Keith et Catherine Hayes tentèrent de faire apprendre l'anglais à un singe. Ils adoptèrent Viki, un chimpanzé âgé de seulement trois jours, et l'élevèrent avec eux en essayant de rendre l'environnement langagier le plus stimulant possible. Au début, les émissions de sons étaient renforcées avec de la nourriture. C'est seulement au bout de cinq mois que l'animal a été capable d'émettre des sons ayant du sens. Avec beaucoup d'efforts, de constance et d'attention, Viki finit par apprendre à prononcer quelques mots: «mama», «papa», «cup» et «up». Les chercheurs notèrent qu'elle avait beaucoup de difficulté à prononcer les mots, qu'elle devenait parfois confuse et qu'elle utilisait souvent les mots de façon incorrecte. Même si Viki a fait de nombreux apprentissages comme manger avec des ustensiles, s'habiller, feuilleter des revues, peindre avec ses doigts ou avec des brosses, fumer la cigarette, elle avait tendance à utiliser les gestes pour communiquer, et le langage parlé lui était inaccessible. Cette expérience a permis de constater que les singes n'ont pas l'équipement physiologique et neurologique nécessaire pour utiliser le langage parlé. Les singes peuvent émettre des sons, mais ils contrôlent mal leurs vocalisations et il est très difficile de les corriger (Hayes et Hayes, 1950, 1952).

Quelques années plus tard, Alien et Beatrix Gardner étudièrent minutieusement les expériences des Hayes ainsi que plusieurs autres tentatives entreprises pour apprendre à un singe à parler, et ils conclurent que, si les singes n'ont pas l'équipement phonatoire et nerveux pour apprendre la parole, cela ne signifie pas qu'ils ne sont pas capables d'apprendre un langage: le langage ne se résume pas à la parole. Les Gardner utilisèrent donc le langage par signes utilisé par les sourds aux États-Unis: l'Ameslan (*American sign language*). D'autres tentatives ont aussi été faites sur la base d'un clavier d'ordinateur utilisé par l'animal pour créer des symboles visuels à des fins de communication. Ces expériences ont montré que les singes peuvent apprendre plusieurs centaines de mots, mais que leurs phrases ne comptent

Les singes ont une vie sociale intense, mais ont-ils vraiment un langage?

généralement pas plus de deux mots (Miles, 1999). Au cours des 10 dernières années, Susan Savage-Rumbaugh et ses collaborateurs ont étudié les capacités de langage de Kanzi, un singe Nonobo originaire du Congo, plus petit mais peut-être plus intelligent et plus sociable que le chimpanzé. Les chercheurs ont utilisé le langage verbal avec Kanzi, et ce dernier répondait en désignant des signes sur un tableau. Le but de cette expérience était de mesurer la compréhension dans la communication et non pas seulement la production de signes. Les auteurs ont établi que le niveau de compréhension de l'anglais de Kanzi était comparable à celui d'un enfant de deux ans. Le jeune singe a appris le sens de certains mots simplement en observant les rapports de sa mère avec l'entraîneur. Sur le plan de la production cependant, les expressions de Kanzi, désignant les concepts sur le tableau, étaient surtout faites sur la base d'un seul mot-signe et associaient rarement deux mots ensemble (5% de combinaisons environ). Par ailleurs, les demandes occupaient presque toute la place dans le discours, les commentaires ou les échanges ne représentant qu'environ 4% du contenu. Le singe n'utilise pour ainsi dire le langage que pour demander que quelque chose soit fait pour lui, et la conversation comme telle n'y occupe qu'une place très réduite (Brakke et Savage-Rumbaugh, 1995; Greenfield et Savage-Rumbaugh, 1991; Savage-Rumbaugh et autres, 1993; Savage-Rumbaugh et Lewin, 1995; Savage-Rumbaugh, 2001). Ces capacités langagières sont certainement vastes pour un singe, mais elles ne se comparent pas avec celles des jeunes enfants qui apprennent à parler: ces derniers produisent spontanément beaucoup de contenu, ils utilisent leur langage au moins aussi souvent pour converser que pour formuler des demandes et ils vont s'exprimer même en l'absence de la personne qu'ils imitent, quitte à inventer un langage pour communiquer avec les autres autour d'eux. De leur côté, les chimpanzés exigent une très forte stimulation pour produire quelque chose d'assez élémentaire. Cela contraste grandement avec les enfants sourds qui n'ont pas encore appris un langage de signes et qui arrivent couramment à utiliser des gestes pour faire des demandes, pour parler de faits ou d'événements passés, présents ou futurs ou même de leurs propres gestes (Goldin-Meadow et Mylander, 1990).

Il est donc clair que les animaux peuvent communiquer entre eux. Mais si l'on met à part l'acquisition d'un vocabulaire témoignant d'acquis sémantiques, on ne peut pas parler de structure de phrases ou de grammaire chez eux, la pragmatique étant dominée par les demandes, et le volume global de production étant très faible comparativement à celui du nourrisson. Si l'on se réfère à la section 15.2 décrivant les quatre éléments du langage, les animaux les plus évolués présentent manifestement des déficits énormes. Les animaux ont-ils un langage? Cela dépend de ce que l'on entend par «langage»...

## 15.7    L'APPRENTISSAGE DE LA GRAMMAIRE

La grammaire comprend la *syntaxe* et la *morphologie*. La syntaxe concerne les règles relatives à l'ordre des mots et à leurs relations dans la phrase. Comme l'ordre des mots influe sur le sens de l'énoncé, la syntaxe influe sur l'interprétation sémantique de la phrase. Dans notre examen des énoncés binaires, nous avons vu que deux mots seuls, du fait de l'ordre dans lequel ils sont prononcés, de l'intonation et du contexte, constituent un embryon de phrase. Ainsi, « maman biscuit » et « biscuit maman » peuvent avoir des sens différents, comme « que veux-tu ? » et « tu veux que » par ailleurs.

La *morphologie* est le système de règles régissant la combinaison des unités de sens ou *morphèmes*. Le morphème correspond à la plus petite unité significative du langage. Certains mots comme « poupée », « enfant » ou « langage » n'ont qu'un seul morphème tandis que « infini » en contient deux : le préfixe « in » (élément négatif qui veut dire « sans ») et « fin » (qui veut dire « limite », « fin »). L'énoncé « papa part pas » contient trois morphèmes (« papa », « part », « pas ») tandis que « papa part » en contient deux, la négative apportant un élément qui modifie le sens de la phrase. L'énoncé « ami vient » contient un morphème de moins que « amis viennent » puisque la forme plurielle dans « vien*nent* » indique qu'il y a plusieurs amis, ce qui constitue une unité supplémentaire de signification dans l'énoncé binaire et qui montre que si le nombre de morphèmes est lié au nombre de mots dans l'énoncé, un même nombre de mots peut contenir plus d'unités d'information selon la forme que ces mots prennent.

Si, avant l'âge de deux ans, le langage télégraphique est encore bien présent chez les enfants, entre 2 et 3 ans la capacité grammaticale est décuplée : les verbes commencent à se conjuguer, les mots grammaticaux (pronoms, prépositions, conjonctions, adverbes, etc.) sont de plus en plus nombreux dans les phrases, et les capacités d'expression s'agrandissent considérablement. Progressivement, l'enfant apprend à contrôler les flexions, c'est-à-dire ces éléments variables qui s'ajoutent aux mots pour en faire varier le sens. Les erreurs que l'enfant fera dans l'assimilation du code sont d'ailleurs révélatrices des relations qu'il établit entre les mots : « je l'ai prendu » au lieu de « je l'ai pris » ; « le nâne » plutôt que « l'âne », ayant souvent entendu « un âne » ; « je l'ai ouvri », etc. Puisque l'enfant n'entend pas, dans son milieu, de telles formes grammaticales, on estime que

celles-ci révèlent sa propre activité dans l'organisation du langage. L'abus des transformations grammaticales entraîne des constructions comme « bien plus pire », « le plus mieux », « ils sontaient » pour « ils étaient » ; ce type de surrégularisation de la langue est courant à l'âge de 3 ou 4 ans. Il témoigne de la conscience de la règle et de la volonté de s'y conformer.

Un grand nombre d'énoncés formulés par des enfants de deux ans ont été analysés afin de rechercher des indices d'organisation témoignant du respect des règles. Ainsi, si l'enfant place régulièrement l'adjectif entre l'article et le nom, cela indique qu'il maîtrise la fonction grammaticale de l'adjectif ; il dira alors « un beau gâteau » et non pas « beau un gâteau » ou « gâteau un beau ». L'organisation des phrases de l'enfant de 3 à 4 ans montre qu'il sait distinguer les catégories grammaticales que sont les adjectifs, les articles, les noms et les prépositions. L'enfant de quatre ans connaît les bases de la grammaire, ce qui contribue à accroître sa capacité de communiquer et à donner de l'expression à la pensée symbolique (Jusczyk, 1997 ; Valian, 1986).

La capacité des enfants à maîtriser, sans effort apparent, cet ensemble de règles complexes que constitue la grammaire d'une langue est un phénomène qui n'est pas encore complètement élucidé. La séquence d'acquisition du langage est la même dans toutes les langues du monde, seul le rythme d'apprentissage diffère d'un enfant à l'autre. Certains facteurs tels que le sexe semblent aussi influer sur la vitesse d'apprentissage : ainsi, les filles assimilent plus précocement les règles grammaticales que les garçons (Coates, 1993 ; Halpern, 1997).

## 15.8    LA CAPACITÉ DE COMMUNIQUER

Il ne suffit pas de pouvoir prononcer correctement des mots et de former des énoncés grammaticalement corrects, il faut aussi que l'usage qu'on fait de la langue convienne au contexte social. Un individu aura beau bien maîtriser l'anglais, si personne autour de lui ne comprend cette langue, elle ne lui servira pas à communiquer. De même, si deux personnes parlent en même temps, il n'y aura pas de communication entre elles. Le langage doit donc s'inscrire socialement en tant qu'outil d'expression et de réception d'information pour être utile à la communication. La compétence à communiquer dans une langue correspond à la dimension pragmatique du langage. Les acquisitions sur le plan pragmatique font partie de la compétence linguistique et elles se rapportent à des connaissances culturelles et sociales déterminées. Ainsi on n'aborde pas les gens exactement de la même façon en France qu'en Angleterre; les cultures comme les langues diffèrent entre elles, de sorte qu'il faut plus que traduire une langue pour devenir un bon communicateur.

On a observé que, dans un dialogue, les enfants de deux ans, capables de former des embryons de phrase (longueur moyenne: deux mots), ne prennent, la plupart du temps, la parole que deux fois. Au cours des années précédant l'entrée à l'école, les échanges se raffinent peu à peu du fait de l'augmentation de la longueur moyenne des énoncés. Trois autres facteurs favorisent aussi l'accroissement de la capacité de dialoguer:

1) l'enfant apprend à émettre des « incitatifs d'échange », c'est-à-dire à inviter son interlocuteur à poursuivre l'échange (« et toi? », « d'accord? », etc.);

2) l'enfant accroît sa capacité à garder la conversation sur un même sujet pendant un certain temps ou à ménager une transition (au lieu d'interrompre la conversation ou de changer de sujet abruptement comme a coutume de le faire l'enfant de deux ans) [Wanska et Bedrosian, 1985];

3) l'enfant cherche à connaître l'intention de son interlocuteur, c'est-à-dire qu'il apprend à lier la signification d'un énoncé au contexte. Ainsi, la question: « Tu veux jouer dans le sable? » peut être comprise comme invitation ou une demande d'information selon le contexte.

Donc, la capacité de faire des phrases plus longues, d'inviter l'interlocuteur à poursuivre l'échange, de percevoir l'intention de ce dernier, de garder la conversation sur un même sujet ou de ménager des transitions – pour ne nommer que quelques exemples d'habiletés pragmatiques –, favorise l'établissement d'une communication efficace.

### 15.8.1  La communication référentielle

Une communication efficace implique aussi que l'enfant sache formuler des messages clairs, décoder les messages des autres et demander des précisions s'il ne les comprend pas. Ces habiletés dans la transmission et la réception d'informations se nomment « habiletés de communication

référentielle ». Elles reposent en bonne partie sur les capacités cognitives de l'enfant; c'est ce qui explique que, au cours de la période préscolaire qui correspond à la pensée préopératoire, l'enfant arrive mal à admettre un autre point de vue que le sien dans les échanges verbaux. Cet égocentrisme se manifeste par exemple dans les monologues collectifs décrits par Piaget (1923b) où des enfants jouant côte à côte vont parler en même temps de choses différentes, sans se préoccuper de comprendre les autres ou d'en être compris. En garderie, on observe souvent de ces monologues collectifs où l'enfant paraît plus préoccupé d'exprimer son point de vue que de communiquer avec l'autre. Une autre illustration de la difficulté de l'enfant préscolaire à se placer du point de vue de l'autre se trouve dans le fait que les enfants de moins de trois ans à qui l'on demande de préciser ce qu'ils veulent dire ne modifieront pas leur discours et se contenteront de le répéter en y joignant éventuellement des gestes. Dans un jeu où il s'agit d'expliquer à une personne non voyante le chemin à suivre pour aller dans la cour, les enfants manifesteront par plusieurs signes qu'ils ont de la difficulté à se mettre à la place de l'autre. Même des adultes jouant à ce jeu arriveraient mal à ajuster leur discours à leur interlocuteur et diraient par exemple à la personne non voyante: « Vous voyez? »

Ainsi, la réussite d'une communication repose sur le partage, sur la collaboration implicite entre deux ou plusieurs personnes qui adoptent tour à tour les rôles d'auditeur ou de locuteur et poursuivent un objectif commun d'échange d'informations, chacun pouvant dire à l'autre que son message est clair ou lui demander des précisions, demander à l'autre s'il comprend bien ce qu'il dit, etc. À cet égard, le jeune enfant a deux obstacles importants à franchir pour réussir à communiquer efficacement: il doit d'abord surmonter son égocentrisme et apprendre à s'intéresser à l'autre; il doit ensuite compenser la pauvreté de son vocabulaire (Bernicot, 1992; Bronckart, 1998; Namy et Waxman, 1998; Vion et Colas, 1998).

Les progrès effectués au cours de l'enfance et en particulier avant l'âge de 5-6 ans dans le domaine du langage dépendent en grande partie de la stimulation offerte par l'entourage. Il suffit d'être dans un groupe plongé dans le silence depuis une heure pour s'apercevoir de l'importance vitale de ce moyen de communication qu'est le langage. À son entrée à l'école, l'enfant a fait des progrès langagiers importants, mais le cheminement ne s'arrête pas là puisque les habiletés de communication évoluent pendant toute la vie.

À la naissance, les nouveau-nés peuvent établir une forme primitive de communication au moyen du regard (Berk, 2002). L'enfant crie à la naissance, mais il ne contrôle pas encore sa phonation. Ce n'est que vers trois mois que le bébé devient capable de changer les intonations de sa voix, et c'est d'ailleurs là un de ses premiers actes volontaires. À partir de ce moment, son expérimentation sera très active et il pourra donner plus de force et d'ampleur à sa voix, ouvrir plus ou moins la bouche ou faire claquer sa langue (Boysson-Bardies, 1999).

Déjà, vers trois mois, des semblants de dialogues s'installent entre l'adulte et le nourrisson : chacun, à tour de rôle, émet des sons qui n'ont pas de signification, mais le comportement de l'enfant montre qu'il veut prendre la parole à son tour. Le nourrisson émet un son, puis s'arrête, l'adulte émet un son, le bébé répond en produisant un autre son et ainsi de suite. Vers quatre mois, le bébé arrive à regarder dans la même direction que l'adulte, une habileté qui se raffinera jusqu'à l'âge de 15 mois et qui sera déterminante pour l'établissement de l'« attention conjointe » où l'enfant et l'adulte regardent la même chose et qui permet à ce dernier de nommer les choses perçues et d'enrichir ainsi le vocabulaire de l'enfant. Les recherches ont montré que les enfants qui bénéficient de plus « d'attention conjointe » acquièrent plus rapidement la maîtrise du langage : ils sont plus actifs dans la production de mots et leur vocabulaire se développe plus vite (Berk, 2002 ; Marcus et autres, 2000).

Le nouveau-né produit volontairement des sons pour capter l'attention des autres et influer sur leur action. On appelle « protodéclaration » les vocalises que l'enfant du stade préverbal émet en même temps qu'il agit. Ainsi, l'enfant de 12 mois a tendance à vocaliser certains sons au cours d'activités telles que l'examen d'un jouet, le déplacement d'objets, ou en position debout. De même, par des « protodemandes », l'enfant peut émettre des sons en même temps qu'il fixe des yeux ou désigne de la main à quelqu'un une chose qu'il convoite. Ces utilisations volontaires du prélangage supposent que l'enfant a acquis la capacité cognitive d'accomplir des gestes volontaires ; elles témoignent aussi clairement de l'existence d'une forme de compétence à communiquer avant l'apprentissage du langage verbal (Berk, 2002 ; Piérault-LeBonniec, 1987).

Le fait de réaliser que les sons s'inscrivent dans un code de communication avec les autres et qu'il existe toutes sortes de façons d'exprimer des demandes, des refus, des émotions, etc., constitue un élément capital de la pragmatique. Même avant l'apparition des mots, le langage apparaît comme un outil social que l'enfant utilise pour attirer l'attention des autres et partager avec eux ce qu'il vit. C'est ce qui fait que, dès le début de la vie, la stimulation langagière est un outil essentiel pour placer l'enfant dans une situation naturelle de communication et faire naître chez lui le sentiment d'être un bon communicateur. Le tableau 15.2 (page 438) fournit aux parents quelques conseils susceptibles de favoriser le développement du langage chez le nourrisson de quelques mois.

### 15.8.2  Les comportements métalinguistiques

L'enfant, même en bas âge, s'intéresse à la valeur de la langue en tant que moyen de communication ; il réfléchit spontanément au langage. La réflexion spontanée sur le langage constitue le comportement métalinguistique de l'enfant. Le terme « métalinguistique » réfère à l'activité linguistique qui porte sur le langage lui-même, ce qui implique qu'on porte son attention non pas sur la communication comme telle mais sur le moyen de communication ; à ce moment, le signifiant devient le signifié (Rondal et Esperet, 1999). Ainsi, l'enfant s'interrogera sur le sens d'un mot ou s'étonnera de sa forme. Taulelle (1984) a recueilli plusieurs exemples de ce type de conduite spontanée ; en voici quelques-uns :

1. Michaël (4 ans, 7 mois) demande à sa sœur Djamilia (6 ans, 8 mois) qui vient d'utiliser ce mot :

   – C'est quoi accuser ?

   Et Dja de répondre :

   – Ça veut dire que c'était lui qui l'avait fait et il disait que c'était l'autre.

2. L'enfant, environ 7 ans, a renversé de l'eau dans la salle de bain ; sa grand-mère essaie d'être conciliante :

   – Oh, mon chéri, pourquoi t'as fait ça ?...

   – Pourquoi tu dis pas : p'tit con... ?

3. Michaël et Stéphane viennent de se disputer ; en représailles Stéphane critique le premier objet qu'il trouve appartenant à Michaël.

**Tableau 15.2** Moyens pratiques pour favoriser le développement du langage chez le nourrisson

| | |
|---|---|
| Échanger avec l'enfant | Jouer à émettre des sons et à dire des mots avec l'enfant, dès 3 ou 4 mois, dans un climat calme, en veillant à synchroniser les sons ou les paroles avec ceux de l'enfant. L'enfant prend peu à peu conscience de l'effet des sons qu'il émet et devient un communicateur actif. |
| Lire régulièrement des contes illustrés d'images en couleurs | Dès 4 ou 5 mois, les enfants aiment se faire lire des contes illustrés d'images en couleurs. La lecture de contes donne lieu à des échanges fructueux avec l'enfant et lui permet de concentrer son attention sur des images où les choses représentées sont nommées. Il sera ainsi amené à voir que les livres renferment des choses intéressantes. Bonafé (1994) dit qu'avec les livres l'enfant apprend à « donner du son au sens ». |
| Nommer les choses et répéter les mots | C'est en situation que les mots s'apprennent le plus facilement. Devant l'enfant, il ne faut pas hésiter à nommer les choses en les montrant, en répétant les mots isolément et en les insérant dans des phrases, et à souligner clairement leur prononciation. Il s'agit non pas de se livrer avec l'enfant à un verbiage continu, mais plutôt de saisir les occasions qui se présentent pour prononcer les mots qui désignent les choses que l'on a devant soi. |
| Chanter des chansons à l'enfant | En accomplissant les gestes liés aux soins à donner à l'enfant, il convient de prendre l'habitude de chanter des chansons avec lui en sollicitant sa participation. Le chant peut très bien servir à illustrer les variations sonores de la voix et à amuser l'enfant. Si les mélodies sont chantées régulièrement, l'enfant finira par les assimiler et il pourra participer. |
| Apporter toute la stimulation nécessaire | Dans la stimulation langagière, on doit surtout avoir égard à la réponse de l'enfant. Trop de stimulation peut le rebuter. La participation spontanée et enjouée de l'enfant aux échanges (visuels ou verbaux) est un bon guide pour doser la stimulation. |

– Ta photo, elle est pas belle !

– Si.

– Non !

– (Michaël donne un coup à Stéphane.) Elle est belle, hein ?

– Oui.

– (Michaël se tourne vers l'observatrice.) Il dit non pour croire et il dit oui pour pas croire. (Taulelle, 1984, p. 15, 16 et 27.)

L'enfant observe, se questionne, découvre par lui-même le fonctionnement de sa langue et ses règles d'utilisation. En réfléchissant au langage, l'enfant s'approprie ce moyen de communication et en étudie la logique, ce qui lui servira vraisemblablement plus tard dans l'apprentissage de la lecture. Tunmer et Bowey (1984) ont ainsi observé que l'habitude de s'interroger sur la langue pouvait faciliter l'apprentissage de la lecture.

## 15.9  COGNITION ET LANGAGE

Quelle est la relation entre la pensée et le langage ? Le langage est-il un sous-ensemble de l'ensemble plus vaste que constitue la pensée ou est-il la forme extériorisée de la pensée, cette dernière étant une forme intériorisée du langage ? Ces questions ont fait l'objet de beaucoup de recherches et suscité maints débats, mais aucune réponse définitive n'a encore été trouvée.

Il est largement admis aujourd'hui que le langage et la pensée évoluent de concert et s'alimentent mutuellement. Dans la vie de tous les jours, il est difficile de concevoir la pensée sans une forme quelconque de discours intérieur ; est-il possible de compter une série d'objets sans dire les chiffres mentalement ? Des activités courantes telles que la lecture de ce texte impliqueraient aussi une forme de langage intérieur transformant les signes en mots prononcés mentalement. La prise de conscience de ce qui est vécu serait intimement liée au discours intérieur qui se déroule en nous (Vygotsky, 1962).

Dans toutes les langues, les enfants parlent d'abord des objets et des personnes qu'ils aiment, puis de ce qu'ils font. Au début, ils s'expriment généralement par des mots-phrases, puis par des énoncés binaires en langage télégraphique, et ce n'est que plus tard qu'apparaissent les mots qui servent de liens dans les phrases. Le langage de l'enfant commence par l'essentiel et il parvient très tôt à servir à la communication. Cette évolution ressemble beaucoup à celle du développement cognitif de la petite enfance et de l'enfance. La forte correspondance entre le développement cognitif observé à la fin de la période sensorimotrice et celui qui est observé au début du stade préopératoire vient appuyer la thèse de Piaget suivant laquelle le langage dépend du développement cognitif. Dans cette optique, le langage repose sur des acquis cognitifs comme la permanence de l'objet et la fonction symbolique (voir le chapitre 5): l'enfant se familiariserait d'abord avec les objets et des situations dans son milieu et apprendrait ensuite à montrer la connaissance qu'il a de ces éléments. Suivant cette thèse, le langage constituerait un sous-ensemble de la pensée, l'un de ses produits: le développement du langage dépend du développement cognitif. Cependant, les acquisitions langagières peuvent stimuler le développement cognitif. De même que les concepts appris lui permettent d'acquérir de nouveaux termes, les nouveaux mots qu'apprend l'enfant lui permettent de découvrir de nouveaux concepts et de redéfinir les notions connexes déjà acquises (Flavell, 1985).

La question des relations entre la pensée et le langage est complexe et tous ne perçoivent pas aussi clairement que Piaget la prédominance de la pensée sur le langage. Pour sa part, Vygotsky (1962, 1997) affirme que la pensée et le langage sont deux systèmes qui sont séparés au début de la vie et qu'ils fusionnent vers l'âge de deux ans pour produire la pensée verbale. Dans cette optique, les opérations mentales sont intégrées dans la structure du langage et le développement cognitif résulte de l'intériorisation du langage.

Rondal et Esperet (1999) rapportent des cas d'enfants présentant un retard mental, mais un apprentissage normal de la grammaire, ce qui indiquerait que l'organisation grammaticale du langage n'est pas en relation étroite avec le développement cognitif. Ces exemples de cas

> invalident toute théorie prétendant expliquer le développement phonologique ou le développement grammatical en termes d'une généralisation de principes cognitifs. […] Il semble bien que le développement linguistique, dans ses composantes phonologique et morpho-syntaxique, se fasse, au moins en partie, de façon intrinsèque. (Rondal et Esperet, 1999, p. 534.)

Pallier et Mehler (1994) appuient cette idée d'une relative indépendance du développement du langage par rapport au développement cognitif plus général: selon eux, le langage peut se développer même s'il y a un déficit important du développement cognitif.

### 15.9.1 Quel est le rôle de la cognition dans l'apprentissage des mots?

Les mots doivent être appris par l'enfant, c'est une évidence. Le mécanisme le plus souvent invoqué en psychologie pour expliquer cette acquisition repose sur l'apprentissage par association: l'environnement fournit à l'enfant une association entre l'objet que l'enfant regarde et le nom qu'on lui donne, la répétition de cette association amenant la mémorisation du mot. Cela suppose que les personnes qui entourent l'enfant nomment la chose lorsque l'attention de l'enfant est dirigée vers elle: elles disent le nom de l'objet lorsque, par exemple, l'enfant le regarde.

Toutefois, selon Paul Bloom du département de psychologie de l'Université Yale, l'apprentissage des mots désignant des objets n'est pas seulement une affaire d'association entre un objet regardé par l'enfant et la prononciation du mot qui le désigne. Bloom (2000, 2002) estime que la théorie de l'esprit (*theory of mind*) de l'enfant joue à cet égard un rôle important: la compréhension du sens des mots prononcés par l'adulte exige qu'on soit capable de déceler l'intention de ce dernier et non pas qu'on s'en tienne à un processus mécanique d'association entre le son du mot et l'objet perçu. Apprendre qu'un lapin se nomme « lapin » implique davantage pour l'enfant que de simplement voir un lapin et entendre en même temps « c'est un lapin ». Dans une expérience menée auprès d'enfants de 18 mois, on donnait un jouet à l'enfant et un autre objet était placé sur un plateau devant l'expérimentatrice. Lorsque l'enfant regardait le jouet, l'expérimentatrice disait « c'est un damu » tout en fixant des yeux l'objet sur le plateau devant elle. L'enfant entendait donc « c'est un damu » lorsqu'il regardait son jouet. Or, il ne faisait pas de lien entre « damu » et son jouet, mais il se tournait plutôt vers l'expérimentatrice lorsqu'il entendait le mot et il regardait l'objet du plateau qu'elle fixait des yeux. Lorsque, par la suite, on demandait aux enfants de désigner le « damu », ils montraient l'objet de l'expérimentatrice sur le plateau et non pas leur jouet. Dans une autre expérience, des enfants de 15 à 20 mois étaient placés seuls dans une pièce avec un nouvel objet agréable et ils entendaient une voix leur dire « c'est un dawnoo » chaque fois

À force de voir des livres et de les entendre lui parler à travers la bouche de son parent, l'enfant réalise qu'ils contiennent des histoires merveilleuses.

qu'ils regardaient l'objet. Mais les enfants n'ont pas appris le mot malgré l'association qui a été faite. Par ailleurs, les enfants peuvent apprendre de nouveaux mots en écoutant des conversations entre des personnes, sans que l'association soit formellement faite entre le nom et l'objet désigné. C'est ce qui amène Bloom (2002) à dire que l'association entre le nom et l'objet perçu n'est ni nécessaire ni suffisante pour qu'un nouveau mot soit appris. Cet apprentissage reposerait sur la capacité de comprendre l'intention du locuteur. Par exemple, l'enfant doit faire le lien entre le mot « poupée » qu'il entend et l'objet en question lorsqu'il comprend que son interlocuteur a l'intention de lui dire que cet objet se nomme une « poupée ». La relation passerait par la perception de l'intention de l'autre. L'hypothèse d'une composante sociale essentielle dans l'apprentissage de nouveaux mots est compatible avec la grande importance de l'interaction sociale dans le développement du langage. Elle est aussi compatible avec l'observation chez les autistes

d'un grave déficit de lecture sociale et d'un important retard de langage.

### 15.9.2   Le langage influe-t-il sur la pensée ?

On s'accorde pour dire que le langage influe sur notre façon de penser parce qu'il sert non seulement à découvrir de nouveaux concepts, mais aussi à les organiser en fournissant des outils de classification, de mise en relation et de synthèse structurale. Sur le plan de la formation des concepts, Bloom et Keil (2001) soulignent qu'il ne faut pas croire que les mots ne sont que des étiquettes à apposer sur des notions déjà acquises : très souvent, l'enfant ne sait pas ce que le signifié représente lorsqu'il est joint au signifiant, et ce dernier lui sert de stimulant pour rechercher le premier. L'enfant peut très bien ne pas savoir ce qu'est une « épingle » ou un « soulier » au moment où il entend ces mots pour la première fois, et c'est justement ce qui le poussera à vouloir connaître les objets qu'ils désignent. En revanche, l'apprentissage du mot à lui seul ne suffit pas à faire connaître le concept: l'enfant doit construire une représentation mentale de l'objet, ce que le mot à lui seul ne donne pas. « Le langage est pertinent à la formation du concept, mais pas suffisant en lui-même. » (Bloom et Keil, 2001, p. 363.)

### 15.9.3 Y a-t-il une période critique pour apprendre une langue ?

Rappelons que la notion de période critique, proposée par l'éthologiste Lorenz, renvoie au principe selon lequel certains apprentissages doivent être faits à une époque déterminée du développement où l'organisme est particulièrement sensible à certains stimuli présents dans l'environnement. Si les prédispositions momentanées de l'organisme ne s'associent pas avec les stimuli appropriés, l'apprentissage ne pourra se faire complètement par la suite. La très grande majorité des enfants du monde franchissent les mêmes étapes dans l'apprentissage de leur langue: premiers mots et mots-phrases vers un an; énoncés binaires et début du langage télégraphique vers deux ans; acquisition très rapide du vocabulaire entre 3 et 5 ans; assimilation de la plupart des règles morpho-syntaxiques vers 5-6 ans. Nous savons que cette acquisition repose sur une sensibilité particulière de l'enfant au langage et aussi sur les progrès cognitifs qu'il accomplit dans chacune des étapes.

On croit généralement que l'apprentissage d'une langue est plus facile pendant l'enfance que pendant l'adolescence ou qu'à l'âge adulte. Il y a près de 40 ans, Lenneberg (1967) formulait l'hypothèse que l'acquisition du langage devait se faire avant la fin de la période de latéralisation du cerveau chez l'enfant. Comme les zones corticales responsables du langage sont principalement situées dans l'hémisphère dominant (le gauche pour les droitiers et le droit pour les gauchers), la langue doit être acquise au cours de cette période de plus grande souplesse cérébrale. À ses débuts, le langage serait sous la dépendance des deux hémisphères, mais il se concentrerait peu à peu dans l'hémisphère dominant au cours du processus de spécialisation hémisphérique. À mesure que ce processus s'accentue, l'hémisphère non dominant devient de moins en moins capable de compenser d'éventuelles incapacités de l'hémisphère dominant. Selon Hurford (1991), la puberté serait le moment de fermeture de la fenêtre d'opportunité que constitue la période critique d'acquisition du langage. Cela expliquerait le fait que les sujets ayant subi une lésion cérébrale importante à l'hémisphère dominant après la puberté gardent généralement des séquelles linguistiques permanentes (aphasie) alors que les enfants plus jeunes atteints du même genre de lésion peuvent recouvrer la parole et les fonctions intellectuelles qu'elle requiert (Bouton, 1976, 1991).

Même si la notion de période critique demeure controversée (Hoffman 1994, 1997), des données solides tendent à confirmer l'idée que l'acquisition du langage est plus facile en bas âge (Birdsong, 1999). Par ailleurs, l'hypothèse de l'existence d'une période critique pour l'acquisition du langage a été appuyée par les observations effectuées auprès d'enfants qui, au cours de leur développement, n'ont pas été stimulés sur le plan du langage. Un des cas les plus documentés est celui de la petite Genie qui a été placée en isolement complet dans une pièce située à l'arrière de la maison de ses parents abusifs (Curtiss et autres, 1975; Curtiss, 1977, 1989). Ceux-ci la tenaient attachée à une « chaise-à-pot » et la punissaient sévèrement si elle faisait le moindre bruit. Découverte à l'âge de 13 ans, elle ne parlait pas et même ses pleurs étaient silencieux. Elle fut par la suite placée dans un milieu chaleureux où l'on s'efforça de compenser les déficits linguistiques que les privations sociales et affectives avaient provoqués. Au cours des années de rééducation, le langage de Genie se développa, mais elle fut loin de pouvoir atteindre le niveau linguistique des jeunes de son âge: Genie put acquérir un bon vocabulaire et une bonne compréhension du langage courant, mais sa capacité de construire des phrases grammaticalement correctes est demeurée beaucoup plus faible, ainsi que son contrôle des tons de la voix (interrogatif, affirmatif, exclamatif, dubitatif, etc.). L'explication fournie par Curtiss (1977, 1989) des limites atteintes dans la rééducation de Genie est que, au moment où l'adolescente fut trouvée, la latéralisation était trop avancée et que les progrès enregistrés concernaient des zones corticales non spécialisées dans le langage. Ces observations appuient donc l'hypothèse de Lenneberg (1967) sur l'existence d'une période critique de réceptivité dans l'acquisition d'une langue; au-delà de cette période, la compensation complète ne serait plus possible.

## 15.10  LE BILINGUISME

Il est déjà extraordinaire qu'un enfant puisse acquérir une langue, il l'est encore plus qu'il puisse en apprendre deux concurremment. Les travaux sur le bilinguisme ont montré que l'apprentissage d'une langue seconde mettait en branle un processus complexe non seulement en raison de l'élargissement de l'univers linguistique que cela entraîne mais aussi en raison de la multiplicité des facteurs et des conditions d'apprentissage. Certains enfants de familles mixtes sur le plan linguistique (par exemple, une mère d'origine francophone et un père d'origine anglophone, les deux parents étant bilingues) peuvent entendre parler le français et l'anglais depuis leur naissance et s'exprimer dans l'une ou l'autre langue comme s'il n'y avait qu'un seul univers linguistique.

Une telle exposition à deux langues, sans que l'une ait préséance sur l'autre, donne lieu à ce que l'on appelle le « bilinguisme simultané », caractérisé par le fait que les deux langues sont sur le même pied, chacune étant apprise comme une première langue. Il arrive alors que l'enfant parle les deux langues sans accent. Si par ailleurs, l'enfant apprend une langue après l'autre, le bilinguisme sera dit « successif ». Alors, le contexte dans lequel la langue seconde est acquise diffère de celui de la première langue, les deux systèmes linguistiques demeurant distincts dans l'expérience de l'individu. C'est le cas de toutes les personnes bilingues qui ont étudié une seconde langue après avoir appris leur langue maternelle, ce qui crée tout un éventail de profils de bilinguisme. Ainsi, l'expérience d'un petit Chinois adopté au Québec à l'âge de cinq ans sera fort différente de celle d'un enfant francophone qui va à l'école anglophone, mais qui ne parle pas l'anglais à la maison. Il en est de même pour l'enfant qui apprend l'anglais avec ses amis, mais dont la famille et l'école sont francophones.

Hamers et Blanc (1990) distinguent « bilinguisme » et « bilingualité ». Selon eux, la bilingualité est l'état psychologique d'un individu qui a accès à plus d'un code linguistique pour communiquer avec les autres, tandis que le bilinguisme comporte cette bilingualité (bilinguisme individuel), mais renvoie aussi à la présence d'une communauté linguistique dans laquelle deux langues cohabitent, ce qui implique alors que le bilinguisme vient s'ajouter à la bilingualité. Le bilinguisme est donc social, tandis que la bilingualité est individuelle.

### 15.10.1  Y a-t-il une époque de la vie où une langue seconde s'apprend plus facilement ?

Selon une croyance répandue, il serait plus facile d'apprendre une langue seconde durant l'enfance qu'à l'âge adulte. Une étude menée par Snow et Hoefnagel-Höhle (1978) indique cependant que ce ne sont pas les jeunes enfants qui font les progrès les plus rapides dans l'apprentissage d'une langue seconde, mais bien les adolescents de 12-15 ans, lesquels disposeraient de meilleures techniques d'apprentissage. Les auteurs de cette étude ont comparé les progrès de sujets anglais (depuis l'âge de trois ans jusqu'à l'âge adulte) plongés dans un milieu allemand (école ou milieu de travail) avec peu d'enseignement formel de la nouvelle langue. Selon eux, les facteurs motivationnels et sociaux seraient plus importants que les facteurs biologiques dans l'apprentissage d'une langue seconde. Il n'y a pas de fondement sûr à l'hypothèse d'une période biologiquement propice à l'apprentissage d'une langue seconde, mais on convient qu'il y a des avantages à faire apprendre tôt cette langue par l'enfant : plus l'enfant est jeune, plus il a de temps devant lui pour apprendre cette langue et moins il a de chemin à faire pour atteindre le niveau des enfants de son âge qui parlent cette langue. Par ailleurs, il est difficile de délimiter nettement la période critique pour l'apprentissage d'une langue seconde (Bialystok, 2001 ; Bialystok et Hakuta, 1999 ; Ekstrand, 1980 ; Hakuta, 2001).

Hamers et Blanc (1983) présentent une série d'études indiquant que les enfants plus âgés assimilent plus rapidement la morphologie et la syntaxe de la langue seconde et sont meilleurs en compréhension auditive que les enfants plus jeunes, mais que ces derniers ont plus de chances d'avoir une prononciation parfaite dans la langue seconde. Il y aurait une période s'étalant entre 18 mois et la puberté pendant laquelle il est possible d'avoir une parfaite maîtrise phonétique d'une langue ; après cette période, il est peu probable que la personne puisse s'exprimer sans accent dans la langue seconde, même si elle a une connaissance étendue de celle-ci (Birdsong, 1999 ; Oyama, 1976).

### 15.10.2  Le fait d'être bilingue est-il un avantage ou un inconvénient pour l'enfant ?

La question des avantages que comporte le fait d'être bilingue revêt une grande importance dans certains contextes socio-culturels comme celui du Québec et du Canada où deux cultures principales se côtoient depuis de nombreuses décennies. Nous ne prétendons aucunement vouloir trancher cette question ici, nous voulons plutôt examiner en quoi elle peut nous aider à mieux comprendre la relation entre la langue et la culture. Hamers et Blanc (1983) ont mené une analyse serrée des avantages du bilinguisme sur le plan psychologique. Ils font voir que, en ramenant la bilingualité à la compétence phonétique ou à l'égale compétence linguistique dans deux langues données, on travestit la réalité. Les auteurs proposent un modèle socio-psychologique du développement de deux langues dont nous dégagerons les grandes lignes.

Comme nous l'avons expliqué plus haut, le langage est un outil social puissant, mais il est aussi un instrument privilégié d'acquisition des concepts. En tant que moyen de communication de structuration de la pensée, le langage contribue grandement au développement cognitif de l'enfant. Pour certains enfants, le fait d'apprendre une autre langue que la langue maternelle constitue une source enrichissante de stimulation cognitive, et les bénéfices cognitifs et linguistiques qu'ils tirent de l'apprentissage de chacune des deux langues s'additionnent (bilingualité « additive »). Pour d'autres enfants toutefois, le contact avec une autre langue entraîne un déficit cognitif et linguistique (bilingualité « soustractive »). Le milieu culturel dans lequel se développe la bilingualité est alors responsable de ce déficit, le degré de valorisation sociale attaché à chaque langue par le milieu étant particulièrement déterminant (Genesee et Cenoz, 2001; Lambert, 1977).

Si les deux langues sont fortement valorisées par le milieu et perçues comme telles par l'enfant, la bilingualité de ce dernier sera additive et il y aura des gains conceptuels linguistiques. Par contre, si la langue maternelle est dévalorisée dans le milieu de l'enfant (la famille), elle sera perçue comme telle par l'enfant et celui-ci n'aura pas tendance à vouloir l'apprendre. La langue maternelle ne pourra assurer la stimulation cognitive de l'enfant, et la compétence conceptuelle linguistique de ce dernier demeurera peu étendue.

> L'enfant exposé aux deux langues, hautement valorisées par son réseau social pour toutes les fonctions langagières, est capable d'intérioriser les valeurs positives liées à tous les aspects de ses deux langues ainsi qu'au langage en général (L). L'enfant se crée donc des valeurs personnelles très positives pour chacune de ses langues et pour le langage. Pour cette raison, il sera fortement motivé à utiliser l'une ou l'autre de ses deux langues. [... Au contraire] supposons qu'un enfant développe sa langue maternelle L1, peu valorisée par la société, comme c'est le cas pour un grand nombre d'enfants de communautés minoritaires à travers le monde. La société de l'enfant attribue peu de valeur à certains aspects fonctionnels et formels de sa langue maternelle; l'enfant à son tour y attribuera peu de valeur. Pour cette raison, il sera peu motivé à développer sa langue maternelle au-delà d'un certain niveau nécessaire pour la communication avec son entourage et valorisé uniquement par ses réseaux sociaux immédiats. Si toutes les fonctions langagières ne sont pas présentes dans l'entourage de l'enfant [fonction de communication, fonction affective et fonction cognitive], notamment si les fonctions cognitives en sont presque absentes, le développement de la compétence conceptuelle linguistique peut être ralenti. (Hamers et Blanc, 1983, p. 114-115.)

On comprend dès lors que la question de la langue peut être très importante pour un peuple dont l'identité culturelle n'est pas assurée. Chez un peuple vivant une situation de minorité (montagnais, haïtien, québécois ou autre), entouré d'une majorité socio-économiquement plus forte, la tendance à vouloir acquérir l'identité culturelle de la majorité peut être puissante, ce qui nuit à l'emploi de la langue maternelle comme moyen de communication et de développement des facultés cognitives. Le modèle socio-psychologique de Hamers et Blanc montre donc que l'établissement d'un bilinguisme additif repose sur la valorisation réelle, par l'enfant et son entourage, des deux langues pour toutes les fonctions langagières (communication, expression des émotions et développement cognitif). Si cette valorisation est absente, le bilinguisme aura tendance à être soustractif.

Cette analyse sommaire des implications psychologiques du bilinguisme nous permet de voir jusqu'à quel point notre identité culturelle peut dépendre de la langue. Plusieurs facteurs entrent en jeu dans cette relation entre la langue et la culture. Imaginons la situation de deux enfants n'ayant pas la même appartenance linguistique : Peter, un Canadien anglais et Pierre, un Canadien français. Ces deux enfants peuvent différer l'un de l'autre à divers points de vue : l'âge où ils ont acquis la langue seconde, les fonctions que chacune des deux langues leur permet d'accomplir, la valeur qu'ils leur attribuent, etc. Il se peut que Pierre utilise le français seulement à la maison et qu'il fréquente une école anglaise qui lui permettra « d'avoir accès plus facilement au monde des affaires », comme le dit son père. Ce dernier doit lui-même souvent parler anglais au travail, il parle souvent anglais à la maison et estime que cette langue est beaucoup plus utile que le français, même s'il dit tenir à l'héritage culturel québécois. Pierre en viendra peut-être à se considérer comme un Canadien anglais. Il est possible par ailleurs qu'il ne s'identifie à aucune des deux cultures; on dira alors qu'il est victime du phénomène appelé « anomie culturelle ». Enfin si, pour Pierre, il n'y a pas de conflit entre les deux cultures, il se peut qu'il acquière un sentiment de double appartenance culturelle (biculturalisme).

Dans le contexte de la mondialisation et de l'intensification des communications, les enfants ont plus de chances de se retrouver dans des milieux où l'on communique dans plus d'une langue ou d'avoir à changer de pays et de langue en raison des déplacements professionnels de leurs parents. On estime que, aujourd'hui, il y a autant d'enfants qui apprennent deux langues qu'il y en a qui en apprennent une seule (Genesee, 2002). Si l'on fait abstraction des craintes relatives à l'identité culturelle, il semble que les enfants vivant dans un milieu qui les stimule à apprendre deux langues suivent dans leur apprentissage linguistique les mêmes étapes que les enfants monolingues. Il importe toutefois que les parents aient soin d'exposer l'enfant aux deux langues et évitent les changements radicaux dans l'environnement linguistique, car ces derniers peuvent paralyser les progrès de l'enfant (Genesee, 2002; Genesee et Cenoz, 1998, 2001). L'éducation bilingue continue de susciter chez les parents la crainte du « syndrome des deux langues secondes », c'est-à-dire de voir les efforts de l'enfant se disperser et n'aboutir à la maîtrise d'aucune des deux langues. Les parents craignent aussi que l'enfant ne finisse par confondre les deux codes, ce qui est le cas de certains enfants bilingues qui passent d'une langue à l'autre dans la même phrase sans trop s'en rendre compte. Face à ces craintes, Genesee rappelle aux parents ce qui suit:

- l'apprentissage de deux langues en bas âge est une expérience courante et normale de l'enfance;
- tous les enfants sont capables d'apprendre deux langues;
- l'acquisition de deux langues est facilitée lorsque l'enfant bénéficie d'une stimulation riche et soutenue dans les deux langues;
- la compétence dans les deux langues est plus probable si, à la maison, l'enfant est activement exposé à la langue la moins souvent utilisée dans la communauté, afin de la renforcer face à la langue dominante;

- les parents peuvent contribuer à accroître la maîtrise des deux langues par leur enfant en employant en toutes circonstances et sans restriction la langue qu'ils connaissent le plus. (Genesee, 2002, p. 3.)

## 15.11 LANGAGE ET IDENTITÉ CULTURELLE

*Toutes nos langues sont des ouvrages de l'art. On a longtemps cherché s'il y avait une langue naturelle et commune à tous les hommes. Sans doute, il y en a une et c'est elle que les enfants parlent avant de parler.*
(ROUSSEAU, 1762.)

Le langage constitue une acquisition progressive de l'enfant; il n'est ni préprogrammé dans le cerveau à la naissance ni complètement donné de l'extérieur. Cette extraordinaire appropriation qui est la marque distinctive de l'espèce humaine fait intervenir des processus neurologiques, psychologiques et physiologiques raffinés qui aboutissent à un résultat unique. Il n'y a pas deux personnes qui parlent exactement de la même façon: le langage est une signature personnelle où non seulement les parties du corps (cordes vocales, larynx, langue, etc.), mais aussi la personnalité dans ses dimensions affectives et cognitives (rythme, ton de la voix, affects, etc.) laissent leurs traces, de même que le fait la culture d'appartenance avec la langue elle-même, l'accent et l'usage. Cependant, la langue est essentiellement sociale, dans sa construction chez l'enfant comme dans son emploi, et c'est ce qui en fait un moyen puissant d'intégration à la culture de la communauté. Une grande partie de l'influence exercée par les parents sur l'enfant passe par le langage: les premières relations interpersonnelles s'établissent par le langage, avant même que l'enfant apprenne à parler. Si le nouveau-né a l'équipement nécessaire pour apprendre n'importe quel langage du monde avec sa grande capacité de différencier et de reproduire les sons, il concentre rapidement son attention sur le spectre sonore couvert par la langue en usage dans son milieu. Déjà à l'âge de un an, le Chinois a un registre phonétique différent du Québécois. Mais le langage n'étant pas que sonore, l'enfant découvre aussi différentes façons d'exprimer des sentiments, des émotions et des idées au-delà des mots et de leur agencement en phrases. Toute la façon de voir la réalité se traduit à travers le langage et l'enfant a accès à cette réalité à travers ce moyen de communication. Ce n'est pas un hasard si les Inuit disposent d'une dizaine de mots pour désigner la neige selon l'aspect qu'elle prend, que les Bédouins ont des mots pour différents types de sables ou que les Espagnols distinguent des dizaines de sortes d'olives dans leur langue : le milieu se reflète dans le langage. Ce reflet est géographique et climatique, mais peut-être surtout psychologique et sociologique. La culture intime de la famille se traduit dans la façon dont on y dit les choses, dans la façon de demander, d'accepter ou de refuser, dans la façon de respecter ou de contester l'autorité des parents, etc. Le langage, c'est aussi ce qui permet l'intégration à la collectivité. Les enfants d'immigrants en savent quelque chose, puisqu'ils s'appliquent à prendre l'accent du quartier pour s'intégrer plus complètement au milieu. Mais c'est peut-être à l'échelle des sociétés que la dimension culturelle de la langue est le plus visible : culture italienne inséparable de la langue, culture japonaise indissociable de la prosodie et de la calligraphie, culture arabe enracinée dans la structure morpho-syntaxique du discours.

Les notions de « relativisme linguistique » et de « déterminisme linguistique » peuvent être utiles dans notre examen du rapport entre la langue et la culture. Le *relativisme linguistique* renvoie aux particularités de chaque langue, c'est-à-dire que chaque langue a ses propres règles et que cela détermine une manière d'envisager la réalité. Par exemple, en anglais le mot *you* est employé dans les échanges avec n'importe quelle personne, sans égard à son âge ou son statut, alors qu'en français il ne convient pas de tutoyer indifféremment tout le monde. Cette façon de coder les interactions permet de croire que le statut des interlocuteurs est moins important en anglais qu'en français, et cela peut avoir des implications dans les rapports entre les personnes. Un autre exemple réside dans le fait qu'en anglais les choses n'ont généralement pas de genre alors qu'en français les noms d'objets sont masculins ou féminins. Non seulement cette particularité a pour effet de rendre le français difficile pour les anglophones, mais cela peut aussi montrer qu'on insiste moins sur les rapports de genre en anglais.

Quant à la notion de « déterminisme linguistique », elle concerne cette influence des particularités de la langue sur les façons de penser d'une communauté linguistique. Ainsi, l'hypothèse du *déterminisme linguistique* veut que l'organisation de la langue en usage donne une spécificité aux structures cognitives, c'est-à-dire, par exemple, que les Français pensent différemment des Américains parce

que leur langue n'a pas la même structure que celle de ces derniers (Slobin, 2000, 2001, 2002).

> Les défenseurs de l'hypothèse du « déterminisme linguistique » affirment que les différences entre les langues influent sur les façons de penser des usagers – peut-être aussi sur la façon dont les cultures sont organisées. Parmi les affirmations les plus fortes de cette position se trouvent celles de Benjamin Lee Whorf et de son maître, Edward Sapir, dans la première moitié du XXe siècle – de là l'appellation de l'« hypothèse Sapir-Whorf », pour cette théorie de la relativité et du déterminisme linguistique. Whorf dit : « Nous découpons la nature et l'organisons en concepts, puis leur donnons un sens, largement parce que nous participons à une convention pour l'organiser de cette façon – une convention qui est respectée par notre communauté linguistique et qui est codifiée dans les structures du langage. » De son côté, Sapir affirme : « Les humains sont à la merci du langage qui sert de médium de communication dans leur société… » Le fait est que le monde réel est, dans une bonne mesure, inconsciemment fabriqué par le langage commun du groupe. (Slobin, 2001, p. 3.)

L'étude de l'influence de la langue sur la pensée de ses usagers ne s'appuie pas encore sur des données probantes, mais il est clair que la façon de conceptualiser la réalité doit s'adapter à la langue lorsque l'on parle (Pinker, 1994 ; Slobin, 2000). Les notions de relativisme et de déterminisme linguistique ne sont pas incompatibles ; elles sont plutôt complémentaires dans leur contribution à l'explication de l'interaction entre la langue, la pensée et la culture : chaque langue a ses spécificités dans l'expression de la réalité (relativisme linguistique) et ces particularités ont une influence sur la vision du monde que les utilisateurs développent et partagent entre eux (déterminisme linguistique).

Même si, comme nous l'avons vu, les étapes à franchir dans l'acquisition du langage sont les mêmes d'une personne à l'autre et dans toutes les cultures, il n'en reste pas moins quelque chose d'essentiellement variable. À l'intérieur d'une même langue, on relève des différences dans l'usage d'un pays ou d'une région à l'autre ; pourtant il s'agit du même code. D'une localité à l'autre, on peut facilement observer des différences d'accent, et même d'un groupe d'âge à l'autre, d'un quartier urbain à un autre. En fait, chaque personne se distingue par le timbre de sa voix, la vitesse de son débit, son vocabulaire, etc. Chaque personne possède un profil personnel de langage définissant une identité linguistique propre.

Si, dans une même communauté linguistique, des groupes de personnes géographiquement éloignés les uns des autres ou appartenant à des classes sociales différentes utilisent chacun un langage ayant des règles et un vocabulaire qui les particularisent culturellement, à plus forte raison des personnes parlant des langues différentes différeront par leurs allégeances culturelles. Ce particularisme linguistique est à la base de l'étroite relation qui existe entre le langage et l'identité culturelle.

> Les deux langues de la personne bilingue lui donnent accès, consciemment ou inconsciemment, à deux cultures qui peuvent être semblables ou très différentes. Mais si semblables soient-elles, des différences existeront qui causeront des conflits de loyauté. L'apprentissage d'une langue implique l'acquisition des valeurs et des attitudes de la communauté qui l'utilise. (Sharp, 1973, p. 77.)

> Il n'est pas facile d'être à la fois juif et russe ou algérien et français, parce que la personne concernée réalise que deux réseaux séparés de personnes importantes s'attendent qu'elle témoigne clairement de son affiliation à un groupe ou à un autre. Il est très pénible de se trouver pris dans les systèmes d'influence de deux ou plusieurs groupes ethniques et d'être « testé » par les membres d'un groupe qui veulent connaître votre vraie couleur. (Lambert, Giles et Picard, 1975, p. 127.)

Dans la plupart des sociétés, les classes sociales dominantes utilisent ce que l'on appelle la forme standard de la langue (le français standard, l'anglais standard, etc.). Ceux qui parlent la forme non standard de la langue possèdent un code linguistique aussi riche que les autres (Labov, 1966, 1972), mais se trouvent généralement désavantagés parce que c'est plutôt la forme standard de leur langue qui est valorisée dans le système d'éducation et dans les médias. Les recherches sociolinguistiques s'emploient justement à mettre en relation les faits sociaux et les faits de langue. Or, nous savons maintenant que les classes sociales peuvent influer non seulement sur la manière de prononcer les mots, mais aussi sur la manière de construire les phrases (Bernstein, 1971; Chambers, 1995; Lee, 1986).

On a longtemps considéré les formes non standards d'usage des langues comme déficientes, mais les sociolinguistes possèdent de plus en plus de données appuyant l'idée que ces codes sont différents mais aussi riches que les formes conventionnelles :

> Plusieurs sociolinguistes ont l'impression que, dans le passé, l'on s'est beaucoup trop préoccupé des aspects négatifs des variations linguistiques comme la privation ou le déficit. On réalise qu'il convient maintenant d'avoir une attitude plus positive à ce sujet. Les travaux récents en sociolinguistique paraissent favoriser un climat social de plus grande tolérance ; le fait que les médias (radio et télévision) engagent des journalistes utilisant des formes non standards de la langue d'usage témoigne de cette tendance. (Lee, 1986, p. 211.)

Il reste que, pour l'écolier, le fait de parler une langue « non standard » est un désavantage, car l'école favorise l'acquisition de la langue standard. Les enfants issus de milieux qui n'emploient pas la langue standard sont donc désavantagés par rapport à ceux qui proviennent de classes plus favorisées et qui parlent la langue standard parce que c'est elle qu'ils ont apprise dans leur famille. Le rapport direct entre le rendement scolaire et le niveau socio-économique de la famille n'est pas étranger à ce phénomène d'appartenance culturelle. La langue de l'enfant contribue à définir son identité sociale, mais ne suffit pas : il faut également tenir compte d'éléments comme la religion, les médias et le rang social des parents (Cloutier, 2002).

# Questions

1. *Expliquez brièvement.* Le langage est à la fois universel et particulier.

2. *Expliquez brièvement.* Le langage est à la fois quelque chose de simple et de complexe.

3. Nommez trois des quatre principaux éléments du langage.

4. À quel élément du langage correspond chacun des champs d'étude suivants ?

   *a)* la pragmatique

   *b)* la phonétique

   *c)* la sémantique

   *d)* la syntaxe

5. *Complétez la phrase.* La _____ concerne la signification des mots résultant de la combinaison des phonèmes.

6. Décrivez brièvement la différence entre le profil langagier du singe Nonobo entraîné par Savage-Raumbaugh et ses collaborateurs et celui des jeunes enfants qui apprennent à parler.

7. *Vrai ou faux.* Puisque les singes n'ont pas l'équipement phonatoire et nerveux pour apprendre à parler, ils sont incapables d'acquérir le langage.

8. *Complétez la phrase.* La _____ concerne les règles qui président à l'ordre des mots et à l'organisation de la phrase alors que la _____ concerne les variations de forme des mots dans la phrase et l'usage des marqueurs grammaticaux.

9. Donnez un exemple de phrase syntaxiquement correcte mais déficiente sur le plan pragmatique.

10. Que nous indique la phase de « non-spécialisation monolinguale » chez l'enfant ?

11. *Complétez la phrase.* On parle de la _____ du langage pour désigner la combinaison des inflexions, du ton et du rythme dans la parole qui donne de la musicalité à la phrase.

12. Indiquez trois caractéristiques typiques du « langage maternel ».

13. En quoi l'emploi du langage maternel favorise-t-il la compréhension langagière chez l'enfant ?

14. Statistiquement, certaines syllabes vont plus souvent ensemble et le bébé arrive progressivement à reconnaître les séries qui ont plus de chances de se retrouver ensemble. Décrivez brièvement une expérience permettant de mettre ce phénomène en lumière.

15. Quelle idée la présence du babillage chez les enfants auditivement handicapés suggère-t-elle ?

16. Quelles sont les trois étapes universelles de l'évolution du babillage ?

17. *Complétez la phrase.* La capacité de _____ des mots et des phrases précède la capacité de _____ .

18. *Choisissez la bonne réponse.* Vers la fin de la cinquième année du primaire, les enfants comprennent environ combien de mots ?

   *a)* 30 000 mots

   *b)* 40 000 mots

   *c)* 50 000 mots

   *d)* 70 000 mots

19. Nommez deux des trois éléments qui jouent un rôle dans la relation entre le vocabulaire de l'enfant et la stimulation langagière.

20. En général, que désignent les premiers mots acquis par les enfants ?

    a) des actions

    b) des adjectifs

    c) des objets

21. Nommez trois formes expressives possibles d'un énoncé binaire.

22. Dans la fonction symbolique décrite par Piaget, le mot est appelé _____ et le concept qu'il représente, _____.

23. *Vrai ou faux*. La grammaire comprend la syntaxe et la morphologie.

24. Combien de morphèmes l'énoncé « papa part pas » contient-il ?

25. *Vrai ou faux*. En général, les filles maîtrisent les règles grammaticales plus tôt que les garçons.

26. Donnez un exemple montrant l'importance d'adapter son langage au contexte social.

27. Nommez deux facteurs qui favorisent le développement de la capacité à dialoguer chez l'enfant.

28. Comment s'appellent les habiletés liées à l'émission de messages clairs en tant que locuteur et au décodage des messages des autres en tant qu'auditeur ?

29. Qu'est-ce qu'un « monologue collectif » ?

30. Indiquez deux obstacles que le jeune enfant doit surmonter pour pouvoir communiquer efficacement.

31. Qu'a-t-on observé chez les enfants qui bénéficiaient de plus « d'attention conjointe » ?

32. Qu'est-ce qu'une « protodemande » ?

33. Décrivez brièvement deux moyens pratiques pour favoriser le développement du langage chez le bébé.

34. *Vrai ou faux*. Dans la théorie de Piaget, le langage a la prépondérance sur la pensée.

35. Quel est le point de vue de Vygotsky sur la relation « cognition-langage » ?

36. *Vrai ou faux*. Selon la théorie de l'esprit (*mind theory*), la compréhension du sens des mots prononcés par l'adulte repose sur la capacité de percevoir l'intention du locuteur.

37. *Expliquez brièvement*. Le langage est essentiel à la formation du concept, mais non suffisant en lui-même.

38. Qu'entend-on par « période critique » dans l'apprentissage d'une langue ?

39. Dans le cas de Genie, une enfant totalement privée de stimulation langagière, comment expliquer qu'un milieu chaleureux et se dévouant pour la rééduquer n'ait pu combler totalement ses déficits langagiers ?

40. À quel type de bilinguisme deux langues apprises en même temps sans que l'une domine l'autre renvoient-elles ?

41. *Vrai ou faux*. La « bilingualité » est sociale, tandis que le « bilinguisme » est individuel.

42. Pour chacune des périodes de la vie suivantes, indiquez l'âge où l'on a observé les progrès les plus rapides dans l'apprentissage d'une langue seconde en milieu naturel.

    a) enfance

    b) adolescence

    c) âge adulte

43. Dans une même situation d'apprentissage, lequel a le plus de chances d'apprendre à parler une langue seconde sans accent (prononciation parfaite) ?

    a) enfant

    b) adolescent

44. Qu'entend-on par « forme additive de bilingualité » ?

45. Qu'entend-on par « bilingualité soustractive » ?

46. Quel est l'élément sur lequel repose l'apparition d'un bilinguisme additif, selon le modèle socio-physiologique du bilinguisme ?

47. Laquelle des bilingualités, soustractive ou additive, est la plus probable dans la situation suivante : un enfant de langue maternelle française s'exprime en français à la maison pour les choses de la vie courante, fréquente une école anglaise et a des amis anglophones dont il se sent très proche ?

**48.** Comment appelle-t-on le phénomène par lequel une personne bilingue ne s'identifie à aucune des deux cultures associées aux langues qu'elle parle?

**49.** Qu'entend-on par «biculturalisme»?

**50.** *Vrai ou faux.* On estime que, actuellement dans le monde, il y a autant d'enfants qui apprennent deux langues qu'une seule.

**51.** Qu'entend-on par «syndrome des deux langues secondes»?

**52.** Donnez un exemple de «relativisme linguistique».

**53.** À quelle notion la définition suivante se rattache-t-elle: «influence des particularités de la langue sur les façons de penser d'une communauté linguistique»?

**54.** *Vrai ou faux.* Les enfants qui parlent une langue non standard ont un code linguistique moins riche que ceux qui parlent une langue standard.

# Corrigés

## CHAPITRE 1
### THÉORIES DU DÉVELOPPEMENT DE L'ENFANT

1. Une théorie du développement de l'enfant est une explication du changement qui survient chez l'humain au cours de l'enfance. Les facteurs de changement et de temps sont deux éléments essentiels de la notion de développement.

2. 1) Donner un sens aux faits observés puis les organiser.

   2) Guider la conduite à adopter avec les enfants.

   3) Orienter la recherche.

   (2 éléments requis)

3. 1) La théorie reproduit fidèlement les faits réels relatifs aux enfants.

   2) Elle est exposée d'une manière claire et compréhensible.

   3) Elle permet de décrire les événements passés et de prédire correctement les événements futurs.

   4) Elle est utile pour résoudre des problèmes pratiques, comme ceux rencontrés dans l'éducation des enfants par exemple.

   5) La théorie est cohérente et logique.

   6) Elle est économique parce qu'elle offre l'explication la plus simple possible des phénomènes qu'elle étudie et non pas l'explication la plus complexe possible.

   7) La théorie est vérifiable.

   8) Elle produit de nouvelles connaissances et favorise l'apparition de nouvelles méthodes de recherche.

   (2 éléments requis)

4. 1) Quel est le rôle de l'enfance dans le cycle de la vie ?

   2) Qu'est-ce qui se développe chez l'enfant ?

   3) Le développement se fait-il selon des stades amenant chacun des changements qualitatifs (c'est-à-dire des changements dans les structures de fonctionnement) ou selon un continuum défini quantitativement (c'est-à-dire par une succession d'acquisitions nouvelles) ?

   4) Quels sont les rôles respectifs de l'« inné » et de l'« acquis » dans le développement humain ?

   5) Quelle est la nature fondamentale de l'humain ?

   (3 éléments requis)

5. représentative

6. Les premières relations d'attachement sont considérées comme les prototypes des relations interpersonnelles.

7. L'enfance est considérée comme une période critique du développement humain parce qu'elle est une période d'acquisitions et de changements capitaux.

8. L'identité représente le fil conducteur de l'évolution de l'individu. Si ce dernier n'est pas conservé, l'évolution n'existe plus : ce n'est pas un individu qui se développe, mais différentes personnes à différents moments.

9. 1) Les dimensions du développement auxquelles elles s'intéressent

   2) La méthode employée pour étudier le développement

10. 1) -c), 2) -a), 3) -b)

11. La lentille à travers laquelle les chercheurs observeront la réalité complexe de l'enfance,

c'est-à-dire leur approche méthodologique, fait que chaque théorie met l'accent sur un secteur particulier du développement.

12. Faux. Le développement est dit qualitatif s'il comporte une série de paliers et il est dit quantitatif s'il correspond à une évolution continue.

13. Platon se basait sur sa croyance que l'âme, qui renferme les idées, précède le corps dans le temps.

14. Les opposants font valoir que les tests utilisés ne tiennent pas compte des différences culturelles, et en particulier du fait que les Noirs sont généralement moins favorisés et moins scolarisés que les Blancs. Pour eux, la thèse de Jensen est une thèse raciste qui néglige de prendre en considération l'influence du niveau socio-économique sur l'aptitude requise par les tests psychométriques utilisés pour évaluer le quotient intellectuel.

15. Ils sont attirés par les thèses insistant sur le caractère acquis, car elles augmentent leur marge de manœuvre et accroissent l'influence qu'ils peuvent exercer sur la personne.

16. Vrai

17. 1) -b), 2) -a)

18. a)

19. organismique

20. Le courant nativiste considère que les nourrissons sont naturellement programmés pour reconnaître les visages, le langage, interagir socialement, éprouver de l'attachement, etc.

21. compétent

22. 1) Piaget a compris que les réponses erronées des enfants aux épreuves standardisées d'intelligence n'étaient pas fournies au hasard, mais qu'elles avaient leur propre logique, même si celle-ci différait de celle des adultes.

    2) Freud estime que le contenu des rêves a un sens, un rapport étroit avec ce que vit la personne, et qu'il constitue une source privilégiée d'information sur la vie psychique.

    (1 élément requis)

23. *Infans* signifie « qui ne parle pas ».

24. Vrai

25. b)

26. L'Église chrétienne

27. Faux. Il proposait de remplacer l'attitude punitive et restrictive par une attitude d'encouragement et d'ouverture à l'égard de l'enfant.

28. 1) -b), 2) -a)

29. Jean-Jacques Rousseau

30. Selon le principe de la sélection naturelle, la nature sélectionne les espèces et les individus en fonction de leur capacité de survie.

31. 1) L'idée que les comportements ayant une valeur de survie pour l'espèce ont tendance à être conservés se trouve au centre de l'approche éthologiste du développement de l'enfant (par exemple, l'attachement parent-enfant).

    2) L'idée que l'origine de l'homme en tant qu'espèce et son origine en tant qu'individu ne peuvent être saisies que dans la nature et chez l'enfant respectivement : dans la nature, parce que l'homme est une espèce animale soumise aux lois de l'évolution naturelle, et chez l'enfant parce que l'adulte est le résultat d'une évolution qui a débuté au moment de la conception.

    (1 élément requis)

32. Dans la perspective psychanalytique

33. c) -a)- b) -d)

34. La manière d'éduquer l'enfant et de répondre à ses besoins selon son âge diffère selon les cultures.

35. Le modèle d'Erikson prend en compte le contexte social. De plus, il considère l'ensemble du cycle de la vie, depuis la naissance jusqu'à la fin de la vie.

36. À partir d'un problème psychosocial sérieux, d'une crise psychosociale plaçant la personne devant deux possibilités, l'une fournissant une solution adaptée au problème psychosocial, l'autre, une solution inadaptée.

37. Premier exemple : l'identité personnelle, l'un des principaux enjeux de l'adolescence, demeure un élément psychosocial bien présent dans la vie du jeune adulte.

    Deuxième exemple : le désir d'autonomie qui accompagne la crise du développement de l'enfant de 2-3 ans est de nouveau présent à l'âge de 21 ans, mais sous une autre forme.

    (1 exemple requis)

**38.** Elle s'intéresse au rôle du comportement dans l'adaptation et la survie de l'organisme.

**39.** Charles Darwin

**40.** Un *patron fixe d'action* est un ensemble d'actions inscrit dans le code génétique de l'espèce et qui, dans les situations déterminées, fait apparaître des conduites ayant une valeur de survie pour l'organisme.

**41.** 1) *L'imprinting*

2) La danse des abeilles

**42.** Le moment critique du développement implique que, pendant une période donnée de sa vie, l'organisme est particulièrement sensible à certaines expériences vécues dans le milieu.

**43.** L'attachement de l'enfant résulte de l'interaction entre, d'une part, les prédispositions biologiques de l'enfant à sourire, à gazouiller et à pleurer et, d'autre part, l'inclination naturelle de la mère à prendre soin de son enfant.

**44.** Ils ont observé que les enfants affichant un attachement de type sécurisé à leur mère entretenaient des relations d'amitié beaucoup plus fortes avec leurs pairs que les enfants ayant un attachement insécurisé.

**45.** L'observation systématique du comportement en milieu naturel

**46.** La réaction de l'enfant à la situation étrangère: il s'agit d'observer en laboratoire la réaction de l'enfant à la séparation et à la réunion avec sa mère dans une pièce où une personne étrangère est présente.

**47.** Le courant écologique s'intéresse à la façon dont les processus du développement et les contextes sociaux où ils prennent place s'influencent réciproquement.

**48.** 1) -*d*), 2) -*a*), 3) -*c*), 4) -*b*)

**49.** La violence dans la famille peut résulter de la situation de stress dans laquelle celle-ci se trouve, de l'isolement dans lequel elle vit, du faible soutien social dont elle dispose.

**50.** Faux. Il appartient à l'exosystème.

**51.** Elle prend sa source dans l'approche classique de l'apprentissage animal et humain.

**52.** Faux. Pour Watson, demander à quelqu'un de réfléchir à ses pensées et à ses sentiments intérieurs, c'est-à-dire de faire de l'introspection et de la verbaliser, ne peut donner qu'un reflet subjectif et partiel de la réalité que l'on veut comprendre.

**53.** Le conditionnement classique est le déclenchement d'une réponse automatique ou inconditionnelle (le réflexe de salivation du chien) à la suite d'un signal artificiellement créé, que l'on appelle stimulus conditionnel (la cloche), après que ce dernier a été associé plusieurs fois au stimulus inconditionnel initial (la nourriture).

**54.** Vrai

**55.** Il s'agit d'une méthode où le contenu à apprendre est subdivisé en petites unités d'information. Chaque fois que l'élève montre qu'il maîtrise le contenu en donnant une réponse correcte, un rétroaction positive lui est donnée et il passe à l'unité suivante.

**56.** 1) Plus le renforcement (la récompense) suit de près l'émission de la réponse par le sujet, plus la réponse est renforcée.

2) Il est plus diffcile de faire disparaître une réponse qui n'a été renforcée que sporadiquement qu'une réponse qui a été renforcée de façon continue.

3) Une réponse formulée à la suite d'un stimulus donné a tendance à être transposée dans des stimuli analogues.

**57.** La théorie sociale cognitive de Bandura s'intéresse directement aux processus cognitifs en jeu dans l'acquisition et le maintien des comportements, ainsi qu'au contexte de leur production.

**58.** Des enfants d'âge préscolaire ayant vu un modèle adulte se comporter de façon agressive avec une poupée présentaient plus de conduites agressives avec celle-ci lorsqu'ils étaient laissés seuls avec elle que des enfants qui avaient vu un adulte la traiter avec douceur.

**59.** 1) Elle accorde une place prépondérante aux processus mentaux dans l'apprentissage et offre une explication qui s'étend à la personnalité et au développement moral.

2) Elle décrit l'enfant comme un agent actif de son développement.

3) Elle propose un processus d'autorégulation dans l'apprentissage, processus concernant notamment les capacités: *a*) d'établir des relations entre les apprentissages antérieurs et les situations actuellement observées afin de dégager des règles, des lignes de conduite adaptées au contexte, etc.; *b*) de fixer des objectifs de performance relativement à des valeurs ou à des attentes d'efficacité

personnelle ; et *c*) d'évaluer son propre rendement en fonction de ses objectifs et de se donner à soi-même des récompenses ou de corriger sa conduite.

(2 éléments requis)

**60.** 1) -*d*), 2) -*a*), 3) -*c*)

**61.** 1) Le cheminement qui va de l'entrée (*input*) à la sortie (*output*)

2) La séquence des opérations propre au traitement de l'information

3) L'organisation qui est structurée hiérarchiquement et qui définit une stratégie cognitive dans laquelle certaines opérations en commandent d'autres

(2 éléments requis)

**62.** 1) Le premier principe veut que l'humain soit un système dans lequel le traitement de l'information comporte trois grandes étapes : *input*, traitement, *output*.

2) Le deuxième principe de l'approche du traitement de l'information veut que l'utilisation de modèles aide à comprendre les processus cognitifs.

3) Le troisième principe (principe de rigueur méthodologique) veut qu'une analyse très fine de la tâche offerte et un contrôle rigoureux de la technique d'observation du sujet soient nécessaires pour que la description des processus mentaux soit valable.

**63.** Le modèle du jeu d'échecs

**64.** biographie d'enfant

**65.** 1) La tendance des enfants à réagir à l'observation

2) Le biais de l'observateur

**66.** La méthode clinique est intéressante en ce qu'elle combine la situation expérimentale et l'activité ludique : une situation faisant appel à du matériel concret est proposée à l'enfant sous forme de jeu.

**67.** C'est la tendance de l'individu à se présenter sous son meilleur jour ou à répondre en fonction de ce qu'il croit qu'on attend de lui.

**68.** On distingue l'approche transversale, l'approche longitudinale et l'approche séquentielle.

**69.** 1) approche transversale, 2) approche longitudinale, 3) approche séquentielle

**70.** Étude corrélationnelle

**71.** Faux. Il y a cooccurrence des deux phénomènes et non pas relation de cause à effet.

**72.** expérimentale

**73.** Il consiste à évaluer les effets d'une ou plusieurs variables sans manipulation de l'environnement, sur la base de la comparaison de situations qui se présentent naturellement dans le milieu.

**74.** La valeur repose sur la comparaison du sujet avec lui-même « avant » et « après » l'expérience ou l'événement.

**75.** Pour pouvoir participer, l'individu doit donner librement son accord et avoir bien compris les buts de l'étude et tous les enjeux de sa participation.

**76.** 1) Le chercheur expliquera comment il compte obtenir le consentement libre et éclairé de la personne autorisée et protéger au mieux les intérêts de l'enfant.

2) La personne autorisée ne sera ni le chercheur ni un membre de l'équipe de recherche.

3) Le consentement libre et éclairé de la personne autorisée est nécessaire pour qu'un sujet légalement inapte puisse continuer à participer à un projet.

4) Lorsqu'un projet faisant intervenir un sujet inapte a été entrepris avec la permission de la personne autorisée et que le sujet recouvre ses facultés au cours de ce projet, celui-ci ne pourra se poursuivre que si le sujet donne son consentement libre et éclairé.

(2 éléments requis)

**77.** Vrai

## CHAPITRE 2
### FONDEMENTS BIOLOGIQUES DU COMPORTEMENT

**1.** La pangenèse est la théorie selon laquelle les caractéristiques individuelles sont transmises d'une génération à l'autre par les gemmules, copies très petites de chaque organe du corps qui sont transportées dans le sang pour être assemblées en gamètes puis transmises au fœtus.

**2.** gamètes, somatiques

**3.** Dans la méiose, un seul chromosome de la cellule mère se retrouve dans la cellule germinale qui en résulte. Chaque nouvelle cellule reproductrice ne contient donc que 23 chromosomes.

4. l'ovule, le spermatozoïde, zygote

5. Faux

6. Chacun des 23 chromosomes de l'ovule se combine avec chacun des 23 chromosomes du spermatozoïde pour former le zygote contenant 23 paires de chromosomes.

7. L'ADN mitochondrial se présente sous la forme d'une seule double hélice circulaire.

8. Elles sont sélectives en ce sens que la cytosine forme des liens avec la guanine, alors que l'adénine forme des liens avec la thymine.

9. Selon les estimations faites en 2003 dans le cadre du projet du génome humain, l'ADN nucléique humain comprendrait autour de 32 000 gènes.

10. Vrai

11. Une certaine partie de l'information contenue dans l'ADN nucléique est copiée sous forme d'ARN. L'ARN migre dans le cytoplasme cellulaire, permettant ainsi à l'information de s'exprimer à l'extérieur du noyau.

12. Les topo-isomérases coupent l'un des brins d'ADN, créant un espace qui permet à l'autre brin de se dérouler et de s'éloigner du premier brin. Elles raboutent ensuite les deux extrémités du brin sectionné.

13. Faux

14. homozygote

15. Vrai

16. Puisque cette combinaison XY ne comprend qu'un chromosome X, si une maladie, même récessive, est portée par ce chromosome X, il n'y a pas de chance que l'apparition de la maladie soit empêchée par l'autre chromosome X qui pourrait en dominer l'action, comme ce serait peut-être le cas avec la combinaison XX.

17. La tête plus petite (microencéphalie), la faible pigmentation des cheveux et de la peau, l'arriération mentale, l'irritabilité, l'hyperactivité, les convulsions et les problèmes de coordination motrice

18. Une alimentation à base de lait synthétique contenant peu de phénylalanine

19. Le syndrome de Patau (trisomie 13) et le syndrome d'Edwards (trisomie 18)

20. échographie

21. Les études de famille, les études de jumeaux et les études d'adoption

22. Faux

23. La schizophrénie, la dépression et le trouble bipolaire

24. Plomin suggère que les facteurs génétiques influent sur les traits de personnalité qui, eux, influent sur les expériences de vie d'une personne, notamment la sélection des milieux de vie.

25. Faux

## CHAPITRE 3
## DÉVELOPPEMENT PRÉNATAL ET NAISSANCE

1. *c*)

2. La période germinative, la période embryonnaire et la période fœtale

3. Vrai

4. *a*)

5. mitose

6. Le mouvement de l'ovule fécondé est provoqué par les effets de contraction et de succion de la trompe de Fallope.

7. 1) -*b*), 2) -*a*), 3) -*c*)

8. *b*)

9. Faux

10. Les échanges entre la mère et l'embryon se font non pas directement, mais par l'intermédiaire de petits capillaires dans le placenta qui bloquent le flux sanguin de chaque organisme: c'est la barrière placentaire. Toutefois, certaines substances immunologiques ou chimiques peuvent traverser cette barrière.

11. fœtus

12. L'organisme peut commencer à bouger dès le quatrième mois de grossesse (durant la période fœtale).

13. Vrai

14. Le *vernix caseosa* est un enduit sébacé visqueux qui enveloppe tout le corps du fœtus dès le sixième mois et dont le rôle est de protéger la peau délicate de ce dernier.

15. *b*)

16. La testostérone

17. Vrai

18. psycho-sexuel

19. L'arrêt des menstruations

20. Des changements survenant aux seins (gonflement, picotement ou hypersensibilité), des nausées, de la fatigue, de la somnolence et une augmentation de l'activité urinaire (2 éléments requis)

21. *a)*

22. *c)*

23. Le colostrum est un liquide jaunâtre très riche en protéines qui peut être sécrété par les seins dès le quatrième mois de grossesse et qui constituera la première nourriture du nouveau-né s'il y a allaitement.

24. L'exercice physique adapté et la protection du sommeil nocturne avec ajout de périodes régulières de repos pendant le jour sont recommandés. Il est aussi conseillé d'éviter le tabagisme ainsi que la consommation d'alcool et de drogue. (2 éléments requis)

25. Le tabagisme augmente le risque de maladies cardio-vasculaires et pulmonaires chez la mère, est associé au petit poids du bébé à la naissance, au retard de croissance du fœtus, à la prématurité, aux malformations congénitales et aux problèmes de santé de l'enfant au cours de la première année. (2 éléments requis)

26. L'attitude positive ou négative à l'égard de la grossesse, la préparation à cet événement, le soutien offert par l'entourage, l'état de santé de la mère et les soins dont elle bénéficie sont des facteurs pouvant faire de la grossesse une expérience heureuse ou malheureuse pour la mère. (2 éléments requis)

27. Les agents physiques, les problèmes métaboliques et génétiques de la mère, les agents infectieux et les agents chimiques ou drogues (3 éléments requis)

28. Les agents tératogènes peuvent:
    - provoquer la mort de cellules de l'embryon ou du fœtus;
    - affecter la croissance des tissus;
    - perturber la différenciation cellulaire ou d'autres processus morphogénétiques de base.

    (2 éléments requis)

29. Le développement prénatal procède selon une série d'étapes caractérisées par l'apparition séquentielle de structures anatomiques ou de fonctions physiologiques spécifiques. L'effet d'un tératogène dépend donc des structures particulières qui sont en train de se développer au moment où il frappe, puisque ce sont les structures en développement qui sont les plus sensibles.

30. *b)*

31. Faux

32. Vrai

33. Il semble que les pères plus âgés ont plus de risques d'engendrer un enfant ayant une anomalie de naissance quelconque.

34. *c)*

35. Les protéines, les graisses (ou lipides), les sucres (ou glucides), les éléments minéraux et les vitamines (4 éléments requis)

36. Les radiations (rayons X, substances radioactives, etc.), la chaleur intense (due, par exemple, aux fièvres maternelles prolongées, à la vie en milieu torride ou aux bains saunas) et les pressions mécaniques exercées sur le fœtus (par une malformation utérine, des bandes fibreuses, etc.) constituent des agents tératogènes physiques potentiels. (2 éléments requis)

37. La *mutation génétique* correspond à un changement dans le nombre, l'organisation ou le contenu des gènes. Ce changement est non pas dû à une recombinaison de chromosomes homologues, mais plutôt à une sorte d'accident dans la combinaison des gènes qui provoque l'apparition d'une nouvelle caractéristique observable chez le descendant. On appelle « mutation génétique » la modification de certains gènes en un point précis d'un chromosome. La modification d'un chromosome entier se nomme « anomalie chromosomique ».

38. Vrai

39. Les femmes diabétiques dont le taux d'insuline est mal contrôlé pendant leur grossesse risquent de donner naissance à un enfant ayant une malformation cardiaque ou une affection neurologique et elles sont plus à risque d'avortement. De plus, leur bébé risque d'hériter du diabète, d'avoir un surplus de poids et de présenter des problèmes métaboliques, respiratoires et circulatoires. (1 élément requis)

**40.** Le diabète gestationnel

**41.** Faux

**42.** une arriération mentale

**43.** *a)*

**44.** Le système nerveux central, le système visuel, le système auditif, le système digestif ainsi que les muscles et le squelette sont les systèmes les plus susceptibles d'être perturbés par l'infection à cytomégalovirus. (2 éléments requis)

**45.** Faux

**46.** L'herpès, la syphilis et la blennorragie (gonorrhée) [2 éléments requis]

**47.** Vrai

**48.** Le sang, le liquide céphalo-rachidien et le sperme renferment les plus fortes concentrations du VIH.

**49.** Le mercure, le plomb, le cadmium, les BPC (biphényles polychlorés), la dioxine, certains solvants chimiques industriels et divers herbicides sont reconnus comme étant des tératogènes chimiques potentiels. (2 éléments requis)

**50.** Les enfants atteints du syndrome d'alcoolisme fœtal présentent une configuration faciale particulière, un retard développemental à la naissance et des difficultés de survie postnatale avec possibilité de problèmes associés au sevrage alcoolique, de malformations cardiaques et squelettiques et d'anomalies neurologiques diverses. (2 éléments requis)

**51.** Vrai

**52.** Un haut taux de stress ou de perturbations émotionnelles chez la mère est associé à un niveau d'activité intra-utérin plus élevé, à des anomalies congénitales plus fréquentes et à des problèmes comportementaux pendant l'enfance. (2 éléments requis)

**53.** La fertilité humaine dépend :

– de la réussite du processus de maturation ovulaire dans le cycle menstruel ;

– de la réussite de la fécondation de l'ovule par un spermatozoïde ;

– de la réussite du transport du zygote vers l'utérus ;

– de l'implantation correcte de l'œuf sur la paroi utérine.

(2 éléments requis)

**54.** L'infertilité est une condition médicale définie par l'incapacité pour un couple de concevoir un enfant après un an de rapports sexuels sans contraception.

**55.** 1) *-a)*, 2) *-b)*

**56.** La loi canadienne régissant l'assistance à la procréation interdit :

– le clonage d'êtres humains ;

– la modification génique de cellules germinales (manipulation du code génétique de manière à pouvoir transmettre la modification à la génération suivante) ;

– le développement d'un embryon à l'extérieur du corps d'une femme au-delà de 14 jours ;

– la création d'embryons à de seules fins de recherche ;

– la création d'un embryon à partir d'un autre embryon ou d'un fœtus ;

– la transplantation de matériel reproductif d'un animal dans le corps d'un être humain ;

– l'utilisation de matériel reproductif humain déjà transplanté dans le corps d'un animal ;

– le choix du sexe (les mesures prises pour favoriser la conception d'un enfant de l'un des deux sexes) ;

– la vente et l'achat d'embryons humains ;

– l'achat et l'échange de gamètes humains (sperme et ovules) ;

– les contrats commerciaux de maternité de substitution.

(3 éléments requis)

**57.** Le clonage thérapeutique consiste à prendre une cellule adulte et à la faire fusionner avec un ovocyte auparavant vidé de son noyau (donc de son matériel génétique). On laisse l'embryon humain ainsi produit grossir quelques jours, puis on le détruit pour pouvoir en extraire les cellules souches. Les cellules souches sont des cellules au stade indifférencié, capables d'évoluer en des lignées de cellules spécialisées comme les cellules du sang, du foie, des muscles, etc. Ces cellules produites sont destinées à réparer ou à remplacer des organes endommagés par des maladies actuellement incurables comme certains cancers ou la paralysie.

## CHAPITRE 4
## LE DÉVELOPPEMENT PHYSIQUE, PERCEPTIF ET MOTEUR

1. Selon le principe de développement proximo-distal, le processus de croissance et de contrôle moteur s'effectue depuis le centre vers la périphérie du corps.

2. Vrai

3. Le premier centre d'ossification correspond aux lieux de transformation des tissus cartilagineux en tissus osseux au cours du développement prénatal.

4. La croissance en largeur se fait par l'addition progressive de couches de cellules osseuses sur la surface extérieure de l'os déjà existant.

5. Des exercices d'haltérophilie, certains lancers au base-ball

6. Un neurone est une cellule nerveuse comprenant notamment un noyau, un cytoplasme, un axone, des dendrites et des synapses.

7. neurones ou cellules nerveuses, névroglies ou cellules de soutien

8. La myélinisation des neurones correspond à l'apparition d'une gaine de tissus gras sur l'axone, qui favorise la conduction de l'influx nerveux.

9. La perception visuelle acquise très tôt chez le nouveau-né s'expliquerait par la poussée de myélinisation du cortex visuel entre le septième mois de gestation et les premiers mois suivant la naissance. La myélinisation de la région responsable de la perception auditive, amorcée dès le sixième mois de gestation, serait plus lente à se faire et suivrait le développement du langage jusque vers cinq ans.

10. spécialisation hémisphérique

11. En pratiquant des autopsies sur des patients droitiers ayant perdu l'usage de la parole, il se rendit compte de la détérioration de certaines cellules de l'hémisphère gauche.

12. le corps calleux

13. La symétrie du corps a une valeur adaptative: si les jambes pour la marche, les nageoires pour la natation ou les ailes pour le vol n'étaient pas symétriques, la maîtrise de la direction de la locomotion en serait fortement affectée. Le développement de la locomotion a donc favorisé la symétrie du corps.

14. Les deux hémisphères sont également responsables de la manipulation, mais il peut y avoir conflit entre les deux dans l'initiative de l'action et l'exercice du contrôle.

15. *a*), *b*)

16. Faux

17. C'est la tendance de la population à être plus précoce et à avoir une plus grande taille d'une décennie à l'autre

18. Faux

19. Une courte stature déterminée génétiquement, un retard normal de rythme de croissance, des anomalies chromosomiques, un trouble prénatal, un trouble glandulaire, du stress psychologique, une atteinte des cartilages et des os, des difficultés d'absorption de la nourriture, des maladies organiques (4 éléments requis)

20. C'est le phénomène par lequel l'organisme qui a été privé des éléments nécessaires à sa croissance normale a tendance, lorsqu'il est enfin placé dans une situation où il peut récupérer, à accélérer son développement pour atteindre le niveau de croissance défini par son bagage génétique.

21. Une perte de poids de l'ordre de 25 % du poids normal, l'aménorrhée, le dessèchement de la peau, l'amincissement des cheveux, la constipation, l'apparition de duvet sur la peau, une baisse de la pression sanguine, une baisse de la température corporelle, une baisse du rythme cardiaque, une baisse des concentrations de potassium et de chlorure (2 éléments requis)

22. *b*)

23. La méthode de préférence visuelle consiste à présenter plusieurs fois deux objets différents et à enregistrer chaque fois le temps de fixation visuelle. Le fait que l'enfant regarde plus longtemps un objet que l'autre montre qu'il fait la distinction entre les deux objets. Cette méthode permet donc d'évaluer la capacité des jeunes enfants à distinguer visuellement les objets.

24. L'absence d'accommodation du cristallin, l'immaturité des circuits nerveux sollicités dans la vision, la mauvaise convergence des yeux (2 éléments requis)

25. Cette méthode ne s'applique qu'aux enfants qui sont en âge de ramper.

26. La constance de la forme, la constance de la grandeur

27. Faux

28. À l'aide de cette technique, les chercheurs ont observé que les fœtus de sept mois plissaient les paupières lorsqu'un son provenant de l'extérieur du corps maternel était émis

29. Les enfants commencent à distinguer les substances gustatives quelques heures après la naissance.

30. L'appariement intersensoriel est la capacité d'identifier une correspondance de forme ou de structure à partir de modalités sensorielles différentes.

31. L'augmentation de l'efficacité des systèmes perceptifs serait due selon Gibson et Spelke (1983) à une meilleure distribution des ressources de traitement. Les enfants plus vieux accordent plus d'attention que les plus jeunes aux éléments qui sont difficilement discernables lorsqu'ils doivent distinguer différents objets.

32. L'enfant peut détacher son menton vers le premier mois, détacher sa poitrine du sol vers le deuxième mois, conserver pendant un certain temps la position assise vers le quatrième mois et demeurer debout en s'appuyant sur des objets vers le neuvième mois.

33. La saisie manuelle ou préhension devient plus directe, plus précise et plus économique.

34. La préhension suit la direction proximo-distale. Elle débute par le contrôle des muscles situés près de l'axe corporel (ceux des épaules) et se termine par le contrôle des muscles les plus éloignés de cet axe (ceux des doigts).

35. Le manque de force des muscles des jambes, le manque d'équilibre

## CHAPITRE 5
### LES STADES DU DÉVELOPPEMENT COGNITIF

1. En biologie

2. Barbël Inhelder

3. 1) La dimension génétique, qui rend compte de la hiérarchisation des conduites

   2) Le structuralisme, dans lequel les connaissances constituent des systèmes organisés

   3) Le constructivisme, dans lequel le sujet joue un rôle actif dans l'acquisition de ses connaissances

   4) L'interactionnisme, dans lequel l'adaptation de l'inividu apparaît comme le résultat de l'intéraction entre ce dernier et le milieu

   (2 éléments requis)

4. L'adaptation et l'organisation

5. Faux

6. Elle signifie que chaque nouveau stade correspond à un niveau d'équilibre qui intègre les acquis des stades antérieurs et permet une meilleure adaptation.

7. Le schème est ce qu'il y a de constant dans une activité qui se répète.

8. Vrai

9. Dans l'exercice, le sujet répète ses schèmes pour les consolider; la principale source d'information est le sujet lui-même. À l'opposé, dans l'expérience physique des objets, ce sont les objets sur lesquels porte l'activité qui représentent la principale source d'information pour le sujet.

10. Faux

11. Les réflexes

12. La succion du pouce, la protrusion de la langue, l'exploration du regard, le gazouillis (2 éléments requis)

13. Vrai

14. Il s'agit de la combinaison de schèmes qui sont déjà eux-mêmes composés de schèmes primaires coordonnés entre eux.

15. Au cinquième stade

16. *b*)

17. 1) L'objet doit avoir son identité propre, c'est-à-dire qu'il doit être perçu comme distinct de nous ou des actions exercées sur lui.

    2) L'identité de l'objet doit être permanente.

    (1 élément requis)

18. L'erreur de stade 4 consiste à chercher l'objet disparu à l'endroit où il a déjà été vu, même s'il ne se trouve plus à cet endroit.

19. Vrai

20. 1) La phase préconceptuelle (de 2 à 4-5 ans)

    2) La phase intuitive (de 4-5 à 6-7 ans)

21. L'imitation est une représentation en acte qui est suffisamment détachée du modèle pour pouvoir être perçue comme indépendante de ce dernier.

22. Le monologue collectif

23. Vrai

24. Faux

25. 1) Représentatif: les mots utilisés renvoient à l'image mentale particulière qu'a l'enfant de l'automobile, de la mainson, de l'ami et non pas aux concepts universels de ces entités.

    2) Spatial: l'enfant ne parvient pas à se placer d'un autre point de vue que le sien.

    3) Social: l'enfant a de la difficulté à adapter son langage en fonction de son interlocuteur.

    (2 éléments requis)

26. statique

27. une régulation intuitive

28. Échec: stade préconceptuel

    Transition: stade intuitif

    Réussite: stade opératoire concret

29. Faux

30. La présentation du matériel à l'enfant à qui l'on demande de nommer les différents éléments

31. Vrai

32. a) « Ce sont les mêmes baguettes, on n'a fait que les déplacer. »

    b) « La baguette va plus loin que l'autre à ce bout-ci mais moins loin à ce bout-là. »

33. Vrai

34. Il s'agit de la correspondance entre un chiffre (un, deux, trois, etc.) et un élément compté: chaque chiffre doit correspondre à un élément et à un seul sans quoi il y a erreur de dénombrement.

35. Une opération mentale est une action intériorisée, une transformation opérée en pensée.

36. Un groupement opératoire est un système organisé d'opérations.

37. Il dessinera un carré à peine plus petit et un autre à peine plus grand que le modèle.

38. a)

39. La conservation de la substance, du poids et du volume

40. Cela indique que le fonctionnement cognitif de l'enfant n'est pas aussi homogène que Piaget l'avait affirmé.

41. Non, elle n'est pas confirmée, car l'universalité du stade opératoire formel n'est pas bien établie. Dans certaines cultures, peu d'adolescents et d'adultes réussissent les épreuves caractéristiques du stade opératoire formel.

42. b)

43. Le temps de fixation visuelle

44. L'accent mis sur les structures cognitives générales, le rôle actif que joue l'enfant dans son développement, l'ordre de succession invariable des stades, l'emboîtement hiérarchique des stades, l'existence d'une limite dans le degré de complexité de la pensée (3 éléments requis)

45. Le changement cognitif se produit de façon locale et il résulte de l'apprentissage fait par l'enfant dans des domaines précis.

46. b) et c)

## CHAPITRE 6
## L'INTELLIGENCE

1. L'intelligence, c'est ce que *les tests d'intelligence mesurent*.

2. La notion de métacognition

3. Plusieurs réponses possibles:

   1) La *métaphore géographique* présente l'intelligence comme une carte de l'esprit dans laquelle la présence relative de facteurs différencie entre eux les profils intellectuels des individus.

   2) La *métaphore informatique* considère l'intelligence à partir des processus élémentaires de traitement de l'information (le temps de réaction ou les stratégies cognitives) et s'intéresse à la mise sur pied de modèles complexes des processus mentaux.

   3) La *métaphore biologique* tente de faire le lien direct entre le fonctionnement du cerveau et l'intelligence. Elle étudie le cerveau à l'aide d'appareils comme l'électro-encéphalogramme et l'imagerie par résonance magnétique.

   4) La *métaphore épistémologique* s'intéresse principalement au développement des connaissances, lequel s'effectue à travers des stades et selon des structures cognitives.

5) La *métaphore anthropologique* présente l'intelligence comme une construction sociale où l'individu évolue selon ses interactions avec les contextes sociaux qui définissent ce que sont les comportements intelligents.

6) La *métaphore sociologique* met l'accent sur les interactions sociales (le contexte social) dans le développement de l'intelligence. L'individu assimile les connaissances à partir de ses rapports avec les personnes qui lui enseignent.

7) La *métaphore des systèmes* traduit une vision systémique de l'intelligence qui offre plusieurs niveaux d'analyse et intègre différentes composantes des autres métaphores (géographique, biologique, sociologique, etc.).

(1 élément requis)

4. Vrai

5. L'efficience cérébrale est l'hypothèse selon laquelle plus l'intelligence est développée, moins le cerveau travaille fort pour résoudre un problème donné. Les circuits neurologiques, avec le développement, seraient peu à peu mieux dirigés et plus économiques sur le plan de l'activation corticale pour une tâche donnée, ce qui entraîne une économie d'énergie.

6. Sa vitesse de traitement de l'information augmente, ce qui lui permet d'exécuter les mêmes opérations mentales plus rapidement.

7. L'énergie et la sensibilité

8. Alfred Binet

9. Il servait à discerner, dès leur entrée à l'école, les enfants susceptibles d'éprouver des difficultés scolaires.

10. *a)* l'adaptation
    *b)* la critique
    *c)* la direction

11. Le facteur général (facteur G), commun à l'ensemble des habiletés cognitives, et les facteurs particuliers (mémoire, raisonnement logique, spatial, numérique, etc.)

12. Le facteur G (facteur général de l'intelligence)

13. La dimension interne, la dimension externe et la dimension expériencielle

14. métacomposantes

15. *c)*

16. Au début, l'enfant doit décoder individuellement chaque unité d'information. Graduellement, l'automatisation du décodage élémentaire lui permettra de passer à l'échelle du mot puis de la phrase. L'automatisation du décodage permet à l'enfant de concentrer son attention sur le sens du texte, au-delà du décodage des unités d'information.

17. La dimension externe de l'intelligence concerne le contexte ou l'environnement dans lequel l'intelligence se déploie. Elle réfère aux mécanismes en jeu dans l'adaptation de la personne à son milieu, dans la modification du milieu en fonction de ses besoins et dans le choix de l'environnement approprié.

18. L'intelligence de réussite

19. Faux

20. L'intelligence linguistique ou verbale, logico-mathématique, musicale, spatiale, corporelle ou kinesthésique, interpersonnelle, intrapersonnelle, naturaliste et spirituelle (3 éléments requis)

21. L'intelligence émotionnelle est une forme d'intelligence sociale qui renvoie à la capacité de reconnaître et de comprendre ses émotions et celles des autres et d'utiliser cette information pour guider ses pensées et ses actions de façon appropriée en contexte social. Les personnes ayant un niveau élevé d'intelligence émotionnelle décodent plus facilement les pensées, les sentiments, les émotions chez elles et chez les autres et elles composent habilement avec ces connaissances pour mieux réussir dans leurs relations interpersonnelles.

22. Énoncé 1 : *c)*
    Énoncé 2 : *a)*

23. Les épreuves d'intelligence destinées aux nourrissons reposent sur l'observation de leur comportement à la suite de la présentation de stimuli standardisés. Certains tests incluent aussi des items qui mesurent la mémoire de l'enfant, sa vitesse d'habituation à la nouveauté, sa capacité de catégoriser et de résoudre certains problèmes. Les réponses perceptives ou motrices du bébé servent de base à son évaluation psychologique.

24. le rendement d'autres individus (avec qui il partage des caractères communs) au même test

25. Cela veut dire que les résultats de cet enfant au test sont aussi élevés que ceux de la moyenne des enfants de sept ans.

26. 129

27. La façon de faire passer un test à un enfant doit demeurer constante parce que tout changement peut aider l'enfant ou, au contraire, lui nuire, et par là rendre invalide la comparaison de son rendement avec celui du groupe de référence.

28. La vitesse d'exécution des problèmes proposés, la quantité d'acquisitions faites par l'enfant et la complexité des problèmes que l'enfant arrive à résoudre

29. La *validité* d'un test correspond à sa capacité de vraiment mesurer ce qu'il a pour but de mesurer, tandis que la *fiabilité* d'un test réfère à sa cohérence interne (les réponses données aux items qui mesurent le même construit doivent se ressembler) et à la stabilité des résultats dans le temps.

30. Vrai

31. *b*), *d*), *c*), *a*)

32. Les sous-tests verbaux et les sous-tests non verbaux

33. *a*)  La mémoire des phrases (mémoire à court terme)
    *b*)  Le vocabulaire en image (raisonnement verbal)
    *c*)  Les absurdités (raisonnement verbal)

34. *a*)  Sous-test de jugement
    *b*)  Sous-test de similitudes
    *c*)  Sous-test de connaissances
    *d*)  Sous-test de vocabulaire
    *e*)  Sous-test d'arithmétique

35. Labyrinthes : à l'aide d'un crayon, l'enfant doit indiquer le chemin à suivre pour se rendre jusqu'à un point désigné. Le nombre d'erreurs est noté.

    Arrangement d'images : l'enfant doit mettre en ordre des séries d'images afin d'illustrer une histoire qui a un début et une fin.

36. Faux

37. Le principe de « précocité – intensité » implique que l'on intervient le plus tôt possible et de façon suffisamment énergique pour combler le déficit.

38. Ils ont observé que l'intelligence mesurée en maternelle était en relation significative avec le rendement scolaire ultérieur chez des enfants issus d'un milieu favorable au développement, mais que cette relation ne s'observait pas chez les enfants issus d'un milieu défavorisé aux prises avec différents problèmes. La réussite scolaire de ceux qui vivent dans un milieu défavorisé dépendrait non pas tant de l'intelligence que d'autres facteurs.

39. La durée des études des enfants ayant un QI élevé est plus longue. Le QI est un bon indicateur de la durée des études et le coefficient de corrélation entre ces deux variables est de 0,55.

40. *c*)

41. Le répertoire des tâches évaluées, la difficulté de la tâche, l'indice de performance utilisé pour mesurer (2 éléments requis)

42. Vrai

43. Faux

44. Ils ne tiennent pas compte de l'effet de la limite de temps sur le rendement ni de la portion du problème que l'enfant peut réussir avant d'aboutir à une réponse erronée.

45. Faux

46. La fatigue, le stress psychologique, une faible motivation, une vive émotion (chagrin, colère, vive inquiétude), la dépression ou une trop forte anxiété (3 éléments requis)

47. Pour évaluer le potentiel intellectuel maximal de l'enfant, on prend son rendement le plus élevé à un sous-test et on calcule son QI comme si tout son test était aussi élevé.

## CHAPITRE 7
## L'APPRENTISSAGE

1. 1)  Toutes les sociétés humaines connues disposent d'une langue parlée, ce qui n'est pas le cas pour l'écrit.

   2)  L'acquisition de la parole précède l'écrit chez l'individu comme dans l'histoire de toutes les sociétés.

   3)  Le processus d'acquisition de la langue parlée se fait naturellement, sans enseignement véritable alors que l'acquisition de l'écriture nécessite des efforts considérables.

   4)  Il existe des prédispositions biologiques spécifiques pour la parole, structures résultant de l'évolution de l'espèce, et l'écrit en utilise une partie tout en sollicitant d'autres fonctions non linguistiques.

   (1 élément requis)

2. La fonction phonologique sert à mémoriser ce qui est lu, pour permettre ensuite la compréhension des phrases du texte.

3. Lire une histoire à l'enfant et attirer son attention sur la forme des lettres ou lui indiquer le sens des mots

4. *c)*

5. Faux

6. Si l'enfant est très lent en écriture, il peut perdre le fil de ses idées et être incapable de les écrire. Ensuite, l'alternance entre la réflexion et l'exécution motrice peut distraire et enlever de la cohérence au produit écrit. Finalement, sa motivation peut diminuer en raison de la frustration liée à la lenteur de la construction du résultat.

7. L'enfant utilise comme indice l'espace qu'occupe le groupe d'objets. Pour lui, lorsque le groupe d'objets occupe plus de place, cela signifie qu'il contient plus de matériel. Ainsi, lorsqu'ils sont placés devant deux rangées de sept jetons identiques, les enfants de 3 ou 4 ans vont dire que la rangée qui est la plus longue compte plus de jetons que l'autre, même si seule la distance entre les jetons individuels permet de distinguer les deux séries.

8. Il s'agit de l'estime de soi scolaire.

9. 1) *Capacité de communiquer :* l'enfant a de la difficulté à exprimer ses idées et ses sentiments, il n'aime pas écouter et il est difficile de lui parler.

   2) *Maîtrise de soi :* l'enfant éprouve de la difficulté à contrôler ses impulsions.

   3) *Autonomie :* l'enfant est moins capable de satisfaire par lui-même à ses besoins que ses frères et sœurs.

   4) *Rapports avec les autres :* l'enfant se soucie peu des autres, est moins capable et est plus dépendant que les autres.

   (2 éléments requis)

10. Vrai

11. Les enfants ayant des problèmes d'apprentissage ont plus de difficulté à comprendre les sentiments des autres et à exprimer les leurs. De plus, en situation de jeux de groupe, ils auraient tendance à être très critiques envers eux-mêmes et à adresser peu de compliments et d'encouragements aux autres. (1 élément requis)

## CHAPITRE 8
## LE DÉVELOPPEMENT DE LA COGNITION SOCIALE

1. cognition sociale, causalité psychologique

2. Intention, attitudes, pensées, émotions, buts, motivations, traits, perceptions, souvenirs

3. I) -*b)*, II) -*a)*, III) -*c)*

4. L'enfant peut comprendre le contexte social, mais ne pas vouloir s'y adapter. Par exemple, l'enfant peut savoir qu'il a avantage à prêter un jouet, mais ne pas vouloir le faire.

5. L'enfant qui croit que les personnes ou les objets cessent d'exister lorsqu'il ne les voit pas ne peut se mettre à espérer leur retour ou à les rechercher.

6. *a)*

7. Les limites de l'attention, le fait que la pensée individuelle est privée, le fait que le flux de la pensée ne peut être interrompu, le fait que les expériences mentales en amènent d'autres (2 éléments requis)

8. L'enfant se représente d'abord ce que les autres voient ou ne voient pas puis, plus tard, il se représente le point de vue des autres, c'est-à-dire la façon dont les autres voient un être ou une chose.

9. Vrai

10. Cette affirmation est fausse. Les enfants conceptualisent les expressions émotionnelles en termes de valence (positive ou négative) autour du 12e mois.

11. *c)*

12. La méthode consiste à exposer l'enfant à une situation ambivalente, à faire varier l'expression émotionnelle de la mère et à évaluer le comportement de l'enfant.

13. Non, car les enfants emploient correctement les termes affectifs pour décrire des faits ou des événements passés ou à venir. Les termes utilisés ne renvoient pas nécessairement à la situation présente.

14. Les enfants de 10 ans sont plus portés que ceux de six ans à définir l'émotion en termes d'état mental. Les jeunes enfants font surtout référence aux situations qui font naître les émotions.

15. Faux. À l'aide de méthodes appropriées, on a pu démontrer que les enfants d'âge préscolaire conceptualisent les émotions en termes d'états mentaux.

16. Les notions de désir et de croyance

17. Les habiletés verbales et la mémoire des enfants

18. *d)*

19. surprise, colère

20. Elles indiquent que les adultes ont de la difficulté à juger de la sincérité des expressions émotionnelles.

21. Faux

22. *a)*

23. La reconnaissance de soi dans le miroir

24. Vrai

25. *a)*

## CHAPITRE 9
## LE DÉVELOPPEMENT DE LA PERSONNALITÉ

1. En psychologie, la personnalité se définit comme l'ensemble des éléments qui, chez une personne, assurent la cohérence et la permanence de son comportement et de ses réactions.

2. intrapersonnelle, cohérence, permanence

3. *a)* la petite enfance : énoncé 2

   *b)* la période préscolaire : énoncé 1

   *c)* la période scolaire : énoncé 3

4. dynamique

5. Le psychotisme, l'extraversion et le névrotisme

6. La stabilité

7. Il y a un niveau optimal d'activation du cortex cérébral et la performance individuelle diminue en fonction de l'écart par rapport à cette valeur idéale. Ainsi, les personnes introverties sont constamment suractivées et elles ont tendance à vouloir retrouver leur zone optimale d'activation en évitant la stimulation extérieure et en recherchant le calme.

8. Le fonctionnement de la personnalité et le développement de la personnalité

9. Faux

10. libido

11. Instinct de mort

12. Le « principe de plaisir » est lié à la tendance naturelle à chercher à satisfaire dans l'immédiat les diverses pulsions. Le « principe de réalité » réfère, quant à lui, au contrôle imposé par l'environnement sur la satisfaction immédiate des désirs.

13. Stade oral, stade anal, stade phallique et stade génital

14. Un bébé sevré brutalement peut développer de l'anxiété à la suite de la privation de sa principale source de satisfaction et avoir par la suite une fixation orale, c'est-à-dire une préoccupation excessive à l'égard de l'oralité. Cette fixation imposera des contraintes sur les stratégies futures d'adaptation personnelle, sous la forme de complexes non résolus. Entre autres, à l'âge adulte, une telle fixation pourra influer sur le rapport que la personne entretient avec la nourriture ou avec l'argent.

15. inconscient

16. *a)* Moi

    *b)* Ça

    *c)* Surmoi

17. Le complexe d'Œdipe

18. Par l'identification au parent du même sexe

19. Période de latence

20. *a)* Régression

    *b)* Projection

    *c)* Déni

21. 1) L'apparition précoce de traits personnels comme la timidité et leur persistance au cours de la vie

    2) Le partage des mêmes caractéristiques par tous les membres de l'espèce. Par exemple, le fait que les enfants de tous les pays éprouvent les mêmes émotions de base (joie, tristesse, colère, surprise, peur, dégoût)

    (1 élément requis)

22. *goodness of fit*

23. 1) Un enfant réservé et timide a moins de chances de faire partie d'un groupe de jeunes turbulents qu'un autre qui est extraverti et qui aime les sensations fortes.

    2) Les enfants qui ont des problèmes de comportement ont beaucoup plus de difficulté que les autres à se faire des amis et à les garder.

    (1 élément requis)

24. *c)*

25. L'enfant qui a appris les règles de conduite et qui les applique même en l'absence de l'adulte responsable fait preuve d'autocontrôle, mais ce n'est pas lui qui a défini les règles ; il doit s'y conformer en toutes circonstances. Dans l'autorégulation, l'enfant a une

plus grande marge de manœuvre parce que c'est lui qui décide de la règle à appliquer dans tel ou tel contexte, ce qui lui permet d'ajuster son action et d'éprouver, ce faisant, un sentiment de compétence.

26. La réactivité émotionnelle renvoie à la sensibilité aux stimuli, telle que mesurée par le degré d'intensité de l'expression émotionnelle face à la stimulation et par l'intensité de l'expérience interne face à la même stimulation.

27. Sucer son pouce, rechercher le contact avec la mère, se parler à soi-même, imiter un comportement quelconque de façon à diminuer la tension (2 éléments requis)

28. Vrai

29. 1) La structure : fournir des cadres cohérents d'expérience dans lesquels l'enfant peut observer des modèles et apprendre à employer des stratégies de contrôle émotionnel en lien avec ses capacités.

    2) L'attention aux besoins de l'enfant : encourager l'enfant à demander de l'aide lorsqu'il éprouve des difficultés pour lui éviter de se laisser submerger par l'émotion et de subir un échec.

    3) Le soutien à l'autonomie : encourager l'enfant à bâtir et à pratiquer lui-même des stratégies de contrôle émotionnel en le secondant dans ses efforts sans agir à sa place.

30. 1) Le sentiment de pouvoir soulever un objet

    2) Le sentiment de pouvoir sauter par-dessus un obstacle

    3) Le sentiment de pouvoir retrouver son chemin

    4) Le sentiment de pouvoir réussir à un examen

    5) Le sentiment de pouvoir jouer dans l'équipe de soccer de l'école

    (1 élément requis)

31. Faux

32. Le tempérament découle de l'héritage génétique et il constitue le fondement de la personnalité. Il correspond à la base constitutionnelle du comportement : c'est la personnalité avec les acquis de l'expérience en moins. La différence entre le tempérament et la personnalité est donc, avant tout, une question de temps et de complexité, le tempérament n'ayant pas encore bénéficié de l'interaction de l'enfant avec son environnement, des apprentissages réalisés au cours de la vie.

33. 1) Extraverti
    2) Accommodant
    3) Rigoureux
    4) Stable émotionnellement
    5) Ouvert à la nouveauté

34. Vrai

## CHAPITRE 10
## ENFANCE ET IDENTITÉ SEXUÉE

1. Cette première question avait pour but de vous amener à recenser les concepts et les processus décrits dans ce chapitre. Le premier concept est l'identité elle-même que l'on a pu définir comme un système de représentations et de sentiments à partir duquel la personne (ou le groupe) peut se reconnaître et être reconnue, catégorisée et socialement située. Cet apprentissage identitaire se fait à travers les trois processus de la *socialisation,* de l'*enculturation* et de l'*acculturation,* qui sont étroitement liés, mais qui doivent être théoriquement différenciés. Notez que les mots en *-tion* désignent à la fois un processus et un résultat. Il en est ainsi de l'*intériorisation* et de l'*appropriation* des données sociales, de la *catégorisation* sexuée qui permet de donner un sens aux actes et de les légitimer, de la *description,* de l'*évaluation* et de l'*intégration* des caractéristiques de soi ou d'autrui, de l'analyse des processus d'*attribution* et d'*appréciation.* On peut noter encore les différentes dimensions de l'identité comme autant de processus associés à des notions diverses : continuité, unité, positivité, originalité de soi, etc. Ont également été évoquées, mais non étudiées pour elles-mêmes, les différentes catégories liées à la sexualité et au genre (hermaphrodite, transsexuelle, androgyne, homosexuelle et hétérosexuelle). Enfin, la question de l'identité sexuée a permis d'examiner des concepts majeurs tels que les stéréotypes, les prototypes, les schémas sociaux et les schémas de soi.

2. On utilise le terme d'identité aussi bien pour les individus (identité personnelle) que pour les catégories (sexe, âge, professions, etc.) ou les groupes (familial, professionnel, sportif, etc.). Bien entendu, les individus font partie des catégories et des groupes dont ils influencent l'évolution. Inversement, les groupes et les catégories évoluent et poussent les individus

au changement ou à la conservation. L'important est de se demander comment s'articulent toutes ces identités et comment les individus ou les groupes les utilisent, les transforment ou les refusent dans leur vie quotidienne.

3. La *socialisation* est le processus par lequel l'enfant devient à la fois un *partenaire* dans les relations inter-personnelles et un *acteur-assimilateur* (ou contesta-taire) dans les relations sociales (un *alter ego* et un *socius*, pour reprendre les expressions de Wallon). L'*enculturation* est le processus qui permet à l'enfant de prendre possession de la culture de son propre groupe d'appartenance ou de l'ensemble de la société dans laquelle il vit. En fait, aucune société n'est totalement homogène. L'enfant fera donc des choix, souvent non conscients, entre des sous-cultures. L'*acculturation* correspond à la nécessité pour l'en-fant de s'approprier deux cultures (langues, systèmes de comportements attendus, codes et normes de conduites, valeurs dominantes, etc.). Mais, dans la mesure où tout enfant est issu de deux familles dont les styles de vie et de culture diffèrent, l'acculturation est un phénomène largement répandu.

4. Ces trois processus jouent un rôle majeur dans la construction de l'identité de l'enfant, et en particulier son identité sexuée. La façon dont garçons et filles, hommes et femmes sont perçus et classés dans leurs groupes d'appartenance, dans leur société et leur culture oriente leurs pratiques économiques, sociales, culturelles, religieuses, leur donne ou non une certaine marge de liberté, les oblige à respecter certaines règles, à adopter certaines attitudes corporelles ou mentales. Mais elle les incite aussi à se développer, à innover, à coopérer.

5. L'identité est dite *paradoxale* (*para* = contre et *doxa* = opinion) dans la mesure où sa définition même se fonde sur des contradictions, sur des processus antithétiques que l'on ne peut véritablement dissocier.

6. 1) L'identité est fondée sur la *similitude*, la forte ressemblance (être identique) en même temps qu'elle introduit la *différence* (entre ceux qui ne sont pas du même groupe).

   2) Elle amène à s'intéresser, à *se centrer* sur ce qui est individuel, sur soi-même. Mais le danger de la solitude, de la fermeture narcissique, pousse aussi à percevoir la nécessité de *se décentrer*,

de coopérer, de rechercher ce qui est commun avec les autres.

   3) Elle suppose la *conservation* par la mémoire, le non-changement par la stabilité. Mais elle pousse aussi à procéder à des *changements* de soi par identification à ceux qui vous ressem-blent, qui sont vos semblables.

   4) Enfin, pour *être nous-mêmes*, nous dévelop-pons des projets qui nous poussent à *changer* ce que nous sommes, à partir d'un soi désiré, idéalisé.

7. Vrai

8. *a*)

9. 1) -*c*) -*d*) -*i*), 2) -*b*) -*e*) -*h*) -*g*) -*l*), 3) -*a*) -*m*) -*k*)
   Les termes de similitudes et de mêmeté peuvent s'appliquer aux trois dimensions.

10. *Identité sexuelle*: représentation de soi en relation avec les catégories et les pratiques sexuelles; *identité de genre*: représentation associée aux catégories linguistiques et socio-culturelles du masculin et du féminin; *identité sexuée*: identité personnelle liée aux aspects biologiques, psychologiques ou sociaux relatifs au sexe.

11. Ce découpage (sexuel, genre, sexué) est sujet à discussion. L'identité sexuée a l'avantage d'être applicable à la personne dans sa complexité biologique (anatomique, physiologique, génétique, sexuelle), psychologique (adhésion au genre, attitudes et sentiments) et sociale (catégories et représentations des sexes et des rôles). La question de la sexualité infantile, par exemple (chez l'enfant comme chez l'adulte), ne peut être réduite ni à l'investissement narcissique du corps, ni aux désirs et fantasmes sexuels, ni aux codes sociaux liés aux pratiques sexuelles perverses.

12. L'assignation de sexe est liée à la décision administra-tive qui, à la naissance, attribue l'un ou l'autre sexe à l'enfant sur la constatation de la présence d'organes sexuels externes. Cette assignation inscrit l'enfant dans l'état civil et l'identité sociale. La réassignation intervient après l'opération chirurgicale qui amène le changement (biologique et administratif) de sexe de l'enfant.

13. L'enfant hermaphrodite a biologiquement les deux sexes. Le terme androgyne (*andro* = homme, *gunê* = femme) signifie également «tenir des deux sexes».

Mais cette double appartenance ne concerne plus une confusion corporelle mais la cooccurrence ou la fusion de conduites ou d'attitudes généralement associées à l'un *ou* l'autre sexe.

14. L'opération d'enfants hermaphrodites ayant pour but de leur attribuer l'un ou l'autre sexe doit être pratiquée, si possible, avant l'âge de deux ans.

15. Faux. Les stéréotypes peuvent être positifs et comporter une survalorisation et non une stigmatisation. Mais on leur attache le plus souvent, et à tort, une connotation négative.

16. Les quatre caractéristiques des stéréotypes proposées par Sarbin, Taft et Bailey (1960) sont les suivantes: 1) généralisation abusive; 2) mécanismes de défense consistant en une projection (négative ou positive); 3) présomption de similitude fondant le jugement (positif ou négatif); 4) argument d'autorité.

17. *c*)

18. La notion de *pensée par couple* est liée à l'hypothèse d'une structure élémentaire, syncrétique, de la pensée de l'enfant. Cette structure n'est pas ponctiforme à l'origine, mais fondée sur le dualisme et le dédoublement. Deux mots associés forment un couple, en deçà duquel il n'y a pas de pensée formulable. Cette pensée primitive est irréfléchie, mais déjà en quête de liaisons à établir. La forme la plus élémentaire de la pensée par couple est la *tautologie identitaire*: « La flamme, qu'est-ce que c'est ? – C'est la flamme. – Mais la flamme, qu'est-ce que c'est? La fumée. » Mais le couple aura (comme l'identité) un double caractère contradictoire: l'unité élémentaire (formule d'identité: « c'est pareil ») et la différenciation (« c'est pas pareil »).

La notion de *conscience à double foyer*. Dans les discussions pour savoir qui du moi ou de l'autre est premier dans la construction de la pensée, Wallon émet l'hypothèse que la conscience primaire est une conscience à double foyer. Elle instaure une bipolarité constitutive interne entre le moi et l'autre, « ce fantôme que chacun porte en soi ». Aucun des deux n'est donc premier. On retrouve cette interrogation chez les psychanalystes à propos du narcissisme primaire ou de l'identification primaire à la mère.

19. L'*attribution* implique que les individus peuvent « appréhender la réalité, la prédire et la maîtriser » (Heider, 1958). Une des façons d'appréhender la réalité est d'accorder de manière stable des significations aux objets, aux personnes et aux événements, et de les ranger dans des catégories. Dans l'exemple fourni dans ce chapitre, les enfants attribuent de façon stable un type de jouets aux filles et un autre type aux garçons. Cela leur permet de prévoir le comportement des autres et de savoir ce que les adultes attendent d'eux. *L'appréciation* renvoie par contre à une psychologie des motivations, des intérêts et des valeurs. Dans l'exemple des jouets, l'enfant doit dire s'il aime ou non chaque jouet. Il exprime ainsi un désir qui peut ou non être conforme aux attributions et aux attentes sociales.

20. Faux. Les filles apprennent plus vite les standards des adultes concernant les jouets étiquetés masculins, féminins ou mixtes.

21. La baisse de conformité d'appréciation des jouets chez les filles après sept ans peut s'expliquer de deux manières. Elle se perçoivent comme grandes et ont donc tendance à déprécier les jouets de petites filles. Par ailleurs, elles manifestent plus explicitement ou plus fortement l'envie d'utiliser les jouets attribués aux garçons.

22. Faux. Référez-vous à la figure 10.4. Les garçons sont plus conformes dans leurs appréciations que les filles, entre 5 et 10 ans en tout cas.

23. L'acquisition de la constance de genre (Kohlberg, 1966): *a*) 2 ans: *identité de genre*; *b*) 3-4 ans: *stabilité de genre*; *c*) 5-7 ans: *constance de genre*

24. Vrai

25. Vous pouviez choisir deux noms parmi les suivants: Carlson, Constantinople, Block, S.L. Bem, C.G. Heilbrun, A.B. Heilbrun.

26. Définition de l'*androgynie psychologique*: Les attributs masculins ou féminins se développent indépendamment les uns des autres. Ils peuvent caractériser la même personne à des degrés divers et à différentes époques. Cette personne pourrait dès lors développer l'éventail maximum des possibilités humaines sans subir les contraintes sociales liées aux attributions rigides, masculines ou féminines.

27. Le développement de l'identité de genre selon Hefner, Rebecca et Oleshansky comporte trois stades: 1) le stade de l'*indifférenciation*; 2) le stade de la *polarisation* (avec deux sous-stades); et 3) le stade de la *transcendance des rôles de sexe*. On vous demandait aussi votre avis plus personnel concernant l'émergence du stade « hypothétique ». S'agit-il d'une

utopie ? d'une anticipation ? d'une aspiration à réaliser ? L'égalité des sexes, qui n'a rien à voir avec le « sexe unique » ou avec la confusion des sexes, est-elle pour demain ?

**28.** *b)*, *c)*, *e)* et *g)*

Il fallait les dissocier des quatre autres niveaux d'analyse, proposés par Willem Doise.

**29.** Lorenzi-Cioldi et les formes de l'androgynie. Il fallait associer : 1) co-présence (caméléon) ; 2) fusion (symbiose) ; et 3) transcendance (ange).

**30.** Faux. L'androgynie profite surtout aux hommes.

**31.** Il fallait associer Parsons à *instrumental* (*masculin*) et à *expressif* (*féminin*) et Bakan à *agentique* (*masculin*) et à *communial* (*féminin*).

**32.** On vous demandait de discuter ces attributions. Cela signifiait de vous impliquer personnellement à propos de ces divisions binaires des conduites en fonction du sexe, de réagir à la question du sexisme et de l'avenir des rôles masculins, féminins ou androgynes.

**33.** *a)*

**34.** Vrai

**35.** *d)*

**36.** *a)*, *f)* et *g)*

**37.** Les trois néopiagétiens sont Kohlberg, Ullian et Thompson.

**38.** *e)*

**39.** La *stigmatisation* consiste à projeter sur autrui des attributs négatifs et à le contraindre à se conformer à l'image stéréotypée qu'on a de lui. Le fait d'être stigmatisée implique pour la victime un déni d'identité personnelle. Elle devient un prototype négatif auquel elle peut s'identifier, ce qui accentue le mépris et l'exclusion dont elle est l'objet.

**40.** En tant que système de représentations et de sentiments, l'*identité* est liée à la conscience et à la connaissance de soi. Mais une partie de l'identité est préconsciente ou masquée. Elle est aussi liée à la *personnalité* si l'on définit celle-ci comme le système habituel, le style de coordination des activités mentales et des comportements. L'identité est également liée à la *personne* si l'on définit celle-ci comme le système à partir duquel le sujet donne signification et valeur (légitimité) à ce qu'il vit, à partir duquel il s'oriente et accomplit des actes qui impliquent des changements dans le style quotidien de coordination de ses conduites.

# CHAPITRE 11
## LA CONSTRUCTION DE L'IDENTITÉ PERSONNELLE CHEZ L'ENFANT

**1.** *a)*- Non, *b)*- Oui, *c)*- Oui

**2.** *a)*- Oui, *b)*- Non, *c)*- Non

**3.** Piaget a étudié l'identité au sens littéral de similitude absolue entre objets ou entre mécanismes (« ils sont pareils »), mais il montre que l'enfant apprend aussi à catégoriser autrui, à se connaître lui-même, à gérer constance et cohérence, à traiter les sentiments inter et intra-individuels.

**4.** Piaget montre l'importance de l'apprentissage de la volonté et son rôle dans la conservation des valeurs, elles-mêmes associées à la dynamique des sentiments interindividuels.

**5.** Selon Piaget, les sentiments caractéristiques de chaque stade sont les suivants : *a)* 2-7 ans : affects intuitifs ; *b)* 7-11 ans : affects normatifs ; *c)* adolescence : sentiments idéologiques.

**6.** Piaget et Inhelder différencient le Moi de la Personnalité. Le moi est l'activité propre centrée sur elle-même, tandis que la personnalité serait, selon eux, le moi décentré de l'enfant qui s'insère dans un groupe social, se soumet à la discipline collective, adhère à une œuvre, construit des projets et s'ancre sur des valeurs.

**7.** *f)* Csikszentmihalyi propose une théorie du *flow* (flux) selon laquelle l'être humain vit des *expériences optimales* exigeant défi, habileté, contrôle, attention, concentration et engagement profond excluant la distraction. Ce type d'expérience serait vécu avec grande satisfaction et autorenforcement (2004).

**8.** L'*interstructuration* des identités individuelles et collectives suppose l'hypothèse selon laquelle les identités sont actives et mobiles. L'identité personnelle s'articule constamment à de multiples identités collectives. Mais cette articulation sous-entend le fait que la personne peut transformer l'image qu'elle a d'elle-même à partir de réactions des autres personnes ou en fonction du contexte social. Inversement, à travers les mouvements sociaux, les personnes peuvent structurer (orienter, freiner, valoriser) les identités collectives.

**9.** L'identité personnelle n'est pas une donnée rigide ; elle évolue et le sujet peut avoir conscience des nécessités de changement ou, au contraire, nier ce changement. La dynamique de l'identisation implique une lutte contre ce qui crée la rupture de soi. Elle consiste en effet à gérer la continuité de soi malgré le changement.

10. Le narcissisme et l'égocentrisme supposent l'incapacité de l'enfant à gérer la réciprocité sociale et la réversibilité cognitive. Le dépassement de cette incapacité est facilité par l'ouverture à autrui et à la dynamique de coopération avec les autres.

11. Le terme de *constance de l'objet* est à associer à la notion piagétienne de *conservation substantielle de l'objet*. Selon Piaget, l'objet constitue le premier invariant de l'intelligence concrète, grâce à la constance perceptive. Or, les dimensions qui caractérisent cette constance (conservation d'une propriété alors que des transformations sont opérées sur d'autres propriétés de l'objet; capacité à percevoir simultanément ce qui se conserve et ce qui change; intervention de compensations pour gérer l'ensemble de l'objet) sont applicables à l'identité psychique si l'on tient compte du rôle de la conservation affective et collective d'objets concrets ou symboliques. Si l'on prend la notion d'objet au sens psychanalytique, par exemple la mère comme objet d'amour, l'attachement ainsi engagé doit permettre à l'enfant de stabiliser son énergie interne et de renforcer sa sécurité émotionnelle. Il pourra ainsi développer sa mémoire et sa volonté.

12. René Zazzo a largement montré l'importance de l'observation des jumeaux pour comprendre les processus identitaires, surtout, bien sûr, lorsqu'il s'agit de jumeaux identiques. La question se pose alors de savoir comment l'enfant jumeau organise le double spéculaire (image de soi en miroir) et le double gémellaire (image de l'autre jumeau qui lui ressemble complètement) dans la construction de son identité corporelle. Cet auteur admet cependant que ses multiples recherches ont surtout évité des interprétations fallacieuses. Les processus identitaires sont approximativement les mêmes chez les enfants « singuliers » et chez les jumeaux.

13. Premièrement, il conviendrait de rappeler que l'identité est elle-même un sentiment dans sa définition *stricto sensu* : le sentiment d'identité est lié au fait de se sentir le même dans le temps. Par ailleurs, de nombreux sentiments rendent progressivement plus complexe et plus riche le système identitaire. Enfin,

si l'on n'évoque l'identité que lorsqu'elle est en danger, cela suppose nécessairement l'intrusion d'émotions diverses faisant émerger une crise ou en permettant la solution.

14. Vrai

15. *d)*

16. *b)*

17. Selon Erikson, l'*identité personnelle* (*self*) se limiterait à la perception de similitude et de continuité avec soi-même, reconnues par soi et par les autres. Par contre, l'*identité du moi* (*ego*) serait assimilable à la qualité existentielle propre au moi. Mais Erikson précise que le style d'individualité de la personne résulterait des deux identités évoquées, permettant le développement de relations authentiques et significatives avec les autres.

18. L'appropriation unitaire du corps est tardive et contemporaine de l'appropriation de l'image spéculaire. C'est donc entre 18 mois et 3 ans que l'enfant découvre l'articulation dynamique complexe entre le corps vu et le corps ressenti à partir des autres organes des sens.

19. *c)*

20. On peut associer l'affirmation fusionnelle de soi au stade symbiotique de la première année, stade défini comme « impulsif et émotionnel » par Wallon. L'affirmation oppositionnelle de soi correspondrait à ce que le même auteur appelle la crise d'opposition de trois ans (mais qui commence généralement plus tôt).

21. *f)*

22. C'est sans doute le constat de leur caractère trop abstrait et éloigné de la vie qui a fait abandonner les conceptions de la personnalité fondées sur des traits, des facteurs ou des types. Au contraire, la notion de style suppose la prise en compte des façons singulières de se comporter.

23. Le style est associé aux conduites générales du sujet qui permettent de saisir le caractère singulier et unique de ses manières habituelles d'agir, de penser et de ressentir. La stratégie intervient dans la façon dont le sujet s'oriente, cherche à atteindre un objectif, se développe et se défend dans un contexte spécifique.

24. *c)*

25. Généralement faux, sauf dans le cas de conduites pathologiques.

**26.** 1) Une fonction *défensive,* qui permet de lutter contre l'angoisse, de résoudre un conflit, de dépasser une impuissance, etc.

2) Une fonction *constructive,* dans la mesure où l'identification permet à l'enfant de s'approprier les buts, les capacités et la sécurité émotionnelle de son modèle

Ces deux fonctions sont indissociables et jouent un rôle important dans l'évolution de l'identité de l'enfant.

**27.** A (affective) : degré de sympathie et de chaleur perçues chez le modèle ;

S (similitude) : degré de ressemblance perçue par l'enfant entre lui et son modèle ;

P (puissance) : degré de prestige, de pouvoir et de compétence perçus par l'enfant à propos du modèle.

Le besoin de sécurité est associé à A + S, et le besoin de gratification, à S + P.

**28.** Les six identifications de Tap et leurs « mots-clés » : 1) identification de dépendance : sécurité, confiance, dépendance ; 2) identification à l'agresseur : affirmation, agressivité, autonomie ; 3) identification de maîtrise : réussite, maîtrise, création ; 4) identification gémellaire et spéculaire : ressemblance, dédoublement et miroir ; 5) identification catégorielle : appartenance, catégories, solidarité ; 6) identification au projet : unicité, dépassement, idéaux.

**29.** L'identification spéculaire est liée à la capacité de s'approprier comme sienne l'image de soi perçue dans le miroir ; l'identification gémellaire se caractérise par la quête de similitudes, l'identification aux personnes que l'enfant perçoit comme lui ressemblant.

**30.** La crise de 18 mois à 3 ans se caractérise par l'apprentissage de l'opposition, par l'émergence de caprices et de refus ou de timidité et d'inhibition, par l'émergence de la jalousie et du besoin de s'affirmer.

**31.** Vrai

**32.** Vrai

**33.** *d)*

**34.** Les stades généraux étudient le développement de l'enfant dans la complexité personnelle, dans l'interaction entre toutes ses conduites, quelle qu'en soit la nature. Les stades spécifiques supposent de ne prendre en compte que certaines conduites : cognitives, affectives ou conatives.

**35.** *b)* et *d)*

**36.** Le stade impulsif et émotionnel (première année), le stade sensorimoteur et projectif (1-3 ans), le stade du personnalisme (3-6 ans), le stade catégoriel (6-12 ans), le stade de l'adolescence (après 12 ans)

**37.** *a)* 3 ans, *b)* 4 ans, *c)* 5-6 ans

**38.** L'identisation est le processus par lequel l'identité se développe, se transforme selon les phases et les situations, mais aussi selon la façon dont le sujet utilise ses défenses et organise ses aspirations. Mais l'identisation est en même temps une quête continuellement illusoire dans la mesure où la cohérence et l'unité, la valorisation et l'originalité échappent sans cesse au sujet. L'identisation a cependant pour effet positif de relativiser les ruptures et d'organiser l'espoir de stabilité.

**39.** 1) Maîtriser et objectiver le corps propre par les conduites instrumentales et expressives

2) Dépasser l'impuissance par les conduites imitatives et les identifications imaginaires

3) Dépasser les imitations et les identifications par des conduites cognitives de différenciation critique, par les projets et par les conduites relationnelles de coopération réalisatrice

**40.** L'aliénation comporte cinq dimensions négatives : l'impuissance, la désignification, l'anomie, l'étrangeté aux valeurs et l'incapacité à se réaliser (d'après Seeman). La personnalisation est le processus totalement inverse incluant les dimensions précédentes inversées : le pouvoir, le sens, l'autonomie, les valeurs et la réalisation de soi (d'après Tap).

# CHAPITRE 12
## PSYCHOPATHOLOGIE DE L'ENFANT

**1.** Le changement : comme les enfants sont en croissance plus rapide et plus intense que les adultes, les psychopathologies observées chez eux sont plus mobiles encore.

**2.** génétiques, l'expérience

**3.** Validité des critères utilisés, qualité de leur application clinique (1 élément requis)

4. Faux. Ce n'est qu'en 1980, dans la troisième édition de cette publication, avec le DSM-III, qu'une véritable attention est accordée aux désordres mentaux se manifestant au cours de l'enfance ou de l'adolescence.

5. D'un côté, l'erreur provoque un étiquetage erroné de la personne, ce qui influe évidemment sur l'image que l'enfant se fait de lui-même et l'attitude de son milieu à son égard, sans parler des traitements inappropriés auxquels il pourra être soumis. D'un autre côté, l'absence de repérage du problème laissera l'enfant avec ses besoins non comblés, ce qui pourra compromettre sérieusement son développement.

6. Dans la réalité, les problèmes émotionnels, cognitifs ou comportementaux ne répondent généralement pas à cette logique de « tout ou rien » ; ils se manifestent plutôt de façon relative, à des degrés variables sur un continuum d'occurrence.

7. La notion de prévalence renvoie à la proportion de personnes touchées par un problème donné dans la population concernée. La notion d'incidence, quant à elle, renvoie au nombre de nouveaux cas recensés au cours d'une période donnée. L'incidence concerne donc les nouveaux cas identifiés tandis que la prévalence concerne l'ensemble des cas, anciens et nouveaux, dans la population concernée.

8. Faux. Le temps fait parfois disparaître le désordre.

9. L'étiologie est l'étude des causes des troubles. Les deux grandes catégories d'approche étiologique en psychopathologie infantile sont celles dites biologiques et celles dites environnementales.

10. Les approches biologiques comprennent les psychopathologies de l'enfance comme des maladies physiques et en recherchent les causes dans les fonctions biologiques du corps. Les approches environnementales recherchent les causes des psychopathologies de l'enfance dans le milieu de vie de l'enfant ou dans son interaction avec le milieu.

11. Un facteur de risque est un facteur qui augmente la probabilité qu'un problème survienne dans le développement.

12. Un facteur de protection est un facteur qui contribue à promouvoir un développement normal de l'enfant et à le maintenir en bonne santé mentale.

13. Vrai. Par exemple, un déficit intellectuel est un facteur de risque alors qu'une intelligence supérieure est un facteur de protection.

14. En psychologie, elle renvoie à la capacité de se développer normalement malgré la présence de conditions adverses susceptibles d'influer sur l'ajustement personnel.

15. Facteurs de risque :

    1) Pauvreté familiale

    2) Mère adolescente et monoparentale

    3) Parents atteints d'un problème de santé mentale ou de dépendance (alcool, drogue)

    4) Relations familiales conflictuelles

    5) Négligence ou maltraitance de la part des parents

    6) Mode de vie chaotique des parents

    (1 élément requis)

    Facteurs de protection :

    1) Enfant ayant un tempérament facile

    2) Intelligence supérieure de l'enfant

    3) Attachement de type sécurisé de l'enfant à ses parents

    4) Ressources matérielles suffisantes dans la famille

    5) Climat relationnel positif dans la famille

    6) Réseau de soutien familial disponible et actif

    7) L'enfant a des amis sur qui il peut compter

    8) Très bonne réussite scolaire

    9) Supervision parentale active et chaleureuse

    (3 éléments requis)

16. a)

17. Un déficit intellectuel marqué, l'incapacité de répondre par soi-même aux demandes de la vie courante et l'apparition du problème avant l'âge adulte

18. 1) habiletés de communication

    2) capacité d'assumer les soins personnels (hygiène, nutrition, élimination, etc.)

    3) habiletés liées à la vie domestique

    4) habiletés sociales et interpersonnelles

    5) capacité d'utiliser les ressources de la communauté (transport, soins, etc.)

6) capacité d'assumer ses responsabilités individuelles

7) aptitudes scolaires

8) capacité de travailler

9) capacité d'occuper ses loisirs

10) aptitude à prendre soin de sa santé et de sa sécurité

(3 éléments requis)

19. profond

20. Faux

21. L'intelligence est à la base de toutes les adaptations. Dès le début de la vie, une déficience influe sur la compréhension que l'enfant peut développer de son monde, rend plus difficile l'établissement des relations nécessaires au dégagement du sens des expériences.

22. Les habiletés à lire, à écrire et à compter

23. Une prédisposition génétique, un trouble neurologique, le syndrome d'alcoolisme fœtal, une stimulation cognitive inappropriée au cours de la petite enfance (2 éléments requis)

24. L'enfant qui vit un trouble d'apprentissage a du mal à développer les habiletés à lire, à écrire ou à compter. Or la plus grande partie des contenus scolaires reposent sur ces habiletés, de sorte que le jeune vit constamment en décalage, ce qui influe grandement sur sa performance et sa motivation.

25. Dyslexie

26. Faux. Sept fois sur dix, ils impliquent un garçon.

27. Les phonèmes sont les unités de son de la langue sur lesquelles repose la signification des mots (« a », « ch », « é », « en », « gue », « on », « ye » en sont des exemples en français).

28. b)

29. Le stress, la fatigue, l'excitation font habituellement augmenter la difficulté, tandis que s'exprimer en chantant, parler une autre langue, réciter un texte en groupe, ou jouer un personnage peuvent faire disparaître momentanément le bégaiement.

30. La notion de « déficit de l'attention » renvoie à la difficulté de se concentrer de façon soutenue sur une tâche donnée.

31. La notion d'hyperactivité

32. Lors de l'entrée à l'école

33. 1) Le public est plus conscient du THADA et de ses traitements.

2) Les pressions exercées par les parents et les enseignants pour recourir aux médicaments pour traiter le THADA sont fortes.

3) Le public accepte mieux l'idée de traiter le THADA avec des médicaments et il n'y a que peu de ressources pour d'autres modalités de traitements de ce problème très dérangeant.

(2 éléments requis)

34. 1) Comportements agressifs qui causent ou peuvent causer des blessures physiques à des personnes ou à des animaux

2) Comportements destructeurs qui causent des pertes matérielles ou des dommages à la propriété

3) Vols et fraudes

4) Transgressions sérieuses des règles en vigueur dans le milieu du jeune

(2 éléments requis)

35. Faux

36. Vrai

37. 1) Humeur dépressive tous les jours, pratiquement toute la journée, rapportée par l'individu qui se dit triste ou se sent vidé, ou signalée par les autres qui le perçoivent comme constamment sur le point de pleurer. Chez les jeunes, des plaintes et des pleurs récurrents, de l'irritabilité et des colères inexpliquées, une grande sensibilité à l'échec ou au rejet peuvent être rapportés. À noter que chez l'enfant et l'adolescent, la réaction d'irritabilité à la dépression peut être plus apparente que l'humeur dépressive elle-même

2) Diminution marquée de l'intérêt ou du plaisir à l'égard de toutes ou presque toutes les activités courantes, et ce, tous les jours ou presque. Chez les jeunes, la perte d'intérêt pour jouer avec les amis et l'isolement social peuvent en être une manifestation

3) Changement du poids corporel de plus de 5 % sur un mois donnant lieu soit à une perte de poids sans faire de régime, soit à un gain de poids, ou perte ou gain d'appétit marqué presque tous les jours

4) Insomnie ou hypersomnie (besoin exagéré de dormir) presque tous les jours

5) Agitation motrice ou ralentissement marqué des gestes presque tous les jours

6) Fatigue ou perte d'énergie presque tous les jours. Les jeunes peuvent se plaindre fréquemment de maux de tête, de douleurs musculaires, de maux d'estomac ou de fatigue diffuse

7) Sentiment d'être sans valeur ou culpabilité excessive ou inappropriée presque tous les jours

8) Diminution de la capacité de se concentrer, de penser ou de décider presque tous les jours

9) Pensées récurrentes de mort (pas seulement la peur de mourir), idées de suicide sans plan spécifique, tentative de suicide ou plan spécifique pour s'enlever la vie

(3 éléments requis)

**38.** Faux. Deux enfants déprimés sur trois auraient des idées suicidaires.

**39.** L'individu interprète à tort sa réalité de façon négative, cette réalité n'étant pas plus négative que celle des autres. Ces schèmes négatifs de pensée portent sur l'image que se fait la personne d'elle-même (« je ne vaux rien… »), sur son environnement (« le monde est mauvais… ») et sur son avenir (« ça ira de mal en pis… »).

**40.** Les expériences antérieures amènent l'individu à développer la conviction que son comportement n'a pas d'effet sur ce qui lui arrive. Agir ou ne pas agir ne change rien, donc mieux vaut ne pas agir.

**41.** La communication, l'interaction sociale et le répertoire restreint de comportements et d'intérêts avec actions répétitives et stéréotypées

**42.** Faux. L'autisme est une psychopathologie relativement rare : 1 enfant sur 2000 en est atteint.

**43.** Un extraordinaire besoin de constance dans l'environnement

**44.** La pensée en tunnel se traduit en une grande difficulté à intégrer différents éléments dans un ensemble cohérent.

**45.** Les symptômes positifs impliquent des manifestations actives alors que les symptômes négatifs sont appelés ainsi parce qu'ils sont passifs ou inactifs.

**46.** La schizophrénie se distingue de l'autisme par le fait qu'elle se présente plus souvent vers sept ans

comparativement à trois ans pour l'autisme, et par la présence d'hallucinations et de délires persistants sur une période d'au moins six mois.

**47.** Vrai

**48.** 1) Des difficultés sérieuses d'attachement mère-enfant

2) Des problèmes émotionnels graves

3) De la surprotection du bébé ou au contraire de la privation de soins associée à la négligence ou au rejet parental

4) Une psychopathologie parentale (dépression ou autre)

5) Une toxicomanie parentale

6) De graves problèmes économiques dans la famille

(3 éléments requis)

**49.** *d*)

**50.** filles, garçons

**51.** L'énurésie primaire renvoie aux enfants qui n'ont jamais été propres pendant une période de six mois d'affilée et l'énurésie secondaire implique une rechute chez des enfants qui ont déjà été propres antérieurement.

**52.** *b*)

**53.** Faux. Le trouble anxieux de séparation survient plus souvent chez les enfants dont la famille entretient des liens étroits entre ses membres.

**54.** La réaction de peur est utile à la protection individuelle, et une personne qui en serait démunie vivrait des risques compromettants.

**55.** La phobie est une peur extrême et persistante de certains objets et animaux ou de certaines situations en l'absence d'un motif raisonnable.

**56.** La phobie peut être traitée par la désensibilisation systématique. Cette approche amène la personne à franchir sans paniquer, très graduellement et avec répétitions, les différentes étapes qui la conduisent à la maîtrise complète de la situation anxiogène.

# CHAPITRE 13
## LE DÉVELOPPEMENT SOCIAL DE L'ENFANT

**1.** Une très grande vulnérabilité à la naissance

**2.** La capacité d'échanger de l'information, les activités de coopération

3. Les expressions de détresse constituent de puissants signaux qui indiquent à l'adulte l'état d'inconfort du nourrisson et l'incitent à lui donner les soins nécessaires.

4. *a)*

5. Faux

6. *c)*

7. La connaissance des interdits sociaux, l'intériorisation des interdits sociaux et la conscience de soi

8. L'enfant devient plus réservé ou méfiant à l'égard des personnes étrangères alors qu'il continue d'accueillir avec enthousiasme le contact avec les personnes familières.

9. Faux

10. La peur de la séparation

11. La détresse de l'enfant lorsque le parent quitte la pièce et la réaction de l'enfant au retour du parent (notamment l'aptitude du parent à réconforter l'enfant et la reprise des activités exploratoires)

12. *c)*

13. Vrai

14. Par la promptitude à répondre à la détresse de l'enfant, par un mode de réponse chaleureux, par la capacité de la mère à synchroniser ses actions aux réponses de l'enfant.

15. Cette affirmation doit être nuancée. Il existe une certaine relation entre le type d'attachement en bas âge et les caractéristiques ultérieures de l'enfant. Cependant, les effets de la relation d'attachement ne sont pas systématiques. Plusieurs enfants ayant vécu un attachement sécurisant peuvent présenter des problèmes plus tard dans leur vie. Inversement, certains enfants ayant un attachement caractérisé par de l'insécurité en bas âge peuvent se développer de façon harmonieuse plus tard dans leur vie.

16. L'attachement sécurisant

17. 1) Une composante cognitive correspondant au raisonnement moral

2) Une composante émotionnelle qui renvoie à l'autoévaluation morale

3) Une composante comportementale qui concerne la mise en œuvre de l'action appropriée ou la résistance à la déviance

18. *a)*

19. Vrai

20. *b)*

21. La méthode utilisée par Kohlberg pour recueillir ses données auprès d'enfants et d'adolescents américains consiste à proposer des dilemmes moraux plaçant les intérêts personnels d'un protagoniste représenté par l'un de ses proches (sa femme, son frère, etc.) en conflit avec les lois sociales. Dans ces situations, il s'agit de choisir entre ses intérêts personnels ou le respect des lois. On demande d'abord aux répondants de se prononcer sur ce que le personnage mis en situation aurait dû faire dans le contexte et ensuite d'expliquer leur choix.

22. 1) -*c*), 2) -*a*), 3) -*d*), 4) -*b*)

23. Vrai

24. Vrai

25. Le style d'autorité parentale dans la famille, les modèles offerts à l'enfant, les pensées de l'enfant en situation, les caractéristiques du contexte (2 éléments requis)

26. Vrai

27. Non. Les parents s'attendent à ce que les garçons masquent davantage les expressions de peur et de tristesse et que les filles inhibent davantage l'expression de la colère.

28. Selon les éthologistes, certains comportements sociaux se maintiennent parce qu'ils favorisent la survie des animaux et des êtres humains.

29. La satisfaction des besoins vitaux des jeunes, l'apprentissage de la communication avec les autres, l'exploration de l'environnement sans crainte des dangers (2 éléments requis)

30. Piaget estime que l'interaction avec les pairs constitue une puissante source de stimulation cognitive.

31. Les pairs constituent une source de récompenses et de punitions, les pairs servent de modèles, les pairs alimentent un processus actif de comparaison (2 éléments requis)

32. Les sourire, les approches de jeu, les manifestations d'intérêt à l'égard des autres, les félicitations, le partage (3 éléments requis)

33. Faux

34. Elle rend plus apte

1) à mieux saisir le point de vue des autres

2) à exprimer sa pensée de façon cohérente

3) à mieux anticiper les conséquences de ses gestes

4) à mieux comprendre les règles des jeux et leurs fonctions

(2 éléments requis)

**35.** Faux

**36.** Les amis intimes, les amis sociaux, les partenaires d'activité, les connaissances (3 éléments requis)

**37.** *c)*

**38.** Populaire, rejeté, controversé, négligé (3 éléments requis)

**39.** 1) Il répond à une motivation intrinsèque plutôt qu'à des récompenses extrinsèques ou à des exigences du milieu.

2) Il est orienté vers les moyens et non pas nécessairement vers les buts.

3) Il n'est pas sérieux.

(2 éléments requis)

**40.** Vrai

**41.** Sur le plan social, le jeu est un lieu privilégié d'exploration des rôles que l'enfant sera appelé à jouer plus tard.

**42.** Vrai

**43.** *b)*

**44.** Le langage

**45.** La testostérone

**46.** Vrai

**47.** Discipline rude et incohérente, engagement parental faible auprès des enfants, faible supervision des activités de l'enfant (2 éléments requis)

**48.** Vrai

**49.** Faux

**50.** 1) Intervenir le plus tôt possible auprès de l'enfant pour développer chez lui les habiletés sociales requises

2) Intervenir aussi sur le plan des apprentissages pour favoriser l'intégration à l'école et, en même temps, la prévention des retards irrécupérables

3) Obtenir l'aide des parents

(2 éléments requis)

# CHAPITRE 14
## LA FAMILLE, LA GARDERIE ET L'ÉCOLE

**1.** I) -*b)*, II) -*c)*, III) -*a)*

**2.** parenté

**3.** Sur la relation fonctionnelle entre un parent et un enfant

**4.** La famille engendre l'enfant, détermine ses caractéristiques physiques (apparence et physiologie) et assure la satisfaction de ses besoins vitaux.

**5.** La stimulation intellectuelle, l'établissement des premières relations affectives, l'apprentissage des attitudes et des valeurs humaines (2 éléments requis)

**6.** L'acculturation aux modèles sociaux, l'insertion de l'enfant dans un réseau de relations sociales, le soutien matériel nécessaire à son développement social (école, amis, loisirs, etc.) [2 éléments requis]

**7.** Faux

**8.** À la forte montée du taux de fécondité au Canada après la Seconde Guerre mondiale

**9.** 1) En majorité, les mères occupent un emploi à l'extérieur du foyer : les mères de 20-44 ans (ensemble des femmes ayant au moins un enfant de moins de 16 ans à la maison) ont augmenté leur participation au marché du travail de 36,8 % à 69,9 % entre 1976 et 2000.

2) Une partie significative des couples vivent maintenant en union libre, au lieu d'êtres mariés (mariage civil ou religieux).

3) Le nombre de familles ayant vécu une séparation parentale est maintenant d'environ 30 %.

(2 éléments requis)

**10.** 1) Les changements concernant les enfants quant aux attentes auxquelles ils doivent répondre à cette période de leur vie

2) Les changements concernant les parents dans les rôles qu'ils doivent assumer à ce stade

3) Les changements concernant la famille dans les fonctions qu'elle doit jouer à l'égard de ses membres et de sa communauté selon les attentes de la culture qui prévaut

(2 éléments requis)

**11.** L'époque où les membres du couple ont des enfants à la maison et où ils interviennent en tant que parents dans leur éducation

12. La dénatalité a pour effet de raccourcir la période de parentalité dans le cycle de vie familiale.

13. 1) Le statut du développement des parents en tant qu'individus

    2) La cohorte historique dans laquelle la famille s'inscrit

14. Elle renvoie à l'époque de l'histoire où se déroule le cycle de vie familiale.

15. L'âge chronologique, l'âge social et l'âge historique

16. Vrai

17. 1) Le climat émotionnel dans la famille (notamment le niveau de conflit)

    2) La qualité de la communication entre les membres

    3) La disponibilité d'adultes auprès de l'enfant pour favoriser la réussite de ses apprentissages

    4) La qualité de l'organisation pratique, c'est-à-dire un fonctionnement pratique bien organisé dans l'espace et dans le temps permettant à l'enfant de prévoir ce qui lui arrive

    5) Des expériences de vie riches et variées permettant à l'enfant d'explorer ses mondes physique, psychologique et social, dans la mesure de ses capacités

    (3 éléments requis)

18. Si, par ses actes, le parent contredit les règles qu'il prône, l'enfant décode bientôt la distorsion entre ce que le modèle dit et ce qu'il fait. En grandissant, l'enfant sera en mesure de percevoir des différences de plus en plus subtiles entre les actes et les paroles de ses parents, entre les demandes qu'ils lui adressent et leurs propres exigences, eux qui représentent l'autorité dans le système familial. Si cette autorité se caractérise par de constants écarts entre la règle qu'elle veut imposer aux autres et celle qu'elle se donne elle-même, l'enfant intériorisera le modèle tel qu'il se présente à lui avec le contraste qu'il affiche : le « fais ce que je dis et non pas ce que je fais » devient partie intégrante de sa représentation de l'autorité. L'enfant apprend que l'autorité impose des règles qu'elle bafoue.

19. La théorie de la réussite parentale correspond au système de valeurs, de croyances ou d'attitudes à partir duquel les parents font leurs choix de vie.

20. Le surinvestissement d'une zone de compétences peut nuire aux acquisitions dans d'autres domaines.

21. Dans l'écoute active, le parent s'emploie à s'ouvrir sur les pensées et les sentiments de l'enfant dont il favorise l'expression. Il l'aide à saisir la vraie nature du problème en lui reflétant ses émotions. Face à un conflit concernant l'enfant, le parent se demande ce que l'enfant veut vraiment, quels sont les sentiments qu'il éprouve au fond de lui-même et comment il peut l'aider à comprendre le problème par lui-même, sans lui imposer son propre point de vue.

22. Le message « je » exprime le sentiment ou l'idée du locuteur plutôt que l'attribution d'une caractéristique à l'interlocuteur.

23. 1) Détermination du problème

    2) Recherche des solutions possibles

    3) Évaluation des différentes solutions trouvées

    4) Adoption de la meilleure solution

    5) Application de la solution choisie

    6) Suivi de la solution du problème

    (3 éléments requis dans l'ordre)

24. 1) Les parents risquent de se prendre pour les thérapeutes de leur enfant, ce qui est à éviter.

    2) Il est possible que certains parents croient que la simple application de la technique, sans trop s'occuper des attitudes de fond, suffit pour régler les problèmes, ce qui constitue une erreur.

    3) L'application mécanique de ce type de technique peut rendre encore plus rigides les interactions, ce qui aurait pour effet de miner la crédibilité du parent qui a perdu sa spontanéité auprès de son enfant.

    4) Le fait que le leadership soit placé entre les mains du parent peut créer chez l'enfant le sentiment d'être manipulé, ou créer chez le parent le sentiment d'être entièrement responsable de la façon dont l'enfant se comporte et de ne pouvoir trouver une solution appropriée.

    (2 éléments requis)

25. La sensibilité parentale et le contrôle parental

26. La sensibilité parentale à l'égard de l'enfant renvoie à l'aptitude du parent à saisir et à interpréter correctement les signaux émis par l'enfant.

27. I) -b), II) -c), III) -d), IV) -a)

28. démocratique

29. Désengagé

30. *a)*

31.  1)  L'âge de l'enfant

2)  Son sexe

3)  La formule de garde adoptée après la séparation

4)  Le degré de conflit entourant le processus de séparation

5)  Les ressources matérielles de la famille

6)  Le niveau de scolarité des parents

7)  La composition de la fratrie de l'enfant (nombre, sexe, âge)

8)  Les changements survenus dans le réseau social de la famille (déménagement modifiant les amis et le voisinage, changement d'école, de quartier, etc.)

9)  La recomposition parentale (nouvelle union parentale et nouvelle fratrie)

10)  Le temps écoulé depuis la séparation

(4 éléments requis)

32. Vrai

33. Les domaines matériel, psychologique et social

34. Lorsque, par exemple, on compare des enfants de familles séparées, on regroupe souvent les familles monoparentales et les familles recomposées. Même lorsque l'on distingue ces deux structures parentales (monoparentale et recomposée), on n'arrive pas à distinguer les familles qui ont vécu une seule séparation de celles qui en ont vécu plusieurs : une famille peut être monoparentale maintenant mais avoir été recomposée et monoparentale à plusieurs reprises dans le passé.

35. Faux

36. Problèmes de contrôle personnel conduisant à des difficultés à se concentrer, impulsivité, agressivité, conduites antisociales (2 éléments requis)

37. Inhibition, faible estime, indices de dépression (2 éléments requis)

38. On observe que ces enfants d'âge préscolaire ont tendance à se blâmer de la séparation de leurs parents (« c'est de ma faute, parce que j'ai été trop difficile… »). Parce qu'ils ne disposent pas des outils conceptuels pour bien comprendre, ces enfants vivent également beaucoup de confusion et d'incertitude quant à ce qui va arriver, ce qui provoque des peurs d'abandon et des fantasmes durables de réconciliation de leurs parents.

39. Conserver sa relation avec ses deux parents

40. Lorsqu'ils sont devenus adultes, les enfants conservent plus souvent l'impression que la séparation de leurs parents biologiques a nui à leur développement personnel. En revanche, les parents estiment que la crise fut difficile mais que leurs enfants s'en sont sortis positivement.

41. L'hypothèse de l'âge tendre renvoie au fait que la mère serait le parent le plus en mesure d'apporter une réponse adéquate aux besoins de l'enfant, particulièrement avant son entrée à l'école.

42. *b)*

43. médiation familiale

44. La procédure judiciaire est contradictoire, c'est-à-dire qu'elle oppose les représentants (avocats) de chaque conjoint qui cherchent à obtenir le maximum de l'autre.

45.  1)  Famille nucléaire

2)  Séparation parentale

3)  Séparation légale ou divorce

4)  Vie en famille monoparentale

5)  Changement de formule de garde

6)  Recomposition familiale

(3 éléments requis)

46. Prendre le temps d'établir une relation de confiance avec les enfants, tout en situant clairement sa position plutôt que de tenter de jouer le rôle du père (ou de la mère) traditionnel qui décide et qui contrôle les enfants.

47. Faux

48. Le premier but est de réduire le stress lié à la transition familiale en fournissant un lieu d'échange à l'enfant. Deuxièmement, il s'agit de l'aider à acquérir des habiletés pertinentes à l'ajustement postséparation.

49.  1)  Abus physique

2)  Abus sexuel

3)  Négligence physique

4)  Négligence émotionnelle

5)  Abus psychologique

(3 éléments requis)

**50.** 1) La nature de l'acte (son caractère, sa fréquence et son intensité)

2) L'impact de l'acte violent sur la victime

3) L'intention de l'auteur

4) L'influence du contexte d'occurrence

5) Les normes culturelles locales définissant les conduites appropriées ou non

(3 éléments requis)

**51.** Troubles de comportement

**52.** Négligence

**53.** Faux

**54.** 1) Une histoire personnelle d'abus ou de négligence dans la famille d'origine

2) Des problèmes de consommation d'alcool/drogue

3) Des connaissances déficientes en matière d'éducation de l'enfant, souvent associées à une faible scolarité, qui amènent le parent à avoir des stratégies de résolution de problèmes inadéquates et des attentes irréalistes à l'égard de ce que l'enfant peut faire, compte tenu de son âge

4) Une faible tolérance à la frustration occasionnée par des situations courantes telles que les pleurs de l'enfant, sa désobéissance, etc.

5) Un mauvais contrôle sur ses pulsions agressives

(2 éléments requis)

**55.** 1) Enfants exigeant des parents plus de soins ou d'attention que les autres enfants : enfants de petit poids à la naissance (par suite de prématurité ou de retard du développement) et qui font mal leurs nuits, sont plus irritables

2) Enfants de tempérament difficile, ou présentant un handicap physique ou mental, ce qui alourdit considérablement la tâche parentale

**56.** 1) Les conflits conjugaux

2) Des problèmes financiers et de chômage des parents

3) L'isolement social de la famille, se caractérisant par un réseau restreint de contacts

4) Certaines valeurs de l'environnement culturel, telles que la tolérance à la violence, à la négligence ou à l'abus

(2 éléments requis)

**57.** Vrai

**58.** L'isolement social de la famille, l'absence de communication ouverte entre les membres de la famille, la passivité de la mère devant l'autoritarisme du père (2 éléments requis)

**59.** Le dévoilement, c'est-à-dire la dénonciation de l'abus sexuel à l'extérieur de la famille

**60.** Les programmes d'autodéfense sont des programmes préventifs destinés à apprendre à l'enfant comment se protéger lui-même.

**61.** Si l'on dénonce faussement un abus sexuel, on cause un tort considérable aux acteurs en cause, mais passer à côté d'un abus réel signifie laisser les victimes dans leur souffrance.

**62.** Certains enfants ne sont pas encadrés par un service de garde et rentrent chez eux en l'absence de supervision adulte après l'école. Ces enfants sont appelés « les enfants à la clé », car ils portent souvent une clé de la maison au cou.

**63.** Les plus jeunes (5-7 ans) ou ceux qui passent plus de trois heures par jour sans la supervision d'un adulte

**64.** Faux

**65.** qualité

**66.** 1) Le programme d'activités offertes aux enfants : activités proposées aux enfants pendant la journée, buts éducatifs poursuivis et activités pour les atteindre, évaluation du développement de l'enfant

2) Les activités spéciales thématiques : fréquence des sorties à l'extérieur (visites, excursions, etc.), personnes-ressources invitées, thèmes regroupant des activités particulières

3) Le matériel éducatif et les équipements de jeu adaptés aux groupes d'âge

4) Les mécanismes de suivi des progrès de l'enfant : développement d'habiletés motrices, verbales, sociales, etc.

(3 éléments requis)

**67.** L'enfant y apprend à entrer en relation avec des modèles adultes qui ont leur style propre de gestion de leur autorité, il y apprend à se faire une place parmi un groupe de pairs, à se faire des amis, à régler des problèmes interpersonnels, à tenir compte des pressions du groupe, à s'adapter aux règles, à gagner et à perdre, à parler en groupe, à assumer des responsabilités communautaires. (3 éléments requis)

**68.** Disposition des pupitres en cercle

**69.** Le plus souvent, les élèves rejetés du professeur seraient ceux qui font beaucoup de demandes déplacées et qui affichent un comportement problématique en classe.

**70.** L'objectif était de mesurer l'effet d'une attente créée artificiellement sur le rendement réel des enfants.

**71.** Le style de soutien à l'autonomie

**72.** 1) Dans une classe bien menée, les activités proposées s'enchaînent les unes aux autres, sans perte de temps lors des transitions.

2) Il y a peu de problèmes de discipline parce que le professeur les anticipe et intervient très tôt avant qu'ils n'éclosent.

3) Cela implique que l'attention de l'enseignant se porte sur tous les élèves, dans tous les coins de la classe et non pas sur quelques élèves seulement.

4) Le professeur intervient calmement mais efficacement pour régler les problèmes, clarifier les confusions.

(2 éléments requis)

**73.** En raison de leur histoire personnelle souvent accompagnée d'échecs, ces parents ne participent pas facilement à la vie scolaire de leur enfant; ils ont tendance à le laisser se débrouiller par lui-même.

**74.** 1) Mettre en place un programme de communication active entre les parents et les enseignants

2) Suggérer aux parents des stratégies de soutien scolaire de leur enfant à la maison

3) Construire des ponts entre les cultures familiales minoritaires (plus à risque de distanciation) et la vie à l'école

4) Développer des devoirs qui donnent un rôle actif aux parents, comme par exemple des recherches sur l'histoire familiale, l'expérience de travail de leurs parents, etc.

5) Consulter les parents dans la planification et la gestion de l'école afin de favoriser un engagement de leur part dans le projet éducatif de l'école

(3 éléments requis)

**75.** Il est très probable que l'influence de la famille prédominera.

# CHAPITRE 15
## LANGAGE ET CULTURE

**1.** Il est universel parce que la plupart des enfants du monde suivent les mêmes étapes d'acquisition et à peu près au même rythme: ils commencent à dire des mots autour de la première année, puis, vers deux ans, ils s'expriment à l'aide de courtes phrases. En même temps, il n'y a pas deux personnes qui parlent exactement de la même façon, le langage étant aussi une réalité très personnelle.

**2.** Simple parce que, dans toutes les cultures, il est acquis naturellement: l'enfant n'a pas à recevoir d'enseignement formel. La langue «s'apprend toute seule», mais en même temps il s'agit d'un phénomène comportemental des plus complexes et la science est loin d'en avoir percé tous les mystères.

**3.** Les sons, les mots, les phrases, la communication (3 éléments requis)

**4.** *a)* La communication
*b)* Les sons
*c)* Les mots
*d)* Les phrases

**5.** sémantique

**6.** Le langage du singe Nonobo est déterminé par la volonté de recevoir quelque chose et laisse très peu de place à la conversation comme telle. Celui des enfants produit spontanément beaucoup de contenu, est utilisé au moins aussi souvent pour converser que pour faire des demandes et les enfants vont s'exprimer même en l'absence de modèle.

**7.** Faux

**8.** *syntaxe*

**9.** Dire: «Bonjour, comment allez-vous?» à une personne après 10 minutes de conversation

**10.** Cette phase nous montre que l'enfant normal possède l'équipement réceptif pour apprendre n'importe quelle langue.

**11.** prosodie

**12.** 1) Les phrases sont courtes.
2) Elles sont complètes du point de vue grammatical.
3) Les mots sont prononcés plus lentement et avec des variations exagérées dans le ton de la voix.
4) Le ton de la voix est généralement plus élevé que d'habitude.

5) Le contenu porte sur le contexte immédiat dans lequel l'adulte et l'enfant se trouvent.

(3 éléments requis)

13. L'emploi du langage maternel favorise la compréhension langagière chez l'enfant en ce qu'il contribue à intégrer ce dernier dans son rôle de récepteur « qui comprend » et en ce qu'il lui permet aussi d'apprendre plus facilement de nouveaux éléments du langage.

14. Aslin, Saffran et Newport (1998) ont mené une expérience auprès d'enfants de huit mois qui consistait à leur faire entendre quatre segments de trois syllabes présentés en série dans un ordre aléatoire : *pabiku, golatu, daropi, tibudo, golatu, tibudo, pakibu, daropi,* et ainsi de suite. Il n'y avait pas de pause entre les segments de syllabes, seulement une bande continue de trois minutes. Plus tard, lorsqu'on présentait de nouveau ces segments de syllabes aux enfants parmi d'autres segments formés des mêmes sons, mais placés dans un ordre différent (par exemple, *bilaku, butipa,* etc.), les enfants écoutaient moins attentivement les segments déjà entendus que les nouveaux, ce qui témoignait de leur habituation aux premiers.

15. La présence de babillage chez les enfants auditivement handicapés renforce l'hypothèse du caractère inné de cette action, mais l'évolution particulière de la production sonore de ces enfants indique que la rétroaction auditive en provenance de l'environnement est un outil important dans l'acquisition du contrôle de l'appareil phonatoire.

16. 1) Vers l'âge de deux mois, les nourrissons aiment produire des sons basés sur une voyelle comme « aaahhh », « ooohhh », « eeehhh ».

2) Vers l'âge de six mois, du fait d'un meilleur contrôle de la phonation, l'enfant produit des sons qui ressemblent à des syllabes : il y a combinaison de consonnes et de voyelles (« bo », « ma », « de », « lu », …).

3) Vers 10 mois, des enchaînements de ces unités « consonnes/voyelles » se produisent avec une modulation de l'intonation et du rythme (prosodie) ; c'est le babillage proprement dit, le fondement du langage parlé.

17. compréhension, production

18. *b)*

19. La quantité de mots, leur degré de nouveauté pour l'enfant, le soutien offert à l'enfant dans l'acquisition de nouveaux mots (2 éléments requis)

20. *c)*

21. Affirmation ou constatation, ordre ou demande, négation, interrogation (3 éléments requis)

22. signifiant, signifié

23. Vrai

24. Trois morphèmes : 1) papa ; 2) part ; 3) pas

25. Vrai

26. 1) Si un individu maîtrise bien l'anglais, mais que personne autour de lui ne comprend cette langue, cette langue ne lui servira pas à communiquer.

2) Deux personnes qui parlent en même temps ne communiquent pas entre elles.

(1 élément requis)

27. 1) Des phrases plus longues (augmentation de longueur moyenne des énoncés)

2) Des invitations à échanger verbalement

3) Le respect du sujet de la conversation ou l'établissement de transitions

4) La sensibilité locutoire

(2 éléments requis)

28. Habiletés de communication référentielle

29. Un monologue collectif est le phénomène observé lorsque des enfants jouant côte à côte vont parler en même temps de choses différentes, sans se préoccuper de comprendre les autres ou d'en être compris. L'enfant semble davantage préoccupé par l'expression de son point de vue que par la communication avec l'autre.

30. 1) Surmonter son égocentrisme pour s'intéresser à l'autre

2) Surmonter les limites que lui impose la quantité encore restreinte de mots et de concepts dont il dispose pour véhiculer son message

31. Les enfants qui bénéficient de plus « d'attention conjointe » évoluent plus rapidement dans leur compréhension du langage : ils sont plus actifs dans la production de mots et leur vocabulaire se développe plus vite.

32. La « protodemande » consiste, pour l'enfant, à émettre des sons en même temps qu'il fixe des yeux ou désigne de la main quelque chose qu'il veut qu'on lui donne.

**33.** 1) Échanger avec l'enfant: jouer à émettre des sons et à dire des mots avec l'enfant, dès 3 ou 4 mois, dans un climat calme, en veillant à synchroniser les sons ou les paroles avec ceux de l'enfant. L'enfant prend peu à peu conscience de l'effet des sons qu'il émet et devient un communicateur actif.

2) Lire régulièrement des contes illustrés d'images en couleurs: dès 4 ou 5 mois, les enfants aiment se faire lire des contes illustrés d'images en couleurs. La lecture de contes donne lieu à des échanges fructueux avec l'enfant et lui permet de concentrer son attention sur des images où les choses représentées sont nommées. Il sera ainsi amené à voir que les livres renferment des choses intéressantes. Bonafé (1994) dit qu'avec les livres l'enfant apprend à «donner du son au sens».

3) Nommer les choses et répéter les mots: c'est en situation que les mots s'apprennent le plus facilement. Devant l'enfant, il ne faut pas hésiter à nommer les choses en les montrant, en répétant les mots isolément et en les insérant dans des phrases, ni à souligner clairement leur prononciation. Il s'agit non pas de se livrer avec l'enfant à un verbiage continu, mais plutôt de saisir les occasions qui se présentent pour prononcer les mots qui désignent les choses que l'on a devant soi.

4) Chanter des chansons à l'enfant: en accomplissant les gestes liés aux soins à donner à l'enfant, il convient de prendre l'habitude de chanter des chansons avec lui en sollicitant sa participation. Le chant peut très bien servir à illustrer les variations sonores de la voix et à amuser l'enfant. Si les mélodies sont chantées régulièrement, l'enfant finira par les assimiler et il pourra participer.

5) Apporter toute la stimulation nécessaire: dans la stimulation langagière, on doit avoir surtout égard à la réponse de l'enfant. Trop de stimulation peut le rebuter. La participation spontanée et enjouée de l'enfant aux échanges (visuels ou verbaux) est un bon guide pour doser la stimulation.

(2 éléments requis)

**34.** Faux

**35.** Vygotsky estime que la pensée et le langage sont deux systèmes qui, séparés au début de la vie, fusionnent vers l'âge de deux ans pour produire la pensée verbale. Dans cette optique, les opérations mentales sont intégrées dans la structure du langage et le développement cognitif résulte de l'intériorisation du langage.

**36.** Vrai

**37.** L'apprentissage du mot à lui seul ne suffit pas à faire émerger le concept: l'enfant doit construire une représentation mentale de l'objet, ce que le mot à lui seul ne permet pas d'obtenir.

**38.** Cette notion renvoie au principe selon lequel l'apprentissage du langage doit être fait à une époque spécifique du développement où l'organisme est particulièrement sensible à certains stimuli présents dans l'environnement. Si cette rencontre entre les prédispositions momentanées de l'organisme ne se fait pas avec les stimuli appropriés, l'apprentissage ne pourra se faire complètement par la suite.

**39.** Au moment où Genie fut trouvée, le processus de latéralisation du cerveau était trop avancé et les progrès qui ont eu lieu reposaient sur des zones corticales non spécialisées dans le langage.

**40.** Bilinguisme simultané

**41.** Faux

**42.** *b)*

**43.** *a)*

**44.** Cette expression désigne le fait qu'apprendre une autre langue que la langue maternelle représente, dans certains cas, une source enrichissante de stimulation cognitive: les bénéfices cognitifs et linguistiques de chacune des deux langues s'additionnent.

**45.** Cette expression désigne le fait que, dans certains cas, le contact avec une autre langue sera associé à un déficit cognitif et linguistique.

**46.** Le degré de valorisation sociale de chaque langue dans le milieu du jeune et la perception qu'en a l'enfant

**47.** Soustractive

**48.** Anomie culturelle

**49.** Le biculturalisme désigne le sentiment de double appartenance culturelle.

**50.** Vrai

**51.** C'est ce qui se produit lorsqu'un individu apprend deux langues et que ses capacités linguistiques se dispersent, avec pour résultat qu'il ne maîtrise aucune des deux.

**52.** 1) En anglais le mot *you* est employé dans les échanges avec n'importe quelle personne, sans égard à son âge ou à son statut, alors qu'en français il ne convient pas de tutoyer tout le monde. Cette façon « relative » de coder les interactions permet de croire que le statut des interlocuteurs est moins important qu'en français, et cela peut avoir des implications dans l'organisation des rapports entre les personnes.

2) En anglais, les choses n'ont généralement pas de genre alors qu'en français les noms d'objets sont masculins ou féminins.

**53.** Déterminisme linguistique

**54.** Faux

# Bibliographie

ABBOTT-SHIM, M. et SIBLEY, A. (1987). *Assessment Profile for Childhood Programs*, Atlanta (Ga.), Quality Assistance.

ABEL, M.A. (2000). *Coping with Stuttering (Coping)*, New York, Rosen Publishing Group.

ABRAHAM, K. (1966). *Œuvres complètes. Développement de la libido*, Paris, Payot (coll. « Petite bibliothèque Payot »).

ACHENBACK, T.M. et EDELBROCK, C.S. (1981). « Behavioral problems and competences reported by parents of normal and disturbed children aged 4 through 16 », *Monographs of the Society for Research in Child Development*, 46(1), série n° 188.

ACREDOLO, L.P. et HAKE, J.L. (1982) Infant perception, dans WOLMAN, B.B. (dir.), *Handbook of Developmental Psychology*, Englewood Cliffs (N.J.), Prentice-Hall.

ADAMS, R.J. (1987). « An evaluation of color preference in early infancy », *Infant Behavior and Development*, 10, p. 143 à 150.

ADAMS, R.J., COURAGE, M.L. et MERCER, M.E. (1994). « Systematic measurement of human neonatal color vision », *Vision Research*, 34, p. 1691 à 1701.

ADAMS, R.J., MAURER, D. et DAVIS, M. (1986). « Newborns' discrimination of chromatic from achromatic stimuli », *Journal of Experimental Child Psychology*, 41, p. 267 à 281.

ADI-JAPHA, E. et FREEMAN, N.H. (2001). « Development of differentiation between writing and drawing systems », *Developmental Psychology*, 37, p. 101 à 114.

ADI-JAPHA, E., LEVIN, I. et SOLOMON, S. (1998). « Emergence of representation in drawing: The relation between kinematic and referential aspects », *Cognitive Development*, 13, p. 23 à 49.

ADLER, A. (1956). *La compensation psychique de l'état d'infériorité des organes*, Paris, Payot.

ADLER, A. (1977). *L'éducation des enfants*, Paris, Payot.

AGENCY FOR HEALTH CARE POLICY AND RESEARCH (AHCPR) [1999]. *Treatment of Attention-Deficit/ Hyperactivity Disorder*, Summary, Evidence Report/ Technology Assessment, N° 11, AHCPR Publication N° 99-E017, Décembre, Agency for Health Care Policy and Research, Rockville (Md.).
Sur Internet: http://www.ahrq.gov/clinic/epcsums/adhdsum. htm

AINSWORTH, M.D.S. (1967). *Infancy in Uganda*, Baltimore, Johns Hopkins Press.

AINSWORTH, M.D.S. (1969). « Object relations, dependency and attachment: A theorical review of the infant-mother relationship », *Child Development*, 40, p. 969 à 1025.

AINSWORTH, M.D.S. (1973). The development of infant-mother attachment, dans CALDWELL, B.M. et RICCIUTI, H.N. (dir.), *Review of Child Development Research*, 3, Chicago, University of Chicago Press.

AINSWORTH, M.D.S. (1985). « Patterns of infant-mother attachments: Antecedents and effects on development », *Bulletin of the New York Academy of Medicine*, 61, p. 771 à 791.

AINSWORTH, M.D.S. (1989). « Attachments beyond infancy », *American Psychologist*, 44, p. 709 à 716.

AINSWORTH, M.D.S. (1991). Attachments and other affectional bonds across the life cycle, dans PARKES, C.M., STEVENSON-HINDE, J. et MARRIS, P. (dir.), *Attachment across the Life Cycle*, New York, Routledge.

AINSWORTH, M.D.S. (1995). « John Bowlby (1907-1990) », *American Psychologist*, 47, p. 668.

AINSWORTH, M.D.S., BELL, S.M. et STAYTON, F.J. (1971). Individual differences in strange-situation behavior of one-year-olds, dans SHAFFER, H.R. (dir.), *The Origins of Human Social Relations,* Hillsdale (N.J.), Lawrence Erlbaum.

AINSWORTH, M.D.S., BELL, S.M. et STAYTON, D.J. (1972). «Individual differences in the development of some attachment behaviors», *Merrill-Palmer Quarterly,* 18, p. 123 à 143.

AINSWORTH, M.D.S., BLEHAR, M.C., WATERS, E. et WALL, S. (1978). *Patterns of Attachment: A Psychological Study of the Strange Situation,* Hillsdale (N.J.), Erlbaum.

AINSWORTH, M.D.S. et BOWLBY, J. (1991). «An ethological approach to personality development», *American Psychologist,* 46, p. 333 à 341.

AINSWORTH, M.D.S. et WITTING, B. (1969). Attachment and exploratory behavior of one-year-olds in a Strange Situation, dans FOSS, B. (dir.), *Determinants of Infant Behavior,* vol. 4, New York, Wiley.

ALEXANDER, D. (1998). «Prevention of mental retardation: Four decades of research», *Mental Retardation and Developmental Disabilities Research Reviews,* 4, p. 50 à 58.

ALLPORT, G.W. (1937). *Personality: A Psychological Interpretation,* New York, Holt.

ALLPORT, G.W. (1961). *Pattern and Growth in Personality,* New York, Holt.

ALVIDREZ, J. et WEINSTEIN, R.S. (1999). «Early teacher perceptions and later student academic achievement», *Journal of Educational Psychology,* 91, p. 731 à 746.

AMATO, P.R. (2001). «Children of divorce in the 1990s: An update of the Amato and Keith (1991) meta-analysis», *Journal of Family Psychology,* 15, p. 355 à 370.

AMATO, P.R. et KEITH, B. (1991). «Parental divorce and the well being of children: A meta-analysis», *Psychological Bulletin,* 110, p. 26 à 46.

AMBERT, A.-M. (2000). *The Effect of Children on Parents,* 2ᵉ éd., New York, Haworth Press.

AMERICAN ASSOCIATION ON MENTAL RETARDATION (1992). *Mental Retardation: Definition, Classification, and Systems of Support,* Washington (D.C.), American Association on Mental Retardation.

AMERICAN DIABETES ASSOCIATION (ADA) [2000]. «Gestational diabetes mellitus», *Diabetes Care,* 23, supplement 1.

AMERICAN PSYCHIATRIC ASSOCIATION (1952). *Diagnostic and Statistical Manual of Mental Disorders,* Washington (D.C.), American Psychiatric Association.

AMERICAN PSYCHIATRIC ASSOCIATION (1980). *DSM-III – Diagnostic and Statistical Manual of Mental Disorders,* 3ᵉ éd., Washington (D.C.), American Psychiatric Association.

AMERICAN PSYCHIATRIC ASSOCIATION (1994). *DSM-IV – Diagnostic and Statistical Manual of Mental Disorders,* 4ᵉ éd., Washington (D.C.), American Psychiatric Association.

AMERICAN PSYCHIATRIC ASSOCIATION (1996). *DSM-IV – Manuel diagnostique et statistique des troubles mentaux,* 4ᵉ éd., Paris, Masson.

AMES, L. et ILG, F. (1964). «The developmental point of view with special reference to the principle of reciprocal neuro-motor interweaving», *Journal of Genetic Psychology,* 105, p. 195 à 209.

AMIEL-TISON, C. (1975). Neurological signs, etiology and implications, dans STRATTON, P. (dir.) *Psychobiology of the Human Newborn,* New York, Wiley.

AMSTERDAM, B. (1968). *Mirror Behavior in Children under Two Years of Age,* Université de la Caroline du Nord, thèse inédite.

AMSTERDAM, B. (1972). «Mirror self-image reactions before age two», *Developmental Psychobiology,* 5(4), p. 297 à 305.

AMSTERDAM, B. et GREENBERG, L.M. (1977). «Self-conscious behavior in infant: A videotape study», *Developmental Psychobiology,* 10(1), p. 1 à 6.

AMSTERDAM, B. et LEVITT, M. (1980). «Consciousness of self and painful self-consciousness», *Psychoanalytic Study of the Child,* 35, p. 67 à 83.

ANDERSON, C. (1993). «Long life to the lefties», *Science,* 259, p. 1118.

ANDERSON, S. et autres (1981). «Sequence and organization of the human mitochondrial genome», *Nature,* 290, p. 457 à 474.

ANDERSON, S.W., DAMASIO, A.R. et DAMASIO, H. (1990). «Troubled letters but not numbers», *Brain,* 113, p. 23 à 49.

ANGLIN, J.M. (1993). «Vocabulary development: A morphological analysis», *Monographs of the Society for Research in Child Development,* 58(10), nᵒ 228.

APTER, M.J. (1989). *Reversal Theory: Motivation, Emotion and Personality,* Londres, Routledge.

APTER, M.J. (dir.) [2001]. *Motivational Styles in Everyday Life: A Guide to Reversal Theory,* Washington (D.C.), American Psychological Association.

APTER, M.J., KERR, J.H. et COWLES, M. (dir.) [1988]. *Progress in Reversal Theory,* Amsterdam, North-Holland.

ARMSDEN, G.C. et GREENBERG, M.T. (1987). «The inventory of parent and peer attachment: Individual differences and their relationship to psychological well-being in adolescence», *Journal of Youth and Adolescence*, 16, p. 427 à 454.

ARNETT, J. (1989). «Caregivers in day care centers: Does training matter?», *Journal of Applied Developmental Psychology*, 10, p. 541 à 552.

ASHBY, M.S. et WITTMAIER, B.C. (1978). «Attitude changes in children after exposure to stories about women in traditional or non-traditional occupations», *Journal of Educational Psychology*, 70, p. 945 à 949.

ASLIN, R.N. (1977). «Development of binocular fixation in human infants», *Journal of Experimental Child Psychology*, 23, p. 133 à 150.

ASLIN, R.N., JUSCZYK, P.W. et PISONI, D.B. (1998). Speech and auditory processing during infancy: Constraints on and precursors to language, dans DAMON, M. (dir.), *Handbook of Child Psychology*, vol. 2, New York, Wiley.

ASLIN, R.N., SAFFRAN, J.R. et NEWPORT, W.L. (1998). «Computation of conditional probability statistics by 8-month-old infants», *Psychological Science*, 9, p. 321 à 324.

ASLIN, R.N. et SMITH, L.B. (1983). Perceptual development, dans ROSENZWEIG, M.R. et PORTER, L.W. (dir.) *Annual Review of Psychology* (p. 435 à 474), Palo Alto (Calif.), Annual Reviews.

ASSOCIATION CANADIENNE DE SANTÉ MENTALE (ACSM) [2000]. *Les phobies et les troubles de panique*, Montréal, Association canadienne de santé mentale, série de dépliants.

ASSOCIATION MÉDICALE CANADIENNE (ACM) [2000]. *Le syndrome d'alcoolisme fœtal*, Ottawa, Association Médicale Canadienne.
Sur Internet: http://www.cma.ca

ATHEY, I. (1984). Contributions of play to development, dans YAWKEY, T.D. et PELLEGRINI, A.D. (dir.), *Child's Play: Developmental and Applied*, Hillsdale (N.J.), Erlbaum.

AVENEVOLI, S., SESSA, F.M. et STEINBERG, L. (1999). Family structure, parenting practices, and adolescent adjustment: An ecological examination, dans HETHERINGTON, E.M. (dir.) *Coping with Divorce, Single Parenting, and Remarriage*, Mahwah (N.J.), Lawrence Erlbaum.

AYOUB, C. et JACEWITZ, M. (1982). «Families at risk for poor parenting: A model of service delivery, assessment and intervention», *Child Abuse and Neglect*, 6, p. 351 à 358.

BAILLARGEON, R. (1987). «Object permanence in 3- and 4-month-old infants», *Developmental Psychology*, 23, p. 655 à 664.

BAKAN, D. (1966). *The Duality of Human Existence*, Chicago, Rand McNally.

BALDWIN, J.M. (1895). *Mental Development in the Child and the Race*, New York, Macmillan.

BALLEYGUIER, G. (1996). *Le développement émotionnel et social du jeune enfant*, Paris, P.U.F.

BALTIMORE, D. (2001). «Our genome unveiled», *Nature*, 409, p. 814 à 816.

BANCROFT, J., AXWORTHY, D. et RATCLIFFE, S. (1982). «The personality and psycho-sexual development of boys with 47XXY chromosome constitution», *Journal of Child Psychology and Psychiatry*, 23, p. 169 à 180.

BANDURA, A. (1969). Social-learning theory of identificatory processes, dans GOSLIN, D.A. (dir.), *Handbook of Socialization Theory and Research*, Chicago (Ill.), Rand McNally, p. 213 à 262.

BANDURA, A. (1977). «Self-efficacy: Toward a unifying theory of behavior change», *Psychological Review*, 84, p. 191 à 215.

BANDURA, A. (1986). *Social Foundations of Thought and Action: A Social Cognitive Theory*, Englewood Cliffs (N.J.), Prentice-Hall.

BANDURA, A. (1991). Social cognitive theory of moral thought and action, dans KURTINES, W.M. et GEWIRTZ, J.L. (dir.) *Handbook of Moral Behavior and Development*, vol. 1, Hillsdale (N.J.), Erlbaum.

BANDURA, A. (1992). Exercise of personal agency through the self-efficacy mechanism, dans SCHWARZER, R. (dir.), *Self-efficacy: Thought Control of Action*, Washington (D.C.), Hemisphere, p. 3 à 38.

BANDURA, A. (1997). *Self-Efficacy: The Exercise of Control*, New York, Freeman.

BANDURA, A. (1999). Social cognitive theory of personality: Theory and research, dans PERVIN, L.A. et JOHN, O.P. (dir.) *Handbook of Personality*, 2e éd., New York, Guilford.

BANDURA, A. (2003). *Auto-efficacité. Le sentiment d'efficacité personnelle*, Paris, Bruxelles, de Boeck.

BANDURA, A., BARBARANELLI, C., CAPRARA. G.V. et PASTORELLI, C. (1996a). «Mechanisms of moral disengagement in the exercise of moral agency», *Journal of Personality and Social Psychology*, 45, p. 1017 à 1028.

BANDURA, A., BARBARANELLI, C., CAPRARA, G.V. et PASTORELLI, C. (1996b). « Multifaceted impact of self-efficacy beliefs on academic functioning », *Child Development*, 67, p. 1206 à 1222.

BANDURA, A. et CERVONE, D. (1983). « Self-evaluative and self-efficacy mechanisms governing the motivational effects of goal systems », *Journal of Personality and Social Psychology*, 45, p. 1017 à 1028.

BANDURA, A. et CERVONE, D. (1986). « Differential engagement of self reactive influences in cognitive motivation », *Organizational Behavior and Human Decision Processes*, 38, p. 92 à 113.

BANDURA, A., ROSS, D. et ROSS, S.A. (1961). « Transmission of aggression through imitation of aggressive models », *Journal of Abnormal and Social Psychology*, 63, p. 575 à 582.

BANERJEE, M. (1997). « Hidden emotions : Preschoolers' knowledge of appearance-reality and emotion display rules », *Social Cognition*, 15, p. 107 à 132.

BANKS, M.S. et SALAPATEK, P. (1983). Infant visual perception, dans P.H. MUSSEN, (dir.), *Handbook of Child Psychology*, vol. 2, New York, Wiley.

BARIAUD, F. (1997). Le développement des conceptions de soi, dans RODRIGUEZ-TOMÉ, H., JACKSON, S. et F. BARIAUD (dir.), *Regards actuels sur l'adolescence*, Paris, PUF, p. 49 à 78.

BARKER, R.G. (1968). *Ecological Psychology*, Stanford (Calif.), Stanford University Press.

BARKLEY, R.A. (1998). *Attention-Deficit/Hyperactivity Disorder : A Handbook for Diagnosis and Treatment*, 2e éd., New York, Guilford Press.

BARRY, S. (1987). *Le droit de parole de l'enfant dans la séparation des parents*, Québec, Université Laval, thèse de doctorat inédite.

BARRY, S., CLOUTIER, R., FILLION, L. et GOSSELIN, L. (1985). « La place faite à l'enfant dans les décisions relatives au divorce », *Revue québécoise de psychologie*, 6, p. 86 à 104.

BARTEN, S.S. et FRANKLIN, M.B. (1978). *Developmental Processes : Heinz Werner's Selected Writings*, vol. I et II, New York, International Universities Press.

BARTON, S. (1994). « Chaos, self-organization, and psychology », *American Psychologist*, 49, p. 5 à 14.

BATES, J., MASLIN, C. et FRANKEL, K. (1985). Attachment security, mother-child interactions, and temperament as predictors of behavior problem ratings at age three, dans BRETHERTON, I. et WATERS, E. (dir.), *Growing Points in Attachment Theory and Research, Monographs of the Society for Research in Child Development*, 50, p. 167 à 193.

BATTELLE, P. (1981). « The triplets who found each other », *Good Housekeeping*, 2, p. 74 à 84.

BAUBION-BROYE, A., MALRIEU, Ph. et TAP, P. (1987a). « L'inter-structuration du sujet et des institutions », *Bulletin de psychologie*, XL (379), p. 435 à 447.

BAUBION-BROYE, A., MALRIEU, Ph. et TAP, P. (1987b). « Les activités psychologiques dans les restructurations sociales », *Psychologie et éducation*, XI(1-2), p. 11 à 22.

BAUMEISTER, A.A. (1987). « Mental retardation : Some conceptions and dilemmas », *American Psychologist*, 42, p. 796 à 800.

BAUMRIND, D. (1967). « Child care practices anteceding three patterns of preschool behavior », *Genetic Psychology Monographs*, 75, p. 43 à 88.

BAUMRIND, D. (1971). « Current patterns of parental authority », *Developmental Psychology Monographs*, 4(l), partie 2, p. 1 à 103.

BAUMRIND, D. (1975). Early socialization and adolescent competence, dans DRAGASTIN, S.E. et ELDER, G. (dir.), *Adolescence in the Life-cycle*, Washington (D.C.), Hemisphere.

BAUMRIND, D. (1978). « Parental disciplinary patterns and social competence in children », *Youth and Society*, 9, p. 239 à 256.

BAUMRIND, D. (1991). Parenting styles and adolescent development, dans BROOKS-GUNN, J., LERNER, R. et PETERSEN, A.C. (dir.), *The Encyclopedia of Adolescence*, New York, Garland.

BAUMRIND, D. (1996). « The discipline controversy revisited », *Family Relations*, 45, p. 405 à 414.

BAYLEY, N. (1949). « Consistency and variability in the growth of intelligence from birth to eighteen years », *Journal of Genetic Psychology*, 75, p. 165 à 196.

BAYLEY, N. (1969). *Manual for the Bayley Scales of Infant Development*, New York, Psychological Corporation.

BAYLEY, N. (1993). *Bayley Scales of Infant Development*, 2e éd., New York, Psychological Corporation.

BAYLEY, N.A. (1935). « The development of motor abilities during the first three years », *Monographs of the Society for Research in Child Development*, l, série no 1.

BAZIN, N.T. et FREEMAN, A. (1974). « The androgynous vision », *Women's Studies*, 2, p. 185 à 215.

BEAUVOIR, S. de (1949). *Le deuxième sexe,* Paris, Gallimard.

BECK, A.T. (1976). *Cognitive Therapy and Emotional Disorders,* New York, International Universities Press.

BECKER, J. et VARELAS, M. (1993). «Semiotic aspects of cognitive development. Illustrations from early mathematical cognition», *Psychological Review,* 100, p. 420 à 431.

BELL, R.Q. (1977). History of the child's influence: Medieval to modern times, dans BELL, R.Q. et HARPER, L.V. (dir.), *Child Effects on Adults,* Hillsdale (N.J.), Erlbaum.

BELL, R.Q. et HARPER, L.V. (1977). *Child Effects on Adults,* Hillsdale (N.J.), Erlbaum.

BELSKY, J. (1993). «Etiology of child maltreatment: A developmental-ecological analysis», *Psychological Bulletin,* 114, p. 413 à 434.

BELSKY, J. (1999a). Interactional and contextual determinants of attachment security, dans CASSIDY, J. et SHAVER, P.R. (dir.), *Handbook of Attachment: Theory, Research, and Clinical Applications,* New York, Guilford Press, p. 249 à 264.

BELSKY, J. (1999b). Modern evolutionary theory and patterns of attachment, dans CASSIDY, J. et SHAVER, P.R. (dir.), *Handbook of Attachment: Theory, Research, and Clinical Applications,* New York, Guilford Press, p. 141-161.

BELSKY, J., ROVINE, M. et TAYLOR, D.G. (1984). «The Pennsylvania Infant and Family Development Project. 3: The origins of individual differences in infant-mother attachment: Maternal and infant contributions», *Child Development,* 55, p. 718 à 728.

BEM, S.L. (1974). «The measurement of psychological androgyny», *Journal of Consulting Clinical Psychology,* 42, 2, p. 155 à 162.

BEM, S.L. (1975). «Sex-role adaptability: On consequence of psychological androgyny», *Journal of Personality and Social Psychology,* 31, p. 634 à 643.

BEM, S.L. (1981). «Gender schemata theory: A cognitive account of sex-typing», *Psychological Review,* 88, p. 354 à 364.

BEM, S.L. (1982). «Gender schema theory and self-schema theory compared», *Journal of Personality and Social Psychology,* 43, p. 1192 à 1194.

BEM, S.L. (1983). Gender schema theory and its implications for child devlopment: Raising gender-aschematic children in a gender-schematic society, *Signs,* 8, p. 598 à 616.

BEM, S.L. (1985). Androgyny and gender-schema theory: A conceptual and empirical integration, dans SONDEREGGER,

T.B. (dir.), *Nebraska Symposium on Motivation,* Lincoln, University of Nebraska Press, p. 132.

BEM, S.L. (1986). Au-delà de l'androgynie: quelques préceptes osés pour une identité de sexe libérée, dans HURTIG, M.C. et PICHEVIN, M.F. (dir.), *La différence des sexes: questions de psychologie,* Paris, p. 251 à 270. (Traduction de SHERMAN, J.A. et DENMARK, F.L. (dir.), *The Psychology of Women: Future Direction in Research,* New York, Psychological Dimensions, chap. 1, p. 1 à 23.)

BENJAMIN, M. et IRVING, H.H. (1995). «Research in family mediation: Review and implications», *Mediation Quaterly,* 13, p. 53 à 82.

BERGER, P.L. (1966). «Identity as a problem in the sociology of knowledge», *European Journal of Sociology,* 7, p. 105 à 115.

BERGERET, J. (1993). La violence et sa prévention chez l'enfant et chez l'adolescent, dans TAP, P. et MALEWSKA-PEYRE, H., *Marginalités et troubles de la socialisation,* Paris, PUF, p. 201 à 222.

BERGONNIER-DUPUY, G. et MOSCONI, N. (2000). «La construction de l'identité sexuée», dans POURTOIS, J.P. et DESMET, H. (dir.), *Le parent éducateur,* Paris, PUF, p. 159 à 207.

BERK, L. (1989). *Child Development,* Boston, Allyn & Bacon.

BERK, L.E. (2002). *Child Development,* 6e éd., Boston, Allyn & Bacon.

BERK, L.E. (2003). *Child Development,* édition canadienne, Toronto, Pearson Education Canada.

BERMEJO, V. (1996). «Cardinality development and counting», *Developmental Psychology,* 32, p. 263 à 268.

BERNICOT, J. (1992). *Les actes de langage chez l'enfant,* Paris, PUF.

BERNOT, A. (2001). *Analyse de génomes, transcriptomes et protéomes,* Paris, Dunod.

BERNSTEIN, B. (1971). Social class, language and socialization, dans GIGLIOLI, P. (dir.), *Language and Social Context,* Middelsex, Marmondsworth.

BERRY, C.A. (1984). Toward a universal theory of cognitive competence, dans FRY, E.D. (dir.), *Changing Conceptions of Intelligence and Intellectual Functioning,* Amsterdam, New Holland.

BERTENTHAL, B.I. et CLIFTON, R.K. (1998). Perception and action, dans DAMON, W. (dir.), *Handbook of Child Psychology,* vol. 2: *Cognition, Perception and Language,* New Work, Wiley, p. 51 à 102.

BETTELHEIM, B. (1943). « Individual and mass behavior in extreme situations », *Journal of Abnormal and Social Psychology,* 38, p. 417 à 452.

BETTELHEIM, B. (1972). *Le cœur conscient,* Paris, Laffont. (Édition originale : 1960.)

BETTELHEIM, B. (1977). *Les blessures symboliques,* Paris, Gallimard. (Édition originale : 1954.)

BEZDEK, W. (1976). « Sex identity, values and balance theory », *Sociometry,* 39(2), p. 142 à 153.

BEZDEK, W. et STRODTBECK, F. (1970). « Sex identity and pragmatic action », *American Sociolgy Review,* 35, p. 491 à 502.

BIALYSTOK, E. (2001). *Bilingualism in Development : Language, Literacy and Cognition,* New York, Cambridge University Press.

BIALYSTOK, E. et HAKUTA, K. (1999). Confounded age : Linguistic and cognitive factors in age differences in second language acquisition, dans BIRDSONG, D. (dir.), *Second Language Acquisition and the Critical Period Hypothesis,* Mahwah (N.J.), Erlbaum.

BIASINI, F., GRUPE, L.A., HUFFMAN, L.F. et BRAY, N.W. (1999). Mental retardation : A symptom and a syndrome, dans NETHERTON, S., HOLMES, D. et WALKER, C.E. (dir.), *Comprehensive Textbook of Child and Adolescent Disorders,* New York, Oxford University Press.

BIDELL, T.R. et FISCHER, K.W. (1995). Beyond the stage debate : Action, structure, and variability in Piagetian theory and research, dans STERNBERG, R.J. et BERG, C.A. (dir.), *Intellectual Development,* New York, Cambridge University Press, p. 100 à 140.

BINET, A. (1903). *L'étude expérimentale de l'intelligence,* Paris, Schleicher et Frères.

BIRDSONG, D. (1999). *Second Language Acquisition and the Critical Period Hypothesis,* Mahwah (N.J.), Lawrence Erlbaum.

BIRNHOLZ, J.C. et BENACERRAF, B.R. (1983). « The development of human fetal hearing », *Science,* 222, p. 516 à 518.

BISSONNETTE, J., CLOUTIER, R. et INGELS, M. (1984). « L'effet du rapport enfant-éducatrice sur le comportement en garderie », *Apprentissage et socialisation,* 7(2), p. 72 à 88.

BJORKLUND, D.F. (1995). *Children's Thinking,* Pacific Grove (Calif.), Brooks/Cole.

BLAKE, J. et DE BOYSSON-BARDIES, B. (1992). « Patterns in babbling : A cross-linguistic study », *Journal of Child Language,* 19, p. 51 à 74.

BLOCK, J. (1973). « Conceptions of sex-role : Some cross-cultural and longitudinal perspectives », *American Psychologist,* 28, p. 512 à 527.

BLOOM, P. (2000). *How Children Learn the Meanings of Words,* Cambridge (Mass.), MIT Press.

BLOOM, P. (2002). « Mindreading, communication and the learning of names for things », *Mind and Language,* 17, p. 37 à 54.

BLOOM, P. et KEIL, F.C. (2001). « Thinking through language », *Mind and Language,* 16, p. 351 à 367.

BOIVIN, M. (1986). *Relations entre les indices sociométriques, le fonctionnement social et l'insertion sociale à la maternelle,* École de psychologie, Québec, Université Laval, thèse de doctorat non publiée.

BOIVIN, M., DODGE, K.A. et COIE, J.D. (1995). « Individual-group behavioral similarity and peer status in experimental play groups of boys : The social misfit revisited », *Journal of Personality and Social Psychology,* 69, p. 269 à 279.

BOIVIN, M., VITARO, F. et GAGNON, C. (1992). « A reassessment of the self perception profile for children : Factor structure, reliability and convergent validity of a French version among second through sixth grade children », *International Journal of Behavioral Development,* 15, p. 275 à 290.

BOLOGNINI, M. et PRÊTEUR, Y. (1998). *Estime de soi. Perspectives développementales,* Neuchâtel, Delachaux et Niestlé.

BONAFÉ, M. (1994). *Les livres c'est bon pour les bébés,* Paris, Hachette.

BORK, P. et COPLEY, R. (2001). « Filling in the gaps », *Nature,* 409, p. 818 à 820.

BORKE, H. (1971). « Interpersonal perception of young children : Egocentrism or empathy ? », *Developmental Psychology,* 5, p. 263 à 169.

BORSTELMANN, L.J. (1983). « Children before psychology », dans KESSEN, W. (dir.), *Handbook of Child Psychology : History, Theory and Methods,* vol. 4, New York, Wiley.

BOUCHARD, C. (2001). *Collaboration entre les ressources communautaires : outils pour décideurs et gestionnaires,* projet de recherche subventionné par la Fondation canadienne sur les services de santé, Montréal, Université du Québec à Montréal.

BOUCHARD, C. (2004). *Fondements des différences liées au genre dans la prosocialité des enfants en maternelle,* thèse de doctorat en psychologie, Québec, Université Laval, Faculté des études supérieures.

BOUCHARD, C. et autres (1994). *Un Québec fou de ses enfants*, rapport du Groupe de travail sur les jeunes, Québec, Ministère de la Santé et des Services sociaux.

BOUCHARD, C., CLOUTIER, R. et GRAVEL, F. (document non publié). « Différences garçons-filles en matière de prosocialité chez les enfants ».

BOUCHARD, C. et DESFOSSÉS, E. (1989). « Utilisation des comportements coercitifs envers les enfants : stress, conflits et manque de soutien dans la vie des mères », *Apprentissage et socialisation*, 12, p. 19 à 28.

BOUCHARD, J.M. et LADOUCEUR, R. (1988). « Awareness and self-efficacy perception in the treatment of tics », communication présentée au Second European Meeting on the Experimental Analysis of Behaviour, Liège (Belgique).

BOUCHARD, T.J. et McGUE, M. (1981). « Familial studies of intelligence : A review », *Science*, 212, p. 1055 à 1059.

BOUCHARD, T.J., jr. et McGUE, M. (1990). « Genetic and rearing environmental influences on adult personality : An analysis of adopted twins reared apart », *Journal of Personality*, 58, p. 263 à 292.

BOUCHARD, T.J., jr., LYKKEN, D.T., McGUE, M., SEGAL, N.L. et TELLEGEN, A. (1990). « Sources of human psychological differences : The Minnesota study of twins reared apart », *Science*, 250, p. 223 à 228.

BOULA, J.G. (2003). *Le soi et le rôle professionnel*, Fondation genevoise pour la formation et la recherche médicale. Sur Internet : http//:www. gfmer.ch/Presentations_Fr/Soi_role_professionnel.htm, 13 p.

BOULANGER-BALLEYGUIER, G. (1964). « Premières réactions devant le miroir », *Enfance*, 1, p. 51 à 67.

BOULANGER-BALLEYGUIER, G. (1967). « Les étapes de la reconnaissance de soi devant le miroir », *Enfance*, 1, p. 91 à 116.

BOULANGER-BALLEYGUIER, G. (1975). « L'établissement des relations interpersonnelles pendant les trois premières années », *Bulletin de Psychologie*, 29, p. 567 à 575.

BOULANGER-BALLEYGUIER, G. (1981). *La formation du caractère pendant les premières années*, Issy-Les-Moulineaux, Éditions scientifiques et psychologiques.

BOURDIEU, P. (1980). *Le sens pratique*, Paris, Éditions de Minuit.

BOUTINET, J.P. (1990). *Anthropologie du projet*, Paris, PUF.

BOUTON, C.P. (1976). *Le développement du langage : aspects normaux et pathologiques*, Paris, Masson.

BOUTON, C.P. (1991). *Neurolinguistics : Historical and Theoretical Perspectives*, New York, Plenum.

BOWER, T. (1972). « Object perception in infants », *Perception*, 1, p. 15 à 30.

BOWER, T.G. (1974). *Development in Infancy*, San Francisco (Calif.), Freeman.

BOWER, T.G.R. (1966). « The visual world of infants », *Scientific American*, 215, p. 80 à 92.

BOWLBY, J. (1969). *Attachment and Loss*, vol. 1 : *Attachment*, New York, Basic Books.

BOWLBY, J. (1973). *Attachment and Loss*, vol. 2 : *Separation*, New York, Basic Books.

BOWLBY, J. (1978a). *Attachement et perte*, vol. 1 : *L'attachement*, Paris, PUF.

BOWLBY, J. (1978b). *Attachement et perte*, vol. 2 : *La séparation : Angoisse et colère*, Paris, PUF.

BOWLBY, J. (1979). *The Making and Breaking of Emotional Bonds*, Londres, Tavistock.

BOWLBY, J. (1980). *Attachment and Loss*, vol. 3 : *Loss*, New York, Basic Books.

BOWLBY, J. (1988). *A Secure Base : Parent-Child Attachment and Healthy Human Development*, New York, Basic Books.

BOYATZIS, C.J., CHAZAN, E. et TING, C.Z. (1993). « Preschool children's decoding of facial emotions », *The Journal of Genetic Psychology*, 154, p. 375 à 382.

BOYSSON-BARDIES, B. de (1999). *Comment la parole vient aux enfants : de la naissance jusqu'à deux ans*, 2e éd., Paris, Odile Jacob.

BRACKBILL, Y. (1977). « Long-term effects of obstetrical anesthesia on infant autonomic function », *Developmental Psychology*, 10, p. 529 à 536.

BRACKBILL, Y. (1979). Obstetrical medication and infant behavior, dans OSOFSKY, J.D. (dir.), *Handbook of Infant Development*, New York, Wiley.

BRADLEY, R.H. (1989). The use of HOME inventory in longitudinal studies of child development, dans BORNSTEIN, M.H. et KRASNEGOR, N.A. (dir.), *Stability and Continuity in Mental Development : Behavioral and Biological Perspectives*, Hillsdale (N.J.), Erlbaum.

BRAINERD, C.J. et REYNA, V.F. (2002). « Recollection rejection : How children edit their false memories », *Developmental Psychology*, 38, p. 156 à 172.

BRAKEN, B.A. (1996). *Handbook of Self-Concept : Developmental, Social, and Clinical Considerations*, New York, Wiley.

BRAKKE, K.E. et SAVAGE-RUMBAUGH, E.S. (1995). « The development of language skills in bonobo and chimpanzees. I : Comprehension », *Language and Communication*, 15, p. 121 à 148.

BRANTLINGER, E.A. et GUSKIN, S.L. (1987). Ethnocultural and social-psychological effects on learning characteristics of handicapped children, dans WANG, M.C., REYNOLDS, M.C. et WALBERG, H.J. (dir.), *Learner Characteristics and Adaptive Education*, vol. 1 : *Handbook of Special Education, Research and Practice*, Oxford, Pergamon Press.

BRAUNGART, J.M., FULKER, D.W., PLOMIN, R. et DEFRIES, J.C. (1992). « Genetic mediation of the home environment during infancy : A sibling adoption study of the HOME », *Developmental Psychology*, 28, p. 1048 à 1055.

BRAY, J.H. (1999). « Stepfamilies : The intersection of culture, context and biology », *Monographs of the Society for Research in Child Development*, 64, p. 210 à 218.

BRAZELTON, T.B. (1969). « Behavioral competence of the newborn infant », *Seminars in Perinatalogy*, 3, p. 42.

BRAZELTON, T.B. (1973). *Neonatal Behavioral Assessment Scale*, Londres, Heinemann.

BRENDGEN, M., VITARO, F., BUKOWSKI, W.M., DOYLE, A.B., et MARKIEWICZ, D. (2001). « Developmental profiles of peer social preference over the course of elementary school associations with trajectories of externalizing and internalizing behavior », *Developmental Psychology*, 37, p. 308 à 320.

BRETHERTON, I. (1992). « The origins of attachment theory : John Bowlby and Mary Ainsworth », *Developmental Psychology*, 28, p. 759 à 775.

BRETHERTON, I. et WATERS, E. (1985). « Growing points of attachment : Theory and research », *Monographs of the Society for Research in Child Development*, 50, (1-2), série n° 209.

BRIGGS, G.G., FREEMAN, R.K. et YAFFE, S.J. (2002). *Drugs in Pregnancy and Lactation : A Reference Guide to Fetal and Neonatal Risk*, Philadelphie, Lippincott & Wilkins.

BRIGGS, J.L. (1970). *Never in Anger : Portrait of an Eskimo Family*, Cambridge (Mass.), Havard University Press.

BROBERG, A.G., WESSELS, H., LAMB, M.E. et HWANG, C.P. (1997). « Effects of day care on the development of cognitive abilities in 8-years-olds. A longitudinal study », *Developmental Psychology*, 33, p. 62 à 69.

BRONCKART, J.-P. (1998). *Les activités langagières. Textes et discours*, Lausanne, Delachaux et Niestlé.

BRONFENBRENNER, U. (1979a). « Contexts of child rearing : Problems and prospects », *American Psychologist*, 34, p. 844 à 850.

BRONFENBRENNER, U. (1979b). *The Ecology of Human Development : Experiments by Nature and Design*, Cambridge (Mass.), Harvard University Press.

BRONFENBRENNER, U. (2000). Ecological systems theory, dans KAZDIN, A. (dir.), *Encyclopedia of Psychology*, Washington (D.C.), New York, American Psychological Association et Oxford University Press.

BRONFENBRENNER, U. et CECI, S.J. (1994). « Nature – nurture reconceptualization in developmental perspective. A bioecological model », *Psychological Review*, 101, p. 568 à 586.

BRONFENBRENNER, U. et CROUTER, A.C. (1983). The evolution of environmental models in developmental research, dans KESSEN, W. (dir.), *Handbook of Child Psychology : History, Theory and Methods*, vol. 4, New York, Wiley.

BRONFENBRENNER, U. et MORRIS, P.A. (1998). The ecology of developmental processes, dans LERNER R.M. (dir.), *Handbook of Child Psychology*, vol. 1 : *Theory*, 5e éd., New York, Wiley.

BRONSON, G. (1974). « Postnatal growth of visual capacity », *Child Development*, 45, p. 873 à 890.

BROOKS-GUNN, J. et DUNCAN, G. (1997). « The effects of poverty on children », *Future of Children*, 17, p. 55 à 70.

BROOKS-GUNN, J., KLEBANOV, P.K. et DUNCAN, G.J. (1996). « Ethnic differences in children's intelligence test scores : Role of economic deprivation, home environment, and mental characteristics », *Child Development*, 67, p. 396 à 408.

BROPHY, J.E. et GOOD, T.L. (1986). Teacher behavior and student achievement, dans WITTROCK, M.C. (dir.), *Handbook of Research on Teaching*, 3e éd., New York, MacMillan, p. 328 à 375.

BROWN, I., jr. et INOUYE, D.K. (1978). « Learned helplessness through modelling : The role of perceived similarity in competence », *Journal of Personality and Social Psychology*, 36, p. 900 à 908.

BROWN, R.T. et SAMMONS, M.T. (2002). « Pediatric psychopharmacology : A review of new developments and recent research», *Professional Psychology: Research and Practice,* 33, p. 135 à 147.

BROWN, T.A. (2002). *Genomes,* New York, Wiley.

BROWNELL, C.A. (1986). «Convergent developments: Cognitive-developmental correlates of growth in infant/toddler peer skills», *Child Development,* 57, p. 275 à 286.

BRUCH, H. (1977). Psychological antecedents of anorexia nervosa, dans VIGERSKY, R.A. (dir.) *Anorexia Nervosa,* New York, Raven Press.

BRUCHON-SCHWEITZER, M. et DANTZER, R. (dir.) [1994]. *Introduction à la psychologie de la santé,* Paris, PUF.

BRUNER, J.S. (1967). «Origins of mind in infancy», communication présentée à l'Assemblée de la 8ᵉ division de l'American Psychological Association, Washington (D.C.).

BRUNER, J.S. (1972). «The nature and uses of immaturity», *American Psychologist,* 27, p. 687 à 708.

BRUNER, J.S. (1973). «Organization of early skilled action», *Child Development,* 44, p. 1 à 11.

BUGENTAL, D.B. et JOHNSTON, C. (2000). «Parental and child cognitions in the context of the family», *Annual Review of Psychology,* 51, p. 315 à 344.

BUKATKO, D. et DAEHLER, M.W. (2001). *Child Development: A Thematic Approach,* 4ᵉ éd., Boston, Houghton Mifflin.

BULLOCK, M. et RUSSELL, J.A. (1985). «Further evidence on preschoolers' interpretation of facial expressions», *International Journal of Behavioral Development,* 8, p. 15 à 38.

BURGUIÈRE, A., KLAPISCH-ZUBER, C., SEGALEN, M. et ZONABEND, F. (1986). *Histoire de la famille,* vol. 1 et 2, Paris, Colin.

BUROS, O.K. (1972). *The Seventh Mental Measurements Yearbook,* Highland Park (N.J.), Gryphon Press.

BUTTERFIELD, E.C. et SIPERSTEIN, G.N. (1972). Influence of contingent auditory stimulation upon non-nutritional suckle, dans BOSMA, J. (dir.), *Third Symposium on Oral Sensation and Perception: The Mouth of the Infant,* Springfield (Ill.), Charles C. Thomas.

BUTTERWORTH, G. et HOPKINS, B. (1988). «Hand-mouth coordination in the newborn baby», *British Journal of Developmental Psychology,* 6, p. 303 à 314.

CAIN V.S. et HOFFERTH, S.L. (1989). «Parental choice of self-care for school-age children», *Journal of Marriage and the Family,* 51, p. 65 à 77.

CALIFORNIA HEALTH AND HUMAN SERVICES (CHHS) [1999]. *Changes in the Population of Persons with Autism and Pervasive Developmental Disorders in California's Developmental Service System: 1987 through 1998,* Sacramento (Calif.), Department of Developmental Services.

CAMILLERI, C., KASTERSZTEIN, J., LIPIANSKY, E.D., MALEWSKA-PEYRE, H., TABOADA-LEONETTI, I. et VASQUEZ, A. (1990). *Stratégies identitaires,* Paris, PUF.

CAMPOS, J.J., HIATT, S., RAMSAY, D., HENDERSON, C. et SVEJDA, M. (1978). The emergence of fear on the visual cliff, dans LEWIS, M. et ROSENBLUM, L. (dir.), *The Development of Affect,* New York, Plenum Press.

CAMRAS, L. (1980). «Children's understanding of facial expressions used during conflict encounters», *Child Development,* 51, p. 879 à 885.

CAMRAS, L. et ALLISON, K. (1985). «Children's understanding of emotional facial expressions and verbal labels», *Journal of Nonverbal Behavior,* 9, p. 84 à 94.

CANIVEZ, G.L. et WATKINS, M.W. (1998). «Long-term stability of the Wechsler Intelligence Scale for children», *Psychological Assessment,* 10, p. 285 à 291.

CANTOR, N. et MISCHEL, W. (1979). Prototypes in person perception, dans BERKOWITZ, L. (dir.), *Advances in Experimental Social Psychology,* vol. 12, New York, Academic Press.

CAPALDI, D.M. et CLARK, S. (1998). «Prospective family predictors of aggression toward female partners for at-risk young men», *Developmental Psychology,* 34, p. 1175 à 1188.

CAPRARA, G.V. et CERVONE, D. (2000). *Personality. Determinants, Dynamics, and Potentials,* Cambridge, Cambridge University Press.

CAREAU, L. et CLOUTIER, R. (1990). «La garde de l'enfant après la séparation: profil psychosocial et appréciation des familles vivant trois formules différentes», *Apprentissage et socialisation,* 13, p. 55 à 66.

CAREAU, L., CLOUTIER, R., DESBIENS, N., PARÉ, N. et PIÉRARD, B. (1989). «*L'ajustement de l'enfant à la formule de garde après la séparation parentale: l'effet du genre*», communication présentée à la Société québécoise de recherche en psychologie, Ottawa, octobre.

CAREY, S. (1996). Perceptual classification and expertise, dans GELMAN, R. et AU, T.K. (dir.), *Perceptual and Cognitive Development,* Boston, Academic Press, p. 49 à 71.

CARLSON, R. (1971). « Sex differences in ego functioning », *Journal of Consulting and Clinical Psychology*, 37, p. 266 à 277.

CARLSON, V., CICCHETTI, D., BARNETT, D. et BRAUNWALD, K.G. (1989). Finding order in desorganization: Lessons from research on maltreated infants' attachments to their caregivers, dans CICCHETTI, D. et CARLSON, V. (dir.), *Child Maltreatment,* Cambridge, Cambridge University Press, p. 494 à 528.

CARLSON, R. et PRICE, M.A. (1966). « Generality of social schemas », *Journal of Personality and Social Psychology,* 3(5), p. 589 à 592.

CARON, A.J., CARON, R.F. et CARLSON, V.R. (1979). « Infant perception of the invariant shape of objects varying in slant », *Child Development,* 50, p. 716 à 721.

CARROLL, J.B. (1993). *Human Cognitive Abilities: A Survey of Factor-Analytic Studies,* New York, Cambridge University Press.

CARROLL, J.B. (1996). A three-stratum theory of intelligence: Spearman's contribution, dans DENNIS, I. et TAPSFIELD, P. (dir.), *Human Abilities: Their Nature and Measurement,* Mahwah (N.J.), Erlbaum.

CARTER, B. et McGOLDRICK, M. (1988). *The Changing Family Life Cycle: A Framework for Family Therapy,* 2e éd., New York, Gardner Press.

CARTER, B. et McGOLDRICK, M. (1999). *The Expanded Family Life Cycle: Individual, Family and Social Perspectives,* 3e éd., Boston, Allyn & Bacon.

CARTRON-GUÉRIN, A. et RÉVEILLAUT, E. (1980). « Étude de la représentation des états émotifs de l'enfant d'âge préscolaire », *Journal de psychologie normale et pathologique,* 1, p. 63 à 83.

CARVER, C.S., SCHEIER, M.F. et WEINTRAUB, J.K. (1989). « Assessing coping strategies: A theoretically based approach », *Journal of Personality and Social Psychology,* 66, p. 184 à 199.

CASE, R. (1991). *The Mind's Staircase,* Hillsdale (N.J.), Lawrence Erlbaum.

CASE, R. (1995). Neo-Piagetian theories of child development, dans STERNBERG, R.J. et BERG, C.A. (dir.), *Intellectual Development,* New York, Cambridge University Press, p. 161 à 196.

CASE, R. (1998). The development of conceptual structures, dans DAMON, W., HUHN, D. et SIEGLER, R.S. (dir.), *Handbook of Child Psychology,* vol. 2: *Cognition, Perception, and Language,* New York, John Wiley & Sons.

CASEY, R.J., FULLER, L. et JOHLL, T. (1993). Parental regulation of children's emotional responses: Will wishing make it so?, dans JONES, D.C. (dir.), *Emotions and the Family,* Symposium conducted at the biennial meeting of the Society for Research in Child Development, New Orleans (Louisiane).

CASSIDY, J. et BERLIN, L.J. (1994). « The insecure/ambivalent pattern of attachment: Theory and research », *Child Development,* 65, p. 971 à 991.

CASSIDY, J. et MARVIN, R.S. (1987). *Attachment Organization in Preschool Children: Coding Guidelines,* manuscrit non publié.

CASTORIADIS, C. (1975). *L'institution imaginaire de la société,* Paris, Seuil.

CATTELL, R.B. (1963). « Theory of fluid and crystallized intelligence: A critical experiment », *Journal of Educational Psychology,* 54, p. 1 à 22.

CATTELL, R.B. (1965). *The Scientific Analysis of Personality,* Baltimore (Md.), Penguin.

CATTELL, R.B. (1971). *Abilities: Their Structure and Function,* Boston, Houghton Mifflin.

CDC (2002). *Public Health Service Task Force Recommendations for Use of Antiretroviral Drugs in Pregnant HIV-1-Infected Women for Maternal Health and Interventions to Reduce Perinatal HIV-1 Transmission in the United States,* Washington, Centers for Disease Control and Prevention, février.
Sur Internet: http://www.hivatis.org/

CECI, S. (1996). *On Intelligence: A Bioecological Treatrise on Intellectual Development,* Cambridge (Mass.), Harvard University Press.

CECI, S.J. (2000). « So near and yet so far. The lingering questions about the use of measures of general intelligence for college admission and employment screening », *Psychology, Public Policy, and Law,* 6, p. 233 à 252.

CENTRE DE RECHERCHE ET D'INFORMATION NUTRITIONNELLE (CERIN) [1998]. « Alimentation et grossesse », *Recherche thématique. Alimentation et précarité,* no 3.
Sur Internet: http://www.cerin.org/recherche/articles/SYN1998 AP3grossesse.asp

CERNOCH, J.M. et PORTER, R.H. (1985). « Recognition of maternal axillary odors by infants », *Child Development,* 56, p. 1593 à 1598.

CHALL, J.S. (1983). *Stages of Reading Development,* New York, McGraw-Hill.

CHALVIN, M.J. (1986). *Comment réussir avec ses élèves*, Paris, Éditions ESF.

CHALVIN, M.J. (1994). *Prévenir conflits et violence*, Paris, Nathan, coll. « Outils pour la classe ».

CHAMBERLAND, C. et FORTIN, A. (2000) « Preventing the violence toward children : Overview with references to the Quebec situation », *Journal of Interamerican Psychology*, 29, p. 143 à 157.

CHAMBERS, J.K. (1995). *Sociolinguistic Theory. Linguistic Variation and Its Social Significance*, Oxford (U.K.), Blackwell.

CHAPMAN, J.W., TURNER, W.E. et PROCHNOW, J.E. (2000). « Early reading-related skills and performance, reading self-concept and the development of academic self-concept. A longitudinal study », *Journal of Educational Psychology*, 92, p. 703 à 708.

CHERLIN, A.J. FURSTENBERG, F.F., jr. CHASE-LANSDALE, P.L., KIERWANA, K.C., ROBINS, P.K., MORRISON, D.R. et TEITLER, J.O., (1991). « Longitudinal studies of effects of divorce on children in Great Britain and the United States », *Science*, 252, p. 1386 à 1389.

CHEVRIER, J., FORTIN, G., LEBLANC, R. et THÉBERGE, M. (2000). « La construction du style d'apprentissage », *Éducation et francophonie. Revue scientifique virtuelle*, XXVIII(1). Sur Internet : http://www.acelf.ca/revue

CHEVRIER, J.M. (1967). *Traduction et adaptation de l'épreuve d'habileté mentale Otis-Lennon*, Montréal, Institut de recherches psychologiques.

CHILAND, C. (1995). La naissance de l'identité sexuée, dans LEBOVICI, S., DIATKINE, R. et SOULÉ, M. (dir.), *Traité de psychiatrie de l'enfance et de l'adolescence*, 2e éd., Paris, PUF.

CHILAND, C. (1997). *Changer de sexe*, Paris, Odile Jacob.

CHILAND, C. (2003a). *La transsexualisme*, Paris, PUF, coll. « Que sais-je ? », n° 3671.

CHILAND, C. (2003b). « Nouveaux propos sur la construction de l'identité sexuée », *Journal de la psychanalyse de l'enfant*, 33, p. 105 à 122.

CHILAND, C. (2003c). *Robert Jesse Stoller*, Paris, PUF.

CLARK, E.V. (1980). « Here's the top : Non linguistic strategies in the acquisition of oriental terms », *Child Development*, 51, p. 329 à 338.

CLARK, E.V. (1983). Meanings and concepts, dans FLAVELL, J.H. et MARKMAN, E. M. (dir.), *Handbook of Child Psychology : Cognitive Development*, vol. 3, New York, Wiley.

CLÉMENT, M.-E., BOUCHARD, C., JETTÉ, M. et LAFERRIÈRE, S. (2000). *La violence familiale dans la vie des enfants du Québec*, Québec, Institut de la statistique du Québec.

CLOUTIER, R. (1978). « Training proportionality through peer interaction », *Instructional Science*, 7, p. 127 à 142.

CLOUTIER, R. (1981). Psychologie et éducation familiale, dans HURTIG, M. et RONDAL, J.A. (dir.), *Introduction à la psychologie de l'enfant*, Bruxelles, Mardaga.

CLOUTIER, R. (1982). *Psychologie de l'adolescence*, Chicoutimi, Gaëtan Morin.

CLOUTIER, R. (1985). « L'expérience de l'enfant dans sa famille et son adaptation future », *Apprentissage et socialisation*, 8(4), p. 87 à 100.

CLOUTIER, R. (1987). *La garde de l'enfant après la séparation des parents*, projet de recherche non publié, Québec, École de psychologie, Université Laval.

CLOUTIER, R. (1996). *Psychologie de l'adolescence*, Boucherville, Gaëtan Morin.

CLOUTIER, R. (1999). « Transitions familiales et développement de l'enfant : les enjeux pour l'intervention », *Revue de droit*, 28, p. 19 à 39.

CLOUTIER, R. (2002). « La pauvreté culturelle : des remèdes », *Montréal Cultures*, octobre. Texte de l'allocution présentée dans le cadre du colloque *Culture et pauvreté*, Trois-Rivières, septembre 2002.

CLOUTIER, R. (2004). *Le monde actuel de nos enfants*, conférence prononcée à l'Université du 3e âge, Québec, Université Laval, mars.

CLOUTIER, R. et BARRY, S. (1989). « Le droit de parole de l'enfant dans les transitions familiales », communication présentée à la Conférence nord-américaine sur la paix et la résolution des conflits, Montréal, mars.

CLOUTIER, R., CAREAU, L., CARON, M.-J., MOREL, N., POTVIN, J. et RAINVILLE, A. (1989). *Processus de séparation et maintien de la coparentalité*, actes du colloque provincial des services d'expertise et de médiation familiale au Québec, Québec, CSS de Québec.

CLOUTIER, R., DROLET, J., et DUBÉ, N. (1992). *La santé mentale des parents de familles réorganisées au Québec*, Cahier de recherche n° 6, Enquête Santé Québec 1987, Québec, ministère de la Santé et des Services sociaux.

CLOUTIER, R. et DIONNE, L. (1981). *L'agressivité chez l'enfant*, Montréal, Edisem/Centurion.

CLOUTIER, R., FILION, L. et TIMMERMANS, H. (2001). *Les parents se séparent… Pour mieux vivre la crise et aider son enfant*, Montréal, Éditions de l'Hôpital Sainte-Justine.

CLOUTIER, R. et GOLDSCHMID, M.L. (1973). « Training proportionately through peer interaction », *Instructional Science, 7*, p. 127 à 142.

CLOUTIER, R. et JACQUES, C. (1997). « Evolution of residential custody arrangements in separated families: A longitudinal study », *Journal of Divorce and Remarriage, 28*, p. 17 à 33.

CLOUTIER, R. et RENAUD, A. (1990). *Psychologie de l'enfant*, Boucherville, Gaëtan Morin.

CLOUTIER, R. et TESSIER, R. (1981). *La garderie québécoise: analyse des facteurs d'adaptation*, Québec, Laliberté.

COATES, J. (1993). The acquisition of gender-differentiated language, dans COATES, J. (dir.), *Women, Men and Language: A Sociolinguistic Account of Gender Differences in Language*, 2ᵉ éd., Londres, Longman.

CODOL, J.P. (1979). « Semblables et différents. Recherches sur la quête de la similitude et de la différence sociale », thèse d'État, Université de Provence.

CODOL, J.P. (1980). La quête de la similitude et de la différenciation sociale. Une approche cognitive du sentiment d'identité, dans TAP, P. (dir.), *Identité individuelle et personnalisation*, Toulouse, Privat, p. 162 à 181.

CODOL, J.P. (1984). Social differentiation and non-differentiation, dans TAJFEL, H. (dir.), *The Social Dimension*, Cambridge, Paris, Cambridge University Press, Maison des Sciences de l'Homme.

CODOL, J.P. et TAP, P. (dir.) [1988]. « Dynamique personnelle et identités sociales », *Revue internationale de psychologie sociale, 2*, Avant-propos, p. 167 à 172.

COHEN, D., CLAPPERTON, I., GREF, P., TREMBLAY, Y. et CAMERON, S. (1999). *Déficit d'attention/hyperactivité: perceptions des acteurs et utilisation des psychostimulants*, rapport d'enquête, Régie régionale de la santé et des services sociaux de Laval.

COHEN, F. et LAZARUS, R.S. (1973). « Active coping processus, coping dispositions, and recovery from surgery », *Psychosomatic Medicine, 35*, p. 375 à 389.

COLE, M. (1996). *Cultural Psychology: A Once and Future Discipline*, Cambridge (Mass.), Harvard University Press.

COLE, P.M. (1986). « Children's spontaneous control of facial expression », *Child Development, 57*, p. 1309 à 1321.

CONNOLLY, K.J. et ELLIOTT, J.M. (1972). The evolution and ontogeny of hand function, dans BLURTON-JONES, N. (dir.), *Ethological Studies of Child Behavior*, Cambridge (Royaume-Uni), Cambridge University Press.

CONSEIL DE LA FAMILLE ET DE L'ENFANCE (CFE) [2002]. *Démographie et famille: avoir des enfants, un choix à soutenir*, Québec, Conseil de la famille et de l'enfance.

CONSTANTINOPLE, A. (1973). « Masculinity-Feminity: An exception to a famous dictum », *Psychological Bulletin, 80(5)*, p. 389 à 407.

CONSTANTINOPLE, A. (1986). Masculinité-féminité: exception à un célèbre adage, dans HURTIG, M.C. et PICHEVIN, M.F. (dir.), *La différence des sexes: questions de psychologie*, Paris, Tierce, p. 225 à 250.

CONWAY, E. et BRACKBILL, Y. (1970). « Delivery medication and infant outcome: An empirical study », *Monographs of the Society for Research in Child Development, 35*, p. 24 à 34.

COOK, M. (1979). *Perceiving Others: The Psychology of Interpersonal Perception*, Londres, New York, Methuen.

COOPER, L.Z. (1975). Congenital rubella in the United States, dans KRUGMAN, S. et GERSHON, A.A. (dir.), *Infant Progress in Clinical Biological Research*, vol. 3: *Infections of the Fœtus and the Newborn*, New York, Liss, p. 1 à 22.

CORBALLIS, M.C. (1983). *Human Laterality*, New York, Academic Press.

CORDUA, G.D., MCGRAW, K.O. et DRABMAN, R.S. (1979). « Doctor or nurse: Children's perceptions of sex-typed occupations », *Child Development, 50*, p. 590 à 593.

CORE, J.O. et DODGE, K.A. (1983). « Continuities and changes in children's social status: A five-year longitudinal study », *Merrill-Palmer Quarterly, 29*, p. 261 à 282.

COURTNEY, A.E. et WHIPPLE, T.W. (1974). « Women in TV commercials », *Journal of Communication, 24(2)*, p. 110 à 118.

COUTURE, B. (1995). « L'évolution de la garde résidentielle après la séparation: un suivi sur quatre ans. Québec », mémoire de maîtrise en psychologie, Université Laval.

COX, M.J., OWEN, M.T., HENDERSON, V.K. et MARGAND, N.A. (1992). « Prediction of infant-father and infant-mother attachment », *Developmental Psychology, 28*, p. 474 à 483.

CRANDALL, V.C. (1978). « Expecting sex differences and sex differences in expectancies », communication présentée au congrès de l'American Psychological Association, Toronto, août 1978.

CRITTENDEN, P.M. (1992). *Preschool Assessment of Attachment,* manuscrit non publié.

CROCKENBERG, S.B. (1981). « Infant irritability, mother responsiveness, and social support influences on the security of infant-mother attachment », *Child Development,* 52, p. 857 à 869.

CROOK, C.K. (1987). Taste and olfaction, dans SALAPATEK, P. et COHEN, L. (dir.), *Handbook of Infant Perception,* vol. 1 : *From Sensation to Perception,* New York, Academic Press.

CROZIER, M. et FRIEDBERG, E. (1977). *L'acteur et le système,* Paris, Seuil.

CSIKSZENTMIHALYI, M. (1991). *Flow : The Psychology of Optimal Experience,* New York, Harper Perennial.

CSIKSZENTMIHALYI, M. (2004). *Vivre. La psychologie du bonheur,* Paris, Robert Laffont.

CSIKSZENTMIHALYI, M. et CSIKSZENTMIHALYI, I.S. (dir.) [1988]. *Optimal Experience. Psychological Studies of Flow in Consciousness,* Cambridge, Cambridge University Press.

CURTISS, S. (1977). *Genie : A Psycholinguistic Study of a Modern-Day « Wild Child »,* New York, Academic Press.

CURTISS, S. (1989). The independence and task-specificity of language, dans BORNSTEIN, M.H. et BRUNER, J.S. (dir.), *Interaction in Human Development,* Hillsdale (N.J.), Erlbaum.

CURTISS, S., FROMKIN, V., RIGLER, D., RIGLER, M. et KRASHEN, S. (1975). An update on linguistic development of genie, dans DATO, D. (dir.), *Developmental Psycholinguistics : Theory and Application,* Washington (D.C.), Georgetown University Press.

CYRULNIK, B. (1999). *Un merveilleux malheur,* Paris, Odile Jacob.

CYRULNIK, B. (2001). *Les vilains petits canards,* Paris, Odile Jacob.

CYRULNIK, B. (2003). *Le murmure des fantômes,* Paris, Odile Jacob.

DAILLY, R. et HENOCQ, A. (1983). Sur le rôle d'une lésion ou d'un dysfonctionnement du cerveau dans la détermination d'un D.I.E., dans DAILLY, R. (dir.), *Les déficiences intellectuelles de l'enfant,* Toulouse, Privat.

DAMANT, D., BOUCHARD, C., BORDELEAU, L., BASTIEN, N. et LESSARD, G. (1999). « 1, 2, 3 GO ! Modèle théorique et activités d'une initiative communautaire pour les enfants et parents de six voisinages de la grande région de Montréal », *Nouvelles Pratiques sociales,* 12, p. 133 à 150.

DAMASIO, A.R. (1995). *L'erreur de Descartes. La raison des émotions,* Paris, Odile Jacob. (Édition originale : 1994.)

DAMASIO, A.R. (1999). *Le sentiment même de soi. Corps, émotions, conscience,* Paris, Odile Jacob. (Édition originale : 1999.)

DAMASIO, A.R. (2003). *Spinoza avait raison. Joie et tristesse, le cerveau des émotions,* Paris, Odile Jacob. (Édition originale : 2003.)

DANA, J. et MARION, S. (1980). *Donner la vie,* Paris, Seuil.

DARLING, J. (1994). *Child-Centered Education and Its Critics,* Londres, Paul Chapman.

DARWIN, C. (1871). *The Descent of Man,* New York, W.W. Norton.

DARWIN, C. (1877). « A biological sketch of an infant », *Mind,* II(7), p. 285 à 294.

DASEN, P. (1972). « Cross-cultural Piagetian research : A summary », *Journal of Cross-Cultural Psychology,* 17, p. 367 à 378.

DAVIDSON, J.E. et DOWNING, C.L. (2000). Contemporary models of intelligence, dans STERNBERG, R.J. (dir.) *Handbook of Intelligence,* New York, Cambridge University Press.

DAWSON, G., ASHMAN, S.B. et CARVER, L.J. (2000). « The role of early experience in shaping behavioral and brain development and its implications for social policy », *Development and Psychopathology,* 12, p. 695 à 712.

DAWSON, G., WEBB, S., SCHELLENBERG, G.D., DAGER, S., FRIEDMAN, S., AYLWARD, E. et RICHARDS, T. (2002). « Defining the broader phenotype of autism : Genetic, brain, and behavioral perspectives », *Development and Psychopathology,* 14, p. 581 à 611.

DE GANDILLAC, M., GOLDMAN, L. et PIAGET, J. (1965). *Genèse et structure,* Paris et La Haye, Mouton.

DE GAULEJAC, V. (1987). *La névrose de classe. Trajectoire sociale et conflits d'identité,* Paris, Hommes et groupes.

DE GAULEJAC, V. et AUBERT, N. (1990). *Femmes au singulier,* Paris, Klincksieck.

DE GAULEJAC, V. et TABOADA LÉONETTI, I. (1994). *La lutte des places,* Paris, Epi.

DE MONTMOLLIN, G. (1977). *L'influence sociale. Phénomènes, facteurs et théories,* Paris, PUF.

DE SINGLY, F. (1996). *Le soi, le couple et la famille,* Paris, Nathan.

DEARY, I.J. (2000). Simple information processing and intelligence, dans STERNBERG, R.J. (dir.), *Handbook of Intelligence,* New York, Cambridge University Press.

DeCASPER, A.J. et FIFER, W.P. (1980). « On human bonding: Newborns prefer their mother's voice », *Science,* 208, p. 1174 à 1176.

DeCASPER, A.J. et SPENCE, M.J. (1986). « Prenatal maternal speech influences newborn's perceptions of speech sounds », *Infant Behavior and Development,* 9, p. 133 à 150.

DeGARMO, D.S. et FORGATCH, M.S. (1999). Contexts and predictors of changing maternal parenting practices in diverse family structures: A social interactional perspective of risk and resilience, dans HETHERINGTON, E.M. (dir.), *Coping With Divorce, Single Parenting and Remarriage: A Risk and Resiliency Perspective,* Hillsdale (N.J.), Lawrence Erlbaum.

DeHART, G.B., SROUFE, L.A. et COOPER, R.G. (2000). *Child Development. Its Nature and Course,* Boston, McGraw-Hill.

DeHART, G.B., SROUFE, L.A. et COOPER, R.G. (2003). *Child Development. Its Nature and Course,* 4e éd., Boston, McGraw-Hill.

DELEAU, M. (1990). *Les origines sociales du développement mental: Communication et symboles dans la première enfance,* Paris, Armand Colin.

DELEURY-BEAUDOIN, S. (2002). *Adaptation psychosociale des jeunes en difficulté sérieuse selon la structure parentale et le nombre de transitions familiales,* Québec, École de psychologie, Université Laval, mémoire de maîtrise non publié.

DEMMLER, G.J. (1992). Acquired cytomegalovirus infections, dans FEIGIN, R.D. et CHERRY, J.D. (dir.), *Textbook of Pediatric Infectious Disease,* vol. 2, 3e éd., Philadelphie (Penn.), Saunders, p. 1532 à 1547.

DEMO, D.H. et ACOCK, A.C. (1988). « The impact of divorce on children », *Journal of Marriage and the Family,* 50, p. 619 à 648.

DEMO, D.H., FINE, M.A. et GANONG, L.H. (2000). Divorce as a family stressor, dans McKENRY, P.C. et PRICE, S.J. (dir.), *Families & Change,* 2e éd., Thousand Oaks (Calif.), Sage.

DENHAM, S.A. (1998). *Emotional Development in Young Children,* New York, Guilford Press.

DeROSIER, M.E., KUPERSMIDT, J.B. et PATTERSON, C.J. (1994). « Children's academic and behavioral adjustment as a function of the chronicity and proximity of peer rejection », *Child Development,* 65, p. 1799 à 1813.

DESCHAMPS, J.C. (1977). *L'attribution et la catégorisation sociale,* Berne, Peter Lang.

DESCHAMPS, J.C. et CLÉMENCE, A. (dir.) [1990]. *L'attribution. Causalité et explication au quotidien,* Paris et Neuchâtel, Delachaux et Niestlé.

DESLANDES, R. et CLOUTIER, R. (2002). « Adolescents' perception of parental involvement in schooling », *School Psychology International,* 23, p. 220 à 232.

DESLANDES, R. et CLOUTIER, R. (2000). « Engagement parental dans l'accompagnement scolaire et réussite des adolescents à l'école », *Bulletin de psychologie scolaire et d'orientation,* 2, p. 53 à 72.

DESLANDES, R., POTVIN, P. et LECLERC, D. (1999). « Family characteristics predictors of school achievement: Parental involvement as a mediator », *McGill Journal of Education,* 34, p. 133 à 151.

DeVRIES, J.I.P., VISSER, G.H.A. et PRECHTL, H.F.R. (1985). « The emergence of fetal behaviour. 2: Quantitative aspects », *Early Human Development,* 12, p. 99 à 120.

DeVRIES, R. (1969). « Constancy of generic identity in the years three to six », *Monographs of the Society for Research in Child Development,* 34, no de série 127.

DIAMOND, R. et CAREY, S. (1977). « Developmental changes in the representation of faces », *Journal of Experimental Child Psychology,* 23, p. 1 à 22.

DIAMOND, S. (1974). *The Roots of Psychology,* New York, Basic Books.

DICKENS, W.T. et FLYNN, J.R. (2001). « Heritability estimates versus large environments effects. The IQ paradox resolved », *Psychological Review,* 108, p. 346 à 369.

DICK-READ, G. (1944). *Childbirth without Fear,* New York, Dell Publications.

DIGMAN, J.M. (1990). « Personality structure: Emergence of the five-factor model », *Annual Review of Psychology,* 41, p. 417 à 440.

DIONNE, G., TREMBLAY, R., BOIVIN, M., LAPLANTE, D. et PÉRUSSE, D. (2003). « Physical agression and expressive vocabulary in 19-month-old twins », *Developmental Psychology,* 39, p. 261 à 273.

DODD, B. (1979). « Lip reading in infants: Attention to speech presented in- and out-of-synchrony », *Cognitive Psychology,* 11, p. 478 à 484.

DODSON, F. (1987). *Tout se joue avant 6 ans,* Paris, Marabout.

DOISE, W. (1978). *L'articulation psychosociologique et les relations entre groupes*, Bruxelles, De Boeck.

DOISE, W. (1998). Les relations entre groupes, dans MOSCOVICI, S. (dir.), *Psychologie sociale*, Paris, PUF, p. 253 à 274.

DONE, D.J., CROWE, T.J., JOHNSTONE, E.C. et SACKER, A. (1994). « Childhood antecedents of schizophrenia and affective illness : Social adjustment at age 7 and 11 », *British Medical Journal*, 309, p. 699 à 703.

DORNBUSCH, S.M., RITTER, P.L., LEIDERMAN, P.H., ROBERTS, D.F. et FRALEIGH, M.J. (1987). « The relation of parenting style to adolescent school performance », *Child Development*, 58, p. 1244 à 1257.

DOUGHERTY, T.M. et HAITH, M.M. (1997). « Infant expectations and reaction time as predictors of childhood speed of processing and IQ », *Developmental Psychology*, 33, p. 146 à 155.

DRAPEAU, S., MIREAULT, G., FAFARD, A. et CLOUTIER, R. (1993). « Évaluation d'un programme d'intervention offert aux enfants de parents séparés : le programme *Entramis* », *Apprentissage et socialisation*, 16, p. 65 à 77.

DREWS, C.D., YEARGIN-ALLSOPP, M., DECOUFLE, P. et MURPHY, C.C. (1995). « Variation in the influence of selected sociodemographic risk factors for mental retardation », *American Journal of Public Health*, 85(3), p. 29 à 334.

DROZ, R. et RAHMY, M. (1972). *Lire Piaget*, Bruxelles, Dessart.

DUBAR, C. (1991). *La socialisation : construction des identités sociales et professionnelles*, Paris, Armand Colin.

DUBAR, C. (2000). *La socialisation : construction des identités sociales et professionnelles*, 3e éd. revue et augmentée, Paris, Armand Colin.

DUBOWITZ, LM.S., DUBOWITZ, V. et GOLDBERG, C. (1970). « Clinical assessment of gestational age in the newborn infant », *Journal of Pediatrics*, 77(1).

DUBROVA, Y.E. et autres (2002). « Nuclear weapons tests and human germline mutation rate », *Science*, 295, p. 1037.

DUCRET, J.J. (1984). *Jean Piaget, savant et philosophe : les années de formation 1907-1924. Étude sur la formation des connaissances et du sujet de la connaissance*, Genève, Droz.

DUFRENNE, M. (1995). Rubrique « Style », *Encyclopædia Universalis*, p. 695 à 698.

DUGAS, M. (1997). Trouble dépressif majeur et psychopathologie du développement, dans MOUREN-SIMÉONI, M.-C. et KLEIN, R.G. (dir.), *Les dépressions chez l'enfant et l'adolescent. Faits et questions*, Paris, Expansion scientifique.

DUKE, P.M. et autres (1982). « Educational correlates of early sexual maturation in adolescence », *Journal of Pediatrics*, p. 100 à 633.

DULMUS, C.N. et SMYTH, N.J. (2000). « Early-onset schizophrenia : A literature review of empirically based interventions », *Child and Adolescent Social Work Journal*, 17, p. 55 à 69.

DUMAS, C. (1985) *Développement de la sensori-motricité et de la permanence de l'objet chez le chat domestique*, thèse de doctorat, Université Laval, École de psychologie.

DUMAS, J.E. (1988). La prévention des troubles de la conduite chez l'enfant, dans DURNING, P. (dir.), *Éducation familiale : panorama des recherches internationales*, Paris, Matrice.

DUMAS, J.E. (2002). *Psychopathologie de l'enfant et de l'adolescent*, 2e éd., Bruxelles, De Boeck.

DUNCAN, G.J. et BROOKS-GUNN, J. (2000). « Family poverty, welfare reform, and child development », *Child Development*, 71, p. 188 à 196.

DUNN, J., DEATER-DECKARD, K., PICKERING, K., O'CONNOR, T.G., GOLDING, J. et the ALSPAC Study Team (1998). « Children's adjustment and prosocial behavior in step-, single-parent, and non stepfamily settings : Findings from a community study », *Journal of Child Psychology and Psychiatry*, 39, p. 1083 à 1095.

DUPONT, C. (2002). « Nutrition et croissance fœtales : des enjeux de poids », *Nutri-Doc*, 38.
Sur Internet : http://www.cerin.org/recherche/articles/SYN2002 ND36_fœtale.asp

DURRANT, J.E., CUNNINGHAM, C.E. et VOLKER, S. (1990). « Academic, social, and general self-concepts of behavioral subgroups of learning disabled children », *Journal of Educational Psychology*, 82, p. 657 à 663.

DUVALL, E. (1957). *Family Development*, Philadelphie (Penn.), Lippincott.

DUVALL, E. (1977). *Marriage and Family Development*, 5e éd., Philadelphie (Penn.), Lippincott.

EASTERBROOKS, M.A. et GOLDBERG, W. (1987). « Toddler development in the family : Impact of father involvement and parenting characteristics », *Child Development*, 55, p. 770 à 782.

EASTMAN, M.J. et HELLMAN, LM. (dir.) [1966]. *Williams Obstetrics*, 13e éd., New York, Appleton-Century Crofts.

EDELSON, S.M. (1995). *Stimulus Overselectivity: Tunnel Vision in Autism*, rapport de recherche, Salem (Ore.), Center for the Study of Autism.

EDER, R.A. et MANGELSDORF, S.C. (1997). The emotional basis of early personality development: Implications for the emergent self-concept, dans HOGAN, R., JOHNSON, J. et BRIGGS, S. (dir.), *Handbook of Personality Psychology*, Orlando (Fla.), Academic Press.

EHRENBERG, A. (1995). *L'individu incertain*, Paris, Hachette.

EHRI, L.C. (1998). Grapheme – phoneme knowledge is essential for learning to read words in English, dans METSALA, J.L. et EHRI, L.C. (dir.), *Word Recognition in Beginning Literacy*, Mahwah (N.J.), Erlbaum.

EKMAN, P. (1977). Biological and cultural contribution to body and facial movement, dans BLACKING, J. (dir.), *The Anthropology of the Body*, San Diego (Calif.), Academic Press, p. 34 à 84.

EKMAN, P. (1985). *Telling Lies: Clues to Deceit in the Marketplace, Politics, and Marriage*, New York, Norton & Co.

EKMAN, P. (1993). « Facial expression and emotion », *American Psychologist*, 48, p. 384 à 392.

EKMAN, P. et FRIESEN, W.V. (1974). « Detecting deception from the body or face », *Journal of Personality and Social Psychology*, 29, p. 288 à 298.

EKMAN, P. et O'SULLIVAN, M. (1991). « Who can catch a liar? », *American Psychologist*, 46, p. 913 à 920.

EKSTRAND, L.H. (1980). « Home language teaching for immigrant pupils in Sweden », *International Migration Review*, 14, p. 409 à 427.

ELARDO, R., BRADLEY, R. et CALDWELL, B.M. (1977). « A longitudinal study of the relation of infants' home environment to language development at age three », *Child Development*, 48, p. 596 à 603.

ELDER, G.H., jr. (1998). The life course and human development, dans DAMON, W. et LERNER, R.M. (dir.), *Handbook of Child Development*, 5e éd., vol. 1: *Theoretical Models of Human Development*, New York, John Wiley & Sons.

ELDER, G.H., Jr, CASPI, A. et DOWNEY, G. (1983). Problem behavior in family relationships: A multigenerational analysis, dans SORENSEN, A., WEINERT, F. et SHERROD, I. (dir.), *Human Development: Interdisciplinary Perspective*, Hillsdale (N.J.), Erlbaum.

ELICKER, J., ENGLUND, M. et SROUFE, L.A. (1992). Predicting peer competence and peer relationship in childhood from early parent-child relationships, dans PARKE, R.D. et LADD, G.W. (dir.), *Family-peer Relationships: Mode of Linkage*, Hillsdale (N.J.), Erlbaum, p. 77 à 106.

ELLIS, L. (1982). « Genetic and criminal behavior: Evidence through the end of the 1970's », *Criminology*, 20, p. 43 à 66.

ELNEJ (2003). *Enquête longitudinale sur les enfants et les jeunes*, Ottawa.
Sur Internet: http://www.hrdc. gc.ca/sp-ps/arb-dgra/publications/nlscy/nlscy_f.shtml et http://www.statcan.ca/francais/rdc/nlscy cycle3_f.htm

EMDE, R.N., GAENSBAUER, T.J. et HARMON, R.J. (1976). « Emotional expressions in infancy », *Psychological Issues*, 1, p. 37.

EMERY, R.E. (1989). « Family violence », *American Psychologist*, 44, p. 321 à 328.

EMERY, R.E. et FOREHAND, R. (1994). Parental divorce and children's well-being: A focus on resilience », dans HAGGERTY, R.J., SHERROD, L.R., GARMEZY, N. et RUTTER, M. (dir.), *Stress, Risk and Resilience in Children and Adolescents: Processes, Mechanisms, and Interventions*, New York, Cambridge University Press.

ERIKSON, E. (1950). *Childhood and Society*, New York, Norton.

ERIKSON, E. (1968). *Identity: Youth and Crisis*, New York, Norton.

ERIKSON, E. (1972). *Adolescence et crise: la quête de l'identité*, Paris, Flammarion.

ERIKSON, E.H. (1963). *Childhood and Society*, 2e éd., New York, Norton.

ERIKSON, E.H. (1972). *Adolescence et crise: la quête de l'identité*, Paris, Flammarion.

ERIKSON, E.H. (1974). *Enfance et société*, 5e éd., Neuchâtel, Delachaux et Niestlé.

ESPARBÈS, S., SORDES-ADER, F. et TAP. P. (1996). Stratégies de personnalisation et appropriation de compétences à l'adolescence: différences entre garçons et filles, dans LESCARRET, O. et DE LÉONARDIS, M. (dir.), *Sexe et compétences*, Paris, L'Harmattan, p. 248 à 282.

EYSENCK, H.J. (1967). *The Biological Bases of Personality*, Springfield (Ill.), Charles C. Thomas.

EYSENCK, H.J. (1970). *The Structure of Personality*, 3e éd., Londres, Methuen.

EYSENCK, H.J. (1972). Human typology, higher nervous activity, and factor analysis, dans NEBYLITSYN, V.D. et GRAY, A.

(dir.), *Biological Basis of Individual Behaviour,* New York, Academic Press.

EYSENCK, H.J. (1990). Biological dimensions of personality, dans PERVIN L.A. (dir.), *Handbook of Personality: Theory and Research,* New York, Guilford.

FAGAN, J.F. (2000). «A theory of intelligence as processing. Implications for society», *Psychology, Public Policy, and Law,* 6, p. 168 à 179.

FAGAN, J.F. et DETTERMAN, D.K. (1992). «The Fagan test of infant intelligence. A technical summary», *Journal of Applied Developmental Psychology,* 13, p. 173 à 193.

FANTZ, R.L. (1958). «Patterns of vision in young infants», *Psychological Records,* 8, p. 43 à 67.

FANTZ, R.L. (1961). «The origin of form perception», *Scientific American,* 204, p. 66 à 72.

FAUGERAS, F., MOISAN, S. et LAQUERRE, C. (2000). *Les problématiques en centre jeunesse: module pédagogique,* Québec, Centre jeunesse de Québec – Institut universitaire.

FENSON, I.., DALE, P.S., REZNICK, J.S., BATES, E., TIIAL, D.J. et PETHICK, S.J. (1994). «Variability in early communicative development», *Monographs of the Society for Research in Child Development,* 59(173).

FERRAND, L. (2001). *Cognition et lecture,* Bruxelles, De Boeck Université.

FESTINGER, L. (1954). «A theory of social comparison processes», *Human Relations,* 7, p. 117 à 140.

FESTINGER, L. (1971). Théorie du processus de comparaison sociale, dans FAUCHEUX, C. et MOSCOVICI, S., *Psychologie sociale théorique et expérimentale,* Paris, Mouton, p. 77 à 103.

FEUERSTEIN, R. (1980). *Instrumental Enrichment: An Intervention Program for Cognitive Modifiability,* Baltimore (Md.), University Park Press.

FIELD, T.M. (1977) «Effects of early separation, interactive deficits and experimental manipulations on infant-mother face-to-face interaction», *Child Development,* 48, p. 763 à 771.

FINKELHOR, D. et BERLINER, L. (1995). «Research on the treatment of sexually abused children: A review and recommendations», *Journal of the Amercain Academy of Child and Adolescent Psychiatry,* 34, p. 1408 à 1423.

FISCH, H. HYUN, G. GOLDEN, R., HENSH, T.W., OLSSON, C.A. et LIBERSON, G.L. (2003). «The influence of paternal age on Down Syndrome», *Journal of Urology,* 169, p. 2275 à 2278.

FISCHER, K.W. (1980). «A theory of cognitive development: The control and construction of hierarchies of skills», *Psychological Review,* 87, p. 477 à 531.

FISHER, G.N. (dir.) [2002]. *Traité de psychologie de la santé,* Paris, Dunod.

FLAVELL, J.H. (1963). *The Developmental Psychology of Jean Piaget,* New York, D. Van Nostrand.

FLAVELL, J.H. (1974). The development of inferences about others, dans MISKEK, T. (dir.), *Understanding Other Persons,* Oxford (Royaume-Uni), Blackwell, Basil and Mott.

FLAVELL, J.H. (1985). *Cognitive Development,* 2ᵉ éd., Englewood Cliffs (N.J.), Prentice-Hall.

FLAVELL, J.H., GREEN, F.L. et FLAVELL, E.R. (1995a). «The development of children's knowledge about attentional focus», *Developmental Psychology,* 31, p. 706 à 712.

FLAVELL, J.H., GREEN, F.L. et FLAVELL, E.R. (1995b). «The development of children's knowledge about thinking», *Monographs of the Society for Research in Child Development,* 60.

FLAVELL, J.H. et O'DONNELL, A.K. (1999). «Le dévelopement de savoirs intuitifs à propos des expériences mentales», *Enfance,* 3, p. 267 à 275.

FLAVELL, J.H., SHIPSTEAD, S.G. et CROFT, K. (1980). «What young children think you see when their eyes are closed», *Cognition,* 8, p. 369 à 387.

FLERX, V.C., FIDLER, D.S. et ROGERS, R.W. (1976). «Sex role stereotypes: Developmental aspects and early intervention», *Child Development,* 47, p. 998 à 1007.

FLYNN, J.R. (1991). *Asian-Americans: Achievement Beyond IQ,* Hillsdale (N.J.), Erlbaum.

FOMBONNE, E. (2001). «Is there an epidemic of autism?», *Pediatrics,* 107, p. 411 à 412.

FOUCAULT, M. (1984). *Histoire de la sexualité, 3: Le souci du soi,* Paris, Gallimard.

FRANZOI, S.L., DAVIS, M.H. et VASQUEZ-SUSON, K.A. (1994). «Two social worlds: Social correlates and stability of adolescent status groups», *Journal of Personality and Social Psychology,* 67, p. 462 à 473.

FRÉCHETTE, M. et LEBLANC, M. (1987). *Délinquance et délinquants,* Chicoutimi, Gaëtan Morin.

FREEDMAN, D.A. (1975). «The battering parent and his child: A study in early abject relations», *International Review of Psychoanalysis,* 2, p. 189 à 198.

FREILICH, M. (dir.) [1979]. *The Meaning of Culture*, Lexington (Mass.), Xeros College Publishing.

FRENCH, V. (1977). History of the child's influence: Ancient mediterranean civilizations, dans BELL, R.Q. et HARPER, L.V. (dir.), *Child Effects on Adults*, Hillsdale (N.J.), Erlbaum.

FREUD, A. (1936a). *Le moi et les mécanismes de défense*, Paris, PUF.

FREUD, A. (1936b). *The Ego and the Mechanisms of Defence*, Londres, Hogarth Press.

FREUD, A. (1946). *The Psychoanalytic Treatment of Children*, London, Imago.

FREUD, A. (1964). *Le moi et les mécanismes de défense*, 3e éd. revue, Paris, PUF.

FREUD, S. (1905). *Trois essais sur la théorie de la sexualité*, Paris, 1945, Gallimard, coll. « Idées », 1945.

FREUD, S. (1915). Deuil et mélancolie, dans *Métapsychologie*, Paris, Gallimard, coll. « Idées ».

FREUD, S. (1920). Psychologie collective et analyse du moi, dans *Essais de psychanalyse*, Paris, Payot.

FREUD, S. (1926). Address to the Society of B'nai B'rith, dans STRACHEY, J. (dir.), *The Standard Edition of the Complete Psychological Works of Sigmund Freud*, vol. XX, Londres, Hogarth Press, p, 273. (Cité dans ERIKSON [1968]).

FREUD, S. (1934). « Le déclin du complexe d'Œdipe », *Revue française de psychanalyse*, 7(3), p. 394 à 399.

FREUD, S. (1963). Au-delà du principe de plaisir, dans *Essais de psychanalyse*, Paris, Payot.

FREUD, S. (1968). Pulsions et destin des pulsions, dans *Métapsychologie*, Paris, Gallimard.

FREUD, S. (1969). *La vie sexuelle*, Paris, PUF, coll. « Bibliothèque de psychanalyse ».

FRIAS, J.L. (1975). « Prenatal diagnosis of genetic abnormalities », *Clinical Obstetrics and Gynecology*, 18, p. 221 à 236.

FRITH, U. (1993). « Autism », *Scientific American*, 268, p. 108 à 114.

FRITH, U. et HAPPÉ, F. (1999). « Theory of mind and self-consciousness: What is it like to be autistic? », *Mind and Language*, 14, p. 1 à 22.

FRONTY, C. (1986). *Éléments de psychologie du développement*, Toulouse, UER des sciences du comportement et de l'éducation, polycopié.

FRY, A.F. et HALE, S. (1996). « Processing speed, working memory, and fluid intelligence: Evidence for a developmental cascade », *Psychological Science*, 7, p. 237 à 241.

FUCHS, D. et THELEN, M. (1988). « Children's expected interpersonal consequences of communicating their affective state and reported likelihood of expression », *Child Development*, 59, p. 1314 à 1322.

FURMAN, W. et MASTERS, J.C. (1980). « Affective consequences of social reinforcement, punishment and neutral behavior », *Developmental Psychology*, 16, p. 100 à 104.

FURSTENBERG, F.F., jr. (1988). Remarriage and step parenting, dans HETHERINGTON, E.M. et ARASTEH, J.D. (dir.), *Impact of Divorce, Single Parenting and Stepparenting on Children*, Hillsdale (N.J.), Erlbaum.

GADOW, K.D. (1999). Prevalence of drug therapy, dans WERRY, J.S. et AMAN, M. (dir.), *Practitioner's Guide to Psychoactive Drugs for Children and Adolescents*, 2e éd., New York, Plenum.

GAGNON, C. (1989). « Comportements agressifs dès le début de la fréquentation scolaire », *Apprentissage et socialisation*, 12, p. 9 à 18.

GAGNON, M., LACHANCE, C., FERLAND, F. et LADOUCEUR, R. (1996). *Comprendre et maîtriser le bégaiement*, Québec, Presses de l'Université Laval.

GAGNON, M. et LADOUCEUR, R. (1992). « Behavioral treatment of child stutterers: Replication and extension », *Behavior Therapy*, 23, p. 113 à 129.

GALLUP, G.G. (1977). « Self-recognition in primates: A comparative approach to the bidirectional properties of consciousness », *American Psychologist*, 32, p. 329 à 338.

GALLUP, G.G., MCCLURE, M.K. (1971). « Preference for mirror-image stimulation in differentially reared rhesus monkeys », *Journal of Comparative and Physiological Psychology*, 3, p. 403 à 407.

GALTIER-DEREURE, F. et BRINGER, J. (1998). Poids et grossesse: impact du poids initial? Gain de poids idéal? Conséquences pratiques, dans HÉRISSON, C. et LOPEZ, S. (dir.), *Grossesse et appareil locomoteur*, Paris, Masson.

GALTON, F. (1869). *Hereditary Genius: An Inquiry into Its Laws and Consequences*, Londres, MacMillan.

GALTON, F. (1883). *Inquiry into Human Acuity and Its Development*, Londres, Macmillan.

GANDY, A. (1994). « Congenital Rubella », *Pediatric Database*. Sur Internet: http://www.icondata.com/health/pedbase/files/CONGEN13.HTM

GARBARINO, J., KOSTELNY, K. et BARRY, F. (1997). Value transmission in an ecological context: The high risk neighbourhood, dans GRUSEC, J.E. et KUCZYNSKI, L. (dir.), *Parenting and Children's Internalization of Values*, New York, John Wiley.

GARDNER, D., HARRIS, P.L., OHMOTO, M. et HAMAZAKI, T. (1988). « Japanese children's understanding of the distinction between real and apparent emotion », *International Journal of Behavioral Development*, 11, p. 203 à 218.

GARDNER, H. (1983). *Frames of Mind*, New York, Basic Books.

GARDNER, H. (1993a). *Frames of Mind: The Theory of Multiple Intelligences*, New York, Basic Books.

GARDNER, I I. (1993b). *Multiple Intelligences: The Theory in Practice*, New York, Basic Books.

GARDNER, H. (1998). Are there additional intelligences? The case of naturalist, spiritual and existential intelligences, dans KANE, J. (dir.), *Educational Information and Transformation*, Upper Saddle River (N.J.), Prentice Hall.

GARDNER, H. (1999). *Intelligence Reframed: Multiple Intelligences for the 21st Century*, New York, Basic Books.

GARDNER, H. (2003). Three distinct meanings of intelligence, dans STERNBERG, R.J., LAUTREY, J. et LUBART, T.I. (dir.), *Models of Intelligence. International Perspectives*, Washington (D.C.), American Psychological Association, p. 43 à 54.

GARMEZY, N. (1993). « Children in poverty: Resilience despite risks », *Psychiatry*, 56, p. 127 à 136.

GARMEZY, N. et MASTEN, A. (1991). The protective role of competence indications in children at risk, dans CUMMINGS, E.M., GREENE, A.L. et KARRAKEI, K.H. (dir.), *Perspectives on Stress and Coping*, Hillsdale (N.J.), Erlbaum.

GARMEZY, N., MASTEN, A.S. et TELLEGEN, A. (1984). « The study of stress and competence in children: A building block for developmental psychopathology », *Child Development*, 55, p. 97 à 111.

GARRY, V.F., HARKINS, M.E. ERIKSON, L.L., LONG-SIMPSON, L.K., HOLLAND, S.E. et BURROUGHS, B.L. (2002). « Birth defects, season of conception and sex of children born to pesticide applicators living in the Red River Valley of Minnesota, U.S.A. », Environmental Health Perspectives, 110, p. 441 à 449.

GAUTHIER, H., ASSELIN, S., BEAUPRÉ, M., DUCHESNE, L., JEAN, S., LAROCHE, D., NOBERT, Y. et ST-LAURENT, D. (1998). *D'une génération à l'autre: évolution des conditions de vie*, vol. 2, Québec, Bureau de la Statistique du Québec.

GAUVAIN, M. (2001). *The Social Context of Cognitive Development*, New York, Guilford Press.

GELMAN, R. et GALLISTEL, C.R. (1978). *The Child's Understanding of Number*, Cambridge (Mass.), Harvard University Press.

GELPI, B. (1974). « The politics of androgyny », *Women's Studies*, 2, p. 151 à 160.

GENESEE, F. (2002). *Bilingual Acquisition*, Excelligence Learning Corporation.
Sur Internet: http://www.earlychildhood.com/Articles/index.cfm?FuseAction=Article&A=38

GENESEE, F. et CENOZ, J. (1998). *Beyond Bilingualism: Multilingualism and Multilingual Education*, Philadelphie (Penn.), Multilingual Matters.

GENESEE, F. et CENOZ, J. (2001). *Trends in Bilingual Acquisition*, Benjamins, John Publishing.

GENTNER, D. (1982). Nouns are learned before verbs: Linguistic relativity versus natural partitioning, dans KUSAI, S.A. II (dir.), *Language Development, Language, Thought and Culture*, vol. 2, Hillsdale (N.J.), Erlbaum.

GEORGE, C., KAPLAN, N. et MAIN, M. (1984). *Adult Attachment Interview*, manuscrit inédit.

GERGEN, K.J. (1977). The social construction of self-knowledge, dans MISCHEL, T. (dir.), *The Self*, Oxford, Blackwell.

GERGEN, K.J. (1979). Il Sé fluido e il Sé rigido, dans GIOVANNINI, D. (dir.), *Identità personale, teoria e ricerca*, Bologna, Zanichelli, p. 12 à 26.

GESELL, A. (1940). *The First Five Years of Life: A Guide to the Study of the Preschool Child*, New York, Harper & Brothers.

GESELL, A. et AMES, L.B. (1940). « The ontogenetic organization of prone behavior in human infancy », *Journal of Genetic Psychology*, 56, p. 247 à 263.

GESELL, A. et AMES, L.B. (1947). « The development of handedness », *Journal of Genetic Psychology*, 70, p. 155 à 175.

GESELL, A. et ILG, F.L. (1943). *Infant and Child in the Culture of Today*, New York, Harper and Bros. (Traduction française: *Le jeune enfant dans la civilisation moderne*, Paris PUF, 1949.)

GESELL, A. et ILG, F.L. (1946). *Infant from 5 to 10*, 3e éd., New York, Harper and Bros. (Traduction française: *L'enfant de 5 à 10 ans*, Paris, PUF, 1949.)

GESELL, A., ILG, F.L. et AMES, L.B. (1956). *Adolescent from 10 to 16*, New York, Harper and Bros. (Traduction française: *L'adolescent de 10 à 16 ans*, Paris, PUF, 1959.)

GIASSON, J. (1995). *La lecture: de la théorie à la pratique*, Boucherville, Gaëtan Morin.

GIBSON, E.J. et SPELKE, E.S. (1983). The development of perception, dans FLAVELL, J.H. et MARKMAN, E.M. (dir.), *Handbook of Child Psychology*, vol. 3: *Cognitive Development*, New York, Wiley, p. 1 à 76.

GIBSON, E.J. et WALK, R.D. (1960). « The visual cliff », *Scientific American*, 202, p. 80 à 92.

GIGNAC, G. et LORANGER, M. (2001). « La théorie triarchique de l'intelligence de Sternberg », *Bulletin de l'Association québécoise des psychologues scolaires*, avril. Sur Internet: http://www.aqps.qc.ca/bulletin/04/04-01-02.htm

GIL, F. (1995). Rubrique « Identité (philosophie) », *Encyclopædia Universalis*, 11, p. 896 à 898.

GLICK, P.C. et LIN, S. (1987). « Remarriage after divorce: Recent changes and demographic variations », *Sociological Perspectives*, 30, p. 162 à 179.

GNEPP, J. (1983). « Children's social sensitivity: Inferring emotions from conflicting cues », *Developmental Psychology*, 19, p. 805 à 814.

GOLDBERG, S. et DiVITTO, B. (1983). *Born too Soon*, San Francisco, Freeman.

GOLDHABER, D. (1986). *Life-Span Human Development*, New York, Harcourt Brace Jovanovich.

GOLDHABER, D. (1988). *Psychologie du développement*, Laval (Qué.), Études vivantes.

GOLDIN-MEADOW, S. et MYLANDER, C. (1990). « Beyond the input given: The child's role in the acquisition of language », *Language*, 66, p. 323 à 355.

GOLDSMITH, H.H. et ALANSKI, J. (1987). « Maternal and infant temperamental predictors of attachment: A meta-analytic review », *Journal of Consulting and Clinical Psychology*, 55, p. 805 à 816.

GOLEMAN, D. (1995). *Emotional Intelligence*, New York, Bantam.

GOLEMAN, D. (1998). *Working with Emotional Intelligence*, New York, Bantam.

GOLSE, B. et MESSERSCHMITT, P. (1983). *L'enfant déprimé*, Paris, PUF.

GOOSSENS, L., MARCOEN, A., VAN HEES, S. et VAN DE WOESTIJNE, O. (1998). « Attachment style and loneliness in adolescence », *European Journal of Psychology of Education*, 13, p. 529 à 542.

GORDON, C. et GERGEN, K.J. (dir.) [1968]. *The Self in Social Interaction*, vol. 1: *Classic and Contemporary Perspectives*, New York, Wiley.

GORDON, T. (1996). *Parents efficaces: une autre écoute de l'enfant*, Paris, Marabout.

GORDON, T. (1999). *Parents efficaces au quotidien*, tome 2, Paris, Marabout.

GOSSELIN, P. (1995). « Le développement de la reconnaissance des expressions faciales des émotions chez l'enfant », *Canadian Journal of Behavioral sciences*, 27, p. 107 à 119.

GOSSELIN, P., BEAUPRÉ, M. et BOISSONNEAULT, A. (2002). « Perception of genuine and masking smiles in children and adults: Sensitivity to traces of anger », *The Journal of Genetic Psychology*, 163, p. 58 à 71.

GOSSELIN, P., KIROUAC, G. et DORÉ, F.Y. (1995). « Components and recognition of facial expression in the communication of emotion by actors », *Journal of Personality and Social Psychology*, 68, p. 83 à 96.

GOSSELIN, P. et PÉLISSIER, D. (1996). « Effet de l'intensité sur la catégorisation des prototypes émotionnels faciaux chez l'enfant et l'adulte », *International Journal of Psychology*, 31, p. 225 à 234.

GOSSELIN, P., PERRON, M., LEGAULT, M. et CAMPANELLA, P. (2002). « Children's and adult's knowledge of the distinction between enjoyment and nonenjoyment smiles », *Journal of Nonverbal Behavior*, 26, p. 83 à 107.

GOSSELIN, P., ROBERGE, P. et LAVALLÉE, M.C. (1995). « Le développement de la reconnaissance des expressions faciales émotionnelles du répertoire humain », *Enfance*, 4, p. 379 à 396.

GOSSELIN, P. et SIMARD, J. (1999). « Children's knowledge of facial features: Distinguishing fear and surprise », *Journal of Genetic Psychology*, 160, p. 181 à 193.

GOSSELIN, P., WARREN, M. et DIOTTE, M. (2002). « Motivation to hide emotion and children's understanding of the distinction between real and apparent emotions », *Journal of Genetic Psychology*, 163, p. 479 à 495.

GOTTESMAN, I.I. (1993). « Origins of schizophrenia: Past as prologue », dans PLOMIN, R. et McCLEARN, G.E. (dir.), *Nature, Nurture and Psychology*, Washington (D.C.), American Psychological Association, p. 231 à 244.

GOTTESMAN, I.I. et SCHIELDS, J. (1982). *Schizophrenia, the Epigenesis Puzzle,* Cambridge (Mass.), Cambridge University Press.

GOTTLIEB, G. (1991). «Experiential canalization of behavioral development: Theory», *Developmental Psychology,* 27, p. 4 à 13.

GOTTMAN, J.M. (1983). «How children become friends», *Monographs of the Society for Research in Child Development,* 48, série n° 201.

GOUBAU, D. (2003). La garde partagée: vogue passagère ou tendance lourde?, dans MOORE, B. (dir.), *Mélanges Jean Pineau,* Montréal, Éditions Thémis.

GOULD, S.J. (1979). «Mickey Mouse meets Konrad Lorenz», *Natural History,* mai, p. 30 à 36.

GRAHAM, P. (1986). *Child Psychiatry: A Developmental Approach,* Oxford, Oxford University Press.

GRAHAM, S. et WEINTRAUB, N. (1996). «A review of handwriting research: Progress and prospects from 1980 to 1994», *Educational Psychology Review,* 8, p. 7 à 87.

GRANRUD, C.E., YONAS, A. et PETERSON, L. (1984). «A comparison of responsiveness to monocular and binocular depth information in 5- and 7-month-old infants», *Journal of Experimental Child Psychology,* 38, p. 19 à 32.

GREEN, A. (1977). Atome de parenté et relations œdipiennes, dans LÉVI-STRAUSS, C. (dir.), *L'identité. Séminaire dirigé par Claude Lévi-Strauss,* Paris, Grasset, p. 81 à 107.

GREEN, R. (1974). *Sexual Identity Conflict in Children and Adults,* New York, Basic Books.

GREENFIELD, P.M. (1997). «You can't take it with you: Why abilities assessments don't cross cultures», *American Psychologist,* 52, p. 1115 à 1124.

GREENFIELD, P.M., SAVAGE-RUMBAUGH, E.S. (1991). Imitation, grammatical development, and the invention of protogrammar by an ape, dans KRASNEGOR, N.A., RUMBAUGH, D.M., SCHIEFELBUSCH, R.L. et STUDDERT-KENNEDY, M. (dir.) *Biological and Behavioral Determinants of Language Development,* Hillsdale (N.J.), Lawrence Erlbaum.

GREENWALD, A.G. (1980). «The totalitarian ego: Fabrication and revision of personal history», *American Psychologist,* 35, p. 603 à 618.

GRINDER, R.E. (1967). *A History of Genetic Psychology,* New York, Wiley.

GROLNICK, W.S. (2003). *The Psychology of Parental Control: How Well-Meant Parenting Backfires,* Mahwah (N.J.), Lawrence Erlbaum.

GROLNICK, W.S., BRIDGES, L.J. et CONNELL, J.P. (1996). «Emotion regulation in two-year-olds: Strategies and emotional expression in four contexts», *Child Development,* 67, p. 928 à 941.

GROLNICK, W.S., GURLAND, S.T., JACOB, K.F. et DeCOURCEY, W. (2002). The development of self-determination in middle childhood and adolescence, dans WIGFIELD, A. et ECCLES, J. (dir.), *Development of Achievement Motivation,* New York, Academic Press.

GROLNICK, W.S., McMENAMY, J.M. et KUROWSKI, C.O. (1999). Emotional self-regulation in infancy and toddlerhood, dans BALTER, L. et TAMIS-LEMONDA, C.S. (dir.), *Child Psychology: A Handbook of Contemporary Issues,* Philadelphie (Penn.), Psychology Press.

GROSS, A.L. et BALLIF, B. (1991). «Children's understanding of emotion from facial expressions and situations: A review», *Developmental Review,* 11, p. 368 à 398.

GROTBERG, E. (1969). *Critical Issues in Research Related to Disadvantaged Children,* Princeton (N.J.), Educational Testing Service.

GROUPE CONSULTATIF INTERAGENCES EN ÉTHIQUE DE LA RECHERCHE (2003). *Le consentement libre et éclairé,* Ottawa, Gouvernement du Canada.
Sur Internet: http://www.pre.ethics.gc.ca/francais/policy statement/policystatement.cfm

GRUSEC, J.E. et BRINKER, D.B. jr. (1972). «Reinforcement for imitations as a social learning determinant with implications for sex-role development», *Journal of Personality and Social Psychology,* 21, p. 149 à 158.

GUAY, F., MARSH, H.W. et BOIVIN, M. (2003). «Academic self-concept and academic achievement. Developmental perspectives on their causal ordering», *Journal of Educational Psychology,* 95, p. 124 à 136.

GUILFORD, J.P. (1959). Traits of creativity, dans ANDERSON, H.H. (dir.), *Creativity and Its Cultivation,* New York, Harper, p. 142 à 161.

GUILFORD, J.P. (1967). *The Nature of Human Intelligence,* New York, McGraw-Hill.

GUILLAUMIN, J. (1980). L'identité et l'agressivité. De l'identité comme régulation des conduites d'agression, dans TAP, P. (dir.), *Identité individuelle et personnalisation,* Toulouse, Privat, p. 221 à 226.

GUILLOIS, B. (2000). « Retentissement chez le nouveau-né, le nourrisson et l'enfant du tabagisme maternel pendant la grossesse », *Réalités en gynécologie obstétrique*, 48, p. 14 à 18.

GUNNAR, M., MALONE, S. et FISH, R. (1985). The psychobiology of stress and coping in the human neonate : Studies of adrenocortical activity in response to stress in the first week of life, dans FIELDS, T., McCABE, P. et SCHNEIDERMAN, N. (dir.), *Stress and Coping*, vol. 1, Hillsdale (N.J.), Erlbaum.

GUPTA, R.J. et COX, S.M. (1988). « A typology of incest and possible intervention strategies », *Journal of Family Violence*, 3, p. 299 à 313.

GURIN, P. et MARKUS, H. (1988). « Group identity : The psychological mechanisms of durable salience », *Revue internationale de psychologie sociale*, 2, p. 257 à 274.

GUTMAN, L.M., SAMEROFF, A.J. et COLE, R. (2003). « Academic growth curve trajectories from 1st grade to 12th grade : Effects of multiple social risk factors and preschool child factors », *Developmental Psychology*, 39, p. 777 à 790.

HAAF, R.A. et BROWN, C.J. (1976). « Infants' response to facelike patterns : Developmental changes between 10 and 15 weeks of age », *Journal of Experimental Child Psychology*, 22, p. 15 à 160.

HADWIN, J. et PERNER, J. (1991). « Pleased and surprised : Children's cognitive theory of emotion », *British Journal of Developmental Psychology*, 9, p. 215 à 234.

HAESEVOETS, Y.-H. (2000). « Le contexte actuel des allégations d'abus sexuels à l'égard des enfants et la responsabilité des experts », *Coordination de l'aide aux victimes de maltraitance*, Bruxelles, Ministère de la Communauté française belge.
Sur Internet : http://www.cfwb.be/maltraitance/pdf/textes direm/27.pdf

HAGERMAN, R.J. (1996). « Biomedical advances in developmental psychology : The case of fragile X syndrome », *Developmental Psychology*, 32, p. 416 à 424.

HAIER, R.J. (1993). Cerebral glucose metabolism and intelligence, dans VERNON, P.A. (dir.), *Biological Approaches to the Study of Human Intelligence*, Norwood (N.J.), Ablex.

HAIER, R.J. (2003). Brain imaging studies of intelligence : Individual differences and neurobiology, dans STERNBERG, R.J., LAUTREY, J. et LUBART, T.I. (dir.), *Models of Intelligence : International Perspectives*, Washington (D.C.), American Psychological Association, p. 43 à 54.

HAKUTA, K. (2001). A critical period for second language acquisition ?, dans BAILEY, D.B., jr., BRUER, T.J., SYMONS, F.J. et LICHTMAN, J.W. (dir.), *Critical Thinking about Critical Periods*, Baltimore (Md.), P.H. Brookes.

HALFORD, G.S. (1989). « Reflections on 25 years of Piagetian cognitive developmental psychology, 1963-1988 », *Human Development*, 32, p. 325 à 357.

HALLAHAN, D.P. et BRYAN, T.H. (1981). Learning disabilities, dans KAUFFMAN, J.M. et HALLAHAN, D.P. (dir.), *Handbook of Special Education*, Englewood Cliffs (N.J.), Prentice-Hall.

HALPERN, D.F. (1997). « Sex differences in intelligence : Implications for education », *American Psychologist*, 52, p. 1091 à 1102.

HALVERSON, H.M. (1931). « An experimental study of prehension in infants by means of systematic cinema records », *Genetic Psychology Monography*, 10, p. 107 à 286.

HAMERS, J.F. et BLANC, M. (1983). *Bilingualité et bilinguisme*, Bruxelles, Mardaga.

HAMERS, J.F. et BLANC, M.H. (1990). *Bilinguality and Bilingualism*, New York, Cambridge University Press.

HAMIL, P., DRIZD, T.A, JOHNSON, C.L., REDD, R.B. et ROCHE, A.F. (1976). « NCHS Growth Charts », *Monthly Vital Statistics Report*, 25 (supplément HRA), p. 76 à 112.

HAMILTON, C.E. (2000). « Continuity and discontinuity of attachment from infancy through adolescence », *Child Development*, 71, p. 690 à 694.

HANSON, J.W. (1983). Teratogenic agents, dans EMERY, A.E.H. et RIMOIN, D.L. (dir.), *Principles and Practice of Medical Genetics*, New York, Churchill Livingstone, chap. 12.

HARIRI, A. et WEINBERGER, D. (2002). « Serotonin transporter genetic variation and the response of the human amygdale », *Science*, 297(5580), p. 400 à 403.

HARLOW, H.F. (1969). Age-mate or peer affectional system, dans LEHRMAN, D.S., HINDE, R.A. et SHAW, E. (dir.), *Advances in the Study of Behavior*, vol. 2, New York, Academic Press.

HARMS, T. et CLIFFORD, R.M. (1980). *The Early Childhood Environment Rating Scale*, New York, Teachers College Press.

HARMS, T. et CLIFFORD, R.M. (1989). *The Family Day Care Rating Scale*, New York, Teachers College Press.

HARMS, T., CRYER, D. et CLIFFORD, R.M. (1990). *Infant/Toddler Environment Rating Scale*, New York, Teachers College Press.

HARRINGTON, R., FUDGE, H., RUTTER, M., PICKLES, A. et HILL, J. (1990). « Adult outcomes of childhood and adolescent depression, I : Psychiatric status », *Archives of General Psychiatry*, 47, p. 465 à 473.

HARRIS, J.R. et LIEBERT, R.M. (1987). *The Child: Development from Birth through Adolescence,* Englewood Cliffs (N.J.), Prentice-Hall.

HARRIS, P.L. (1990). *Children and Emotion: The Development of Psychological Understanding,* Cambridge (Mass.), Blackwell.

HARRIS, P.L. (2000). Understanding emotion, dans LEWIS, M. et HAVILAND-JONES, J.M. (dir.), *Handbook of Emotions,* New York, Guilford Press, p. 281 à 292.

HARRIS, P.L., JOHNSON, C.N., HUTTON, D., ANDREWS, B. et COOKE, T. (1989). « Young children's theory of mind and emotion », *Cognition and Emotion,* 3, p. 379 à 400.

HARRIS, P.L., OLTHOF, T. et MEERUM TERWOGT, M. (1981). « Children's knowledge of emotion », *Journal of Child Psychology and Psychiatry,* 22, p. 247 à 261.

HARTER, S. (1983). Developmental perspectives on the self-system, dans MUSSEN, P.H. (dir.), *Handbook of Child Psychology,* 4e éd., vol. IV, New York, Wiley, p. 275 à 386.

HARTER, S. (1999). *The Construction of the Self: A Developmental Perspective,* New York, Guilford Press.

HARTUP, W.W. (1980). Children and their friends, dans McGURK, H. (dir.), *Child Social Development,* Londres, Methuen.

HAYES, K.J. et HAYES, C. (1950). *Vocalization and Speech in Chimpanzees,* film 12 min (copie VHS), Yerkes Laboratory of Primate Biology, Orange Park (Fla.), distribué par Penn State Audio-Visual Services.

HAYES, K.J. et HAYES, C. (1952). « Imitation in a home-raised chimpanzee », *Journal of Comparative and Physiological Psychology,* 45, p. 450 à 459.

HEBB, D.O. (1949). *The Organization of Behavior,* New York, Wiley.

HEBB, D.O. (1971). Communication personnelle, Montréal, Université McGill, Département de psychologie.

HEBB, D.O. (1980). *Essay on Mind,* Hillsdale (N.J.), Erlbaum.

HECKHAUSEN, J., WROSCH, C. et FLEESON, W. (2001). « Developmental regulation before and after a developmental deadline: The sample case of "biological clock" for childbearing », *Psychology and Aging,* 16, p. 400 à 413.

HEFNER, R., REBECCA, M. et OLESHANSKY, B. (1975). « Development of sex role transcendence », *Human Development,* 18, p. 143 à 158.

HEFNER, R., REBECCA, M. et OLESHANSKY, B. (1986). Le développement de la transcendance des rôles de sexe, dans HURTIG, M.C. et PICHEVIN, M.F. (dir.), *La différence des sexes: questions de psychologie,* Paris, Tierce, p. 271 à 288.

HEFNER, R., REBECCA, M., OLESHANSKY, B. et NORDIN, V.D. (1977). *Sex Role Transcendence as a Guide to Intervention in Educational Systems to End Sex Discrimination in Education,* National Institute of Education, University of Michigan. (Un extrait a été traduit dans M.C. Hurtig et M.F. Pichevin [1986], p. 288 à 291.)

HEGEL, F. (1939). *La phénoménologie de l'esprit,* tome 1, Paris, Aubier.

HEIDER, F. (1958) *The Psychology of Interpersonal Relations,* New York, Wiley.

HEILBRUN, C.G. (1976). « Measurement of masculine and feminine sex-role identities as independent dimensions », *Journal of Consulting and Clinical Psychology,* 44(2), p. 183-190.

HEILBRUN, C.G. (1973). *Toward a Recognition of Androgyny,* New York, Norton.

HEILBRUN, C.G. (1974). « Further notes toward a recognition of androgyny », *Women's Studies,* 2, p. 143 à 149.

HELD, R., BIRCH, E.E. et GWIAZDA, J. (1980). « Stereoacuity of human infants », *Proceedings of the National Academy of Sciences,* 77.

HELLEDAY, J., BARTFAI, A., RITZEN, E.M. et FORSMAN, M. (1994). « General intelligence and cognitive profile in women with congenital adrenal hyperplasia (CAH) », *Psychoneuroendocrinology,* 19, p. 343 à 356.

HERRENKOHL, E.C., HERRENKOHL, R.C. et TOEDTER, L.J. (1983). Perspectives in intergenerational transmission of abuse, dans FINKELHOR, D., GELLES, R.J., HOTALING, G.T. et STRAUS, M.A. (dir.), *The Dark Side of Families: Current Family Violence Research,* Beverly Hills (Calif.), Sage.

HERRNSTEIN, R.J. et MURRAY, C. (1994). *The Bell Curve: Intelligence and Class Structure in American Life,* New York, Free Press.

HETHERINGTON, E.M. (1993). « A review of the Virginia Longitudinal Study of Divorce and Remarriage: A focus on early adolescence », *Journal of Family Psychology,* 7, p. 39 à 56.

HETHERINGTON, E.M., BRIDGES, M. et INSABELLA, M. (1998). « What matters? What does not? Five perspectives on the association between marital transitions and children's adjustment », *American Psychologist,* 53, p. 167 à 184.

HETHERINGTON, E.M. et CLINGEMPEEL, G. (1992). « Coping with marital transitions », *Monographs of the Society for Research in Child Development*, 57, série n° 227.

HETHERINGTON, E.M. et PARKE, R.D. (1986). *Child Psychology: A Contemporary Viewpoint*, 3ᵉ éd., New York, McGraw-Hill.

HETHERINGTON, E.M., PARKE, R. et LOCKE, V.O. (1999). *Child Psychology: A Contemporary Viewpoint*, 5ᵉ éd., New York, McGraw-Hill.

HETHERINGTON, E.M. et STANLEY-HAGAN, M. (1999). « The adjustment of children with divorced parents: A risk and resiliency perspective », *Journal of Child Psychology and Psychiatry*, 40, p. 129 à 140.

HETHERINGTON, E.M., STANLEY-HAGAN, M. et ANDERSON, E.R. (1989). « Marital transitions: A child's perspective », *American Psychologist*, 44, p. 303 à 312.

HILL, N. (2001). « Parenting and academic socialization as they relate to school readiness. The roles of ethnicity and family income », *Journal of Educational Psychology*, 93, p. 686 à 697.

HILL, R. (1964). « Methodological issues in family development research », *Family Process*, 3, p. 186 à 206.

HILL, R. et RODGERS, R. (1964). The developmental approach, dans CHRISTENSEN, H.T. (dir.), *Handbook of Marriage and the Family*, Chicago, Rand McNally.

HINDSHAW, S.P. (1992). « Academic underachievement, attention deficits, and aggression: Comorbidity and implications for intervention », *Journal of Consulting and Clinical Psychology*, 60, p. 893 à 903.

HINDSHAW, S.P. (2002). « Preadolescent girls with attention-deficit/hyperactivity disorders. Background characteristics, comorbidity, cognitive and social functioning, and parenting practices », *Journal of Consulting and Clinical Psychology*, 70, p. 1086 à 1098.

HIRSCHFELD, H. et FORSSBERG, H. (1994). « Epigenetic development of postural responses for sitting during infancy », *Experimental Brain Research*, 97, p. 528 à 540.

HODAPP, R.M. et DYKENS, E.M. (1996). Mental retardation, dans MASH, E.J. et BARKLEY, R.A. (dir.), *Child Psychopathology*, New York, Guilford Press.

HOFFMAN, H.S. (1994). *Amourous Turkeys and Addicted Ducklings. The Science of Social Bonding and Imprinting*, Boston, Authors' Cooperative Inc.

HOFFMAN, H.S. (1997). *Imprinting: A Brief Description*, Sur Internet: http://www.animatedsoftware.com/family/howardsh/imprint.htm

HOFFMAN, M.L. (1981). Perspectives on the difference between understanding people and understanding things: The role of affect, dans FLAVELL, J.H. et ROSS, L. (dir.), *Social Cognitive Development: Frontiers and Possible Futures*, New York, Cambridge University Press.

HOFFMAN, M.L. (1988). Moral development, dans BORNSTEIN, M.H. et LAMB, M.E. (dir.), *Developmental Psychology: An Advanced Textbook*, 2ᵉ éd., Hillsdale (N.J.), Erlbaum.

HOGGE, W.A. (1990). Teratology, dans Merkatz, I.R. et Thompson, J.E. (dir.), *New Perspectives on Prenatal Care*, New York, Elsevier.

HOLLENBECK, A.R. GERWITZ, J.L., SEBRIS, S.L. et SCANLON, J.W. (1984). « Labor and delivery medication influences parent-infant interaction in the first post-partum month », *Infant Behavior and Development*, 7, p. 201 à 209.

HOLMBERG, M.C. (1980). « The development of social interchange patterns from 12 to 42 months », *Child Development*, 51, p. 448 à 456.

HONEY, P. et MUMFORD, A. (1992). *The Manual of Learning Style*, Maidenhead, Berkshire, Ardingly House.

HORN, J.L. (1989). Models of intelligence, dans STERNBERG, R.J. (dir.), *Intelligence, Measurement, Theory, and Public Policy*, Urbana (Ill.), University of Illinois Press.

HOWE, P.E. et SCHILLER, M. (1952). « Growth responses of the school child to change in diet and environmental factors », *Journal of Applied Physiology*, 5, p. 51 à 61.

HOWELL, R.R. et STEVENSON, R.E. (1971). « The offspring of phenylketonuric women », *Social Biology Supplement*, 18, p. 519 à 529.

HOWES, P.W., CICHETTI, D., TOTH, S.L. et ROGOSCH, F.A. (2000). « Affective, organizational, and relational characteristics of maltreating families. A systems perspective », *Journal of Family Psychology*, 14, p. 95 à 110.

HU, P. et MENG, Z. (1996). *An examination of infant-mother attachment in China*, communication présentée au congrès de la International Society for the Study of Behavioral Development, Québec, Canada.

HUNT, E. (1978). « The mechanics of verbal ability », *Psychological Review*, 85, p. 109 à 130.

HURFORD, J. (1991). « The evolution of the critical period for language acquisition », *Cognition*, 40, p. 159 à 201.

HURTIG, M. (1981). La mesure du développement intellectuel, dans RONDAL, J.-A. et HURTIG, M. (dir.), *Introduction à la psychologie de l'enfant*, vol. 2, Bruxelles, Mardaga.

HURTIG, M.C. et PICHEVIN, M.F. (1986). *La différence des sexes: questions de psychologie*, Paris, Tierce.

HUTEAU, M. (1981). *Cognition et personnalité. La dépendance-indépendance à l'égard du champ*, thèse, Paris, Laboratoire de psychologie différentielle.

HUTEAU, M. (1985). *Les conceptions cognitives de la personnalité*, Paris, PUF.

HUTEAU, M. (1987). *Style cognitif et personnalité. La dépendance-indépendance à l'égard du champ*, Lille, Presses Universitaires de Lille.

HUTTENLOCHER, J., HAIGHT, W., BRYK, A., SELTZER, M. et LYONS, T. (1991). « Early vocabulary growth: Relation to language input and gender », *Developmental Psychology*, 27, p. 236 à 244.

HYMEL, S. (1983). « Preschool children's peer relations: Issues in sociometric assessment », *Merrill-Palmer Quarterly*, 19, p. 237 à 260.

INHELDER, B. et PIAGET, J. (1959). *La genèse des structures logiques élémentaires: classifications et sériations*, Neuchâtel, Delachaux et Niestlé.

INSTITUT DE LA STATISTIQUE DU QUÉBEC (ISQ) [2001a]. *Enquête sociale et de santé, 1998*, 2e éd., Gouvernement du Québec, ministère de la Santé et des Services sociaux du Québec et Régies régionales de la santé et des services sociaux, collection « La santé et le bien être », Publications du Québec, tableau: Répartition des types de familles selon les données de l'Enquête générale de 1998 sur la population au Québec.

INSTITUT DE LA STATISTIQUE DU QUÉBEC (ISQ) [2001b]. *Portrait social du Québec: données et analyses*, Québec, Institut de la statistique du Québec, chapitre 3, tableau 3.1, p. 93.

INSTITUT DE LA STATISTIQUE DU QUÉBEC (ISQ) [2002]. *La situation démographique du Québec – Bilan 2002*, Québec, Direction des statistiques économiques et sociales.

INTELIHEALTH (2001). *Encopresis*, Harvard Medical School's Consumer Information.
Sur Internet: http://www.intelihealth.com/IH/ihtIH/WSIHW0 00/ 408/408.html

IONESCU, S., JACQUET, M.-M. et LHOTE, C. (1997). *Les mécanismes de défense. Théorie clinique*, Paris, Nathan.

ISABELLA, R.A. (1993). « Origins of attachment: Maternal interactive behavior across the first year », *Child Development*, 64, p. 605 à 621.

ISABELLA, R.A. et BELSKY, J. (1991). « Interactional synchrony and the origins of infant-mother attachment: A replication study », *Child Development*, 62, p. 373 à 384.

IZARD, C.E. (1991). *The Psychology of Emotions*, New York, Plenum Press.

JACKLIN, C.N. et MISCHEL, H.N. (1973). « As the twig is bent: Sex role stereotyping in early readers », *The School Psychology Digest*, 2, p. 30 à 38.

JACQUES, F. (1982). *Différence et subjectivité*, Paris, Aubier-Montaigne.

JAHODA, G. (1982). *Psychology and Anthropology. A Psychological Perspective*, Londres, Academic Press.

JAHODA, G. (1989). *Psychologie et anthropologie*, Paris, Armand Colin.

JARROLD, C., BUTLER, D.W., COTTINGTON, E.M. et JIMENEZ, F. (2000). « Linking the theory of mind and central coherence bias in autism and in the general population », *Developmental Psychology*, 36, p. 126 à 138.

JENSEN, A.R. (1980). *Bias in Mental Testing*, New York, Free Press.

JENSEN, A.R. (1985). « The nature of Black-White differences on various psychometric tests: Spearman's hypothesis », *Behavioral and Brain Sciences*, 8, p. 193 à 263.

JENSEN, A.R. (1998). *The G Factor: The Science of Mental Ability*, Westport (Conn.), Praeger.

JENSEN, A.R. (2000a). « Race differences, G, and the "Default Hypothesis" », *Psychology*, 11(4).
Sur Internet: http://psycprints.ecs.soton.ac.uk/archive/00000 004/

JENSEN, A.R. (2000b). « Testing: The dilemma of group differences », *Psychology, Public Policy, and Law*, 6, p. 121 à 127.

JOHNSON, J.E. (1984). Avant-propos, dans YAWKEY, T.D. et PELLIGRINI, A.D. (dir.), *Child's Play: Developmental and Applied*, Hillsdale (N.J.), Erlbaum.

JOHNSON, R.D. (1962). « Measurements of achievement in fundamental skills of elementary school children », *Research Quarterly*, 33, p. 94 à 103.

JONES, D. et CHRISTENSEN, C.A. (1999). « Relationship between automaticity in handwriting and students' ability to generate written text », *Journal of Educational Psychology*, 91, p. 44 à 49.

JONES, T.S. et BODTKER, A. (1999). « Agreement, maintenance, satisfaction and relitigation in mediated and non-mediated custody cases: A research note », *Journal of Divorce and Remarriage*, 32, p. 17 à 30.

JOSEPHS, I.E. (1994). « Display rule behavior and understanding in preschool children », *Journal of Nonverbal Behavior*, 18, p. 301 à 326.

JOUEN, F. (1988). Visual-proprioceptive control of posture in newborn infants, dans AMBLARD, B., BERTHOZ, A. et CLARAC, F. (dir.), *Posture and Gait: Development, Adaptation and Modulation*, Amsterdam, Elsevier, p. 13 à 22.

JOUVENET, L.P. (1985). *Échec à l'échec scolaire*, Toulouse, Privat.

JUEL, C. (1988). « Learning to read and write: A longitudinal study of 54 children from first through fourth grades », *Journal of Educational Psychology*, 80, p. 437 à 447.

JUSCZYK, P.W. (1995). Language acquisition: Speech sounds and phonological development, dans MILLER, J.L. et EIMAS, P.D. (dir.), *Handbook of Perception and Cognition*, vol. 11: *Speech, Language, and Communication*, Orlando (Fla.), Academic Press.

JUSCZYK, P.W. (1997). *The Discovery of Spoken Language*, Cambridge (Mass.), MIT Press.

KAGAN, J. (1958). « The concept of identification », *Psychological Review*, 65, p. 296 à 305.

KAGAN, J. (1983). Classifications of the child, dans KESSEN, W. (dir.), *Handbook of Child Psychology: History, Theory and Methods*, vol. 4, New York, Wiley.

KAGAN, J. (1998). Biology and the child, dans Eisenberg, N. (dir.), *Handbook of Child Psychology*, vol. 3: *Social, Emotional, and Personality Development*, 5e éd., New York, Wiley.

KAGAN, J. (1999). Born to be shy?, dans COLAN, R. (dir.), *States of Mind*, New York, Wiley.

KAGAN, J. (2000). *La part de l'inné: tempérament et nature humaine*, Paris, Bayard.

KAGAN, J. et LEMKIN, J. (1960). « The child's differential perception of parental attributs », *Journal of Abnormal and Social Psychology*, 61(3), p. 440 à 447.

KAGAN, J., et SAUDINO, K.J. (2001). Behavioral inhibition and related temperament, dans EMDE, R.N. et HEWITT, J.K. (dir.), *Infancy to Early Childhood: Genetic and Environmental Influences on Developmental Change*, New York, Oxford University Press.

KAGAN, J. et SNIDMAN, N. (1991). « Temperamental factors in human development », *American Psychologist*, 46, p. 856 à 862.

KAGAN, J., SNIDMAN, N., ZENTNER, M. et PETERSON, E. (1999). « Infant temperament and anxious symptoms in school-aged children », *Development and Psychopathology*, 11, p. 209 à 224.

KAGAN, J. et ZENTNER, M. (1996). « Early childhood predictors of adult psychopathology », *Harvard Review of Psychiatry*, 3, p. 341 à 350.

KAIL, R. (1988). « Developmental functions for speeds of cognitive processing », *Journal of Experimental Child Psychology*, 45, p. 339 à 364.

KAIL, R. (1991). « Developmental change in speed of processing during childhood and adolescence », *Psychological Bulletin*, 109, p. 490 à 501.

KAIL, R. (2001). *Children and Their Development*, 2e éd., Upper Saddle River (N.J.), Prentice Hall.

KALEY, R. (1985). *The Development of Self-efficacy Expectations*, thèse de doctorat non publiée, Québec, Université Laval.

KALEY, R. et CLOUTIER, R. (1984). « Developmental determinants of self-efficacy predictiveness », *Cognitive Therapy and Research*, 8(4), p. 643 à 656.

KATCHADOURIAN, H. (1977). *The Biology of Adolescence*, San Francisco, Freeman.

KATZ, M. (1997). *On Playing a Poor Hand Well. Insights from the Lives of Those Who Have Overcome Childhood Risks and Adversities*, New York, W.W. Norton & Co.

KAUFFMAN, S.A. (1993). *The Origins of Order*, New York, Oxford University Press.

KAUFMAN, A.S. (1994). *Intelligent Testing with the WISC-III*, New York, Wiley.

KAUFMAN, A.S. (2000). Tests of intelligence, dans STERNBERG, R.J. (dir.), *Handbook of Intelligence*, New York, Cambridge University Press.

KAUFMAN, J. et ZIGLER, E. (1987). « Do abused children become abusive parents? », *American Orthopsychiatric Journal*, 57, p. 186 à 192.

KAZDIN, A.E. (1987). « Treatment of antisocial behavior in children: Current status and future directions », *Psychological Bulletin*, 102, p. 187 à 203.

KELLY, G.A. (1955). *The Psychology of Personal Constructs,* New York, Norton.

KELLY, J.B. (1988). « Longer-term adjustment in children of divorce », *Journal of Family Psychology,* 2, p. 119 à 140.

KELLY, J.B. (1996). « A decade of divorce mediation research », *Family and Conciliation Court Review,* 34, p. 373 à 385.

KELMAN, H.C. (1958). « Compliance identification and internalization : Three processes of opinion change », *Journal of Conflict Resolution,* 2, p. 51 à 60.

KEMPE, C.H., SILVERMAN, B.F., STEELE, P.W., DROEGEMUELLER, P.W. et SILVER, H.K. (1962). « The battered-child syndrome », *Journal of the American Medical Association,* 181, p. 17 à 24.

KERNBERG, P. et NORMANDIN, L. (2002). « Childhood sexual trauma and the precursors of borderline disorder », communication présentée au 3e International Congress of Theory and Therapy of Personality Disorders, Munich, juillet.

KESSLER, D.B. et DAWSON, P. (1999). *Failure to Thrive and Pediatric Undernutrition : A Transdisciplinary Approach,* Baltimore (Md.), Paul H. Brookes.

KESTEMBERG, E. et KESTEMBERG, J. (1965). *Contribution à la psychanalyse génétique,* Paris, PUF.

KESTENBAUM, R., FABER, E.A. et SROUFE, L.A. (1989). Individual differences in empathy among preschoolers : Relation to attachment history, dans EISENBERG, N. (dir.), *Empathy and Related Emotional Responses,* San Francisco, Jossey-Bass, p. 51 à 64.

KIMURA, D. (1985). « Male brain, female brain : The hidden difference », *Psychology Today,* novembre, p. 50 à 52, 54, 56 à 58.

KIROUAC, G., DORÉ, F.Y. et GOSSELIN, P. (1985). La reconnaissance des expressions faciales émotionnelles, dans TREMBLAY, R.E., PROVOST, M.A. et STRAYER, F.F. (dir.), *Éthologie et développement de l'enfant,* Paris, Stock, p. 131 à 147.

KISTNER, J.A. et GATLIN, K.D. (1989). « Sociometric differences between learning-disabled and nonhandicapped students. Effects of sex and race », *Journal of Educational Psychology,* 81, p. 118 à 120.

KJOS, S. (1999). « Gestational diabetes mellitus », *New England Journal of Medicine,* 341, p. 1749 à 1756.

KLAHR, D. et MACWHINNEY, B. (1998). Information processing, dans DAMON, W. (dir.), *Handbook of Child Psychology,* vol. 2 : *Cognition, Perception, and Language,* New York, John Wiley & Sons, chap. 13.

KLEIN, M. (1932). *La psychanalyse des enfants,* Paris, PUF.

KLINNERT, M.D. (1984). « The regulation of infant behavior by maternal facial expression », *Infant Behavior and Development,* 7, p. 447 à 465.

KOGAN, N. (1976). *Cognitive Styles in Infancy and Early Childhood,* Hillsdale (N.J.), Erlbaum.

KOHLBERG, L. (1966). A cognitive-developmental analysis of children's sex-role concepts and attitudes, dans MACCOBY, E.F. (dir.), *The Development of Sex Differences,* Stanford (Calif.), Stanford University Press, p. 82 à 172.

KOHLBERG, L. (1969). Stage and sequence : The cognitive-developmental approach to socialization, dans GOSUN, D.A. (dir.), *Handbook of Socialization Theory and Research,* Chicago, Rand McNally.

KOHLBERG, L. (1976). Moral stages and moralization : The cognitive-developmental approach, dans LICKONG, T. (dir.), *Moral Development and Behavior,* New York, Holt, Rinehart and Winston.

KOHLBERG, L. et ULLIAN, D.Z. (1974). Stages in the development of psychosexual concepts and attitudes, dans FRIEDMAN, R.C., RICHART, R.M. et VANDE WIELE, R.L. (dir.), *Sex Differences in Behavior,* New York, Wiley, p. 209 à 222.

KOKKO, K. et PULKKINEN, L. (2000). « Aggression in childhood and long-term unemployment in adulthood : A cycle of maladaptation and some protective factors », *Developmental Psychology,* 36, p. 463 à 472.

KOLB, B. et WHISAW, I.Q. (1996). *Fundamentals of Human Neuropsychology,* New York, Freeman.

KOLB, D.A. (1984). *Experiential Learning : Experience as the Source of Learning and Development,* Englewood Cliffs (N.J.), Prentice Hall.

KOLB, V.M. (1993). *Teratogens : Chemicals Which Cause Birth Defects,* Amsterdam et New York, Elsevier Science Publishers.

KOPP, C.B. (1994). Infant assessment, dans FISHER, C.B. et LERNER, R.M. (dir.), *Applied Developmental Psychology,* New York, McGraw-Hill.

KOPP, C.B. et PARMELEE, A.H. (1979). Prenatal and perinatal influences on infant behavior, dans OSOFY, J.O. (dir.), *Handbook of Infant Development,* New York, Wiley.

KOVACS, M. (1997). « Psychiatric disorders in youths with IDDM : Rates and risk factors », *Diabetes Care,* 20, p. 36 à 44.

KOVACS, M., GOLDSTON, D. et GATSONIS, C. (1993). « Suicidal behaviors and childhood-onset depressive disorders : A longitudinal investigation », *Journal of the American Academy of Child and Adolescent Psychiatry*, 32, p. 8 à 20.

KREAMER, G.W. (1992). « A psychobiological theory of attachment », *Behavioral Brain and Sciences*, 15, p. 493 à 541.

KREISLER, L. (1970). « Les intersexuels avec ambiguïté génitale », *La psychiatrie de l'enfant*, 13(1), p. 5 à 127.

KREISLER, L. (1985). Les vomissements psychogènes, dans LEBOVICI, S., DIATKINE, R. et SOULÉ, M. (dir.), *Traité de psychiatrie de l'enfant et de l'adolescent*, vol. 2, Paris, PUF.

KUETHE, J.L. (1962). « Social schemata », *Journal of Abnormal and Social Psychology*, 61(1), p. 31 à 38.

KUETHE, J.L. (1964). « Pervasive influence of social schemata », *Journal of Abnormal and Social Psychology*, 68, 3, p. 248 à 254.

KUETHE, J.L. (1975). « Children's schemata of man and woman: A comparison with the schemata of heterosexual populations », *The Journal of Psychology*, 90, p. 249 à 258.

KUHN, M.R. et STAHL, S.A. (2003). « Fluency: A review of developmental and remedial practices », *Journal of Educational Psychology*, 95, p. 3 à 21.

KUIPER, N.A. (1981). « Convergent evidence for the self as a prototype: The "inverted URT effect" for self and another judgements », *Personality and Social Psychology Bulletin*, 7, p. 438 à 443.

KURDEK, L.A., FINE, M.A. et SINCLAIR, R.J. (1994). « The relation between parenting transitions and adjustment in young adolescents: A multisample investigation », *Journal of Early Adolescence*, 14, p. 412 à 432.

KURDEK, L.A. et SINCLAIR, R.J. (2000). « Psychological, family, and peer predictors of academic outcomes in first-through fifth-grade children », *Journal of Educational Psychology*, 92, p. 449 à 457.

LABARBERA, J.D., IZARD, C.E., VIETZE, P. et PARISI, S.A. (1976). « Four- and six-month-old infants' visual responses to joy, anger, and neutral expressions », *Child Development*, 47, p. 535 à 538.

LABOV, W. (1966). *The Social Stratification of English in New York City*, Washington (D.C.), Center for Applied Linguistics.

LABOV, W. (1972). *Language and Social Context*, Harmondsworth, Penguin.

LACAN, J. (1966). Le stade du miroir comme formateur de la fonction du Je, dans LACAN, J., *Écrits I*, Paris, Seuil, p. 89 à 97.

LACHARITÉ, C. (1999). « Typologie des problèmes comportementaux chez les enfants maltraités: description et implications pour l'intervention », *Revue québécoise de psychologie*, 20, p. 127 à 139.

LADD, G.W. et PRICE, J.M. (1987). « Predicting children's social and school adjustment following the transition from preschool to kindergarten », *Child Development*, 58, p. 1168 à 1189.

LADOUCEUR, R. (1979). « Habit reversal treatment: Learning on incompatile response or increasing the subject awareness », *Behavior Research and Therapy*, 17, p. 313 à 316.

LAGACHE, D. (1958). « La psychanalyse et la structure de la personnalité », *La psychanalyse*, 6, p. 5 à 54.

LAHIRE, B. (1994). *L'homme pluriel. Les ressorts de l'action*, Paris, Seuil.

LAING, R.D. (1959). *The Divided Self*, Londres, Tavistock.

LAING, R.D. (1970). *Le moi divisé*, Paris, Stock.

LALUMIÈRE, M.L., BLANCHARD, R. et ZUCKER, K. (2000). « Sexual orientation and handedness in men and women: A meta-analysis », *Psychological Bulletin*, 126, p. 575 à 592.

LAMAZE, F. (1970). *Painless Childbirth*, Chicago, Henry Regnery.

LAMB, M.E. (1998). Non parental child care: Context, quality, correlates, and consequences, dans DAMON, D., SIGEL, I.E. et RENNINGER, K.A. (dir.), *Handbook of Child Psychology*, vol. 4: *Child Psychology in Practice*, New York, John Wiley.

LAMB, M.E. et BORNSTEIN, M.H. (1987). *Development in Infancy: An Introduction*, 2ᵉ éd., New York, Random House.

LAMB, M.E., BORNSTEIN, M.H. et TETI, D.M. (2002). *Development in Infancy*, 4ᵉ éd., Mahwah (N.J.), Erlbaum.

LAMBERT, W.E. (1977). Effects of bilingualism on the individual, dans HORNBY, P.A. (dir.), *Bilingualism: Psychological, Social and Educational Implications*, New York, Academic Press.

LAMBERT, W.E., GILES, H. et PICARD, O. (1975). « Language attitudes in a French-American community », *International Journal of the Sociology of Language*, 4, p. 127 à 152.

LANDRY, Y. et LÉGARÉ, J. (1987). « The life course of seventeenth-century immigrants to Canada », *Journal of Family History*, 12, p. 201 à 212.

LANGLOIS, J.H. et DOWNS, A.C. (1979). « Peer relations as a function of physical attractiveness : The eye of the beholder or behavioral reality ? », *Child Development*, 50, p. 409 à 418.

LANGLOIS, J.H. et STEPHAN, C. (1977). « The effects of physical attractiveness and ethnicity on children's behavioral attributions and peer preferences », *Child Development*, 48, p. 1694 à 1698.

LANNOY, J.D. de (1995). Rubrique « L'empreinte [psychologie] », dans *Encyclopædia Universalis*, vol. 8, p. 263 à 265.

LANSAC, J., BERGER, C. et MAGNIN, G. (1997). *Obstétrique pour le praticien*, 3e éd., Paris, Masson.

LAPLANCHE, J. et PONTALIS, J.B. (1968). *Vocabulaire de la psychanalyse*, 2e éd., Paris, PUF.

LARY, J.M. et EDMONDS, L.D. (1996). « Prevalence of spina bifida at birth – United States, 1983-1990 : A comparison of two surveillance systems », Washington (D.C.), US Department of Health and Human Services, Center for Disease Control and Prevention, *Surveillance Summaries*, 45, p. 15 à 26.

LAZARUS, R.S. et FOLKMAN, S. (1984). *Stress, Appraisal and Coping*, New York, Springer.

LE MANER-IDRISSI, G. (1997). *L'identité sexuée*, Paris, Dunod.

LEACH, J.M., SCARBOROUGH, H.S. et RESCORLA, L. (2003). « Late-emerging reading disabilities », *Journal of Educational Psychology*, 95, p. 211 à 224.

LEBOYER, F. (1974). *Pour une naissance sans violence*, Paris, Seuil.

L'ÉCUYER, R. (1975a). *La genèse du concept de soi. Théorie et recherches. Les transformations des perceptions de soi chez les enfants de trois, cinq et huit ans*, Sherbrooke (Québec), Éditions Naaman.

L'ÉCUYER, R. (1975b). « Self-concept investigation : Demystification process », *Journal of Phenomenological Psychology*, 6(1), p. 17 à 30.

L'ÉCUYER, R. (1978). *Le concept de soi*, Paris, PUF.

L'ÉCUYER, R. (1980a). La réminiscence. Facteurs d'adaptation et d'affirmation de l'identité chez les personnes âgées, dans TAP, P. (dir.), *Identité individuelle et personnalisation*, Toulouse, Privat, p. 105 à 107.

L'ÉCUYER, R. (1980b). Les transformations de l'identité personnelle à travers l'évolution du concept de soi chez les adultes et les personnes âgées, dans TAP, P. (dir.), *Identité individuelle et personnalisation*, Toulouse, Privat, p. 53 à 60.

L'ÉCUYER, R. (1981). The development of self-concept through the life-span, dans LYNCH, M.D., NOREM-HEBEISEN, A.A. et GERGEN, K.J. (dir.) *Self Concept : Advances in Theory and Research*, Cambridge (Mass.), Ballinger.

LEDOUX, J.E., WILSON, D.H. et GAZZANIGA, M.S. (1977). « Manipulo-spatial aspects of cerebral lateralization : Clues to the origin of lateralization », *Neuropsychologia*, 15, p. 743 à 750.

LEE, D. (1986). *Language, Children and Society*, New York, New York University Press.

LEEKAM, S.R., LOPEZ, B. et MOORE, C. (2000). « Attention and joint attention in preschool children with autism », *Developmental Psychology*, 36, p. 261 à 273.

LEHALLE, H. (1995). *Psychologie des adolescents*, 4e éd. revue et augmentée, Paris, PUF.

LEHALLE, H. et MELLIER, D. (2002). *Psychologie du développement. Enfance et adolescence. Cours et exercices*, Paris, Dunod.

LEMAINE, G. (1988). Préface, dans LORENZI-CIOLDI, F. (1988). *Individus dominants et groupes dominés*, Grenoble, Presses Universitaires de Grenoble, p. 5 à 7.

LEMIEUX, N. et CLOUTIER, R. (1994). « L'adaptation de l'enfant suite à la séparation : étude exploratoire d'un programme portant sur les relations interparentale et parent-enfant », *Service social*, 43, p. 31 à 46.

LEMPERS, J.D., FLAVELL, E.R. et FLAVELL, J.H. (1977). « The development of very young children of tacit knowledge concerning visual perception », *Genetic Psychology Monographs*, 95, p. 3 à 53.

LENNEBERG, E.H. (1967). *Biological Foundations of Language*, New York, Wiley.

LEON, M. (1984). « Rules mothers and sons use to integrate intent and damage information in their moral judgments », *Child Development*, 55, p. 2106 à 2113.

LERIDON, H. (1977). *Human Fertility : The Basic Components*, Chicago, University of Chicago Press.

LERNER, R.M. (1972). « Richness analyses of body build stereotype development », *Developmental Psychology*, 7, p. 219.

LERNER, R.M. et HULTSCH, D.F. (1983). *Human Development, a Life-Span Perspective*, New York, McGraw-Hill.

LERNER, R.M. et LERNER, J.V. (1977). « Effects of age, sex and physical attractiveness on child-peer relations, academic performance and elementary school adjustment », *Developmental Psychology*, 13, p. 585 à 590.

LESTER, B.M. (1983). A biosocial model of infant crying, dans UPSITT, L.P. (dir.), *Advances in Infant Behavior and Development*, 11, p. 432 à 442.

LEVENKRON, S. (1982). *Treating and Overcoming Anorexia Nervosa*, New York, Charles Scribner's Sons.

LEVI, P.E. (1993). Principles and mechanisms of teratogenesis, dans KOLB, V.M. (dir.). *Teratogens: Chemicals Which Cause Birth Defects*, Amsterdam et New York, Elsevier Science.

LEVINSON, D.J. (1986). «A conception of adult development», *American Psychologist*, 41, p. 3 à 13.

LÉVI-STRAUSS, C. (1977). *L'identité, Séminaire dirigé par C. Lévi-Strauss*, Paris, Grasset.

LEVY, J. et LEVY, J.M. (1978). «Human lateralization from head to foot: Sex-related factors», *Science*, 200, p. 1291-1292.

LEWIN, M. (1984). *In the Shadow of the Past: Psychology Portrays the Sexes*, New York, Columbia University Press.

LEWIS, M. (2000). The emergence of human emotions, dans LEWIS, M. et HAVILAND-JONES, J.M. (dir.), *Handbook of Emotions*, New York, Guilford Press, p. 265 à 278.

LEWIS, M., ALESSANDRI, S. et SULLIVAN, M.W. (1990). «Violation of expectancy, loss of control, and anger in young infants», *Developmental Psychology*, 26, p. 745 à 751.

LEWIS, M. et BROOKS-GUNN, J. (1979). *Social Cognition and the Acquisition of Self*, New York, Plenum Press.

LEWIS, T.L., MAURER, D. et KAY, D. (1978). «Newborns' central vision: Whole or hole?», *Journal of Experimental Child Psychology*, 26, p. 193 à 203.

LEYENS, J.P. (1969). «Influence de la distance psychologique et de l'éducation sur l'identification», *Bulletin du CERP*, 18(3-4), p. 225 à 266.

LEZAK, M.D. (1995). *Neuropsychological Assessment*, 3ᵉ éd., New York, Oxford University Press.

LIAN, Zhi-Hao, ZACK, M.M. et ERICKSON, J.D. (1986). «Paternal age and the occurrence of birth defects», *American Journal of Human Genetics*, 39, p. 648 à 660.

LIBERMAN, A.M. (1992). The relation of speech to reading and writing, dans FROST, R. et KATZ, L. (dir.), *Orthography, Phonology, Morphology, and Meaning*, Amsterdam, North Holland.

LIMA, C.D., WANG, J.C. et MONDRAGON, A. (1994). «Three-dimensional structure of the 67K N-terminal fragment of E. Coli DNA topoisomerase 1», *Nature*, 367, p. 138 à 146.

LIPIANSKY, E.M. (1992). *Identité et communication, l'expérience groupale*, Paris, PUF.

LIPIANSKY, E.M. (1998). L'identité personnelle, dans RUANO-BORBALAN, J.C. (dir.), *L'identité. L'individu, le groupe, la société*, Auxerre, Sciences Humaines, p. 21 à 30.

LIVSHITS, L.A., MALYARCHUK, S.G., KRAVCHENKO, S.A., MATSUKA, G.H., LUKYANOVA, E.M., ANTIPKIN, Y.G., ARABSKAYA, L.P., PETIT, E., GIRAUDEAU, F., GOURMELON, P., VERGNAUD, G. et LE GUEN, B. (2001). «Children of Chernobyl cleanup workers do not show elevated rates of mutations in minisatellite alleles», *Radiation Research*, 155, p. 74 à 80.

LOCKE, T.F. et NEWCOMB, M.D. (2003). «Childhood maltreatment, parental alcohol/drug-related problems, and global parental dysfunction», *Professional Psychology Research*, 34, p. 73 à 79.

LOHMAN, D.F. (2000). Complex information processing and intelligence, dans STERNBERG, R.J. (dir.), *Handbook of Intelligence*, New York, Cambridge University Press.

LOPEZ, S. (1998). Hygiène de vie et grossesse, dans HÉRISSON, C. et LOPEZ, S. (dir.), *Grossesse et appareil locomoteur*, Paris, Masson.

LORANGER, M., BLAIS, M.-C., HOPPS, S., PÉPIN, M., BOISVERT, J.-M. et DOYON, M. (2002). «Applications of measures of speed of mental operations among children with intellectual deficiency», *Education and Training in Mental Retardation and Developmental Disabilities*, 37, p. 184 à 192.

LORANGER, M. et PÉPIN, M. (2001). *Le TAI-Enfants. Test d'aptitude informatisé*, Québec, Le réseau Psychotech.

LORENZ, K. (1966). *On Aggression*, New York, Harcourt, Brace & World.

LORENZ, K. (1976). *L'envers du miroir. Une histoire naturelle de la connaissance*, Paris, Flammarion.

LORENZI-CIOLDI, F. (1988). *Individus dominants et groupes dominés*, Grenoble, Presses Universitaires de Grenoble.

LORENZI-CIOLDI, F. (1994). *Les androgynes*, Paris, PUF.

LORENZI-CIOLDI, F. (2002). *Les représentations des groupes dominants et dominés*, Grenoble, Presses Universitaires de Grenoble.

LOWREY, G.H. (1973). *Growth and Development of Children*, New York, Year Book Medical.

LURIA, A.R. (1980). *Higher Cortical Functions in Man*, 2ᵉ éd., New York, Basic Books.

LURIA, Z. (1978). Genre et étiquetage : l'effet Pirandello, dans SULLEROT, E. (dir.), *Le fait féminin*, Paris, Fayard, p. 233 à 242.

LYNN, R. (1996). « Racial and ethnic differences in intelligence in the U.S. on the differential ability scale », *Personality and Individual Differences*, 20, p. 271 à 273.

LYON, T.D. et FLAVELL, J.H. (1993). « Young children's understanding of forgetting over time », *Child Development*, 64, p. 789 à 800.

McCALL, R.B. (1979). *Infants*, Cambridge (Mass.), Harvard University Press.

MACCOBY, E.E. (1980). *Social Development : Psychological Growth and the Parent – Child Relationship*, New York, Harcourt Brace Jovanovich.

MACCOBY, E.E. (1992). « The role of parents in the socialisation of children : A historical overview », *Developmental Psychology*, 28, p. 1006 à 1017.

MACCOBY, E.E. et JACKLIN, C.N. (1974). *The Psychology of Sex Differences*, Stanford, Stanford University Press.

MACCOBY, E.E. et JACKLIN, C.N. (1986). De quels faits disposons-nous ?, dans HURTIG, M.C. et PICHEVIN, M.F. (dir.), *La différence des sexes : questions de psychologie*, Paris, Tierce, p. 97 à 93. (Traduction de l'introduction de Maccoby et Jacklin, 1974.)

MACCOBY, E.E. et MARTIN, J.A. (1983). Socialization in the context of the family : Parent-child interaction, dans MUSSEN, P.H., (dir.), *Handbook of Child Psychology*, 4ᵉ éd., vol. IV : *Socialization, Personality and Social Development*, New York, Wiley, p. 1 à 101.

McCREA, R.R., et COSTA, P.T. (1999). « A five-factor theory of personality », dans PERVIN, L.A. et JOHN, O.P. (dir.), *Handbook of Personality : Theory and Research*, 2ᵉ éd., New York, Guilford, p. 139 à 153.

McCREA, R.R., et JOHN, O.P. (1992). « An introduction to the five factor model and its applications », *Journal of Personality*, 60, p. 175 à 215.

MACFARLANE, A., HARRIS, P. et BARNES, I. (1976). « Central and peripheral vision in early infancy », *Journal of Experimental Child Psychology*, 21, p. 532 à 538.

McKIE, D.C., PRENTICE, B. et REED, P. (1983). *Divorce : la loi et la famille au Canada*, document nº 89-502F, Ottawa, Ministère des Approvisionnements.

MACKINNON, J. et MARCIA, J.E. (1996). *Developmental Patterns in Adult Women : Attachment Style, Identity Status, and Cognitive Sophistication*, Burnaby (C.-B.), Université Simon Fraser.

MACKNER, L.M., STARR, R.H., jr. et BLACK, M.M. (1997). « The cumulative effect of neglect and failure to thrive on cognitive functioning », *Child Abuse and Neglect*, 21, p. 691 à 700.

McLANAHAN, S. et SANDEFUR, G. (1994). *Growing Up with a Single Parent. What Hurts, What Helps*, Cambridge (Mass.), Harvard University Press.

McLAREN, J. et BRYSON, S.E. (1987). « Review of recent epidemiological studies in mental retardation : Prevalence, associated disorders, and etiology », *American Journal of Mental Retardation*, 92, p 243 à 254.

McNATT, D.B. (2000). « Ancient Pygmalion joins contemporary management : A meta-analysis of the result », *Journal of Applied Psychology*, 85, p. 314 à 322.

MAGENIS, R.E., OVERTON, K.M., CHAMBERLIN, J., BRADY, T. et LOVREIN, E. (1977). « Parental origin of the extra chromosome in Down's syndrome », *Human Genetics*, 37, p. 7 à 16.

MAGNUSSON, D. (1995). Individual development : A holistic, integrated model, dans MOEN, P., ELDER, G.H., jr. et LÜSCHER, K. (dir.), *Examining Lives in Context*, Washington (D.C.), American Psychological Association.

MAHLER, M.S. (1963). Thoughts about development and individuation, dans *Psychoanalytic Study of the Child*, vol. 18, New York, International Universities Press.

MAHLER, M.S. (1968). *On Human Symbiosis and the Vicissitudes of Individuation*, vol. 1 : *Infantile Psychosis*, New York, International Universities Press.

MAIN, M. et CASSIDY, J. (1988). « Categories of response to reunion with the parent at age six : Predictable from infant attachment classifications and stable over a one-month period », *Developmental Psychology*, 24, p. 415 à 426.

MAIN, M., KAPLAN, N. et CASSIDY, J. (1985). Security in infancy, childhood and adulthood : A move to the level of representation, dans BRETHERTON, I. et WATERS, E. (dir.), *Growing Points of Attachment : Theory and Research, Monographs of the Society for Research in Child Development*, 50, p. 41 à 107.

MAIN, M. et SOLOMON, J. (1986). Discovery of a new, insecure-disorganized/disoriented attachment pattern, dans BRAZELTON, T.B. et YOGMAN, M. (dir.), *Affective Development in Infancy*, Norwood (N.J.), Ablex, p. 95 à 124.

MAIN, M. et WESTON, D.R. (1981). « The quality of the toddler's relationship to mother and father : Related to conflicted behavior and readiness to establish new relationships», *Child Development,* 52, p. 932 à 940.

MAISONNEUVE, J. (1973). *Introduction à la psychosociologie,* Paris, PUF. (Huitième édition : 1997.)

MALATESTA, C.Z. et HAVILAND, J.M. (1985). Signals, symbols, and socialization : The modification of emotional expression in human development, dans LEWIS, M. et SAARNI, C. (dir.), *The Socialization of Emotions,* New York, Plenum Press, p. 89 à 116.

MALEWSKA-PEYRE, H. et TAP, P. (dir.) [1991]. *La socialisation de l'enfance à l'adolescence,* Paris, PUF.

MALRIEU, Ph. (1967a). *La construction de l'imaginaire,* Bruxelles, Dessart.

MALRIEU, Ph. (1967b). *Les émotions et la personnalité de l'enfant,* Paris, Vrin.

MALRIEU, Ph. (1973). La personnalisation chez l'adolescent, dans MEYERSON, I. (dir.), *Problèmes de la personne,* Paris, Mouton, p. 399 à 405.

MALRIEU, Ph. (1976). « Étude génétique de la construction du sujet », *Psychologie et éducation, Revue du Laboratoire « Personnalisation et changements sociaux »,* 1, p. 3 à 22.

MALRIEU, Ph. (1979). « La crise de personnalisation : ses sources et ses conséquences sociales », *Psychologie et éducation,* Université Toulouse–Le Mirail, 3, p. 1 à 18.

MALRIEU, Ph. (1980). Genèse des conduites d'identité, dans TAP, P. (dir.), *Identité individuelle et personnalisation,* Toulouse, Privat, p. 39 à 51.

MALRIEU, Ph. (dir.) [1989]. *Dynamique sociale et changements personnels,* Toulouse, CNRS (Centre régional de publication).

MALRIEU, Ph. (1996). « Milieux sociaux et genèse de la personne », *Enfance,* numéro spécial : *Hommages à René Zazzo,* 2, p. 134 à 142.

MALRIEU, Ph. (2000). *La construction des imaginaires,* Paris, L'Harmattan.

MALRIEU, Ph. et MALRIEU, S. (1973). La socialisation, dans ZAZZO, R. et GRATIOT-ALPHANDERY, H., *Traité de psychologie de l'enfant,* tome 5, Paris, PUF, p. 5 à 234.

MANDLER, J.M. (1983). Representation, dans FLAVELL, J.H. et MARKMAN, E.M. (dir.), *Handbook of Child Psychology : Cognitive Development,* vol. 3, New York, Wiley.

MARCIA, J.E. (1980). Identity in adolescence, dans ADELSON, J. (dir.), *Handbook of Adolescent Psychology,* New York, Wiley, p. 159 à 187.

MARCIA, J.E. (1989). Identity and self development, dans LERNER, R.M., PETERSEN, A.C. et BROOKS-GUNN, J. (dir.), *Encyclopedia of Adolescence,* vol. 1, New York, Garland.

MARCIA, J.E. (1996). The importance of conflict for adolescent and lifespan development, dans VERHOFSTADT-DENÈVE, L., KIENHORST, I. et BRAET, C. (dir.), *Conflict and Development in Adolescence,* Leiden University, DSVO Press, p. 13 à 20.

MARCIA, J.E., WATERMAN, A.S., MATTESON, D., ARCHER, S. et ORLOFSKY, J. (1993). *Ego Identity : A Handbook for Psychosocial Research,* New York, Springer-Verlag.

MARCIL-GRATTON, N. (2000). « La famille éclatée », *Interface,* 21, p. 42 à 45.

MARCIL-GRATTON, N. et LEBOURDAIS, C. (1999). *Custody, Access, and Child Support : Findings from the National Longitudinal Survey of Children and Youth,* Montréal, Centre interuniversitaire d'études démographiques, Université de Montréal.
Sur Internet : http://www.canada.justice.gc.ca/en/ps/sup/pub/anlsc.pdf

MARCIL-GRATTON, N., LEBOURDAIS, C. et LAPIERRE-ADAMCYK, É. (2000). « Effets de l'histoire conjugale des parents sur les enfants », *Revue canadienne de recherche sur les politiques,* 1, p. 23 à 33.
Sur Internet : http://www.isuma.net/v01n02/marcil/marcil_f.pdf

MARCUS, D.E. et OVERTON, W.F. (1978). « The development of cognitive gender constancy and sex-role preferences », *Child Development,* 49, p. 434 à 444.

MARCUS, J., MUNDY, P., MORALES, M., DELGADO, C.E.F. et YALE, M. (2000). « Individual differences in infant skills as predictors of child-caregiver joint attention and language », *Social Development,* 9, p. 302 à 315.

MARIN, M. (1994). *Le saut de l'ange,* Paris, J'ai lu.

MARKS, I.M. (1987). *Fears, Phobias and Rituals. Panic, Anxiety and Their Disorders,* New York, Oxford University Press.

MARKUS, H. (1977). « Self-schemata and processing information about the self », *Journal of Personality and Social Psychology,* 35, p. 63 à 78.

MARKUS, H. et NURIUS, P. (1986). « Possible selves », *American Psychologist,* 41, p. 954 à 959.

MARKUS, H. et SENTIS, K. (1982). The self in social information processing, dans SULS, J. (dir.), *Psychological Perspective on the self,* Hillsdale (N.J.), Erlbaum.

MARSH, F.H. et KATZ, J. (1984). *Biology, Crime and Ethics*, Cincinnati (Ohio), Anderson.

MARSH, H.W. (1993). Academic self-concept: Theory measurement and research, dans SULS, J. (dir.), *Psychological Perspectives on the Self*, vol. 4, Hillsdale (N.J.), Erlbaum.

MARSH, H.W. et CRAVEN, R. (1997). Academic self-concept: Beyond the dustbowl, dans PHYE, G. (dir.), *Handbook of Classroom Assessment: Learning, Achievement and Adjustment*, Orlando (Fla.), Academic Press.

MARSH, H.W., CRAVEN, R. et DEBUS, R. (1998). «Structure, stability, and development of young children's self concepts: A multicohort-multioccasion study», *Child Development*, 69, p. 1030 à 1053.

MASANGKAY, Z.S., McKLUSKEY, K.A., McNTYRE, C.W., SIMS-KNIGHT, J., VAUGHN, B.E. et FLAVELL, J.H. (1974). «The early development of inferences about the visual percepts of others», *Child Development*, 45, p. 357 à 366.

MATAS, L., AREND, R.A. et SROUFE, L.A. (1978). «Continuity of adaptation in the second year: The relationship between quality of attachment and later competence», *Child Development*, 49, p. 547 à 556.

MATTYS, S.L. et JUSCZYK, P.W. (2001). «Phonotactic cues for segmentation of fluent speech by infants», *Cognition*, 78, p. 91 à 121.

MAURY, L. (1980). «De l'objet à l'espace: le problème de l'erreur de place», *L'Année psychologique*, 80, p. 221 à 235.

MAY, R. (2003). *Statement of the Royal Society on Human Cloning*, Oxford, Royal Society on Human Cloning, p. 2.

MAYER, J.D., CARUSO, D.R. et SALOVEY, P. (1999). «Emotional intelligence meets traditional standards for an intelligence», *Intelligence*, 27, p. 267 à 298.

MAYER, J.D. et SALOVEY, P. (1993). «The intelligence of emotional intelligence», *Intelligence*, 17, p. 433 à 442.

MAYER, J.D. et SALOVEY, P. (1997). What is emotional intelligence?, dans SALOVEY, P. et SLUYTER, D. (dir.), *Emotional Development and Emotional Intelligence: Implications for Educators*, New York, Basic Books.

MAYER, J.D., SALOVEY, P. et CARUSO, D.R. (2002). *Mayer-Salovey-Caruso Emotional Intelligence Test (MSCEIT) User's Manual*, Toronto, MHS Publishers.

MAYER, J.D., SALOVEY, P., CARUSO, D.R. et SITARENIOS, G. (2001). «Emotional intelligence as a standard intelligence», *Emotion*, 1, p. 232 à 242.

MAYER, J.D., SALOVEY, P., CARUSO, D.R. et SITARENIOS, G. (2003). «Measuring emotional intelligence with the MSCEIT V2.0», *Emotion*, 3, p. 97 à 105.

MAYER, M. et TOURIGNY, M. (2000). *Tous ces cris, ces S.O.S: une analyse inédite des signalements à la direction de la protection de la jeunesse*, faits saillants d'un atelier tenu au congrès conjoint Centres Jeunesse – CLSC, «L'Action conjointe auprès des enfants et des ados», octobre. Sur Internet: http://www.uqtr.ca/gredef/neglivio/Mayer/mayer 1.htm

MAYR, E. (2001). *What Evolution Is*, New York, Basic Books.

MAZIADE, M., BOUTIN, P., CÔTÉ, R. et THIVIERGE, J. (1986). «Empirical characteristics of the NYLS temperament in middle childhood: Congruities and incongruities with other studies», *Child Psychiatry and Human Development*, 17, p. 38 à 52.

MAZIADE, M., BOUTIN, P., CÔTÉ, R. et THIVIERGE, J. (1987). «Temperament and intellectual development: A longitudinal study from infancy to four years», *American Journal of Psychiatry*, 144, p. 144 à 150.

MAZUR, A. (1986). «Revue du livre *The Physical Attractiveness Phenomena* de Gordon L. Patzer (1985)», *Contemporary Sociology*, 15, p. 481.

MEAD, G.H. (1934). *Mind, Self and Society: From the Standpoint of a Social Behaviorist* (MORRIS, C.W. [dir.]), Chicago, University of Chicago Press.

MEAD, M. et NEWTON, N. (1967). Cultural patterning of perinatal behavior, dans RICHARDSON, S.A. et GUTTMACHER, A.F. (dir.), *Child Bearing: Its Social and Psychological Factors*, Baltimore (Md.), Williams & Wilkins.

MEAD-ROSEN, C. (1987). «The feerie world of reunited twins», *Discover*, 9, p. 36 à 46.

MEERUM TERWOGT, M. et OLTHOF, T. (1989). Awareness and self-regulation of emotion in young children, dans SAARNI, C. et HARRIS, P. (dir.), *Children's Understanding of Emotion*, New York, Cambridge University Press, p. 209 à 237.

MÉLEN, M. (1999). Psychologie fœtale, dans RONDAL, J.A. et ESPERET, E. (dir.), *Manuel de psychologie de l'enfant*, Bruxelles, Mardaga.

MELTZOFF, A.N. et BORTON, R.W. (1979). «Intermodal matching by human neonates», *Nature*, 282, p. 403-404.

MELTZOFF, A.N. et MOORE, M.K. (1977). «Imitation of facial and manual gestures by human neonates», *Science*, 198, p. 75 à 78.

MELTZOFF, A.N. et MOORE, M.K. (1983). « Newborn infants imitate adult facial gestures », *Child Development*, 54, p. 702 à 709.

MELZACK, R. (1987). « Pain's gatekeeper », *Psychology Today*, 21(8), p. 50 à 56.

MERCER, M.E., COURAGE, M.L. et ADAMS, R.J. (1991). « Contrast/color card procedure: A new test of young infants' color vision », *Optometry and Vision Science*, 68, p. 522 à 532.

MESQUITA, B. et FRIJDA, N.H. (1992). « Cultural variations in emotions: A review », *Psychological Bulletin*, 112, p. 179 à 204.

MESSICK, S. (1985). Style in the interplay of structure and process, dans ENTWISTLE, N. (dir.), *New Directions in Educational Psychology*, 1: *Learning and Teaching*, Lewes, Falmer Press, p. 83 à 98.

MESSIER, C. et ZELLER, C. (1987). *Des enfants maltraités au Québec?*, Québec, Comité de protection de la jeunesse, Les Publications du Québec.

MEYER-BAHLBURG, H.F.L., GRUEN, R.S., NEW, M.L., BELL, J.J., MORISHIMA, A. et SHIMSI, M. (1996). « Gender change from female to male in classical congenital adrenal hyperplasia », *Hormones and Behavior*, 30, p. 319 à 332.

MEYERSON, I. (1948). *Les fonctions psychologiques et les œuvres*, Paris, Vrin.

MEYERSON, I. (dir.) [1973]. *Problèmes de la personne*, Paris, Mouton.

MEYERSON, I. (1987). *Écrits, 1920 – 1983. Pour une psychologie historique*, Paris, PUF.

MIKULINCER, M. et NACHSHON, O. (1991). « Attachment styles and patterns of self disclosure », *Journal of Personality and Social Psychology*, 61, p. 321 à 331.

MILES, H.L. (1999). Symbolic communication with and by great apes, dans PARKER, S.T., MITCHELL, R.W. et MILES, H.L. (dir.), *The Mentalities of Gorillas and Ourangutans*, Cambridge, Cambridge University Press.

MILLER, K., ATKIN, B. et MOODY, M.L. (1992). « Drug therapy for nocturnal enuresis: Current treatment recommendations », *Drugs*, 44, p. 47 à 56.

MILLER, P.H. (1989). *Theories of Developmental Psychology*, 2e éd., New York, Freeman.

MILLOT, C. (1983). *Horsexe. Essai sur le transsexualisme*, Paris, Point hors ligne.

MINISTÈRE DE L'ÉDUCATION (MEQ) et MINISTÈRE DE LA SANTÉ ET DES SERVICES SOCIAUX (MSSS) [2003]. *Trouble de déficit de l'attention/hyperactivité. Agir ensemble pour mieux soutenir les jeunes*, document de soutien à la formation: connaissances et interventions, Québec, Ministère de l'Éducation et Ministère de la Santé et des Services sociaux.

MINISTÈRE DE L'ÉDUCATION DU QUÉBEC (MEQ) [1980]. *L'école s'adapte à son milieu: énoncé de politique sur l'école en milieu économiquement faible*, Québec, Gouvernement du Québec.

MINISTÈRE DE L'ÉDUCATION DU QUÉBEC (MEQ) [2000]. *Évaluation de la population des élèves handicapés ou en difficulté d'apprentissage*, Québec, Ministère de l'Éducation, Direction de l'informatique.

MINISTÈRE DE L'EMPLOI, DE LA SOLIDARITÉ SOCIALE ET DE LA FAMILLE (MESS) [2003], *Rapport d'activités 2000-2001 complété par les services de garde*, Québec, Ministère de l'Emploi, de la Solidarité sociale et de la Famille. Sur Internet: http://www.mfe.gouv.qc.ca/serv_garde/statistiques/ index.asp

MINUCHIN, P.P. et SHAPIRO, E.K. (1983). The school as a context for social development, dans HETHERINGTON, E.M. (dir.), *Handbook of Child Psychology*, vol. 4: *Socialization, Personality, and Social Development*, 4e éd., New York, Wiley.

MISÈS, R., PERRON, R. et SALBREUX, R. (1994). *Retards et troubles de l'intelligence de l'enfant*, Paris, Éditions ESF.

MOLINA, P. (1989). *L'enfant, son image, l'autre: étude des réactions de l'enfant au miroir au cours de la première année*, thèse de doctorat, Strasbourg, Université Louis-Pasteur.

MOLINA, P. (dir.) [1995]. *Il bambino, il riflesso, l'identità*, Florence, La Nuova Italia editrice.

MONEY, J. (1976). « Ablatio penis: Normal male infant self-reassigned as a girl », *Archives of Sexual Behavior*, 4, p. 65 à 70.

MONEY, J. (1978). Le transsexualisme et les principes d'une féminologie, dans SULLEROT, E. (dir.), *Le fait féminin*, Paris, Fayard, p. 221 à 231.

MONEY, J. (1987). « Sin, sickness or status? Homosexual identity and psychoneuroendocrinology », *American Psychologist*, 42, p. 384 à 389.

MONEY, J. et EHRHARDT, A.A. (1972). *Man and Woman, Boy and Girl: The Differentiation and Dimorphism of Gender Identity from Conception to Maturity*, Baltimore (Md.), Johns Hopkins University Press.

MONEY, J. et OGUNRO, C. (1974). « Behavioral sexology: Ten cases of genetic male intersexuality with impaired prenatal and pubertal androgenization », *Archives of Sexual Behavior*, 3, p. 185 à 205.

MONOD, J. (1969). On symetry and function in biological systems, dans ENGSTROM, A. et STRANDBERG (dir.), *Symmetry and Function of Biological Systems at the Macromolecular Level*, New York, Wilcy.

MONTEIL, J.M. (1993). *Soi et le contexte*, Paris, Armand Colin.

MOORE, J. (1998). *Perspective de la théorie de l'attachement sur les liens parents-enfant*, Groupe de recherche en développement de l'enfant et de la famille (dirigé par Ercilia Palacio-Quentin), Trois-Rivières, Université du Québec.

MOORE, K.L. et PERSAUD, T.V.N. (1998). *The Developing Human: Clinically Oriented Embryology*, Philadelphie (Penn.), Saunders.

MORENCY, J. (1997). *Le traitement des allégations d'abus sexuel, étude des relations entre les éléments de contenu de signalements et l'appréciation d'intervenants experts*, thèse de doctorat inédite, Québec, École de psychologie, Université Laval.

MORRONGIELLO, B.A. et TREHUB, S.E. (1987). « Age-related changes in auditory temporal perception », *Journal of Experimental Child Psychology*, 44, p. 413 à 426.

MOSCOVICI, S. et RICATEAU, Ph. (1972). Conformité, minorité et influence sociale, dans MOSCOVICI, S. (dir.), *Introduction à la psychologie sociale*, Paris, Larousse, p. 139 à 191.

MOSS, E., PARENT, S., GOSSELIN, C., ROUSSEAU, D. et ST-LAURENT, L. (1996). « Attachment and teacher-reported behavior problems during the preschool and early school-age period », *Development and Psychopathology*, 8, p. 511 à 525.

MOSTELLER, F. (1995). « The Tennessee study of class size in early school grades », *The Future of Children*, 5, p. 113 à 127.

MOUNOUD, P. et VINTER, A. (dir.) [1984]. *La reconnaissance de son image chez l'enfant et chez l'animal*, Neuchâtel et Paris, Delachaux et Niestlé.

MUIR, D. et CLIFTON, R. (1985). Infant's orientation to location of sound sources, dans GOTLIEB, G. et KRASNEGOR, N. (dir.), *Measurement of Audition and Vision in the First Year of Postnatal Life: A Methodological Overview*, Norwood (N.J.), Ablex.

MUIR, D. et FIELD, T.M. (1979). « Newborn infants orient to sound », *Child Development*, 50, p. 431 à 436.

MUIR, D. et SLATER, A. (2000). Infancy research: History and methods, dans MUIR, D. et SLATER, A. (dir.), *Infant Development. The Essentials Readings*, Malden (Mass.), Blackwell.

MURIS, P., MERCKELBACH, H., DE JONG, P.J. et OLLENDICK, T.H. (2002). « The etiology of specific fears and phobias in children: A critique of the non-associative account », *Behavior Research and Therapy*, 40, p. 185 à 195.

MURIS, P., MERCKELBACH, H., OLLENDICK, T.H., KING, N.J. et BOGIE, N. (2001). « Children's nightime fears: Parents-child ratings of frequency, content, origins, coping behaviors and severity », *Behavior Research and Therapy*, 39, p. 13 à 28.

MURPHY, R.G. (1971). *The Dialectics of Social Life: Alarms and Excursions in Anthropological Theory*, Londres, Allen & Unwin.

MUUSS, R.E. (1972). Adolescent development and the secular trend, dans ROGERS, D. (dir.), *Issues in Adolescent Development*, New York, Appleton-Century Crofts.

NAGY, E., LOVELAND, K.A., ORVOS, H. et MOLNAR, P. (2001). « Gender-related physiologic differences in human neonates and the greater vulnerability of males to developmental brain disorders », *Journal of Gender-Specific Medicine*, 4, p. 41 à 49.

NAMY, L.L. et WAXMAN, S.R. (1998). « Words and gestures: Infants' interpretations of different forms of symbolic reference », *Child Development*, 69, p. 295 à 308.

NATIONAL INSTITUTE OF MENTAL HEALTH (NIMH) [2000]. *Depression in Children and Adolescents*, Washington (D.C.), National Institute of Mental Health, publication n° 004744, septembre.

NATIONAL INSTITUTE OF MENTAL HEALTH (NIMH) [2001]. *Childhood-Onset Schizophrenia: An Update from the National Institute of Mental Health*, Washington (D.C.), National Institute of Mental Health, publication n° 030401, novembre.

NEEDHAM, J.A. (1959). *History of Embryology*, 2ᵉ éd., Cambridge (Mass.), Cambridge University Press.

NEISSER, U., BOODOO, G., BOUCHARD, T.J., BOYKIN, A.W., BRODY, N., CECI, S.J., HALPREN, D.F., LOEHLIN, J.C., PERLOFF, R. et STERNBERG, R.J. (1996). « Intelligence, knowns and unknowns », *American Psychologist*, 51, p. 77 à 101.

NELSON, C.A. (1987). « The recognition of facial expressions in the first two years of life: Mechanisms of development », *Child Development*, 58, p. 889 à 909.

NELSON, G., LAURENDEAU, M.-C. et CHAMBERLAND, C. (2001). « A review of programs to promote family wellness and prevent the maltreatment of children», *Canadian Journal of Behavioural Science*, 33, p. 1 à 13.

NICHOLS, R.A. (1978). «Heredity and environment: Major findings from twins studies of ability, personality and interests», *Homo*, 29, p. 158 à 173.

NICOLSON, R., LELANE, M., HAMBURGER, S.D., FERNANDEZ, T., BEDWELL, J. et RAPOPORT, J.L. (2000). «Lessons from childhood-onset schizophrenia», *Brain Research Reviews*, 31, p. 147 à 156.

NICOLSON, R. et RAPOPORT, J.L. (1999). «Childhood onset schizophrenia: Rare but worth studying», *Biological Psychiatry*, 46, p 1418 à 1428.

NOELTING, G. (1973). *Stadex collectif: série de 10 épreuves de développement cognitif*, Québec, Université Laval, Département de psychologie.

NOELTING, G. (1980). «The development of proportional reasoning and the ratio concept. Part 1: The differentiation of stages», *Educational Studies in Mathematics*, 11, p. 217 à 253.

NOELTING, G. (1982). *Le développement cognitif et le mécanisme de l'équilibration*, Chicoutimi, Gaëtan Morin.

NORMANDIN, L. (2002). *Suivi longitudinal d'enfants abusés sexuellement en bas âge ainsi que de leur mère*, Projet de recherche du Fonds québécois de recherche sur la société et la culture, Québec, École de psychologie, Université Laval.

NYE, B., HEDGES, L.V. et KONSTANTOPOULOS, S. (2001). «Are effects of small classes cumulative? Evidence from a Tennessee experiment», *Journal of Educational Research*, 94, p. 336 à 345.

O'BRYANT, S.L. et CORDER-BOLZ, C.R. (1978). «The effects of television on childrens stereotyping of women's work roles», *Journal of Vocational Behavior*, 12, p. 233 à 244.

ODEN, S. (1988). Alternative perspectives on children's peer relationships, dans YAWKEY, T.D. et JOHNSON, J.E. (dir.), *Integrative Process and Socialization: Early to Middle Childhood*, Hillsdale (N.J.), Erlbaum.

ODIER, C. (1947). *L'angoisse et la pensée magique*, Paris, Delachaux et Niestlé.

ODIER, C. (1950). *L'homme esclave de son infériorité. Essai sur la genèse du moi*, Paris, Delachaux et Niestlé.

OGBU, J.U. (1981). «Origins of human competence: A cultural-ecological perspective», *Child Development*, 52, p. 413 à 429.

OGBU, J.U. (1988). Culture, development and education, dans PELLEGRINI, A.D. (dir.), *Psychological Bases for Early Education*, New York, Wiley.

OGBU, J.U. et SIMONS, H.D. (1998). «Voluntary and involuntary minorities: A cultural-ecological theory of school performance with some implications for education», *Anthropology and Education Quarterly*, 29, p. 155 à 188.

OLDFIELD, R.C. (1971). «The assessment and analysis of handedness: The Edinburgh inventory», *Neuropsychologia*, 9, p. 97 à 114.

OLLENDICK, T.H., WEIST, M.D., BORDEN, M.C. et GREEN, R.W. (1992). «Sociometric status and academic, behavioral, and psychological adjustment. A five-year longitudinal study», *Journal of Consulting and Clinical Psychology*, 60, p. 80 à 87.

OLLER, D.K. (2000). *The Emergence of the Speech Capacity*, Mahwah (N.J.), Erlbaum.

OLRY-LOUIS, I. et HUTEAU, M. (2000). «Quelques questions soulevées par les styles d'apprentissage», Éducation et francophonie. *Revue scientifique virtuelle*, XXVIII(1). Sur Internet: http://www.acelf.ca/revue

OLSHO, L.W., SCHOON, C., SAKAI, R., SPERDUTO, V. et TURPIN, R. (1982). «Preliminary data on infant frequency discrimination», *Journal of the Acoustical Society of America*, 71, p. 509 à 511.

OLSON, D.H., McCUBBIN, H.I., BAMES, H.L., LARSEN, A.S., MURCEN, M.J. et WILSON, M.A. (1983). *Families: What Makes Them Work?*, Beverly Hills (Calif.), Sage.

OLWEUS, D. (1980). «Familial and temperamental determinants of aggressive behavior in adolescent boys: A causal analysis», *Developmental Psychology*, 16, p. 644 à 666.

OLWEUS, D. (1982). Development of stable aggressive reaction patterns in males, dans BLANCHARD, R. et BLANCHARD, C. (dir.), *Advances in the Study of Aggression*, vol. 1, New York, Academic Press.

ONSLOW, M. et PACKMAN, A. (1999). *The Handbook of Early Stuttering Intervention*, San Diego (Calif.), Singular Publishing Group.

ONSLOW, M., PACKMAN, A. et HARRISON, E. (2003). *The Lidcombe Program of Early Stuttering Intervention: A Clinician's Guide*, Austin (Tex.), Pro-Ed.

ORDRE DES ORTHOPHONISTES ET AUDIOLOGISTES DU QUÉBEC (OOAQ) [1998]. *Le bégaiement*, fiche d'information n° 2. Sur Internet: http://ww.ooaq.qc.ca/index.html

ORGANISATION MONDIALE DE LA SANTÉ (1993). *CIM-10 – Classification internationale des troubles mentaux,* 10ᵉ éd., vol. I et II, Paris, Masson.

OSTERRIETH, P. (1970). Les milieux, dans GRATIOT-ALPHAN-DÉRY, H. et ZAZZO, R. (dir.), *Traité de psychologie de l'enfant,* vol. 1, Paris, PUF.

OSTERRIETH, P., PIAGET, J., SAUSSURE, R. de, TANNER, J.M., WALLON, H. et ZAZZO, R. (1956). *Le problème des stades en psychologie de l'enfant,* symposium de l'Association de la psychologie scientifique de langue française, Paris, PUF.

OTIS, A.S. et LENNON, R.T. (1997). *Otis-Lennon School Ability Test (OLSAT),* 7ᵉ éd., *Technical Manual, Spring Data,* San Antonio (Texas), Harcourt Brace Educational Measurement.

OVERFIELD, T. (1995). *Biologic Variation in Health and Illness: Race, Age and Sex Differences,* 2ᵉ éd., New York, CRC Press.

OWEN, M.J., et CARDNO, A.G. (1999). « Psychiatric genetics: Progress, problems and potential », *Lancet,* 354 (supplément 1), p. 111 à 114.

OWREN, M.J. et BACHOROWSKI, J. (2001). The evolution of emotional expressions: A « self-gene » account of smiling and laughter in early hominids and humans, dans MAYNE, T.J. et BONANNO, G.A. (dir.), *Emotions: Current Issues and Future Directions,* New York, Guilford Press, p. 152 à 191.

OYAMA, S. (1976). « A sensitive period for the acquisition of a nonnative phonological system », *Journal of Psycholinguistic Research,* 5, p. 261 à 283.

PAGÉ, P. et GRAVEL, F. (2001). « Évaluation psychosociale des élèves à la maternelle: que reflètent les différences sexuelles? », *Revue Préscolaire,* 39, p. 9 à 12.

PAGÈS, M. (1965). *L'orientation non directive en psychothérapie et en psychologie sociale,* Paris, Dunod. (Troisième édition: 1986.)

PALLIER, C. et MEHLER, J. (1994). Language acquisition: Psychobiological data, dans PICARD, L. et SALAMON, G. (dir.), *Language and Aphasias,* notes de cours de l'ENCR, Nancy, Udine, Edizioni del Centauro, p. 23 à 26.

PAPILLON, M. (2000). *L'influence de la maturation pubertaire, des caractéristiques typées au genre, de l'image corporelle et de l'estime de soi sur les symptomes de dépression à l'adolescence,* mémoire de maîtrise non publié, Québec, Université Laval.

PARKE, R.D. et BURIEL, R. (1998). Socialization in the family: Ethnic and ecological perspectives, dans DAMON, W. et LERNER, R.M. (dir.), *Handbook of Child Development,* vol. 3: *Social, Emotional, and Personality Development,* 5ᵉ éd., New York, John Wiley & Sons.

PARKER, J.G. et ASHER, S.R. (1987). « Peer relations and later personal adjustment: Are low-accepted children at risk? », *Psychological Bulletin,* 102, p. 357 à 389.

PARSONS, T. (1951). *The Social System,* Glencoe, Free Press.

PARSONS, T. (1964). *Social Structure and Personality,* New York, Free Press of Glencoe.

PARSONS, T. (1966). *Societies: Evolutionary and Comparative Perspectives,* New York, Prentice-Hall. (Traduction française: *Sociétés: essai sur leur évolution comparée,* Paris, Dunod, 1971.)

PARSONS, T. (1968). The position of identity in the general theory of action, dans GORDON, C. et GERGEN, K.J. (dir.), *The Self in Social Interaction,* New York, J. Wiley.

PARSONS, T. (1971). *The System of Modern Societies,* New York, Prentice-Hall. (Traduction française: *Le système des sociétés modernes,* Paris, Dunod, 1973.)

PARSONS, T. et BALES, R. (1955). *Family, Socialization and Interaction Process,* Glencoe (Ill.), Free Press.

PASCUAL-LEONE, J. (1988). Organismic processes for neo-Piagetian theories: A dialectical causal account of cognitive development, dans DEMETRIOU, A. (dir.), *The Neo-Piagetian Theories of Cognitive Development: Toward an Integration,* Amsterdam, Elsevier, p. 25 à 65.

PATTERSON, G.R. (1982). *Coercive Family Processes,* Eugene (Ore.), Castilia Press.

PATTERSON, G.R. et DISHION, T.J. (1988). Multilevel family process models: Traits, interactions and relationships, dans HINDE, R. et STEVENSON-HINDE, J. (dir.), *Relationships within Families: Mutual Influences,* Oxford (Royaume-Uni), Clarendon Press.

PATTERSON, G.R., DE BARYSHE, B.D. et RAMSEY, E. (1989). « A developmental perspective on antisocial behavior », *American Psychologist,* 44, p. 329 à 335.

PATZER, G.L., (1985). *The Physical Attractiveness Phenomena,* New York, Plenum.

PAULHUS, D.L. et MARTIN, C.L. (1986). « Predicting adult temperament from minor physical anomalies », *Journal of Personality and Social Psychology,* 50, p. 1235 à 1239.

PEDERSON, D. et MORAN, G. (1996). « Expressions of attachment relationship outside of the strange situation », *Child Development,* 67, p. 915 à 927.

PEDRO-CARROLL, J.L. et COWEN, E.L. (1985). « The children of divorce intervention program : An investigation of the efficacy of a school based prevention program », *Journal of Consulting and Clinical Psychology,* 53, p. 603 à 611.

PEDRO-CARROLL, J.L., COWEN, E.L., HIGHTOWER, A.D. et GUARE, J.C. (1986). « Preventive intervention with latency-aged children of divorce », *American Journal of Community Psychology,* 14, p. 277 à 290.

PENNINGTON, B.F., BENDER, B., PUCK, M., SALENBLATT, J. et ROBINSON, A. (1982). « Learning disabilities in children with sex chromosome anomalies », *Child Development,* 53, p. 1182 à 1192.

PENNISI, E. (2000). « And the gene number is… ? », *Science,* 288, p. 1146 à 1147.

PEOPLES, C.E., FAGAN, J.F. et DROTAR, D. (1995). « The influence of race on 3-year-old children's performance on the Stanford-Binet fourth edition », *Intelligence,* 21, p. 69 à 82.

PERETTI, A. de (1997). *Présence de Rogers,* Toulouse, Erès.

PERFETTI, C.A., ZHANG, S. et BERENT, I. (1992). Reading in English and Chinese : Evidence for a « universal » phonological principle, dans FROST, R. et KATZ, I. (dir.), *Orthography, Phonology, Morphology, and Meaning,* Amsterdam, North-Holland.

PERREAULT, N. (1985). *Mesure de la permanence de l'objet chez le chat adulte par l'administration d'épreuves standardisées adaptées,* mémoire de maîtrise non publié, Québec, Université Laval, École de psychologie.

PERRIS, E.E. et CLIFTON, R.K. (1988). « Reaching in the dark toward sound as a measure of auditory localization in infants », *Infant Behavior and Development,* 11, p. 473 à 492.

PERRY, D.G. et BUSSEY, K. (1984). *Social Development,* Englewood Cliffs (N.J.), Prentice-Hall.

PERRY, D.G., PERRY, L.C., BUSSEY, K., ENGLISH, D. et ARNOLD, G. (1980). « Processes of attribution and children's self-punishment following misbehavior », *Child Development,* 51, p. 545 à 551.

PERSAUD, T.V.N., CHUDLEY, A.E. et SKALKO, R.G. (1985). *Basic Concepts in Teratology,* New York, Alan R. Liss.

PERVIN, L.A. et JOHN, O.P. (2001). *Personality. Theory and Research,* 8ᵉ éd., New York, John Wiley.

PETERSEN, A.F., GARRIGUES, P. et DE ROQUEFEUIL, G. (1984). Jeu et activité autorégulatrice : le jeu en tant que résolution de problème chez l'animal et l'enfant, dans GUILLEMAUT, J.,

MYQUEL, M. et SOULAYROL, R. (dir.), *Le Jeu et l'enfant,* Paris, Expansion scientifique française.

PETOT, D. (1999). Les dépressions, dans HABIMANA, E., ÉTHIER, L., PETOT, D. et TOUSIGNANT, M. (dir.), *Psychopathologie de l'enfant et de l'adolescent, une approche intégrative,* Boucherville, Gaëtan Morin.

PHILLIPS, L.M., NORRIS, S.P., OSMOND, W.C. et MAYNARD, A.M. (2002). « Relative reading achievement : A longitudinal study of 187 children from first through sixth grades », *Journal of Educational Psychology,* 94, p. 3 à 13.

PIAGET, J. (1921a). « Essai sur quelques aspects du développement de la notion de partie chez l'enfant », *Journal de psychologie,* 38, p. 449 à 480.

PIAGET, J. (1921b). « Une forme verbale de comparaison chez l'enfant », *Archives de psychologie,* 18, p. 143 à 172.

PIAGET, J. (1922). « Essai sur la multiplication logique et les débuts de la pensée formelle chez l'enfant », *Journal de psychologie,* 38, p. 222 à 261.

PIAGET, J. (1923a). « La pensée symbolique et la pensée de l'enfant », *Archives de Psychologie,* 18, p. 273 à 304.

PIAGET, J. (1923b). *Le langage et la pensée chez l'enfant,* Neuchâtel, Delachaux et Niestlé.

PIAGET, J. (1924). *Le jugement et le raisonnement chez l'enfant,* Paris, Alcan.

PIAGET, J. (1926). *La représentation du monde chez l'enfant,* Paris, Alcan.

PIAGET, J. (1932). *Le jugement moral chez l'enfant,* Paris, PUF. (Nouvelle édition : 1957.)

PIAGET, J. (1933). « La psychanalyse et le développement mental de l'enfant », *Revue française de psychanalyse,* 6, p. 405 à 408.

PIAGET, J. (1936 et 1966). *La naissance de l'intelligence chez l'enfant,* Neuchâtel et Paris, Delachaux et Niestlé.

PIAGET, J. (1937). *La construction du réel chez l'enfant,* Neuchâtel et Paris, Delachaux et Niestlé.

PIAGET, J. (1940). « Le développement moral de l'enfant », *Juventus Helveticus.* (Reproduit dans *Six études de psychologie,* 1964, p. 9 à 86.)

PIAGET, J. (1945). *La formation du symbole chez l'enfant. Imitation, jeu et rêve. Image et représentation,* Neuchâtel et Paris, Delachaux et Niestlé.

PIAGET, J. (1950). *Introduction à l'épistémologie génétique. I. La pensée mathématique; II. La pensée physique; III. La pensée biologique, la pensée psychologique et la pensée sociologique*, Paris, PUF.

PIAGET, J. (1953). «How children form mathematical concepts», *Scientific American*, 189, p. 74 à 79.

PIAGET, J. (1954). *Les relations entre l'intelligence et l'affectivité dans le développement de l'enfant et de l'adolescent* (cours à la Sorbonne), Paris, Centre de documentation universitaire. (Deuxième édition: 1962.)

PIAGET, J. (1957). *Le jugement moral chez l'enfant*, 2e éd., Paris, PUF.

PIAGET, J. (1961). *Les mécanismes perceptifs. Modèles probabilistiques, analyse génétique, relations avec l'intelligence*, Paris, PUF.

PIAGET, J. (1963a). L'explication en psychologie et le parallélisme psycho-physiologique, dans FRAISSE, P. et PIAGET, J. (dir.), *Traité de psychologie expérimentale*, fasc. 1, Paris, PUF, p. 121 à 152.

PIAGET, J. (1963b). *La naissance de l'intelligence*, 4e éd., Paris, PUF.

PIAGET, J. (1964a). *La formation du symbole chez l'enfant. Imitation, jeu et rêve. Image et représentation*, 3e éd., Neuchâtel, Delachaux et Niestlé. (Édition originale: 1945.)

PIAGET, J. (1964b). *La psychologie de l'intelligence*, 7e éd., Paris, A. Colin. (Première édition: 1947.)

PIAGET, J. (1964c). *Six études de psychologie*, Paris, Gonthier.

PIAGET, J. (1965). *Études sociologiques*, Genève, Droz.

PIAGET, J. (1967a). *La psychologie de l'intelligence*, 9e éd., Paris, Armand Colin.

PIAGET, J. (1967b). *Logique et connaissance scientifique*, Paris, Gallimard.

PIAGET, J. (1970). Piaget's theory, dans MUSSEN, P.H. (dir.), *Carmichael's Manual of Child Psychology*, 3e éd., vol. 1, New York, Wiley, p. 703 à 732.

PIAGET, J. (1976). «Autobiographie», *Revue européenne des sciences sociales*, tome XIV, p. 1 à 43.

PIAGET, J. (1977). *La construction du réel chez l'enfant*, 6e éd., Paris, Delachaux et Niestlé.

PIAGET, J. et INHELDER, B. (1955). *De la logique de l'enfant à la logique de l'adolescent*, Paris, PUF.

PIAGET, J. et INHELDER, B. (1956). *The Child's Conception of Space*, Londres, Routledge & Kegan Paul.

PIAGET, J. et INHELDER, B. (1971). *Psychologie de l'enfant*, Paris, PUF, coll. «Que sais-je?», n° 369.

PIÉRARD, B., CLOUTIER, R., JACQUES, C. et DRAPEAU, S. (1994). «Le lien entre la séparation parentale et le comportement de l'enfant: le rôle du revenu familial», *Revue québécoise de psychologie*, 15, p. 87 à 108.

PIÉRAULT-LEBONNIEC, G. (1987). *Connaître et le dire*, Bruxelles, Mardaga.

PIERREHUMBERT, B., IANNOTTI, R.J. et CUMMINGS, M.E. (1985). «Mother-infant attachment, development of social competencies and beliefs of self-responsibility», *Archives de psychologie, Médecine et hygiène*, 53(206), p. 365 à 374.

PIERREHUMBERT, B., KARMANIOLA, A., SIEYE, A., MEISTER, C., MILJKOVITCH, R. et HALFON, O. (1996). Les modèles de relations: développement d'un auto-questionnaire d'attachement pour adultes, dans *Psychiatrie de l'enfant*, Paris, PUF, vol. 39, fasc. 1, p. 161 à 206.

PIERSON, R. et BELISLE, S. (2003). *L'investigation de l'infertilité par le médecin de première ligne*, document de consensus, Montréal, Société canadienne de fertilité et d'andrologie. Sur Internet: http://www.cfas.ca/english/library/CFASconsensus-FR.pdf

PINKER, S. (1994). *The Language Instinct: How the Mind Creates Language*, New York, Morrow.

PLATT, L.D. et autres (2000). «The international study of pregnancy outcome in women with maternal phenylketonuria: Report of a 12-year study», *American Journal of Obstetrical Gynaecology*, 182, p. 326 à 332.

PLECK, J.H. (1975). «Masculinity-femininity: Current and alternate paradigms», *Sex Roles*, 1, p. 161 à 178.

PLOMIN, R. (1990). «The role of inheritance in behavior», *Science*, 248, p. 183 à 188.

PLOMIN, R. (1994). *Genetics and Experience: The Interplay between Nature and Nurture*, Thousand Oaks (Calif.), Sage.

PLOMIN, R., CORLEY, R., DEFRIES, J.C. et FULKER, D.W. (1990). «Individual differences in television viewing in early childhood: Nature as well as nurture», *Psychological Science*, 1, p. 371 à 377.

PLOMIN, R., LICHTENSTEIN, P., PEDERSEN, N.L., McCLEARN, G.E., et NESSELROADE, J.R. (1990). «Genetic influence on life events during the last half of the life span», *Psychology and Aging*, 5, p. 25 à 30.

POITOU, J.P. (dir.) [1987]. « Psychisme et histoire », *Technologies-Idéologies-Pratiques*, VIII (1-4).

POLIVY, J. (1981). « On the induction of emotion in the laboratory : Discrete moods or multiple affect states », *Journal of Personality and Social Psychology*, 41, p. 803 à 817.

POLYGENIS, D., EINARSON, T.R., WHARTON, S., MALMBERG, C., SHERMAN, N., KENNEDY, D. et KOREN, G. (2001). Moderate alcohol consumption during pregnancy and the incidence of fetal malformations : A meta-analysis, dans KOREN, G. (dir.), *Maternal-Fetal Toxicology*, New York, Marcel Dekker.

POMERLEAU, A. et MALCUIT, G. (1983). *L'enfant et son environnement*, Sillery, Presses de l'Université du Québec.

PONTALIS, J.B. (1975). Préface, dans WINNICOTT, D.W., *Jeu et réalité. L'espace potentiel*, Paris, Gallimard, p. VII-XV.

PORTER, F.L., MILLER, R.H. et MARSHALL, R.E. (1986). « Neonatal pain cries : Effect of circumcision on acoustic features and perceived urgency », *Child Development*, 57, p. 790 à 802.

PORTER, R.H., CERNOCH, J.M. et McLAUGHLIN, F.J. (1983). « Maternal recognition of neonates through olfactory cues », *Physiology and Behavior*, 30, p. 151 à 154.

PRÊTEUR, Y. et LÉONARDIS, M. de (1995). *Éducation familiale, image de soi et compétences sociales*, Bruxelles, De Boeck.

PRICE-WILLIAMS, D., GORDON, W. et RAMIREZ, M. (1969). « Skill and conservation : A study of pottery-making children », *Developmental Psychology*, 1, p. 769.

PRIGOGINE, I. et STENGERS, I. (1984). *Order Out of Chaos : Man's New Dialogue with Nature*, New York, Bantam Books.

PRONOVOST, J. et LECLERC, D. (2000). *Analyse de rapports d'événements suicidaires d'adolescent(e)s en centres jeunesse*, étude menée en collaboration avec l'Association des Centres jeunesse du Québec, Trois-Rivières, Université du Québec à Trois-Rivières, Département de Psycho-éducation.

PUTNAM, S.P., ELLIS, L.K. et ROTHBART, M.K. (2001). The structure of temperament from infancy through adolescence, dans ELIASZ, A. et ANGLEITNER, A. (dir.), *Advances in Research on Temperament*, Lengerich (Allemagne), Pabst Science.

RAINE, A., REYNOLDS, C., VENABLES, P.H. et MEDNICK, S.A. (2002). « Stimulation seeking and intelligence : A prospective study », *Journal of Personality and Social Psychology*, 82, p. 663 à 674.

RAPOPORT, J.L., GIEDD, J.N., BLUMENTHAL, J., HAMBURGER, S., JEFFRIES, N., FERNANDEZ, T., NICOLSON, R., BEDWELL, J., LENANE, M., ZIJDENBOS, A., PAUS, T. et EVANS, A. (1999). « Progressive cortical change during adolescence in childhood-onset schizophrenia : A longitudinal magnetic resonance imaging study », *Archives of General Psychiatry*, 56, p. 649 à 654.

RATCLIFFE, S.G. et FIELD, M.A.S. (1982). « Emotional disorder in XXY children : Four case reports », *Journal of Child Psychology and Psychiatry*, 23, p 401 à 406.

REBECCA, M., HEFNER, R. et OLESHANSKY, B. (1976). « A model of sex-role transcendence », *Journal of Social Issues*, 32, p. 197 à 206.

REEVE, J., BOLT, E. et CAI, E. (1999). « Autonomy-supportive teachers : How they teach and motivate students », *Journal of Educational Psychology*, 91, p. 537 à 548.

REINHARDT, J.C. (1990). *La genèse de la connaissance du corps chez l'enfant*, Paris, PUF.

REINISCH, J.M. (1981). « Prenatal exposure to synthetic progestins inscreases potential for aggression in humans », *Science*, 211, p. 1171 à 1173.

REISS, S. (1990). « Prevalence of dual diagnosis in community-based programs in the Chicago metropolitan area », *American Journal on Mental Retardation*, 94, p. 578 à 584.

REST, J.R. (1983). Morality, dans MUSSEN, P.H. (dir.), *Handbook of Child Psychology*, 4e éd., vol. 3 (Flavell, J.H. et Markman, E.M. [dir.]), New York, Wiley.

REUCHLIN, M. (1990). *Les différences individuelles dans le développement conatif de l'enfant*, Paris, PUF.

REYNA, C. et WEINER, B. (2001). « Justice and utility in the classroom. An attributional analysis of the goals of teachers' punishment and intervention stategies », *Journal of Educational Psychology*, 93, p. 309 à 319.

REYNA, V.F. et LLOYD, F.J. (1997). « Theories of false memory in children and adults », *Learning and Individual Differences*, 9, p. 95 à 123.

RICE, M.L. (1989). « Children's language acquisition », *American Psychologist*, 44, p. 149 à 156.

RICŒUR, P. (1990). *Soi-même comme un autre*, Paris, Seuil.

RIEDMANN, A., LAMANNA, M.A. et NELSON, A. (2003). *Marriages and Families*, Scarborough (Ont.), Thomson Nelson.

RIEGEL, K.F. (1975). « Dialectical operations : The final period of cognitive development », *Human Development*, 16, p. 346 à 370.

RIGAL, R. (1985). *Motricité humaine*, Québec, Presses de l'Université du Québec.

ROBIN, L.N. et EARLS, F. (1985). A program for preventing antisocial behavior for high-risk infants and preschoolers: A research prospectus, dans HOUGH, R.L., GONGLA, P.A., BROWN, V.B. et GOLSTON, S.E. (dir.), *Psychiatric Epidemiology and Prevention: The Possibilities*, Los Angeles, Neuropsychiatric Institute.

RODRIGUEZ-TOMÉ, H. (1972). *Le moi et l'autre dans la conscience de l'adolescent*, Neuchâtel, Delachaux et Niestlé.

RODRIGUEZ-TOMÉ, H. (1980). La dimension temporelle de l'identité, dans TAP, P. (dir.), *Identité individuelle et personnalisation*, Toulouse, Privat, p. 145 à 156.

RODRIGUEZ-TOMÉ, H. et BARIAUD, F. (1987). *Les perspectives temporelles à l'adolescence*, Neuchâtel, Delachaux et Niestlé.

RODRIGUEZ-TOMÉ, H. et ZLOTOWICZ, M. (1972). « Peurs et angoisses dans l'enfance et l'adolescence », *Enfance*, numéro spécial.

ROGERS, C.R. (1959). A theory of therapy, personality, and interpersonal relationships, as developed in the client-centered framework, dans KOCH, S. (dir.), *Psychology: A Study of a Science*, vol. 3: *Formulations of the Person and the Social Context*, New York, McGraw-Hill, p. 184 à 256.

ROGERS, C.R. (1961). *On Becoming a Person*, Boston, Houghton Mifflin.

ROGERS, C.R. (1966). *Le développement de la personne*, Paris, Dunod.

RONDAL, J. Q. et ESPERET, E. (1999). *Manuel de psychologie de l'enfant*, Bruxelles, Mardaga.

ROSE, S.A. et FELDMAN, J.F. (1997). « Memory and speed: Their role in the relation of infant information processing to later IQ », *Child Development*, 68, p. 630 à 641.

ROSE, S.A., FELDMAN, J.F. et JANKOWSKI, J.J. (2003). « Infant visual recognition memory independent contributions of speed and attention », *Developmental Psychology*, 39, p. 563 à 571.

ROSEN, M.C. (1987). « The feerie world of reunited twins », *Discover*, 8.

ROSENBERG, A. et KAGAN, J. (1987). « Iris pigmentation and behavioral inhibition », *Developmental Psychobiology*, 20, p. 377 à 392.

ROSENTHAL, R. (1966) *Experimental Effects in Behavioral Research*, New York, Appleton-Century Crofts.

ROSENTHAL, R. (1994). « Interpersonal expectancy effects: A 30-year perspective », *Current Directions in Psychological Science*, 3, p. 176 à 179.

ROSENTHAL, R. et JACOBSON, L. (1968). *Pygmalion in the Classroom: Teacher Expectation and Pupils' Intellectual Development*, New York, Holt, Rinehart and Winston.

ROSENTHAL, R. et RUBIN, D.B. (1978). « Interpersonal expectancy effects: The first 345 studies », *Behavioral and Brain Sciences*, 3, p. 377 à 386.

ROSS, D.P. et ROBERTS, P. (1999). *Le bien-être de l'enfant et le revenu familial: un nouveau regard au débat de la pauvreté*, Ottawa, Conseil canadien de développement social. Sur Internet: http://www.isuma.net/v01n02/ross/ross_f.pdf

ROSS, D., ROBERTS, P. et SCOTT, K. (2000). « Le bien-être de l'enfant et le revenu familial », *Revue canadienne de recherche sur les politiques* (ISUMA), automne, p. 45.

ROTHBART, M.K., AHADI, S.A., et EVANS, D.E. (2000). « Temperament and personality: Origins and outcomes », *Journal of Personality and Social Psychology*, 78, p. 122 à 135.

ROTHBART, M.K. et DERRYBERRY, D. (1981). Development of individual differences in temperament, dans LAMB, M.E. et BROWN A.L., (dir.), *Advances in Developmental Psychology*, vol. 1, Hillsdale (N.J.), Erlbaum.

ROUSE, B. et autres (2000). « Maternal phenylketonuria syndrome: Congenital heart defects, microcephaly, and developmental outcomes », *Journal of Pediatrics*, 136, p. 57 à 61.

ROUSSEAU, J.-J. (1762). *Émile ou De l'éducation*, Paris, Garnier-Flammarion.

ROWE, D.C. (1981). « Environmental and genetic influences on dimensions of perceived parenting: A twin study », *Developmental Psychology*, 17, p. 203 à 208.

RUBIN, K.R., FEIN, G.G. et VANDENBERG, B. (1983). Play, dans MUSSEN, P.H. (dir.), *Handbook of Child Psychology*, vol. 4, New York, Wiley.

RUISEL, I. (1992). « Social intelligence: Conception and methodological problems », *Studia Psychologica*, 34, p. 281 à 296.

RUSSELL, J.A. (1989). Culture, scripts, and children's understanding of emotion, dans SAARNI, C. et HARRIS, P.L. (dir.), *Children's Understanding of Emotion*, Cambridge, Cambridge University Press, p. 293 à 318.

RUSSELL, J.A. et BULLOCK, M. (1985). « Multidimensional scaling of emotional facial expressions: Similarities from preschoolers to adults », *Journal of Personality and Social Psychology*, 48, p. 1290 à 1298.

RUSSELL, J.A. et WIDEN, S.C. (2002). « A label superiority effect in children's categorization of facial expressions », *Social Development*, 11, p. 30 à 52.

RUSSELL, M.J., MENDELSON, T. et PEEKE, R.V. (1983). « Mother's identification of their infant's odors », *Ethology and Sociobiology*, 4, p. 29 à 31.

RUTTER, M., DUNN, J., PLOMIN, R. et SIMONOFF, E. (1997). « Integrating nature and nurture : Implications of person-environment correlations and interactions for developmental psychopathology », *Development and Psychopathology*, 9, p. 335 à 364.

RUTTER, M, et RUTTER, M. (1993). *Developing Minds : Challenge and Continuity Across the Life Span*, Harmondsworth (Royaume-Uni), Penguin.

RUVOLO, A.P. et MARKUS, H.R. (1992). « Possible selves and performance : The power of self-relevant imagery », *Social Cognition*, 10, p. 95-124.

SAARNI, C. (1984). « An observational study of children's attempts to monitor their expressive behavior », *Child Development*, 55, p. 1504 à 1513.

SAARNI, C. (1999). *The Development of Emotional Competence*, New York, Guilford Press.

SABLY, R.G. et FREY, K.S. (1975). « Development of gender constancy and selective attention to same-sex models », *Child Development*, 49, p. 849 à 856.

SAGI, A., LAMB, M.E., LEWKOWICW, K.S., SHOMAN, R., DVIR, R. et ESTES, D. (1985). Security of infant-mother, -father, and -metapelet attachments among kibbutz-reared Israeli children, dans BRETHERTON, I. et WATERS, E. (dir.), *Growing points in attachment theory and research*, Monographs of the Society for Research in Child Development, 50, p. 257 à 275.

SAINSAULIEU, R. (1977). *L'identité au travail*, Paris, Presses de la Fondation nationale des sciences politiques.

SAINSAULIEU, R. (1980). L'identité et les relations de travail, dans TAP, P. (dir.), *Identités collectives et changements sociaux*, Toulouse, Privat, p. 276 à 286.

SAINT-JACQUES, M.-C., CLOUTIER, R., PAUZÉ, R., SIMARD, M., GAGNÉ, M.-H. et LESSARD, G. (2001). *La spécificité de la problématique des jeunes suivis en centre jeunesse provenant de familles recomposées*, Québec, Université Laval, Centre de recherche sur les services communautaires.

SAINT-JACQUES, M.-C., DRAPEAU, S. et CLOUTIER, R. (2000). La prévention des problèmes d'adaptation chez les jeunes de familles séparées, dans VITARO, F. et GAGNON, C. (dir.), *La prévention des problèmes d'adaptation chez les enfants et les adolescents*, tome I : *Les problèmes internalisés*, Sainte-Foy (Québec), Presses de l'Université du Québec.

SAINT-JACQUES, M.-C., LÉPINE, R. et PARENT, C. (2002). « La naissance d'une famille recomposée », *Revue canadienne de santé mentale communautaire*, supplément spécial n° 4, p. 89 à 107.

SAINT-LAURENT, L. (2002). *Enseigner aux élèves à risque et en difficulté au primaire*, Boucherville, Gaëtan Morin.

SALTHOUSE, T.A. (1996). « The processing-speed theory of adult age differences in cognition », *Psychological Review*, 103, p. 403 à 428.

SAMEROFF, A.J. et CHANDLER, M.J. (1975). Reproductive risk and the continuum of caretaking casualty, dans HOROWITZ, F. (dir.), *Review of Child Development Research*, vol. 4, Chicago, University of Chicago Press.

SANTÉ CANADA (1999). *Nutrition pour une grossesse en santé : lignes directrices nationales à l'intention des femmes en âge de procréer*, Ottawa, Ministère des Travaux publics et Services gouvernementaux du Canada.

SANTÉ CANADA (2000). *Rapport sur la santé périnatale au Canada*, Système canadien de surveillance périnatale, Ottawa, Santé Canada.
Sur Internet : http://www.hc-sc.gc.ca/hpb/lcdc/brch/reprod.html

SANTÉ CANADA (2002a). *Le tabagisme chez les adultes au Canada*, ESUTC (Enquête de surveillance de l'usage du tabac au Canada), Annuel, février à décembre 2000. Ottawa.
Résumé sur Internet : http://www.hc-sc.gc.ca/hecs-sesc/tabac/recherches/esutc/2000_adultes/

SANTÉ CANADA (2002b). *Rapport sur les maladies mentales au Canada*, Ottawa, Direction générale de la santé de la population et de la santé publique.
Sur Internet : http://www.hc-sc.gc.ca/pphb-dgspsp/publicat/miic-mmac/index_f.html

SANTÉ CANADA (2003). « Syndrome d'alcoolisme fœtal. Effets de l'alcool sur le fœtus », *Santé Canada vous informe*, Ottawa, Santé Canada.
Sur Internet : http://www.hc-sc.gc.ca/francais/vie_saine/saf.html

SARBIN, T.R., TAFT, R. et BAILEY, D.E. (1960). *Clinical Inference and Cognitive Theory*, New York, Holt, Rinehart and Winston.

SAUSSURE, R. de (1933). « Psychologie génétique et psychanalyse », *Revue française de psychanalyse*, 1, p. 365 à 403.

SAVAGE-RUMBAUGH, E.S., MURPHY, J., SECVIK, R.A., BRAKKE, K.E., WILLIAMS, S.L. et RUMBAUGH, D.M. (1993). « Language comprehension in ape and child », *Monographs of the Society for Research in Child Development*, 58(3-4), numéro de série 233.

SAVAGE-RUMBAUGH, S. (2001). *Apes, Language, and the Human Mind*, New York, Oxford University Press.

SAVAGE-RUMBAUGH, S. et LEWIN, R. (1995). *Kanzi: The Ape at the Brink of the Human Mind*, New York, Wiley.

SAYWITZ, K.J., MANNARINO, A.P., BERLINER, L. et COHEN, J.A. (2000). « Treatment for sexually abused children and adolescents », *American Psychologist*, 55, p. 1040 à 1049.

SCANLON, J.W. et HOLLENBECK, A.R (1983). Neonatal behavioral effects of anesthetic exposure during pregnancy, dans FRIEDMAN, E.A., MILUSKY, A. et GLUCK, A. (dir.), *Advances in Perinatal Medicine*, New York, Plenum.

SCARR, S. (1988). « Race and gender as psychological variables: Social and ethical issues », *American Psychologist*, 43, p. 56 à 59.

SCARR, S., WEINBERG, R.A. et LEVINE, A. (1986). *Understanding Development*, San Diego (Calif.), Harcourt Brace Jovanovich.

SCHAFFER, H.R. (1966). The onset of fear of strangers and the incongruity hypothesis, *Journal of Child Psychology and Psychiatry*, 7, p. 95 à 106.

SCHAFFER, H.R. (1996). *Social Development*, Cambridge (Mass.), Blackwell.

SCHAFFER, H.R. et EMERSON, P.E. (1964). « The development of social attachments in infancy », *Monographs of the Society for Research in Child Development*, 29.

SCHEINFELD, A. (1965). *Your Heredity and Environment*, Philadelphie, Lippincott.

SCHEINFELD, A. (1973). *Twins and Supertwins*, Baltimore (Md.), Penguin Books.

SCHELL, R.E. et HALL, E. (1980). *Psychologie génétique*, traduit par A. Chauveau, M. Claes et M. Gauthier, Montréal, Éditions du Renouveau pédagogique.

SCHNEIDER, B.A., TREHUB, S.E. et BULL, D. (1980). « High-frequency sensitivity in infants », *Science*, 207, p. 1003 à 1004.

SCHNEIDER, B.H., ATKINSON, L. et TARDIF, C. (2001). « Child-parent attachment and children's peer relations: A quantitative review », *Developmental Psychology*, 37, p. 86 à 100.

SCHWARTZ, G.M., IZARD, C.E. et ANSUL, S.E. (1985). « The 5-month-old's ability to discriminate facial expressions of emotion », *Infant Behavior and Development*, 8, p. 65 à 77.

SCOTT, K.G. et CARRAN, D.T. (1987). « The epidemiology and prevention of mental retardation », *American Psychologist*, 42, p. 801 à 804.

SCRIVER, C.R., BEAUDET, A.L., SLY, W.S. et VALLE, D. (1995). *The Metabolic and Molecular Bases of Inherited Disease*, 6e éd., New York, McGraw-Hill.

SECOR, C. (1974). « Androgyny: An early reappraisal », *Women's Studies*, 2, p. 161 à 169.

SEGALEN, M. (1988). *Sociologie de la famille*, Paris, Colin.

SEGALEN, M. (2002). *Sociologie de la famille*, 5e éd., Paris, Colin.

SEGUI, J. et FERRAND, L. (2000). *Leçons de parole*, Paris, Odile Jacob.

SELIGMAN, M.E.P. (1974). Depression and learned helplessness, dans FRIEDMAN, R.J. et KATZ, M.M. (dir.), *The Psychology of Depression: The Contemporary Theory and Research*, New York, Wiley.

SELIGMAN, M.E.P. (1995). *The Optimistic Child: A Proven Program to Safeguard Children Against Depression and Build Lifelong Resilience*, New York, Harper Perennial.

SERPELL, R., SONNENSCHEIN, S., BAKER, L. et GANAPATHY, H. (2002). « Intimate culture of families in the early socialization of literacy », *Journal of Family Psychology*, 16, p. 391 à 405.

SESÉ-LÉGER, S. (1995). Rubrique « Transsexualisme », dans *Encyclopædia Universalis*, 22, p. 901 et 902.

SHANTZ, C.U. (1983). Social cognition, dans FLAVELL, J.H. et MARKMAN, E.M. (dir.), *Handbook of Child Psychology: Cognitive Development*, vol. 3, New York, Wiley.

SHARP, D. (1973). *Language in Bilingual Communities*, Londres, Arnold.

SHINER, R.L., MASTEN, A.S. et TELLEGEN, A. (2002). « A developmental perspective on personality in emerging adulthood. Childhood antecedents and concurrent adaptation », *Journal of Personality and Social Psychology*, 83, p. 1165 à 1177.

SHIRLEY, M. (1931-1933). *The First Two Years. A Study of Twenty-Five Babies*, vol. l, II et III, Minneapolis, University of Minnesota Press.

SHUMWAY-COOK, A. et WOOLLACOTT, M.H. (1985). «The growth of stability: Postural control from a developmental perspective», *Journal of Motor Behavior*, 17, p. 131 à 147.

SIEGLER, R.S. (1991). *Children's Thinking*, Englewood Cliffs (N.J.), Prentice Hall.

SILBERMAN, M. (1971). Teacher's attitudes and actions toward their students, dans SILBERMAN, M. (dir.), *The Experience of Schooling*, New York, Holt Rinehart and Winston.

SILVERI, M.C. (1996). «Peripheral aspects of writing can be differentially affected by sensorial and attentional defect: Evidence from a patient with afferent dysgraphia and case dissociation», *Cortex*, 32, p. 155 à 172.

SIMON, H.A. (1976). Identifying basic abilities underlying intelligent performance of complex tasks, dans RESNICK, L.B. (dir.), *The Nature of Intelligence*, Hillsdale (N.J.), Erlbaum.

SIMONS, R.L. (1996). *Understanding Differences Between Divorced and Intact Families: Stress, Interaction and Child Outcome*, Thousand Oaks (Calif.), Sage.

SINDZINGRE, N. (1995). «Corps – Données anthropologiques», *Encyclopædia Universalis*, 6, p. 598 à 600.

SINNOTT, J.M. et ASLIN, R.N. (1985). «Frequency and intensity discrimination in human infants and adults», *Journal of the Acoustical Society of America*, 78, p. 1986 à 1992.

SIROIS, M. (1986). «L'obésité: vers une approche biopsychosociale», essai de maîtrise non publié, École de psychologie, Université Laval.

SISSONS JOSHI, M. et MACLEAN, M. (1994). «Indian and English children's understanding of the distinction between real and apparent emotion», *Child Development*, 65, p. 1372 à 1384.

SKINNER, B.F. (1971). *Beyond Freedom and Dignity*, New York, Knopf.

SKUSE, D.H. (2000a). «Behavioural neuroscience and child psychopathology: Insights from model systems», *Journal of Child Psychology and Psychiatry*, 41, p. 3 à 31.

SKUSE, D.H. (2000b). «Imprinting the X-chromosome, and the male brain: Explaining sex differences in the liability to autism», *Pediatric Research*, 47, p. 9 à 16.

SKWARCHUK, S.L. et ANGLIN, J.M. (2002). «Children's acquisition of the English cardinal number words. A special case of vocabulary development», *Journal of Educational Psychology*, 94, p. 101 à 125.

SLABY, R.G. et FREY, K.S. (1975). «Development of gender constancy and selective attention to same-sex models», *Child Development*, 46, p. 849 à 856.

SLABY, R.G. et QYARFOTH, G.R. (1980). Effects of television on the developing child, dans CAMP, B.W. (dir.), *Advances in Behavioral Pediatrics*, vol. 1, Greenwich (Conn.), Johnson Associates.

SLATER, A. (1995). «Individual differences in infancy and later IQ», *Journal of Child Psychology and Psychiatry*, 36, p. 69 à 112.

SLATER, A., MATTOCK, A. et BROWN, E. (1990). «Size constancy at birth: Newborn infants' responses to retinal and real size», *Journal of Experimental Child Psychology*, 49, p. 314 à 322.

SLATER, A. et MUIR, D. (1999). *The Blackwell Reader in Developmental Psychology*, Oxford, Blackwell.

SLOBIN, D.I. (2000). Verbalized events: A dynamic approach to linguistic relativity and determinism, dans NIEMEIER, S. et DIRVEN, R. (dir.), *Evidence for Linguistic Relativity*, Amsterdam et Philadelphie, John Benjamins.

SLOBIN, D.I. (2001). *Language and Thought*, Université de Californie à Berkeley. Département de psychologie. Texte diffusé par la Linguistic Society of America (Washington, D.C.).
Sur Internet: http://www.lsadc.org/fields/index.php?aaa=lang_thought.htm

SLOBIN, D.I. (2002). Language and thought online: Cognitive consequences of linguistic relativity, dans GENTNER, D. et GOLDIN-MEADOW, S. (dir.), *Advances in the Investigation of Language and Thought*, Cambridge (Mass.), MIT Press.

SMART, M.S. et SMART, R.C. (1977). *Children Development and Relationships*, 3e éd., New York, Macmillan.

SMILANSKY, S. (1968). *The Effects of Sociodramatic Play on Disadvantaged Children: Preschool Children*, New York, Wiley.

SMITH, B., FILLION, T. et BLASS, E. (1990). «Orally mediated sources of calming in 1- to 3-day-old human infants», *Developmental Psychology*, 26, p. 731 à 737.

SMITH, S.S. (1997). A longitudinal study: The literacy development of 57 children, dans KINSER, C., HINCHMAN, K.A. et LEU, D.J. (dir.), *Inquiries in Literacy Theory and Practice*, Chicago, National Reading Conference.

SMOLLAR, J. et YOUNISS, J. (1982). Social development through friendship, dans RUBIN, K.H. et ROSS, H.S. (dir.), *Peer Relationships and Social Skills in Childhood*, New York, Springer-Verlag.

SNOW, C.E. et HOEFNAGEL-HÖHLE, M. (1978). « The critical period for language acquisition : Evidence from second language learning », *Child Development*, 49, p. 1114 à 1128.

SNOWLING, M.J., DEFTY, N., et GOULANDRIS, N. (1996). « A longitudinal study of reading in the development of dyslexic children », *Journal of Educational Psychology*, 88, p. 653 à 669.

SORCE, J.F., EMDE, R.N., CAMPOS, J. et KLINNERT, M.D. (1985). « Maternal emotional signaling : Its effects on the visual cliff behavior of 1-year-olds », *Developmental Psychology*, 21, p. 195 à 200.

SORDES, F., ESPARBÈS, S. et TAP, P. (1994). « Contrôle de soi et stratégies de développement : le coping en question », *Psychologie et éducation, Revue de l'Association française des psychologues scolaires*, 16, p. 81 à 96.

SPEARMAN, C. (1904). « General intelligence, objectively determined and measured », *American Journal of Psychology*, 15, p. 201 à 293.

SPEARMAN, C. (1927). *The Abilities of Man*, Londres, Macmillan.

SPITZ, R. (1945). « Hospitalism », *Psychoanalytic Study of the Child*, 1, p. 45 à 74.

SPITZ, R. (1946). « Anaclitic depression : An inquiry in the genesis of psychiatric conditions in early childhood – II », *Psychanalytic Study of the Child*, 2, p. 313 à 342.

SPITZ, R.A. (1950). « Anxiety in infancy : A study of its manifestations in the first year of life », *International Journal of Psycho-Analysis*, 31, p. 138 à 143.

SPITZ, R.A. (1959). *A Genetic Field Theory of Ego Formation*, New York, International Universities Press.

SPITZ, R.A. (1962). *Le non et le oui : la genèse de la communication humaine*, Paris, PUF. (Édition originale : 1957.)

SPITZ, R.A. (1974). *De la naissance à la parole*, Paris, PUF. (Édition originale : 1965.)

SPRAGUE-McRAE, J.M., LAMB, W. et HOMER, D. (1993). « Encopresis : A study of treatment alternatives and historical and behavioral characteristics », *Nurse Practice*, 18, p. 52 à 53 et p. 56 à 63.

SPRINGER, S.P. et DEUTSCH, G. (1985). *Left Brain, Right Brain*, New York, Freeman.

SROUFE, L.A. (1983). Infant-caregiver attachment and patterns of adaptation in preschool : The roots of maladaptation and competence, dans PERLMUTTER, M. (dir.), *Minnesota Symposia on Child Psychology*, vol. 16, Hillsdale (N.J.), Erlbaum, p. 41 à 83.

SROUFE, L.A. (1995). *Socioemotional Development : The Organization of Emotional Life in the Early Years*, New York, Cambridge University Press.

SROUFE, L.A. et WATERS, P. (1976). « The ontogenesis of smiling and laughter : A perspective on the organization of development in infancy », *Psychological Review*, 83, p. 173 à 189.

STANKOV, L. (2003). Complexity in human intelligence, dans STERNBERG, R.J., LAUTREY, J. et LUBART, T.I. (dir.), *Models of Intelligence : International Perspectives*, Washington (D.C.), American Psychological Association.

STASSEN-BERGER, K. (2000). *The Developing Person : Through Childhood and Adolescence*, New York, Worth Publishers.

STEELE, S.J. (1985). *Gynaecology, Obstetrics and the Neonate*, Londres, Edward Arnold.

STEIN, N.L. et LEVINE, L. (1987). Thinking about feeling : The development and organization of emotional knowledge, dans SNOW, R.E. et FARR, M. (dir.), *Aptitude, Learning, and Instruction*, vol. 3 : *Cognition, Conation, and Affect*, Hillsdate (N.J.), Erlbaum.

STEINER, J.E. (1977). Facial expression of the neonate infant indicating the hedonics of food-related chemical stimuli, dans WEIFFENBACH, J.M. (dir.), *Taste and Development : The Genesis of Sweet Preference*, Washington (D.C.), Government Printing Office.

STEINER, J.E. (1979). Human facial expressions in response to taste and smell stimulation, dans REESE, H. et LIPSITT, L. (dir.), *Advances in Child Development and Behavior*, vol. 13, New York, Academic Press.

STENBERG, C.R., CAMPOS, J.J. et EMDE, R.N. (1983). « The facial expression of anger in seven-month-old infant », *Child Development*, 54, p. 178 à 184.

STEPHAN, C.W. et LANGLOIS, J.H. (1984). « Baby beautiful : Adult attributions of infant competence as a function of infant attractiveness », *Child Development*, 55, p. 576 à 585.

STERNBERG, R.J. (1977). *Intelligence, Information Processing and Analogical Reasoning : The Componential Analysis of Human Abilities*, Hillsdale (N.J.), Erlbaum.

STERNBERG, R.J. (1985). *Beyond IQ : A Triarchic Theory of Human Intelligence*, New York, Cambridge University Press.

STERNBERG, R.J. (1988). *The Triarchic Mind : A New Theory of Human Intelligence*, New York, Cambridge University Press.

STERNBERG, R.J. (1990). *Metaphores of Mind: Conceptions of the Nature of Intelligence*, Cambridge (Mass.), Cambridge University Press.

STERNBERG, R.J. (1995). « Testing common sense », *American Psychologist*, 50, p. 912 à 927.

STERNBERG, R.J. (1997). *Successful Intelligence*, New York, Plume.

STERNBERG, R.J. (1999). « The theory of successful intelligence », *Review of General Psychology*, 3, p. 292 à 316.

STERNBERG, R.J. (2000). The concept of intelligence, dans Sternberg, R.J. (dir.), *Handbook of Intelligence*, New York, Cambridge University Press.

STERNBERG, R.J. (2003). Construct validity of the theory of successful intelligence, dans STERNBERG, R.J., LAUTREY, J. et LUBART, T.I. (dir.), *Models of Intelligence: International Perspectives*, Washington (D.C.), American Psychological Association.

STERNBERG, R.J. et BERG, C. (1986). Quantitative integration. Definitions of intelligence: A comparison of the 1921 and 1986 Symposia, dans STERNBERG, R.J. et DETTERMAN, D.K. (dir.), *What Is Intelligence? Contemporary Viewpoints on Its Nature and Definition*, Norwood (N.J.), Alex Pub. Corp.

STERNBERG, R.J. et DETTERMAN, D.K. (1986). *What Is Intelligence? Contemporary Viewpoints on Its Nature and Definition*, Norwood (N.J.), Alex Pub. Corp.

STERNBERG, R.J., FERRARI, M., CLINKENBEARD, P.R. et GRIGORENKO, E.I. (1996). « Identification, instruction, and assessment of gifted children: A construct validation of a triarchic model », *Gifted Child Quarterly*, 40, p. 129 à 137.

STERNBERG, R.J., LAUTREY, J. et LUBART, T.I. (2003). Where are we in the field of intelligence, how did we get here and where are we going?, dans STERNBERG, R.J., LAUTREY, J. et LUBART, T.I. (dir.), *Models of Intelligence: International Perspectives*, Washington (D.C.), American Psychological Association.

STERNBERG, R.J. et POWELL, J.S. (1982). Theories of intelligence, dans STERNBERG, R.J. (dir.), *Handbook of Human Intelligence*, Cambridge, Cambridge University Press.

STEVENSON, J. (1996). Developmental changes in the mechanisms linking language disabilities and behaviour disorders, dans BEITCHMAN, J.H., COHEN, M., KONSTANTEREAS, M.M. et TANNOCK, R. (dir.), *Language, Learning and Behavior Disorders*, Cambridge, Cambridge University Press.

STEVENSON, J., PENNINGTON, B.F., GILGER, J.W., DeFRIES, J.C., et GILLIS, J.J. (1993). « Hyperactivity and spelling disability: Testing for shared genetic etiology », *Journal of Child Psychology and Psychiatry and Allied Disciplines*, 34, p. 1137 à 1152.

STIFTER, C. et FOX, N. (1986). « Preschool children's ability to indentify and label emotions », *Journal of Nonverbal Behavior*, 10, p. 255 à 266.

STOLL, C.S. (1973). *Sexism: Scientific Debates*, Reading (Mass.), Addison-Wesley.

STOLLER, R. (1978). *Presentations of Gender*, New Haven, Londres, Yale University Press.

STOLLER, R. (1989). *Masculin ou féminin?*, Paris, PUF.

STRAYER, F.F. (1984). Biological approaches to the study of the family, dans PARKE, R.D. (dir.), *Review of Child Development Research*, vol. 7, Chicago, University of Chicago Press.

STRAYER, F.F. et NOËL, J. (1986). The prosocial and antisocial functions of preschool aggression: An ethological study of triadic conflict among young children, dans ZAHN-WAXLER, C.E., CUMMINGS, E. et IANOTTI, R. (dir.), *Altruism and Aggression*, New York, University of Cambridge Press.

STRICKBERGER, M.W. (1985). *Genetics*, 3ᵉ éd., New York, Macmillan.

STRODTBECK, F., BEZDEK, W. et GOLDHAMER, D. (1970). « Male sex-role and response to a community problem », *The Sociologic Quarterly*, 11, p. 291 à 306.

STRUTT, G.F., ANDERSON, D.R. et WELL, A.D. (1975). « A developmental study of the effects of irrelevant information on speeded classification », *Journal of Experimental Child Psychology*, 20, p. 127 à 135.

SULLEROT, E. (1978). *Le fait féminin*, Paris, Fayard.

SULS, J.M. et MILLER, R.L. (1977). *Social Comparison Processes: Theorical and Empirical Perspectives*, Washington (D.C.), Hemisphere.

SULS, J.M. et MULLEN, B. (1982). From the cradle to the grave: Comparison and self-evaluation across the life-span, dans SULS, J. (dir.), *Psychological Perspectives on the Self*, vol. 1, Hillsdale (N.J.), Erlbaum.

SUOMI, S.J. et HARLOW, H.F. (1978). Early experience and social development in rhesus monkeys, dans LAMB, M.E. (dir.), *Social and Personality Development*, New York, Holt, Rinehart and Winston.

SZONDI, L. (1972). *Introduction à l'analyse du destin*, Louvain, Pathei Mathos.

TAJFEL, H. (1972). La catégorisation sociale, dans MOSCOVICI, S., *Introduction à la psychologie sociale*, vol. 1, Paris, Larousse, p. 272 à 302.

TAKAHASHI, K. (1986). « Examining the strange-situation procedure with Japanese mothers and 12-month-old infants », *Developmental Psychology*, 22, p. 265 à 270.

TANNER, J.M. (1973). Physical growth and development, dans FORFAR, J.O. et ARNEIL, G.C. (dir.), *Texbook of Pediatrics*, Londres, Churchill Livingstone.

TANNER, J.M. (1978). *Foetus into Man: Physical Growth from Conception to Maturity*, Cambridge (Mass.), Harvard University Press.

TAP, P. (1970). « Préférences et représentations des jouets chez l'enfant de trois à six ans ; étude différentielle selon le sexe », *Psychologie Française*, 15(3-4), p. 307 à 330.

TAP, P. (1974). « Identification et genèse de la personnalité. Revue critique : identification et psychanalyse », Toulouse, *Annales de l'UTM, Homo*, XIII(3), p. 70 à 100.

TAP, P. (1979a). Identità personale e identificazione, dans GIOVANINI, D. (dir.). *Identità personale. Teoria e ricerca*, Bologne, Zanichelli, p. 40 à 60.

TAP, P. (1979b). « Relations interpersonnelles et genèse de l'identité », Toulouse, *Annales de l'UTM, Homo*, XVIII, p. 7 à 43.

TAP, P. (dir.) [1980a]. *Identités collectives et changements sociaux*, Toulouse, Privat. (Deuxième édition : 1986.)

TAP, P. (dir.) [1980b]. *Identité individuelle et personnalisation*, Toulouse, Privat. (Deuxième édition : 1986.)

TAP, P. (1980c). L'identification est-elle une aliénation de l'identité ?, dans *Identité individuelle et personnalisation*, Toulouse, Privat.

TAP, P. (1983). Affectivité et socialisation chez l'enfant selon Piaget, dans NOT, L. (dir.), *Perspectives piagétiennes*, Toulouse, Privat, p. 47 à 64 et p. 76.

TAP, P. (1985). *Masculin et féminin chez l'enfant*, Toulouse, Privat.

TAP, P. (1987a). Histoire individuelle et individualisme dans l'histoire, dans « Psychisme et histoire » (POITOU, J.-P. [dir.]), *Technologies-Idéologies-Pratiques*, VIII (1-4), p. 221 à 231.

TAP, P. (1987b). « Identité, style personnel et transformation des rôles sociaux », Paris, *Bulletin de psychologie*, XL(379), p. 399 à 403.

TAP, P. (1987c). « L'enfant est-il sexiste ? Conformités de rôles et personnalisation », *Nouvelles études psychologiques* (Bulletin de l'Institut de psychologie de Bordeaux), II, p. 8 à 21.

TAP, P. (1988). *La société Pygmalion ? Intégration sociale et réalisation de la personne*, Paris, Dunod.

TAP, P. (1989a). Jean Piaget et le constructivisme relationnel, dans MALRIEU, Ph. (dir.), *Dynamiques sociales et changements personnels*, Toulouse, CNRS (Centre régional de publication), p. 189 à 218.

TAP, P. (1989b). Talcott Parsons : le changement évolutionnaire et l'individualisme institutionnel, dans MALRIEU, P. (dir.), *Dynamiques sociales et changements personnels*, Toulouse, CNRS (Centre régional de publication), p. 45 à 80.

TAP, P. (1991). Socialisation et construction de l'identité personnelle, dans MALEWSKA-PEYRE, H. et TAP, P. (dir.), *La socialisation de l'enfance à l'adolescence*, Paris, PUF, p. 49 à 73.

TAP, P. (1992). « Personnalisation et stratégies de projet », *Bulletin de l'Association des conseillers d'orientation de France*, 334, p. 4 à 35.

TAP, P. (1995). Rubrique « Identité (psychologie) », *Encyclopædia Universalis*, 11, p. 898 à 899 et p. 901.

TAP, P. (1998). Préface, dans BOLOGNINI, M. et PRÊTEUR, Y. (dir.), *Estime de soi : Perspectives développementales*, Neuchâtel et Paris, Delachaux et Niestlé, p. 9 à 30.

TAP, P. (2001). Construction de l'identité et du lien social entre 2 et 3 ans : Affirmation, caprice, agressivité ?, dans THOLLON-BÉHAR, M.P. (dir.), *Accueillir l'enfant entre 2 et 3 ans*, Toulouse, Erès, p. 31 à 54.

TAP, P., ESPARBÈS, S. et SORDES-ADER, F. (1995). « Coping et personnalisation », *Journal bulgare de psychologie*, 2, p. 59 à 80.

TAP, P., ESPARBÈS, S. et SORDES-ADER, F. (1998). « Identité et stratégies de personnalisation », *Bulletin de Psychologie*, L(428), p. 185 à 196.

TAP, P. et OUBRAYRIE, N. (1993). Projets et réalisation de soi à l'adolescence, dans Collectif, *Projets d'avenir et adolescence. Les enjeux personnels et sociaux*, Paris, A.D.A.P.T., p. 15 à 43.

TAP, P. et OUBRAYRIE-ROUSSEL, N. (1999). « Personalização et dinamica relacional » (Personnalisation et dynamique relationnelle) [en portugais et en français], *Pessoa como centro. Revista de estudos rogerianos*, Lisbonne, 4, p. 41 à 84.

TAP, P., TARQUINIO, C. et SORDES-ADER, F. (2002). Santé, maladie et identité, dans FISHER, G.N. (dir,), *Traité de psychologie de la santé*, Paris, Dunod, p. 135 à 161.

TAP, P. et VINAY, A. (2000). Dynamique des relations familiales et développement personnel à l'adolescence, dans POURTOIS, J.P. et DESMET, H. (dir.), *Le parent éducateur*, Paris, PUF, p. 87 à 157.

TAP, P. et ZAOUCHE-GAUDRON, C. (1999). Identités sexuées, socialisation et développement de la personne, dans LEMEL, Y. et ROUDET, B. (dir.), *Filles et garçons jusqu'à l'adolescence: socialisations différentielles*, Paris, L'Harmattan, p. 25 à 56.

TATTERSALL, I. (2002). *Petit traité de l'évolution*, Paris, Fayard.

TAULELLE, D. (1984). *L'enfant à la rencontre du langage*, Bruxelles, Mardaga.

TENNES, K.H. et LAMPL, C.E. (1964). « Stranger and separation in infancy », *Journal of Nervous Mental Diseases*, 139, p. 247 à 254.

TERMAN, L.M. (1916). *The Measurement of Intelligence: An Explanation of and a Complete Guide for the Use of the Stanford Revision and Extension of the Binet-Simon Intelligence Scale*, Boston, Houghton Mifflin.

TERMAN, L.M. (1921). « Intelligence and its measurement: A symposium (II) », *Journal of Educational Psychology*, 12, p. 127 à 133.

TERMAN, L.M. et MILES, C.C. (1936), *Sex and Personality. Studies in Masculinity and Feminity*, New York, McGraw-Hill.

THELEN, E. (1986). « Treadmill-elicited stepping in seven-month-old infants », *Child Development*, 57, p. 1498 à 1506.

THELEN, E. (1995). « Motor development: A new synthesis », *American Psychologist*, 50, p. 79 à 95.

THELEN, E., CORBETTA, D., KAMM, K., SPENCER, J.P., SCHNEIDER, K. et ZERNICKE, R.F. (1993). « The transition to reaching: Mapping intention and intrinsic dynamics », *Child Development*, 64, p. 1058 à 1098.

THELEN, E. et FISHER, D.M. (1982). « Newborn stepping: An explanation for a "disappearing reflex" », *Developmental Psychology*, 18, p. 760 à 775.

THELEN, E., FISHER, D.M. et RIDLEY-JOHNSON, R. (1984). « The relationship between physical growth and newborn reflex », *Infant Behavior and Development*, 7, p. 479 à 493.

THOLLON-BEHAR, M.P. (2001). *Accueillir l'enfant entre 2 et 3 ans*, Toulouse, Erès.

THOMAS, A. et CHESS, S. (1977). *Temperament and Development*, New York, Brunner/Mazel.

THOMAS, A., CHESS, S., BIRCH, H.G., HERZIG, M.E. et KORN, S. (1963). *Behavioral Individuality in Early Childhood*, New York, New York University Press.

THOMAS, J. et WILLEMS, G. (1997). *Troubles de l'attention, impulsivité et hyperactivité chez l'enfant*, Paris, Masson.

THOMAS, R.M. et MICHEL, C. (1994). *Théories du développement de l'enfant*, Bruxelles, De Boeck Université.

THOMPSON, R.A. (1998). Early sociopersonality development, dans EISENBERG, N. (dir.), *Handbook of Child Psychology*. Vol. 3: *Social, Emotional and Personality Development*, New York, Wiley.

THOMPSON, R.A., LAMB, M.E. et ESTES, D. (1982). « Stability of infant-mother attachment and its relationship to changing life circumstances in an unselected middle-class sample », *Child Development*, 53, p. 144 à 148.

THOMPSON, S.K. (1975). « Gender labels and early sex-role development », *Child Development*, 46, p. 339 à 347.

THOMPSON, S.K. et BENTLER, P.M. (1973). « A developmental study of gender constancy and parent preference », *Archives of Sexual Behavior*, 2, p. 379 à 385.

THORNDIKE, E.L. (1920). « Intelligence and its uses », *Harper's Magazine*, 140, p. 227 à 235.

THORNDIKE, L.L., HAGEN, E.P. et SATTLER, J.M. (1986). *Technical Manual for the Stanford-Binet Intelligence Scale*, 4e éd., Chicago, Riverside.

THURSTONE, L.L. (1938). *Primary Mental Abilities: Experimental Edition*, Chicago, Science Research Associates.

TINCOFF, R. et JUSCZYK, P.W. (1999). « Some beginnings of word comprehension in 6-month-olds », *Psychological Science*, 10, p. 172 à 175.

TOBIN-RICHARDS, M., BOXER, A.O. et PETERSEN, A.C. (1984). The psychological impact of pubertal change: Sex differences in perceptions of self during early adolescence, dans BROOKS-GUNN, J. et PETERSEN, A.C. (dir.), *Girls at Puberty: Biological, Psychological, and Social Perspectives*, New York, Plenum.

TOLAN, P.H., GORMAN-SMITH, D. et HENRY, D.B. (2003). « The developmental ecology of urban male youth violence », *Developmental Psychology*, 39, p. 274 à 291.

TOPAL, J., MIKLOSI, A., CSANYI, V. et DOKA, A. (1998). « Attachment behavior in dogs (canis familiaris). A new application of Ainsworth's (1969) strange situation test », *Journal of Comparative Psychology*, 112, p. 219 à 229.

TOURIGNY, M., MAYER, M., WRIGHT, J., LAVERGNE, C., BOUCHARD, C., CHAMBERLAND, C. et CLOUTIER, R. (2002). *Étude sur l'incidence et les caractéristiques des situations d'abus, de négligence, d'abandon et de troubles de comportement sérieux signalées à la Direction de la protection de la jeunesse au Québec*, Montréal, Centre de liaison sur l'intervention et la prévention psychosociales (CLIPP).

TRAN-THONG (1970). *Stades et concept de stade de développement de l'enfant dans la psychologie contemporaine*, Paris, Vrin. (Première édition : 1967.)

TREMBLAY, R., FAVARD, A.-M. et JOST, R. (1985). *Le traitement d'adolescents délinquants*, Paris, Fleurus.

TRONICK, E.Z. (1989). « Emotions and emotional communication in infants », *American Psychologist,* 44, p. 112 à 119.

TRUE, M. (1994). *Mother-Infant Attachment and Communication among the Dogon of Mali*, thèse de doctorat non publiée, Berkeley, University of California.

TUNMER, W.E. et BOWEY, J.A. (1984). Metalinguistic awareness and reading acquisition, dans TUMNER, W.E., PRATT, C. et HERRIMAN, M.L. (dir.), *Metalinguistic Awareness in Children : Theory, Research and Implications*, New York, Springler-Verlag.

TURCOTTE, D., BEAUDOIN, A., CHAMPOUX, L. et ST-AMAND, L. (2002). « La médiation et l'ajustement à la rupture d'union : l'impact de la loi québécoise concernant la médiation familiale », *Revue canadienne de santé mentale communautaire*, supplément spécial nº 4, p. 49 à 72.

TURKINGTON, C. (1987). « Special talents », *Psychology Today,* 21(9), p. 42 à 46.

UNICEF (2003). « Maternal malnutrition and low birth weight », *Nutrition*.
Sur Internet : http://www.unicef.org/nutrition/index_lowbirth weight.html

UNSCEAR (2001). « Hereditary effects of radiation », Report to the General Assembly with Scientific Annex, New York, United Nations.

VALIAN, V. (1986). « Syntactic categories in the speech of young children », *Developmental Psychology,* 22, p. 562 à 569.

VAN DEN BOOM, D. (1990). Preventive interventions and the quality of mother-infant interaction and infant exploration in irritable infants, dans KOOPS, W. et autres (dir.), *Developmental Psychology behind the Dikes*, Amsterdam, Eburon, p. 249 à 270.

VAN GOOZEN, S.H.M., SLABBEKOORN, D., GOOREN, L.J.G., SANDERS, G. et COHEN-KETTENIS, P.T. (2002). « Organizing and activating effects of sex hormones in homosexual transsexuals », *Behavioral Neuroscience*, 116, p. 982 à 988.

VAN HOUT, A. et ESTIENNE, F. (1994). *Les dyslexies : écrire, évaluer, comprendre, traiter*, Paris, Masson.

VAN IJZENDOORN, M. et KROONENBERG, P. (1988). « Cross-cultural patterns of attachment : A meta-analysis of the strange situation », *Child Development*, 58, p. 147 à 156.

VAN IJZENDOORN, M.H. et SAGI, A. (1999). Cross-cultural patterns of attachment : Universal and contextual dimensions, dans CASSIDY, J. et SHAVER, P.R. (dir.), *Handbook of Attachment : Theory, Research, and Clinical Applications*, New York, Guilford Press, p. 713 à 734.

VANDELL, D.L. et WILSON, K.S. (1987). « Infants' interactions with mother, sibling and peer : Contrasts and relations between interaction systems », *Child Development*, 58, p. 156 à 186.

VANDELL, D.L., WILSON, K.S. et BUCHANAN, N.R. (1980). « Peer interaction in the first year of life : An examination of its structure, content and sensitivity to toys », *Child Development*, 51, p. 481 à 488.

VANDENPLAS-HOLPER, C. (1979). *Éducation et développement social de l'enfant*, Paris, PUF. (Deuxième édition augmentée et mise à jour : 1987.)

VANDENPLAS-HOLPER, C. (1998). *Le développement psychologique à l'âge adulte et pendant la vieillesse. Maturité et sagesse*, Paris, PUF.

VANGIJSEGHEM, H. (1995). « L'enfant victime de la fausse allégation d'abus sexuel », *Journal de droit des jeunes*, 148, p. 363 à 365.

VASTA, R., MILLER, S.A. et ELLIS, S. (2004). *Child Psychology*, 4e éd., New York, Wiley.

VELTING, O.N., et ALBANO, A.-M. (2001). « Current trends in the understanding and treatment of social phobia in youth », *Journal of Child Psychology and Psychiatry*, 42, p. 127 à 140.

VENTER, J.C. et autres (2001). « The sequence of the human genome », *Science*, 291, p. 1304 à 1351.

VINAY, A. (2001). *Entre stratégies d'attachement et stratégies de coping : une identité en construction chez les adolescents adoptés*, thèse de psychologie, Université de Toulouse-Le Mirail.

VINAY, A., ESPARBÈS-PISTRE, S. et TAP, P. (2000). « Attachement et stratégies de coping chez l'individu résilient », *Revue internationale de l'éducation familiale*, 4(1), p. 9 à 35.

VION, M. et COLAS, A. (1998). « L'introduction des référents dans le discours en français : contraintes cognitives et développement des compétences narratives », *L'Année psychologique*, 98, p. 37 à 59.

VON FRISCH, K. (1956). *Bees : Their Vision, Chemical Senses, and Language,* Ithaca (N.Y.), Cornell University Press.

VON FRISCH, K. (1993). *The Dance Language and Orientation of Bees,* Cambridge (Mass.), Harvard University Press.

VON HOFSTEN, C. (1979). « Development of visually guided reaching : The approach phase », *Journal of Human Movement Studies,* 5, p. 160 à 178.

VON HOFSTEN, C. (1982). « Eye-hand coordination in the newborn », *Developmental Psychology,* 18, p. 450 à 461.

VON HOFSTEN, C. (1991). « Structuring of early reaching movement : A longitudinal study », *Journal of Motor Behavior,* 23, p. 280 à 292.

VONÈCHE, J. (1999). The origin of Piaget's ideas about genesis and development, dans SCHOLNICK, E.K., NELSON, K., GELMAN, S.A. et MILLER, P.H. (dir.), *Conceptual Development : Piaget's Legacy,* Mahwah (N.J.), Erlbaum.

VURPILLOT, E. (1968). « The development of scanning strategies and their relation to visual differenciation », *Journal of Experimental Child Psychology,* 6, p. 632 à 650.

VYGOTSKY, L.S. (1962). *Thought and Language,* Cambridge (Mass.), M.I.T. Press.

VYGOTSKY, L.S. (1978). *Mind in Society : The Development of Higher Psychological Processes,* Cambridge (Md.), Harvard University Press.

VYGOTSKY, L.S. (1997). *Pensée et langage,* 3e éd., traduction de Françoise Sève, Paris, La Dispute.

WACHS, T.D. (1999). The what, why, and how of temperament : A piece of the action, dans BALTER, L. et TAMIS-LEMONDA, C.S. (dir.), *Child Psychology : A Handbook of Contemporary Issues,* Philadelphie (Penn.), Psychology Press.

WAHLER, R.G. et DUMAS, J.E. (1987). Family factors in childhood psychopathology : Toward a coercion neglect model, dans JACOB, T. (dir.), *Family Interaction and Psychopathology,* New York, Plenum Press.

WAINER, H. (2000). *Computerized Adaptive Testing : A Primer,* 2e éd., Saint Paul (Minn.), Assessment Systems Corporation.

WALDROP, M.F., BELL, R.Q., McLAUGHLIN, B. et HALVERSON, C.F., jr. (1978). « Newborn minor physical anomalies predict short attention span, peer agression, and impulsivity at age 3 », *Science,* 199, p. 563-564.

WALDROP, M.F., et HALVERSON, C.F., jr. (1971a). Minor physical anomalies and hyperactive behavior in young children, dans HELLMUTH, J. (dir.), *Exceptional Infant Studies in Abnormalities,* New York, Brunner-Mazel.

WALDROP, M.F., et HALVERSON, C.F., jr. (1971b). Minor physical anomalies : Their incidence and relation to behavior normal and deviant sample, dans SMART, R.C. et SMART, M.S. (dir.), *Reading in Development and Relationships,* New York, MacMillan.

WALLERSTEIN, J. et KELLY, J. (1994). *Surviving the Breakup : How Children and Parents Cope with Divorce,* édition révisée, New York, Basic Books.

WALLERSTEIN, J., LEWIS, J. et BLAKESLEE, S. (2000). *The Unexpected Legacy of Divorce : A 25-Year Landmark Study,* New York, Hyperion.

WALLON, H. (1925). *Stades et troubles du développement psycho-moteur et mental chez l'enfant,* Paris, Alcan.

WALLON, H. (1928). « L'autisme du malade et l'égocentrisme enfantin : interventions aux discussions sur la thèse de Piaget », *Bulletin de la Société française de philosophie,* 28, p. 131 à 136.

WALLON, H. (1931). « Comment se développe chez l'enfant la notion de corps propre », *Journal de psychologie normale et pathologique,* p. 705 à 748. (Reproduit dans *Enfance,* 1963, 1-2, p. 121 à 150.)

WALLON, H. (1938). La vie mentale de l'enfance à la vieillesse, *Encyclopédie Française,* tome VIII, Paris, Larousse.

WALLON, H. (1942). *De l'acte à la pensée,* Paris, Flammarion.

WALLON, H. (1945). *Les origines de la pensée chez l'enfant,* Paris, PUF.

WALLON, H. (1954a). « Kinesthésie et image visuelle du corps propre chez l'enfant », *Bulletin de psychologie,* VII(5), p. 239 à 246.

WALLON, H. (1954b). « Les milieux, les groupes et la psychogenèse de l'enfant », *Cahiers internationaux de sociologie,* p. 287 à 296. (Reproduit dans *Enfance,* 1976, p. 95 à 104.)

WALLON, H. (1957). *L'évolution psychologique de l'enfant,* 5e éd., Paris, Armand Colin. (Édition originale : 1941.)

WALLON, H. (1963). « Les références de la pensée courante chez l'enfant », *Enfance,* 1-2, p. 151 à 162.

WALLON, H. (1976a). « Importance du mouvement dans le développement psychologique de l'enfant », *Enfance*, p. 43 à 47. (Article paru en 1956 dans *Enfance*, 2.)

WALLON, H. (1976b). « L'évolution dialectique de la personnalité », *Enfance*, p. 305 à 311. (Article paru en 1951 dans *Dialectica*.)

WALLON, H. (1976c). La psychologie génétique », *Enfance*, p. 28 à 39. (Article paru en 1956 dans *Bulletin de psychologie*, X[1].)

WALLON, H. (1976d). « Le rôle de l'autre dans la conscience du moi », *Enfance*, p. 87 à 94. (Article paru en 1946 dans le *Journal égyptien de psychologie*, 2[1], p. 279 à 286.)

WALLON, H. (1976e). « Les étapes de la personnalité chez l'enfant », *Enfance*, p. 335 à 340. (Article paru en 1956 dans OSTERRIETH, P., PIAGET, J., DE SAUSSURE, R., TANNER, J.M., WALLON, H. et ZAZZO, R. [dir.], *Le problème des stades en psychologie de l'enfant* [Symposium de l'Association de la psychologie scientifique de langue française], p. 73 à 79.)

WALLON, H. (1976f). « Les étapes de la sociabilité chez l'enfant, *Enfance*, p. 117 à 131. (Article paru en 1952 dans *L'école libérée*, p. 309 à 323.)

WALLON, H. (1976g). *Les origines du caractère chez l'enfant*, 6e éd., Paris, PUF.

WALLON, H. (1976h). « Niveaux et fluctuations du moi », *Enfance*, p. 349 à 359. (Article paru en 1956 dans *Évolution psychiatrique*, 1.)

WALLON, H. (1976i). « Psychologie et éducation de l'enfance » et « Buts et méthodes de la psychologie », *Enfance*, numéro spécial, p. 3 à 258 et p. 259 à 433. (Articles parus dans *Enfance* en 1959 (3-4, p. 195 à 449) et en 1963 (1-2, p. 3 à 171.)

WANSKA, S.K. et BEDROSIAN, J.L (1985). « Conversational structure and topic performance in mother-child interaction », *Journal of Speech and Hearing Research*, 28, p. 579 à 584.

WATERS, E. (1978). « The reliability and stability of individual differences in infant-mother attachment », *Child Development*, 49, p. 483 à 494.

WATERS, E. et DEANE, K.E. (1985). Defining and assessing individual differences in attachment relationships: Q-methodology and the organization of behavior in infancy and early childhood, dans BRETHERTON, I. et WATERS, E. (dir.), *Growing Points in Attachment Theory and Research, Monographs of the Society for Research in Child Development*, 50, p. 41 à 65.

WATERS, E., WIPPMAN, J. et SROUFE, L.A. (1979). « Attachment, positive affect, and competence in the peer group: Two studies in construct validation », *Child Development*, 50, p. 821 à 829.

WATSON, J.B. (1928). *Psychological Care of Infant and Child*, New York, Norton.

WATSON, J.D. (2003). *DNA: The Secret of Life*, New York, Alfred A. Knopf.

WATSON, J.D. et CRICK, F.C. (1953). « Molecular structure of nucleic acids: A structure for deoxyribose nucleic acids », *Nature*, 171, p. 737 à 738.

WEBSTER, W.S. (1998) « Teratogen update: Congenital rubella », *Teratology*, 58, p. 13 à 23.

WECHSLER, D. (1989). *Wechsler Preschool and Primary Scale of Intelligence – Revised*, San Antonio (Calif.), The Psychological Corporation.

WECHSLER, D. (1991). *Manual for the Wechsler Intelligence Scale for Children (WISC-III)*, 3e éd., San Antonio (Tex.), The Psychological Corporation.

WEIZMAN, Z.O. et SNOW, C.E. (2001). « Lexical input as related to children's vocabulary acquisition effects of sophisticated exposure and support for meaning », *Developmental Psychology*, 37, p. 265 à 279.

WELLMAN, H.M. et BANERJEE, M. (1991). « Mind and emotion: Children's understanding of the emotional consequences of beliefs and desires », *British Journal of Developmental Psychology*, 9, p. 191 à 214.

WELLMAN, H.M., HARRIS, P.L., BANERJEE, M. et SINCLAIR, A. (1995). « Early understanding of emotion: Evidence from natural language », *Cognition and Emotion*, 9, p. 117 à 149.

WENDER, P.H., ROSENTHAL, D., KETY, S.S., SCHULSINGER, S. et WELNER, J. (1974). « Cross-fostering: A research strategy for clarifying the role of genetic and experimental factors in the ethiology of schizophrenia », *Archives of General Psychiatry*, 30, p. 121 à 128.

WERNER, E.E. (1995). « Resilience in development », *Current Directions in Psychological Science, American Psychological Society*, 4, p. 81 à 85.

WERNER, H. (1957). The concept of development from a comparative and organismic point of view, dans HARRIS, D. (dir.), *The Concept of Development*, Minneapolis (Minn.), University of Minnesota Press.

WHITE, B.L., CASTLE, P. et HELD, R. (1964). « Observations of the development of visually-directed reaching », *Child Development*, 35, p. 349 à 364.

WHITEHURST, G.J. et autres (1994). « A picture book reading intervention in day care and home for children from low-income families », *Developmental Psychology*, 30, p. 679 à 689.

WICKETT, J.C. et VERNON, P.A. (1994). « Peripheral nerve conduction velocity, reaction time, and intelligence : An attempt to replicate Vernon and Mori », *Intelligence*, 18, p. 127 à 132.

WIDEN, S.C. et RUSSELL, J.A. (2003). « A closer look at preschoolers' freely produced labels for facial expressions », *Developmental Psychology*, 39, p. 114 à 128.

WILLIAMS, Q.M. et CECI, S.J. (1997). « Are Americans becoming more or less alike ? Trends in race, class and ability differences in intelligence », *American Psychologist*, 52, p. 1226 à 1235.

WILLIAMS, S.L. et CERVONE, D. (1998). Social cognitive theory, dans BARONE, D., HERSEN, M. et VAN HASSELT, V.B. (dir.), *Advanced Personality*, New York, Plenum.

WILSON, J.G. (1977). Current status of teratology, dans WILSON, J.G. et FRASER, F.C. (dir.), *Handbook of Teratology*, vol. 1, New York, Plenum Press, chap. 2, p. 47 à 74.

WILSON, J.G. et FRASER, F.C. (1977). *Handbook of Teratology*, vol. 1, New York, Plenum Press.

WILSON, R.S. (1983). « The Louisville twin study : Developmental synchronies in behavior », *Child Development*, 54, p. 298 à 316.

WINNICOTT, D.W. (1958). *Collected Papers : Through paediatrics to Psycho-analysis*, Londres, Tavistock.

WINNICOTT, D.W. (1969a). *De la pédiatrie à la psychanalyse*, Paris, Payot.

WINNICOTT, D.W. (1969b). Objets transitionnels et phénomènes transitionnels, dans *De la pédiatrie à la psychanalyse*, Paris, Payot, p. 109 à 125.

WINNICOTT, D.W. (1975). *Jeu et réalité. L'espace potentiel*, Paris, Gallimard.

WITKIN, H.A. et GOODENOUGH, D.R. (1981). « Cognitive styles : Essence and origins », *Psychological Issues*, monographie n° 51.

WITKIN, H.A., MEDNICK, S.A., SCHULSINGER, F., BAKKESTROM, E., CHRISTIANSEN, K.O., GOODENOUGH, D.R., HIRCHHORN, K., LUNSTEEN, C., OWEN, D.R., PHILLIP, J., RUBEN, D.B. et

STOCKING, M. (1976). « Criminality in XYY and XXY men », *Science*, 193, p. 547 à 555.

WOLFF, P.H. (1966). « The causes, controls, and organization of behavior in the neonate », *Psychological Issues*, 5, monographie n° 17.

WOLKOW, K.E. et FERGUSON, H.B. (2001). « Community factors in the development of resiliency : Considerations and future directions », *Community Mental Health Journal*, 37, p. 489 à 498.

WOOD, J.V. (1989). « Theory and research concerning social comparisons of personal attributes », *Psychological Bulletin*, 106, p. 231 à 248.

WYLIE, R. (1974). *The Self-concept*, vol. 1 : *A Review of Methodological Considerations and Measuring Instruments*, 2e éd. revue, Lincoln, University of Nebraska Press.

YEGIN, Z. (1986). L'intégration des enfants ayant des troubles légers d'apprentissage, dans LAVALLÉE, M. (dir.), *Les conditions d'intégration des enfants en difficulté d'adaptation et d'apprentissage*, Québec, Presses de l'Université du Québec.

ZAICHKOWSKY, L.D., ZAICHKOWSKY, 1.B. et MARTINEK, T.J. (1980). *Growth and Development : The Child and Physical Activity*, Saint Louis et Toronto, C.V. Mosby Co.

ZANI, B. (2002). Théories et modèles en psychologie de la santé, dans FISHER, G.N. (dir.), *Traité de psychologie de la santé*, Paris, Dunod, p. 21 à 46.

ZAOUCHE-GAUDRON, C. (1995). *Analyse des processus de subjectivation et de sexuation au travers de la relation père-bébé*, thèse de doctorat Nouveau régime, Université de Toulouse-Le-Mirail.

ZAZZO, B. (1969). Le dynamisme évolutif : genèse des valeurs du moi chez l'enfant étudiée à travers ses représentations de l'évolution, dans ZAZZO, R. (dir.), *Des garçons de 6 à 12 ans*, Paris, PUF.

ZAZZO, R. (1948). « Image du corps et conscience de soi : matériaux pour l'étude objective de la conscience », *Enfance*, 1, p. 29 à 43. (Reproduit dans *Conduites et conscience*, Neuchâtel, Delachaux et Niestlé, 1962, 1, p. 163 à 180.)

ZAZZO, R. (1960). *Les jumeaux, le couple et la personne*, vol. 1 : *L'individuation somatique* ; vol. 2 : *L'individuation psychologique*, Paris, PUF.

ZAZZO, R. (1962). *Conduites et conscience*, vol. 1 : *Psychologie de l'enfant et méthode génétique*, Neuchâtel, Delachaux et Niestlé.

ZAZZO, R. (dir.) [1969]. *Des garçons de 6 à 12 ans*, Paris, PUF.

ZAZZO, R. (1973a). *À travers le miroir* (film 16 mm), réalisateur J.P. Dalle, Paris, Service du film de Recherche scientifique, disponible CNRS-Audio-visuel, 1, Place A. Briand, 92125 Meudon Principal Cedex.

ZAZZO, R. (1973b). La personne et les rôles chez l'enfant, dans MEYERSON, I. (dir.), *Problèmes de la personne,* Paris, Mouton, p. 407 à 419. (Également publié en 1962 dans *Conduites et conscience,* vol. 1, Neuchâtel, Delachaux et Niestlé, p. 276 à 285.)

ZAZZO, R. (dir.) [1974a]. *L'attachement,* Neuchâtel, Delachaux et Niestlé.

ZAZZO, R. (1974b). L'évolution de l'enfant et de l'adolescent: facteurs et dynamique de l'évolution, dans MIALARET, G. (dir.), *Traité des sciences pédagogiques,* tome 4: *Psychologie de l'éducation,* Paris, PUF, p. 27 à 59.

ZAZZO, R. (1975). La genèse de la conscience de soi (la reconnaissance de soi dans l'image du miroir), dans ANGELERGUES, R. et autres (dir.), *Psychologie de la connaissance de soi,* Paris, PUF, p. 145 à 213.

ZAZZO, R. (1976). *C'est moi quand même* (film), réalisateur J.D. Lajoux, disponible chez CNRS-Audio-visuel, 1, Place A. Briand, 92125 Mcudon Principal Cedex.

ZAZZO, R. (1980). Les dialectiques originelles de l'identité, dans TAP, P. (dir.), *Identité individuelle et personnalisation,* Toulouse, Privat, p. 207 à 218.

ZAZZO, R. (1981a). *L'image qui devient un reflet* (film), réalisateur J.D. Lajoux, disponible chez CNRS-Audio-visuel, Place A. Briand, 92125 Meudon Principal Cedex.

ZAZZO, R. (1981b). *Miroirs, images, espaces. La reconnaissance de son image chez l'enfant et chez l'animal,* Neuchâtel, Delachaux et Niestlé.

ZAZZO, R. (1982). *Un autre, pas comme les autres* (film), réalisateur J.D. Lajoux, disponible chez CNRS-Audio-visuel, 1, Place A. Briand, 92125 Meudon Principal Cedex.

ZAZZO, R. (1985). Préface, dans TAP, P., *Masculin et féminin chez l'enfant,* Toulouse, Privat, p. IX à XII.

ZAZZO, R. (1988). Le miroir chez l'enfant et l'animal, dans CYRULNIK, B., *Le visage,* Paris, Estrel, p. 21 à 30.

ZELAZO, P., ZELAZO, N. et KOLB, S. (1972). « Walking in the newborn », *Science,* 176, p. 314 à 315.

ZIGLER, E. et HODAPP, R.M. (1986). *Understanding Mental Retardation,* Cambridge (Royaume-Uni), Cambridge University Press.

ZLOTOWICZ, M. (1974). *Les peurs enfantines,* Paris, PUF.

ZLOTOWICZ, M. (1978). *Les cauchemars de l'enfant,* Paris, PUF.

# Index des auteurs

# Index des sujets

## Photographies et illustrations

Les auteurs remercient toutes les personnes qui ont consenti à ce que leur photo soit reproduite dans cet ouvrage.